le Guide du routard

Directeur de collection et auteur
Philippe GLOAGUEN

Cofondateurs
Philippe GLOAGUEN

Rédacteur en chef
Pierre JOSSE

Rédacteurs en chef adjoints
Amanda KERAVEL et Benoît LUCCHINI

Directrice de la coordination
Florence CHARMETANT

Directeur de routard.com
Yves COUPRIE

Rédaction
Olivier PAGE, Véronique de CHARDON,
Isabelle AL SUBAIHI, Anne-Caroline DUMAS,
Carole BORDES, Bénédicte BAZAILLE,
André PONCELET, Marie BURIN des ROZIERS,
Thierry BROUARD, Géraldine LEMAUF-BEAUVOIS,
Anne POINSOT, Mathilde de BOISGROLLIER,
Gavin's CLEMENTE-RUÏZ, Alain PALLIER
et Fiona DEBRABANDER

CUBA

2005

Hachette

Avis aux hôteliers et aux restaurateurs

Les enquêteurs du *Guide du routard* travaillent dans le plus strict anonymat, afin de préserver leur indépendance et l'objectivité des guides. Aucune réduction, aucun avantage quelconque, aucune rétribution ne sont jamais demandés en contrepartie. Face aux aigrefins, la loi autorise les hôteliers et restaurateurs à porter plainte.

Hors-d'œuvre

Le *GDR,* ce n'est pas comme le bon vin, il vieillit mal. On ne veut pas pousser à la consommation, mais évitez de partir avec une édition ancienne. D'une année sur l'autre, les modifications atteignent et dépassent souvent les 40 %.

Spécial copinage

Le Bistrot d'André : 232, rue Saint-Charles, 75015 Paris. ☎ 01-45-57-89-14. Ⓜ Balard. À l'angle de la rue Leblanc. Fermé le dimanche. Menu à 12,50 € servi le midi en semaine uniquement. Menu-enfants à 7 €. À la carte, compter autour de 22 €. L'un des seuls bistrots de l'époque Citroën encore debout, dans ce quartier en pleine évolution. Ici, les recettes d'autrefois sont remises à l'honneur. Une cuisine familiale, telle qu'on l'aime. Des prix d'avant-guerre pour un magret de canard poêlé sauce au miel, rognon de veau aux champignons, poisson du jour... Kir offert à tous les amis du *Guide du routard.*

ON EN EST FIER : www.routard.com

Tout pour préparer votre voyage en ligne, de A comme argent à Z comme Zanzibar : des fiches pratiques sur 125 destinations (y compris les régions françaises), nos tuyaux perso pour voyager, des cartes et des photos sur chaque pays, des infos météo et santé, la possibilité de réserver en ligne son visa, son vol sec, son séjour, son hébergement ou sa voiture. En prime, *routard mag,* véritable magazine en ligne, propose interviews de voyageurs, reportages, carnets de route, événements culturels, dossiers pratiques, produits nomades, fêtes et infos du monde. Et bien sûr : des concours, des *chats,* des petites annonces, une boutique de produits voyages...

Mille excuses, on ne peut plus répondre individuellement aux centaines de CV reçus chaque année.

Le contenu des annonces publicitaires insérées dans ce guide n'engage en rien la responsabilité de l'éditeur.

Cartographie Hachette Tourisme.

TABLE DES MATIÈRES

COMMENT Y ALLER?

GÉNÉRALITÉS

LA HAVANE ET SES ENVIRONS

L'OUEST DE CUBA

LES PLAGES DE L'EST

LA PÉNINSULE DE ZAPATA

LE CENTRE DE L'ÎLE

L'ORIENTE

LES ÎLES CUBAINES

NOS NOUVEAUTÉS

FINLANDE (avril 2005)

Des forêts, des lacs, des marais, des rivières, des forêts, des marais, des lacs, des forêts, des rennes, des lacs... et quelques villes perdues au milieu des lacs, des forêts, des rivières... Voici un pays guère comme les autres, farouchement indépendant, qui cultive sa différence et sa tranquillité. Coincée pendant des siècles entre deux États expansionnistes, la Finlande a longtemps eu du mal à asseoir sa souveraineté et à faire valoir sa culture. Or, depuis plus d'un demi-siècle, le pays accumule les succès. Il a construit une industrie flambant neuve, qui l'a hissé parmi les nations les plus développées. Tous ces progrès sont équilibrés par une qualité de vie exceptionnelle. La Finlande a bâti ses villes au milieu des forêts, au bord des lacs, dans des sites paisibles et aérés. Il faut visiter les villes bien sûr, elles vous aideront à comprendre ce mode de vie tranquille et c'est là que vous ferez des rencontres. Mais les vraies merveilles se trouvent dans la nature. Alors empruntez les chemins de traverse, créez votre itinéraire, explorez, laissez-vous fasciner par cette nature gigantesque, sauvage et sereine. Vous ne le regretterez pas.

NOS MEILLEURES FERMES-AUBERGES EN FRANCE (janvier 2005)

En ces périodes de doute alimentaire, quoi de plus rassurant que d'aller déguster des produits fabriqués sur place ? La ferme-auberge, c'est la garantie de retrouver sur la table les bons produits de la ferme. Ce guide propose une sélection des meilleures tables sur toute la France, ainsi qu'une sélection d'adresses où sont vendus des produits du terroir. Ici, pas d'intermédiaire, et on passe directement du producteur au consommateur. Pas d'étoile, pas de chefs renommés, mais une qualité de produits irréprochable. Des recettes traditionnelles, issues de la culture de nos grands-mères, vous feront découvrir la cuisine des régions de France. Au programme ? Pintade au chou, lapin au cidre, coq au vin, confit de canard, potée, aligot, ficelle picarde, canard aux navets... Bref, un véritable tour de France culinaire de notre bonne vieille campagne.

NOS NOUVEAUTÉS

AFRIQUE DU SUD (oct. 2004)

Qui aurait dit que ce pays, longtemps mis à l'index des nations civilisées, parviendrait à chasser ses vieux démons et retrouverait les voies de la paix civile et la respectabilité ? Le régime de ségrégation raciale (l'apartheid), en vigueur depuis 1948, a été aboli le 30 juin 1991. En 1994 – c'était il y a 10 ans – les Sud-Africains participaient aux premières élections démocratiques et multiraciales jamais organisées dans leur pays. Après 26 années de détention, le prisonnier politique le plus célèbre du monde, Nelson Mandela, devenait le chef d'État le plus admiré de la planète. La mythique « Nation Arc-en-Ciel » connaissait un véritable état de grâce. Pendant un temps, le destin de l'Afrique du Sud fut entre les mains de trois prix Nobel. Le pays se rangea dans la voie de la réconciliation. Même si ce processus va encore demander du temps, une décennie après, l'Afrique du Sud, devenue une société multiraciale, continue d'étonner le monde.
L'Afrique du Sud n'a jamais été aussi captivante. Voilà un pays exceptionnel baigné par deux océans (Atlantique et Indien), avec d'époustouflants paysages africains.
Des quartiers branchés de Cape Town aux immenses avenues de Johannesburg, des musées de Pretoria à la route des Jardins, du macadam urbain à la brousse tropicale, ce voyage est un périple aventureux où tout est variété, vitalité, énergie ; où rien ne laisse indifférent. Des huttes du Zoulouland aux *lodges* des grands parcs, que de contrastes ! N'oubliez pas les bons vins de ce pays gourmand qui aime aussi la cuisine élaborée. Les plus aventureux exploreront la Namibie, plus vraie que nature, où un incroyable désert de sable se termine dans l'océan. Et ne négligez pas les petits royaumes hors du temps : le Swaziland et le Lesotho.

ISLANDE (mars 2005)

Terre des extrêmes et des contrastes, à la limite du cercle polaire, l'Islande est avant tout l'illustration d'une fabuleuse leçon de géologie. Volcans, glaciers, champs de lave, geysers composent des paysages sauvages qui, selon le temps et l'éclairage, évoquent le début ou la fin du monde. À l'image de son relief et de ses couleurs tranchées et crues, l'Islande ne peut inspirer que des sentiments entiers. Près de 300 000 habitants y vivent, dans de paisibles villages côtiers, fiers d'être ancrés à une île dont la découverte ne peut laisser indifférent. Fiers de descendre des Vikings, en ligne directe. Une destination unique donc (et on pèse nos mots) pour le routard amoureux de nature et de solitude, dans des paysages grandioses dont la mémoire conservera longtemps la trace après le retour.

LES GUIDES DU ROUTARD 2005-2006

(dates de parution sur **www.routard.com**)

France

- Alpes
- Alsace, Vosges
- Aquitaine
- Ardèche, Drôme
- Auvergne, Limousin
- **Bordeaux (mars 2005)**
- Bourgogne
- Bretagne Nord
- Bretagne Sud
- Chambres d'hôtes en France
- Châteaux de la Loire
- Corse
- Côte d'Azur
- **Fermes-auberges en France (fév. 2005)**
- Franche-Comté
- Hôtels et restos en France
- Île-de-France
- Junior à Paris et ses environs
- Junior en France
- Languedoc-Roussillon
- **Lille (mai 2005)**
- Lyon
- Marseille
- Midi-Pyrénées
- Montpellier
- Nice
- Nord-Pas-de-Calais
- Normandie
- Paris
- Paris balades
- Paris exotique
- Paris la nuit
- Paris sportif
- Paris à vélo
- Pays basque (France, Espagne)
- Pays de la Loire
- Petits restos des grands chefs
- Poitou-Charentes
- Provence
- Restos et bistrots de Paris
- Le Routard des amoureux à Paris
- Toulouse
- Week-ends autour de Paris

Amériques

- Argentine
- Brésil
- Californie
- Canada Ouest et Ontario
- Chili et île de Pâques
- Cuba
- Équateur
- États-Unis, côte Est
- Floride, Louisiane
- Guadeloupe, Saint-Martin, Saint-Barth
- Martinique, Dominique, Sainte-Lucie
- Mexique, Belize, Guatemala
- New York
- Parcs nationaux de l'Ouest américain et Las Vegas
- Pérou, Bolivie
- Québec et Provinces maritimes
- Rép. dominicaine (Saint-Domingue)

Asie

- Birmanie
- Cambodge, Laos
- Chine (Sud, Pékin, Yunnan)
- Inde du Nord
- Inde du Sud
- Indonésie
- Israël
- Istanbul
- Jordanie, Syrie
- Malaisie, Singapour
- Népal, Tibet
- Sri Lanka (Ceylan)
- Thaïlande
- Turquie
- Vietnam

Europe

- Allemagne
- Amsterdam
- Andalousie
- Andorre, Catalogne
- Angleterre, pays de Galles
- Athènes et les îles grecques
- Autriche
- Baléares
- Barcelone
- Belgique
- Crète
- Croatie
- Écosse
- Espagne du Centre (Madrid)
- Espagne du Nord-Ouest (Galice, Asturies, Cantabrie)
- **Finlande (avril 2005)**
- **Florence (mars 2005)**
- Grèce continentale
- **Hongrie, République tchèque, Slovaquie (avril 2005)**
- Irlande
- **Islande (mars 2005)**
- Italie du Nord
- Italie du Sud
- Londres
- Malte
- Moscou, Saint-Pétersbourg
- Norvège, Suède, Danemark
- Piémont
- **Pologne et capitales baltes (avril 2005)**
- Portugal
- Prague
- Rome
- **Roumanie, Bulgarie (mars 2005)**
- Sicile
- Suisse
- Toscane, Ombrie
- Venise

Afrique

- Afrique noire
- **Afrique du Sud (oct. 2004)**
- Égypte
- Île Maurice, Rodrigues
- Kenya, Tanzanie et Zanzibar
- Madagascar
- Maroc
- Marrakech et ses environs
- Réunion
- Sénégal, Gambie
- Tunisie

et bien sûr...

- Le Guide de l'expatrié
- Humanitaire

NOS NOUVEAUTÉS

FLORENCE (mars 2005)

Florence, l'une des plus belles villes d'Italie, symbole éclatant de l'art toscan du Moyen Âge à la Renaissance. Peu d'endroits au monde peuvent se vanter d'une telle concentration de chefs-d'œuvre, s'enorgueillir d'avoir donné autant de génies : Michel-Ange, Botticelli, Dante et tant d'autres... Mais Florence n'est pas seulement une ville-musée, c'est aussi un endroit où les gens vivent et s'amusent.
Perdez-vous dans les ruelles de l'Oltrarno du côté de San Niccolo ou de Santa Croce, des quartiers encore méconnus des touristes mais peut-être plus pour longtemps. Et pour guide d'introduction à la gastronomie locale, ne manquez surtout pas les marchés de San Lorenzo et de Sant'Ambrogio. Faites-y le plein de cochonnailles, de fromages et de légumes. Et si le désir de découvrir les vins de la région vous prend (grand bien vous fasse !), attablez-vous dans une *enoteca* (bar à vin) pour déguster un *montanine,* accompagné d'*antipasti* dont seuls les Italiens du cru ont le secret !
Et quand vient le soir, partez à la découverte de la vie nocturne, de ses rues mystérieuses. Des quartiers endormis se réveillent, s'échauffent... Laissez libre cours à vos envies...

LILLE (mai 2005)

Lille, ville triste, grise, laminée par la crise ? Que de poncifs, que de lieux communs ! Peu de villes ont autant changé en une vingtaine d'années. De son centre médiéval à ses banlieues de brique, Lille a vécu (et vit toujours) une métamorphose formidable, dépoussiérant les façades flamandes de la Grand-Place et du vieux Lille, dressant d'aventureux immeubles au cœur du futuriste quartier d'Euralille. Lille est une ville où l'art est partout, jusque dans les stations de son métro ! Rubens, Dirk Bouts et Goya voisinent au musée des Beaux-Arts, l'opéra donne à nouveau de la voix, les musiques d'aujourd'hui se jouent sur une multitude de scènes, les anciennes courées accueillent de jeunes plasticiens. À Lille, toutes les expressions culturelles sont vécues au quotidien. Et aux comptoirs de bars en quantité – du plus popu au plus branché – comme au marché du quartier multiethnique de Wazemmes, on constate que convivialité n'est pas ici un mot vide de sens.

Nous tenons à remercier tout particulièrement Loup-Maëlle Besançon, Thierry Bessou, Gérard Bouchu, François Chauvin, Grégory Dalex, Cédric Fischer, Carole Fouque, Michelle Georget, David Giason, Jean-Sébastien Petitdemange, Laurence Pinsard et Thomas Rivallain pour leur collaboration régulière.

Et pour cette chouette collection, plein d'amis nous ont aidés :

David Alon
Didier Angelo
Cédric Bodet
Philippe Bourget
Nathalie Boyer
Ellenore Bush
Florence Cavé
Raymond Chabaud
Alain Chaplais
Bénédicte Charmetant
Geneviève Clastres
Nathalie Coppis
Sandrine Couprie
Agnès Debiage
Célia Descarpentrie
Tovi et Ahmet Diler
Claire Diot
Émilie Droit
Sophie Duval
Pierre Fahys
Alain Fisch
Cécile Gauneau
Stéphanie Genin
Adrien Gloaguen
Clément Gloaguen
Stéphane Gourmelen
Isabelle Grégoire
Claudine de Gubernatis
Xavier Haudiquet
Lionel Husson
Catherine Jarrige
Lucien Jedwab
François et Sylvie Jouffa
Emmanuel Juste
Olga Krokhina
Florent Lamontagne
Vincent Launstorfer
Francis Lecompte
Benoît Legault
Jean-Claude et Florence Lemoine
Valérie Loth
Dorica Lucaci
Stéphanie Lucas
Philippe Melul
Kristell Menez
Xavier de Moulins
Jacques Muller
Alain Nierga et Cécile Fischer
Patrick de Panthou
Martine Partrat
Jean-Valéry Patin
Odile Paugam et Didier Jehanno
Xavier Ramon
Patrick Rémy
Céline Reuilly
Dominique Roland
Déborah Rudetzki et Philippe Martineau
Carinne Russo
Caroline Sabljak
Jean-Luc et Antigone Schilling
Brindha Seethanen
Abel Ségrelin
Alexandra Sémon
Guillaume Soubrié
Régis Tettamanzi
Claudio Tombari
Christophe Trognon
Julien Vitry
Solange Vivier
Iris Yessad-Piorski

Direction : Cécile Boyer-Runge
Contrôle de gestion : Joséphine Veyres
Responsable de collection : Catherine Julhe
Édition : Matthieu Devaux, Stéphane Renard, Magali Vidal, Marine Barbier-Blin, Dorica Lucaci, Sophie de Maillard, Laure Méry, Amélie Renaut et Éric Marbeau
Secrétariat : Catherine Maîtrepierre
Préparation-lecture : Gia-Quy Tran
Cartographie : Cyrille Suss et Aurélie Huot
Fabrication : Nathalie Lautout et Audrey Detournay
Direction Marketing : Dominique Nouvel, Lydie Firmin et Juliette Caillaud
Couverture : conçue et réalisée par Thibault Reumaux
Direction commerciale : Jérôme Denoix et Dana Lichiardopol
Informatique éditoriale : Lionel Barth
Relations presse : Danielle Magne, Martine Levens et Maureen Browne
Régie publicitaire : Florence Brunel

LES QUESTIONS QU'ON SE POSE LE PLUS SOUVENT

➤ ***Quels sont les papiers à avoir ?***

Passeport valide obligatoire. Pas de *visa* nécessaire, sauf si vous voyagez pour raisons professionnelles. Se procurer la ***carte de tourisme*** (payante), délivrée par le consulat, parfois par les agences de voyages, valable 1 mois et renouvelable une fois.

➤ ***Quelle est la meilleure saison pour y aller ?***

Île tropicale, Cuba accueille des visiteurs tout au long de l'année, mais la saison sèche, de novembre à mai, est la plus propice : un ciel dégagé, peu de risques d'averses, des températures autour de 24 °C... sur terre et dans l'eau !

➤ ***Quels sont les vaccins indispensables ?***

Aucun vaccin n'est obligatoire.

➤ ***Quel est le décalage horaire ?***

6 h : ainsi, quand il est midi en France, il est 6 h du matin à Cuba.

➤ ***La vie est-elle chère ?***

Pour les touristes, obligés de payer quasiment tout en dollars, Cuba n'est pas vraiment bon marché... Reste la solution de dormir chez l'habitant, de manger dans les restos qui acceptent les *pesos* et de vivre au plus proche de la vie cubaine...

➤ ***Peut-on y aller avec des enfants ?***

Plutôt deux fois qu'une... pour le soleil, la plage et l'accueil incomparable des Cubains, qui adorent les enfants !

➤ ***Comment se déplacer ?***

À part quelques lignes principales desservies par les bus, peu de liaisons, et tous les Cubains font du stop. Conclusion ; autant louer une voiture et prendre vous-même des stoppeurs !

➤ ***Comment se loger au meilleur prix ?***

Les chambres d'hôtes se sont multipliées. À Trinidad ou à Viñales, par exemple, une maison sur deux accueille les touristes ! Une occasion unique de partager la vie cubaine.

➤ ***Quels sports peut-on pratiquer ?***

Le séjour idéal pour se mettre à la plongée : la mer est calme, chaude, et les fonds superbes. Si vous êtes plus à l'aise sur la terre ferme, pas de souci, vous aurez l'occasion de vous éclater aussi sur le rythme des musiques cubaines... *¡ Caliente !*

➤ ***Où écouter de la musique cubaine ?***

Partout ! Cuba est sans doute le pays où l'on trouve le plus grand nombre de temples dédiés à la musique... et à la danse. Il n'y a pas une ville qui ne dispose d'une *casa de la música.* La musique est toujours d'une qualité étonnante et l'ambiance... indescriptible !

➤ ***Que mange-t-on à Cuba ?***

Heu... pas grand-chose. Vous comprendrez vite que le menu type se compose de salade de concombre et tomates, de riz et de poulet. Heureusement, vous aurez sans aucun doute la chance de croiser quelques crustacés rouges à chair tendre...

➤ ***Où trouve-t-on les plus belles plages ?***

Un peu partout, à vrai dire. C'est dans les îles *(cayos)* que vous découvrirez les plages les plus sauvages *(cayos Largo, Coco, Guillermo...)*, si vous prenez de vitesse les promoteurs...

COMMENT Y ALLER ?

EN AVION

▲ AIR FRANCE

Renseignements et réservations : ☎ 0820-820-820 (de 6 h 30 à 22 h). • www.airfrance.fr •, dans les agences Air France et dans toutes les agences de voyages.
– *La Havane :* calle 23, 64, entre Infanta et P. Vedado. Réservations et ventes : ☎ (537) 662-634. • macastellanos@airfrance.fr • Ouvert du lundi au vendredi de 8 h 30 à 16 h 30 et le samedi de 8 h 30 à 12 h 30.
➢ La compagnie dessert ***La Havane*** 5 fois par semaine en vol direct au départ de Paris.
Air France propose une gamme de tarifs attractifs accessibles à tous : de *Tempo 1* (le plus souple) à *Tempo 5* (le moins cher) selon les destinations. Pour les moins de 25 ans, Air France propose des tarifs très attractifs : *Tempo Jeunes*, ainsi qu'une carte de fidélité « Fréquence Jeunes », gratuite et valable sur l'ensemble des lignes d'Air France et des autres compagnies membres de Skyteam. Cette carte permet de cumuler des *miles* et de bénéficier d'avantages chez de nombreux partenaires.
Tous les mercredis dès minuit, sur • www.airfrance.fr •, Air France propose les tarifs « Coups de cœur », une sélection de destinations en France pour des départs de dernière minute.
Sur Internet également, possibilité de consulter les meilleurs tarifs du moment, rubriques « offres spéciales », « promotions ».

▲ CUBANA DE AVIACIÓN

– *Paris :* 41, bd du Montparnasse, 75006. ☎ 01-53-63-23-23. Fax : 01-53-63-23-29. • www.cubana.cu • Ⓜ Montparnasse-Bienvenüe.
➢ La compagnie nationale cubaine dessert ***La Havane*** et ***Santiago*** au départ de Paris-Orly-Sud le vendredi, au départ de Roissy-Charles-de-Gaulle le lundi. Des liaisons sur lignes intérieures sont également possibles depuis La Havane vers les différentes villes de Cuba : Santiago, Nueva Gerona, Holguín, Varadero, Baracoa, Cayo Coco, Ciego de Ávila, etc.

▲ IBERIA

– *Paris :* ☎ 0820-075-075.
➢ Départ tous les jours de Paris-Orly-Ouest pour ***La Havane*** via Madrid.

Depuis les îles et le continent américain

➢ ***Des Antilles françaises :*** avantageux, puisque les vols entre la métropole et les Antilles sont moins chers. Il vous reste ensuite à trouver un vol pour Cuba, ce qui ne devrait pas poser de problèmes. La *Cubana de Aviación* assure chaque vendredi un vol au départ de la Martinique et de la Guadeloupe. Sinon, la plupart des agences locales proposent des vols pour Cuba. *KTA* semble l'une des moins chères pour les charters.
➢ ***Des Caraïbes :*** vols de la Jamaïque, de la Barbade et de Saint-Domingue avec la *Cubana de Aviación*. De Curaçao, avec *ALM.*
➢ ***Du Canada :*** vols réguliers au départ de Montréal et de Toronto pour La Havane et Varadero, sur *Air Canada, Air Transat, Canada Airlines* et bien d'autres. Environ 4 h de vol.
➢ ***Du Mexique :*** vols réguliers au départ de Mexico avec *Mexicana* et la *Cubana de Aviación.*

➢ Également des vols au départ du ***Venezuela*** et de l'***Argentine,*** avec *Viasa* ou *Aeropostale.*

EN BATEAU

➢ Liaison régulière pour Cuba au départ d'***Amsterdam.*** Sinon, un cargo part de ***Rostock*** mais le voyage est long (2 ou 3 mois) et très très cher.
➢ Les voiliers peuvent accoster à La Havane (marina Hemingway, quartier Jaimanitas), à Varadero et à Cayo Largo. Il est bien sûr nécessaire de demander l'autorisation radio.

LES ORGANISMES DE VOYAGES

– Ne pas croire que les vols à tarif réduit sont tous au même prix pour une même destination à une même époque : loin de là. On a déjà vu, dans un même avion partagé par deux organismes, des passagers qui avaient payé 40 % plus cher que les autres. De plus, une agence bon marché ne l'est pas forcément toute l'année (elle ne peut être compétitive qu'à certaines dates bien précises). Donc, contactez tous les organismes et jugez vous-même.
– Les organismes cités sont classés par ordre alphabétique, pour éviter les jalousies et les grincements de dents.

▲ ANYWAY.COM

☎ 0892-892-612 (0,34 €/mn). Fax : 01-53-19-67-10. • www.anyway.com • Du lundi au vendredi de 8 h à 20 h et le samedi de 9 h à 19 h.
Depuis 15 ans, Anyway.com se spécialise dans le vol sec et s'adresse à tous les routards en négociant des tarifs auprès de 500 compagnies aériennes et l'ensemble des vols charters pour garantir des prix toujours plus compétitifs.
Anyway.com, c'est aussi la possibilité de comparer les prix de quatre grands loueurs de voitures. On accède également à plus de 12000 hôtels du 2 au 5 étoiles, à des tarifs négociés pour toutes les destinations dans le monde. Ceux qui préfèrent repos et farniente trouveront plus de 500 séjours et des week-ends tout inclus à des tarifs très compétitifs.

▲ BOURSE DES VOLS / BOURSE DES VOYAGES

Les services de la Bourse des Vols présentent en permanence plus de 2 millions de tarifs aériens : vols réguliers, charters et vols dégriffés. Mise à jour en permanence, la Bourse des Vols couvre 500 destinations dans le monde au départ de 50 villes françaises et recense l'essentiel des tarifs aériens vers l'étranger. Ses services web et Minitel offrent la possibilité de commander à distance, de régler en ligne et de se faire livrer le billet à domicile.
La Bourse des Voyages, accessible par le site • www.bdv.fr • et le Minitel : 36-17, code BDV, centralise également les offres de voyages d'une cinquantaine de tour-opérateurs. La recherche peut s'effectuer par type de produit (séjour, croisière, circuit...) ou encore par destination. Le site internet offre par ailleurs des informations pratiques sur 180 pays pour préparer et réussir son voyage...
Par téléphone, pour connaître les derniers « Bons Plans » de la Bourse des Vols – Bourse des Voyages : ☎ 0892-888-949 (0,34 €/mn). Ce voyagiste est ouvert 8 h 30 à 20 h du lundi au vendredi et de 9 h 30 à 18 h 30 le samedi.

▲ CLUB AVENTURE

– *Paris :* 18, rue Séguier, 75006. ☎ 0826-88-20-03 (0,15 €/mn). Fax : 01-44-32-09-59. • www.clubaventure.fr • Ⓜ Saint-Michel ou Odéon.
– *Marseille :* Le Néréïs, av. André-Roussin, Saumaty-Séon, 13016. ☎ 0826-88-20-03 (0,15 €/mn). Fax : 04-91-09-22-51.

Club Aventure, depuis 20 ans, privilégie le trek comme le moyen idéal de parcourir le monde. Le catalogue offre 350 circuits dans 90 pays différents à pied, en 4x4, en pirogue ou à dos de chameau. Ces voyages sont conçus pour une dizaine de participants, encadrés par des accompagnateurs professionnels et des grands voyageurs.
L'esprit est résolument axé sur le plaisir de la découverte des plus beaux sites du monde souvent difficilement accessibles.
La formule reste confortable et le portage est confié à des chameaux, des mulets, des yacks et des lamas. Les circuits en 4x4 ne ressemblent en rien à des rallyes et laissent aux participants le temps de flâner, contempler et faire des découvertes à pied. Le choix des hôtels en ville privilégie le charme et le confort.

▲ COMPAGNIE DE L'AMÉRIQUE LATINE ET DES CARAÏBES

– *Paris :* 82, bd Raspail (angle rue de Vaugirard), 75006. ☎ 01-53-63-15-35. Fax : 01-42-22-20-15. Ⓜ Rennes ou Saint-Placide.
– *Paris :* 3, av. de l'Opéra, 75001. ☎ 01-55-35-33-57. Ⓜ Palais-Royal.
• ameriquelatine@compagniesdumonde.com •
Fort de ses 20 années d'expérience, Jean-Alexis Pougatch, après avoir ouvert un centre de voyages spécialisé sur l'Amérique du Nord (« Compagnie des États-Unis et du Canada ») décide d'ouvrir « Compagnie Amérique latine Caraïbes » pour, là aussi, proposer dans une brochure des voyages individuels à la carte ou en groupe du Mexique à la Patagonie chilienne et argentine.
Compagnie de l'Amérique latine et des Caraïbes propose de bons tarifs sur le transport aérien en vols réguliers.
Et, comme Compagnie des Indes et de l'Extrême-Orient, Compagnie Amérique latine Caraïbes fait partie du groupe Compagnies du Monde.

▲ FRANCE AMÉRIQUE LATINE

– *Paris :* 37, bd Saint-Jacques, 75014. ☎ 01-45-88-20-00. Fax : 01-45-65-20-87. • www.franceameriquelatine.fr • falvoyages@wanadoo.fr • Ⓜ Saint-Jacques.
Avec de nombreuses associations, FAL propose des activités de brigades et chantiers internationaux dans des coopératives agricoles cubaines. Les voyageurs démontrent alors concrètement leur solidarité, s'ils le désirent, en remettant sur place les médicaments et le matériel scolaire qu'ils ont préalablement réunis avant leur départ. Ils pourront tout à la fois profiter des qualités touristiques de l'île par des circuits de 8 à 15 jours au cours desquels ils auront l'occasion de connaître les Cubains et faire connaître la France. Ils auront la possibilité d'échanger, de s'informer, de tisser des liens d'amitié au cours de visites et rencontres d'institutions, d'organisations populaires, d'entreprises... FAL peut, bien entendu, réserver pour vous billets d'avion, randonnées, circuits, séjours, location de voitures, etc.

▲ HAVANATOUR

– *Paris :* 16, rue Drouot, 75009. ☎ 01-48-01-44-55. Fax : 01-48-01-44-50. • www.havanatour.fr • tropicana.voyages@havanatour.fr • Ⓜ Richelieu-Drouot.
Havanatour est depuis plus de 20 ans organisateur de voyages vers Cuba, concoctés avec l'aide de leur réceptif local. Ce spécialiste de Cuba vous invite à découvrir tous les charmes de cette île et vous propose une grande flexibilité, avec 23 vols hebdomadaires directs ou via Madrid, sur Air France et Cubana de Aviación, au départ de Paris et de la province. Un large choix de formules avec culture et farniente en combinant La Havane avec l'une des plages ou *cayos,* des circuits organisés d'une ou deux semaines à travers toute l'île, des voyages « sur mesure » à composer soi-même en réservant son vol, ses nuits d'hôtel et une location de voiture. Ces prestations sont aussi proposées sans les vols.

▲ INKATOUR

– *Paris :* 32, rue d'Argout, 75002. ☎ 01-40-26-07-54. Fax : 01-40-26-48-50. • www.inkatour.fr • inkatour@inkatour.fr • Ⓜ Sentier, Les Halles ou Étienne-Marcel.

Une agence de voyages spécialiste de l'Amérique latine vous attend en plein cœur de Paris avec une équipe bilingue (français/espagnol). Elle propose des tarifs avantageux pour de nombreuses destinations sur l'Amérique latine. Mieux encore, s'il advient une baisse de tarifs avant l'émission de votre billet, elle sera automatiquement répercutée.

Inkatour propose également un réseau de logements chez l'habitant à Lima et dans quelques villes du Pérou, ainsi qu'à Cuba et au Chili à des prix très raisonnables. Contacter leurs bureaux à Paris.

▲ JET TOURS

Les voyages à la carte de Jet Tours s'adressent à tous ceux qui ont envie de se concocter un voyage personnalisé, en couple, entre amis, ou en famille, mais surtout pas en groupe. Tout est proposé à la carte : il suffit de choisir sa destination et d'ajouter aux vols internationaux les prestations de son choix : autotours, itinéraires à imaginer soi-même, randonnées, hôtels de différentes catégories (de 2 à 5 étoiles), adresses de charme, maisons d'hôtes, appartements..., location de voitures, escapades, sorties en ville. Nature, découverte et dépaysement sont au rendez-vous.

Avec les autotours et les voyages à la carte de Jet Tours, vous pourrez découvrir de nombreuses destinations comme Chypre (nouveauté), l'Andalousie, Madère, le Portugal (été), l'Italie, la Sicile (été), la Grèce, la Crète (en été), le, Maroc, Cuba, l'île Maurice, la Réunion, la Thaïlande, l'Inde, le Canada et les États-Unis.

La brochure « Autotours et voyages à la carte » est disponible dans toutes les agences de voyages. Vous pouvez aussi joindre Jet Tours sur le site • www.jettours.com •

▲ JV

Renseignements et réservations au n° Indigo : ☎ 0825-343-343 (0,15 €/mn). • www.jvdirect.com • resa@jvdirect.com •

– *Paris :* 54, rue des Écoles, 75005.
– *Paris :* 15, rue de l'Aude, 75014.
– *Saint-Denis :* 30, rue de Strasbourg, 93200.
– *Bordeaux :* 91, cours Alsace-Lorraine, 33000.
– *Lille :* 20, rue des Ponts-de-Comines, 59000.
– *Lyon :* 9, rue de l'Ancienne-Préfecture, 69002.
– *Nantes :* 20, rue de la Paix, 44000.
– *Rennes :* 1, rue Victor-Hugo, 35000.
– *Toulouse :* 12, rue de Bayard, 31000.

Depuis plus de 15 ans, JV est spécialiste des locations de vacances et de l'hôtellerie de charme « Partout où brille le soleil ». Des voyages en toute indépendance et des tarifs attractifs sur les séjours grâce aux différents partenaires de JV, en particulier la compagnie aérienne *Corsair.*

Dans les catalogues JV et JVloc, on découvre des produits locatifs (studios, villas, bungalows) et des hôtels de charme, loin des complexes touristiques de masse. JV est également distribué en Belgique, au Luxembourg et en Suisse.

▲ LASTMINUTE.COM

Pour satisfaire une envie soudaine d'évasion, le groupe lastminute.com propose des mois à l'avance ou au dernier moment des offres de séjours, des hôtels, des restaurants, des spectacles... dans le monde entier.

L'ensemble de ces services est aussi bien accessible par Internet • www.lastminute.com • www.degriftour.com • www.travelprice.com •, par Minitel : 36-15, code DT, que par téléphone ☎ 0892-70-50-00 (0,34 €/mn).

▲ LOOK VOYAGES

Les brochures sont disponibles dans toutes les agences de voyages. Informations et réservations • www.look-voyages.fr •

Ce tour-opérateur généraliste propose une grande variété de produits et de destinations pour tous les budgets : des séjours en club *Lookéa,* des séjours classiques en hôtels, des escapades, des safaris, des circuits « découverte », des croisières et des vols secs vers le monde entier.

▲ MAISON DES AMÉRIQUES LATINES (LA)

– *Paris :* 3, rue Cassette, 75006. ☎ 01-53-63-13-40. Fax : 01-42-84-23-28. • www.mondedesameriques.com • info@mondedesameriques.com • Ⓜ Saint-Sulpice.

Dans le cadre exceptionnel d'une photo galerie. La maison des Amériques latines se présente comme un lieu de dialcgue où chacun peut, en fonction de ses envies, de sa curiosité et de son budget, choisir son itinéraire. Loin des clichés de l'exotisme, le catalogue propose un programme fondé sur les exigences d'une clientèle passionnée, soucieuse de faire appel à un spécialiste.

▲ MARSANS INTERNATIONAL

– *Paris :* 49, av. de l'Opéra, 75002. ☎ 0825-031-031 (0,15 €/mn). • www.marsans.fr • clients@marsans.fr • Ⓜ Opéra.

Marsans a pour signature « Cultures et Passions », et c'est bien ce thème qui transparaît dans leurs catalogues.

L'un des spécialistes de la destination, qui dispose de son propre bureau sur place et propose une offre variée avec tous les types de séjours. Formules très souples avec sélection d'hôtels de charme à la carte (ne ratez pas le *Los Frailes* dans la vieille Havane, ni le *San Juan* à Santiago) pour découvrir l'île par soi-même, de nombreux circuits, des séjours plage : Varadero, mais aussi Guardalavaca, les îles de Cayo Coco ou Cayo Largo.

▲ NOUVELLES FRONTIÈRES

– *Paris :* 87, bd de Grenelle, 75015. Ⓜ La Motte-Picquet-Grenelle.

– Renseignements et réservations dans toute la France : ☎ 0825-000-825 (0,15 €/mn). • www.nouvelles-frontieres.fr •

Plus de 30 ans d'existence, 1 800 000 clients par an, 250 destinations, une chaîne d'hôtels-clubs et de résidences *Palladien* et une compagnie aérienne, *Corsair.* Pas étonnant que Nouvelles Frontières soit devenu une référence incontournable, notamment en matière de tarifs. Le fait de réduire au maximum les intermédiaires permet d'offrir des prix « super-serrés ». Un choix illimité de formules vous est proposé : des vols sur la compagnie aérienne de Nouvelles Frontières au départ de Paris et de province, en classe Horizon ou Grand Large, et sur toutes les compagnies aériennes régulières, avec une gamme de tarifs selon confort et budget. Sont également proposés toutes sortes de circuits, aventure ou organisés ; des séjours en hôtels, en hôtels-clubs et en résidences, notamment dans les *Palladien,* les hôtels de Nouvelles Frontières avec « vue sur le monde » ; des week-ends, des formules à la carte (vol, nuits d'hôtel, excursions, location de voitures...), des séjours neige.

Avant le départ, des réunions d'information sont organisées. Les 12 brochures Nouvelles Frontières sont disponibles gratuitement dans les 200 agences du réseau, par téléphone et sur Internet. Intéressant : des brochures thématiques sur la plongée, la rando, le trek, la thalasso.

▲ NOVELA TRAVEL

– *Paris :* 14-14 bis, rue des Minimes, 75003. ☎ 01-40-29-40-94. Fax : 01-40-29-40-22. • www.novelatravel.com • info@novelatravel.com • Ⓜ Chemin-Vert. Ouvert du lundi au vendredi de 10 h à 13 h et de 14 h à 19 h, et le samedi de 14 h à 19 h.

Tour-opérateur spécialisé dans l'hébergement en hôtels de charme et dans les voyages individuels « à la carte », Novela travel propose des raids au Maroc, des hôtels de style colonial à Cuba, des villas en Toscane, des palaces de maharadjahs en Inde, des mas provençaux en France... ainsi qu'une sélection d'hôtels dans le monde entier.
Chaque mois, de nouveaux hôtels répondant aux critères de confort, de raffinement et d'originalité rejoignent la sélection d'hôtels de charme de Novela travel. Vous les trouverez sur le site de l'agence avec une sélection de vols et de locations de voitures.

▲ RELAIS DES ÎLES

– *Paris :* 9, rue aux Ours, 75003. ☎ 01-44-54-89-89. • www.relais-des-iles.com • Ⓜ Étienne-Marcel. Ouvert de 9 h à 19 h du lundi au samedi.
Tour-opérateur spécialiste des îles paradisiaques, revendant directement au public. Des Caraïbes à l'océan Indien, Relais des Îles vous propose l'avis et le conseil de spécialistes de ces destinations.

▲ ROOTS TRAVEL

– *Paris :* 85, rue de la Verrerie, 75004. ☎ 01-42-74-07-07. Fax : 01-42-74-01-01. • www.rootstravel.com • cuba@rootstravel.com • Ⓜ Hôtel-de-Ville. Ouvert du lundi au vendredi de 10 h à 13 h et de 14 h à 19 h, et le samedi à partir de 11 h.
Roots Travel propose des séjours sur Cuba qui permettent la découverte des principales villes cubaines et des plages de la côte caraïbe dans les parcs naturels de « María la Gorda » et « Cayo Levisa ». Des forfaits originaux offrent aux voyageurs la possibilité d'alterner séjours chez l'habitant dans des maisons coloniales et hôtels de style traditionnel espagnol. En option, des séjours à la carte permettent de faire un voyage sur mesure en effectuant ses réservations depuis l'agence à Paris ou directement depuis celle de La Havane. Des forfaits comprenant billets d'avion, deux nuits de logement ainsi que la carte de tourisme sont proposés toute l'année sur l'ensemble des compagnies desservant Cuba.

▲ SINDBAD

– *Paris :* 50, rue Servan, 75011. ☎ 01-43-38-19-94. Fax : 01-43-38-93-56. • www.sindbad-voyages.com • infos@sindbad-voyages.com • Ⓜ Saint-Maur ou Père-Lachaise.
Persuadée que le contact entre les gens est aussi important que le pays visité, l'équipe de Sindbad propose des voyages très branchés sur l'ethnologie plus que sur les vieilles pierres. Le tout par petits groupes de 8 à 12 personnes, avec un accompagnateur compétent. Le tour-opérateur développe également les voyages à la carte à partir de deux personnes.

▲ SOL Y SON (SOLEIL DE CUBA)

– *Paris :* 41, bd du Montparnasse, 75006. ☎ 01-53-63-39-39. Fax : 01-53-63-39-36. • www.solysonviajes.com • Ⓜ Montparnasse-Bienvenüe. Ouvert du lundi au vendredi de 9 h à 13 h et de 14 h à 18 h (17 h pour le retrait des cartes de tourisme). Cette agence (tour-opérateur officiel de la compagnie *Cubana de Aviación*) propose billets d'avion, séjours, voyages à la carte, réservations d'hôtels et location de voitures. Elle a également été mandatée par le consulat pour émettre les cartes de tourisme, indispensables pour se rendre à Cuba. Attention, elles sont délivrées uniquement sur place. Pour plus de détails, voir plus loin la rubrique « Formalités ».

▲ TERRES D'AVENTURE

– *Paris :* 6, rue Saint-Victor, 75005. Fax : 01-43-25-69-37. Ⓜ Cardinal-Lemoine ou Maubert-Mutualité. Ouvert du lundi au samedi de 9 h 30 à 19 h.
– *Lyon :* 5, quai Jules-Courmont, 69002. Fax : 04-78-37-15-01.

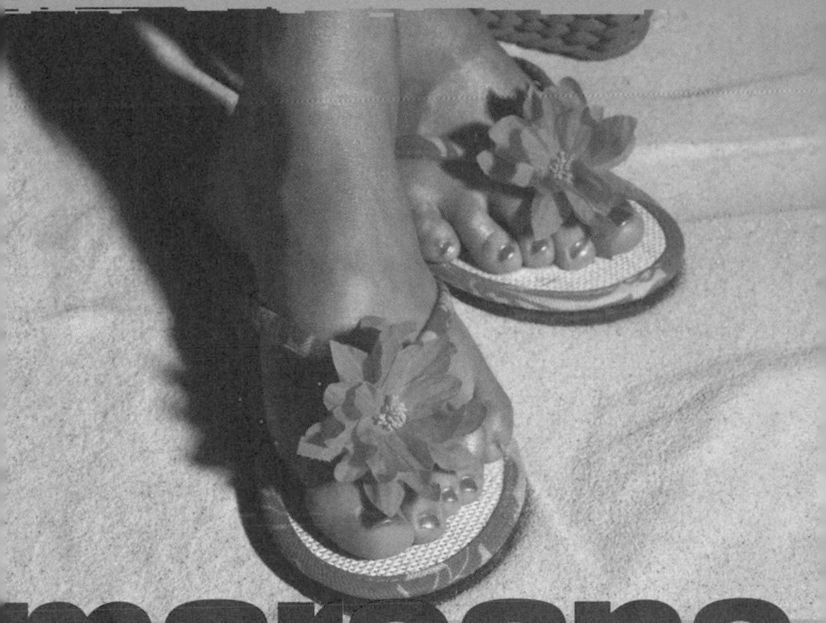

– *Marseille :* 25, rue Fort-Notre-Dame, angle cours d'Estienne-d'Orves, 13001. Fax : 04-96-17-89-29. Ouvert du lundi au samedi de 10 h à 19 h.
– *Nice :* 4, rue du Maréchal-Joffre, angle rue de Longchamp, 06000. Fax : 04-97-03-64-70.
– *Toulouse :* 26, rue des Marchands, 31000. ☎ 05-34-31-72-62. Fax : 05-34-31-72-61.
N° Indigo : ☎ 0825-847-800 (0,15 €/mn). • www.terdav.com •
Depuis 25 ans, Terres d'Aventure, inventeur-pionnier de la découverte du monde par la marche à pied, emmène les voyageurs passionnés de randonnée et d'expériences authentiques aux quatre coins de la planète, à la découverte des grands espaces. Randonnées, treks, à cheval, en 4x4, en bateau, en raquettes... des aventures en petits groupes encadrés par des professionnels expérimentés. Les hébergements dépendent des sites explorés : camp d'altitude, bivouac, refuge ou petits hôtels. Des voyages conçus pour des marcheurs débutants ou confirmés, ou pour partir en famille sur quelque 120 destinations. Leurs voyages sont classés par niveaux de difficultés : de la simple balade en plaine à la course en montagne, pour une expédition sportive, pour partir en famille ou avec un cercle d'amis et partager l'aventure pas à pas.
– *Le voyage à pied :* la randonnée, le trekking...
– *Le voyage découverte :* des voyages qui privilégient toujours la découverte du milieu naturel et des richesses culturelles.
– *Le voyage en famille* (brochure spéciale) *:* des voyages spécialement étudiés pour s'adapter au rythme des enfants et satisfaire leur intérêt ou leur curiosité.
– *La randonnée liberté* (nouvelle brochure) *:* voyager en liberté, découvrir seul sites et sentiers tout en bénéficiant de l'expérience d'organisation de Terres d'Aventure. On choisit librement son circuit et sa date de départ pour un voyage en individuel.
Tous ces voyages sont en vente à la Cité des Voyageurs où l'on trouve une zone de conseil et de vente de voyages, une librairie-boutique objets de voyages, des expositions-ventes d'artisanat et un programme annuel de cocktail-conférences.

▲ UCPA

– Informations et réservations : ☎ 0825-820-830 (0,15 €/mn). • www.ucpa.com • Minitel : 36-15, code UCPA.
– Bureaux de vente à *Paris, Lyon, Marseille, Nantes, Strasbourg* et *Bruxelles.*
Voilà près de 40 ans que 6 millions de personnes font confiance à l'UCPA pour réussir leurs vacances sportives. Et ce, grâce à une association dynamique, qui propose une approche souple et conviviale de plus de 60 activités sportives, en France et à l'international, en formule tout compris (moniteurs professionnels, pension complète, matériel, animations, assurance et transport) à des prix serrés. Vous pouvez choisir parmi plusieurs formules sportives (plein temps, mi-temps ou à la carte) ou de découverte d'une région ou d'un pays. Plus de 100 centres en France, dans les Dom et à l'international (Canaries, Crète, Cuba, Égypte, Espagne, Maroc, Tunisie, Turquie, Thaïlande), auxquels s'ajoutent près de 300 programmes itinérants pour voyager à pied, à cheval, en VTT, en catamaran, etc., dans plus de 50 pays.

▲ VOYAGEURS DANS LES ÎLES

Spécialiste du voyage en individuel sur mesure. • www.vdm.com •
Nouveau Voyageurs du Monde Express : des séjours « prêts à partir » sur des destinations mythiques. ☎ 0892-688-363 (0,34 €/mn).
– *Paris :* La Cité des Voyageurs, 55, rue Sainte-Anne, 75002. ☎ 01-42-86-16-39. Fax : 01-42-86-16-49. Ⓜ Opéra ou Pyramides. Bureaux ouverts du lundi au samedi de 9 h 30 à 19 h.

– *Lyon :* 5, quai Jules-Courmont, 69002. ☎ 04-72-56-94-56. Fax : 04-72-56-94-55.
– *Marseille :* 25, rue Fort-Notre-Dame (angle cours d'Estienne-d'Orves), 13001. ☎ 04-96-17-89-17. Fax : 04-96-17-89-18.
– *Nice :* 4, rue du Maréchal-Joffre, angle rue de Longchamp, 06000. ☎ 04-97-03-64-64. Fax : 04-97-03-64-60.
– *Rennes :* 2, rue Jules-Simon, BP 10206, 35102. ☎ 02-99-79-16-16. Fax : 02-99-79-10-00.
– *Toulouse :* 26, rue des Marchands, 31000. ☎ 05-34-31-72-72. Fax : 05-34-31-72-73. Ⓜ Esquirol.

Les Cité des Voyageurs : des espaces uniques dédiés aux voyages et aux voyageurs... des librairies, des boutiques objets de voyage, un restaurant des cuisines du monde à Paris, un lounge-bar, un programme annuel de dîner & cocktail-conférences et des expositions-ventes d'artisanat... Consultez toute l'actualité sur leur site Internet.

Sur les conseils d'un spécialiste de chaque pays, chacun peut construire un voyage à sa mesure...

Pour partir à la découverte, sur les 5 continents, de quelque 150 pays du monde, 100 conseillers originaires de près de 30 nationalités différentes et spécialistes des destinations proposent d'élaborer, étape par étape, son propre voyage. Des suggestions originales et adaptables, des prestations de qualité à des tarifs préférentiels. Toutes les offres de Voyageurs du Monde sont modifiables et adaptables aux souhaits des clients. Itinéraires, transports, hébergements, durée du séjour et budget sont pris en compte et optimisés.

En plus du voyage en individuel sur mesure, Voyageurs du Monde propose un choix toujours plus dense de « vols secs » et une large gamme de circuits accompagnés. À la fois tour-opérateur et agence de voyages, Voyageurs du Monde a développé une politique de « vente directe » à ses clients, sans intermédiaire, ce qui permet des prix très compétitifs.

En Belgique

▲ CONTINENTS INSOLITES

– *Bruxelles :* rue César-Franck, 44, 1050. ☎ 02-218-24-84. Fax : 02-218-24-88. Ouvert du lundi au vendredi de 10 h à 18 h et le samedi de 10 h à 13 h.
– *En France :* ☎ 03-24-54-63-68 (renvoi automatique et gratuit sur le bureau de Bruxelles).
• www.continentsinsolites.com • info@insolites.be •

Continents Insolites, organisateur de voyages lointains sans intermédiaire, propose une gamme complète de formules de voyages détaillés dans leur brochure gratuite sur demande.
– *Circuits taillés sur mesure :* à partir de 2 personnes. Une grande gamme d'hébergements soigneusement sélectionnés : du petit hôtel simple à l'établissement luxueux et de charme.
– *Voyages lointains :* de la grande expédition au circuit accessible à tous. Des circuits à dates fixes dans plus de 60 pays, et ce, en petits groupes francophones de 7 à 12 personnes. Avant chaque départ, une réunion est organisée. Voyages encadrés par des guides francophones, spécialistes des régions visitées.

De plus, Continents Insolites propose un cycle de diaporamas-conférences à Bruxelles. Ces conférences se déroulent à l'Espace Senghor, place Jourdan, 1040 Etterbeek (dates dans leur brochure).

▲ JOKER

– *Bruxelles :* quai du Commerce, 27, 1000. ☎ 02-502-19-37. Fax : 02-502-29-23. • brussel@joker.be •

– *Bruxelles :* av. Verdi, 23, 1083. ☎ 02-426-00-03. Fax : 02-426-03-60. • ganshoren@joker.be •
– Adresses également à *Anvers, Bruges, Courtrai/Harelbeke, Gand, Hasselt, Louvain, Malines, Schoten* et *Wilrijk.*
• www.joker.be •
Joker est spécialiste des voyages d'aventure et des billets d'avion à des prix très concurrentiels. Vols aller-retour au départ de Bruxelles, Paris, Francfort et Amsterdam. Voyages en petits groupes avec accompagnateur compétent. Circuits souples à la recherche de contacts humains authentiques, utilisant l'infrastructure locale et explorant le vrai pays.

▲ NOUVELLES FRONTIÈRES

– *Bruxelles* (siège) *:* bd Lemonnier, 2, 1000. ☎ 02-547-44-22. Fax : 02-547-44-99. • www.nouvelles-frontieres.be • mailbe@nouvelles-frontieres.be •
– Également d'autres agences à *Bruxelles, Charleroi, Liège, Mons, Namur, Waterloo, Wavre* et au *Luxembourg.*
Plus de 30 ans d'existence, 250 destinations, une chaîne d'hôtels-clubs et de résidences *Palladien.* Pas étonnant que Nouvelles Frontières soit devenu une référence incontournable, notamment en matière de prix. Le fait de réduire au maximum les intermédiaires permet d'offrir des prix « super-serrés ».

▲ SERVICES VOYAGES ULB

– *Bruxelles :* campus ULB, av. Paul-Héger, 22, CP 166, 1000. ☎ 02-648-96-58.
– *Bruxelles :* rue Abbé-de-l'Épée, 1, Woluwe, 1200. ☎ 02-742-28-80.
– *Bruxelles :* hôpital universitaire Érasme, route de Lennik, 808, 1070. ☎ 02-555-38-49.
– *Bruxelles :* chaussée d'Alsemberg, 815, 1180. ☎ 02-332-29-60.
– *Ciney :* rue du Centre, 46, 5590. ☎ 083-216-711.
– *Marche :* av. de la Toison-d'Or, 4, 6900. ☎ 084-31-40-33.
– *Wepion :* chaussée de Dinant, 1137, 5100. ☎ 081-46-14-37.
Ouvert de 9 h à 17 h sans interruption du lundi au vendredi.
Services Voyages ULB, c'est le voyage à l'université. L'accueil est donc très sympa. Billets d'avion sur vols charters et sur compagnies régulières à des prix hyper-compétitifs.

▲ TAXISTOP

Pour toutes les adresses *Airstop,* un seul numéro de téléphone : ☎ 070-233-188. • www.airstop.be • air@airstop.be • Ouvert de 10 h à 17 h 30 du lundi au vendredi.
– *Taxistop Bruxelles :* rue Fossé-aux-Loups, 28, 1000. ☎ 070-222-292. Fax : 02-223-22-32.
– *Airstop Bruxelles :* rue Fossé-aux-Loups, 28, 1000. Fax : 02-223-22-32.
– *Airstop Anvers :* Sint Jacobsmarkt, 84, 2000. Fax : 03-226-39-48.
– *Airstop Bruges :* Dweersstraat, 2, 8000. Fax : 050-33-25-09.
– *Airstop Courtrai :* Badastraat, 1A, 8500. Fax : 056-20-40-93.
– *Taxistop Gand :* Maria Hendrikaplein, 65B, 9000. ☎ 070-222-292. Fax : 09-242-32-19.
– *Airstop Gand :* Maria Hendrikaplein, 65, 9000. Fax : 09-242-32-19.
– *Airstop Louvain :* Maria Theresiastraat, 125, 3000. Fax : 016-23-26-71.
– *Taxistop* et *Airstop Wavre :* rue de la Limite, 49, 1300. ☎ 070-222-292 et 070-233-188 (Airstop). Fax : 010-24-26-47.

▲ TERRES D'AVENTURE

– *Bruxelles :* Vitamin Travel, rue Van-Artevelde, 48, 1000. ☎ 02-512-74-64. Fax : 02-512-69-60. • info@vitamintravel.be •
(Voir texte dans la partie « En France ».)

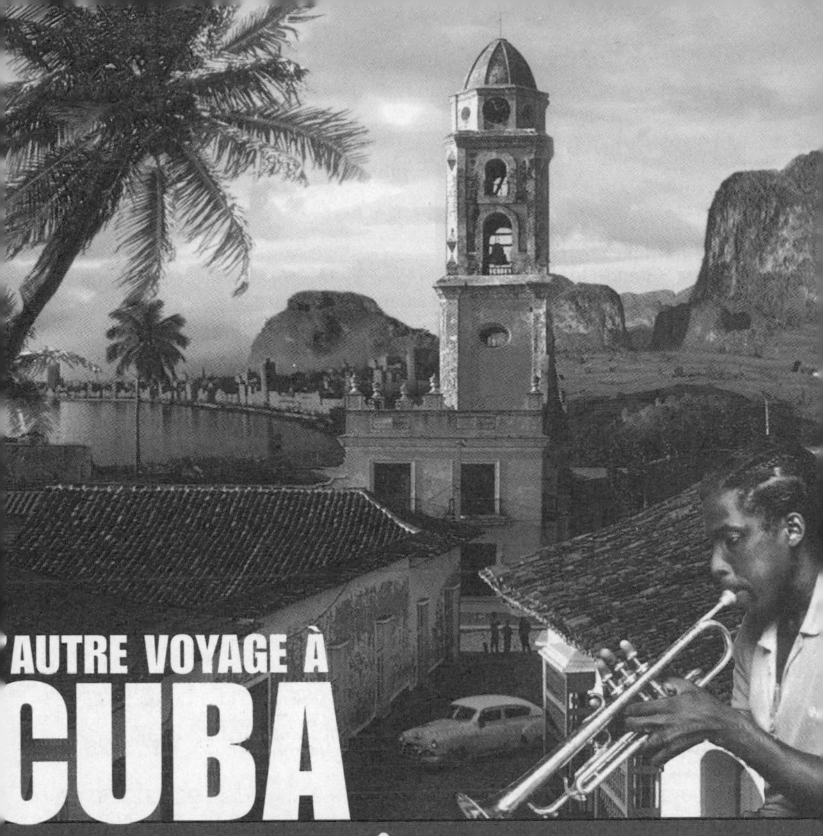
'AUTRE VOYAGE À
CUBA

En Suisse

▲ CLUB AVENTURE

– *Genève :* 51, rue Prévost-Martin, 1205. ☎ 022-320-50-80. Fax : 022-320-59-10.

▲ L'ÈRE DU VOYAGE

– *Nyon :* Grand-Rue, 21, 1260. ☎ 022-365-15-65. • www.ereduvoyage.ch •
Agence fondée par quatre professionnelles qui ont la passion du voyage. Elles pourront vous conseiller et vous faire part de leur expérience sur plus de 80 pays. Des itinéraires originaux testés par l'équipe de l'agence : voyages en solo pour découvrir un pays en toute liberté grâce à une voiture privée avec chauffeur, guide local et logements de charme ; billets d'avion à tarif préférentiel, tours du monde, petites escapades pour un week-end prolongé et voyages en famille.

▲ NOUVELLES FRONTIÈRES

– *Genève :* 10, rue Chantepoulet, 1201. ☎ 022-906-80-80. Fax : 022-906-80-90.
– *Lausanne :* 19, bd de Grancy, 1006. ☎ 021-616-88-91. Fax : 021-616-88-01.
(Voir texte dans la partie « En France ».)

▲ STA TRAVEL

– *Bienne :* General Dufeu-strasse 4, 2502. ☎ 032-328-11-11. Fax : 032-328-11-10.
– *Fribourg :* 24, rue de Lausanne, 1701. ☎ 026-322-06-55. Fax : 026-322-06-61.
– *Genève :* 3, rue Vignier, 1205. ☎ 022-329-97-34. Fax : 022-329-50-62.
– *Lausanne :* 20, bd de Grancy, 1006. ☎ 021-617-56-27. Fax : 021-616-50-77.
– *Lausanne :* à l'université, bâtiment BFSH2, 1015. ☎ 021-691-60-53. Fax : 021-691-60-59.
– *Montreux :* 25, av. des Alpes, 1820. ☎ 021-965-10-15. Fax : 021-965-10-19.
– *Nyon :* 17, rue de la Gare, 1260. ☎ 022-990-92-00. Fax : 022-361-68-27.
– *Neuchâtel :* Grand-Rue, 2, 2000. ☎ 032-724-64-08. Fax : 032-721-28-25.
Agences spécialisées dans les voyages pour jeunes et étudiants. Gros avantage en cas de problème : 150 bureaux STA et plus de 700 agents du même groupe répartis dans le monde entier sont là pour donner un coup de main *(Travel Help).*
STA propose des voyages très avantageux : vols secs *(Skybreaker),* billets Euro Train, hôtels, écoles de langues, voitures de location, etc. Délivre les cartes internationales d'étudiants et les cartes Jeunes Go 25.
STA est membre du fonds de garantie de la branche suisse du voyage ; les montants versés par les clients pour les voyages forfaitaires sont assurés.

▲ TERRES D'AVENTURE

– *Genève :* Néos Voyages, 50, rue des Bains, 1205. ☎ 022-320-66-35. Fax : 022-320-66-36. • geneve@neos.ch •
– *Lausanne :* Néos Voyages, 11, rue Simplon, 1006. ☎ 021-612-66-00. Fax : 021-612-66-01. • lausanne@neos.ch •
(Voir texte dans la partie « En France ».)

Au Québec

▲ EXPÉDITIONS MONDE

À pied dans les Pyrénées, en pirogue sur le fleuve Niger, à cheval en Mongolie, en jeep dans les réserves africaines... Expéditions Monde organise des voyages de découverte et d'aventure depuis plus de vingt ans. Toujours à l'affût de terres inexplorées – Madagascar, Mongolie, Éthiopie et archipel des Tonga sont notamment au menu –, le voyagiste invente aussi des façons différentes de découvrir les destinations mieux connues – par exemple, avec une randonnée pédestre et/ou à vélo en Toscane, en Écosse ou en Corse. Les expéditions, qui réservent toujours une large part à l'activité physique, se déroulent soit en petit groupe (4 à 12 personnes) avec guide expérimenté, soit en individuel. Expéditions Monde distribue sa brochure dans ses deux agences, l'une à Ottawa (Ontario – ☎ 1-800-567-2216) et l'autre à Montréal. Renseignements : ☎ (514) 844-6364. • info@expeditionsmonde.com •

▲ NOLITOUR VACANCES

Membre du groupe Transat A.T. Inc., Nolitour est un spécialiste des forfaits vacances vers le Sud. Destinations proposées : Floride, Mexique, Cuba, République dominicaine, île de San Andres en Colombie, Panama et Venezuela. Durant la saison estivale, le voyagiste publie une brochure « Grèce » avec de nombreux circuits, croisières dans les îles grecques et en Turquie, hôtels à la carte, traversiers, etc. Sous la marque Auratours Vacances, une brochure Italie est aussi proposée, incluant circuits guidés, hôtels à la carte, villas, locations de voiture... Des vols sur Haïti sont aussi offerts.

▲ STANDARD TOURS

Ce grossiste, né en 1962, programme les États-Unis, le Mexique, les Caraïbes, l'Amérique latine et l'Europe. Spécialité : les forfaits sur mesure.

▲ VACANCES AIR CANADA

Le voyagiste de la compagnie aérienne est surtout présent sur les destinations « soleil » : Antigua, Barbade, Aruba, Cuba, Jamaïque, Guadeloupe, Sainte-Lucie, Nassau, Mexique (Cancún, Cozumel et Puerto Vallarta), République dominicaine (Puerto Plata et Punta Cana) et Grand Cayman. Également : programme vol + voiture + hôtel à travers la Floride et à Las Vegas et sélection de croisières. Pour en savoir plus • www.vacancesaircanada.com •

▲ VACANCES AIR TRANSAT

Filiale du plus grand groupe de tourisme au Canada, Vacances Air Transat s'affirme comme le premier voyagiste canadien. Ses destinations : États-Unis, Mexique, Caraïbes, Amérique centrale et du Sud, Europe. Le transport aérien est assuré par sa compagnie sœur, *Air Transat.* Pour l'Europe, Vacances Air Transat offre des vols vers Paris, les provinces françaises et les capitales européennes, ainsi qu'une bonne sélection d'hôtels, d'appartements et de *B & B* (Grande-Bretagne, Irlande, Irlande du Nord et France). Sans oublier les *passes* pour les trains et les locations de voitures (simple ou en achat-rachat). À signaler : des forfaits intéressants pour Paris et Londres, incluant le vol, l'hôtel et les transferts. Vacances Air Transat est revendu dans toutes les agences du Québec et, notamment, dans les réseaux affiliés : Club Voyages, Intervoyages.
• vacancesairtransat.com •

▲ VACANCES SIGNATURE

Ce voyagiste bien établi au Canada est désormais membre du conglomérat britannique *First Choice.* Il propose principalement des forfaits vacances vers le Sud, au départ des grandes villes canadiennes. Au menu : Costa

Rica, Mexique, Cuba et République dominicaine. L'Asie est aussi proposée mais avec seulement quelques circuits guidés en Thaïlande et en Chine.

▲ VOYAGES LOISIRS/ÉVASIONS SBM

Division de Regroupement loisirs, Voyages Loisirs est un spécialiste de voyages en groupes qui collabore depuis quelques années avec la Société de Biologie de Montréal (Évasions SBM). Objectif : faire découvrir, comprendre et aimer la nature – oiseaux, plantes, faune, phénomènes géologiques – en groupes de moins de 15 personnes. Au programme : des explorations inédites du Québec, avec au choix : le Nunavik, la baie James, les îles de la Madeleine, d'Anticosti, ou encore celles du golfe du Saint-Laurent. Mais aussi des voyages aux Galápagos, au Costa Rica, au Panama, à Cuba, en Camargue et dans les Alpes (France), de même qu'au Vietnam. Des conférences sur ces différents voyages sont présentées dans les bureaux de Voyages Loisirs, situés au Stade olympique de Montréal. Renseignements : Montréal : ☎ (514) 252-3129, extérieur : ☎ 1-800-932-3735. • voyagesloisirs@loisirsquebec.qc.ca •

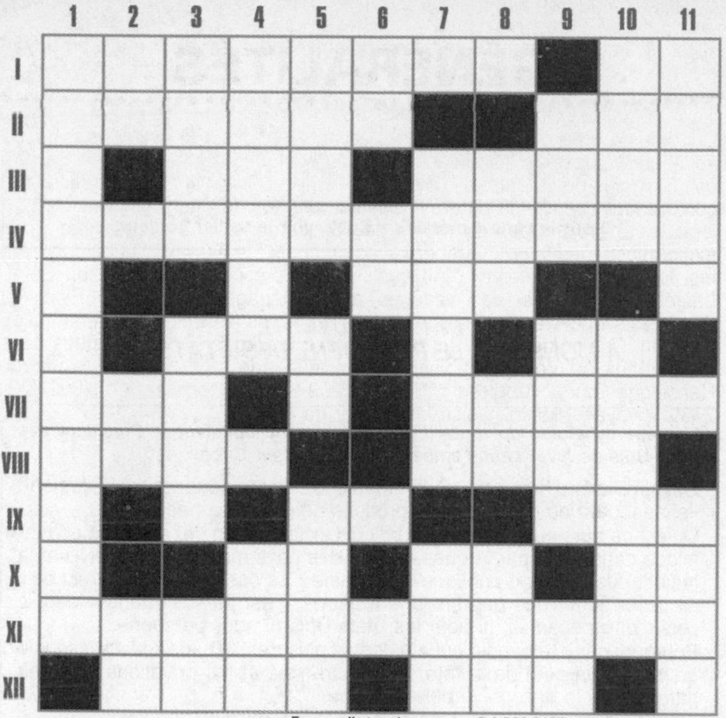

	1	2	3	4	5	6	7	8	9	10	11
I									■		
II							■	■			
III		■				■					
IV											
V		■	■		■				■	■	
VI		■				■		■			■
VII				■		■					
VIII					■	■					■
IX		■		■			■	■			
X		■	■			■			■		
XI											
XII	■					■				■	

Espace offert par le support

HORIZONTALEMENT

I. Préliminaire d'ados. Très Bien. **II.** Âpres. Jour ibère. **III.** Direction Générale de la Santé. Mayonnaise à l'ail. **IV.** Provoquent souvent des effets indésirables. **V.** Les notres **VI.** Infection Sexuellement Transmissible. "Assez" en texto. **VII.** Dans le noyau. Se portc rouge contre le sida. **VIII.** Élément de bord de mer. Fin de phrase télégraphique. **IX.** Que l'on sait. Positif ou négatif. **X.** Participe passé de rire. Avant. La tienne. **XI.** Entraides. **XII.** Patrie du Ché. Un des virus de l'hépatite.

VERTICALEMENT

1. À Protéger. **2.** Avant certains verbes. Note. Langue du sud. **3.** Castor et Pollux sont ses fils. La vache y est sacrée. Déchiffré. **4.** Parties de débauche.Pour prélèvement. **5.** Dépistage. Toi. Les séropositifs en souffrent. **6.** Excelle. Dans. **7.** Avec ou sans lendemains. Antirétroviraux. **8.** Fin de maladies. Do courant. Responsable du sida. **9.** De soi ou d'argent. Aboiement. Symbole du technétium. **10.** On comprend quand on le fait. Anglaise en France. **11.** Affluent de la Garonne. En mauvais état.

Le seul moyen d'arrêter le sida, c'est vous !

GÉNÉRALITÉS

Pour la carte générale de Cuba, voir le cahier couleur.

LETTRE OUVERTE À MONSIEUR LE PRÉSIDENT DES ÉTATS-UNIS

L'équipe du *Guide du routard* prie instamment Monsieur le Président des États-Unis de *lever enfin l'embargo américain sur Cuba.*

Onze millions d'hommes, de femmes et d'enfants dépérissent lentement. Ils manquent de beaucoup de produits de première nécessité.
Qu'est-ce qui peut justifier aujourd'hui l'existence de cet embargo économique condamné par la quasi-totalité des pays membres de l'ONU et la majorité de l'opinion publique américaine ? Le castrisme, si tant est qu'il ait pu un jour vous paraître une menace, n'est plus un danger depuis plus d'une décennie, ni pour les États-Unis ni pour personne.
Pourquoi punir le peuple cubain depuis plus de... 40 ans ? Malgré sa joie de vivre, son goût de la fête, les souffrances et les privations vont finir par prendre le dessus, si cela continue.
Levez l'interdiction du commerce avec Cuba, permettez à vos nombreux concitoyens qui le désirent de voyager à Cuba et établissez des relations normales entre les États-Unis et cette île voisine... avant que le peuple cubain ne perde complètement le sourire...
Philippe Gloaguen et l'équipe du *Guide du routard.*

LETTRE OUVERTE À MONSIEUR FIDEL CASTRO

De la même manière, l'équipe du *Guide du routard* prie instamment Monsieur Fidel Castro, chef de l'État de Cuba, de *lever l'embargo qu'il maintient sur l'économie et la liberté de son propre peuple.*

L'embargo américain est condamnable, mais il n'est pas le seul responsable des conditions de vie très pénibles que supporte le peuple cubain.
Certes, les conquêtes de la Révolution sont indéniables, que ce soit en matière d'éducation, de santé, d'accès de tous à la culture et au sport, etc.
Mais pourquoi freiner l'initiative individuelle en taxant si fortement toute entreprise commerciale ?
Pourquoi maintenir une telle surveillance policière ?
Enfin et surtout, pourquoi refuser toute critique et la liberté d'expression ?
Les Cubains appréhendent l'avenir, nous aussi.
Philippe Gloaguen et l'équipe du *Guide du routard.*

CARTE D'IDENTITÉ

- ***Superficie :*** 110 860 km^2.
- ***Population :*** 11,2 millions d'habitants.
- ***Densité :*** 101,6 hab./km^2.
- ***Capitale :*** La Havane (3 millions d'habitants avec la banlieue).
- ***Villes principales :*** Santiago de Cuba, Camagüey, Cienfuegos, Santa Clara, Holguín.
- ***Langue officielle :*** l'espagnol.
- ***Monnaie :*** il y en a trois en circulation sur l'île ! La *moneda nacional* est le *peso* cubain. Le *peso* convertible, une monnaie battue à Cuba, a la même valeur que le dollar. Et, bien sûr, les dollars américains.
- ***Régime politique :*** république socialiste (parti communiste unique).
- ***Chef de l'État :*** Fidel Castro Ruz (depuis 1975, Premier ministre en 1959).
- ***Religions :*** catholicisme, animisme et santería (religion afro-cubaine).
- ***Taux d'alphabétisation :*** 95,7 %.
- ***Taux de natalité :*** 1,6.
- ***Salaire mensuel moyen :*** 15 US$.
- ***Moyenne d'âge de la population :*** 35 ans.
- ***Sites classés au Patrimoine de l'Unesco :*** Habana Vieja, Trinidad et la vallée de los Ingenios, Santiago de Cuba, la vallée de Viñales.

La plus grande des îles Caraïbes épouse un peu la forme d'un gros crocodile. Pourtant, on la compare toujours à une perle. Ses milliers de kilomètres de plages ont la couleur de la nacre, sa musique vous envoûte. L'Espagne et l'Afrique ont réussi ici un fabuleux métissage que vous découvrirez vous-même : peuple formidable doué d'un sens de l'hospitalité rare. La vie est là : humour, sourire, naturel et un immense sens de la fête. Ajoutez à cela une architecture mi-espagnole, mi-coloniale qui achèvera de vous plonger dans une ambiance typiquement cubaine.

Mais Cuba, c'est aussi et plus que jamais une extrême misère. Le peuple est pauvre, totalement démuni, et le salaire mensuel moyen est de 15 US$. Cuba, ce sont des gens qui, avec presque rien, construisent une montagne. « Eldorado socialiste », diront certains. Eldorado pour les touristes, certes. En ce qui concerne la population locale, toutes les initiatives individuelles sont souvent réduites à néant. Le régime de Fidel Castro, au pouvoir depuis 1959, sorte de « dictature de velours », empêche les Cubains d'être réellement libres et la jeunesse qui n'a pas connu la Révolution aspire à d'autres horizons.

Hay que inventar (« Il n'y a qu'à inventer »), répondent les Cubains depuis le début de la « période spéciale » en 1990, obsédés par la pénurie et écrasés sous le poids des problèmes quotidiens. C'est le système D à la cubaine qui permet de s'en sortir... mais avec le sourire, même si la population est de plus en plus consciente que la misère économique est le produit d'un système obsolète et d'un embargo américain sans raison d'être.

Au jour le jour, les Cubains attendent peu de l'économie officielle, paralysée par la bureaucratie. L'économie « parallèle » est la seule capable de leur apporter des revenus complémentaires et surtout les dollars dont ils ont tant besoin. Chacun se débrouille comme il peut. Tous les moyens sont bons pour survivre : le travail au noir, les trafics, les petits boulots clandestins. C'est la *lucha,* terme employé pour désigner cette course effrénée aux dollars (voir la rubrique « Économie »). Cette *lucha* est l'unique moyen de survie dans un pays où, pour la plupart, les biens de consommation sont vendus en dollars, alors que 95 % des travailleurs sont payés en *pesos,* la monnaie nationale.

Sur cette île paradisiaque, le quotidien des Cubains prend la tournure d'un purgatoire, parfois d'un enfer. Les besoins les plus simples deviennent des problèmes kafkaïens : se procurer du sucre, du lait pour les enfants, du savon pour la toilette, du combustible pour la cuisinière, de la graisse de porc pour frire les bananes, des pièces détachées pour la Lada ou de l'essence pour la vieille Buick, etc. Nécessité fait loi, comme disaient les Anciens. Il faut le savoir avant de débarquer.

AVANT LE DÉPART

Adresses utiles

En France

🛈 *Office de tourisme de Cuba :* 280, bd Raspail, 75014 Paris. ☎ 01-45-38-90-10. Fax : 01-45-38-99-30. • www.cubatravel.cu • ot.cuba@wanadoo.fr • Ⓜ et RER : Denfert-Rochereau. Ouvert de 9 h 30 à 12 h 30 et de 14 h à 17 h 30 (16 h 30 le vendredi). Fermé le week-end.

■ ***Consulat de Cuba :*** 14, rue de Presles, 75015 Paris. ☎ 01-45-67-55-35. Fax : 01-45-67-08-91. • www.cubaparis.com • conscu@ambacuba.fr • Ⓜ Dupleix. Ouvert du lundi au vendredi de 9 h à 12 h.

■ ***Ambassade de Cuba :*** mêmes coordonnées que le consulat. Fax : 01-45-66-80-92. • embacu@ambacuba.fr • Ouvert du lundi au vendredi de 9 h à 12 h et de 14 h à 17 h 30. Téléphoner auparavant.

Et quelques associations

■ ***Association Cuba chez l'Habitant :*** 20, rue Deparcieux, 75014 Paris. ☎ 01-43-20-13-56. • www.hoteservice.com • cuba.habitant@wanadoo.fr • Permanence du lundi au vendredi de 17 h à 20 h, le samedi de 15 h à 20 h. Une association loi 1901 qui propose logement, cours de danse. L'adhésion de 15 €, perçue dans le but de promouvoir la culture cubaine, donne accès à leur liste d'adresses et à leurs « bons plans ». Une chouette initiative.

■ ***Association Cuba Si :*** 94, bd Auguste-Blanqui, 75013 Paris. ☎ 01-43-36-37-50. • www.lesamisdecuba.com • cuba sifrance@aol.com • Ouvert de 9 h 30 à 16 h du lundi au vendredi. Téléphoner avant. Une association culturelle et humanitaire que l'on peut contacter avant de partir. Elle intervient en faveur des enfants : aide à la scolarité, envoi de médicaments. Elle vous donnera de bons conseils. En outre, elle organise des soirées cubaines et peut réserver pour vous des hébergements chez l'habitant.

■ ***Association Cuba Linda :*** 9, rue Pablo-Picasso, 24750 Boulazac. ☎ 05-53-08-96-66. • www.cubalinda.com • cubalinda@wanadoo.fr • Téléphoner avant pour prendre rendez-vous. Réservation de chambres chez l'habitant à La Havane, Viñales, Cienfuegos, Trinidad, Camagüey, Holguín, Santiago et Baracoa... Délivre les cartes de tourisme. Conseils et informations pour préparer votre voyage. Accueil à l'aéroport. Leurs correspondants sur place parlent le français et vous aideront dans vos démarches. L'ensemble des réservations est à régler à Cuba.

■ ***Association Yemaya :*** 12, rue François-Mansart, 31500 Toulouse. ☎ 05-61-11-28-29. Fax : 05-61-11-26-16. • www.yemaya.asso.fr • yemaya1@club-internet.fr • Ouvert de 10 h à 19 h du lundi au vendredi. Téléphoner avant. Association culturelle créée depuis 9 ans, dont l'objectif est de promouvoir la culture latino-américaine sous toutes ses formes, en France et à l'étranger. Organise des ateliers pédagogiques, des échanges interculturels, des concerts, des stages de musique et de danse afro-cubaines, en partenariat avec le Centre national des écoles d'art de Cuba.

En Belgique

Pas d'office du tourisme : s'adresser à celui de Paris.

■ ***Consulat et ambassade de Cuba :*** rue Roberts-Jones, 77, 1180 Uccle (Bruxelles). ☎ 02-343-00-20. Fax : 02-343-71-46 et 02-343-91-95. • mision@embacuba.be • consulado@embacuba.be • Ouvert du lundi au vendredi de 9 h 30 à 12 h 30.

En Suisse

Pas d'office du tourisme : s'adresser à celui de Paris.

■ ***Consulat et ambassade de Cuba :*** 8, Gesellschaftstr., CP 5275, 3012 Berne. ☎ 31-302-2111. Fax : 31-302-9830. • embacuba.berna@pingnet.ch • consula.berna@pingnet.ch • Ouvert de 9 h à 12 h.

Au Canada

ℹ ***Offices de tourisme de Cuba***
– *à Montréal :* 440, bd René-Lévesque Ouest, bureau 1105, H2Z-1V7 Montréal, Québec. ☎ (514) 875-8004. Fax : (514) 875-8006.
– *à Toronto :* 55, Queen Street East, suite 705, M5C-1R6, Toronto, Ontario. ☎ (416) 362-0700. Fax : (416) 362-6799.

■ ***Consulats généraux de Cuba***
– *à Montréal :* 4542-4546, bd Décarie, H3X-2H5. ☎ (514) 843-8897. Fax : (514) 845-1063. • consulgralcuba@bellnet.ca • Ouvert en semaine de 10 h à 13 h.
– *à Toronto :* 5353 Dundas West, square Kipling, suite 401-402, M9B-6H8. ☎ (416) 234-8181. • cubacon@on.aibn.com •

■ ***Embassy of the Republic of Cuba in Canada :*** 388, Main Street, KIS-1E3, Ottawa, Ontario. ☎ (613) 563-01-41. Fax : (613) 563-00-68. • cuba@embacuba.ca •

Formalités

Consulter la fiche « Conseils aux voyageurs » sur le site : • www.france.diplomatie.gouv.fr/voyageurs •

Pour entrer à Cuba comme touriste, vous devrez être muni des documents suivants :
– ***le passeport*** en cours de validité ;
– ***la carte de tourisme :*** c'est un formulaire obligatoire pour entrer à Cuba. Quel que soit le pays d'où vous venez, il vous faudra avoir acheté et rempli ce document avant de débarquer à Cuba, sous peine de payer une

amende (plus quelques tracasseries administratives !). La carte n'est pas distribuée dans l'avion. Il faut donc l'acheter avant le départ. Prix : autour de 25 US$ (22 €). On l'obtient auprès du consulat (sur place ou par courrier, à payer en liquide ou par chèque certifié par la banque) ou à l'agence *Sol y Son* (voir « Les organismes de voyages »). Certaines agences de voyages se chargent de cette formalité à votre place, si vous réservez un circuit ou un séjour, plus rarement si vous ne prenez qu'un vol sec. Il faut présenter le passeport et le billet d'avion (ou une attestation de la compagnie aérienne ou de l'agence de voyages). Cette carte (valable 6 mois après son émission) n'est valide que 30 jours à partir de votre arrivée sur l'île. Les personnes séjournant plus d'un mois peuvent la renouveler sur place pour un mois supplémentaire (mais une fois seulement). Pour cela, il suffit de se rendre au bureau de l'immigration à La Havane : calle 20, entre 3ra et 5ta, Miramar ; à Santiago : av. Raúl Pujol, entre les calles 10 et 1 ; et dans la plupart des villes touristiques. Pensez à apporter passeport, billet de retour, timbre fiscal à 25 US$. Au-delà du second mois, il faut obligatoirement sortir du territoire. La solution consiste à aller faire un petit tour au Mexique ou en Jamaïque. Si vous êtes à Santiago, préférez Saint-Domingue ou Haïti.

– ***La réservation des deux premières nuits d'hôtel :*** en voilà une mesure bizarre, on dirait presque « anti-routard ». Sur votre carte de tourisme, vous devrez indiquer le nom de l'hôtel où vous allez dormir les deux premières nuits. Vous devez donc avoir réservé à l'avance ces deux nuits d'hôtel et être muni d'un justificatif (par exemple, le *voucher* ou le fax de confirmation). Les agences de voyages connaissent bien cette règle et vous réserveront un hôtel pour ces deux premières nuits, même si par la suite vous comptez dormir chez l'habitant. Voilà pour les principes. Dans la réalité, le policier ne demande pas systématiquement ce justificatif. Dans tous les cas, inscrivez sur votre carte de tourisme le nom d'un hôtel que vous avez repéré (pas un hôtel réservé aux Cubains évidemment mais un hôtel « bien sous tous rapports ! ») et préparez soigneusement votre petit bobard (du genre, vous êtes parti avant d'avoir reçu la confirmation de réservation). Mais si le policier est pointilleux et que vous ne pouvez pas présenter de justificatif, vous devrez payer à l'aéroport l'équivalent de deux nuits d'hôtel. Et pas au meilleur marché !

– ***Le visa professionnel ou le visa familial :*** ils sont obligatoires pour des séjours professionnels, pour loger dans une famille cubaine ou chez des amis. Ils coûtent environ 81 € et sont à demander auprès du consulat de Cuba.

■ ***Action-Visas :*** 69, rue de la Glacière, 75013 Paris. ☎ 0826-000-726. Fax : 0826-000-926. • www.action-visas.com • Ouvert du lundi au vendredi de 9 h 30 à 12 h et de 13 h 30 à 18 h 30, et le samedi de 9 h 30 à 13 h.
Vous pouvez utiliser les services d'une société comme *action-visas.com,* qui s'occupe d'obtenir et de vérifier les visas. Le délai est rapide, le service fiable et vous n'avez plus à patienter aux consulats ni à envoyer votre passeport à l'ambassade avec des délais de retour incertains et, surtout, sans interlocuteurs... ce qui permettra d'éviter les mauvaises surprises juste avant le départ. Pour la province, demandez le visa par correspondance. Possibilité de télécharger gratuitement les formulaires sur • www.action-visas.com • N'oubliez pas de vous réclamer du *Routard,* une réduction vous sera accordée. Parce que voyager peut aussi être synonyme d'aide aux plus démunis, Action-Visas prélève 1 € de sa marge commerciale pour un projet humanitaire qui peut être suivi en direct sur leur site internet.

PLANS ET CARTES EN COULEURS

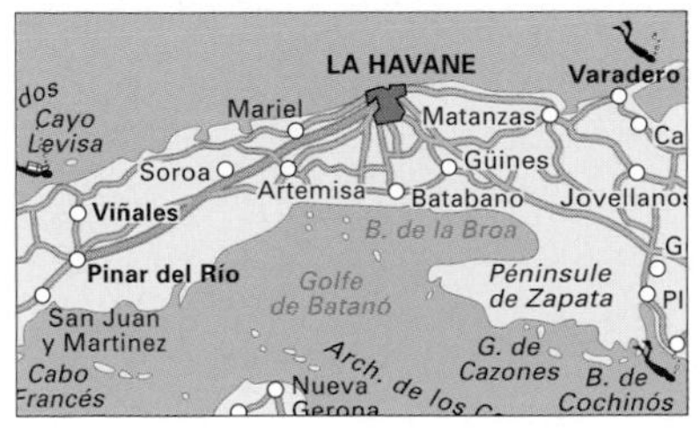

CUBA (CARTE GÉNÉRALE)

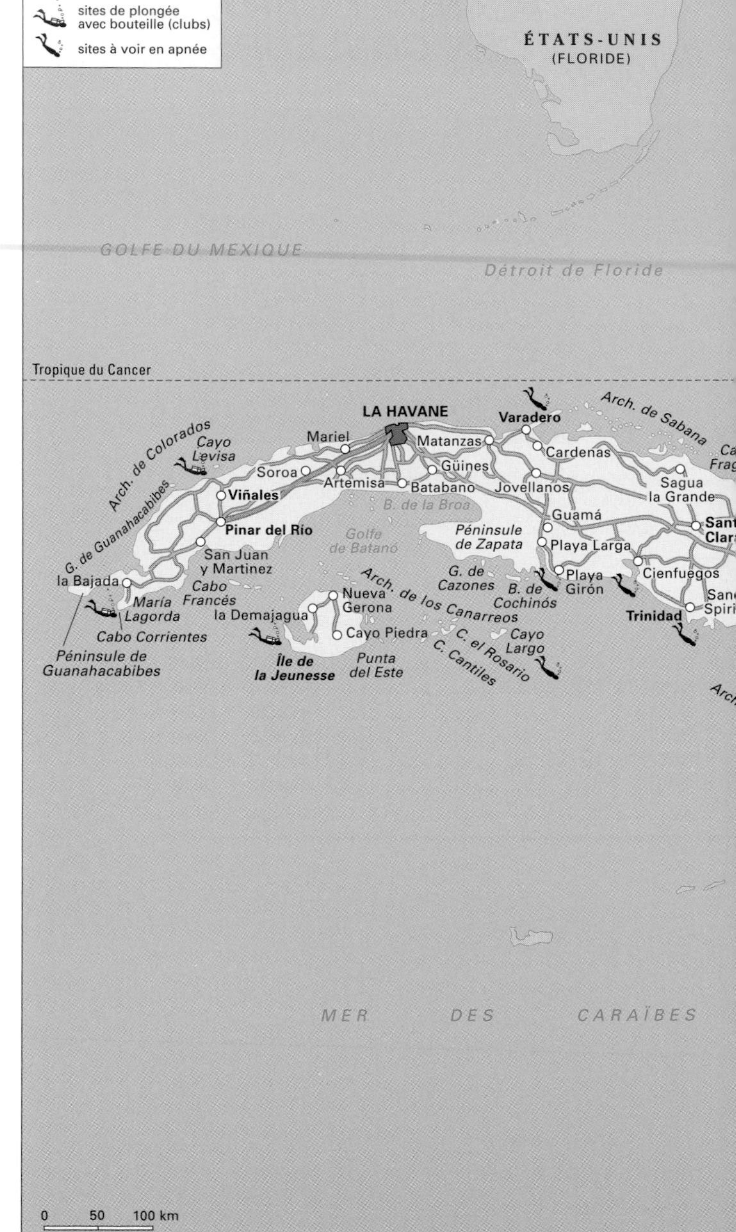

sites de plongée avec bouteille (clubs)
sites à voir en apnée
ÉTATS-UNIS
(FLORIDE)
GOLFE DU MEXIQUE
Détroit de Floride
Tropique du Cancer
LA HAVANE
Varadero
Arch. de Sabana
Arch. de Colorados
Cayo Levisa
Mariel
Matanzas
Cardenas
Soroa
Artemisa
Güines
Sagua la Grande
Viñales
Batabano
Jovellanos
B. de la Broa
G. de Guanahacabibes
Pinar del Río
Guamá
Golfe de Batanó
Péninsule de Zapata
Playa Larga
San Juan y Martinez
Cienfuegos
la Bajada
Cabo Francés
Arch. de los Canarreos
G. de Cazones
B. de Cochinós
Playa Girón
María Lagorda
Nueva Gerona
la Demajagua
Trinidad
Cabo Corrientes
Cayo Piedra
C. el Rosario
Cayo Largo
C. Cantiles
Péninsule de Guanahacabibes
Île de la Jeunesse
Punta del Este
MER DES CARAÏBES
0 50 100 km

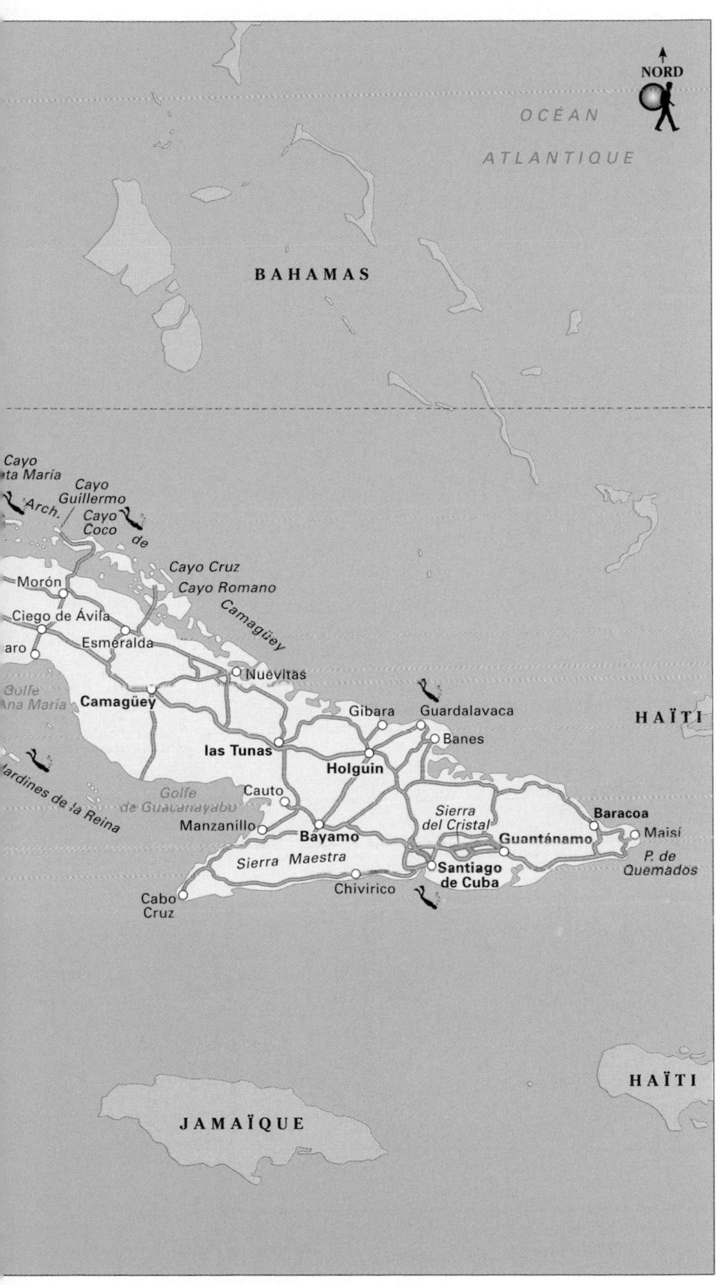

CUBA (CARTE GÉNÉRALE)

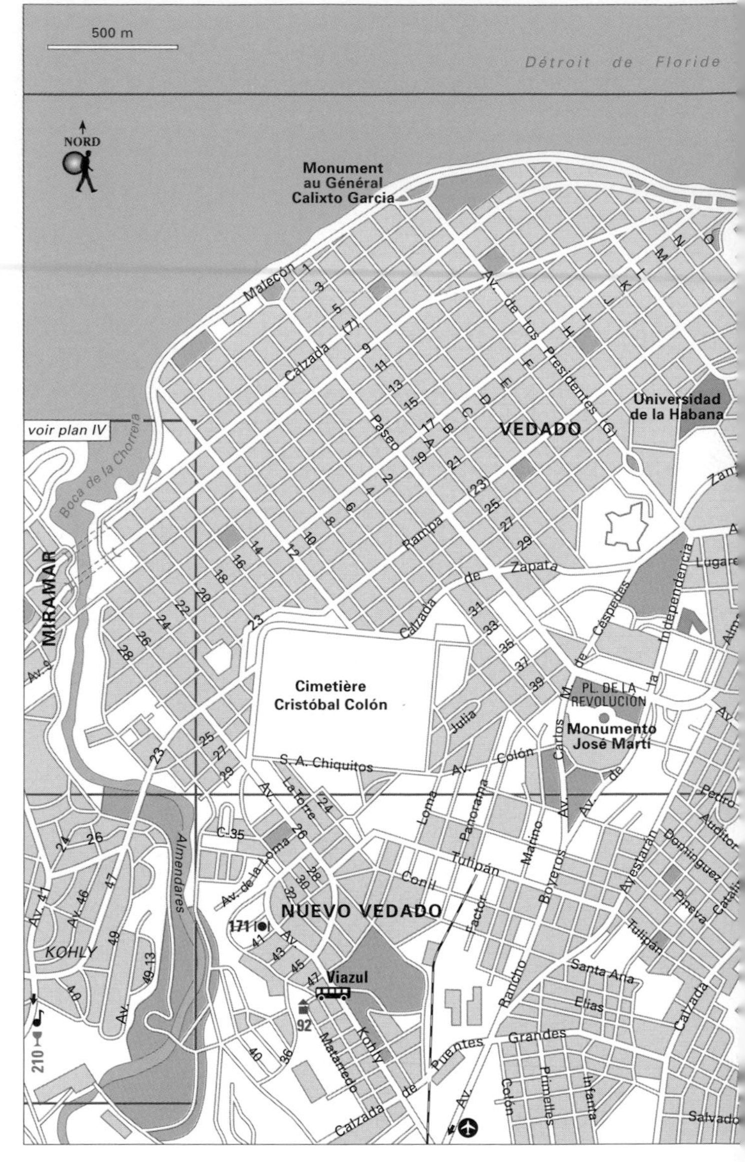

Où dormir ?

92 Micheline Marie

Où manger une pâtisserie ?

171 Pain de Paris

Où sortir ? Où danser ?

210 Tropicana

LA HAVANE – PLAN D'ENSEMBLE

Adresses utiles

- Infotur *(zoom)*
- Poste *(zoom)*
- **13** Telepunto
- **3** Cuba Autrement *(zoom)*
- **4** Gaviota Tours
- **5** Asistur
- **6** Cadeca (bureau de change)
- **7** Banco Financiero Internacional
- **23** Librairie El Navegante *(zoom)*
- **24** Librairie La Internacional
- **38** Bureau d'achat des billets de train
- **72** Cadeca (bureau de change) et pharmacie internationale

Où dormir ?

- 50 Jesus y Maria
- 51 Elvia Olivares
- 52 Gustavo Enamorado Zamora, « Chez Nous »
- 53 Margot et Amalia
- 54 Humberto Acosta
- 55 Pablo Rodriguez
- 56 Miriam Soto
- 58 Casa del Científico
- 59 Convento Santa Clara
- 60 Hostal Valencia-El Comendador *(zoom)*
- 61 Hôtel Park View
- 62 Convento Santa Brigida
- 63 Hôtel Beltrán de Santa Cruz
- 64 Hostal Los Frailes
- 65 Hostal San Miguel
- 66 Ambos Mundos *(zoom)*
- 67 Hostal Conde de la Villanueva *(zoom)*
- 68 Hôtel Telégrafo
- 69 Hôtel Santa Isabel
- 70 Hôtel Florida
- 71 Hôtel Inglaterra
- 72 Hôtel Sevilla

Où manger ?

- **60** La Paella *(zoom)*
- **67** Vuelta Abajo *(zoom)*
- **120** La Mulata del Sabor
- **121** Paladar Don Lorenzo
- **122** Hanoï
- **123** Bosque Bologna
- **124** Isaman
- **125** Taberna de la Muralla
- **126** Café Taberna
- **127** El Mercurio Café *(zoom)*
- **128** Cabaña
- **129** La Bodeguita del Medio
- **130** La Torre de Marfil *(zoom)*
- **131** Don Giovanni
- **132** XII Apostoles
- **133** Parillada del Marques *(zoom)*
- **134** Al Medina *(zoom)*

Où manger une pâtisserie ?

- **172** Pastelería francesa

Où boire un verre ?

- 71 Bar de l'hôtel Inglaterra, la Terraza
- 72 Patio de l'hôtel Sevilla
- 129 La Bodeguita del Medio
- 133 El Patio *(zoom)*
- 178 Mirador de la Bahía *(zoom)*
- 179 El Floridita
- 180 Café O'Reilly *(zoom)*
- 181 El Bosquesito *(zoom)*
- 182 La Canasta
- 184 Café París *(zoom)*
- 185 Lluvia de Oro
- 186 Castillo de Farnés
- 187 Bar Dos Hermanos

À voir

- **59** Convento Santa Clara
- **66** Hôtel Ambos Mundos *(zoom)*
- **68** Hôtel Telégrafo
- **69** Palacio de los Condes de Santovenia
- **71** Hôtel Inglaterra
- **122** Casa de la Parra
- **129** Bodeguita del Medio
- **133** Casa de los Marqueses de Aguas Claras *(zoom)*
- **134** Casa de los Arabes *(zoom)*
- **179** Bar-resto El Floridita
- **184** Café París *(zoom)*
- **185** Lluvia de Oro
- **220** Maqueta de La Habana Vieja *(zoom)*
- **221** Palacio de los Condes de Casa Bayona, museo de Arte colonial
- **223** Centre Wifredo Lam d'Art contemporain
- **224** Casa del Conde de la Reunión
- **225** Palacio de los Capitanes Generales et museo de la Ciudad *(zoom)*
- **226** Camera Oscura
- **232** Museo del Rón Havana Club (Musée du Rhum Havana Club)
- **233** Casa natal de José Martí
- **234** Museo de la Révolucíon et palacio presidential
- **240** Museo nacional de Bellas Artes (arte cubano)
- **241** Museo nacional de Bellas Artes (arte universal)
- **242** Museo de Armas *(zoom)*
- **243** Museo nacional de la Música (Musée national de la Musique)
- **244** Cabinete de arqueología
- **245** Casa de Simón Bolívar *(zoom)*
- **246** Casa de África *(zoom)*
- **247** Casa de Guayasamín et Casa del Abanico *(zoom)*
- **248** Fabrique de cigares Corona

Achats

- **67** Boutique de l'hostal Conde de la Villanueva *(zoom)*
- **243** Musée national de la Musique
- **247** Casa del Abanico (Maison de l'Éventail) *(zoom)*
- **248** El Palacio del Tabaco
- **260** Feria de la cathédrale (marché artisanal)
- **261** Palacio de la Artesanía
- **264** La Casa del Rón *(zoom)*

LA HAVANE – REPORTS DU PLAN I

LA HAVANE – PLAN I

Où dormir ?

57 Hôtel Lido
75 David y Lidia Diaz
76 Casa Roomantic Colonial
77 Amada Pérez Guelmes, « Chez Tony »
78 Juan Carlos

Où manger ?

140 Cafétéria de la plaza de las Columnas
141 Restaurant Chung Shan
142 Restaurant Seeman
143 Paladar Bellomar
144 Paladar La Guarida

Où sortir ? Où danser ?

209 Nouvelle Casa de la Música
210 La Maison du Tango

À voir. Achats

249 Fábrica de cigares Partagas

LA HAVANE – REPORTS DU PLAN II

LA HAVANE – PLAN II

LA HAVANE – PLAN II

LA HAVANE – PLAN III

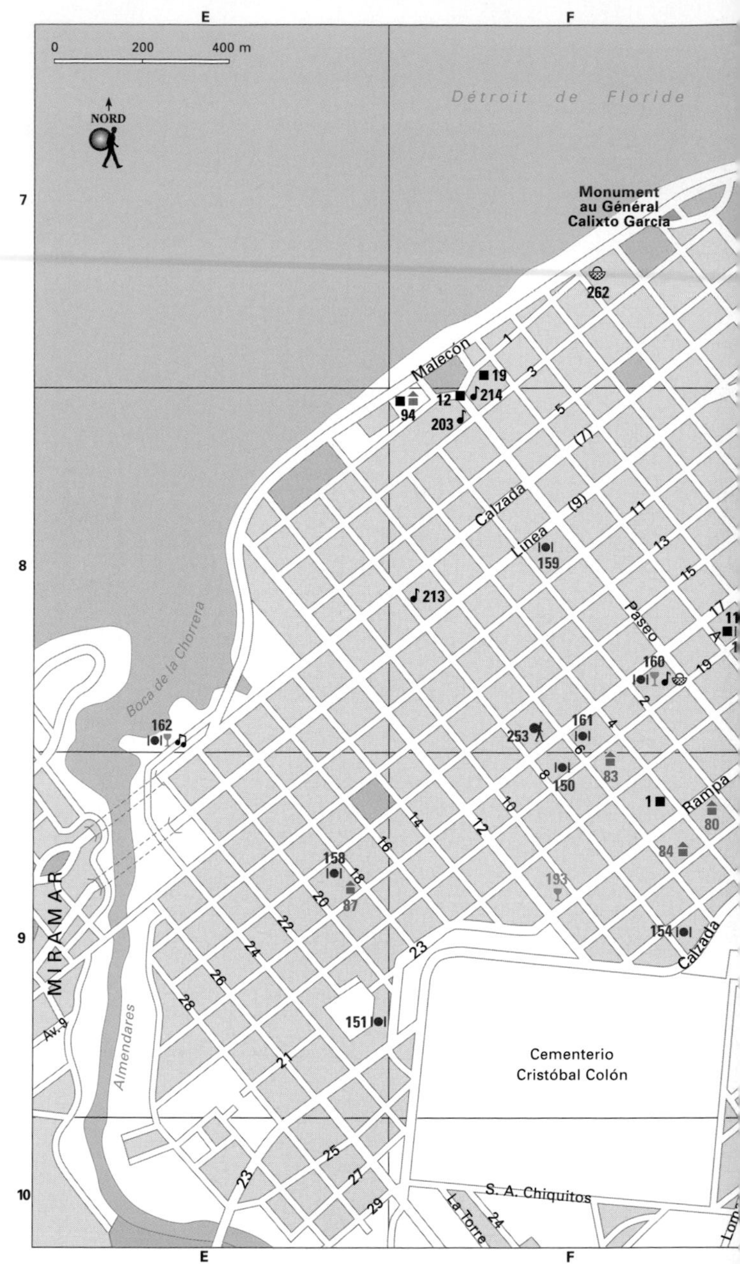

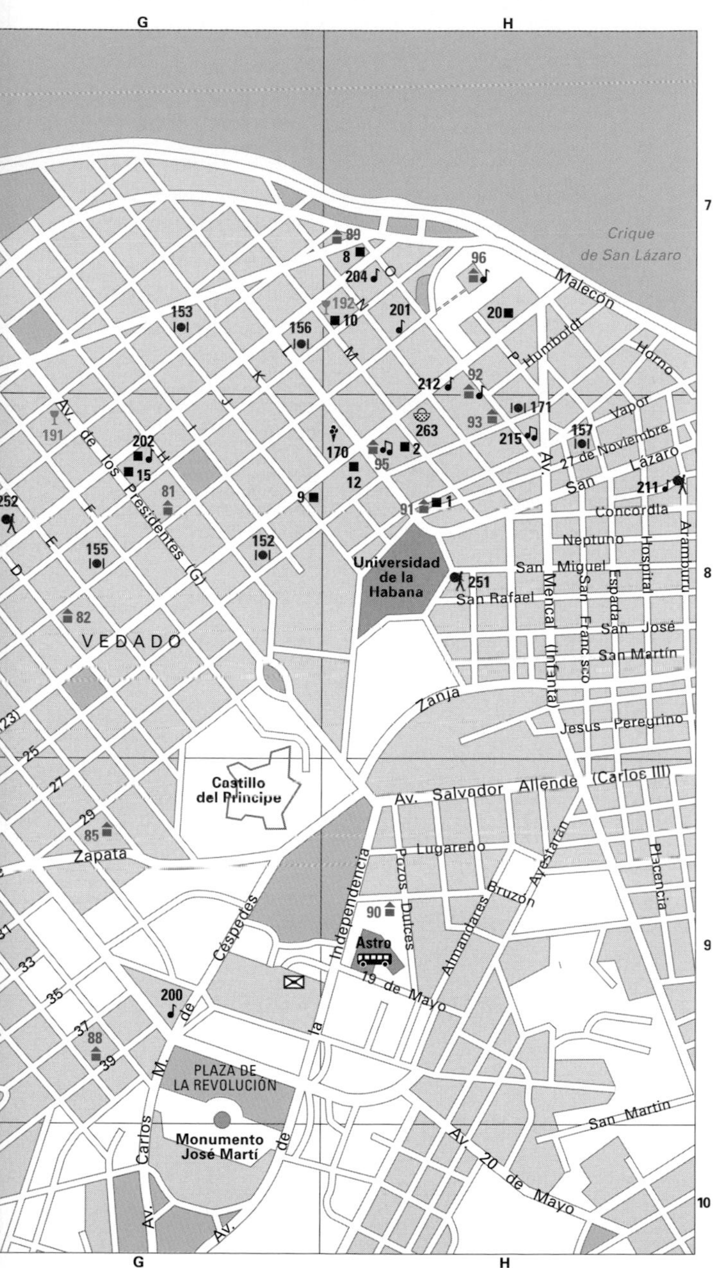

LA HAVANE – PLAN III

Adresses utiles

- Poste principale
- 1 Roots Travel
- 2 Cubatur, Havanatur, Air Europa
- 8 Banco Financiero Internacional
- 9 Banco Popular de Ahorro
- 10 Cadeca (bureau de change)
- 11 Cadeca (bureau de change)
- 12 Etecsa (téléphone)
- 15 Alliance française
- 19 Micar
- 20 Immeuble de la Cubana de Aviación (Air France ; Mexicana et Aerocaribe, Air Jamaica et Lanchile)
- 94 Transtur
- 202 Union nationale des écrivains et artistes cubains

Où dormir ?

- 80 Iliana García
- 81 Mercedes González
- 82 Delta Torres Pagán
- 83 Casa Mariveli
- 84 Mélida Jordán
- 85 Manuel Arena Musa
- 86 Olga González y Fria
- 87 Casa de Graciela
- 88 Casa Ataidi
- 89 Milagros Cordero et Alicia Hernández Padrón
- 90 Hôtel Bruzón
- 91 Hôtel Colina
- 92 Hôtel Saint John's
- 93 Hôtel Vedado
- 94 Hôtel Riviera
- 95 Hôtel Habana Libre
- 96 Hôtel Nacional

Où manger ?

- 149 Marché paysan
- 150 Doña Juana
- 151 El Hueco
- 152 Sarasúa
- 153 Le Chansonnier
- 154 Villa Babi
- 155 El Gringo Viejo
- 156 Nerei
- 157 La Tasquita
- 158 Las Mercedes
- 159 Decamerón
- 160 Casa de la Amistad
- 161 Unión francesa de Cuba
- 162 Restaurant 1830

Où déguster une glace ? Où manger une pâtisserie ?

- 170 Coppelia
- 171 Pain de Paris

Où boire un verre ?

- 160 Casa de la Amistad
- 162 Bar Colonial du restaurant 1830
- 191 Café La Fuente
- 192 La Torre
- 193 Café Fresa y Chocolate

Où sortir ? Où danser ?

- 92 Pico Blanco
- 96 El Parisien
- 160 Casa de la Amistad
- 200 Café Cantante Mi Habana
- 201 Salón Rojo
- 202 Peña de l'Union nationale des écrivains et artistes cubains
- 203 Habana Café
- 204 El Gato Tuerto
- 211 Peña de la Rumba
- 212 La Zorra y el Cuervo
- 213 Casa de la cultura de Plaza
- 214 Jazz Café

Les *discotecas*

- 95 El Turquino
- 162 Jardines de 1830
- 215 Las Vegas

À voir

- 211 Callejón de Hamel (univers naïf et fantastique de Salvador Escalona)
- 251 Museo Napoleónico
- 252 Museo nacional des Artes decorativas (musée national des Arts décoratifs)
- 253 La statue de John Lennon

Achats

- 160 La Casa del Tabaco
- 262 Marché d'artisanat La Atarroya
- 263 Marché d'artisanat de la Rampa

LA HAVANE – REPORTS DU PLAN III

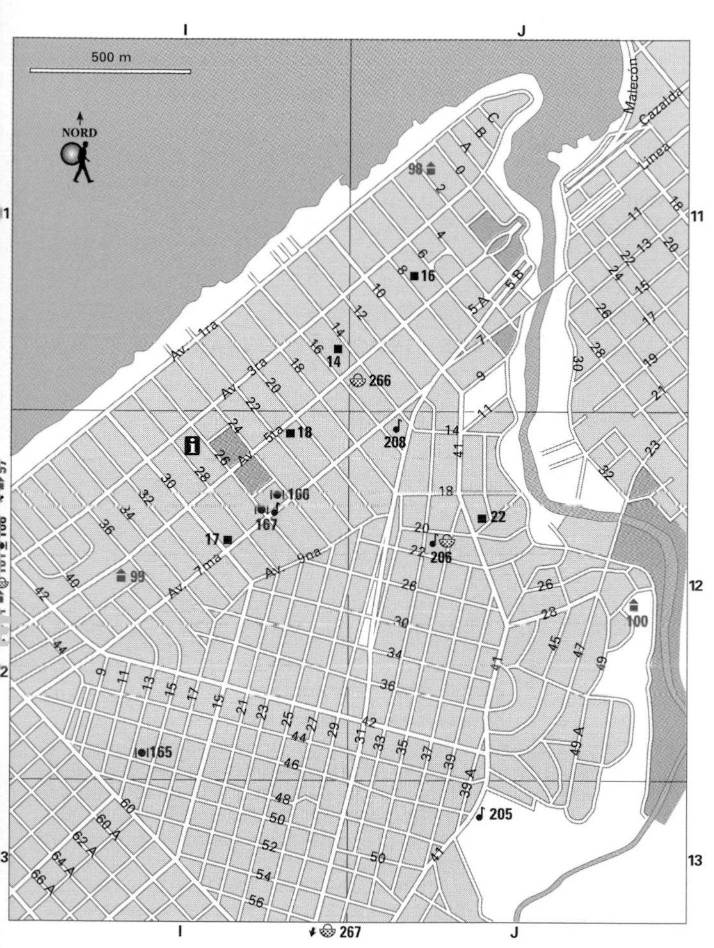

LA HAVANE – PLAN IV

Adresses utiles

- Oficina de turismo
- 14 Ambassade de France
- 16 Ambassade de Belgique
- 17 Ambassade du Canada
- 18 Ambassade de Suisse
- 21 Centro de negocios (compagnies aériennes : Air Europa, Mexicana et Aerocaribe)
- 22 Clínica Central Cira García

Où dormir ?

- 97 Chez Clarisa Santiago Esquivel
- 98 Chez Fanny Thelmo
- 99 Hôtel Mirazul
- 100 Hôtel El Bosque
- 101 Château Miramar

Où manger ?

- 165 Paladar La Cocina de Lilliam
- 166 Restaurant El Aljibe
- 167 Parillada Caribeña
- 168 Restaurant La Cecilia

Où manger une pâtisserie ?

- 167 Pain de Paris

Où sortir ? Où danser ?

- 167 Rincón del Bolero
- 205 Salon Rosado de la Tropical Benny Moré
- 206 Casa de la Música
- 208 La Maison

Achats

- 101 Boutique de l'hôtel Château Miramar
- 206 Casa de la Música
- 266 et 267 La Casa del Tabaco

LA HAVANE – REPORTS DU PLAN IV

NOS NOUVEAUTÉS

BORDEAUX (mars 2005)

Ouf ! ça y est... Bordeaux a son tramway. Grande nouvelle pour les voyageurs qui retrouvent la ville débarrassée d'un chantier qui la défigurait, et aussi pour les Bordelais qui peuvent enfin profiter d'un superbe centre piétonnier. Car Bordeaux est une aristocrate du XVIIIe siècle que la voiture dérangeait. Elle offre au piéton des ruelles que parcourait déjà Montaigne, quand il en était le maire.
Passée la surprise des superbes façades des Chartrons, des allées de Tourny et du Grand Théâtre, vous irez à la recherche du Bordeaux populaire et mélangé. Vous irez faire la fête dans les zones industrielles portuaires réhabilitées, vous irez parler rugby place de la Victoire avec des étudiants à l'accent rugueux qui font de Bordeaux la vraie capitale du Sud-Ouest (pardon, d'Aquitaine).
Bordeaux est une aristocrate qui aime aussi s'encanailler. Elle aime ses aises, sa liberté, et ne cesse de regretter la victoire des Jacobins sur les Girondins.
El le vin ? Il est partout et pas seulement le bordeaux car ces gens sont chauvins, certes, mais aussi curieux, et puis ils considèrent, à juste titre, que tout vin du monde est fils de Bordeaux.

Au départ de Cuba

– ***ATTENTION,*** prévoyez 25 US$ en espèces pour la fin de votre voyage. À l'aéroport, vous devrez payer cette taxe avant d'embarquer, quel que soit votre aéroport de départ.

AMOR

El amor – l'amour, bien sûr – est un sport national, au bon sens du terme, une activité quasi vitale pour les Cubains, un loisir conjugué sous toutes ses formes. Nous sommes sous les tropiques, le corps n'est donc jamais plus loin qu'une seule épaisseur de lycra ou de coton transparent ; on le devine, on le voit partout, on bute sur lui aux coins des rues, on le frôle à chaque déhanchement. Cuba est probablement le pays le plus sensuel de la terre, pour ne pas dire sexuel. Déjà, pour ceux qui au début des années 1960 se rendaient à La Havane, « sexe et Révolution » allaient de pair. Ils découvraient là un bel exemple qui les ferait écrire quelques années plus tard sur les murs de la fac de Nanterre : « Aimez-vous les uns SUR les autres. » L'amour, c'est, bien sûr, d'abord l'affaire des Cubains et des Cubaines, durable ou non, singulier ou pluriel ; l'amour aussi par procuration, au travers des personnages de la *novela,* le feuilleton du soir à la télé ; c'est l'amour pour la vie, pour le sport, pour l'hygiène, pour joindre l'utile à l'agréable, c'est le repos du guerrier, c'est surtout l'amour pour ne pas manquer une si belle occasion d'aimer. C'est l'amour pour oublier les difficultés de la vie quotidienne. C'est l'amour de la beauté du corps. C'est l'amour de l'amour.

Entre filles et garçons, mais aussi entre personnes du même sexe, même si, à Cuba, les homosexuels ne sont pas totalement libres de leurs faits et gestes. Au début de la « Revolución », considérés comme des malades et des criminels, ils étaient relégués à l'île des Pins (actuelle île de la Juventud), au large de Cuba. Aujourd'hui, ils sont mieux acceptés. Il y a même quelques bars gay à La Havane et une plage leur est presque « officiellement » réservée à Santa María (playas del Este).

La quantité de rapports dits tarifés (voir plus loin la dérive des *jineteras*) ne représente rien si on les compare avec tous ceux qui font partie de la vie, pour la beauté du geste, le goût de la romance, horizontale ou pas. Bien des écrivains, et parmi les plus fameux, en ont superbement parlé. Lire par exemple *La Havane pour un infante défunt,* de Guillermo Cabrera Infante. Ici, on vous parlera de « l'ode à la chair », là de « la volupté de tous les jours », là encore de « ces sens qui rendent esclaves ».

Enfin, pour couronner le tout, *amor* est un de ces mots passe-partout usés jusqu'à la corde. On peut aborder un inconnu avec un « ¡ Mi amor ! ». Mais il existe aussi des variantes : *amorcito* (« petit amour »), *mi cielo* ou *mi vida*. Le mot sert à tout et ne parle pas forcément d'amour, parfois même c'est tout le contraire. Vous pouvez vous faire engueuler avec un « ¡ Mi amor ! ».

ARGENT, BANQUES, CHANGE

Monnaies en usage

Soyez zen, en général, c'est seulement vers la fin du voyage que l'on commence à comprendre quelque chose aux trois monnaies en circulation. Encore faut-il avoir la chance de savoir reconnaître les pièces... Et en plus, l'euro commence à être accepté... tout doucement...

– Tout d'abord, il y a la monnaie nationale *(moneda nacional),* c'est-à-dire le ***peso cubano,*** qui est divisé en *centavos*. Lors de la réédition de ce guide, 1 US$ équivaut à peu près à 27 pesos (et à 1 € environ).

On ne peut pas acheter grand-chose avec les pesos cubains, surtout si on a une bonne tête de touriste : en changeant 10 à 15 US$, vous pourrez quand même acheter des pizzas dans la rue ou des fruits au marché, payer le taxi collectif à La Havane ou les communications locales dans les cabines à pièces. Dans les quartiers non touristiques de La Havane et dans le reste de l'île, certains magasins et restos « cubains » acceptent uniquement la monnaie nationale. Et puis, si on a la chance de parler l'espagnol et d'être un peu basané, il ne faut pas hésiter à tenter le coup dans les hôtels réservés aux Cubains, qui sont vraiment bon marché... À propos, attention au symbole « $ » affiché dans la rue. C'est souvent le même pour les pesos que pour les dollars. Vous risqueriez d'acheter une glace à 2 US$, soit une cinquantaine de pesos au lieu de deux !

Le change dollars-pesos se fait dans des bureaux de change spécialisés, les *Cadeca,* ouverts toute la semaine, matin et après-midi. Ce sont évidemment des lieux très courus par les Cubains !

– La deuxième monnaie cubaine est le ***peso convertible*** (billets et pièces). En gros, un dollar déguisé. Il a exactement la même valeur que le dollar américain, mais évidemment seulement en territoire cubain. Ailleurs, il vaut moins que des cacahuètes. On peut en obtenir dans les distributeurs automatiques et comme monnaie en retour d'un achat. Sa circulation est cependant marginale. Évidemment, écoulez-les avant de repartir.

– Paradoxe s'il en est, la république socialiste de Cuba vit et pense en ***dollars américains,*** depuis le coupeur de canne à sucre jusqu'à Fidel. L'US dollar (US$) est la troisième monnaie utilisée, par les touristes bien sûr, mais aussi par les Cubains. On peut voyager à Cuba sans jamais voir ni toucher un peso. Pour un touriste, tout est à vendre en billets verts. Vous verrez rarement un Cubain refuser vos dollars américains, à moins de tomber dans un resto seulement réservé aux locaux. Conclusion pratique : il faut emporter avec vous des dollars, et si possible en petites coupures (5, 10 ou 20 US$), sinon on aura du mal à vous rendre la monnaie sur place... Partez avec une partie en espèces et l'autre en chèques de voyage.

– ***Et l'euro ?*** Il est accepté pour les dépenses courantes dans les hôtels de Varadero et dans toutes les grandes zones touristiques de l'île.

Banques et bureaux de change

Les grandes banques *(Banco Nacional de Cuba, Banco Financiero Internacional, Banco Internacional de Comercio, Banco Popular de Ahorro)* sont généralement ouvertes de 8 h 30 à 15 h et fermées les samedi et dimanche (toutefois, certaines banques ouvrent le samedi matin). Les maisons de change *Cadeca* (certaines prennent les chèques de voyage) ferment beaucoup plus tard et sont ouvertes le samedi matin, parfois même le dimanche matin. À La Havane, quand tout est fermé, il est toujours possible de faire du change à l'hôtel *Habana Libre.*

Chèques de voyage

Prenez des chèques de voyage en dollars. C'est une mesure de précaution, on n'est jamais à l'abri d'un vol ! Mais sachez que la commission est de 3 à 5 %. Jusqu'à récemment, le pays n'acceptait que les chèques de voyage émis par des banques non américaines ! On optera donc pour les *travellers Visa* ou *Thomas Cook,* de préférence aux *American Express* (bien que ces derniers commencent peu à peu à être acceptés dans quelques endroits à La Havane et dans certains grands hôtels de Varadero). Pour savoir où vous procurer les *travellers Visa* et les *Thomas Cook/MasterCard,* allez sur • www.cashmycheques.com • qui répertorie tous les points de vente. Très peu de commerçants acceptent les *travellers,* sauf quelques grands hôtels. On change donc ses chèques de voyage contre des espèces dans les banques et dans certains bureaux *Cadeca.*

Cartes de paiement

Les cartes *Visa Internationale, Eurocard* et *MasterCard* sont acceptées partout à Cuba à condition qu'elles ne soient pas délivrées par une banque américaine.
Cuba n'étant pas une destination touristique bon marché, il devient difficile de voyager sans carte de paiement, au moins en complément de dollars en espèces et des chèques de voyage. En effet, la carte de paiement permet des retraits en espèces (voir plus bas). Par ailleurs, si vous louez une voiture (à La Havane, à Varadero ou ailleurs), il est indispensable d'avoir sur soi une carte de paiement (*Visa* ou *MasterCard*) car le loueur l'exige au moment de signer les papiers. Il prend nécessairement l'empreinte de votre carte en guise de caution *(depósito)*. Vous en aurez aussi besoin pour régler l'assurance de la voiture (car celle-ci est rarement payée à l'avance par l'agence).
Visa et *MasterCard* ont une représentation à La Havane : 23e Avenue, entre les rues L et M, dans le quartier du Vedado. ☎ (537) 55-44-44. Fax : (537) 55-48-01.
– La carte ***Eurocard MasterCard*** permet à son détenteur et à sa famille (si elle l'accompagne) de bénéficier de l'assistance médicale rapatriement. En cas de problème, contacter immédiatement à Paris le : ☎ 00-33-1-45-16-65-65. En cas de perte ou de vol, appeler (24 h/24) à Paris le : ☎ 00-33-1-45-67-84-84 (PCV accepté), pour faire opposition. À noter que ce numéro est aussi valable pour les cartes *Visa* émises par le Crédit Agricole et le Crédit Mutuel. • www.mastercardfrance.com •
– Si, depuis peu, les chèques de voyage *American Express* sont acceptés par quelques rares banques, en revanche la carte *American Express,* elle, ne l'est pas encore.
– Pour toutes les cartes émises par La Poste, composer le : ☎ 0825-809-803 (pour les DOM : ☎ 05-55-42-51-97).
– Également un numéro d'appel valable quelle que soit votre carte de paiement : ☎ 0892-705-705 (serveur vocal à 0,34 €/mn).

Règlement par carte de paiement

En théorie, on peut régler certains achats avec la carte :
– les prestations de la plupart des grands hôtels (quand la machine n'est pas en panne !), très rarement celles des restaurants et jamais des *paladares* (restos privés chez l'habitant) ;
– les dépenses relatives aux stations-service *Cupet* (ou *Servicupet*) ; mais dans la pratique, ça ne marche pas à tous les coups ;
– les achats effectués dans beaucoup de boutiques pour touristes (s'il n'y a pas de problème de connexion !).

Retrait d'argent avec une carte de paiement

Bien se renseigner auprès de votre banque, avant le départ, sur les montants et délais autorisés. Pour ne pas être à court d'argent, renseignez-vous sur les ponts qui accompagnent les jours fériés, en particulier pour la fête nationale, les 25, 26 et 27 juillet !
– La manière traditionnelle consiste à retirer de l'argent liquide sous forme de dollars au guichet d'une banque avec sa carte et sur présentation du passeport. Pour la plupart, les banques effectuent la transaction, et même certaines *Cadeca.* Le retrait minimal est de 100 US$. Demandez des petites coupures de 10 ou de 20 US$, plus pratiques que des gros billets.
– Par ailleurs, les distributeurs automatiques de billets ont fait leur apparition dans les grandes villes et les endroits touristiques. N'ayez crainte, vous ne recevrez pas de pesos, mais de la monnaie convertible *(peso convertible).* Quelques-uns fournissent même des dollars.

ARTISANAT, ACHATS

Que vous soyez « *Havana Club* » ou « *Cohiba* », vous savez déjà ce que vous allez pouvoir rapporter dans vos valises... car si les cigares et le rhum cubains font l'unanimité (voir rubriques concernées), on ne peut pas en dire autant de l'artisanat local. En réalité, Cuba n'a pas de tradition artisanale, même si l'arrivée des touristes a modifié la donne. Vous pourrez toujours vous rabattre sur un chapeau de paille – imitation de celui du *guajiro* (paysan, coupeur de canne à sucre) –, une *guayabera* – la fameuse chemise traditionnelle cubaine en coton –, ou des objets de la *santería*...
Dans les villes touristiques (La Havane, Trinidad, Varadero, Santiago...), on voit apparaître des marchés d'artisanat qui vendent une production, certes peu typique, mais de plus en plus variée : paniers en osier, colliers en graines, bracelets en nacre, objets en papier mâché, dominos, mobiles... ceux de La Havane sont moins chers qu'ailleurs.
Attention, le corail noir est une espèce en danger... que l'on trouve en vente partout sous forme de bijoux, gris-gris ou boucles d'oreilles. Ne vous faites pas complice de cette exploitation.
– ***Les objets en bois :*** comme il ne vous viendra pas à l'esprit d'acheter un meuble imitation tropiques (fauteuil à bascule, par exemple), vous vous rabattrez sur les instruments de musique (*claves, congas, maracas, tumbas,* etc.).
– ***La peinture :*** bien des expressions artistiques ont fait de Cuba, à différentes époques, une référence. En ce qui concerne la peinture, et pour ne citer qu'eux, Amelia Pelaez, René Portocarrero, Manuel Mendive et surtout Wifredo Lam sont à retenir. L'art graphique fut très important, notamment celui des créateurs d'affiches de films ou d'affiches politiques, jusqu'au moment où commença à manquer en premier lieu... le papier. Au grand marché d'artisanat *(Feria)* de Habana Vieja, de nombreux peintres exposent leurs toiles. Il y en a pour tous les goûts et certaines œuvres sont beaucoup plus que de la barbouille pour touristes en goguette. Pour ne pas dire superbes... Bien demander un reçu de la part de votre vendeur. Sans cette formalité, vous prenez le risque de vous faire confisquer votre toile, même modeste.
– ***Les disques :*** les amateurs de salsa et de musique cubaine seront aux anges. On trouve à La Havane quelques boutiques relativement bien achalandées. Les CD valent entre 15 et 18 US$. Attention aux copies de CD, la qualité n'est pas vraiment à la hauteur...
– ***Autour du Che :*** pour les nostalgiques de la Révolution cubaine, les gamins des rues vendent des pièces de 3 pesos à l'effigie de Che Guevara (ces pièces ont toujours cours et valent effectivement 3 pesos, les vendeurs en demandent beaucoup plus, attention donc !), ainsi que des billets estampés à son portrait. La plupart du temps, ce sont bien sûr des faux. Plus rare : les billets signés par le Che. Les marchands du temple se sont également mis à la mode « Che » : à La Havane, vous trouverez partout T-shirts, photos, affiches, poèmes, autocollants, pin's, cartes postales et même des assiettes à l'effigie du Che ! Pas très révolutionnaire, tout ça...
– Nombreux ***bouquins*** également, parfois en français. Ceux qui lisent l'espagnol auront l'embarras du choix : libraires et vendeurs à la sauvette proposent tous les écrits du docteur Guevara, ainsi qu'une pléthore de biographies, certaines illustrées de photos rares. Les aficionados sauront tout sur la vie et l'œuvre du *Comandante*...

BALSEROS

Les mois de juillet et août 1994 resteront ceux des *balseros.* À savoir : ceux qui quittaient Cuba sur leur *balsa* – littéralement « radeau » –, mais ceux-là étaient des radeaux de fortune, faits la plupart du temps à partir de chambres à air ! Un vrai drame : un certain nombre d'entre eux, partis rejoindre leur eldorado, autrement dit les côtes de Floride, périrent en mer, en raison des tempêtes, quand ils ne mouraient pas d'épuisement, de soif, ou n'étaient pas victimes des requins. Ceux-là, parmi les milliers de candidats à l'exil, n'avaient pu être repérés et récupérés par les garde-côtes américains.

Ce fut le troisième grand flot de départs de Cubains vers les États-Unis depuis 1959. Si celui dit « de Mariel » (du nom d'une plage près de La Havane) en 1980 fut « politique », il est couramment admis que les *balseros* de 1994 fuyaient la grande pauvreté qui était venue s'abattre sur le pays, juste après l'effondrement de l'empire soviétique duquel dépendait l'économie cubaine. Depuis 1990, le pays vivait la « période spéciale » se traduisant par des mesures d'austérité draconiennes imposées par les circonstances.

Sur les plages de Cojimar ou d'ailleurs, les *balseros,* préparés de longue date ou seulement depuis la veille, embarquaient devant les caméras de la presse étrangère et sous les yeux de la police, tout au plus indifférente. Certains se mettaient même à l'eau à partir du Malecón, fameuse promenade en bord de mer, en plein centre de La Havane.

Au total, plus de 30 000 *balseros* ont réussi à quitter le pays en quelques semaines. Cuba accusa Washington d'avoir provoqué et organisé cet exode, donnant comme preuve, entre autres, que la plupart des candidats à l'exil avaient demandé un visa américain, mais en vain... L'affaire des *balseros* prit fin le 18 août exactement. Bill Clinton venait de prendre une mesure unique dans toute l'histoire des relations américano-cubaines : les émigrés cubains interceptés en mer seraient désormais placés dans des centres de détention et renvoyés à Cuba.

Mais, en vertu de la *ley de ajuste cubano* (que le gouvernement cubain qualifie de criminelle), tout Cubain qui parvient sur le sol américain et demande l'asile politique, l'obtient immédiatement.

L'« affaire » Elian

Le dernier épisode marquant des *balseros,* et qui fit le tour du monde, fut le cas de ce petit garçon, Elian Gonzalez, 6 ans, qui, fuyant le régime avec sa mère et son beau-père en novembre 1999, fut récupéré par les garde-côtes américains, accroché à l'épave de son embarcation, alors que sa mère, son beau-père et 13 autres personnes périrent lors de la traversée. Il s'ensuivit un imbroglio politico-passionnel pour savoir si le gamin devait rester aux États-Unis comme sa mère en avait eu la volonté, ou s'il fallait le renvoyer vers Cuba chez son père (les parents étaient séparés). Au-delà du simple bon sens qui voulait que ce gosse retourne vivre avec son père (et comme le stipulent les accords entre Cuba et les États-Unis sur le rapatriement des mineurs sans parents), cette lamentable affaire devint un enjeu politique. Finalement, conformément à la loi, Elian fut rendu à son père, venu le chercher sur le territoire américain, laissant les anti-castristes dans une position délicate. Un musée est consacré à cette affaire à Cardenas, près de Varadero.

BARBUDOS

Les « barbus », ce sont tout simplement les hommes de Fidel Castro aux temps héroïques de la guérilla... En décembre 1956, ils débarquent en catastrophe de leur bateau, le fameux *Granma,* à l'est de l'île. Ils sont alors 82. Attendus de pied ferme par l'armée de Batista, ils se réfugient dans la sierra Maestra – mais ils ne sont plus que douze selon la légende (en fait, un peu plus...). Rejoints chaque jour par des paysans toujours plus nombreux, ils vont affronter avec succès les troupes de Fulgencio Batista. Pour tout le monde, ce sont désormais les *barbudos,* prototypes des guérilleros sud-américains, en armes et en treillis vert olive. En pénétrant en vainqueurs à La Havane au début du mois de janvier 1959, les *barbudos* sont alors plus de 3000. Fidel Castro, Che Guevara et Camilo Cienfuegos en tête, ils entrent dans la légende. Les documents de l'époque ont immortalisé ces hommes dont la barbe conquérante va devenir un signe de ralliement. Aujourd'hui, les *barbudos* ne sont plus qu'un, et la barbe est celle de Fidel, devenue quelque peu grisonnante.

BELLES AMÉRICAINES

Cuba est le pays au monde qui possède le plus de guimbardes américaines des années 1950 au mètre carré. Il y en aurait même plus à Cuba qu'aux États-Unis. Car à Cuba, « bordel des États-Unis », dans les années 1950, l'argent coulait à flots. Le mode de vie dominant était donc celui des États-Unis : frime, strass, paillettes, belles bagnoles. Dans ces « années-fric », on en importa des dizaines de milliers.
Le coup d'arrêt intervint avec la Révolution castriste. Au début des années 1960, Cuba se fâcha très vite avec l'oncle Sam. Ce dernier imposa un sévère embargo commercial au trublion des Caraïbes. Plus de possibilité donc d'acheter des voitures au premier fournisseur du continent américain. Seules arrivèrent sur l'île quelques milliers de Lada et Moskwitch aux beaux temps de l'amitié soviéto-cubaine. Il y a peu, le « constructeur qui sort ses griffes » a mené une vague opération de séduction auprès des services du ministère de l'Intérieur. Résultat : la maréchaussée se pavane au volant de ces petites cylindrées de fabrication française. Mais revenons donc aux « vraies » voitures. Les Cubains se mirent à faire durer leurs vieilles tires au lieu de les mettre légitimement à la casse. Beaucoup de conducteurs acquirent une réputation de bricoleurs de génie. C'est ainsi que l'on a ce spectacle unique, dans les rues de la vieille Havane, de Camagüey, de Trinidad ou de Santiago, d'un *American Graffiti* tropical permanent des plus réjouissants. Beaucoup de voitures sont d'authentiques pièces de collection, des *vintages,* briquées, lustrées avec amour. Cuirs intérieurs super bien entretenus, moteurs câlinés sans cesse pour les faire tenir le plus longtemps possible.
Coût moyen d'une belle Américaine : quelques milliers de dollars ! À telle enseigne que de nombreux amoureux des *Fifties* manifestèrent le désir d'en acheter et de les rapporter en Europe. Pas question, décida Fidel ! Interdiction de les exporter, elles sont considérées comme patrimoine national... C'est ainsi que continuent à vivre follement Studebaker 48, avec capot avant en fusée, Buick rose bonbon, Bel-Air rutilante, Oldsmobile chromée, Mercury vert pomme et autres Chevrolet et Cadillac mythiques des années rock'n'roll.

BOISSONS

– ***L'eau :*** attention, si officiellement l'eau du robinet est potable, elle a très mauvais goût et il vaut mieux éviter de la boire, même dans les hôtels de luxe de La Havane.
Nous vous conseillons fortement d'acheter de l'eau en bouteille, que l'on trouve presque partout à des prix raisonnables. Préférez acheter vos bouteilles d'eau dans les stations-service Cupet, elles y sont beaucoup moins chères. La plus distribuée est la *Ciego Montero.* Dans les cafés et au resto, l'eau capsulée coûte généralement le même prix qu'une bière de base. Demandez *agua con gaz* si vous aimez les bulles, ou *natural* si vous ne les aimez pas.
– ***Les sodas :*** les Cubains appellent ça *refresco,* même s'ils ne sont pas souvent rafraîchissants faute de glace. Le vrai Coca-Cola a fait son appari-

tion un peu partout mais sous licence mexicaine. Sinon, on trouve ses succédanés : le *Tropicola* ou le *Tukola* !

– Le pays produit plusieurs ***bières,*** bonnes et pas trop chères : la plus courante, la *Cristal,* est légère, agréable et bon marché ; mais les meilleures sont à notre avis la *Bucanero,* qui existe en versions légère et forte, et surtout la *Mayabe* (*blanca,* plus légère, ou *negra,* étiquette noire, plus forte), toutes fabriquées à Holguín. Les bières *claras* sont vendues plus souvent aux Cubains qu'aux touristes. Elles sont moins chères et plus artisanales, ainsi la *Hatuey* (excellente) coûte en général 10 pesos. Il existe aussi des bières d'importation (*Carlsberg,* par exemple), mais elles sont plus chères.

– ***Le vin*** commence à faire son apparition. Certains restos « de luxe » proposent des vins cubains ; à titre d'exemples, le *Soroa,* le *Castillo del Morro* (rouge, 17 US$) ou le *Isla* (blanc, 4 US$) se laissent boire...

– ***Le café*** cubain est très réputé, et avec raison. Ici, on le sert fort, bien tassé. À l'italienne, quoi. Les Cubains en sont de gros consommateurs.

– ***Le rhum et les cocktails :*** voir cette rubrique, plus loin.

– ***Le guarapo :*** jus de canne à sucre pressée.

– ***Le guararón :*** même chose, mais avec du rhum.

– À signaler également, les ***maltas,*** une boisson rafraîchissante, sucrée et sans alcool.

BUDGET

Qu'on se le dise, par rapport à d'autres pays d'Amérique latine, Cuba est un pays cher pour les touristes. Certains auront même la désagréable sensation d'être considérés comme une pompe à fric. Il faut donc surveiller attentivement ses dépenses. L'essentiel du budget (transports, logement et restaurants) doit être calculé en dollars. Il faut savoir que les prix des hôtels ou des restos sont comparables à ceux pratiqués en Europe. La location d'une voiture est même plus chère. À signaler que, en règle générale, pour les hôtels et la location de voitures, cela revient moins cher de réserver depuis la France. Sinon, la solution la plus économique reste encore d'essayer de vivre à la cubaine, en mangeant et en dormant chez l'habitant. On vous demandera tout de même de payer en dollars, mais ce sera toujours moins onéreux qu'ailleurs... On peut tenter d'utiliser au maximum le marché en pesos, même s'il est assez limité pour les touristes. Notez aussi que la vie est plus chère à La Havane que dans le reste de l'île.

Pour la plupart, les prix que nous indiquons sont ***en dollars américains. Comme le billet vert est*** **grosso modo** ***égal à l'euro – plus ou moins 10 % en fonction du cours de la monnaie européenne, il est ainsi facile d'obtenir le prix en euros.*** À titre indicatif, voici des moyennes de prix qui vous permettront d'établir votre budget.

Hôtels et *casas particulares*

Sur la base d'une chambre double :

– ***Bon marché :*** moins de 20 US$. À noter que les hôtels de cette catégorie sont rarissimes, ils sont généralement réservés aux Cubains. Mais les *casas particulares* bon marché sont autour de 15 US$.

– ***Prix modérés :*** de 20 à 40 US$. Peu d'hôtels dans cette catégorie, mais des *casas particulares* de toute beauté.

– ***Prix moyens :*** de 40 à 60 US$.

– ***Chic :*** de 60 à 80 US$.

– ***Plus chic :*** de 80 à 110 US$.
– ***Encore plus chic :*** plus de 110 US$. Quelques somptueux palaces, notamment à La Havane.

Restos et *paladares*

– ***Très bon marché :*** moins de 1,5 US$. Pour un repas dans un resto payable en pesos, un poulet frit dans un *Rápido* (chaîne de fast-foods cubaine)...
– ***Bon marché :*** de 6 à 8 US$. Prix moyens de la majorité des *paladares*.
– ***Prix moyens :*** de 10 à 15 US$. Prix des *paladares* « de luxe » de La Havane.
– ***Plus chic :*** plus de 15 US$.

Autres prix

– ***Un petit déjeuner chez l'habitant :*** 2,5 US$ si c'est bon marché. Le prix « normal » va de 3 à 3,5 US$. Plus cher dans les restos.
– ***La langouste :*** pour les amateurs, Cuba est évidemment le paradis. Ce serait dommage de passer à côté. Vous pourrez en déguster dans les *paladares* pour 8 ou 10 US$ (mais de manière illégale, car les particuliers n'ont pas le droit d'en servir), contre 20 à 30 US$ dans les restaurants d'État.
– ***Une entrée au musée :*** de 1 à 3 US$ pour un musée normal.
– ***Un cocktail à base de rhum :*** entre 2 et 4 US$.
– ***Une entrée en discothèque :*** de 1 à 3 US$ pour celles fréquentées par les Cubains ; rarement moins de 5 US$ pour les endroits à touristes.
– Pour les prix des ***transports,*** voir plus loin la rubrique qui leur est consacrée.

CADEAUX

Les Cubains manquent de tout et même de l'essentiel. N'oubliez pas que les salaires cubains oscillent entre 8 et 30 US$ par mois. Pourtant, rares sont les Cubains qui demandent directement des cadeaux, excepté les enfants et dans les endroits touristiques. Bien qu'il soit toujours difficile de refuser, ne distribuez pas inconsidérément. Évitez de donner à tous les gens qui vous tendront la main car ça ne fait que créer une habitude de dépendance et, à plus long terme, de la rancœur. En revanche, il est normal de remercier ceux qui vous rendent un service... Donnez plutôt aux Cubains avec lesquels vous aurez de réels contacts et avec lesquels vous sentez que la relation n'a pas été pervertie par une attente. Donnez avec simplicité, sans attitude de commisération ni de sauveur. Les Cubains ont des besoins, mais ils ont aussi leur orgueil. Cadeaux les plus appréciés : savon (il est rationné et les Cubains ne disposent que d'une savonnette par mois), parfum (des échantillons), rustines et colle pour chambre à air des vélos et des voitures, piles, fil et aiguilles, T-shirts, chemises, shampooing, chaussures... Même si vous ne fumez pas, sachez qu'une simple cigarette (américaine de préférence) est toujours appréciée. Les paquets se vident très vite dans ce pays ! Pour les enfants : vêtements, fournitures scolaires (stylos, feutres, cahiers, gommes), chewing-gums (ici, on dit *chiclé*), balles de tennis, toujours mieux que des vieux bas roulés en guise de balles de base-ball. Pour les fournitures scolaires, il est toujours préférable de les donner directement dans une école, à la maîtresse ou à la directrice. Si vous décidez (avec raison) d'apporter ce genre d'articles, en prendre suffisamment pour pouvoir fournir une classe entière.
Les plus généreux apporteront des médicaments pour les hôpitaux, qui en manquent cruellement. Ou encore du lait en poudre pour les maternités.

« CHE » GUEVARA

L'idole la plus vénérée à Cuba n'est ni un dieu... ni même un Cubain ! Il ne s'agit même pas de Fidel mais de son célèbre bras droit pendant la Révolution : *el comandante* Guevara, surnommé « Che » parce qu'il ponctuait la plupart de ses phrases par *che,* une interjection familière typiquement argentine pour aborder quelqu'un. Son portrait est partout : dans les rues, au bord des routes et dans toutes les maisons...

L'Argentin le plus célèbre de Cuba

Ernesto Guevara Lynch de La Serna est né le 14 juin 1928 à Rosario de la Fé, en Argentine. À l'âge de deux ans, après une baignade dans le *río,* il souffre d'une première crise d'asthme. Désormais, Ernesto n'aura de cesse de se battre contre ce mal tenace, extrêmement violent, qu'il tentera bien en vain de dompter à grands renforts de Ventoline ou d'injections de corticoïdes. Son père, ému, se souvient : « Cela me brisait le cœur lorsque j'entendais Ernesto prononcer entre les premiers mots qu'il balbutiait : Papito, une piqûre ! »

En grandissant, le jeune Ernesto va développer un caractère à la volonté exceptionnelle qui force déjà le respect. Pour conjurer sa maladie, il se lance à corps perdu dans le sport, joue au football, au tennis, au golf, à la pelote basque... et au rugby ! Mais Ernesto développe surtout un goût compulsif pour la lecture. Les livres le passionnent. À 15 ans, il connaît déjà Jung, Adler, Marx, Engels, Lénine... Il épuise la poésie française, dévore London, Kipling, Dumas, Stevenson... À 17 ans, il écrit un essai philosophique inspiré de Voltaire. Il aurait pu devenir écrivain mais choisit la médecine : en 1947, il passe ses vacances dans une léproserie, pour soulager les malades. L'altruisme est son guide.

Un routard motard

À 23 ans, avec son ami Alberto Granado, Ernesto décide d'aller à la rencontre de son continent. Le 29 décembre 1951, les deux compagnons quittent l'Argentine sur une vieille moto rafistolée, baptisée « La Vigoureuse ». Durant sept mois à travers le Chili, le Pérou, la Colombie, va se développer la conscience sociale et politique du jeune aventurier, confronté au quotidien de l'Indien exploité.

Riche d'expériences, notre valeureux routard rentre ensuite à Buenos Aires pour achever ses études de médecine. Mais, une fois son diplôme en poche, il reprend aussitôt la route. Cette fois, il veut de l'action : lutter activement et concrètement contre l'injustice.

Naissance d'un révolutionnaire

Notre toubib-humaniste débarque au Guatemala en 1953. C'est là – dans une atmosphère tendue d'insurrection – qu'il contracte le virus de la Révolution... et rencontre celle qui sera sa première femme, la Péruvienne Hilda Gadéa. Fiché comme activiste, le couple est obligé de s'exiler à Mexico. Le destin se noue. C'est dans cette capitale qu'Ernesto rencontrera, en juillet 1955, un dénommé Fidel Castro, jeune paria cubain en révolte contre le dictateur d'alors : le félon Batista ! Le Che propose ses services de médecin dans la troupe rebelle qui doit libérer Cuba. Fidel accepte et le Che s'embarque à bord du *Granma.* Bien vite, le médecin délaissera sa trousse de secours pour les armes ! Le reste fait désormais partie de l'Histoire...

Une fois Cuba libéré, le Che devient l'ambassadeur itinérant de la Révolution. Il parcourt le monde. Puis, de retour dans l'île le 26 novembre 1959, il est nommé à la tête de la *Banque centrale.* Cet économiste atypique paraphe désormais les billets de banque d'un « Che » ironique et provocateur.

Ernesto va vivre six années de pouvoir. Il développe sa théorie de l'Homme nouveau, peaufine ses vues socio-économiques d'une société idéale. Mais il perd lentement sa foi en son principal allié : l'URSS. Le 24 février 1965, à Alger, il prononce ce fameux discours qui l'« isole » définitivement de la scène politique. Sa clairvoyance et sa franchise le renvoient à son itinérant statut de Don Quichotte.

Vers d'autres luttes

Son idylle cubaine est consommée et le Che doit rejoindre d'autres luttes. D'abord, il y a le Congo belge, où le Che veut allumer un nouveau Vietnam. Ce sera un échec cuisant. Puis, le 3 novembre 1966, le *comandante* Guevara arrive à La Paz (Bolivie). Mais cette marche pour la libération bolivienne va se muer en onze mois tragiques de déroute, de traque et de trahisons simultanées.

Le 8 octobre 1967, jour de froidure, le Che – à bout de forces – est capturé par les soldats de l'armée bolivienne. Blessé à la jambe, il est retenu captif dans une petite école du village de La Higuera. La nuit même, le gouvernement bolivien en émoi contacte Washington. Il semblerait que la CIA, le département d'État, le Pentagone et le président des États-Unis aient depuis longtemps décidé du sort de notre guérillero. Vers minuit, l'ordre formel émanant des États-Unis est donné de l'éliminer !

Mort d'un soldat, naissance d'un mythe

Le 9 octobre 1967, les soldats Mario Terán et Felix Ramos (agents de la CIA) criblent de balles le corps du *guerillero heroico*. De cet assassinat en règle va naître le plus beau mythe contemporain d'Amérique latine.

D'une intégrité sans faille, d'une rigueur morale unique, le Che est aujourd'hui devenu l'étendard de toutes les libérations. Mais pourquoi un tel engouement ? L'homme est politique, mais l'image est superbement romantique. Tel le Christ, il a préféré mourir pour ses idées : alors qu'il avait été ministre, il est reparti dans la boue en Afrique puis en Bolivie. Exigeant, forçat de la discipline, incapable de compromission, avec cette « sainteté féroce » qui lui servit d'armure, il fut – fait rarissime en politique – « un homme qui agissait comme il pensait ». Sa dépouille repose dans un mausolée de la ville de Santa Clara, au centre de Cuba, depuis l'automne 1997, trentième anniversaire de sa mort.

En 1964, devant les délégués de l'ONU, le Che lançait cette phrase qui résume assez bien l'altruiste et rigoureuse facture du personnage : « Je suis cubain et argentin aussi, et si les très illustres domaines d'Amérique latine ne s'en offensent pas, je me sens aussi patriote d'Amérique latine, de n'importe quel pays d'Amérique latine... Je serai prêt, le moment venu, à donner ma vie pour la libération d'un pays d'Amérique latine, sans rien demander à personne, sans rien exiger, sans exploiter personne. »

CIGARES

Le cigare « havane » est une pure merveille, une des merveilles du monde. À Cuba, il porte le nom de *tabaco* ou *puro* (et non *habano* !). Sa Mecque se situe dans la vallée de Vuelta Abajo, près de Pinar del Río, dans la région de l'ouest. Car il existe une terre à *tabaco,* comme il existe une terre à cognac...

Le cigare : histoire et économie

Au début du mois de décembre 1492, un certain Jerez, du corps expéditionnaire de Cristobal Colón, débarquant sur la côte septentrionale, fait la découverte d'un Indien taïno avec aux lèvres un bâton de feuilles roulées en feu. Il l'imite sur-le-champ et l'apprécie. Mal lui en prit, car, de retour à Madrid, il fut condamné par l'Inquisition à deux ans de prison ferme. Normal puisque, selon les témoignages de son entourage – sa femme la première, de la fumée sortait de sa bouche et des étincelles de ses yeux...
Cinq siècles plus tard, ce sont plus de 60 millions de havanes qui partent en fumée dans le monde chaque année, sous plus de 40 marques différentes. La dernière née s'appelle Guantanamera avec un spécial *Compay* en hommage au chanteur disparu. Les Cubains eux-mêmes, grands consommateurs devant l'Éternel, fument chaque année plus de 200 millions d'unités... Certes, ce ne sont pas des Montecristo, des Cohiba, des Partagas ou des Hoyos de Monterrey, mais les « cigares du peuple », plutôt du tabac de seconde catégorie non destiné à l'exportation. Des cigares pour toutes les occasions et pour tout le monde. Bref, il ne leur viendrait pas à l'idée de s'en passer.
N'oublions pas que le havane a joué un grand rôle dans l'histoire du pays : ce sont les cultivateurs de tabac qui se rebellèrent en premier contre les Espagnols. Et José Martí, héros de l'Indépendance, envoya l'ordre écrit de commencer la guerre caché... dans un cigare. Le havane a toujours fait partie de « l'imagerie » révolutionnaire : le Che (pourtant asthmatique) en fumait des quantités impressionnantes. C'était son seul vice connu. Lorsqu'il était au Congo, son ami Fidel lui envoya son fusil préféré, accompagné de havanes de 40 cm de long ! Selon *L'Amateur de cigare* (le journal de Jean-Paul Kaufmann, qui consacra un numéro spécial au Che), « le Che parvint à réduire sa consommation à un seul cigare, mais celui-ci mesurait... un mètre ! ». Ancien amateur de havanes, Fidel Castro n'a pas hésité à « créer » sa propre marque : Cohiba. Il en offrait régulièrement des caisses aux chefs d'État étrangers et fit pas mal d'adeptes. Depuis 1985, Fidel ne fume plus.
Toujours dans *L'Amateur de cigare,* Pierre Salinger, ancien conseiller de John Kennedy, rapporte une anecdote incroyable : le président lui aurait demandé un jour, peu de temps après le désastre de la baie des Cochons, de lui trouver de toute urgence une quantité importante de havanes. Le lendemain, c'était chose faite. Le conseiller raconte alors que le président était tellement satisfait d'avoir constitué sa réserve qu'il signa sur le champ le décret instaurant l'embargo sur Cuba. On peut se demander aujourd'hui où en est la réserve de cigares de la Maison Blanche...
Pour continuer sur les mythes qui s'évanouissent, peu après la fusion de la Seita française et de la Tabacalera espagnole en Altadis, on annonçait que ce groupe venait d'acquérir 50 % de la Corporación Habanos. Les Franco-Espagnols ont ainsi signé un chèque de 500 millions de dollars pour mettre la main sur les emblématiques Montecristo, Partagas, Cohiba, Romeo y Julieta... et pour les commercialiser hors Cuba.

Un art, des amateurs

Confectionner un cigare relève de l'art. « Il faut l'intuition d'un cuisinier et la dextérité du prestidigitateur », selon une formule rendue célèbre. Fidel a dit un jour qu'il était plus « facile d'imiter le plus fin des cognacs qu'un havane ». Quelque 170 opérations méticuleuses sont nécessaires avant que vous ne puissiez fumer un bon barreau de chaise. Tous les choix sont possibles, la longueur, le diamètre, le goût. Moins âpre, plus corsé, moins fort, plus léger, etc. Chaque marque a ses tailles différentes. L'un préférera le Montecristo numéro 3 (comme on dit le « Numéro 5 » de Chanel), un

autre le Lancero de Cohiba, un autre encore un double Corona, un Punch ou un Robusto.
Si l'on est « fumeur » de cigarettes, on est « amateur » de havanes. On ne s'enorgueillit jamais – par les temps qui courent, on s'en cacherait presque – de faire partie du premier groupe, alors que les amateurs de havanes (ou de cigares en général) se retrouvent dans des clubs, qu'ils soient journalistes, hommes d'affaires, etc. Des femmes ont constitué leurs clubs... En France, le très officiel Club des parlementaires fumeurs de havanes, présidé par le député André Santini, compte des personnages aussi célèbres que Juppé, Balladur, Séguin, Pasqua, Soisson, Charasse, Sarkozy, Madelin... mais pas un seul communiste !

Le meilleur endroit : Cuba

Sartre écrivit un jour que « Le jazz, c'est comme les havanes, il faut le consommer sur place ». Le cigare, c'est vrai, fumé à Cuba, a un autre goût qu'à Paris ou qu'à Bruges. Pourquoi ? D'abord, l'humidité de l'air, qui est parfaite à Cuba pour le cigare. Chez nous, un humidificateur, souvent coûteux, est indispensable. Ensuite, le décor. À Cuba, tout s'y prête, chaque lieu, chaque trottoir, chaque coin de rue. Et vous fumez votre havane dans le plus parfait anonymat. Vous savez que vous ne dérangerez personne. Au pire, vous ferez des envieux. Et vous ne passerez pas pour un capitaliste... Quel paradoxe !
Ainsi donc, dès la descente de l'avion, voilà encore une priorité, il faut se laisser entraîner dans le monde voluptueux des volutes de havane... même si vous avez arrêté de fumer, même si vous n'avez jamais fumé. Comment ignorer un tel monument national ? Vous avez tout sous la main, le planteur et sa récolte, les visites guidées dans une fabrique, le rouleur de cigares *(torcedor),* le marchand de bagues et de *vistas* (dessins qui ornent les boîtes), les boutiques les mieux pourvues du monde... Un conseil : avant de partir de Cuba, enrubannez vos boîtes d'un linge humide (un T-shirt fait l'affaire) et essayez de les maintenir à une température tiède.

Secrets de fabrication

La culture du tabac est l'objet de tous les soins. En effet, de nombreux dommages peuvent atteindre les feuilles délicates : limaces, champignons, fort soleil, manque d'eau. Elles seront d'ailleurs cueillies une par une, comme les grappes de raisin. Au fur et à mesure de la récolte, les feuilles sont suspendues en chapelet dans les maisons de séchage jusqu'à ce qu'elles perdent leur couleur verte pour prendre la couleur « tabac ». Elles sont ensuite rassemblées pour former des meules et subiront alors une première fermentation lente et naturelle de 2 à 3 mois dans des caisses en palmes de palmier royal.
Puis, un premier tri est effectué entre le *seco* (léger, moins de puissance, mais une meilleure combustion) et le *ligero* (plus de force, plus d'arôme, mais brûle moins bien). Dans un cigare, ces deux sortes de tabac doivent se compléter harmonieusement. À nouveau intervient un processus de fermentation des feuilles de tabac avant que l'on procède à l'écotage, c'est-à-dire au retrait de la veine centrale, une opération très délicate, généralement effectuée par des femmes. On remouille encore les feuilles, et c'est reparti pour une nouvelle fermentation (qu'on laisse monter jusqu'à 42-45 °C) dont l'objectif est de brûler les alcaloïdes agressifs que contient le tabac. Ensuite vient le séchage, naturel sur des claies ou avec des séchoirs en cas de production industrielle. Enfin, les feuilles de tabac sont stockées pour le vieillissement, condition essentielle pour l'obtention d'un bon cigare.
L'étape de la fabrication d'un cigare est tout aussi minutieuse. La qualité du module dépend de la sélection des tabacs qui vont le constituer. Chaque

fabricant choisit un ou plusieurs mélanges. Le goût du cigare dépend de ce que l'on met dedans et donc des assemblages de tabacs (différentes terres, différents vieillissements) réalisés par les dégustateurs. Comme pour le vin, le but recherché est de maintenir, d'année en année, une permanence dans le goût et la consistance du cigare pour en conserver le caractère. Cela dit, prétendre faire un cigare millésimé est « du pipeau », c'est du pur marketing.
Il faut savoir que le cigare est composé de deux parties distinctes : la tripe *(tripa),* c'est-à-dire le mélange intérieur, enveloppée par la cape *(capa).* C'est le rôle du *torcedor* que de réaliser la poupée aux dimensions requises. Il dispose pour cela d'un moule, mais sa dextérité est essentielle, surtout au moment d'appliquer la cape. Avant d'être emballés, les cigares sont conservés durant quelques mois dans un local où règne une forte humidité, ce qui permet aux différents tabacs composant la tripe de se marier au mieux et d'atteindre une parfaite homogénéité. Enfin, les cigares sont bagués puis emballés... avant de partir en fumée !

L'industrie des faux cigares

La contrefaçon est florissante, sans doute parce que les pigeons sont encore nombreux. Le marché clandestin des havanes a pris de telles proportions que les autorités cubaines ont lancé quelques bons limiers sur la piste des faussaires. Dans ce cas, le cigare n'a rien de ce qu'il prétend, et est vraiment mauvais à fumer puisqu'il ne contient pratiquement pas de tabac, mais... de la feuille de bananier. Dans le meilleur des cas, si vous achetez vos cigares à la sauvette, vous tomberez sur de vrais cigares, mais de qualité médiocre, à moins qu'ils n'aient été volés aux grandes fabriques. Bref, malgré les nombreuses propositions, on ne vous recommande pas d'acheter vos cigares dans la rue, sauf si vous êtes un connaisseur. Demandez à en fumer un avant, et choisissez-le dans le fond de la boîte. Pour distinguer un vrai cigare d'un faux, il faut regarder à l'intérieur et vérifier si la tripe est faite à base de feuilles roulées les unes sur les autres et non pas de tabac haché. Par ailleurs, la cendre doit être blanche ou gris clair, signe de qualité, et elle doit se maintenir un long moment au bout du cigare avant de tomber.

Douanes

– ***À la douane cubaine :*** face à l'ampleur des contrefaçons, les douanes cubaines ont décidé de réagir. Depuis le début de l'année 2004, vous n'avez plus le droit de sortir du territoire que jusqu'à 23 cigares sans facture. Au-delà, donc à partir d'une boîte complète fermée, les douaniers vous réclameront la facture (et la copie à leur remettre) de vos achats en cigares...
– ***À la douane française :*** les quantités de boîtes « détournées » commençaient à inquiéter jusqu'aux douanes françaises à présent formées pour faire le tri entre le bon grain et l'ivraie. Vrai ou faux, vous avez le droit d'importer jusqu'à 50 cigares.
Une raison de ne pas en rapporter beaucoup : si vous n'avez pas de cave, vos modules vont souffrir. Les feuilles de tabac, une fois sèches, ne sont plus élastiques et les changements d'humidité peuvent faire éclater la cape des vitoles, à commencer par le bout.

CINÉMA CUBAIN

Durant plusieurs années, le cinéma cubain s'était fait tellement discret qu'on pensait qu'il avait bel et bien disparu dans une espèce de naufrage poséidonien consécutif, pouvait-on imaginer, à la chute de l'inspiration des cinéastes nationaux ou à l'absence pure et simple de tous matériaux pour confectionner un film. Pourtant, le cinéma cubain fut bien un instrument culturel et aussi politique pour briser l'embargo américain. Il fut dès 1960 le cinéma le plus primé parmi toutes les filmographies des pays du tiers monde, avec ce fabuleux instrument – le mot n'est pas trop fort – qu'est toujours l'*ICAIC* (Institut cubain de l'art et de l'industrie cinématographique). L'ICAIC a toujours été un lieu de création, un vrai vivier de talents. ***Daniel Diaz Torrés,*** auteur d'un *Alice au pays des merveilles* percutant, provoqua quelques vagues en 1990. En 1994 vint *Fresa y Chocolate,* film culte de deux réalisateurs cubains : ***Tomas Gutierrez Alea*** (décédé en 1996) et ***Juan Carlos Tabío.*** *Fraise et Chocolat* est un miroir de la société cubaine actuelle, dans lequel toute une génération s'est reconnue : beaucoup de Cubains vous en parleront... Il illustre bien les questions qui déchirent le peuple cubain : le respect des différences, le non-alignement de l'art sur la propagande, le monolithisme idéologique de certains et le désespoir de certains autres. Ce grand film, suivi en 1996 par *Guantanamera,* puis par *Madagascar,* marque définitivement le renouveau du cinéma cubain.

Qui dit cinématographie cubaine dit forcément ***Alfredo Guevara*** (pas de parenté avec le Che), maître d'œuvre de la cinémathèque cubaine et encore aujourd'hui l'une des plus fortes personnalités de La Havane. C'est sous l'impulsion de Guevara que des cinéastes purent mettre le pied à l'étrier, parmi eux : ***Gutierrez Alea*** *(Mémoires du sous-développement, Mort d'un bureaucrate, La Dernière Cène),* ***Pastor Vega*** *(Le Portrait de Teresa),* ***Manuel Octavio Gomez*** *(Première Charge à la machette)* et surtout ***Julio García Espinosa*** *(La Vivienda, El Megano, Cuba Baila, Juan Quinquin, Le Jeune Rebelle, Reina y su Rey),* etc. Tous imprégnés du néo-réalisme italien, Zavattini le premier, de l'école de New York et des *Cahiers du Cinéma.* Il ne s'agirait pas d'oublier toute l'importance du documentaire cubain, avec pour figure de proue, dès 1959, ***Santiago Alvarez,*** auteur de quantité de petits chefs-d'œuvre, notamment de géopolitique et touchant à la solidarité internationaliste *(Now, Hanoi Martes 13, Hasta la Victoria Siempre).* Un autre documentaire, de Wim Wenders : *Buena Vista Social Club,* du nom d'un célèbre cabaret de La Havane du début des années 1950. Il est dédié à quelques légendes vivantes de la musique cubaine : Compay Segundo, Rubén Gonzalez, Ibrahim Ferrer. Ces dernières années, le ciné cubain s'est orienté vers le thème de l'émigration et des aspirations au départ, avec un très beau film sorti en 2001 et dont le titre résume à lui seul la situation : *Nada* (Rien). Citons aussi *La Lista de Espera* de ***Tabío*** (les tribulations de voyageurs dont le bus tombe en panne), ainsi que *Miel para Ochún* de ***Humberto Solas*** (2001), qui conte les aventures de trois Cubains... à Cuba. Et *Hacerse el Sueco* (production hispano-cubaine qui montre avec humour comment les Cubains sont traités comme des touristes de seconde zone chez eux). En 2003 sont sortis du lot le nouveau film de ***Juan Carlos Tabío,*** *Aunque estés lejos,* et un documentaire salué pour son esthétisme, *Suite Habana* de ***Fernando Pérez.*** *Roble de Olor*, la dernière coproduction franco-cubaine-espagnole de ***Rigoberto Lopez,*** avec Jorge Perugorría dans le rôle principal, raconte une histoire d'amour, au début du XIXe siècle, entre une femme noire libre et un riche planteur allemand, contrecarrée par les préjugés racistes.

CLIMAT

Tropical, on s'en doute. Mais Cuba, en tant qu'île, a ses spécificités. Pour ceux qui ne connaissent pas, rappelons que les tropiques comptent seulement deux saisons vraiment distinctes : une sèche (en hiver) et une humide (en été). La saison sèche court grosso modo de fin novembre à mai. La moyenne des températures à Cuba est alors de 25 °C. La saison des pluies démarre en juin et dure jusqu'en octobre-novembre. Elle se caractérise par

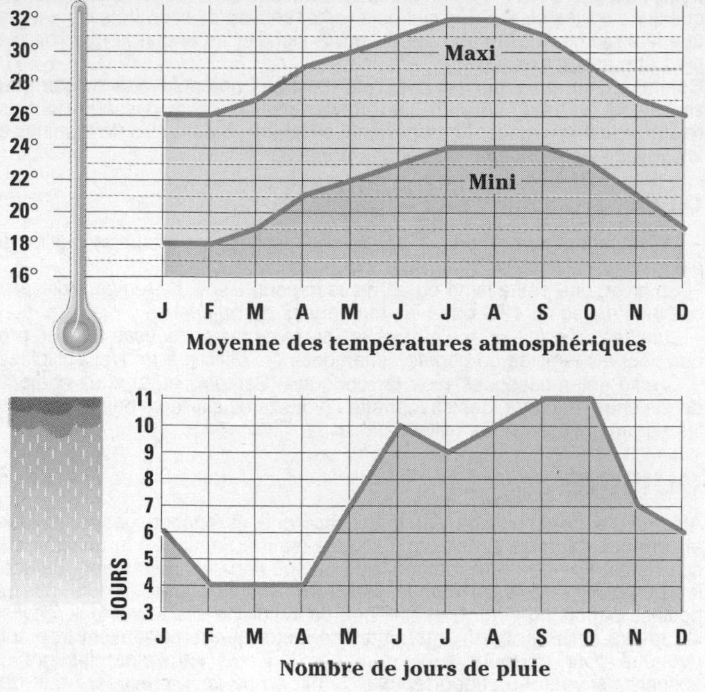

CUBA (La Havane)

des pluies violentes mais de courte durée, le plus souvent en fin de journée. Il fait aussi plus chaud, la moyenne des températures est de 27-28 °C. La température de l'eau ? Un régal. En moyenne, 30 °C en été et tout de même 24 °C en hiver !

Cyclones

Comme toutes les îles des Caraïbes, Cuba n'est pas épargnée par les cyclones. Plus d'une centaine l'ont traversée ces deux cents dernières années. Les régions les plus régulièrement touchées sont la province de Pinar del Río, l'île de la Jeunesse et la province de La Havane. Statistiquement, le mois le plus dangereux est celui d'octobre, mais la période à risque s'étend de juin à novembre. La Défense civile est aujourd'hui remarquablement organisée, la télévision et les radios donnent des infos 24 h/24 et les évacuations préventives ont permis de ne déplorer aucune victime lors des deux derniers ouragans pourtant très dévastateurs.

Quand partir ?

Tout est question de goût. En général, on considère que la saison sèche est la meilleure période pour visiter Cuba. Les températures sont plus clémentes, mais rarement fraîches, sauf en altitude. Le ciel est souvent bleu. Mais il faut savoir qu'en hiver (décembre et janvier), il y a souvent des fronts

froids passagers : rien de bien méchant côté températures, mais ils apportent quelques petites pluies et le ciel peut rester couvert deux ou trois jours avant que le soleil ne refasse son apparition. À signaler aussi que le mois de mai peut être assez pluvieux.
Contrairement aux idées reçues, l'été n'est pas une mauvaise saison pour se balader à Cuba. En août, les grosses chaleurs sont passées (tout est relatif !), c'est la période du carnaval à La Havane, il y a moins de touristes et les voyagistes proposent de bonnes promotions.

Qu'emporter dans ses bagages ?

– Vêtements légers (shorts, T-shirts, chemisettes) et surtout un maillot de bain.
– En hiver, une petite laine ou un blouson pour le soir. La température peut descendre jusqu'à 4 °C dans les montagnes de l'intérieur.
– Lunettes de soleil, crème à bronzer, lames de rasoir, mousse à raser, produit pour les lentilles de contact, shampooing... difficile à trouver sur place.
– Crème anti-moustiques (voir la rubrique « Santé ») et, si vous comptez dormir chez l'habitant, des savonnettes (vous ferez d'ailleurs des heureux en les offrant si vous ne les utilisez pas).

CUISINE

Autant être franc : Cuba est loin d'être une destination gastronomique, encore que dans les centres touristiques (sauf à Santiago !) la qualité de la cuisine est en nette amélioration, que ce soit dans les restaurants ou chez les particuliers. Mais on mange souvent la même chose... Poulet-riz, riz-poulet... parfois du porc. C'est la base de la cuisine dite « créole » *(criolla)*. On trouve aussi du bœuf *(res)*, mais de piètre qualité et souvent trop cuit, peut-être pour masquer son âge... Les légumes verts sont les grands absents : si vous ne supportez plus le riz, on ne vous proposera que des pommes de terre, des bananes frites ou... des frites ! Avec un peu de chance, vous tomberez sur une igname ou une *malanga* (sorte de patate douce). Donc, pour équilibrer vos repas, rabattez-vous sur les salades, hélas toujours identiques : elles sont exclusivement composées de laitue, de tomate et de concombre *(pepino)*, voire d'avocat...
Heureusement, Cuba est le pays de la langouste. Il faut absolument en profiter au moins une fois. Il faut savoir que les Cubains n'ont pas le droit de détenir de la langouste ni de la viande de bœuf. Ces produits sont réservés à l'exportation et aux restaurants uniquement. Toutefois, les plus débrouillards s'en procurent au marché noir, parce qu'ils connaissent un éleveur ou un pêcheur. Chez l'habitant ou dans les *paladares*, on vous proposera donc souvent de la langouste à un prix défiant toute concurrence, mais dans la clandestinité. Les particuliers risquent gros s'ils se font prendre.
Côté desserts, le grand vide. On vous servira du riz au lait (ben voyons !) ou des fruits confits très sucrés avec du fromage à pâte cuite. Les Cubains adorent ça, mais peu de touristes semblent apprécier le mélange. Parfois, de la glace vous sera proposée, uniquement fraise et chocolat, bien sûr.
Pas de panique cependant, on trouve de plus en plus de *paladares* ou de restaurants qui tentent une cuisine plus élaborée et plus variée, mais à base de produits d'importation, ce qui se répercute sur les prix. D'autre part, dans les grandes villes, vous trouverez des restos chinois et italiens.

Les spécialités cubaines

– ***Le riz et les haricots noirs :*** ce sont les mamelles de la gastronomie créole. Ici, on les mange ensemble et on appelle ce plat *congrí* (vient des mots français congos et riz) ou *moros y cristianos* (maures et chrétiens), en référence aux couleurs blanche et noire! C'est très poétique, mais on s'en lasse vite. En revanche, c'est très bon marché et ça remplit l'estomac.

– ***Le cochinito :*** bien meilleur que le bœuf du pays, le cochon est un mets de choix pour les Cubains. On le prépare de différentes manières : en rôti, grillé ou frit.

– ***La langouste :*** vous en trouverez dans la plupart des restos touristiques, mais attention, il n'est pas rare qu'elle soit simplement mentionnée au menu pour attirer les clients, renseignez-vous avant. Depuis quelques années, les tarifs ne sont plus vraiment alléchants, du moins dans les restaurants d'État. En revanche, chez l'habitant ou dans les *paladares,* on peut en déguster pour moins de 10 US$. Autre déception, la cuisson est rarement réussie. La règle qui veut que la langouste soit tranchée vive avant d'être grillée est rarement respectée, puisqu'il n'y a pas (ou peu) de viviers... Pour éviter les déconvenues, demandez-la grillée, *asada,* ou *a la plancha.*

– Sinon, le ***crabe*** *(cangrejo)* pullule sur les routes mais bien peu de restos en proposent. On trouve aussi de la ***tortue*** de temps en temps. Mais ça, c'est à éviter : pour la plupart, les tortues de mer sont en voie d'extinction; de fait, leur capture est interdite dans de très nombreux pays. De toute façon, ce n'est pas très bon, ça ressemble à un steak un peu dur, sans saveur particulière.

– ***Le crocodile :*** vous n'en trouverez qu'à Guama et dans quelques restaurants de la playa Girón, dans la péninsule de Zapata.

– ***Les fruits :*** paradis tropical, l'île offre quantité de fruits, mais c'est la banane *(plátano)* qui prédomine dans la cuisine locale. À Cuba, sur le plan culinaire, cette banane plantain est considérée comme un légume dans la mesure où elle est servie frite, en rondelles, un peu comme des chips! Si les tranches sont fines, ce sont des *mariquitas.* Plus épaisses, elles s'appellent des *tostones.* Dans les meilleures maisons et selon l'approvisionnement, vous tomberez peut-être sur de la goyave ou de la papaye *(fruta bomba).* Les autres fruits n'apparaissent pas dans les restaurants. Pourtant, vous trouverez au marché d'autres fruits succulents, comme des *mamey,* des ananas et, à partir de juin, de délicieuses mangues...

DANGERS ET ENQUIQUINEMENTS

Cuba est l'un des pays les plus sûrs du monde. Durant de longues années, l'île n'a connu pratiquement aucun problème de vols. D'autant plus que tous les délinquants avaient été expulsés par Fidel... à Miami! Avec l'arrivée du tourisme de masse, les choses ont sensiblement changé. Vos dollars intéressent de très près les nouvelles générations, à commencer par les *jineteros* (petits trafiquants). Ainsi, une petite délinquance est née, spécialisée surtout dans le détroussage des touristes. Cependant, la police est très présente et vous pouvez compter sur son appui. Par ailleurs, dans leur grande majorité, les Cubains sont vraiment honnêtes.
Voici quelques conseils élémentaires pour éviter de tenter les éventuels voleurs.

– *Chez l'habitant :* bien s'assurer de la sécurité de la maison, vérifier l'état des portes des chambres avant d'accepter la chambre. Prendre soin de cacher son argent dans le fond du sac et de fermer celui-ci à l'aide d'un petit cadenas.

– *À l'hôtel :* dans beaucoup d'hôtels de moyenne et de haute catégories, il y a des coffres à la réception ou des petits coffres à digicode dans les chambres.

– *Dans la rue :* les Cubains ont de réels problèmes matériels et le comportement de certains étrangers frise la provocation! Ne faites pas comme eux : pas de frime ostentatoire, ne sortez pas votre argent en liasse dans la rue, ayez toujours un œil sur vos affaires. Quand vous allez vous promener, prenez seulement l'argent dont vous avez besoin. Laissez billet d'avion, passe-

port et grosses sommes d'argent à l'hôtel. Baladez-vous toujours avec la photocopie de votre passeport et non l'original. À éviter : les poches bananes extérieures et les sacs à dos.
– *Dans les commerces et les restaurants :* toujours bien se faire préciser le prix *avant* de consommer un bien ou un service (taxi sans compteur, par exemple). Demander des reçus *(comprobante de venta)* et les vérifier. De même, vérifier sa monnaie. Entre toutes ces pièces, une erreur est si vite arrivée...
– Sinon, les *vols de vélos* sont courants : si vous comptez en louer un, pensez à emporter un antivol ! Idem pour votre *voiture* : fermez toujours portes et fenêtres et évitez de la laisser sans surveillance (des habitants peuvent la garder contre un peu de monnaie).
Toutefois, pas de parano : ces petites précautions prises, n'ayez crainte : seuls des vols peuvent survenir, les agressions sont très rares. Et nous n'avons observé de problèmes que dans les grandes villes (La Havane et Santiago). Nos mises en garde ne doivent surtout pas vous empêcher d'avoir des contacts avec la population... Si l'on vous aborde dans un but commercial, refusez poliment si cela ne vous intéresse pas. Et gardez le sourire !
Voir aussi la rubrique « *Jineteras, jineteros* et *pingueros* ».

En cas de vol de passeport

Si votre passeport a été volé (voir précautions à prendre à ce sujet citées dans le paragraphe « Dans la rue », plus haut), il faut d'abord faire une déclaration auprès de la police locale. Étant donné les lenteurs bureaucratiques, cela peut prendre entre 1 et 3 h. Se rendre ensuite à l'ambassade de France (voir la rubrique « Adresses et infos utiles », dans le chapitre « La Havane ») avec la déclaration de police, tous les documents prouvant votre identité française (permis de conduire, par exemple), 2 photos et 20 US$ (environ 20 €). Si le visa a également été volé, allez voir les autorités cubaines à l'aéroport. Avec 20 US$ et beaucoup, beaucoup de patience, vous en obtiendrez un autre. Pensez aussi à faire des photos d'identité le plus tôt possible car, à Cuba, tout est plus long qu'en Europe (48 h à Santiago !). D'où l'intérêt d'en avoir sur soi avant de partir en voyage.

Drogue

Juste un mot encore : consommation et, pis encore, possession de drogue (quelle qu'elle soit) sont formellement interdites et passibles de lourdes peines de prison. Malgré cela, les trafics semblent s'être intensifiés avec le tourisme. Les *jineteros* en proposent discrètement aux étrangers, notamment à La Havane et à Varadero. Au choix : marijuana, cocaïne... Un seul conseil : si vous voulez fumer, contentez-vous d'un bon havane ! D'autant plus que Castro fait désormais la chasse aux stupéfiants de manière intensive, et c'est tout à son honneur.

En conclusion

Pour en finir avec le chapitre « Dangers et enquiquinements », soyez conscient dans vos échanges avec les Cubains qu'ils ont plus à perdre que vous. Dans sa lutte contre la prostitution et le marché noir, la police gouvernementale ne fait pas dans la dentelle et peut créer des ennuis à un jeune Cubain pour le seul fait de se balader en compagnie d'un touriste... Bon, que cela ne vous empêche pas de prendre quelqu'un en stop, la police fait rarement preuve de zèle et vous, « priorité nationale », ne serez jamais inquiété. Alors souvenez-vous-en, et en cas de problème, ne fuyez pas à toutes jambes...
En revanche, nos prises de positions contre les atteintes aux libertés individuelles du régime castriste, et contre le scandale de l'embargo américain sont assez tranchées. Ces dénonciations ne sont pas du goût de tout le

monde, notamment dans les coulisses du pouvoir. C'est pourquoi nous vous recommandons de rester discrets, et de dissimuler votre routard en cas d'interpellation. Sans entrer dans la paranoïa, il peut être prudent de déchirer la « lettre ouverte à M. Fidel Castro », en début de guide. Un routard averti en vaut deux !

DÉCALAGE HORAIRE

– 6 h de décalage avec la France : quand il est midi à Paris, il est 6 h du matin à La Havane. Cuba change d'heure (été-hiver) comme l'Europe.

DRAPEAU

L'histoire du drapeau cubain est assez étonnante. Il a été dessiné en 1849 par le poète Miguel Teurbe Tolón pour un certain Narciso Lopez, ancien général espagnol qui voulait annexer Cuba afin que l'île devienne un nouvel État de la jeune Amérique. Parti de Louisiane en 1850 avec des mercenaires, il essaya à deux reprises de soulever la population contre l'occupant. Son action se solda par un échec, mais il introduisit ce curieux emblème qu'est le drapeau cubain, et que les nationalistes adoptèrent en 1902, malgré sa connotation pro-américaine. Les cinq bandes bleues et blanches représentent les 5 provinces cubaines (d'origine), l'étoile blanche, empruntée au drapeau texan, symbolisait la trente-deuxième étoile que Lopez voulait rajouter aux trente et une étoiles des États américains fraîchement indépendants. Quant au triangle rouge, il s'agirait du symbole maçonnique de l'égalité.

DROITS DE L'HOMME

Il a beau narguer les États-Unis, en lançant un « Ave César ! » provocateur à George W. Bush, devant une foule monstre rassemblée le 14 mai 2003 à La Havane, Fidel Castro ne peut plus cacher un certain malaise. Le président américain vient en effet de décider le durcissement de l'embargo unilatéral contre Cuba, décision qualifiée par Castro de « mesures brutales, impitoyables et cruelles ». Elles restreignent de fait encore plus les voyages et les transferts de fonds vers Cuba, et risquent fort de porter un coup fatal à l'économie cubaine. Les autorités cubaines ont déjà annoncé une augmentation de certains prix de base, qui inquiète la population, déjà plongée dans des difficultés innombrables. Le développement économique de l'île est littéralement asphyxié par l'embargo américain, et la prostitution croissante, ainsi que le marché « parallèle » sont désormais devenus les moyens les plus rapides de trouver des dollars à Cuba.
En annonçant par la même occasion un financement accru de la dissidence cubaine, George W. Bush n'a en outre peut-être pas fait le meilleur cadeau qui soit aux opposants cubains au régime. Au nom de considérations purement électorales, George W. Bush cherchait avant tout à s'attirer la sympathie des réfugiés cubains de Floride. Mais il risque de leur faire subir le même sort que celui des intellectuels cubains arrêtés lors de la précédente vague de répression en mars 2003. Accusés alors d'avoir participé à une « conspiration » fomentée par le représentant américain à La Havane, James Cason, 75 dissidents avaient été lourdement condamnés, à l'image du journaliste et écrivain Raúl Rivero, qui purge aujourd'hui une peine de 20 ans de prison pour « actes contre l'indépendance ou l'intégrité territoriale de l'État ». Pour la FIDH, ces condamnations ont « été prononcées à la suite de procès qui se sont déroulés en violation du droit à un procès juste et équitable », et portent à plus de 300 le nombre de détenus politiques à Cuba. Leurs conditions de détention ont par ailleurs été jugées alarmantes par les Nations unies.

Mais en dépit d'un harcèlement judiciaire constant, et de difficultés matérielles indéniables – un décret adopté en 2002 a interdit « la vente d'ordinateurs, d'imprimantes, (...) de tous autres instruments d'impression de masse, à toute association à but non lucratif » –, la dissidence cubaine continue envers et contre tout son travail de sape, et le 10 février 2004, la Commission cubaine pour les Droits de l'homme et la réconciliation nationale (CCDHRN, interdite, mais tolérée) et « Todos Unidos » (également interdite) ont présenté à Cuba un programme de transition démocratique en 36 points, destiné selon certains observateurs, à préparer l'après-Castro. Le 11 mai 2004, la CCDHRN a également rendu public un rapport rappelant que 100 000 détenus de droit commun sont aujourd'hui encore emprisonnés à Cuba, soit entre 0,7 et 0,9 % de la population. Pour Elizardo Sanchez, président de la commission, « ce chiffre gigantesque » est « le fruit amer d'un système totalitaire ». De plus, alors qu'un moratoire de fait était en vigueur à Cuba depuis 2000, la peine de mort a été une nouvelle fois appliquée en avril 2003, à l'encontre de 3 condamnés.
Les ONG internationales de défense des Droits de l'homme continuent enfin de dénoncer le contrôle administratif et la surveillance systématique de la population.
Pour en savoir plus, n'hésitez pas à contacter :

■ ***Fédération internationale des Droits de l'homme (FIDH) :*** 17, passage de la Main-d'Or, 75011 Paris. ☎ 01-43-55-25-18. Fax : 01-43-55-18-80. • www.fidh.org • fidh@fidh.org • Ⓜ Ledru-Rollin.

■ ***Amnesty International*** *(section française)* **:** 76, bd de la Villette, 75940 Paris Cedex 19. ☎ 01-53-38-65-65. Fax : 01-53-38-55-00. • www.amnesty.asso.fr • info@amnesty.asso.fr • Ⓜ Belleville ou Colonel-Fabien.

Chers lecteurs et routards, sachez que si vous avez des témoignages à apporter concernant les Droits de l'homme à Cuba, l'équipe de chercheurs d'Amnesty est très intéressée. Pour cela, il vous suffit d'envoyer un courrier à : ***Amnesty International,*** secrétariat international, Cuba Team, 1, Easton Street, WC 1X8DJ, Londres.
– N'oublions pas qu'en France aussi, les organisations de défense des Droits de l'homme continuent de se battre contre les discriminations, le racisme et en faveur de l'intégration des plus démunis.

EAU COURANTE

La distribution de l'eau reste un problème à Cuba. En effet, si, dans les hôtels, elle ne manque jamais, les inconvénients dont souffrent les particuliers sont nombreux. Bien souvent, à La Havane et à Santiago en particulier, les habitants sont privés d'eau une partie de la journée (voire plusieurs jours), surtout dans les vieux quartiers qui disposent de tuyauteries vétustes. Ils ne s'en sortent que s'ils ont veillé à remplir, le moment venu, les cuves de réserve d'eau qu'ils installent chez eux à cet effet. Ne vous formalisez donc pas si, dans une chambre d'hôtes *(casa particular),* l'eau vient à manquer.

ÉCONOMIE

L'économie cubaine... vaste problème ! Elle doit beaucoup de ses difficultés à l'embargo, certes, mais aussi à l'inefficacité du système économique. Durant des années, elle a bénéficié du soutien de l'Union soviétique et des pays frères. Mais, après la chute du bloc de l'Est, l'île s'est retrouvée isolée. Sa survie ne dépendait plus que des cours mondiaux du sucre et du nickel. Depuis plusieurs années, le tourisme est devenu une « priorité nationale ».

On comprend bien pourquoi : il représente aujourd'hui plus de la moitié des ressources en devises du pays (1,7 milliard de dollars en 2002). Or, des dollars, Fidel en a absolument besoin pour maintenir le système vaille que vaille et acheter du pétrole au prix fort, même si, en 2002, le brut extrait du sol cubain a pratiquement couvert la moitié de la consommation nationale. L'industrie touristique cubaine connaît la croissance mondiale la plus importante. 1,9 million de touristes ont été accueillis en 2003. Varadero, par exemple, est devenue la première station balnéaire des Caraïbes.
Toutefois, le développement du tourisme de masse n'est pas seulement une énorme bouffée d'oxygène, il présente aussi des effets pervers, notamment l'apparition d'une économie parallèle dollarisée. Cuba semble s'orienter vers une société à deux vitesses : d'une part, la petite frange de la population en contact avec les dollars (ceux des touristes ou des cousins de Miami), d'autre part, la grande majorité qui doit se contenter d'un salaire mensuel en pesos, oscillant entre l'équivalent de 6 US$ pour un coupeur de canne à sucre et 30 US$ pour un policier (ce qui est bien payé). Depuis la « période spéciale » *(período especial)*, les Cubains ont un livret de rationnement pour leurs achats *(libreta)* et les quantités prévues sont minimes. Or, de plus en plus de produits essentiels, quand on les trouve, sont vendus en dollars à des prix occidentaux ! Un paysan doit souvent économiser plusieurs mois pour s'acheter une bonne paire de chaussures. Les disparités s'accroissent au sein de la société. Objet de tristesse pour les uns, argument idéologique pour les autres, des classes sociales commencent à se dessiner en cette terre socialiste...

L'embargo

Embargo, selon la terminologie occidentale ; *bloqueo* (blocus) selon les Cubains. La sémantique dit tout ! Et ça dure depuis plus de 40 ans... Ce mot clé à Cuba est sur toutes les lèvres, dans tous les esprits. Un an après la rupture des relations diplomatiques décidée par Washington, la Maison Blanche décrète l'embargo total sur le commerce avec Cuba le 3 février 1962 et, le 14 mai 1964, les produits alimentaires et pharmaceutiques, jusqu'aux médicaments pour les enfants, sont inscrits sur la « liste noire ». Aujourd'hui, non seulement l'embargo est toujours en vigueur, mais il a été régulièrement renforcé – par les républicains mais aussi par les démocrates –, notamment à l'occasion des campagnes électorales présidentielles américaines. L'injustice, c'est qu'il ne concerne pas seulement les produits d'origine américaine, mais que son interdit d'exportation s'étend dans certains cas aux entreprises étrangères ayant des actifs aux États-Unis.
La grande question est de savoir quel rôle l'embargo a joué économiquement. Sur le plan politique, il est indéniable que pour Fidel Castro, il a favorisé pendant longtemps la mobilisation populaire « anti-yankee » ou « anti-impérialiste ». Aujourd'hui, il est un excellent prétexte pour justifier les difficultés économiques du pays et rejeter la responsabilité de la misère sur le « méchant » voisin gringo. Certains considèrent même que, sans l'embargo, Castro tomberait, puisque cela le priverait d'un argument de poids vis-à-vis de son peuple (imaginez un peu que la levée de l'embargo ne provoque pas une amélioration de l'économie cubaine !). D'où l'attitude ambiguë des États-Unis... Si vraiment le régime castriste représente une menace, n'est-ce pas une erreur stratégique que de prolonger l'embargo ? À moins justement que le maintien de Castro au pouvoir – finalement facteur de stabilité – ne soit un des objectifs de la politique extérieure américaine ? Allez donc savoir ! Interrogez vingt experts sur les conséquences économiques, et vous obtiendrez vingt réponses différentes... De « L'embargo a bon dos » à « Sans l'embargo, Cuba aurait été l'eldorado », en passant par « De toutes manières, il a été constamment violé, par les Américains les premiers »...
Quoi qu'il en soit, le gouvernement de Washington, soutenu à fond par les anti-castristes de Miami, conserve sa position jusqu'au-boutiste, alors même

que les hommes d'affaires, eux, réclament la levée de l'embargo, et pour cause : à 150 km de chez eux se trouve un dernier marché tout neuf et tout vierge, mais intouchable pour le moment. Quelle frustration! Entre décembre 2001 et septembre 2003, les achats de produits alimentaires et de médicaments de Cuba aux États-Unis se sont élevés à plus de 300 millions de dollars. Les achats pourraient atteindre 1,4 à 1,5 milliard de dollars en 2005 si les relations se normalisaient.

Aujourd'hui, l'embargo américain continue de soulever les plus vives protestations, notamment des pays latino-américains et de l'Union européenne. Il est condamné tous les ans à l'ONU par l'ensemble des pays membres (sauf les États-Unis, Israël et les îles Marshall). En France, il a toujours eu ses détracteurs, comme Danièle Mitterrand qui le juge « intolérable ». Nul doute qu'au hit-parade des persécutions d'État, cet embargo, par sa durée, sa sévérité, remporte indiscutablement le pompon. Parfois, quelques lueurs d'espoir apparaissent. Lors de sa visite à Cuba, en février 1998, le pape Jean-Paul II a qualifié l'embargo de « moralement inacceptable » et a demandé à Fidel Castro de faire un effort dans le domaine des Droits de l'homme. Résultat de son intervention : près de 300 prisonniers politiques cubains ont été libérés par le gouvernement de La Havane. L'administration américaine n'est pas restée indifférente à ce geste. En mars 1998, elle a annoncé un assouplissement de l'embargo par souci « humanitaire ». Les vols directs entre les États-Unis et Cuba ont été rétablis. Les envois d'argent et de médicaments avaient été autorisés et les Cubains de Miami pouvaient aider leurs familles restées sur l'île. Mais au printemps 2003, l'administration de G. W. Bush a de nouveau supprimé les envois d'argent (la *remesa*) et les exilés doivent faire transiter leurs envois par un pays étranger.

En novembre 2001, l'ouragan *Michelle* a eu des conséquences insoupçonnées. Les États-Unis ont proposé à Cuba de lui vendre de la nourriture et des médicaments. Surprise, Fidel accepte mais en profite pour leur faire la nique, s'offrant le luxe de payer *cash*. Pour la première fois depuis 40 ans, deux navires battant pavillon américain sont entrés dans le port de La Havane.

Mais ceux qui imaginaient déjà un réel assouplissement de l'embargo ont dû déchanter. Bush s'est empressé de déclarer qu'il ne s'agissait que d'un geste humanitaire qui ne modifiait en rien la politique américaine à l'égard de Cuba. L'embargo est maintenu.

Malgré l'embargo, plus de 400 entreprises étrangères sont implantées à Cuba avec des capitaux provenant d'une quarantaine de pays. L'Europe demeure le principal partenaire commercial de Cuba avec 41 % des échanges. Elle est suivie par l'Amérique (39 %) et l'Asie (18 %). Les principaux pays commerçant avec Cuba sont dans l'ordre : le Venezuela (pétrole), l'Espagne, la Chine, le Canada, la Russie, les Pays-Bas, la France, le Mexique, l'Italie et le Brésil.

Le sucre

Le sucre colle à Cuba – son histoire et son économie – ou Cuba à son sucre. Mais si l'or noir jaillit tout seul, le sucre est le produit du travail d'hommes hors pair que sont les *macheteros*. Jusqu'à l'« esclavage » que dénonçait déjà à la fin du XIXe siècle le grand penseur et homme de combat José Martí. « Un peuple qui ne dépend que d'un seul produit ne saurait être un peuple libre », disait-il.

Le sucre à Cuba – longtemps premier producteur mondial, et de loin –, c'est à la fois, d'est en ouest, la couleur verte des immenses champs de cannes, ce roseau de miel, un des piliers de l'économie, jusqu'à il y a peu, la première source de devises, une manne céleste apportée par... les Espagnols, une monnaie d'échange, cette couleur ambrée et le goût des lèvres des *mulatas*.

Aujourd'hui, Cuba est libérée de cet esclavage du sucre. Moins par choix que par les circonstances historiques et celles des cours de l'économie mondiale.
En 1959, quand les *barbudos* ont pris le pouvoir, le sucre représentait 83,6 % de la production agricole de Cuba et 81 % de ses exportations. À noter également que près de 50 % des ouvriers agricoles travaillaient dans ce secteur. Dans ce pays, le sucre a d'autant plus d'importance qu'il n'y a pas d'industries lourdes dignes de ce nom, et peu de ressources naturelles. À partir de 1964 – date des accords de Cuba avec Moscou –, le sucre devient la véritable industrie lourde du socialisme cubain, et produire, produire encore devient l'objectif numéro un. Et c'est le trop célèbre échec de la « *zafra* (récolte) des 10 millions », qui avait mobilisé la plus grande partie des forces vives du pays, jusqu'aux artistes, comme le groupe Los Van Van, chargé de regonfler le moral des troupes en chansons ! C'est peut-être là que se trouve la grosse erreur du régime castriste : on n'a pas remis en question suffisamment tôt cette quasi-monoculture héritée de la colonisation espagnole. Quand les Soviétiques ont arrêté de soutenir artificiellement les cours du sucre en 1989, l'économie cubaine s'est effondrée.
Signe des temps, aujourd'hui, le tourisme rapporte davantage que l'industrie sucrière. En 2002, le gouvernement a décidé de fermer 70 centrales sucrières non rentables et 100000 travailleurs de l'industrie sucrière vont être reconvertis dans des écoles spéciales. Les terres vont être affectées à d'autres cultures, vivrières en particulier. La décision a été prise le dos au mur. Elle arrive un peu tard.

La course aux dollars

Cuba n'est plus le « crocodile », mais la « vache à dollars » des Caraïbes. Tout ou presque doit être réglé en dollars par les visiteurs étrangers : hébergements, restaurants, locations, discothèques, transports, essence, souvenirs, etc. Pour la plupart, les magasins se font payer en monnaie américaine, non seulement par les touristes, mais aussi par les Cubains eux-mêmes, dans leur propre pays (sauf dans certains magasins de produits de base, les transports publics, les trains, les bus). Officiellement, cela s'appelle la « captation de devises ». Dans la réalité, il s'agit de la « dollarisation de la société ». Depuis 1993, l'économie cubaine s'est lancée dans une course effrénée aux billets verts. Au point qu'aujourd'hui le volume des devises US en circulation est supérieur à la masse monétaire nationale. Comment le régime castriste, réputé pour son nationalisme sourcilleux, en est-il arrivé là ?
Un petit retour en arrière s'impose. Pendant longtemps (des années 1960 jusqu'au milieu des années 1980), Cuba vécut dans une sphère politique privilégiée mais artificielle sur le plan économique. La Havane était dispensée de payer les produits achetés à l'URSS et aux pays du bloc socialiste avec de la monnaie sonnante et trébuchante. Pourquoi ? Parce que les échanges économiques obéissaient aux lois du troc *(intercambio)* entre pays frères. C'était une belle idée généreuse, mais dangereuse. Une tonne de canne à sucre contre deux tonnes de pétrole, une tonne de tabac contre une tonne de produits manufacturés, des noix de coco contre des Lada. Et ainsi de suite.
En somme, tout allait bien dans ce cocon protégé, refermé sur lui-même, mais coupé des mécanismes financiers du monde capitaliste. Le drame arriva le jour où Fidel, obstiné, refusant de suivre la Perestroïka, perdit son allié politique de poids, son parapluie stratégique, son plus grand soutien économique et financier : l'Union soviétique. En 1989, Gorbatchev, fâché, décida de « lâcher Cuba », et se dépêcha de mettre un terme aux lois du troc qui régissaient les rapports entre les deux pays, d'autant que celles-ci étaient en défaveur des Russes. Un exemple : à l'époque bénie du troc,

Moscou achetait la tonne de canne à sucre cubaine trois fois plus cher que le tarif en vigueur sur le marché mondial. Du jour au lendemain, en 1990, Cuba se retrouva dans l'obligation de payer en monnaie forte ses achats. Ayant été quasiment interdite de dollars depuis la Révolution, l'île se réveilla sans vrais moyens de paiement. Jusqu'en avril 1993, un Cubain en possession de dollars était même passible d'une peine de prison.

Tout a changé subitement avec la dépénalisation du dollar, décidée cette même année 1993. À présent, la chasse aux devises est devenue une nécessité vitale pour les Cubains, qui manquent des produits les plus élémentaires. Le marché en pesos offre vraiment le strict minimum. Les billets verts sont donc indispensables pour se procurer lessive, dentifrice, huile, vêtements de qualité, certains produits alimentaires... Une course si oppressante qu'elle génère toutes sortes de comportements nouveaux et inquiétants : sollicitation permanente des touristes, harcèlement des étrangers par les *jineteros* et les *jineteras,* vente de produits au marché noir, développement de l'économie parallèle (illégale, mais elle fonctionne bien), recrudescence des vols à la tire dans certaines villes, développement de la prostitution. Cela n'est que la partie visible de l'iceberg de la pauvreté.

Avec les mesures prises par le gouvernement américain en avril 1998, les transferts de fonds des États-Unis vers Cuba ont été autorisés. C'est ce que l'on appelle la *remesa*. Les Cubano-Américains envoient ainsi chaque année à leurs familles restées dans l'île entre 800 millions et un milliard de dollars. Conséquence pour le voyageur : une étrange impression de circuler dans une « société dollarisée » sous perfusion étrangère. Moche, mais c'est la réalité économique cubaine. Comme le note Régis Debray, qui a rompu politiquement avec Castro, après de longues années d'amitié : « Les guérilleros ont voulu tuer le dollar dans les têtes et en retour, le dollar les tue, corps et biens » (dans *Loués soient nos seigneurs,* 1996).

Cette obsession des devises a généré, en outre, une ségrégation qui met mal à l'aise : les Cubains se voient souvent refuser l'entrée des hôtels dans les grandes villes et les stations balnéaires (Varadero, par exemple), sous prétexte qu'ils n'y entrent pas avec des billets verts plein les poches.

En avoir ou pas (des dollars), tel est le nouveau et terrible dilemme de Cuba. Triste signe des temps : le roman cubain le plus vendu en France en 1998 portait un titre révélateur : *La Douleur du dollar* (de Zoé Valdés). Cet étrange et douloureux cycle de rattrapage, baptisé par le pouvoir « guerre économique », constitue officiellement une parenthèse destinée, pour une durée limitée dans le temps, à remplir les caisses du pays. On peut se demander si la « dollarisation » de la vie cubaine aura une fin... Les Cubains pourront-ils un jour payer normalement leurs achats courants en pesos ? Cette course aux dollars est-elle le dernier ballon d'oxygène de l'île ? Elle n'arrive malheureusement pas à cacher les faiblesses d'un système économique sclérosé, inefficace et générateur d'injustice.

ÉLECTRICITÉ

– Comme les États-Unis et le Japon, Cuba utilise du 110 volts. Prises de courant à fiches plates : un adaptateur est donc nécessaire, mais vos appareils ne fonctionneront pas forcément avec ce voltage... Parfois, certains hôtels et *casas particulares* possèdent des prises 110 V et 220 V. Nous les indiquons.

– Pour économiser de l'énergie, l'éclairage public est très faible dans les villes, voire inexistant dans certaines rues (comme celles de Trinidad, par exemple).

ENVIRONNEMENT

La protection de l'environnement et l'écologie deviennent une priorité pour les Cubains, dans un pays où pourtant il n'est pas toujours facile de manger à sa faim. S'il est vrai que certaines côtes et certains *cayos* sont délibérément sacrifiés au tourisme, de nombreuses autres régions de l'île sont aujourd'hui protégées. Ainsi une attention particulière est apportée à la construction des routes goudronnées qui fendent la mer pour faciliter l'accès aux *cayos,* tout en respectant le fragile équilibre écologique, ce qui a valu à Cuba l'attribution d'une importante distinction internationale. De grands travaux ont été entrepris pour assainir la baie et le port de La Havane. Les autorités cubaines plaident de plus en plus pour un développement durable. Ainsi l'agriculture urbaine est une réussite spectaculaire. Elle produit aujourd'hui 60 % des légumes du pays. Elle est pratiquée même à La Havane où seule la culture bio est autorisée.
La région de la sierra del Rosario, à l'ouest de l'île, déclarée réserve mondiale de la biosphère par l'Unesco, est l'objet d'un vaste projet de reboisement entrepris dès 1968. C'est aujourd'hui une belle forêt de 6 millions d'arbres, paradis des oiseaux et des randonneurs.
Parmi les sujets de polémique : les dauphins. Il existe cinq grands delphinariums sur l'île : à La Havane, à Baconao près de Santiago, à la Bahía del Naranjo près de Guardalavaca, près de Cienfuegos et à Varadero. Les protecteurs des dauphins pensent (à juste titre) que ces animaux sont beaucoup mieux dans la mer qu'en captivité, même si l'on prétend qu'ils évoluent dans leur milieu naturel. À vous de savoir s'il faut être plus vigilant pour la sauvegarde de cette espèce et contribuer ou non (par une entrée payante dans un delfinarium) à la disparition de ces gentils compagnons de Flipper.
La Havane, quant à elle, n'en finit pas de cultiver ses paradoxes : beauté et décadence, monuments sublimes ou en pleine décrépitude, des quartiers d'apparat et d'autres dangereusement insalubres. Avant la Révolution de 1959, le gouvernement de l'époque envisageait de raser les anciens quartiers historiques. Le régime castriste a interrompu le projet, sans avoir les moyens de lutter contre la lente dégradation. Trente ans plus tard, un certain Eusebio Leal a réussi à convaincre Fidel qu'une renaissance était encore possible (voir l'intro historique sur La Havane). Mais si le centre-ville fait peau neuve, grâce aux subsides de l'Unesco, à quelques centaines de mètres à peine, dans le Centro Habana, des centaines de familles vivent dans des conditions de misère, aggravées encore par les problèmes d'approvisionnement en eau et de pollution. La forte densité de la population a fait naître ici de véritables bidonvilles, à quelques rues des quartiers pour touristes. Le manque de moyens est criant et, malgré les efforts pour la sauver, La Havane est toujours menacée, à l'image d'un régime agonisant...

EXIL

Même si l'exil est toujours un drame, il n'est pas certain que l'exilé cubain de Miami soit parmi les damnés de la terre. Ne quitte-t-il pas l'« enfer » pour l'« Éden », auquel il a toujours rêvé ? Là, pas de camp de réfugiés, même pas de transit. Même s'il risque vite de déchanter... En vertu de la loi américaine qui fait toujours une (scandaleuse ?) exception, tout Cubain qui, d'une manière ou d'une autre, parvient à fouler le sol américain, est considéré comme un héros... et bénéficie de l'asile politique dans la demi-heure qui suit. Il devient citoyen américain et généralement habitant de Miami.
Une histoire de l'exil cubain pourrait s'écrire en trois chapitres. D'abord, les trois exodes (1965, 1980, 1994) qui ont mis Cuba en plein dans l'actualité. Ensuite, les « faits divers » : on apprenait qu'un ou plusieurs Cubains avaient réussi à toucher les côtes américaines, qu'un pilote d'avion atterrissait sur une piste des États-Unis, que tel musicien décidait de ne pas rentrer à Cuba, que tel sportif faisait défection, que tel emprisonné devenu, hélas, célèbre choisissait tel pays d'exil. Enfin, dernier chapitre, l'exilé aujourd'hui, celui qui,

à distance, fait bouillir la marmite de nombreux foyers cubains de Cuba, depuis que le dollar a été « dépénalisé » (août 1993).
Tout Cubain qui s'exile, ou presque, débarque un jour à Miami. Dans cette ville de Floride, un des plus grands quartiers s'appelle *Little Havana*. Jusqu'à ces dernières années, le voyage, ou plutôt l'expédition, à Miami était sans retour. Miami, terminus et point de départ d'une nouvelle vie.
Aujourd'hui, on peut y partir et revenir. Muni de son autorisation de sortie du pays, le Cubain – détenteur désormais d'un passeport – peut bénéficier aussi, et cela est plus difficile, du visa américain qui relève de la Section d'intérêts, installée à La Havane depuis 1977. Dans ce cas, on rend visite à la famille, aux amis, on fait le plein de courses, d'achats en tout genre, et on rentre en payant, à l'aéroport, tous les excédents de bagages. De terre d'asile, Miami est devenue supermarché. Et si, autrefois, on attendait des nouvelles des proches, une lettre, une carte postale, aujourd'hui, on attend aussi le mandat de l'oncle d'Amérique.
Les choses ont donc considérablement évolué : les Cubains exilés n'ont plus droit au joli nom de *gusano* (ver de terre, vermine), mais sont devenus très officiellement pour La Havane « membres de la communauté cubaine de l'extérieur » (depuis 1979). Certains exilés sont en train d'abandonner leur crispation anti-castriste et font le voyage à La Havane, tout à fait ouvertement, pour discuter, voire négocier avec Fidel, comme Eloy Gutierrez Menoyo, ancien commandant de la Révolution et... ancien prisonnier à Cuba, réputé désormais opposant modéré.
À Cuba, en quelque 35 ans, l'hémorragie a été importante. Un chiffre est avancé : plus d'un million de personnes, soit le dixième de la population, seraient des exilés directs.

Les trois exodes

C'est d'abord le « communisme » de Castro qui fait fuir les Cubains dans leur premier exode (1959-1965). Ils appartiennent pour la plupart à l'ancienne bourgeoisie cubaine, aux classes aisées ou moyennes, et ils sont plutôt médecins, avocats, architectes. Dans ce cas, comme pour le second, celui dit « de Mariel », en 1980, l'exode est « libre », voire « autorisé », ou encore encouragé. Dans le cas des *marielitos,* la noria des embarcations de tous types parties des côtes de Floride fut mise au point par les Américains et la communauté cubaine de Floride. Quelque 125 000 personnes ne supportaient plus le régime. Quant aux *balseros* de 1994 (voir ce chapitre plus haut), médiatisés à outrance, ils vont faire parler d'eux durant deux années, avant de trouver leur dernier point de refuge. Leurs méthodes « spectaculaires » en ont presque fait des héros... alors que la plupart ne se rendaient absolument pas compte des dangers qu'ils couraient en affrontant la mer sur des radeaux fabriqués avec des chambres à air !
Mais depuis peu, un phénomène nouveau est en train de se produire : des Cubains devenus Américains commencent à revenir dans leur ancienne patrie, par vols spéciaux les amenant directement à La Havane ou Santiago, soit en visite de longue durée, soit – et cela est plus significatif – pour s'y réinstaller ou prendre leur retraite.

La fin de l'exception cubaine ?

Dans le melting-pot américain, les Cubains de Miami ont réussi en quelques décennies à s'imposer comme l'une des communautés immigrées les plus prospères. Les exilés de la première vague, ceux qui ont fui au lendemain de la Révolution, faisaient partie de l'élite de l'île et, en absence totale d'échange avec Cuba, ont tout réinvesti dans leur pays d'accueil. Aujourd'hui, si la communauté cubaine ne représente qu'un tiers de la population de Miami, elle tient sans partage les rênes économiques et politiques

de la ville. Et c'est de la réussite triomphante de cette population en exil, soudée dans sa détermination à faire tomber Castro, qu'est née l'idée d'une « exception cubaine ».
Un bel édifice que l'affaire Elian (voir la rubrique « *Balseros* ») a pourtant fait vaciller. Le fanatisme dont ont fait preuve les anti-castristes et leur opposition aux instances fédérales ont été très mal vus par les Américains. L'opinion et même le gouvernement se sont retournés contre eux.
Mais plus inquiétant encore pour l'unité des Cubains de Miami, l'affaiblissement de leur identité : seulement un tiers d'entre eux se revendique exilés politiques. Les *yucas* (yuppies cubano-américains), Cubains de la deuxième génération, formés dans les universités américaines, sont plus favorables à l'ouverture. Et les dernières vagues d'immigrants, poussés par des facteurs économiques plus que politiques, tout en venant grossir les troupes, s'avouent beaucoup moins engagés que ceux qui les précédaient. Ils envoient de l'argent à leur famille, retournent même sur l'île, ce qui aurait été considéré comme une trahison il y a quelques années, et ne s'opposent pas au dialogue avec Fidel. En fait, si les rangs de la communauté cubaine à Miami ne cessent de grossir, sa spécificité se fait plus floue et se perd dans cette Miami en passe de devenir la capitale de l'Amérique latine. Affaiblie certes, la communauté anti-castriste de Miami a cependant joué un rôle déterminant dans l'élection du señor « W » (ainsi appelle-t-on à Cuba George W. Bush).

FÊTES ET JOURS FÉRIÉS

Il y a de grandes chances pour que votre séjour coïncide avec un des jours de commémoration, en grand nombre à Cuba. De la naissance de José Martí (le 28 janvier) à l'anniversaire de la mort de Camilo Cienfuegos (le 28 octobre), en passant par la Journée internationale de la Femme (le 8 mars), l'anniversaire de la Victoire de la baie des Cochons (ou *playa Girón*, le 19 avril), l'anniversaire de la mort du Che (le 8 octobre), etc.
Et, à Cuba, il y a aussi la fête, pour ne pas dire les *fiestas* ! Malgré les difficultés économiques, elles sont toujours bien présentes. Vous verrez, lors de votre propre départ, la fête portera alors le nom de *despedida*.
En outre, de plus en plus de festivals sont organisés, à La Havane, à Santiago et à Varadero principalement : culturels, musicaux (jazz notamment), nautiques, etc. Se renseigner dès que possible, avant de partir ou sur place, les dates pouvant changer. Le rendez-vous le plus prestigieux est celui du Festival international du Cinéma latino-américain en décembre. Très réputés aussi, les Festivals internationaux de Théâtre et de Danse de La Havane.
Mais le plus spectaculaire, ce sont les fêtes de carnaval. En août (en principe, car les dates sont assez fluctuantes), le carnaval de La Havane défile tous les week-ends pendant trois semaines... Fin juillet, pendant une semaine, le fameux carnaval de Santiago reprend petit à petit ses lustres et ses fastes. À ne pas manquer !

7 jours fériés légaux dans l'année

– ***1er janvier :*** anniversaire du Triomphe de la Révolution.
– ***1er mai :*** fête du Travail.
– ***25, 26 et 27 juillet :*** fête nationale, anniversaire de l'assaut de la caserne Moncada à Santiago.
– ***10 octobre :*** anniversaire du début des guerres d'Indépendance (appel de la *Demajagua*).
– ***25 décembre :*** depuis le passage du pape à Cuba, la tradition de Noël s'est réinstallée.

FIDEL CASTRO : ON L'APPELLERA FIDEL

« Fidel sera toujours Fidel. » Tout le monde le répète, les pro-castristes comme les opposants. Mais bien sûr, tout dépend du ton sur lequel on le dit... On remarquera en tout cas que tous l'appellent « Fidel », comme s'il n'y en avait qu'un !

Qui est aujourd'hui Fidel Castro ? Le même qu'en 1953, 1959, 1961... et en même temps un autre, surtout aux yeux des observateurs occidentaux. L'image de Fidel, ancien chef de guérilla, personnage romantique et mythique, leader du tiers monde, n'a plus rien à voir avec son statut actuel d'« homme usé », de « dictateur au gant de velours », parmi quelques mots aimables. Restons objectifs : ce n'est pas un tyran sanguinaire, mais ce n'est pas non plus un grand démocrate... Il dit lui-même que l'Histoire jugera. À l'âge de 26 ans, face aux juges qui allaient le condamner à 15 ans de prison, il lançait au tribunal : « L'Histoire m'acquittera ! »

À Cuba, il n'existe pas de livres d'histoire du Cuba moderne, encore moins sur Fidel Castro. Aucun portrait, aucune étude sur le Lider Máximo, même pas un livre de courtisan, encore moins sur l'homme ou sa vie privée. Fidel ne s'est jamais laissé tirer le portrait, même pas par son grand ami prix Nobel, le Colombien Gabriel García Marquez, qui a dit de lui que « Sa personnalité est si complexe que chacun peut repartir d'une même entrevue avec lui avec une impression différente. »

On a tout dit sur Fidel Castro. Tout et son contraire. On peut se mettre d'accord sur sa dimension historique, sa taille (il mesure près de 2 m !) et sa démesure, son charisme... En revanche, sa longévité – et pas seulement au pouvoir – dérange.

Fidel Alejandro Castro Ruz est le fils aîné d'un Espagnol de Galice immigré, propriétaire terrien, mais d'origine modeste. Il naît le 13 août 1927, reçoit une éducation catholique, puis fait des études chez les jésuites. Ses maîtres d'alors écriront : « Il est fait d'un bon bois et l'homme d'action ne manque pas en lui. » Plus tard, il aura une réputation d'étudiant batailleur, rebelle. Fidel était déjà Castro, avec ses traits de caractère qui ne le lâcheront pas : meneur d'hommes, leader, sens et goût de la parole, intransigeance (parfois jusqu'à la brutalité), confiance en lui, passionné de politique, radical, indépendant, homme d'action, patriote, habile, rancunier, volontaire, etc.

L'idéalisme jusqu'au bout

Son épopée dans la sierra Maestra, son arrivée triomphale à La Havane, sa politique appelée par lui-même « idéaliste » du début de la Révolution, l'espoir qu'il représente pour le tiers monde... vont lui valoir des couronnes, par milliers de tonnes, et une littérature innombrable, flatteuse jusqu'à l'enflure – il n'en demandait pas tant. Mais, à partir de là – ce « là » est le régime communiste version Castro, l'exercice du pouvoir qui n'en finit pas, sa résistance à toutes les déflagrations mondiales –, tout diverge et divergera : chaque action, geste, discours de Fidel aura été ou est jugé à l'aune de tel historien ou observateur. Fidel est un des rares hommes politiques à provoquer au sujet de sa personne, encore aujourd'hui, des jugements diamétralement opposés.

Fidel, le chanceux

Il faut savoir que si Fidel est toujours là, il le doit tout d'abord à une baraka incroyable. D'abord, il fait en sorte de ne pas être interné dans un hôpital psychiatrique où ses parents veulent le faire enfermer. Dans les années 1940, il échappe plusieurs fois à la prison et aux balles des forces de l'ordre de Batista. En 1947, aucun requin ne veut de lui, alors qu'il traverse à la nage une baie de plusieurs kilomètres près de Saint-Domingue ! En juillet 1953, il doit la vie à un soldat de Batista, Pedro Sarria, alors qu'il est arrêté pour avoir attaqué la caserne Moncada de Santiago. En 1955, il est

libéré, bénéficiant d'une amnistie. Il annonce *urbi et orbi* qu'il part pour le Mexique et qu'il reviendra, les armes à la main, pour libérer le pays. Par la suite, pendant la guérilla, il passera au travers des lignes de Batista. Enfin, une fois qu'il est au pouvoir, eh bien, la CIA ne parviendra jamais à l'abattre, malgré des tentatives répétées! Mais là, il était tout de même un peu aidé... par ses (excellents) services secrets et sa garde rapprochée.
Pendant longtemps, l'austérité de Fidel Castro n'a pas été mise en doute. Ceux qui l'approchaient s'entendaient pour dire qu'il continuait de vivre dans des conditions simples, sans trop d'ostentation... mais on trouve de plus en plus de Cubains pour dire qu'il a des maisons un peu partout et qu'il mange mieux que son peuple... Jusqu'en 1994, on n'avait jamais vu Fidel autrement vêtu que de son fameux et légendaire *battle-dress,* treillis vert olive, et coiffé de sa casquette de *comandante.* En 1994, il a porté pour la première fois en public la traditionnelle chemise *guayabera,* lors d'un sommet latino en Colombie. Tête nue. La photo, alors, fit le tour du monde. L'année suivante, il arbora costume sombre, chemise blanche, cravate, lors de plusieurs rendez-vous diplomatiques à l'étranger, pour la première fois depuis 1955!
Et sa vie privée? Motus et bouche cousue. Il n'en a jamais parlé en public. En même temps, les Cubains savent... (presque) tout sur lui. Sa vie « sentimentale », sa vie « de famille », ses préférences pour le fromage français, un certain whisky, ses lectures favorites, tout quoi, à quelques détails près.

À quand la relève? Et par qui?

La question se fait chaque jour plus pressante; pour l'opinion internationale, pas tellement pour les Cubains. À Cuba, la question de la succession du Lider Máximo ne semble pas être à l'ordre du jour. Ce qui est certain, c'est que Fidel n'a aucune intention de passer le flambeau pour le moment. Quand on en parle, le nom qui revient le plus souvent est celui de Raúl, le frère de Fidel. Vice-président du Conseil d'État et surtout chef de l'armée, c'est le second du régime. Mais, petit hic, il n'a que 4 ans de moins que Fidel...
Après un moment d'éclipse, Fidel Castro fait depuis quelque temps son retour sur la scène internationale, au moins en Amérique latine. Dans un pays comme le Venezuela (Fidel a fait du président Hugo Chavez son fils spirituel!), le Lider Máximo et la Révolution cubaine sont redevenus des symboles forts et des exemples à suivre. Au Mexique, au Brésil, en Argentine, lors des investitures des présidents Vicente Fox, Luiz Inácio Lula et Nestor Kirchner, Fidel Castro a volé la vedette aux nouveaux chefs d'État, en particulier auprès des jeunes générations.

DES FRANÇAIS À CUBA

Ce fut un événement en 1960. ***Jean-Paul Sartre*** partit s'encanailler à Cuba avec « le Castor », sa compagne Simone de Beauvoir. À son retour, il publia la somme de 16 grands articles dans *France Soir,* au tirage énorme à l'époque d'un million et demi d'exemplaires. Mais c'est ***Françoise Sagan*** (partie pour *L'Express*) qui battit sur le poteau les Sartre et restera la première personnalité française à avoir voulu fouler le territoire cubain révolutionnaire. Elle avait 25 ans. Eux trois ont ainsi commencé à construire, avec d'autres intellectuels (majoritairement français, et loin d'être tous pro-soviétiques), une « légende du paradis castriste ». De La Havane partaient de nouvelles lumières.
Des jeunes gens, qui allaient se retrouver par la suite dans les mouvances du gauchisme de mai 1968, comme ***Évelyne Pisier,*** partirent pour plusieurs visites guidées. Sans oublier l'inévitable ***Bernard Kouchner*** qui, accompagné d'***Una Liutkus*** (depuis fondateur de l'agence de voyages *Havanatour*), interviewa Fidel Castro en 1964...

Avant que tous nos intellos de l'époque ne se mettent à découvrir et à adorer, avec raison, Che Guevara, ils eurent le temps d'être déçus, d'abord avec l'« affaire Padilla » (du nom d'un écrivain cubain détenu), puis, en août 1968, avec l'invasion de la Tchécoslovaquie par l'Armée Rouge, approuvée par Cuba.

Deux Français à cette époque virent parfois les réalités et les relatèrent dans des ouvrages : ***René Dumont*** et ***K. S. Karol.***

Par la suite, le monde continuant de tourner, la classe intellectuelle française se mit à oublier Cuba. Après la lune de miel et les soutiens inconditionnels, le silence, le dégrisement, les remords et la mauvaise conscience. Ayant eu quasiment l'exclusivité de la passion castriste, les intellectuels français – en France, on aime bien brûler ce que l'on a adoré – eurent donc l'exclusivité du repentir.

Il y a quelques années, grâce à son copain Gérard Bourgoin (l'ex-roi du poulet), ***Gérard Depardieu*** a sympathisé avec Fidel Castro. Amoureux de Cuba, les deux compères ont investi ensemble quelques millions de dollars dans la *Pebercan,* société d'extraction pétrolière, propriétaire de 6 concessions, qui n'a pas donné de résultats probants...

Mais n'oublions pas les deux personnalités françaises le plus souvent citées à propos de Cuba : Régis Debray et Danielle Mitterrand.

Danielle Mitterrand fit la connaissance de Cuba et de Fidel à l'automne 1974, lors du premier – et unique – voyage dans l'île de son mari, alors premier secrétaire du PS. Depuis, la présidente de la fondation France-Libertés fait des allers-retours réguliers. L'*abrazo* (accolade) que lui donna Fidel lors de son séjour à Paris en mars 1995 lui valut une volée de bois vert. Qui ne l'atteignit pas. Danielle Mitterrand a également été à l'origine de la libération de plusieurs prisonniers politiques à Cuba. Dans son livre *En toutes libertés* (Ramsay, 1996), elle écrit notamment, en s'adressant directement au Lider Máximo : « Montrez-vous comme je crois vous connaître, Fidel. Pourquoi vous laisser enfermer dans cette réputation que vos détracteurs utilisent, dénaturent, exagèrent, pour faire de vous un monstre dictateur que l'on montre du doigt ? »

Quant à ***Régis Debray,*** il raconte son épopée castriste et guévariste, dès le début des années 1960, dans *Loués soient nos seigneurs* (Gallimard, 1996). Ce jeune normalien, agrégé de philosophie, fut le seul Français à rejoindre Che Guevara et ses hommes dans le maquis bolivien en 1967. Auparavant, il avait écrit *Révolution dans la Révolution.* Celui que l'on surnommait « Danton » dans le maquis fut accusé à tort d'avoir été à l'origine de la capture du Che. Arrêté, puis emprisonné à Camiri, il fut condamné à 30 ans de prison, mais fut libéré, après 4 ans de détention, à la suite d'une vaste campagne internationale de soutien. Che Guevara a écrit sur lui : « Nous avons perdu un cadre intellectuel magnifique, mais je doute qu'il soit parvenu à faire un bon guérillero. » Le Che pensait aussi que le procès Debray avait mieux fait connaître sa guérilla que dix batailles gagnées. Il n'empêche que Debray, aujourd'hui détaché des *comandantes* et des gouvernants (français), laissera sans doute les pages les plus belles jamais écrites sur le destin de la Révolution cubaine et sur ses acteurs.

GÉOGRAPHIE

Cuba est la plus grande île des Caraïbes, devant la Jamaïque et Haïti. Avec ses 110860 km², sa superficie équivaut à trois fois et demie celle de la Belgique. Tout en longueur, ce « crocodile » mesure peu ou prou 1 250 km de la tête à la queue, mais à peine 200 km dans sa plus grande largeur. Précisons tout de même que Cuba ce n'est pas seulement une île mais... *des* îles. Outre l'île principale, il faut ajouter l'île de la Jeunesse ***(isla de la Juventud),*** ainsi qu'une multitude d'îlots appelés *cayos,* qui font le bonheur des amou-

reux de sable fin et d'eaux turquoise : ***Cayo Largo, Cayo Coco, Cayo Levisa,*** etc. L'île principale se divise très grossièrement en deux : l'ouest *(Oeste)* et l'est, communément appelé *Oriente*. Mais n'oublions pas le centre, où se concentrent la plupart des villes importantes.
En dehors des côtes, le paysage cubain est essentiellement plat, à part les quelques petites chaînes de montagnes : les ***sierras,*** dont la fameuse Sierra Maestra, à l'est de Santiago, théâtre des exploits des guérilleros castristes, où le Pic Turquino culmine à 1 974 m.

HÉBERGEMENT

Camping

Petite précision qui évitera bien des quiproquos : ce que les Cubains appellent *campismo* n'a rien à voir avec notre conception du camping. Pour eux, un camping est un complexe touristique avec des bungalows plus ou moins rustiques. Ils sont d'ailleurs souvent réservés aux Cubains. En fait, personne ne campe à Cuba avec une tente : le camping sauvage n'est pas autorisé et les seuls terrains qui existaient il y a quelques années ont été reconvertis en hôtels...

Chambres chez l'habitant *(casas particulares)*

En 1997, petite révolution du socialisme cubain : une loi autorise les particuliers à héberger des étrangers chez eux moyennant finances. Certes, ce commerce privé représente une brèche dans le système étatique, mais le gouvernement est le premier à en profiter ! En effet, les propriétaires de *casas particulares* doivent payer une forte taxe : entre 100 et 200 US$ par mois et par chambre (selon la région), qu'elle soit occupée ou non. Ces ponctions fiscales sont telles que les proprios sont contraints de réussir ou de mettre la clé sous le paillasson. D'où les nombreux abandons qui suivent une mauvaise saison. Avec des prix trop élevés, ils n'ont pas de clients ; si les prix sont trop bas, ils ne peuvent pas payer la taxe. Il semble que le gouvernement ne veuille pas développer outre mesure ce type de logement, préférant bien sûr privilégier le parc hôtelier d'État, géré directement par les grandes agences gouvernementales. De nouvelles restrictions ont été apportées en 2004 (pas plus de deux chambres louées par logement, pas plus de deux personnes par chambre, interdiction de recevoir des couples étrangers-cubains non mariés, paiement d'une taxe pour le service gastronomique même s'il n'est pas offert). Ne vous étonnez donc pas des augmentations de prix par rapport à ceux que nous indiquons ni des « amicales pressions » pour que vous preniez au moins un repas à la *casa particular*.
Soyez compréhensifs si vous voulez que se maintienne cette forme d'hébergement tellement sympathique et qui permet de découvrir le pays profond. Très nombreuses dans des villes comme La Havane, Viñales, Cienfuegos, Trinidad ou Santiago, les *casas particulares* se font plus rares dans les stations balnéaires (Varadero, par exemple). On les repère grâce à un autocollant sur la porte, représentant deux chevrons bleus superposés.
Le logement dans une *casa particular* est une super solution pour les petits budgets : une chambre chez l'habitant revient moitié moins cher qu'une chambre d'hôtel à prix modéré ou moyen.
– Attendez-vous à de petits désagréments : pas de savon, les sanitaires à l'extérieur de la chambre, les problèmes d'eau chaude, les portes qui ferment mal, ou une clim' un peu bruyante... mais vous avez des risques de les rencontrer également dans les hôtels, la chaleur de l'accueil en moins !
– ***Conseils :*** il est rare qu'on vous demande une garantie de réservation (contrairement aux hôtels), alors soyez réglo, prenez la peine de téléphoner

pour vous décommander. Et évitez de vous faire accompagner par un rabatteur : soit vous paierez plus cher la chambre, soit le revenu du logeur sera amputé.

Hôtels

On en trouve un peu partout. Depuis quelques années, une vaste opération de rénovation permet aux anciens hôtels de retrouver une seconde jeunesse, à commencer par ceux du centre historique de La Havane, où de nombreux palais coloniaux ont été transformés en de splendides et ravissants petits hôtels de luxe.

– Cinq grandes ***chaînes hôtelières*** se partagent la majorité du parc cubain : dans l'ordre d'importance, on trouve *Gran Caribe* (hôtels de luxe), *Cubanacan, Horizontes, Gaviota* (qui dépend de l'armée) et *Islazul. Habaguanex,* la petite dernière, gère surtout les hôtels de luxe récemment rénovés de Habana Vieja. Toutes ces chaînes appartiennent officiellement à l'État, mais beaucoup d'hôtels sont en fait financés par des groupes étrangers, chargés de la restauration et de l'exploitation des établissements.

– Quelques petits désagréments auxquels on doit s'attendre : éclairage faible, problèmes d'eau chaude, entretien parfois un peu limite.

– Pour la plupart, les hôtels cubains disposent d'une discothèque (voire deux !), d'au moins un resto, de boutiques et de nombreux services : location de voitures, change, excursions... Dans le hall de tous ces établissements, on trouve en général des bureaux touristiques *(Havanatur, Cubatur, Rumbos, Cubanacan...).* Pratique pour réserver une chambre d'hôtel, une balade, connaître les horaires des vols, acheter des billets de spectacle...

– Bon à savoir pour la préparation de votre itinéraire : les hôtels sont bien moins chers en province qu'à La Havane.

– À noter : les Cubain(e)s sont en principe interdits dans les chambres des hôtels pour touristes, pour une raison qu'on imagine facilement.

– *ATTENTION :* pendant les vacances scolaires, les hôtels de La Havane et de Varadero sont souvent complets ! Il est donc conseillé de réserver 3 semaines à l'avance (au minimum) en été et à Noël, du moins pour ceux qui ne souhaitent pas dormir chez l'habitant...

HEMINGWAY

Le plus connu des écrivains américains a marqué l'île de son empreinte de géant... Il acheva d'y construire son propre mythe, désormais inscrit dans l'histoire de Cuba. En 1932, Ernest Hemingway débarque à l'hôtel *Ambos Mundos,* au cœur de la vieille Havane. Son copain Joe Russel, tenancier de bar passionné de pêche au gros, lui a révélé que les eaux cubaines fourmillaient de poissons-scies... Bon prétexte pour celui que les Cubains ont baptisé « Papa » : sa femme Pauline vient d'accoucher et l'écrivain macho n'a guère envie de pouponner ! Mais il ne taquine pas que le marlin à Cuba : il court les filles et tombe sur la belle Jane Mason, qui aime autant les bars que lui... Ce qui ne l'empêche pas d'écrire l'un de ses chefs-d'œuvre, *En avoir ou pas* (titre de circonstance), dans sa chambre d'hôtel. Quand l'inspiration lui manque, il échoue dans ses bars favoris : la *Bodeguita del Medio,* le *Floridita...* et y invente de nouveaux cocktails !

En 1940, lassé des États-Unis, alors qu'il venait d'achever l'aménagement de sa superbe maison de Key West, il achète la *finca Vigia,* à une vingtaine de kilomètres de La Havane. Il vient de divorcer de Pauline et épouse dans la foulée une journaliste du nom de Martha. Au fil des ans, il empile les livres (près de 6 000) dans sa *finca,* s'entoure de chats (60 !), de chiens et de coqs de combat... Il y écrit aussi ses livres les plus fameux, dont *Le Vieil Homme et la Mer.* Mais c'est en mer qu'il est le plus heureux, à bord de son yacht *Pilar.* C'est d'ailleurs le capitaine du *Pilar,* Gregorio Fuentes, originaire du vil-

lage de pêcheurs de Cojimar, qui lui inspira le fameux personnage du pêcheur d'espadons. Pendant la Seconde Guerre mondiale, le *Pilar* est équipé de bazookas : Hemingway, devenu agent de « renseignement », traque les sous-marins allemands ! Selon un rapport secret dévoilé récemment, il travailla à nouveau pour les services secrets américains par la suite, cette fois-ci en fournissant des informations sur la Révolution castriste...
En 1960, Hemingway organise un tournoi de pêche au gros et invite... Fidel Castro pour qu'il remette la coupe au vainqueur. Ironie du sort, c'est Fidel qui remporte le concours ! « Papa » doit alors lui remettre la coupe... C'est la première et la dernière fois que les deux grands hommes se rencontrent : peu de temps après, l'écrivain doit quitter Cuba. Il est citoyen américain et la tournure que prend la Révolution cubaine le met dans une position délicate... Hemingway se suicidera un an plus tard. Une hypothèse fut émise sur les raisons de son geste : atteint de paranoïa, il se croyait surveillé à la fois par les Cubains et par la CIA !

HISTOIRE

La colonisation espagnole

– ***Avant 1492 :*** l'île est peuplée d'indigènes, appelés Taïnos.
– ***Le 28 octobre 1492 :*** Christophe Colomb (Cristobal Colón), « mercenaire » des Rois Catholiques d'Espagne, a déjà « découvert » l'île de Guanahani (actuelle Watling dans les Bahamas). Lui et ses hommes avaient quitté l'Espagne trois mois auparavant, à bord de trois caravelles, la *Santa María,* la *Niña* et la *Pinta.* A-t-il débarqué à Baracoa (Oriente) ou dans la baie de Bariay, près de Gibara ? La seconde thèse prévaut mais les historiens se disputent aujourd'hui encore sur le lieu exact du débarquement. Peu importe. En débarquant à Cuba, l'Amiral croit découvrir le royaume de Mangi, à savoir la Chine du Sud. La voilà, « la terre ferme du commencement de la route des Indes ». Selon Colomb, la Chersonèse d'Or (le détroit de Malacca, actuelle Malaisie) ne doit pas être très loin, et la province de Cipangu (Japon) non plus, sans oublier bien sûr le paradis terrestre !
Colomb débarque donc dans ce qu'il croit être la Chine. La moindre racine devient pour lui de la « rhubarbe de Chine », un modeste arbuste est un « cannelier de Chine ». Il demande aux premiers Indiens rencontrés s'il y a de l'or dans le coin. Oui, à Cubanacán. Colomb comprend « Gran Can », le Grand Khan. Aussitôt, il envoie ses émissaires (un arabophone et un marin familier des rois de Guinée) vers ce qu'il croit être Cambaluc, la capitale mongole. Au bout du chemin, ils tombent sur un village d'une cinquantaine de huttes habité par une population qui les accueille comme des dieux tombés du ciel. Pas de Chine, pas de capitale mongole, rien. Des épices ? Elles sont introuvables. Colomb rentre en Espagne, convaincu malgré tout qu'il s'agit bien de la Chine.
– ***1493 :*** Juan de la Cosa, maître d'équipage à bord de la *Santa María,* déduit de son voyage que ce lieu est une île et non un continent. Colomb demande à ses hommes sous peine de représailles d'accréditer ses thèses sinisantes. En 1500, alors qu'il n'en a pas la preuve à 100 % (manque 50 milles de reconnaissance), le tenace Juan de la Cosa trace son remarquable *Planisphère nautique,* où Cuba apparaît comme une île.
– ***1502 :*** quatrième et dernière traversée de Christophe Colomb.
– ***1509 :*** Cuba est une « île » et non une côte de continent, selon les conclusions des voyages de Sebastián de Ocampo.
– ***1510 :*** la conquête de Cuba commence, sous la direction de Diego Velázquez et d'Hernán Cortés, avec quelque 300 hommes qui deviennent ainsi les premiers conquistadores au nom de l'Espagne.
– ***1511 :*** fondation de la première ville de Cuba (Asunción de Baracoa, à l'extrême sud-est).

– ***Le 2 février 1512 :*** première rébellion d'insurgés, avec à leur tête l'« Indien » Hatuey. C'est la légendaire victoire de Yara.
– ***1513 :*** arrivée à Cuba des premiers navires en provenance d'Afrique et chargés d'esclaves noirs : des Congos, des Loucoumis, des Gangas, des Mandingues, des Carabalis. À partir de 1523, la traite des Noirs s'intensifie.
– ***1517-1518 :*** les Espagnols estiment que leur conquête est terminée. Le pays est déclaré « pacifié ». Les massacres systématiques d'Indiens commencent. Cuba conquise, l'île devient la base de départ des conquistadores. Hernán Cortés notamment, basé à Santiago, part pour le Mexique. Francisco Pizarro pour le Pérou, où se trouvent l'or et l'argent des Incas.
– ***Le 16 novembre 1519 :*** fondation officielle de la ville de La Havane. En réalité, San Cristóbal de la Habana est fondée au printemps 1514 sur la côte sud de l'île en un lieu qui reste encore précisément à déterminer. À partir de 1517, la ville se transporte progressivement sur la côte nord à son emplacement actuel, sur les rives de l'Almendares. Au XVIe siècle, elle devient la « clé du Nouveau Monde », escale indispensable entre l'Espagne et les colonies du Nouveau Monde.
– ***1555 :*** le port de La Havane est attaqué et pillé par le pirate français Jacques de Sores.
– ***1576 :*** la première sucrerie est fondée à El Cerro.
– ***1607 :*** La Havane remplace Santiago comme capitale.
– ***1697 :*** fin officielle de la piraterie dans la mer des Caraïbes. Les noms de Sir Francis Drake et d'Henry Morgan, corsaire et pirate, sont entrés dans la légende.
– ***1728 :*** fondation de l'université de La Havane, la première de toute l'Amérique latine.
– ***1762-1763 :*** pendant une année, les Anglais occupent La Havane. Mais ils l'échangent aux Espagnols contre la Floride (par le traité de Fontainebleau du 6 juillet 1763).
– ***À la fin du XVIIIe siècle :*** des planteurs de café français débarquent dans la région de Santiago de Cuba, fuyant Haïti et la révolte des esclaves (voir le paragraphe « L'immigration française » dans la rubrique « Population »).
– ***1809 :*** premières manifestations importantes contre l'occupant espagnol et pour l'indépendance.
– ***1812 :*** esclave affranchi, charpentier, prêtre de la *santería,* José Antonio Aponte rêve de soulever les esclaves. Surnommé le « Spartacus de Cuba », il finit à la fosse.
– ***1817 :*** décret de l'abolition de l'esclavage adopté en chœur par la Grande-Bretagne et l'Espagne. À Cuba, il passe pour une fumisterie, l'esclavage continue. Chacun est acheté pour fermer les yeux sur les livraisons de chair humaine.
– ***1819 :*** les États-Unis achètent la Floride à l'Espagne. Au cours des décennies suivantes, les Américains proposeront plusieurs fois d'acheter Cuba à l'Espagne. Madrid refusera à chaque fois de vendre sa colonie aux « yankees ».
– ***1838 :*** inauguration de la première ligne de chemin de fer, non seulement de Cuba, mais de tout l'empire espagnol, métropole comprise.
– ***1853 :*** naissance de José Martí, l'« apôtre » de l'Indépendance.

Les guerres d'Indépendance (1868-1898)

Alors que durant la première moitié du XIXe siècle, les autres colonies du continent américain luttent pour leur liberté, Cuba reste fidèle à l'Espagne, riche de ses plantations de canne à sucre et de café. Cuba est alors le premier producteur mondial de l'« or blanc » et de l'« or vert ». Mais cela exige un afflux permanent d'esclaves, environ 430 000 Africains débarquent à Cuba entre 1774 et 1840. Au milieu du XIXe siècle, les 470 000 esclaves

noirs représentent la moitié de la population. Aveuglée par sa prospérité, la riche société cubaine ne voit pas le danger. Elle vit son époque de gloire, loin des horribles révoltes d'esclaves d'Haïti et des guerres de libération du reste de l'Amérique espagnole. On édifie de somptueux palais à La Havane et à Santiago, on voyage en Europe pour revenir chargé de meubles espagnols, d'argenterie française et de porcelaine anglaise.
Mais, dans les champs, les esclaves ont une courte durée de vie. Lors de la construction de la ligne de chemin de fer, on a calculé que chaque kilomètre construit a coûté la vie à 13 esclaves, chinois ou africains. Dans les années 1860, le cours du sucre s'écroule, l'économie cubaine s'effondre. Une décennie plus tard éclate la première guerre d'Indépendance contre l'Espagne, la guerre des Dix Ans. Elle sera suivie par une seconde guerre, cette fois menée par le célèbre José Martí (voir la rubrique « Personnages célèbres »).
Mais c'est sans compter l'ironie de l'Histoire. Si Cuba réussit à se libérer du joug espagnol, c'est pour mieux tomber dans le giron des États-Unis...
– ***Le 10 octobre 1868 :*** Carlos Manuel de Céspedes, propriétaire terrien dans les environs de Manzanillo, libère ses esclaves et lance l'appel dit « de la Demajagua » (du nom de sa plantation). Il marque le début de la première guerre d'Indépendance, la guerre des Dix Ans. L'armée de Libération est surtout composée d'esclaves libres ou fugitifs qui luttent à la machette. Ils se surnomment eux-mêmes les Mambis, reprenant le terme dont les avaient baptisés les Espagnols (mambis signifie « méprisables » en congolais). Ils réussissent à prendre la ville de Bayamo, mais ne parviennent pas à avancer au-delà de Camagüey. Finalement, en 1878, les insurgés doivent rendre les armes. C'est un échec, mais le virus de l'indépendance a gagné la population... Nombreux sont ceux qui s'exilent pour préparer à l'extérieur de l'île le prochain soulèvement.
– ***Vers 1880 :*** les échanges entre Cuba et les États-Unis sont six fois plus importants qu'avec l'Espagne.
– ***1880 :*** abolition de l'esclavage à Cuba, qui deviendra effective en 1886.
– ***1892 :*** José Martí, grand théoricien de la libération, en exil à New York depuis plusieurs années, fonde le *Partido revolucionario cubano*.
– ***1895 :*** début de la deuxième guerre d'Indépendance. Les trois héros, Antonio Maceo, José Martí et Máximo Gómez, débarquent sur l'île et unissent leurs efforts pour jeter à la mer les Espagnols. Martí est tué au cours de sa première bataille en 1895. Maceo, vétéran de la guerre précédente, tombera lui aussi sous les balles espagnoles un an plus tard. La situation des indépendantistes est critique. Mais déjà les Américains se mettent à vouloir rétablir l'ordre – l'ordre US, déjà la *pax americana* – chez leur voisin. Alors que la lutte des rebelles contre les Espagnols s'éteint à petit feu, des journaux américains se mettent à jouer les va-t-en-guerre à coup de propagande anti-espagnole. Le correspondant à Cuba du *New York Journal* (propriété du magnat de la presse Randolph Hearst) souhaite rentrer chez lui. Réponse de son patron : « Restez. Fournissez les illustrations. Je fournirai la guerre. » Le mensonge fait tache d'huile, d'horribles photos mettant en scène la « cruauté » des troupes espagnoles sont publiées tous les jours dans la presse. Joseph Pulitzer, du *World,* publie aussi de fausses nouvelles sur Cuba. Résultat : la vraie guerre est celle des tirages des journaux américains. L'opinion américaine suit le mouvement et gobe tout cru cette propagande anti-espagnole.
– ***Le 15 février 1898 :*** le *Maine,* un croiseur américain ancré dans la baie de La Havane, explose mystérieusement. Bilan : 266 morts parmi les *marines.* Pour les États-Unis, c'est le prétexte idéal pour une intervention sur l'île.
– ***Les 18-19 avril 1898 :*** le droit de Cuba à l'indépendance est voté... aux États-Unis par la Chambre des représentants et le Sénat, qui exigent ainsi le retrait des Espagnols. Il s'agit du véritable acte de départ de la politique américaine à l'égard de Cuba, le premier d'une longue liste. Le 19 avril, le Congrès vote la guerre.

– ***Le 25 avril 1898 :*** les États-Unis se déclarent *ipso facto* en état de guerre avec l'Espagne.

– ***En juin-juillet 1898 :*** un important corps expéditionnaire américain débarque à Santiago, mettant en déroute les troupes espagnoles (parmi les jeunes officiers américains, on trouve un certain Theodore Roosevelt). L'escadre de l'amiral Cervera est coulée par les navires américains dans les eaux de Santiago. Le 16 juillet, la ville capitule.

– ***Le 10 décembre 1898 :*** traité de Paris, par lequel Cuba tombe aux mains des Américains. Les États-Unis profitent de l'occasion pour acheter Porto Rico et les Philippines, ex-possessions espagnoles. Cuba se libère de la coupe de l'Espagne mais retombe aussitôt sous la tutelle de son puissant voisin du Nord. L'occupation militaire américaine de Cuba va durer 4 ans.

– ***Le 1er janvier 1899 :*** les pouvoirs espagnols sont officiellement transmis aux États-Unis.

– ***Le 5 novembre 1900 :*** première réunion de l'Assemblée constituante cubaine, présidée par le gouverneur américain, le général Leonard Wood.

– ***Le 12 juin 1901 :*** l'amendement Platt (il ne sera aboli qu'en 1934) autorise les États-Unis à intervenir à Cuba, chaque fois qu'ils le jugeront utile. Ils ne s'en priveront pas, envoyant les *marines* à plusieurs reprises au cours des années suivantes.

– ***Le 20 mai 1902 :*** Tomás Estrada Palma est nommé premier président de la République cubaine. Le premier des gouvernants fantoches.

– ***Le 22 mai 1903 :*** le dispositif américain est complété. Guantánamo devient territoire américain (de cette époque, il reste la base militaire américaine de Guantánamo). Les avantages économiques sont considérables pour les Américains : le sucre de Cuba sera acheté à un taux préférentiel par les États-Unis en échange de droits de douane très bas pour les produits *made in USA*.

– ***1904 :*** premières élections législatives, marquées par des fraudes confirmées. À la fin de l'année, trois partis sont constitués : le Parti républicain conservateur, le Parti national libéral et le Parti ouvrier, issu de la formation politique de José Martí, et qui va constituer les bases du prochain parti communiste. Mais lorsque, en 1912, les Afro-Cubains, pour la plupart des anciens vétérans de la guerre d'Indépendance, veulent créer leur propre parti, il est interdit. Ça dégénère en révolte armée ***(la Revuelta negra),*** sauvagement réprimée par les *marines*. Bilan : 3000 morts parmi les anciens esclaves.

– ***1905 :*** mort du dernier grand survivant des guerres d'Indépendance, Máximo Gómez.

Cuba, « bordel de l'Amérique »

Cuba n'est donc plus qu'une annexe des États-Unis. À partir de l'époque de la Prohibition, et plus encore après la Seconde Guerre mondiale, l'île va se convertir en lieu de tous les plaisirs à disposition des gringos. Un « Disneyisland » grandeur nature, très très chaud, un concurrent de Las Vegas, le rendez-vous de la jet-set et de toutes les stars hollywoodiennes. Soleil, alcool, casinos à gogo, mulâtres exotiques, palaces clinquants, jazz et rythmes tropicaux... tous les ingrédients sont présents pour faire de La Havane la capitale mondiale du sexe et du jeu, autrement dit de la prostitution, de la mafia et de la corruption.

Pendant que brillent les paillettes et que tournent les roulettes, les présidents corrompus se succèdent au pouvoir, au rythme des coups d'État ou des fraudes électorales. Durant cette période, une figure se détache, celle de Fulgencio Batista. Ce jeune colonel de l'armée, métis d'origine modeste, profite de la déroute du président Machado (qui s'enfuit à Miami avec ses sacs d'or) pour reprendre la situation en main. À partir des années 1930 jusqu'à la Révolution, c'est lui qui manœuvre la politique cubaine, soit dans l'ombre en agitant des présidents fantoches, soit à la lumière en occupant la présidence, secondé par Meyer Lansky, le « parrain juif », l'un des plus grands chefs de la mafia... Les grèves ouvrières, qui s'intensifient lors de la crise économique de 1929, sont sauvagement réprimées. Comme toutes les autres formes d'opposition au régime.

– ***1906-1907 :*** diverses interventions US à Cuba sollicitées par le président Estrada Palma, qui sera cependant déposé. C'est un avocat, maître Charles Magoon, qui va gouverner le pays pendant plus de 2 ans.

– ***1913-1920 :*** septennat du général Mario G. Menocal, un autre protégé des Américains. Il autorise ce qui va constituer la première intervention américaine dans un pays d'Amérique latine : une démonstration de force de fusiliers marins qui pénètrent à l'intérieur du territoire cubain.

– ***1921 :*** le libéral Alfredo Zayas devient président. Il sera suivi de Gerardo Machado, prototype du dictateur latino-américain corrompu, qui s'accroche au pouvoir.

– ***1921-1933 :*** les oppositions se constituent et se renforcent. Certaines dans la clandestinité. Le 17 août 1925 est créé le PC cubain, puis c'est au tour du *Directorio revolucionario estudiantil* (ses premières actions armées datent de décembre 1932). En 1933, le mécontentement de la population est à son comble, une grève générale oblige le président Machado à s'enfuir.

– ***Le 15 janvier 1934 :*** le colonel Fulgencio Batista renverse le gouvernement de Grau San Martín, élu peu de temps auparavant. Batista reçoit à bras ouverts la mafia américaine : Meyer Lansky, « membre fondateur de la Crime Inc. », Lucky Luciano, Frank Costello et, bien sûr, Bugsy Siegel. Lansky, le parrain, est chargé par Batista de relancer les entreprises « sous contrôle militaire », le casino du *Nacional* et le champ de courses de l'Oriental Park, qui battent de l'aile depuis la Dépression. Il interdit l'arnaque au craps et fait cesser le dopage des chevaux. La mafia de Las Vegas impose son style à La Havane : luxe, fleurs et élégance. Les affaires repartent de plus belle.

– ***Juillet 1940 :*** Batista, devenu général, se fait élire président de la République pour 4 ans. Il constitue un gouvernement d'union nationale, inclut les communistes qui ont deux ministres sans portefeuille. Il est remplacé par... Grau San Martín. Le PC se change en Parti socialiste populaire (PSP), lequel passe dans l'opposition.

– ***1946 :*** le jeune Fidel Castro est élu président de l'Association des étudiants en droit. Le mafieux Lucky Luciano, expulsé des États-Unis vers l'Italie, se retrouve à Cuba. Le FBI est à ses trousses. Les États-Unis demandent à Batista son expulsion de Cuba, au plus vite, sous peine de couper l'aide médicale.

– ***1948-1952 :*** le pays est aux mains du président Prio Socarras, que Batista renverse le 10 mars 1952 par un coup d'État. Avec Batista, les gangs américains renforcent leur mainmise sur La Havane. Ça marche si bien entre Batista et la pègre, qu'à peine de retour au pouvoir il fait de Meyer Lansky son « conseiller au tourisme » (sorte de ministre officieux). Le grand caïd américain descend à l'hôtel *Sevilla Biltmore,* contrôle les jeux au *Montmartre,* au *Nacional,* au *Monseigneur*. Il fait nettoyer les maisons « crapuleuses » et les tripots, pas assez chic à son goût. Restent près de 270 bordels qui font de La Havane un haut lieu de la prostitution en Amérique latine, sans compter les maisons de rendez-vous spécialisées et les bars à hôtesses, paradis pour touristes gringos, à quelques heures d'avion de New York. Le vice sous toutes ses formes sévit au cœur du quartier américanisé du Vedado, hérissé de grands hôtels et d'immeubles modernes.

De la guérilla à la Révolution

En 1959, lorsque triomphe la Révolution cubaine, celle-ci n'est ni socialiste ni communiste. Il s'agit simplement d'en finir avec la dictature de Batista, l'oppression policière, les inégalités sociales, la décadence engendrée par l'omniprésence de la mafia américaine, la mainmise des États-Unis sur la vie politique et l'économie de l'île. Les populations rurales vivent alors dans la plus grande misère, dans des conditions de vie déplorables (pas d'eau courante, pas d'électricité, pas d'hygiène ni bien sûr d'accès à la santé). Un quart de la population cubaine est totalement analphabète. Le chômage a atteint des proportions intolérables : plus de 30 % de la population masculine n'a pas de travail. L'expression « bordel de l'Amérique » n'est pas seulement une métaphore. La Havane, qui accueille alors toutes les filles de la province en quête de survie, est un immense lupanar dédié à la prostitution organisée.

Seule une petite élite profite de l'abondance, des plaisirs et de l'argent qui déborde des tables de jeux et qui transpire sous le strass d'un régime totalement vendu aux intérêts américains. À la veille de la Révolution, la mainmise économique américaine sur Cuba n'a jamais été aussi forte. Les hommes de Wall Street contrôlent 90 % des mines, 90 % des plantations, 80 % des services publics et 50 % des chemins de fer. Les États-Unis achètent le sucre cubain à un tarif préférentiel, façon détournée de « tenir » l'île.

En 1953, lorsque le jeune avocat Fidel Castro décide de lever une révolte armée contre le régime en place et d'attaquer la caserne militaire de Moncada à Santiago, l'idéologie n'est pas encore de mise. Il n'est qu'un rebelle qui veut la chute de Batista, lequel le pourchasse dans les montagnes de la sierra Maestra. Arrêté et jugé, Castro prend lui-même sa défense et prononce devant ses juges un discours de 5 h (eh oui, déjà les discours-fleuves), qui touchera au cœur l'immense majorité des Cubains, dénonçant les injustices et la misère, et plaidant pour une réforme agraire et une véritable politique de l'éducation. Il conclut en lançant le fameux « L'Histoire m'acquittera ! ». Condamné à 15 ans de prison, il est envoyé sur l'île des Pins (aujourd'hui île de la Juventud). C'est là, avant d'être libéré 2 ans plus tard, qu'il lit les œuvres de Marx et l'histoire des révolutions réussies.

En réalité, le caractère socialiste de la Révolution cubaine n'est déclaré qu'en 1961, alors que Fidel, mis au ban par les États-Unis et isolé sur la scène internationale, doit chercher des alliés à l'étranger. L'Union soviétique est toute disposée à donner son appui à ce nouveau venu en terre communiste version tropique, et qui en plus se paie le luxe de faire la nique à l'« impérialisme capitaliste »...

– ***Le 26 juillet 1953 :*** en plein carnaval, attaque de la caserne Moncada à Santiago de Cuba par le jeune avocat Fidel Castro, à la tête de quelque 130 hommes. Échec. Fidel est fait prisonnier (il est condamné à 15 ans de prison), mais le « castrisme » est en marche.

– ***1955 :*** les rebelles de la Moncada bénéficient d'une amnistie. Fidel et plusieurs hommes, dont son frère Raúl, gagnent le Mexique. Ils y achètent un petit yacht (le *Granma*) et préparent le débarquement qui leur permettra de renverser le pouvoir cubain. À Mexico, Fidel rencontre chez une amie un certain... Ernesto Guevara, qu'on surnomme « Che ». Il l'engage comme médecin du commando.

– ***Le 2 décembre 1956 :*** le *Granma* parvient jusqu'aux côtes cubaines, et accoste près de la playa Las Coloradas, à l'est de l'île, avec 82 hommes à son bord, les *barbudos*. Pourchassés par les troupes de Batista, les compagnons de Fidel Castro se réfugient dans la sierra Maestra, chaîne montagneuse qui surplombe Santiago. Selon la légende, ils ne sont alors plus que douze quand les combats commencent (comme les 12 apôtres... en fait, ils étaient un peu plus nombreux, mais le chiffre réel est moins mystique !). Au même moment, à La Havane, Batista et Lansky posent la première pierre de l'hôtel *Riviera,* casino des casinos, qui sera fastueusement inauguré le 10 décembre 1957 par un show de Ginger Rogers (aujourd'hui, un des grands hôtels de la capitale).

– ***1957-1958 :*** dans la sierra, les guérilleros s'organisent et fondent l'Armée rebelle, dont les rangs grossissent peu à peu. Conscient de l'importance de la communication, Fidel lance le journal *Cubano libre,* crée *Radio rebelde* et accorde une interview au journaliste Herbert Matthews du *New York Times,* qui propage dans l'opinion internationale l'image romantique de ces jeunes révolutionnaires luttant pour la justice.
– ***En mai 1958 :*** Batista donne l'assaut contre les guérilleros. Mais son armée de 12000 hommes est tenue en échec par les *barbudos*. Quelques mois plus tard, l'Armée rebelle, qui compte alors 50000 hommes, décide de passer à l'action.
– ***À l'automne 1958 :*** l'armée de Batista recule devant les colonnes de Fidel Castro (vers Santiago), de son frère Raúl, de Camilo Cienfuegos et de Che Guevara qui marche sur Santa Clara. Le 3 novembre, Batista est réélu président, mais il s'agit aux yeux de tout le monde d'une « farce électorale ».
– ***Le 9 décembre 1958 :*** Che Guevara signe avec le Directorio et le PSP un pacte d'unité d'action. La colonne du Che est rejointe par celle de Camilo Cienfuegos aux portes de Santa Clara.
– ***Le 31 décembre 1958 :*** l'armée du Che prend Santa Clara. Dans la nuit, Batista s'enfuit pour Saint-Domingue.
– ***Le 1er janvier 1959 :*** les rebelles, avec Castro à leur tête, se rendent maîtres de Santiago, d'où Fidel Castro fait son premier discours national.
– ***Le 8 janvier :*** Fidel Castro entre à La Havane en héros et prononce un grand discours en faveur de l'unité révolutionnaire.

Dans l'euphorie de la Révolution

À peine installé au pouvoir, Fidel Castro décrète une première série de réformes : confiscation des industries étrangères, nationalisation des plantations, de l'industrie sucrière, des raffineries de pétrole et des systèmes de communication. Dans le même temps, le gouvernement révolutionnaire augmente les salaires, baisse les prix des services publics. En mai 1959, c'est la première grande réforme agraire qui limite la taille des exploitations. Les paysans commencent à récupérer leurs terres grâce à l'expropriation des grands propriétaires. Sur le plan des libertés publiques, la discrimination raciale est déclarée illégale. Mais c'est aussi l'époque de la chasse aux sorcières dans les rangs de l'armée, de la police et dans les administrations... Les anciens privilégiés, abandonnant leurs biens, doivent s'enfuir à Miami. Le début des années 1960 est marqué par les réformes de l'éducation et de la santé. Instruction publique et bien entendu laïque, appuyée par une immense campagne d'alphabétisation. L'accès aux soins est gratuit pour tous.
– ***Le 13 février 1959 :*** Fidel Castro s'autoproclame Premier ministre.
– ***Le 18 juillet 1959 :*** Osvaldo Dorticos est nommé président de la République (il le restera jusqu'en 1976).
– ***Le 29 octobre 1959 :*** Camilo Cienfuegos trouve la mort dans un mystérieux accident d'avion.
– ***Le 26 novembre 1959 :*** Che Guevara est nommé directeur de la *Banque nationale* (il sera ministre de l'Industrie le 23 février 1961).
– ***Le 4 mars 1960 :*** le bateau français *La Coubre* explose dans le port de La Havane (70 morts). Cuba accuse la CIA. Lors de l'enterrement des victimes, Fidel lance le nouveau slogan de Cuba : *¡ Patria o muerte!* (« La patrie ou la mort! »).
– ***Le 8 mai 1960 :*** Fidel, qui a besoin d'alliés à l'étranger, engage des relations diplomatiques avec l'URSS.
– ***Du 5 au 9 juillet 1960 :*** première crise (sucre) entre Cuba et les États-Unis.
– ***Le 19 octobre 1960 :*** les États-Unis déclarent l'embargo commercial (il sera total le 25 avril 1961) et, le 3 janvier 1961, rompent leurs relations diplomatiques avec Cuba. Erreur stratégique, Cuba se rapproche encore un peu plus de l'Union soviétique.

– ***1961 :*** lancement de la vaste campagne d'alphabétisation du pays. Cuba en avait bien besoin. L'analphabétisme et la misère sont les deux seuls héritages laissés par les gouvernements de la première moitié du XXe siècle.
– ***Le 15 avril 1961 :*** premiers bombardements sur Cuba, qui préludent au débarquement américain dans la baie des Cochons.

La baie des Cochons *(playa Girón)*

Une si jolie plage... sur la côte sud de l'île. Dès le 17 avril 1961 au matin, quelque 1 400 mercenaires anti-castristes armés jusqu'aux dents vont envahir la baie des Cochons, ***playa Girón*** pour les Cubains. Mission : renverser le régime de Fidel Castro. Ça doit être une affaire de quelques heures. Pour cela, ils ont été entraînés par la CIA et les *marines*. Précaution : aucun Américain ne figure dans les effectifs de l'expédition. Discrétion oblige, les camps d'entraînement sont situés durant des mois au Nicaragua et au Guatemala. Toutefois, le secret défense n'est pas au point. L'invasion sera annoncée, à Paris, dans *L'Express,* le 14 avril. Et de son côté, Fidel sait depuis le 7 avril qu'une invasion est imminente...
Le feu vert du débarquement est donné par le président John Fitzgerald Kennedy le 16 avril. La brigade 2506 s'engage dans une véritable déroute. Les mercenaires sont refoulés *manu militari,* mais les combats font des morts parmi les Cubains. Ceux-ci sont enterrés le 25 avril 1961, jour historique puisque Fidel en profite pour proclamer pour la première fois le caractère « socialiste » de la Révolution cubaine.
Fidel a repoussé l'ennemi, certes avec son aviation (huit avions...) et l'artillerie héritée de Batista, mais surtout grâce à l'engagement total de plus de 20 000 hommes, civils ou militaires et... un seul téléphone en état de fonctionner dans la zone des combats. Tout ça en moins de 48 h. Résultat : plus de 1 100 mercenaires sont faits prisonniers. Ils ne seront libérés qu'en décembre 1962, en échange de quelque 53 millions de dollars d'équipement médical, de médicaments et d'aliments pour les enfants.
Les États-Unis ont reçu leur première gifle magistrale. Pourtant, l'opération avait été décidée et préparée par un seigneur de la Seconde Guerre mondiale, l'ex-président Dwight Eisenhower. Kennedy ne faisait qu'exécuter. Aujourd'hui, cette victoire des Cubains (et de Fidel Castro – qui se révéla fin stratège et véritable chef de guerre) contre l'« impérialisme » est encore un des ciments de l'unité du pays. Pour plus de précisions, on vous renvoie à notre texte sur la playa Girón dans le chapitre consacré à la péninsule de Zapata.

La crise des fusées

En 1962, les deux super-grands se regardent en chiens de faïence. Moscou n'a pas apprécié le déploiement de missiles américains en Turquie, non loin du territoire soviétique. En outre, en pleine querelle avec Pékin, les Soviétiques rêvent de défier les Américains, chose que les Chinois n'osent pas faire. Le numéro un de l'URSS, Nikita Khrouchtchev, passe à l'acte : il fait installer clandestinement à Cuba toute une série de rampes de lancement de missiles à moyenne portée et... à ogives nucléaires (les SS4 et les SS5). Rien que ça. S'ouvre alors la crise des fusées, appelée aussi crise d'Octobre. La plus grave depuis la fin de la Seconde Guerre mondiale, qui conduira le monde au bord du gouffre. Déterminé, Fidel Castro écrit aux Russes. Si les Américains décident d'envahir Cuba, « ce sera le moment opportun pour éliminer un tel danger pour toujours au travers d'un acte de légitime défense, si dure et terrible que puisse sembler une telle solution ». Autrement dit, il demande ni plus ni moins à Khrouchtchev d'utiliser l'arme nucléaire en cas d'attaque américaine !

En fait, Khrouchtchev se fait prendre la main dans le sac. Des avions espions U2 détectent ses installations. JFK adresse alors un « message à la nation », autrement dit au monde entier. Un blocus naval est mis en place. Il ne sera levé que le 21 novembre, quand les États-Unis seront sûrs que les rampes et fusées ont été retirées par les Soviétiques.

S'inscrit ici une page peu glorieuse pour monsieur K. de Moscou : non seulement il a plié devant les menaces américaines, mais il a dû se prêter à un petit jeu peu agréable. Pour être bien sûr que Moscou évacue tout son petit matériel, JFK fait survoler les navires russes qui doivent pratiquer un « strip-tease » militaire, en soulevant régulièrement les bâches qui cachent rampes et fusées...

La crise aura duré à peine quelques jours, mais le monde a tremblé, dans l'expectative la plus complète, compte tenu de l'ampleur de l'affaire. Khrouchtchev se mettant finalement d'accord – verbalement – avec l'autre monsieur K., celui de Washington, Fidel Castro, ni consulté et ni informé sur l'issue de la crise, fait savoir haut et fort que les conclusions des deux grands ne lui conviennent pas. Certes, les États-Unis se sont engagés à ne pas attaquer Cuba, mais cette clause est, à ses yeux, insuffisante.

La crise devient alors une crise aiguë entre La Havane et Moscou, mais elle ne dure pas. Realpolitik oblige. On fera donc avec les Russes, faute de mieux.

D'ailleurs, on commence à ne plus identifier les castristes avec le camp de l'Est. Paradoxalement, c'est aussi avec cette crise d'Octobre que Fidel est, de fait, pérennisé, et son régime consolidé. Sur le plan international, c'est l'époque de la « détente » qui s'ouvre.

Depuis, bien que de nouveaux documents sur cette crise des fusées apportent régulièrement des éclaircissements sur le rôle des trois protagonistes, elle est encore aujourd'hui une affaire inintelligible. Qui décida l'installation des fusées, Cuba ou l'URSS ? Pourquoi Khrouchtchev capitula-t-il si vite ? Est-il vrai que Cuba était décidé à faire sauter la planète si elle perdait son indépendance ? Autant de mystères. Jusqu'à plus ample information.

Les années glorieuses

Les années 1960 sont celles de la radicalisation de la Révolution et du rapprochement entre Cuba et l'URSS. La pression idéologique se fait de plus en plus forte, soutenue par un système policier qui contrôle jusqu'au moindre recoin via les Comités de défense de la Révolution (CDR) qui sont créés dans chaque quartier, en même temps chargés d'appliquer les mesures sociales mais aussi de surveiller les faits et gestes de tout un chacun. Les pratiquants de religions sont poursuivis, les prostituées envoyées en camps de rééducation, les déviants expulsés...

À l'aube des années 1970, le pays est « nettoyé », les grandes réformes sont en cours, l'alliance avec Moscou est scellée, l'économie cubaine est soutenue par l'Union soviétique... Les années 1970 sont celles du castrisme glorieux. Le pays change à vue d'œil. Le réseau routier se développe, d'immenses cités sont construites pour y loger les masses populaires, l'analphabétisme est éradiqué, le nombre de médecins multiplié par quatre, le taux de mortalité infantile baisse considérablement. Côté politique étrangère, Cuba joue un rôle de plus en plus important sur la scène internationale, Fidel se faisant le porte-parole des pays en voie de développement. Il se paie même le luxe d'envoyer des troupes en Angola (1975) puis en Éthiopie (1978). En 1979, il préside à La Havane le 6e sommet des pays non-alignés. Pour toute une génération, Cuba devient le symbole de la lutte contre l'impérialisme yankee...

– ***Le 27 avril 1963 :*** Fidel Castro arrive à Moscou. C'est son premier voyage en URSS.

– ***Le 20 février 1965 :*** dernier discours public de Che Guevara (Alger) qui va partir vers « d'autres terres ».

– ***Jusqu'en septembre 1965 :*** exode massif de Cubains qui se réfugient à Miami en Floride (voir le paragraphe « Exil »).
– ***Le 8 octobre 1967 :*** arrêté en Bolivie, le Che est exécuté sur ordre de la CIA.
– ***Le 13 mars 1968 :*** nationalisation de tout le commerce et de tous les services privés.
– ***Durant l'été 1970 :*** échec de la « *zafra* (récolte) des 10 millions » de tonnes de sucre (8,5 millions « seulement », ce qui reste un record).
– ***1972 :*** Cuba devient membre du Comecon, le marché commun du bloc de l'Est. Le premier accord quinquennal commercial avec l'URSS sera signé en 1976. Le renforcement de la pression soviétique se précise.
– ***1974 :*** premières élections à Cuba (organismes du Pouvoir populaire). L'Assemblée nationale sera installée le 2 décembre 1976, en même temps que le Conseil d'État.
– ***En novembre 1975 :*** engagement militaire de Cuba en Angola, à la demande du président Neto, pour la sauvegarde de son indépendance (le retrait se fera à partir de 1988).
– ***Le 17 décembre 1975 :*** tenue du premier congrès du PCC ; le premier plan quinquennal est décidé.
– ***1976 :*** la constitution socialiste de la république de Cuba est proclamée le 24 février. Fidel Castro est consacré chef d'État.
– ***1979 :*** 6e sommet des pays non-alignés, à La Havane.

Le désenchantement

Durant les années 1980, l'économie commence à s'essouffler. La dette de Cuba envers l'URSS croît dangereusement. La productivité est en baisse. Les méfaits du centralisme étatique et de la bureaucratisation se font sentir. Et, pour comble de malheur, la décennie démarre avec de mauvaises récoltes, dans les plantations de tabac aussi bien que dans celles qui produisent la canne à sucre. 1980 est d'ailleurs l'année de tous les dangers. L'opposition s'est faite plus virulente, à tel point que Castro doit laisser partir 125 000 candidats à l'exil, que des navires américains viennent chercher au port de Mariel (voir la rubrique « Exil »).
À l'extérieur, Cuba est montré du doigt pour violation des Droits de l'homme. ***Amnesty International*** dénonce les tortures de prisonniers politiques. Aux États-Unis, Reagan est au pouvoir et la propagande anti-castriste monte d'un cran, notamment grâce à *Radio Martí,* qui émet depuis la Floride vers Cuba. Fidel a beau modifier le slogan qui ponctue ses discours en « Le socialisme ou la mort ! » (au lieu de « La patrie ou la mort ! »), le nationalisme cubain a du plomb dans l'aile. La décennie s'achève d'ailleurs avec un coup fatal porté aux idéaux révolutionnaires. C'est le scandale de l'affaire Ochoa. Ce général, héros de la guerre d'Angola, est accusé avec six autres militaires de trafic de drogue et de corruption. Les bases du régime sont ébranlées...
– ***1986 :*** lancement de la campagne de « rectifications des erreurs » du passé. Castro ajoute : « Il nous faut gagner des devises ».
– ***En mars 1986 :*** Fidel Castro à Moscou s'entretient avec Mikhaïl Gorbatchev. Il fera son dernier voyage en URSS en 1987.
– ***1987 :*** année de la première arrivée massive de touristes étrangers.
– ***1988 :*** avec l'accord de Fidel Castro, arrivée des premières commissions internationales sur les Droits de l'homme.
– ***Le 2 avril 1989 :*** Gorbatchev se rend à Cuba. Castro refuse la *Perestroïka.*
– ***En juin 1989 :*** le général Arnoldo Ochoa est arrêté pour trafic de drogue, jugé et exécuté. La chute de ce « héros national » (ancien chef du corps expéditionnaire cubain en Angola) provoque un choc parmi la population.
– ***En novembre 1989 :*** chute du mur de Berlin.

La « période spéciale »

De 1959 jusqu'à la fin des années 1980, la Révolution cubaine trouve son assise grâce en partie à l'appui politique et surtout économique de l'Union soviétique. Puis c'est la disparition pure et simple, en peu de temps, de l'URSS et du camp de l'Est européen, ses principaux alliés économiques, fournisseurs et clients. Le mur de Berlin tombe, mais pas Cuba ni sa Révolution.

Pourtant, la facture est terrible : Moscou hors circuit, c'est l'équivalent de près de 5 milliards de dollars, 10 millions de tonnes de pétrole et 6 milliards de dollars d'importations qui partent en fumée. Les importations se montent à 48 milliards de francs en 1989, ce chiffre tombe à 10 milliards en 1993. Le problème s'aggrave du fait du maintien de l'embargo américain.

Depuis, Cuba vit sous le régime de la « période spéciale », nom du programme économique d'austérité mis en place. Et la Révolution marque le pas. On ne parle plus de poursuite de la construction du socialisme. Elle est suspendue. Le seul problème est celui de la survie économique. Avec, cette fois-ci, d'abord des moyens nationaux.

Le pays vit cinq années flottantes, très difficiles, qui conduisent Cuba au bord de la faillite. Celle de l'économie nationale, comme celle de l'économie domestique. Le panier de la ménagère se vide. Pour donner une idée de l'ampleur du naufrage économique, on se contentera de dire que tout manque, jusqu'à l'aspirine, l'électricité, les moyens de transports et, bien sûr, la nourriture de base. La *libreta* (carnet de rationnement) devient peau de chagrin. Alors, le marché noir se généralise. Un dollar vaut jusqu'à 130 pesos. Le système D, le troc font fortune. Et, inévitablement, apparaissent une petite délinquance et le phénomène du *jineterismo* (voir plus loin). L'image de la Révolution romantique en prend un sacré coup.

Mais depuis fin 1995, une timide remontée économique est là. Il fallait trouver des devises. On dira « à tout prix ». Le tourisme international va en fournir la plus grande partie. Et, petit à petit, les autorités acceptent de prendre des mesures, considérées comme des ouvertures vers une économie de marché, sur les plans national comme international. Le Cubain en est conscient, puisque bénéficiaire, comme le touriste, l'homme d'affaires ou le moindre visiteur.

Il est évident que le rappel d'explications relevant de l'histoire – la Révolution n'a pas été importée –, des traditions ou du caractère cubain, la dignité de la population et sa capacité à résister, tout en étant utile et vrai, ne suffirait pas pour faire comprendre pourquoi se maintient, contre vents et marées, la Révolution cubaine. Cuba s'est lancé en effet, depuis 9 ans, dans une politique d'investissements tous azimuts. Des dizaines de professions ont été libéralisées, les voyages à l'étranger rendus possibles. Les capitaux étrangers sont les bienvenus. L'Union européenne et la plupart des pays latino-américains n'ont pas accepté en juillet 1996 les pressions commerciales de Washington imposées par la loi Helms-Burton.

L'idée simple et de bon sens selon laquelle Cuba ne représente pas de danger aujourd'hui, ni idéologique ni stratégique, à 150 km des côtes américaines, semble faire son chemin aux États-Unis. Un rapport du Pentagone de 1995 laissa entendre que c'est encore avec Castro que Cuba peut demeurer stable politiquement, donc socialement.

- ***Le 26 juillet 1993 :*** la détention de dollars devient légale.
- ***En juillet-août 1994 :*** troisième exode massif, affaire des *balseros* et ruée sur la base américaine de Guantánamo.
- ***En octobre 1994 :*** les marchés libres paysans sont autorisés.
- ***En mars 1995 :*** visite de Fidel Castro à Paris, la première.
- ***Le 5 septembre 1995 :*** les investissements étrangers sont autorisés. Ils seront « protégés » et limités.

Le durcissement du régime

En 1996, le régime multiplie les signes d'ouverture, mais un très sérieux tour de vis est donné début 1999. Les autorités sont en effet convaincues que les « concessions » faites au capitalisme ont entraîné de nouvelles inégalités et le développement de « conduites sociales négatives », selon l'expression en vigueur. Pour les purs et durs du régime, cette évolution pourtant limitée risque à la longue de ramollir la société socialiste. D'où la décision, pour y mettre bon ordre, de durcir la législation avec l'introduction de nouvelles lois spéciales et de lancer une offensive idéologique tous azimuts. Ainsi, une nouvelle matière, intitulée « formation aux valeurs », est-elle inscrite au programme des écoliers.

D'une manière brutale, l'Assemblée nationale renforce son arsenal juridique contre la dissidence et la presse indépendante. Le Parlement adopte une loi prévoyant des peines pouvant aller jusqu'à 20 ans de prison et des amendes de 100000 pesos (soit 4400 dollars, alors que le salaire moyen est de 230 pesos environ) contre ceux qui collaborent directement ou par tiers interposé avec des médias étrangers.

Dans un pays qui reçoit chaque année près de deux millions de touristes, la « délinquance » est devenue l'obsession du régime, particulièrement dans la capitale. À La Havane, on croise désormais un policier tous les 50 m ! Pour les encourager dans leur travail, leurs salaires sont élevés et ils bénéficient d'avantages en nature. Signe lourd de symboles pour les Cubains, l'éviction de Roberto Robaina, le chef de la diplomatie cubaine connu pour être un partisan de l'ouverture. Ce modéré avait su convaincre ses interlocuteurs étrangers de la volonté du régime de s'engager sur la voie des réformes tout en plaidant avec succès l'exception cubaine.

Alors que l'on croyait Fidel Castro susceptible de faire évoluer doucement le régime sans se renier ni donner l'impression de céder à une quelconque pression extérieure, il a mis fin – définitivement ? – à nos illusions et surtout à celles de ses jeunes années.

Une chose est désormais sûre, et c'est bien dommage : il est maintenant moins facile de voyager « à la routarde » dans l'île, car la priorité nationale, le tourisme, se traduit surtout par une volonté de faire cracher le touriste au maximum. Que fait le gouvernement du « rapprochement entre les peuples » cher au socialisme ?

– ***Au début de 1996 :*** nouvel incident cubano-américain avec l'affaire des *avionetas*. Washington durcit, avec la loi Helms-Burton, son embargo commercial, jusqu'à risquer un certain isolement international.
– ***En juillet 1996 :*** le président Clinton suspend pour 6 mois une partie de la loi Helms-Burton.
– ***1997 :*** Castro fête ses 70 ans, et son dixième président des États-Unis !
– ***À la fin janvier 1998 :*** visite du pape Jean-Paul II à Cuba. Castro libère près de 300 prisonniers politiques.
– ***En avril 1998 :*** allègement de l'embargo américain ; les vols directs entre Cuba et les États-Unis sont autorisés, ainsi que les transferts d'argent et l'importation de médicaments.
– ***En novembre 1999 :*** neuvième sommet ibéro-américain à La Havane. Deux réalités s'imposent : d'une part, c'est un coup de force diplomatique pour Castro, qui prouve que malgré l'embargo et la politique américaine envers Cuba, l'île n'est en rien isolée sur la scène internationale. D'autre part, malgré la mise à l'écart des « dissidents » par le régime pendant le sommet, nombre de chefs d'État étrangers ont tenu à rencontrer les principaux acteurs de l'« opposition modérée ». Castro ne s'y est pas opposé. Au final, ce sommet permit pour la première fois au monde entier, via la presse internationale, de découvrir que les « contre-révolutionnaires », les « marionnettes de l'Amérique » n'étaient souvent que des groupes d'intellectuels, de journalistes indépendants, qui réclamaient tout simplement quelques libertés fondamentales et un peu de libre entreprise.

– ***À la fin de 1999 et au début de 2000 :*** l'affaire Elian (voir la rubrique « *Balseros* ») a remis en selle l'anti-américanisme et galvanisé la population contre les anti-castristes de Floride.

– ***En novembre 2000 :*** lors du 10e sommet ibéro-américain qui s'est tenu à Panama, une tentative d'attentat contre Fidel Castro est découverte par les services secrets cubains. L'organisateur, Luis Posada Carriles (déjà responsable en 1973 de l'attentat contre un avion de la *Cubana* ayant fait 76 morts), est arrêté. Mais le gouvernement panaméen refuse son extradition.

– ***En décembre 2001 :*** nouvelle tension entre La Havane et Washington à propos de l'affaire des cinq Cubains condamnés à Miami pour espionnage, à des peines allant de 15 ans de prison à la perpétuité. Pour Fidel Castro, au contraire, ce sont des héros qui avaient infiltré la FNCA (Fondation nationale cubano-américaine) et les organisations anti-castristes de Floride.

– ***En mars 2002 :*** lors de la conférence de l'ONU à Monterrey (Mexique) sur l'aide au développement des pays du tiers monde, Fidel provoque un mini-scandale en quittant la réunion à peine 4 h après son arrivée. Dans son bref discours, il rappelle quelques vérités qu'il est l'un des derniers de la planète à souligner : le fossé entre pays riches et pays pauvres continue d'augmenter depuis 20 ans ; la fortune des 3 personnes les plus riches du monde représente le PIB des 48 pays les plus pauvres ; dans le monde de 2001, 826 millions de personnes souffrent de la faim...

– ***En mai 2002 :*** Jimmy Carter, ancien président des États-Unis, est invité à La Havane. Dans un discours télévisé en direct, il évoque le projet *Varela*. Des dissidents se sont en effet engouffrés dans une faille de la Constitution cubaine qui prévoit qu'un projet de loi ayant recueilli au moins dix mille signatures doit être examiné par l'Assemblée nationale. Leur texte qui demande une libéralisation du régime a plus de dix mille signatures. La réponse de Castro ne se fait pas attendre. Il « invite » les Cubains à réaffirmer leur soutien au caractère socialiste *irrévocable* de la Constitution. Le 26 juin, il organise un « référendum » à sa manière. En fait, les électeurs doivent signer une proclamation non sans avoir fait enregistrer auparavant leur carte d'identité. Facile ainsi de débusquer ceux qui ne sont pas d'accord ! Le résultat était couru d'avance : 99,25 % des citoyens cubains plébiscitent le caractère socialiste *intangible* de la Constitution !

– ***En mars 2003 :*** importante vague d'arrestations de journalistes et d'intellectuels dissidents accusés d'être financés par les États-Unis. Ils sont condamnés à de lourdes peines allant jusqu'à 28 ans de privation de liberté. Dans le même temps, on assiste à une vague de détournement d'avions : le 19 mars, un avion effectuant la liaison entre l'île de la Jeunesse et La Havane est dérouté vers la Floride, puis un second, le 31 mars. Les auteurs de ces faits demandent l'asile politique aux USA. Un petit ferry est détourné vers la haute mer 2 jours plus tard. La tentative échoue et les 3 preneurs d'otages sont jugés, condamnés à mort et fusillés. Fidel Castro se justifie en expliquant que Cuba doit défendre sans faiblesse sa Révolution !

Cuba aujourd'hui

Aujourd'hui, Cuba reste encore une référence pour certains pays du tiers monde, mais aussi pour certains mouvements anti-globalisation. Néanmoins, l'île s'isole de plus en plus. À l'embargo économique imposé par les USA s'ajoute depuis l'année 2003 un relatif éloignement de l'Europe. À la suite de la vague de répression du printemps, l'Union européenne, qui venait pourtant d'ouvrir une représentation officielle à La Havane, décide de revoir l'ensemble de ses relations avec l'île. En réponse, le 12 juin, les habitants de la capitale manifestent en masse devant les ambassades d'Espagne et d'Italie accusées d'être les fers de lance de la politique européenne anti-Cuba. Pour la première fois, des opposants ont été invités à célébrer le 14 juillet à l'ambassade de France dont Elizardo Sanchez, le président de la Commis-

sion cubaine des Droits de l'homme. Le 26 juillet, jour de la Fête nationale, Fidel Castro annonce à Santiago que Cuba renonce au dialogue politique avec l'Union européenne et à l'aide humanitaire venant de ses membres. Il confirme le 29 septembre, au congrès national des CDR : « Cuba peut se passer de l'aide européenne comme de celle des USA ». Et le gouvernement cubain décide de mettre un terme à certaines coopérations. En ce qui concerne la France, c'est un important programme pour l'enseignement du français et la coopération agricole qui sont ainsi suspendus...
« Il n'est pas honnête de juger Cuba quand, en même temps, on fait tout pour l'asphyxier », a déclaré un jour Castro, parlant de l'embargo américain. Quand vous serez à Cuba, vous verrez deux pays distincts : le pays politique, toujours habillé de rouge, avec ses traditions, son décor, ses composantes habituels – le PC cubain n'est-il pas toujours le pilier de la vie politique et seul pilier puisque le « pluralisme » à l'occidentale reste et restera écarté ? –, et le pays économique et social, habillé plus souvent de vert, la couleur du dollar (pour plus de détails sur la course aux dollars, se reporter à la rubrique « Économie »). D'où la question logique : comment régler la contradiction suprême : faire coexister le souci égalitaire constant de la Révolution et la réalité de la vie quotidienne où se sont engouffrées bien des inégalités ?
Certes, la vieille garde de Fidel, celle des années 1950, est toujours là, mais des quadras sont mis en avant, comme Ricardo Alarcón, président de l'Assemblée nationale, présenté souvent comme « le dauphin ». Dans la litanie des questions que pose le maintien ou pas de la Révolution, il en est une autre essentielle : la Révolution peut-elle se vêtir d'habits neufs, sans perdre son âme, c'est-à-dire ses idéaux et ses principes ?
Les Cubains de l'île disent aisément ce qu'ils ne veulent pas : le retour au *statu quo* d'avant 1959, autrement dit le capitalisme *made in USA,* la disparition de leurs réussites en matière sociale, la transformation de leur monde par des personnes venues de l'étranger, etc. Ce qu'ils veulent est moins clair... Mais il n'est pas sûr que leur première préoccupation soit l'organisation d'élections sur le mode occidental.
En choisissant le dollar comme outil – un outil seulement provisoire, donc de circonstance – de remise à flot de l'économie cubaine, juste le temps nécessaire pour faire chauffer et repartir les moteurs de l'économie, Fidel Castro tente de régler une urgence : éviter la faim terrible de 11 millions de Cubains et satisfaire tant bien que mal les premières nécessités.

INFOS EN FRANÇAIS SUR TV5

La chaîne TV5 est reçue dans certains hôtels du pays.
Les principaux rendez-vous Infos sont toujours à heures rondes où que vous soyez dans le monde mais vous pouvez surfer sur leur site • www.tv5.org • pour les programmes détaillés ou l'actu en direct, des rubriques voyages, découvertes...

JINETERAS, JINETEROS ET *PINGUEROS*

Sujet délicat et vaste problème que celui du *jineterismo*... D'abord, un rapide cours de langue : une *jinetera,* c'est une « cavalière ». Autrement dit, une fille qui accompagne un garçon. Vous remarquerez la pudeur du terme, tout en nuances. Véritable phénomène de société, apparu avec l'explosion du tourisme, les *jineteras* semblent être partout, notamment à La Havane et dans les villes touristiques : dans les halls d'hôtels, les discothèques, à l'entrée des cabarets, sur les trottoirs, les plages ou tout simplement dans les restaurants, au bras d'un gros Mexicain ou d'un jeune Italien... Dès la nuit tombée, elles partent en chasse, avec, pour seule arme, leur magnifique

corps d'adolescente mulâtre à peine voilé par quelques centimètres carrés de lycra. La *jinetera* d'aujourd'hui n'a rien à voir avec la prostituée d'avant la Révolution. Certes, elle offre son corps, mais aussi son sourire et son indéniable charme. Contre de l'argent ? Pas nécessairement. Comme l'indiquait l'hebdomadaire officiel *Granma,* les *jineteras* vendraient leur corps non pour survivre, mais pour accéder aux biens de consommation inaccessibles aux Cubains. En voilà de la bonne dialectique marxiste, mais qui ne dit pas tout. Si la *jinetera* se contente bien souvent d'une invitation à aller en discothèque ou au resto, d'offres de vêtements ou de cadeaux, c'est qu'en réalité son désir est ailleurs. Elle rêve de mariage, de billet sans retour pour une vie en dehors de Cuba... C'est d'ailleurs pour ça que, durant le temps de la relation, l'étranger en vacances est souvent considéré comme le *novio,* le fiancé qu'elle présente aux frères et sœurs, aux parents, lesquels feront mine d'ignorer d'où vient l'argent qui a permis d'acheter la télé couleur. Pour la majorité, les *jineteras* sont de simples jeunes filles en quête de quelques dollars pour survivre et aider leur famille. Ne l'oubliez jamais : ça vous aidera à mieux les respecter. Et pour la plupart, elles sont en même temps étudiantes, d'autres sont chômeuses, les moins jeunes sont profs ou coiffeuses et arrondissent leurs fins (faims) de mois...
En février 1999, devant l'ampleur du problème, la police a frappé un grand coup : les maisons et les rues de La Havane ont été fouillées une par une. Résultat de la rafle : plus de 7000 *jineteras* se sont fait, au mieux, expulser vers leur province natale, au pire détenir au « Centre de réception et de classification de La Havane » ! En novembre de la même année, rebelote. Avant le sommet ibéro-américain, on lave à grandes eaux les rues de La Havane. Mais au-delà de l'aventure ou des dollars faciles, draguer un Européen se révèle bien souvent une échappatoire dangereuse car elle peut coûter 2 ans de prison à la « cavalière » si le touriste déclare ne pas la connaître. Selon *L'Événement du jeudi,* « En 1998, plus de 3000 Européens (dont 2000 Italiens) s'étaient mariés avec une Cubaine et depuis les consulats annoncent des chiffres en hausse... ».
À la *jinetera* correspond son pendant mâle, le *pinguero.* À ne pas confondre avec le *jinetero,* dont le terme est réservé aux garçons qui profitent aussi des touristes, mais par le biais de petites arnaques.

LANGUE

Tous les Cubains parlent évidemment l'espagnol, très proche de celui d'Espagne mais avec un accent assez particulier auquel on a du mal à se faire au début. Certains Cubains se sont mis à l'anglais, mais ils restent peu nombreux. D'autres ont appris le français avec des Canadiens ou auprès de l'Alliance française, qui croule sous les demandes. Un conseil : potassez l'espagnol avant votre départ et n'oubliez pas de vous munir d'un petit dictionnaire... Car avec une population aussi accueillante, ce serait dommage de ne pas réussir à communiquer un minimum !

Petit lexique cubain

– ***Bohío :*** maison paysanne au toit de palmes. Mettre l'accent sur le i. Prononcé sans cet accent, cela donne *boyo* et pour les Cubains, cela signifie le sexe de la femme.
– ***Bola :*** balle ; désigne aussi un ragot.
– ***Pedir botellas :*** une drôle d'expression typiquement cubaine qui signifie « Faire de l'auto-stop ». Très utilisé, évidemment.
– ***Carro :*** voiture.
– ***Carpeta :*** réception de l'hôtel.
– ***Comida :*** normalement le déjeuner, mais à Cuba, le mot se réfère très souvent au dîner. Le déjeuner se dit *almuerzo.*

GÉNÉRALITÉS

– ***Guagua*** (prononcer « wa-wa ») ***:*** autobus.
– ***Guajiro :*** paysan cubain.
– ***Jinetera :*** au sens propre, cavalière. En réalité, tout un concept qui se réfère aux relations entre les *chicas* cubaines et les touristes (voir plus haut la rubrique qui lui est consacrée).
– ***Jinetero :*** petit trafiquant.
– ***Peña :*** cercle d'amis, réunion de musicos pour faire un bœuf, fête improvisée (ou non) où l'on joue de la musique et où l'on danse.
– ***Piropo :*** compliment adressé à une femme (et inversement).
– ***Pinga :*** juron fréquent, équivalent du *fuck* américain, dont l'origine anatomique se situe entre les jambes masculines.
– ***Radio bemba :*** téléphone arabe.
– ***Tabaco :*** cigare (le havane, bien sûr).
– ***Torcedor :*** ouvrier qui roule les cigares. On observe leur dextérité dans les manufactures, mais ils font aussi des démonstrations dans les boutiques de cigares.
– ***Trusa*** (de l'américain *trouser*) ***:*** maillot de bain.
– ***Yuma (la) :*** les États-Unis ou les touristes.
– ***Zafra :*** récolte de la canne à sucre.

Prononciation

Les mots se lisent comme ils s'écrivent, sachant qu'il existe quelques particularités de prononciation...
– ***u***... toujours prononcé *ou.*
– ***j***... jota, prononcé comme *rh,* son très guttural.
– ***ll***... prononcé comme *ill* ou *ye.*
– ***r***... *r* roulé.
– ***rr***... *r* très fortement roulé.
– Les Cubains ne prononcent pas toujours le ***s*** en fin de phrase ; exemple typique : *más o menos* (plus ou moins, comme ci comme ça) se dit « ma o meno ».

Accentuation

N'oubliez pas, enfin, que dans tout mot espagnol il y a une syllabe prononcée plus fortement que les autres. Il s'agit de l'avant-dernière syllabe lorsque le mot se termine par un s, un n ou une voyelle, de la dernière lorsque le mot se termine par une des autres consonnes. L'accent n'est écrit que pour constater une exception à ces deux règles.
Exemples :
– ***por favor*** se prononce por faVOR ;
– ***Francia*** se prononce FRANcia, mais ***francés*** se prononce franCES ;
– ***turístico*** se prononce tuRIStico (et non pas turisTIco).
Courage, ce n'est pas si difficile !

Vocabulaire espagnol de base

oui	*sí*
non	*no*

Politesse

s'il vous plaît	*por favor*
merci	*gracias*
excusez-moi	*disculpe*
salut	*hola*

bonjour	*buenos días*
bonsoir	*buenas tardes*
bonne nuit	*buenas noches*
au revoir	*adiós*
tu me plais	*me gustas* (à utiliser avec modération)
je t'aime	*te quiero* (gardez la tête froide !)

Expressions courantes

vous venez d'où ?	*¿ de dónde viene ?*
je suis français(e)	*soy francés(a)*
comment tu t'appelles ?	*¿ cómo te llamas ?*
comment ça se dit ?	*¿ cómo se dice ?*
je ne comprends pas	*no entiendo*
je voudrais	*quisiera*
connaissez-vous la maison de... ?	*¿ conoce la casa de... ?*
attention !	*¡ cuidado !*
avec	*con*
sans	*sin*
plus	*más*
plus ou moins	*más o menos*

Vie pratique

ville	*ciudad*
centre	*centro*
bureau de poste	*oficina de correos*
bureau du tourisme	*oficina de turismo*
banque	*banco*
police, gendarmerie	*policía*
lettre	*carta*
timbre	*sello*
téléphoner	*llamar por teléfono*
entrée	*entrada*
sortie	*salida*
horaires	*horarios*
allumettes	*fósforos*
cendrier	*cenicero*

Transports

gare (ferroviaire)	*estación (de ferrocarriles)*
je voudrais un ticket	*quisiera un billete*
de train, de bus pour...	*de tren, de autobus para...*
quand part le train pour... ?	*¿ cuándo sale el tren para... ?*
aller-retour	*ida-vuelta*
route	*carretera*
autoroute	*autopista*

Argent

argent	*dinero*
payer	*pagar*
prix	*precio*
combien coûte... ?	*¿ cuánto vale... ?*
cher	*caro*
bon marché	*barato*
argent liquide	*efectivo*

l'addition	*la cuenta*
vous prenez la carte *Visa*?	*¿ toma la tarjeta* Visa *?*
facture, reçu	*comprobante de ventas, factura, recibo*
cadeau	*regalo*

À l'hôtel

hôtel	*hotel, hostal*
chambre chez l'habitant	*casa particular*
chambre (simple, double)	*habitación (sencilla, doble)*
lit (pour deux)	*cama (matrimonial)*
je peux voir la chambre ?	*¿ puedo ver la habitación ?*
bain, toilettes	*baño*
eau chaude, froide	*agua caliente, fría*
savon	*jabón*
drap	*sábana*
couverture	*manta*
les toilettes	*los baños*

Au resto

garçon ! mademoiselle !	*compañero(a) !* (un peu en désuétude depuis les belles heures de la Révolution, essayez donc *tío* ou *tía !*)
cuillère	*cuchara*
fourchette	*tenedor*
couteau	*cuchillo*
nourriture, repas	*comida*
petit déjeuner	*desayuno*
déjeuner	*almuerzo*
manger	*comer*
boire	*beber* ou *tomar*
pain	*pan*
vin	*vino*
bière	*cerveza*
eau gazeuse	*agua mineral*
eau plate	*agua natural*
viande	*carne*
bœuf	*res*
porc	*cerdo*
poulet	*pollo*
foie	*hígado*
poisson	*pescado*
grillé	*a la plancha*
fruits de mer	*mariscos*
langouste	*langosta* (la langouste de Cubaaa... on la mange avec les douaaas...)
œuf	*huevo*
légumes	*verduras*
salade	*ensalada*
fromage	*queso*
beurre	*mantequilla*
sel	*sal*
poivre	*pimienta*
dessert	*postre*

Les jours de la semaine

lundi	*lunes*
mardi	*martes*
mercredi	*miércoles*
jeudi	*jueves*
vendredi	*viernes*
samedi	*sábado*
dimanche	*domingo*

Les nombres

1	*uno*	**11**	*once*	**30**	*treinta*
2	*dos*	**12**	*doce*	**40**	*cuarenta*
3	*tres*	**13**	*trece*	**50**	*cincuenta*
4	*cuatro*	**14**	*catorce*	**60**	*sesenta*
5	*cinco*	**15**	*quince*	**70**	*setenta*
6	*seis*	**16**	*dieciseis*	**80**	*ochenta*
7	*siete*	**17**	*diecisiete*	**90**	*noventa*
8	*ocho*	**18**	*dieciocho*	**100**	*cien* (ou *ciento*)
9	*nueve*	**19**	*diecinueve*	**500**	*quinentos*
10	*diez*	**20**	*veinte*	**1 000**	*mil*

LIVRES DE ROUTE

Île romanesque par excellence, Cuba a influencé nombre d'écrivains occidentaux (Graham Greene et « Papa » Hemingway, Érik Orsenna et Olivier Rolin, etc.), et en a produit encore plus : proportionnellement à sa taille, c'est peut-être même le pays d'Amérique latine qui compte le plus d'écrivains d'envergure internationale.

Il y a d'abord les monstres sacrés : ***José Martí*** et ***Nicolás Guillén,*** tous deux poètes et héros nationaux, l'un de l'Indépendance, l'autre nommé par la Révolution en 1959. Outre leurs œuvres poétiques de première importance, l'un (Martí) publia *Diario de Campaña* et *Nuestra America,* l'autre (Guillén) un magnifique hommage posthume à Che Guevara...

Il y a aussi les piliers de la littérature cubaine : ***Alejo Carpentier, Severo Sarduy, José Lezama Lima*** et ***Guillermo Cabrera Infante*** (même si ce dernier a acquis la nationalité britannique). Sans oublier ***Jesus Diaz,*** grand romancier contemporain. Autant influencés par leur île que par les grands écrivains européens (Proust et Joyce en tête), ils partagent plusieurs points communs, même si chacun possède une personnalité bien à part : la passion de l'art et de l'histoire, la nostalgie d'une époque révolue, l'ouverture sur le monde et le métissage des genres. Leur style, que les critiques qualifient invariablement de baroque, est un savant mélange d'érudition, de verve, de rythmes musicaux, de délires subits et d'histoires truculentes. Mais ce sont avant tout de grands poètes. On peut déplorer que de nombreux ouvrages encore, comme *La Havane pour un Infante défunt* de Guillermo Cabrera Infante, soient interdits à La Havane (ou circulent sous le manteau).

Il y a ensuite les enfants prodiges : ***Reinaldo Arenas,*** fameux auteur de contes et de nouvelles, exilé en 1980 et décédé en 1991 à New York ; ***Virgilio Pinera,*** un des plus grands dramaturges cubains (et accessoirement homosexuel notoire mis à l'écart par le régime puis réhabilité) ; ***Severo Sarduy,*** conseiller littéraire au Seuil et chez Gallimard, mort du sida en 1993 ; ***Miguel Barnet,*** pourfendeur de l'esclavage ; ***César Lopez,*** héritier des surréalistes avant de suivre sa propre voie et d'être nommé Prix national de la Littérature en 1999.

De plus en plus, des auteurs cubains vivant en exil (des dissidents) sont reconnus par le grand public. Romancière anti-castriste exilée en France, ***Zoé Valdés*** a publié en 1997 *La Douleur du dollar,* qui a connu un énorme succès. Citons aussi ***Heberto Padilla.*** En Espagne, des prix littéraires importants ont couronné (depuis 1996) des écrivains exilés, comme ***Andrés Jorge*** (exilé à Mexico), ***Matias Montes Huidobro*** (qui vit à Hawaii) et la poétesse ***Daina Chaviano*** (elle réside à Miami). Le plus renommé des prix littéraires espagnols, le prix Cervantès, a été remis en 1997 à ***Guillermo Cabrera Infante.***

Il y a aussi des dizaines d'auteurs moins connus en Europe, pour la plupart parce qu'ils sont restés au pays : ***Onelio Jorge Cardoso, Pablo Armando Fernandez*** et ***Abilio Esteves*** *(Tuyo es el Reino),* qui commence à se faire connaître hors de Cuba. Sans oublier l'étonnant ***Daniel Chavarria*** (d'origine uruguayenne), ancien chercheur d'or en Amazonie, ancien guérillero, défenseur du régime castriste, qui écrit désormais à La Havane des romans d'espionnage ! Ou encore ***Leonardo Padura,*** qui utilise les ressources du roman noir pour critiquer les travers de la société cubaine.

Quelques titres...

– ***Le Siècle des lumières, Chasse à l'homme, La Ville des colonnes,*** d'Alejo Carpentier (éd. Gallimard, coll. Folio). *Le Siècle des lumières* évoque la Révolution française vue des Caraïbes. *Chasse à l'homme* est un éblouissant polar politique exécuté au rythme d'une symphonie. Enfin, *La Ville des colonnes* est une histoire d'amour dans une Havane réinventée sous forme de labyrinthe...

– ***Paradiso,*** de José Lezama Lima (éd. Le Seuil, coll. Points-roman n° 604). Roman baroque largement autobiographique, qui raconte l'histoire d'un jeune Cubain terrorisé par un père colonel aux airs d'aristocrate anglais. *Paradiso* fit scandale à sa sortie mais enchanta de nombreux critiques et fut salué par Julio Cortázar comme une renaissance du roman latino-américain.

– ***Cuba, la faillite d'une utopie,*** d'Olivier Languepin (éd. Gallimard, coll. Folio Actuel, en coédition avec le quotidien *Le Monde,* 1999). Olivier Languepin, correspondant à La Havane pendant plusieurs années pour *La Tribune,* s'attache à détricoter l'habit du dictateur aujourd'hui roi de la contorsion idéologique. Sans esprit partisan mais avec une touche de rancœur, il s'agit de l'une des plus lucides appréciations sur « la fin d'une illusion ».

– ***Notre Agent à La Havane,*** de Graham Greene (éd. Robert Laffont, coll. 10/18). Ce classique du roman d'espionnage est reconnu comme le meilleur bouquin du grand écrivain britannique. Une merveilleuse découverte de l'atmosphère de la capitale cubaine avant la Révolution.

– ***En avoir ou pas, Le Vieil Homme et la mer, Îles à la dérive,*** d'Ernest Hemingway (éd. Gallimard, coll. Folio). Trois classiques de l'écrivain américain, à relire en se disant qu'il les a écrits à Cuba, même si seul le golfe du Mexique apparaît dans le décor...

– ***Trois Tristes Tigres,*** de Guillermo Cabrera Infante (éd. Gallimard, coll. L'Imaginaire n° 213). Les trois tigres sont en fait quatre (comme les mousquetaires) et pas si tristes que ça... Premier chef-d'œuvre de Cabrera Infante, ce roman d'un genre nouveau, truffé de délires, d'argot cubain et de jeux de mots, raconte l'errance nocturne de jeunes artistes dans La Havane des années 1950.

– ***La Havane,*** de J.-L. Vaudoyer, J.-F. Fogel et O. Rolin (éd. Quai Voltaire, Petite Collection Bleue). Trois courts récits, trois voyages, trois regards sur la capitale cubaine, ville de la nuit et de la nostalgie.

– ***Le Néant quotidien, La Douleur du dollar,*** de Zoé Valdés (éd. Actes Sud, coll. Babel n° 251, 1995 ; coll. Babel n° 361, 1997). Fille de la Révolution, l'héroïne du *Néant quotidien* a un boulot mal payé, mais il n'y a plus rien à faire. Ce qui ne l'empêche pas de vivre, de passer son temps, avec les galères du quotidien. Cubaine avant tout, elle collectionne les amours, les aventures et les amants... Une chronique de la sensualité *made in Cuba* en période spéciale, très spéciale, signée par un écrivain aujourd'hui réfugié en France. Dans *La Douleur du dollar,* Zoé Valdés nous raconte l'existence incertaine d'une jeune Cubaine « passionnément amoureuse, patiente comme on n'en voit plus, et malheureuse comme on n'en fait plus ». Dans le décor le plus romanesque des Amériques : La Havane, « ville sucrée, ville de miel... aux nuits chaudes et suaves ». Le meilleur roman sur le « mal cubain ».

– ***Fin de siècle à La Havane,*** de Jean-François Fogel et Bertrand Rosenthal (éd. Le Seuil, coll. L'Histoire Immédiate, 1993). De l'affaire Ochoa à la « période spéciale » en passant par les conséquences de la chute du bloc communiste, l'opposition de Miami, les relations avec l'Église et de nombreux autres dossiers sensibles, les deux auteurs dressent, avec de nombreux témoignages, un portrait contemporain de l'île et nous plongent dans un monde de pouvoir et de mystères. À dévorer pour mieux comprendre Cuba et le castrisme...

– ***Mésaventures du paradis,*** d'Érik Orsenna et Bernard Matussière (éd. Le Seuil). Se rappelant que ses arrière-grands-parents étaient nés à La Havane, Orsenna a décidé de s'y rendre. Le Goncourt 1988 a rapporté du « paradis » un bien beau récit, bourré de nostalgie et d'intéressantes réflexions sur le sort d'un peuple après la Révolution. Le tout illustré par la sobre sensibilité du grand photographe Matussière.

– ***Che Guevara, compagnon de la Révolution,*** de Jean Cormier (Découverte Gallimard, 1996). De l'asthmatique argentin au desperado bolivien, en passant par l'*heroico guerillero* cubain, la synthèse complète et passionnante d'une vie météoritique, pleine d'éclats. Le tout magnifiquement illustré, comme tous les recueils de l'excellente collection Découvertes. Seul petit reproche : le Che y fait un peu trop figure de saint. Où est l'homme dans tout cela – le vrai, avec forcément quelques petits défauts ?

– ***Vie et mort de la Révolution cubaine,*** de Benigno (éd. Fayard). Ce héros de la Révolution cubaine (voir « Personnages »), scandalisé par la situation de son pays, a décidé de faire le point et de raconter « sa » vérité. Rappelant sa contribution à la construction du socialisme, il s'en prend vivement au comportement actuel de certains gouvernants... et Fidel lui-même n'est pas épargné ! Un témoignage captivant, même si certaines affirmations ne semblent pas prouvées.

– ***Rhapsodie cubaine,*** d'Eduardo Manet (éd. Hachette, coll. Le Livre de Poche n° 14412, 1996). Écrivain cubain naturalisé français en 1979, Manet reste hanté par son île natale, au point qu'elle lui inspire ses meilleurs romans : *L'Île du Lézard vert* avait déjà obtenu le prix Goncourt des lycéens. Récompensée, elle, par le prix Interallié, sa *Rhapsodie cubaine* pose le problème de l'exil.

– ***Trilogie sale de La Havane,*** Pedro Juan Gutierrez (éd. 10/18, 2001). Bien loin des clichés romantiques, nous voici confrontés à ce que l'on devine derrière les façades branlantes du Malecón de La Havane : la misère, la crasse, les petits boulots et les combines pour se procurer quelques dollars, un peu de nourriture, d'alcool ou d'herbe, bref de quoi survivre après 40 années de révolution triomphante. Et le sexe comme dernier plaisir gratuit, dernier rempart contre le désespoir. Un roman décapant.

– ***Cuba, tierra caliente,*** de Patrick Glaize (éd. Florent Massot, 1997). Livre de photographies accompagné d'un CD. L'auteur aime Cuba, ses habitants et sa culture. Les personnages de ces magnifiques clichés en noir et blanc vous regardent droit dans les yeux et on ne les oublie pas. Patrick Glaize a choisi de travailler « à la chambre », c'est-à-dire en studio. Pas d'images « volées », mais uniquement un rapport de confiance entre le photographe et son sujet. Le CD qui accompagne cet ouvrage est épatant.

– ***Mon Ange,*** de Guillermo Rosales (éd. Actes Sud, 2002). Écrit dans les années 1980 mais édité pour la première fois en France très récemment, ce livre interdit à Cuba a longtemps été échangé sous le manteau. Autobiographique, il nous raconte l'enfermement des exilés politiques cubains dans les *boarding homes* de Floride, ces sortes d'asiles de fous privés, dans lesquels on les enfermait dès leur arrivée. Un récit poignant, sur fond d'histoire d'amour impossible. L'auteur ne nous a laissé que ce livre et quelques poèmes non encore traduits (une centaine de pages).
– ***Castro, l'infidèle,*** de Serge Raffy (éd. Fayard, 2003). Ancien rédacteur en chef adjoint du *Nouvel Observateur*, Serge Raffy fait partie des nombreux désillusionnés du castrisme. Cette dernière bibliographie en date du Lider Máximo déboulonne le mythe et brosse le portrait d'un illuminé, d'un tyran caché sous l'uniforme du révolutionnaire. Elle dénonce une imposture qui dure depuis près d'un demi-siècle et qui a abusé le monde entier, à commencer par le peuple cubain lui-même. À moins de croire sur parole les révélations fracassantes de Serge Raffy sur la mort de Kennedy ou celle d'Allende, on lira ce livre palpitant comme une biographie romanesque ou un thriller politique plutôt qu'un ouvrage historique, mais on le lira, c'est sûr !
– Et si vous allez dans l'Oriente, goûtez à la ***Saveur Café*** de notre ami Alain Chaplais (éd. S.d.E., 2004), un roman historique sur fond de grandes propriétés caféières à la fin du XVIIIe siècle, période clé entre l'abolition de l'esclavage et le début des guerres d'indépendance.

MÉDIAS

À Cuba, la Constitution établit que les médias ne peuvent, « en aucun cas », être propriété privée et que la liberté de la presse doit être « conforme aux objectifs de la société socialiste » (art. 53). La presse écrite, les radios nationales ou régionales, ainsi que les trois seules chaînes de télévision nationales du pays diffusent des articles ou des reportages choisis, revus et corrigés en fonction des intérêts idéologiques du régime. En charge de cette sélection, le DOR, Département d'orientation révolutionnaire, qui dépend directement du Comité central du parti communiste.
Le nombre des journalistes officiels est évalué à 2000. Tous ont l'obligation d'appartenir à l'Union des journalistes cubains (UPEC). Selon le code éthique adopté par la profession, « Le journaliste, par son travail, contribue à promouvoir le perfectionnement constant de notre société socialiste ». Dernière entité d'encadrement : le Centre de presse internationale (CPI), qui dépend directement du ministère des Affaires étrangères. Son rôle : délivrer les accréditations aux correspondants étrangers, les encadrer et « les rappeler à l'ordre » si nécessaire, selon un ancien correspondant à La Havane.

Journaux

Les deux seuls quotidiens nationaux sont *Granma,* l'organe officiel du parti communiste (tirage d'environ 400 000 exemplaires), et *Juventud Rebelde,* l'organe de la jeunesse communiste (125 000 exemplaires). On dit que Fidel Castro lui-même collabore régulièrement à *Granma,* qui tire son nom du bateau que le Lider Máximo et ses compagnons d'armes avaient utilisé pour débarquer des côtes mexicaines en 1956. Pour compléter ce panorama de la presse officielle nationale, il faut citer également l'hebdomadaire *Trabajadores* des syndicats officiels (400 000 exemplaires) et le magazine culturel *Bohemia.* Il existe également plusieurs publications en province.
La presse internationale est accessible aux touristes. La presse féminine aussi. Mais, depuis novembre 1998, la diffusion des magazines féminins étrangers et des revues à scandale ou de potins mondains est limitée aux sites touristiques. Seules les revues « qui ne portent pas atteinte à notre idéologie et à notre culture » sont autorisées à la vente, avait expliqué à l'époque un représentant du ministère des Affaires étrangères.

Quelques kiosques de La Havane proposent certains *news-magazines* français, mais ils ont une semaine de retard. Sinon, quelques grands hôtels vendent *Le Monde,* mais ne vous attendez pas non plus à ce qu'il date de la veille...

Radio

Parmi les nombreuses stations existantes, les deux radios officielles les plus importantes sont *Radio Rebelde,* fondée par le Che en 1958 dans la sierra Maestra, et *Radio Reloj,* une radio d'information continue. Et gare à ceux qui sortent du discours officiel ! En août 2000, le directeur d'une radio de province, *Radio Morón,* a été renvoyé après avoir lu à l'antenne un poème du journaliste dissident Raúl Rivero.
Écouter les radios internationales est également mal vu. La plus connue est *Radio Martí,* financée depuis 1982 par le Congrès américain pour émettre vers l'île. Le brouillage de ces stations est néanmoins bien souvent déficient.
Les stations musicales sont également nombreuses. À l'origine destinée aux touristes, *Radio Taïno* diffuse uniquement de la salsa entre 17 h et 19 h et annonce toutes les festivités, ainsi que les concerts et les activités touristiques.

Télévision

Les Cubains disposent depuis 2002 de trois chaînes nationales. En effet, à *Cubavisión* et *Tele Rebelde* (la chaîne du sport) vient de s'ajouter le *Canal Educativo* (qui comme son nom l'indique diffuse surtout des programmes éducatifs). Depuis le lancement de la « bataille des idées », l'organisation de « tables rondes » *(mesas redondas)* est devenue la spécialité de *Cubavisión.* Au cours de ces émissions, interviennent « des spécialistes, des universitaires, des journalistes, des dirigeants, des membres du gouvernement », parmi lesquels le Président lui-même. Depuis fin 1999 et l'affaire Elian, elles abordent « des sujets d'actualité nationale et internationale ». Les autorités assurent qu'elles sont devenues le « programme préféré » des Cubains.
Chacune des 14 régions possède également sa chaîne de télévision. Mais leur temps d'antenne est très restreint.
Depuis 1998, la possession d'une antenne pour capter les chaînes de télévision étrangères est punie d'amende. Régulièrement, dans le cadre de la campagne « Non à la diversion idéologique », des opérations sont menées pour faire disparaître des toits les antennes permettant de capter les chaînes internationales. En août 2001, le gouvernement a ordonné le retrait de l'antenne UHF sur le million de postes de télévision récemment vendus par la Chine, afin d'éliminer toute chance pour leurs détenteurs de capter les chaînes américaines.
À ne pas rater pour mieux cerner la mentalité cubaine : les feuilletons *(novelas),* qui connaissent un succès proprement hallucinant ; personne ne manque le moindre épisode... Autre succès populaire : le sport, comme partout, et les films... américains. Mais les films français sont également très appréciés ! L'un des acteurs les plus populaires à Cuba s'appelle... Pierre Richard, surnommé *el rubio con el zapato negro* (« le grand blond avec une chaussure noire »). Depardieu et Binoche sont aussi très connus, ainsi que Belmondo, qui a tourné un film à La Havane il y a quelques années.

Liberté de la presse

Dans ce contexte, une centaine de journalistes, regroupés dans une vingtaine d'agences indépendantes que les autorités refusent de reconnaître, tentent d'exercer leur droit d'informer. Interdits de publier dans leur pays, les journalistes indépendants comptent sur les associations de Cubains exilés aux États-Unis pour diffuser leurs informations, le plus souvent sur des sites Internet. Ils interviennent également sur des radios internationales étrangères, au premier rang desquelles figure *Radio Martí*. Bien que les émissions soient brouillées et que la population cubaine ait difficilement accès à Internet, le gouvernement tente tout de même de dissuader ces journalistes de poursuivre leur travail.

Et, depuis le 18 mars 2003, à Cuba, on ne se contente plus de censurer, on emprisonne. Ce jour-là, la police de Fidel Castro a arrêté 26 d'entre eux, interpellés en même temps et au même titre qu'une cinquantaine de dissidents politiques. Début avril, la justice a condamné ces journalistes à des peines de 14 à 27 ans de prison, à l'issue de procès staliniens expédiés en 3 jours. Le tribunal les a châtiés pour une prétendue collaboration avec les États-Unis « contre l'indépendance ou l'intégrité territoriale de l'État », un « crime » puni par l'article 91 du Code pénal ainsi que par la loi 88 sur la « protection de l'indépendance nationale », surnommée « la loi baîllon ». Les « coupables », il est vrai, publiaient régulièrement des articles dans des médias étrangers, notamment américains, et ils avaient récemment osé éditer dans leur propre pays 2 revues clandestines, *De Cuba* et *Luz Cubana,* audace sans précédent en 44 ans de régime castriste. Ces 27 journalistes s'ajoutent à leurs 3 collègues déjà détenus. En quelques semaines, Cuba est ainsi devenu la plus grande prison du monde pour les journalistes, devant la Chine, la Birmanie ou l'Érythrée.

Les protestations internationales n'y ont rien fait. Au contraire. Peu après leur condamnation, l'ensemble des dissidents ont été transférés dans des prisons distantes parfois de plusieurs centaines de kilomètres de leurs domiciles. Une mesure considérée comme « une seconde condamnation » par leurs familles, alors que les déplacements sur l'île sont longs et coûteux. Les visites ne sont autorisées qu'une fois par trimestre (au lieu de toutes les trois semaines). La plupart des détenus dénoncent des conditions de détention particulièrement éprouvantes : absence d'hygiène (présence de rats, cafards, etc.), absence de soins médicaux, alimentation exécrable, manque d'accès à l'eau, interception de leur correspondance... Certains sont gravement malades.

Ceux qui n'ont pas été arrêtés continuent à être victimes d'une véritable « stratégie du harcèlement » : saisies de matériel, pressions sur les familles, convocations par la police, interpellations, etc. Le Département de la sécurité d'État (DSE), qui dépend du ministère de l'Intérieur, est le principal exécutant de cette répression. Poussés à bout, plus d'une cinquantaine de journalistes indépendants avaient déjà quitté l'île depuis 1995. Pour les autorités, « les journalistes indépendants sont des mercenaires : l'Empire [américain] les paie, les organise, les instruit, les entraîne, les arme, les camoufle et leur ordonne de tirer sur leur propre peuple » (*Juventud Rebelde,* mars 1999).

Sur place, les correspondants de la presse étrangère trop critiques sont, eux aussi, soumis à diverses pressions : rumeurs savamment orchestrées, pressions sur la famille, tentatives de discrédit en public, remarques sur les articles qui « déplaisent », nécessité de faire renouveler leur accréditation tous les ans. Et gare aux journalistes étrangers qui, fatigués d'attendre un visa délivré au compte-goutte, décident de venir sans! Ils jouent à la « roulette cubaine ». Le 4 mai 2003, le journaliste français Bernard Briançon a été intercepté à l'aéroport de La Havane. Ses huit cassettes vidéo contenant des interviews de dissidents ont été saisies.

Ce texte a été réalisé en collaboration avec ***Reporters sans frontières.*** Pour plus d'informations sur les atteintes à la liberté de la presse, n'hésitez pas à les contacter :

■ ***Reporters sans frontières :*** 5, rue Geoffroy-Marie, 75009 Paris. ☎ 01-44-83-84-84. Fax : 01-45-23-11-51. • www.rsf.org • rsf@rsf.org • Ⓜ Grands-Boulevards.

MUSIQUE CUBAINE

Plus encore qu'avec ses barbes et ses cigares, Cuba a marqué le XXe siècle par son extraordinaire palette de musiques et de danses : *rumba, punto, tonada, danzón, son, batanga, bolero, changüi, guajira, mambo, cha-cha-cha, pachanga, songo, salsa,* etc. Elles sont le fruit de la promiscuité tropicale copieusement aromatisée (arhumatisée ?) des traditions espagnoles et africaines.

Origines et influences

Dès le XVIIIe siècle, certains chroniqueurs religieux dénoncent la folie diabolique de la danse qui s'est emparée de la société coloniale cubaine. Loin de décliner, elle est attisée au siècle suivant par l'influence des musiciens noirs adeptes de la *santería*. Les tambours sacrés *batás,* au centre des rites rendus aux *orishas,* sont à la source des accents polyrythmiques complexes que l'on retrouve dans la salsa. Avec les rythmes sacrés qui leur sont associés, les *orishas* hantent l'ensemble du répertoire afro-cubain.

Babalu, grand classique, est le dieu de la santé assimilé à saint Lazare. *¡ Que viva Chango !,* célèbre *guaguanco* (prononcer « ouaouanko ») encensé par ***Celina Gonzales,*** est un hommage au roi des rois, maître des éclairs, du tambour et de la guerre. ***Celia Cruz*** a consacré un album entier à Yemayá, déesse des océans, mère universelle de tous les *orishas*. ***Merceditas Valdés,*** surnommée la petite Aché (protégée des dieux) et disparue en mai 1996 à l'âge de 68 ans, n'a cessé de propager durant sa longue carrière chants yorubas et rythmes sacrés.

Le grand ***Chano Pozo,*** qui a introduit les congas dans le jazz, faisait partie d'une confrérie abakwa, l'une des plus secrètes à Cuba. On y vénère le tambour fétiche *ékué,* réceptacle de la voix du Léopard ancestral. Selon la légende, Ékué, être sacré vivant dans le fleuve, est mort de honte après avoir été capturé dans la calebasse d'une femme ! Femme sacrilège qui fut punie d'une drôle de manière : sa peau servit à recouvrir le dieu, qui parle maintenant lors des fêtes initiatiques au travers de ce tambour magique...

Pour ce qui est de la danse et du *savoir-fête,* on sait les Espagnols particulièrement bien inspirés. Leur marque est décisive sur la *trova,* avec ses immortelles ballades, comme *Guantanamera* de ***Joseito Fernandez*** (que vous entendrez tous les jours à Cuba !) ; la *guaracha,* genre humoristique et libertin né au XVIIIe siècle, encore magnifiquement interprété par ***Eliades Ochoa*** et le ***Cuarteto Patria*** ; la *música campesina,* qui a sa reine en la personne de ***Celina Gonzales*** ; la *guajira,* chanson rustique qu'avec son élégance naturelle ***Guillermo Portabales*** fit danser dans les salons des Caraïbes et jusqu'en Afrique de l'Ouest.

Chassés d'Haïti par la révolution, les Français ont réussi à s'attirer les faveurs des Cubains (et plus sûrement encore des Cubaines) grâce à la contredanse (si, si !), popularisée par la *charanga francesa,* orchestre mettant les violons et la flûte à l'honneur. De ce genre découle le *danzón,* perpétué par les grands orchestres contemporains comme ***Orquesta Aragon, Chepin Chovén*** et ***Ritmo Oriental.***

Pour le ballet classique, l'incontournable ***Alicia Alonso*** et les multiples compagnies de danses modernes et populaires nées après la Révolution, comme l'***Ensemble folklorique national*** (à voir absolument !).

Petit lexique ethno-afro-cubain

Ne commettez pas l'erreur de confondre *bongó, conga* et *okónkolo,* voyons !
– ***Batá :*** trois tambours constituent la base d'un *batá.* L'*okónkolo,* l'*itótelo* et l'*iyá.* Ils sont principalement utilisés par les descendants créoles des Yorubas et des Lucumís.
– ***Bocú*** (ou ***bokú***) ***:*** tambour utilisé par les *comparsas* de Santiago et de l'Oriente lors du carnaval. Signifie tout simplement « tambour » dans le langage kikongo. Il est facilement repérable car sa sonorité est plus aiguë que celle des autres tambours.
– ***Bombo :*** tambour des orchestres militaires « echpaniols ». Son fût est soit en métal, soit en bois et son diamètre avoisine les 50 cm. On le frappe avec une mailloche ou à main nue. Ne pas confondre avec le *bembé.*
– ***Bembé :*** fête de la religion afro-cubaine pratiquée à l'origine par la Regla de Ocha. Le terme s'est depuis étendu à toute fête, religieuse ou non.
– ***Bongó :*** deux petits tambours que l'on disposait à l'origine de part et d'autre d'un genou et joints l'un à l'autre par un morceau de cuir. Leur diamètre est *grosso modo* identique (jamais plus de 20 cm) et l'un des deux est appelé *el macho.* Contrairement à ce que l'on pourrait croire, le *macho* est mineur. Ce *bongó* est originaire de l'Oriente et son utilisation a été adoptée par la plupart des formations.
– ***Charanga :*** groupe de musique populaire où percussions et cordes constituent l'axe majeur du style. On compte rarement moins de treize musiciens dans un *charanga.*
– ***Conga :*** instrument de percussion d'origine africaine. Une peau de bœuf constitue la membrane du tambour, fixée au fût par un cercle de fer. L'instrument a donné son nom à un genre musical et au groupe de percussions qui accompagne une *comparsa* pendant le carnaval.
– ***Guaracha :*** genre musical où l'Afrique et l'Espagne font un enfant cubain. L'humour dans les paroles est souvent l'invité permanent. Par extension, si quelqu'un vous dit « Vamos a guarachar », il vous prendra par le bras pour aller guincher.
– ***Itotelé :*** tambour du milieu des 3 tambours *batás.* Il produit 3 sons.
– ***Iyá :*** « la mère » en yoruba, c'est aussi le plus gros des tambours *batás* qu'on appelle parfois *chaworó.* Il a un son plus grave que celui du *Itotelé.*
– ***Okónkolo :*** parfois appelé simplement *kónkolo* ou *omelé,* c'est le plus petit des tambours *batás.* Il a un son aigu, c'est le premier des trois dont on apprend à jouer.
– ***Quinto :*** littéralement « le cinquième ». C'est un tambour plus petit que la conga ou la *tumbadora.* Sa forme est conique et sa taille, lorsqu'il est posé sur le sol, arrive à la hauteur de la ceinture pelvienne du joueur.
– ***Requinto :*** petit tambour que l'on frappe avec une mailloche.
– ***Timbal :*** double tambour au fût de métal reposant sur un trépied. À l'origine, on l'accordait avec une flamme. C'était l'instrument favori de Tito Puente.

Rumba et *son*

Cuba est comme un grand bateau roulant et tanguant aux rythmes de la rumba. Une étymologie fantaisiste y verrait volontiers le double effet du r(h)um et du tambour qu'on ba(t). À l'origine faite de chants et de percussions, la rumba se compose de trois styles, la *columbia,* le *guaguanco* et le *yambu,* ayant chacun sa danse. La première est pour les hommes, physique et acrobatique. La deuxième, plus lente, convient aux couples fatigués. La troisième enflamme les corps : fous de désir et de séduction, les couples se frôlent et se séparent pour se rejoindre enfin dans la fusion de l'acte sexuel. La clé de la rumba est le *montuno,* ce moment où, après une longue partie chantée, le rythme se tend et les percussionnistes rivalisent d'inspiration, en même temps que grimpe le mercure sur la piste.

Au départ, c'est l'orchestre de rumba que l'on appelait *son* : trois chanteurs accompagnés de percussions, auxquels viendront s'ajouter des instruments à cordes. Le style du *son* s'est défini à l'époque des luttes pour l'abolition de l'esclavage (années 1880) dans la province de l'Oriente, puis répandu avec les forces abolitionnistes.

Dans les folles années 1920-1930, sous le nom de rumba, le *son* fait un malheur aux États-Unis. À l'époque, La Havane est un lieu de plaisir très prisé de la société chic américaine, alors en pleine Prohibition. Dans les grands casinos, l'alcool est en vente libre, les danses de salon particulièrement pimentées et les belles cavalières terriblement troublantes. ***Ignacio Piñiero*** a eu l'idée lumineuse d'intégrer la trompette à l'orchestre de *son*. Et avec sa rumba aussi hystérique que tirée à quatre épingles, ***Xavier Cugat*** part enflammer les dancings de New York.

Les grandes figures du *son* inventent d'incomparables machines à danser. Le trompettiste ***Felix Chapottin*** fait les beaux jours du Sexteto Habanero. ***Arsenio Rodriguez,*** joueur de *tres* et chef d'orchestre aveugle, définit la formation du *conjunto* : chant et maracas, *tres,* piano, basse, *bongós,* congas, deux trompettes. Leur influence est décisive sur la musique cubaine des années 1940-1950.

Aujourd'hui, les interprètes du *son* vont du trio rustique (à l'image du célèbre ***trio Matamoros,*** avec lequel ***Compay Segundo*** connut ses premiers succès) aux orchestres rutilants de cuivres. Tous les grands de la scène cubaine ***(Los Van Van, Sierra Maestra, Orquesta Reve, Adalberto Alvarez y su Son, NG La Banda...)*** ont forgé leur nom dans ce creuset. Grâce à eux, de vieux groupes percent enfin en Europe, comme le fabuleux ***Cuarteto Patria d'Eliades Ochoa,*** la ***Estudiantina Invasora, Los Jubilados*** et les étonnants papys de ***La Vieja Trova Santiaguera.***

La réhabilitation du *son*

Dans la grande famille musicale cubaine, il y a les ancêtres, les parents et les enfants. Le *son* (prononcer « sonne ») est un peu le grand-père campagnard de la salsa urbaine. Si l'on s'en tient à la pure tradition, pour jouer du *son,* les formations musicales n'ont pas besoin de trompette (ça viendra plus tard), ni de piano, et aucun instrument électrique n'est utilisé. Dans les groupes de six personnes *(sextetos),* il y a deux chanteurs (le premier joue des *maracas*, l'autre des *claves*), un joueur de *tres* (la guitare à trois cordes doubles), une guitare espagnole, une contrebasse et un *bongó* (percussions doubles). Ça suffit. La mélodie est donnée par les chanteurs, tandis que les instruments ne sont là que pour scander le rythme.

Ce mélange de romance espagnole et de tradition africaine a façonné le *son,* genre musical unique, merveilleuse illustration du métissage afro-cubain.

Le fer de lance du *son* traditionnel, et son plus illustre représentant, était ***Compay Segundo,*** musicien originaire de l'Oriente (de Siboney, près de Santiago), décédé à 95 ans le 13 juillet 2003. Très jeune, il fréquenta le monde des chanteurs *trovadores.* Au début des années 1940, il fut engagé comme clarinettiste dans le groupe de Miguel Matamoros. Puis il laissa tomber la clarinette pour la guitare. Il alla même jusqu'à se bricoler une nouvelle guitare à sept cordes (le *tres* + une autre corde). En 1997, à plus de 90 ans, ce vaillant et merveilleux papy a été reconnu comme une valeur nationale cubaine par les autorités culturelles de La Havane. Redécouvert aussi par la jeunesse cubaine après des années d'oubli (il roula des cigares chez Upmann pendant 17 ans) et de « salsacratie » (le règne de la salsa), ovationné en Europe à chaque tournée, appuyé par le guitariste américain Ry Cooder, Compay était enfin devenu une star reconnue pour son vrai et authentique génie (voir aussi la rubrique « Personnages », plus loin). Il fut à la musique cubaine ce que les Cohiba sont aux cigares : une légende ! Avec

lui, à la faveur de *Buena Vista Social Club,* ont renoué avec le succès des chanteurs comme ***Ibrahim Ferrer*** et ***Omara Portuondo.*** Dans la foulée, chacun apporte sa marque au style : la ***Orquesta Revé*** un *son changui,* la ***Orquesta Chepin Chovén*** un magistral *son montuno...*
En 2002, un nouveau « phénomène » était apparu sur la scène, ***Polo Montañez,*** le « *Guajiro natural* » de Pinar del Río. Alors qu'il commençait à connaître un grand succès international, il est mort dans un accident de voiture fin novembre.

Mambo et cha-cha-cha

Le mambo qui envahit l'Amérique des années 1940 est né à Mexico, sous la houlette du pianiste cubain ***Damaso Perez Prado.*** À l'image des formations de jazz de l'époque, il a fondé son *big band* avec batterie et imposante section de vents. Le rythme du mambo s'inspire du *diablo,* créé par Arsenio Rodriguez, et du *nuevo ritmo,* spécialité de ***Las Maravillas,*** fameux orchestre de *danzón* que dirige le flûtiste ***Antonio Arcaño.*** Son contrebassiste n'est autre que ***Israel López « Cachao »,*** géant du mambo des années 1950 (voir « Personnages ») ; celui-ci convertira les musiciens de son pays à la *descarga, jam session* à la cubaine.
Ainsi, c'est en rivalisant d'invention que ***Machito, Tito Puente*** et ***Tito Rodriguez*** réussissent à rendre la scène new-yorkaise complètement mambo sous leurs assauts puissants. À La Havane, ***Beny Moré*** et ***Bebo Valdés*** sont en train de construire leurs folles légendes, lorsque déferle la vague du cha-cha-cha. Dérivé du *danzón,* ce nouveau style, créé par ***Enrique Jorrin,*** rejoint le mambo à la conquête des pistes de danse du monde entier. Dans les années 1950, l'hégémonie planétaire de la musique cubaine est consommée, imposant une foule de noms, dont ***Celia Cruz*** et ***Alfredo Rodriguez.***

L'après-Révolution

Les années 1970 ont vu apparaître la *nueva trova,* liée au mouvement engagé de la *nueva canción* d'Amérique du Sud. Les noms de ***Pablo Milanés*** ou ***Silvio Rodriguez*** ont marqué ce courant, celui de ***Carlos Varela*** (plus rock !) est actuellement le plus en vue avec également ceux des jeunes *trovadores* ***William Vivanco*** et ***Amaury Perez.*** Quant à la salsa, après l'avoir considérée comme un avatar plus ou moins dégénéré de leur musique originale, les artistes cubains ont fini par l'adopter (voir plus loin la rubrique « Salsa »). Elle a même son temple à La Havane : *El Palacio de la Salsa,* où l'ambiance est complètement *hot* !
S'agissant du jazz latino, son représentant le plus fameux (il est titulaire de plusieurs Grammys) est le pianiste ***Chucho Valdés.***
Beaucoup de musiciens ont fui la Révolution de 1959, mais la musique reste vivace et multiple sous Castro. Que ferait le peuple sans sa musique ? La Révolution ! C'est ce qu'a bien compris le Lider Máximo en développant les conservatoires et universités aux formations musicales poussées. Plus de 500 groupes professionnels (dont les meilleurs) sont rémunérés par l'État pour se produire chaque semaine dans toutes sortes de manifestations. Le peuple écoute leurs messages et en tient compte, surtout quand il s'agit de faire la fête et de s'aimer...

Quelques disques

– ***¡ Sonando !*** Orlando « Maraca » Valle (éd. Ahí-Namá/Wea, 1999). L'une des dernières coqueluches de la scène jazz cubaine, paradoxalement plus connue à l'étranger qu'à Cuba.
– ***Afro Cuban Jazz Project*** (éd. Lusafrica/Media 7, 1999). Réunis autour d'Orlando « Maraca » Valle (toujours lui !), une belle et bonne brochette de

grosses pointures, telles que Tata Güines, Cascarita, Osdalgia, se livrent à un bœuf mémorable.

– ***Introducing Ruben Gonzalez*** (éd. Night and Day, 1997). À près de 80 ans, ce pianiste hors pair a recueilli enfin les fruits de toute une vie d'auteur et d'arrangeur, souvent à l'ombre des autres. Il est décédé en décembre 2003.

– ***Mariposas,*** Silvio Rodriguez y Rey Guerra (éd. Fonomusic, 1999). Un des derniers albums de Silvio qui n'a pas beaucoup changé depuis *Te doy una canción.*

– Parmi les albums de Compay Segundo, on vous recommande ***Lo Mejor de la vida*** (éd. Dro East West, 1998), où il exhume des chansons oubliées et joue des compositions personnelles comme *Tu querías jugar* ou *Cuba y España.* Vraiment incontournable.

– ***Sublime illusion,*** Eliades Ochoa y el Cuarteto Patria (éd. Virgin, 1999). Tous les ingrédients du conte de fées sont réunis pour définir la trajectoire de l'ambassadeur de Santiago.

– ***Como la mariposa,*** Leyanis Lopez (éd. Lusafrica/BMG, 1999). Alors que José da Silva, le producteur de Lusafrica, enregistrait avec Cesaria Evora à La Havane, cette *guajirita* de *Guantánamo* a débarqué dans les studios. Elle a poussé sa complainte, séduisant autant la *Diva aux pieds nus* que da Silva.

– ***La Charanga Eterna,*** Orquesta Aragon (éd. Lusafrica/BMG, 1999). Vous avez sûrement déjà entendu sans le vouloir un des titres de l'Orquesta Aragon, ce groupe originaire de Cienfuegos. Même s'il s'agit d'un groupe « officiel », il ne perd rien de son mordant, notamment dans l'un de ses derniers titres, *Que camello, que salsicha,* qui singe les conditions de transport des Cubains dans des bus d'un autre âge...

Et toujours :

– ***El Che vive*** (éd. Last Call). Tout ce qui se fait de mieux et de plus rare sur Che Guevara. Une compilation des meilleurs chants, avec en plus l'enregistrement historique de son discours à la tribune des Nations unies en 1965.

– ***Afro Cuban All Stars,*** A Toda Cuba le Gusta (éd. World Circuit Production, 1997). Le meilleur de la tradition afro-cubaine.

– ***Guillermo Portabales,*** Aquí Está Portabales (éd. Evasion Records, 1998). Douze morceaux de ce grand musicien, considéré comme le maître de la *guarija* de salon. Il chante les joies et les peines du monde paysan.

Pour en savoir plus

■ Pour plus d'informations, entre autres sur la musique « afro-jazz », vous pouvez consulter le site interactif : • www.afrojazz.com •

■ ***Association Yemaya :*** 12, rue François-Mansart, 31500 Toulouse. ☎ 05-61-11-28-29. Fax : 05-61-11-26-16. • www.yemaya.asso.fr • yemaya1@club-internet.fr • Ouvert de 10 h à 19 h. Organise des ateliers pédagogiques, des échanges interculturels, des concerts, des stages de musique et de danse afro-cubaines, en partenariat avec le Centre national des écoles d'art de Cuba (voir la rubrique « Avant le départ »).

PERSONNAGES

– ***Néstor Almendros :*** le plus connu des chefs opérateurs hollywoodiens est cubain. Réputé comme le meilleur directeur de la photographie du cinéma moderne, il a travaillé avec tous les plus grands (de Truffaut à Pakula, de Rohmer à Benton), et reçu un Oscar. Dissident très actif, il a réalisé en 1989 deux courts métrages dénonçant la situation des Droits de l'homme à Cuba...

– ***Fulgencio Batista :*** une nuit de septembre 1933, ce petit sergent radiotélégraphiste (né en 1901) devient subitement colonel, grâce à la médiation d'un diplomate américain ! Batista, chef de l'armée à la fin de l'année 1933, dépose virtuellement le gouvernement de Ramón Grau San Martín en janvier 1934, en accord avec les Américains. Bien qu'il ne brigue aucun poste au gouvernement, Batista va devenir désormais l'homme fort du nouveau régime. Pendant les 10 années qui vont suivre, il dirigera en fait le pays, se faisant « élire » à la présidence de la République seulement en 1940. Battu aux élections de 1944 à nouveau par Grau San Martín, exilé aux États-Unis, Batista revient en 1952 et prend le pouvoir dans la nuit du 10 mars à l'occasion d'un nouveau coup de force. À l'aube du 1er janvier 1959, alors que Castro pénètre en héros à Santiago, Batista s'enfuit en avion de Cuba avec sa famille, ses amis proches, ses généraux, ses policiers et... un grand nombre de valises bourrées de dollars. Il mourra dans son lit le 6 août 1973, en Espagne, à l'âge de 72 ans. Il avait promis de délivrer Cuba du « gangstérisme ». Il en fut le truand numéro un, dictateur et prévaricateur. La répression batistienne a fait davantage de victimes que celle de l'ancien dictateur Machado (1921-1933).

– ***Benigno :*** étonnant destin que celui de ce petit paysan ! À 17 ans, sa fiancée est tuée sous ses yeux par les soldats de Batista. Récupéré par les *barbudos* révolutionnaires, Daniel Alarcón (de son vrai nom) devient alors le protégé de Camilo Cienfuegos et de Fidel Castro dans la sierra Maestra, puis au service du Che en Bolivie. Il sera l'un des rares survivants de la folle équipée bolivienne, après avoir assisté à l'assassinat du héros ! Il raconte tout cela dans un premier livre, *Les Survivants du Che* (éd. du Rocher). Il est ensuite tour à tour entraîneur des commandos spéciaux, espion chargé d'infiltrer les contre-révolutionnaires, chef de la police militaire de La Havane, puis responsable de la sécurité de Fidel... Mais, après des années au service du pouvoir, il part s'installer en France et décide de tout déballer. Il publie alors *Vie et mort de la Révolution cubaine* (voir « Livres de route »). Ses révélations lancent une vaste polémique. Les Cubains le traitent d'agent de la CIA, des spécialistes français y voient un agent double, d'autres pensent qu'il est manipulé par ses éditeurs... et que cet analphabète est incapable d'écrire des livres. Pourtant, c'est Che Guevara en personne qui lui a appris à écrire ! Bref, « Benigno » demeure un mystère...

– ***Cachao :*** de son vrai nom Israel Lopez, ce monstre sacré de la musique cubaine a incontestablement le rythme dans le sang ; on compte pas moins de 35 contrebassistes dans sa famille ! Né à La Havane en 1918 (dans la maison natale du poète José Martí), ce mulâtre aux yeux bleus touche pourtant à tous les instruments et se révèle vite comme un immense compositeur-arrangeur. En 1939, avec la chanson intitulée *Mambo,* Cachao s'impose comme l'un des pionniers du genre, avec Perez Prado. Mais laissant à d'autres le soin de surfer sur la vague, il innove à nouveau avec la *descarga,* délirante improvisation inspirée du *danzón* et du cha-cha-cha naissant. Après les années 1950, la mode étant passée, Cachao se retrouve à Miami, ne jouant plus que dans des mariages et des bar mitzva ! Admiré par la nouvelle génération et encensé par ses compatriotes Gloria Estefán et Andy García, Cachao sort enfin de l'oubli aujourd'hui, grâce à la réédition de ses merveilleuses *Master Sessions* (Epic).

– ***Alejo Carpentier :*** né en 1904 à La Havane, de père breton et de mère russe, il reste le plus réputé des romanciers cubains. Son trisaïeul fut, paraît-il, l'un des premiers Français à explorer la Guyane. D'abord musicologue, Alejo explore, lui, la musique cubaine, et sera le premier à lui consacrer un livre d'histoire. En 1928, le poète surréaliste Robert Desnos, de passage à Cuba, lui propose de venir visiter Paris. Carpentier y restera 11 ans ! Il travaille notamment pour le *Poste parisien,* en compagnie d'Antonin Artaud et de Jean-Louis Barrault. Il sympathise aussi avec Prévert, Queneau,

Michel Leiris et Ribemont-Dessaignes. Après avoir soutenu la Révolution castriste, Alejo Carpentier est donc logiquement nommé conseiller culturel de l'ambassade de Cuba à Paris (avec le titre officiel de ministre !). Il poursuit parallèlement sa carrière de romancier, obtenant en France le prix du Meilleur Livre étranger (1956), puis le prestigieux prix Cervantès, équivalent espagnol du Goncourt. Il meurt à Paris en 1980.

– ***Fidel Castro*** et ***Che Guevara :*** les deux héros les plus célèbres de l'histoire cubaine ont droit, bien sûr, à des chapitres à part ! Voir plus haut.

– ***Raúl Castro Ruz :*** petit frère de Fidel, de 4 ans son cadet. Depuis les tout premiers jours de la guérilla en 1956, Raúl est l'éternel second. Quoique constamment dans l'ombre, à commencer par celle de son frère, Raúl Castro a depuis près de 40 ans un pouvoir réel. Et il est d'une absolue loyauté et obéissance envers Fidel. Ses qualités d'organisation, en particulier dans le parti communiste cubain et les FAR (Forces armées révolutionnaires) dont il est le ministre, sa façon personnelle de remplir ses responsabilités, font quelque peu contraste avec celui qu'il est en privé. Cet homme, plutôt petit, réputé très fidèle (avec un e !) en amitié, peut être à l'occasion un Cubain pétri d'humour, sachant faire rire et se montrant parfois très amateur de danse, sans négliger quelques verres de rhum. Considéré comme le successeur naturel et éventuel de son frère aîné, Raúl, même s'il n'a pas le charisme de Fidel, contrôle pour le moment jusqu'au moindre détail toute l'organisation militaire.

– ***Carlos Manuel de Céspedes :*** son nom est lié à la première guerre d'Indépendance, à partir de 1868. Propriétaire terrien du sud-est de l'île et avocat, il libère ses esclaves et appelle à l'indépendance de Cuba et au soulèvement contre les Espagnols depuis son domaine de La Demajagua. Leurs actions sont couronnées de succès, au point que les rebelles proclament la république en 1869. Carlos Manuel de Céspedes est président. Mais, en 1874, il tombe au combat et, en 1878, les Espagnols reprennent le pouvoir (pacte de Zanjón). « L'indépendance ou la mort » fut le mot d'ordre de Céspedes.

– ***Camilo Cienfuegos :*** après les frères Castro et le Che, il est le plus célèbre des révolutionnaires (les *barbudos*) qui débarquèrent à bord du *Granma*. Mais sa vie de révolutionnaire, héroïque et très populaire, fut courte. Le 28 octobre 1959, il décollait de Camagüey vers le nord. On n'a jamais revu Camilo, ni retrouvé aucune trace de l'appareil, tombé quelque part au large de La Havane. Depuis, ce beau jeune homme qui comptait parmi les meilleurs amis du Che fait toujours l'objet d'une véritable vénération à Cuba. Son frère Osmany, un des hommes encore proches de Fidel, a toujours occupé des fonctions importantes.

– ***Celia Cruz :*** la « reine de la salsa » est morte à 77 ans, le 16 juillet 2003 (trois jours après Compay Segundo) à New Jersey aux États-Unis où elle vivait en exil depuis 1960. Elle commença sa carrière en gagnant un concours à la radio puis connut ses premiers succès avec le fameux orchestre Sonora Matancera. Elle a enregistré plus de 70 albums et tourné dans dix films. Elle a obtenu trois Grammys Awards, le dernier en 2002 pour *La negra tiene tumbao*. C'est elle qui pour encourager ses musiciens leur lançait à tout bout de champ *« Azúcar ! »,* une exclamation qui est entrée dans l'histoire de la musique latine. Sa disparition a été célébrée en grandes pompes à Miami et à New York... mais elle n'a eu droit qu'à deux petits paragraphes dans le journal communiste *Granma* qui reconnaissait en elle « une importante interprète cubaine » mais la qualifiait « d'icône contre-révolutionnaire » !

– ***Máximo Gómez :*** ce général d'origine dominicaine s'associe à Maceo dans la lutte pour l'indépendance et meurt le 17 juin 1905. Avec Martí, ils font tous les trois partie de la légende de la libération de Cuba et tous les révolutionnaires du XXe siècle vont constamment s'y référer. Leurs combats eurent lieu dans la province de l'Oriente, celles de Santiago de Cuba et de la sierra Maestra. Che Guevara et Camilo Cienfuegos, 63 ans plus tard, suivront le même trajet que les colonnes de Maceo et Gómez pour la conquête des provinces de l'Ouest.

– ***Hatuey :*** « Indien » qui fut le premier à se soulever, à la tête d'autres aborigènes, contre les conquistadores espagnols. Ce fut à Yara, au sud-est de l'île, entre Bayamo et Manzanillo. Capturé, il fut brûlé vif, le 2 février 1512. Réelle figure emblématique de toutes les luttes d'indépendance.

– ***Korda :*** grand photographe cubain, surtout connu des photographes et des Cubains ! Korda a pourtant pris une photo immortelle, universellement connue, reproduite depuis 1967 sous toutes les formes imaginables : affiches, livres, posters, T-shirts, couvertures de magazines, drapeaux, pochoirs, fresques géantes, cartes postales, pochettes de disques et même billets de banque ! Mais si, vous voyez bien de quelle photo il s'agit : celle de Che Guevara, cheveux dans le vent et béret étoilé sur la tête, regard mi-déterminé mi-rêveur... Pourtant, Korda, en bon révolutionnaire qu'il était, n'a jamais touché le moindre droit d'auteur. D'autres se sont chargés de piller son image.

– ***José Lezama Lima :*** né en 1910 et décédé en 1976. Il ne quitta presque jamais la maison familiale de la vieille Havane. Fondateur d'une revue célèbre, essayiste et poète, il n'est l'auteur que d'un seul roman, *Paradiso,* qui eut un succès retentissant dans toute l'Amérique latine et lui valut le surnom de « Proust des Caraïbes ».

– ***Antonio Maceo :*** après Céspedes, le général mulâtre Antonio Maceo reprend le flambeau de la lutte pour l'indépendance. Il participe aux deux guerres d'Indépendance. Il est surnommé le « Titan de bronze ». Tout un mythe s'est construit autour de ce descendant d'esclaves. Il aurait perdu 14 frères durant la guerre, participé à 900 batailles et été blessé 27 fois... Il est finalement abattu par les balles espagnoles en 1896.

– ***Celia Sanchez Manduley :*** fille d'un médecin de Manzanillo, elle fut la femme qui aura le plus compté auprès de Fidel, dès le début. Elle était déjà là avant la guérilla dans la sierra Maestra, où elle deviendra l'une des rares femmes au combat, puis principale collaboratrice de Castro. Ministre d'État (chargée du Secrétariat général du gouvernement), elle ne le quitta jamais – et vice versa –, dans les bons jours comme dans les pires. Cette femme à la très forte personnalité, souvent originale dans son comportement et ses tenues, fut foudroyée par un cancer en 1980. Son petit appartement du Vedado, au centre de La Havane, est resté jusqu'à sa mort un véritable QG.

– ***José Martí*** (1853-1895) ***:*** la référence majeure de tous les Cubains, révolutionnaires ou pas. Omniprésent dans le pays. Figure charismatique comme homme rebelle, écrivain, journaliste, orateur, penseur. Il se distingue dès l'âge de 15 ans en écrivant ses premiers poèmes. Arrêté en 1867, il est envoyé au bagne puis relégué en Espagne. En France, il rencontre Victor Hugo. Il passera la majeure partie de sa vie en exil, notamment à New York. Après avoir créé le Parti révolutionnaire cubain, il va organiser la guerre d'Indépendance. Lors de la deuxième guerre d'Indépendance, au combat de Dos Ríos, sa première vraie bataille, il tombe, mortellement frappé d'une balle espagnole. Ses restes reposent à Santiago.

– ***Jorge Perrugoria :*** né un 13 août, comme Fidel, mais en 1965, c'est l'acteur phare de Cuba depuis le film culte *Fraise et Chocolat* (dans lequel il jouait le rôle d'un homosexuel). Perrugoria, que l'on retrouvait ensuite dans *Guantanamera,* est devenu une star internationale : il côtoie Antonio Banderas, sympathise avec Kurosawa et García Marquez, tourne avec Almodovar, Julio Cortázar et Imanol Arias. Mais, pour l'instant, respecté par le régime malgré les petites piques qu'il ne manque pas de lui lancer, il reste dans son pays. À La Havane, tout le monde le surnomme « Pitchi » : un *pitchi,* c'est un comique et un sympathique fêtard !

– ***Pedro Sarria :*** sous-lieutenant de l'armée de Batista, à qui Fidel doit tout simplement la vie. Il était le chef de la patrouille qui repéra puis arrêta Fidel Castro après sa tentative d'assaut de la caserne Moncada de Santiago en 1953. Castro avait réussi à s'enfuir avec huit de ses amis. Sarria restera dans l'histoire pour avoir dit alors à ses soldats, prêts à tirer comme l'indiquaient les ordres : « Ne tirez pas, ne tirez pas, on ne tue pas les idées ! » Pedro Sarria Tartabull finit ses jours tranquillement à La Havane, où il mourut en septembre 1972.

– ***Compay Segundo*** (1907-2003) ***:*** il est né à Siboney dans une famille où la musique et les cigares comptaient beaucoup. D'abord paysan dans la région de Santiago, Francisco Repilado (c'est son vrai nom) monte à La Havane en 1934 pour jouer de la guitare. Les débuts sont prometteurs : il figure sur le premier disque jamais enregistré à Cuba ! C'est pourtant au Mexique qu'il devient célèbre, en tant que chanteur du Cuarteto Hatuey. Il est ensuite clarinettiste lors des triomphales tournées de Miguel Matamoros, puis forme en 1948 le duo Los Compadres, qui enchante toute une génération de Cubains. Mais 7 ans plus tard, brouillé avec son compagnon, Compay plaque tout et devient simple rouleur de cigares à la manufacture Upmann ! Dans les années 1970, alors qu'il est devenu grand-père après trois mariages et semble oublié de tout le monde, Eliades Ochoa, musicien en vogue, lui propose d'accompagner son Cuarteto Patria. Compay accepte après avoir ressorti avec émotion du placard son vieil *armonico,* une guitare à sept cordes de son invention ! Il repart alors sur la route, à plus de 90 ans, et après son premier succès en Europe en 1995, sa reconnaissance à Cuba en 1997, le succès mondial du film *Buena Vista Social Club* de Wim Wenders, ses tournées triomphales en France en 1998 et en 2000, Compay est devenu le musicien le plus célèbre de Cuba, une valeur nationale à l'export ! Sa chanson *Chan Chan* a fait le tour du globe. Compay Segundo est mort à l'âge de 95 ans, en juillet 2003. Il est enterré au cimetière de Santiago de Cuba.

– ***Arnaldo Tomayo Mendes :*** colonel de l'armée de l'air, il s'est envolé à bord du vaisseau *Soyouz 38,* le 18 septembre 1980. Dans la station Saliout 6, il a conduit pendant une semaine une quinzaine d'expériences, dont une sur le comportement de la cristallisation de la saccharose en apesanteur (ceci à la demande de l'industrie sucrière cubaine, bien sûr). Il fut non seulement le premier Cubain dans l'espace, mais aussi le premier Noir.

PHOTO

Cuba se révèle l'un des pays les plus chouettes pour la photo. Pour les sujets d'abord : guimbardes américaines anciennes couleur fraise écrasée sur fond d'immeubles coloniaux décrépits, enfants ludiques, vieillards tout tannés au regard malicieux, superbes *mulatas* faisant vibrer les rues, familles devisant le soir dans les rues à la fraîche, cases créoles dans les campagnes... Bref, une vie sociale, une animation urbaine d'une « richesse photographique » fabuleuse. En outre, les habitants sont d'une grande gentillesse, se prêtant volontiers au « vol » de leur image. Par courtoisie, ne pas manquer, cependant, de leur demander aimablement l'autorisation. Avec un sourire et un clin d'œil, on liquide sans problème toute résistance.

Comme dans tous les pays des tropiques, la luminosité à Cuba est très forte pendant la journée. Préférer le petit matin et la fin de l'après-midi pour prendre vos photos ; des pellicules de 100 ISO feront l'affaire. Cuba est aussi une mine d'or pour les images en basse lumière (intérieur, ambiance de café, concerts de nuit, etc.) ; une 200/250 sera alors une alliée indispensable.

Attention cependant, vous n'aurez guère l'occasion d'acheter votre marque de diapos favorite, alors apportez les vôtres. En revanche, dans les *tiendas* et les grands hôtels, on trouve des pelloches papier Fuji ou Kodak assez facilement. Des diapositives Kodak « Élite » sont vendues dans les « Photo Service » d'État, dans les villes importantes. Payables en dollars bien sûr. Les accros du noir et blanc, quant à eux, viendront aussi avec leurs provisions.

Offre spéciale Routard

Avant votre départ, préparez vos vacances avec Photo Service... Pour les adeptes de la photo numérique, Photo Service offre 12 % de réduction sur l'achat d'une carte mémoire. Et pour les fidèles de l'argentique, Photo Service offre 12 % de réduction sur l'achat de pellicules. Ces avantages sont disponibles dans tous les magasins Photo Service sur présentation du *Guide du routard.*
Au retour, Photo Service vous offre la sauvegarde de vos photos sur CD-Rom pour toute commande de tirages numériques, ou une pellicule gratuite de votre choix pour tout développement et tirage. Sur présentation du *Guide du routard,* Photo Service vous offre la carte de fidélité qui vous permet de bénéficier de 12 % de réduction sur tous vos travaux photos pendant un an dans les magasins Photo Service comme sur le site • www.photoservice.com • Offre valable jusqu'au 31 décembre 2005.

PLONGÉE SOUS-MARINE

Cuba est un vrai paradis pour la plongée. Avec ses milliers de kilomètres de côtes et ses îlots entourés d'une barrière de corail, la vie sous-marine est d'une grande richesse. Aujourd'hui, quelques dizaines de sites seulement sont explorées par les touristes. La plongée à Cuba n'en est qu'à ses balbutiements. Cependant, les clubs existants sont en général très compétents, le matériel récent, les instructeurs motivés et la sécurité assurée (on rencontre peu de requins, sinon inoffensifs, voire presque apprivoisés comme à Santa Lucía). Trois endroits à retenir, car considérés comme les plus beaux : María la Gorda (extrémité ouest de l'île), l'île de la Jeunesse (isla de la Juventud) et la baie des Cochons. À María la Gorda, les plongées sont fabuleuses, le cadre génial et les prix raisonnables. En revanche, si l'île de la Jeunesse propose des plongées équivalentes en qualité, en richesse et en diversité, elles sont beaucoup trop chères et on y vient vraiment rien que pour ça. La baie des Cochons (playa Larga et playa Girón) est d'une très grande richesse écologique. La pêche et la circulation des bateaux y sont réglementées par le Parc national de la péninsule de Zapata, d'où l'abondance de poissons et la richesse de la flore aquatique. Les fonds sont très variés et présentent de nombreuses déclivités. La profondeur de la baie atteint les 3000 m. L'initiation se fait directement en mer et la plongée commence du bord de la plage (économie de temps et d'argent, car il n'est pas nécessaire d'aller en bateau sur les sites). Les formations de corail noir se trouvent à seulement 14 m de profondeur.
Sachez qu'en général, la côte nord est plus agitée que la côte sud en hiver, mais que l'on peut plonger pratiquement sur tout le rivage cubain : à La Havane, en partant de la marina Hemingway, de Varadero à Baracoa en passant par Guardalavaca et les *cayos* (beaucoup de formations coralliennes), dans la région de Santiago (beaucoup d'épaves intéressantes, notamment à Marea del Portillo et Niquero), à Trinidad et Cienfuegos (les eaux sont un peu moins claires). Pour plus de détails sur la plongée, reportez-vous à ces localités.
Pour réussir vos premières bulles, pas besoin d'être sportif, ni bon nageur. Il suffit d'avoir plus de 6 ans et d'être en bonne santé. N'oubliez pas de vérifier l'état de vos dents, il est toujours désagréable de se retrouver avec un plombage qui saute pendant les vacances. Sauf pour un baptême, un certificat

médical vous sera demandé, et c'est dans votre intérêt. Les enfants peuvent être initiés à tout âge à condition d'avoir un encadrement qualifié dans un environnement adapté (eau chaude, sans courant, matériel adapté).
Être dans l'eau modifie l'état de conscience car les paramètres du temps et de l'espace sont changés : on se sent (à juste titre) « ailleurs ». En vacances, c'est le moment ou jamais de vous jeter à l'eau.

■ ***Scubacuba :*** c'est le principal club de plongée cubain. ● www.cubatravell.cu ●, rubrique « Cubanacan Nautica ». Il est présent sur 13 sites de l'île, nous citons les principaux (voir Varadero, cayo Coco, Guardalavaca, région de Santiago, etc.). Il propose des initiations en piscine. Une plongée unique revient à 35 US$ (prêt d'équipement et sortie en bateau inclus), mais il est intéressant de prendre un abonnement pour bénéficier de tarifs dégressifs (une vingtaine de dollars par immersion).
De nombreux clubs internationaux ont des correspondants à Cuba.
■ ***Centre UCPA de Guajimico :*** sur la côte sud de Cuba, à une quarantaine de kilomètres à l'ouest de Trinidad, sur la route de Cienfuegos. Infos auprès de l'UCPA : 62, rue de la Glacière, 75013 Paris. ☎ 0825-820-830. ● www.ucpa.com ● Sous quelques mètres d'eau, de très beaux jardins coralliens et des tombants vertigineux. Dix plongées enseignées ou accompagnées à raison de deux par jour, matin et après-midi. Équipement de base fourni. On peut aussi y dormir, dans des bungalows de 2 à 3 personnes, tout équipés. Outre le séjour « plongée », des séjours « plongée et découverte », « catamaran et découverte » et « *beach, kayak, snorkelling* et découverte » : pour conjuguer le sport et la visite du pays (pour ceux qui préfèrent le plancher des vaches, une randonnée pédestre de 16 jours alterne balade dans les sierras, visite des fabriques de rhum et de tabac, et découverte des quartiers pittoresques des villes historiques). Ambiance salsa garantie.

POLITIQUE

Les institutions et la vie politique à Cuba sont régies par la Constitution, qui ne date que de 1976. Celle-ci définit le parti communiste comme « la force dirigeante de la société et de l'État ». De même, Cuba est un « État socialiste d'ouvriers et de paysans guidés par le marxisme-léninisme ». Le PCC (né en 1925, clandestin jusqu'en 1937) ne retrouve son nom PCC qu'en octobre 1965. Fidel Castro est le premier secrétaire du Comité central. Alors qu'en Europe, les partis communistes sont des organisations de masse, le PCC est un parti d'avant-garde, constitué de membres choisis, comme d'ailleurs aussi la Jeunesse communiste *(Juventud comunista)*. Entre 1959 et 1976, les institutions en vigueur étaient officiellement « provisoires ». Ce n'est qu'en 1976, à l'automne, que les premières élections aux différents corps tels qu'ils sont définis par la Constitution ont lieu.
– ***L'Assemblée nationale :*** les députés sont élus désormais au suffrage universel après avoir été désignés par les assemblées populaires municipales.
– ***Le Conseil d'État :*** responsable devant l'Assemblée et formé d'une trentaine de membres. Son président (Fidel Castro) est à la fois chef de l'État et chef du gouvernement, contrairement aux traditions des autres (ou anciens) pays communistes.
– ***Le Conseil des ministres :*** élu par l'Assemblée nationale.
– ***Les organisations de masse :*** leur rôle reste primordial; omniprésentes depuis 1959, elles s'appellent CDR (Comités de défense de la Révolution), FMC (Fédération des femmes cubaines), CTC (Centrale des travailleurs

cubains), ANAP (Association des petits agriculteurs), FEU (Fédération des étudiants universitaires), FEEM (Fédération de l'enseignement secondaire), UPC (Union des pionniers cubains), etc. À l'heure actuelle, le rôle de ces organisations est toujours aussi important pour la mobilisation des masses. Les CDR, qui ont toujours réuni largement plus de la moitié de la population – « un comité *para cada cuadra* (par pâté de maisons) » fut le slogan de départ –, n'ont plus cependant les mêmes pouvoirs. En période de rigueur extrême où chacun est contraint de se débrouiller comme il peut pour survivre et de faire quelques entorses à la loi, les CDR deviennent des lieux de contrôle et de surveillance de voisinage, créant parfois une ambiance détestable et un climat de méfiance dans certains quartiers. Toutefois, les responsables des CDR utilisant eux aussi les mêmes expédients que la population pour s'en sortir, le rôle de flicage tombe-t-il un peu en désuétude. Gros avantage pratique des CDR : pour mettre en place un programme de vaccination ou d'évacuation lors d'un ouragan, ils ont une telle connaissance du quartier et possèdent de si nombreux relais qu'ils sont d'une remarquable efficacité sur le terrain.

POPULATION

Pour le poète Nicolás Guillén, il y aura un jour une « couleur cubaine ». « Le sucre est blanc, brun ou noir. Ainsi est la population de Cuba. » En fait, cette phrase de l'écrivain Pablo Armando Fernandez, si souvent citée, devrait être sensiblement corrigée. Car entre le « blanc » et le « noir » existent tous les métissages possibles de « brun », sans parler du « blanc » et du *blanconazo,* par exemple, selon le langage populaire qui différencie aussi le « noir-noir » *(prieto)* et *el negro fino.* Pour peu que votre Cubain ou votre Cubaine soit un peu mathématicien(ne), il (elle) vous donnera le chiffre de toutes les combinaisons possibles, s'il tient compte de la couleur – de la peau et des cheveux –, mais aussi de la forme des traits, de la qualité des cheveux, etc., sans oublier les traces d'Indiens ou d'Asiatiques. On vous décrira alors la *India* comme une femme à la peau foncée tirant sur le rouge cuivré, aux cheveux un peu fatigués mais présentant des traits relativement fins ou une *mulata* à la peau foncée, aux cheveux lisses, aux traits fins et au *buen cuerpo.* Le Cubain, quant à lui, peut être *mulato claro, fino, jabao,* etc., entre autres nuances. En dehors de Cuba, seul le Brésil probablement présente une telle palette de métissages. Et même si *Negrona* est un terme péjoratif pour définir une « Noire » dont les traits présentent des caractères clairement négroïdes, le Cubain ne perd pas son temps à faire de la discrimination raciale.

Aujourd'hui, les « Blancs » – d'origine espagnole – dominent à Cuba (sauf dans l'Oriente) et, à l'image des parents de Fidel Castro, ils ont comme ancêtres parmi les plus récents les Espagnols de Galice, mais aussi des Asturies et d'Estrémadure. Pour tous les Cubains aujourd'hui, l'Espagnol, c'est le *Gallego* (Galicien).

Les aborigènes (Taïnos, Siboneyes et Guanajuatabeyes), évalués à une centaine de milliers, ayant été quasiment tous massacrés ou exterminés par les maladies avant la fin du XVIe siècle, l'immigration la plus nombreuse a été la « blanche » venue chercher fortune, aventures, exotisme, carrière, tandis que celle des Noirs – au nombre de 550 000 –, fut dès 1530 (et jusqu'en 1873) plus organisée, en provenance d'Afrique, principalement des côtes entre le Sénégal et l'Angola, et enchaînés et entassés dans les fonds de cale des galions ou des caravelles.

Premier recensement à Cuba en 1774 : 171 620 habitants, dont 25 % d'Africains. Au début du XIXe siècle, les « Africains » formaient près de 46 % de la population. Ils appartenaient, et appartiennent encore, à quatre groupes principaux : les Yorubas ou Lucumís, les Congos, les Carabalis et les Araras, selon leurs origines africaines.

En 1953, le géographe Antonio Nunez Jimenez estimait que Cuba comptait 72,8 % de Blancs, 14,5 % de métis, 12,4 % de Noirs et 0,3 % de Jaunes. Les deux premiers chiffres sont discutables. Au XXe siècle, la population double entre 1925 et 1962 (environ 7 millions). Aujourd'hui, le chiffre est de plus de 11 millions d'habitants. Et la jeunesse domine, largement. Avec la Révolution, les Cubains auront eu comme tâche d'éliminer un important héritage de racisme. Si la Constitution de Fulgencio Batista ne comportait pas le mot apartheid, bien des pratiques y ressemblaient, même si la discrimination se faisait d'abord par l'argent et les conditions sociales. Et, comme depuis des siècles, le peuple noir était au bas de l'échelle, l'esclavage n'ayant été aboli qu'en 1886...

L'immigration française

On ne serait pas complet si on n'évoquait pas... une importante immigration française à la fin du XVIIIe siècle et au début du XIXe siècle. Fuyant les premières révoltes d'esclaves conduites par Toussaint Louverture en Haïti, des planteurs français (certains accompagnés de leurs esclaves) trouvent refuge dans la partie orientale de l'île (provinces de Santiago de Cuba et de Guantánamo). L'exode s'accélère en 1803-1804 avec l'indépendance d'Haïti et les massacres des Blancs. Encouragés par les autorités espagnoles qui veulent développer la région, les Français s'installent dans les zones montagneuses (Gran Piedra et sierra Maestra) pour y introduire et développer la culture du café. Sous leur impulsion, Cuba devient en quelques années le premier pays producteur de café du monde. Attirés par cette nouvelle prospérité, de nombreux Français, en provenance des ports de Bordeaux et de Nantes, débarquent alors à Cuba par vagues successives. Ils s'installent à Santiago, qui devient sous leur influence une vraie ville moderne et un grand port de commerce. Les Français y ont bien sûr leur quartier (Tivolí), leurs théâtres, leurs clubs, leurs commerces (comme dans la rue d'El Gallo, que l'on appelait d'ailleurs la Grand-Rue !). En 1842, l'homme le plus riche de Santiago, Prudent Casamayor, était originaire de Sauveterre-de-Béarn.
Cependant, l'aventure française commence à décliner dans la deuxième moitié du XIXe siècle. D'abord en raison de la concurrence du café brésilien. Ensuite à cause de la première guerre d'Indépendance cubaine (1868-1878). L'armée de Manuel de Céspedes proclame la liberté des esclaves et incendie les *cafetales*, les plantations de café, symboles de la colonisation. Ruinés, les riches planteurs français doivent à nouveau prendre la fuite...
Aujourd'hui, les traces de la présence française se retrouvent dans l'architecture, la langue, la cuisine, la musique, la danse *(tumba francesa)* et surtout dans les noms de famille. Ouvrez donc un annuaire ! Il s'agit soit de descendants directs, soit de descendants d'esclaves car les propriétaires leur donnaient leur nom. Ce qui explique la grande quantité de Longchamp, Gachassin, Rigondeaux, Duvergel, Lafite, Boudet, Guillois (comme l'épouse de Raúl Castro)...
Deux Français célèbres sont nés à Santiago : Paul Lafargue, le gendre de Karl Marx, auteur du *Droit à la paresse,* et le poète parnassien José María de Heredia.

POSTE

Envois depuis Cuba

– ***Bureaux de poste :*** chaque ville en a au moins un, plusieurs dans les grands centres urbains. Ils restent ouverts assez tard dans la journée, parfois même le samedi matin.
– ***Boîtes aux lettres, timbres :*** vous en trouverez dans les hôtels, mais il y a souvent pénurie de timbres. Depuis peu, des cartes postales pré-affran-

chies sont également en vente. À choisir de préférence, on est certain que personne n'ira décoller les timbres... Méfiez-vous des postiers indélicats qui vous vendent à 0,5 US$ un timbre à 5 pesos cubains réservé au courrier national. Ils se mettent la différence dans la poche et votre carte postale n'arrivera jamais à destination...

– ***Acheminement :*** attention, le courrier met de trois semaines à un mois, et parfois plus, avant d'arriver en France. Postez vos cartes postales le plus tôt possible, sinon vous serez de retour longtemps avant elles ! Le courrier posté depuis les hôtels arrive plus rapidement que celui partant des postes cubaines (inorganisées et bureaucratiques).

– Des Cubains vous demanderont peut-être de poster de chez vous des lettres pour leur famille exilée ou leurs amis d'Europe : ils ont des problèmes pour envoyer du courrier à l'étranger... Ne leur refusez pas ce petit service, ça leur fera plaisir.

Envois depuis la France

– ***Les lettres :*** elles arrivent à leur destinataire, mais elles sont souvent ouvertes par la poste cubaine. Donc, ne rien y mettre de compromettant. Surtout pas d'argent !

– ***Les paquets :*** ils n'arrivent pas toujours à leur destinataire. À Cuba, ils sont systématiquement ouverts par les fonctionnaires des postes pour vérification du contenu. Si celui-ci a un peu de valeur marchande, il risque fort d'être volé par un agent mal intentionné. Donc, mieux vaut éviter d'envoyer des paquets à vos amis cubains depuis votre pays par la poste ordinaire. La seule solution fiable, c'est la compagnie *DHL* : vous serez sûr que vos envois arriveront dans les mains du destinataire, mais cela vous coûtera très cher.

POURBOIRES ET MARCHANDAGE

– Le ***pourboire*** est une pratique assez courante aujourd'hui à Cuba. Il a refait son apparition dans les lieux touristiques, à l'hôtel (pour le bagagiste), dans les restos (au serveur) et pour les groupes de musiciens. Si vous ne laissez rien, on vous fera ironiquement remarquer que « Les Espagnols sont plus généreux » ou « Les Mexicains moins radins » ! Mais bien sûr, à vous de voir en fonction de la qualité du service. À noter, une mauvaise habitude qui commence à se répandre : les serveurs qui s'accordent eux-mêmes leurs pourboires en ne rendant pas la monnaie.

– Cuba n'est pas vraiment le pays du ***marchandage.*** Pourtant, sous l'influence du tourisme, les prix des cadeaux-souvenirs ou des taxis particuliers gonflent de façon éhontée. Dans ce cas, il ne faut pas hésiter à marchander. Mais attention, dans les endroits touristiques, les Cubains sont devenus âpres à la négociation. Ils sont plus conciliants dans les villages moins touristiques, mais les prix sont également moins surévalués, et vous aurez alors mauvaise conscience de marchander... À noter que, en basse saison, on peut obtenir des réductions dans les hôtels et il est possible de marchander un peu dans les *casas particulares.*

RELIGIONS ET CROYANCES

On s'en doute, les rapports entre les catholiques et le régime castriste furent rapidement tendus. La hiérarchie religieuse, refusant le communisme, fut bien sûr accusée de jouer le jeu des impérialistes et des réactionnaires. D'ailleurs, contrairement à d'autres processus révolutionnaires comme au Nicaragua, l'Église cubaine avait été quasi absente de la lutte contre Batista.

Les collèges religieux furent nationalisés et les bonnes sœurs invitées à quitter les hôpitaux. Toute instruction religieuse en dehors des lieux de culte fut interdite. Dans ces conditions, alors que le Cubain n'était déjà pas une grenouille de bénitier, le catholicisme perdit beaucoup de sa force et végéta quelque peu. Ce qui explique en grande partie la liberté de mœurs des Cubains aujourd'hui.

Ce n'est qu'au milieu des années 1980 que Castro amorça une ouverture en direction de l'Église catholique, pour se ménager une autorité religieuse trop longtemps hostile à sa politique. Ainsi, l'État accepte-t-il désormais la libre circulation des bibles et la présence de prêtres étrangers. Aujourd'hui, il y a incontestablement une revitalisation de la pratique religieuse, quelques églises s'ouvrent et le clergé comprend quelques centaines de prêtres. De même, dans les endroits les plus touristiques, l'État prend en charge la rénovation des sanctuaires coloniaux ou de la république présentant un intérêt architectural.

Depuis, Fidel Castro est allé encore plus loin dans la voie de la normalisation. Il a rencontré le pape au Vatican, en novembre 1996, et celui-ci lui a rendu la politesse lors d'une visite très attendue par les Cubains, en janvier 1998.

Les temples protestants sont aussi peu nombreux. L'île compte à peine une centaine de milliers de fidèles. Ils ne menacent donc pas l'hégémonie de la religion la plus populaire à Cuba : la *santería*...

La *santería*

La *santería* est, pour Cuba, l'équivalent du vaudou haïtien, du *candomblé* et de l'*umbanda* brésiliens, c'est-à-dire un syncrétisme étonnant entre les croyances et pratiques animistes, rituels africains et le catholicisme. On s'explique. À l'origine, les esclaves furent contraints d'adopter la religion de leurs maîtres. Comme au Brésil, les esclaves africains venaient de pays où l'animisme était profondément ancré : le Nigeria, le Dahomey (aujourd'hui, le Bénin), le Cameroun et le Congo. Arrivés à Cuba et dans les autres pays de la région (Haïti, Saint-Domingue, Brésil, etc.), ils furent soumis à un sauvage processus de destruction de leur identité culturelle : interdiction de parler les langues africaines, de maintenir coutumes et croyances. Nations, ethnies, tribus et familles furent systématiquement dispersées.

Majoritaires à Cuba, ce sont les Yorubas originaires du delta du Niger qui importèrent surtout leur culture, l'une des plus riches du continent africain.

N'ayant plus le droit de pratiquer leurs religions, les esclaves dissimulèrent habilement leurs divinités derrière les saints de la mythologie chrétienne, y trouvant d'ailleurs souvent un détail, une couleur, un objet qui les leur rappelait. Ces divinités, très nombreuses, représentent des forces bien précises, dont on trouve les origines dans les éléments du terroir africain et dans la nature : forêts, rivières, vent, tempêtes, mer, foudre, brousse, etc. À Cuba et au Brésil, ces divinités ou esprits sont appelés *orishas*. Il y en a à peu près 400 répertoriés au Nigeria. Une quarantaine sont connus à Cuba et 20 font véritablement l'objet d'un culte. Chacun possède sa propre couleur. Bien sûr, avec le temps et la tradition orale, beaucoup ont perdu leur caractère agressif et ont intégré des valeurs chrétiennes.

Le panthéon de la santería

– ***Ochún :*** c'est la déesse des eaux douces, assimilée à la Vierge de la Caridad del Cobre (sainte patronne de Cuba). Très belle mulâtresse, symbole de la sensualité, de la féminité et de l'amour. Sa couleur est le jaune ou l'or. Femme d'Orula et amante de Chango (et de bien d'autres).

– ***Chango*** (tiens, on en parlait) ***:*** dieu de la guerre, du tonnerre, du feu. Associé à sainte Barbe (patronne des pompiers et des artificiers dans le

christianisme justement). Couleur, le rouge. Il possède tout plein de défauts et quelques qualités quand même. Adore à l'excès les femmes et l'argent.
– ***Yemayá :*** c'est la Yemanja des Brésiliens, déesse noire de la mer. Très vénérée, puisqu'elle symbolise la vie. Identifiée à la Vierge de Regla, patronne des marins. Sa couleur est le bleu.
– ***Orula :*** mari d'Ochún, ce cocu bienheureux est l'un des *orishas* les plus demandés et estimés de la *santería*. Associé à saint François d'Assise. Il est celui qui prédit l'avenir, que l'on consulte avant d'effectuer un voyage ou d'entreprendre quelque chose.
– ***Obatalá*** *(Ochalá)* ***:*** c'est un peu le chef de tout ce beau monde. Identifié à la Vierge de la Merced. Divinité de la création, il possède beaucoup de qualités. Entre autres, il milite pour la paix et l'harmonie. Apprécié et respecté par tous les autres *orishas*. Sa couleur est le blanc.
– ***Ogun :*** un des plus populaires. C'est saint Pierre, dieu du fer, de la sagesse et des montagnes. Ses colères sont terribles. Amant d'Ochún également.
– ***Oddua :*** lié à Orula dans l'esprit des gens, dieu des morts et des esprits. Invoqué pour ressusciter les moribonds. Symbolisé par Jésus.
– ***Obba*** *(Oya)* ***:*** déesse des lacs, symbole de la fidélité conjugale. Deuxième épouse de Chango, profondément amoureuse de l'inconstant, elle soigne sa déprime en errant dans les cimetières. Représentée par Catherine de Sienne, elle est devenue l'intermédiaire avec l'esprit des morts.
– Et puis encore... ***Olofí,*** le dieu suprême, créateur du monde, auquel on ne peut s'adresser que par l'intermédiaire d'un *orisha*. ***Elegguá,*** le dieu du destin qui ouvre « les quatre chemins » que l'on invoque au début de chaque cérémonie. ***Babalu Aye,*** dieu des lépreux, de la médecine et des récoltes. Identifié à saint Lazare, bien sûr. ***Inle,*** patron des médecins et des... poissons. Il protège aussi les économistes et les pêcheurs (très éclectique, celui-là !). Représenté par l'archange Raphaël. ***Osain*** est le dieu des feuillages. Celui-ci n'a jamais eu de parents, ayant poussé comme une plante. Représenté par un œil, une oreille, une seule main, un seul pied, et identifié à saint Sylvestre. ***Oko*** est le dieu de l'agriculture et de la fertilité. Bien sûr invoqué par les femmes stériles et par ceux qui ont faim, et identifié à saint Isidore. ***Ochosi*** est le fils de Yemayá, et associé à saint Norbert. ***Oke*** est considéré comme le dieu des montagnes et des chasseurs et reconnu comme saint Jacques. ***Agallú Solá*** est identifié à saint Christophe.
Et puis bien d'autres encore !... On ne peut tous les citer, d'autant que certains sont carrément négatifs et nous porteraient la poisse ! Comme ***Olokun,*** divinité des océans. Responsable d'épouvantables tempêtes menaçant d'engloutir le monde, il est maintenu au fond de l'eau par ***Obatalá*** (le grand chef), qui le neutralise pour l'empêcher de faire du mal...

Santería, *mode d'emploi*

D'abord pratiquée à La Havane et Matanzas, la *santería* est maintenant aussi présente dans l'Oriente (Santiago, Guantánamo). Avec la crise économique, les détresses personnelles et familiales, l'incertitude du lendemain, elle a considérablement augmenté son influence, gagnant même les Blancs progressivement. Notamment, artistes, musiciens, écrivains, cadres du parti même... On pense que la moitié de la population à Cuba est impliquée dans la *santería*. C'est même devenu, dans beaucoup de cas, la solution pour résoudre la plupart des problèmes. Il y a pratiquement un *orisha* pour chaque difficulté, chaque problème de la vie quotidienne : gagner de l'argent ou rembourser des dettes, guérir, trouver ou garder un emploi, conquérir une belle (ou un beau) ou la retrouver, combattre l'inimitié de quelqu'un, voire liquider un ennemi...
Les prêtres de la *santería* sont les *santeros* (ou *padrinos*), que l'on consulte régulièrement (parfois de 20 à 30 consultations par jour). Les jeunes, notam-

ment, les sollicitent de plus en plus pour interroger les *orishas*. En fait, ils servent de profs ! On dénombre au moins 10 000 *santeros* dans le pays, contre moins de 300 prêtres catholiques. Dans leurs maisons, plusieurs pièces sont consacrées aux rituels. Atmosphère mystérieuse, avec toutes ces statues de saints, poupées, coupelles remplies d'objets étranges (argent, amulettes, images), coquillages, cauris, bouteilles de rhum, offrandes diverses, etc.

Le *santero* officie également lors de cérémonies en l'honneur des saints. Certaines sont ouvertes au public, donc aux touristes. Cérémonies largement teintées de spiritisme. C'est toujours un grand moment, haut en couleur et en émotions. La musique y joue bien entendu un grand rôle : instruments à percussion (*hierros*, tambours), chants rituels, etc. Démarrant doucement, la musique s'accélère, gagne en intensité, faisant monter la tension. Le tout dans la fumée des encens et des cigares, les cris, les chants, les danses. On appelle les *orishas* en leur faisant également des offrandes, fleurs, nourriture, fruits, etc. C'est alors que certains participants entrent en transe. C'est le signe qu'un esprit a pénétré le corps d'un fidèle. Celui-ci épousera donc la personnalité de l'*orisha* et reproduira quelques-unes de ses caractéristiques et habitudes connues. La transe peut aussi se manifester à l'occasion de l'initiation d'un adepte. L'initié apprend donc ce jour-là quel *orisha* sera son patron.

Vous découvrirez ainsi combien la *santería* est une religion où la beauté des rituels fait partie de la fête. Chaque *orisha* est caractérisé par de nombreux traits : objets, matières, jours de la semaine, couleurs, parures, ornementation, bijoux, préparations culinaires très particulières, chants, etc. Toutes choses qui manifestent sa présence.

En sacralisant toute la gamme des penchants humains, la *santería* ne fait pas seulement œuvre d'infinie tolérance morale. Les cérémonies et fêtes ont donc pour but de faire se manifester ces divinités parmi les vivants, par la transe. Au dieu physiquement présent dans le corps du fidèle possédé, on pourra demander d'user de toute la force de ses pouvoirs pour aider à résoudre les problèmes de la vie : amour, santé, argent, conflits, projets, voisinage, etc. En retour, on s'informera des offrandes et fêtes qu'il souhaite pour accomplir son « travail ».

En dehors de ces cérémonies et fêtes, toute une série de pratiques entretiennent une convivialité permanente avec les dieux : faculté de faire appel à leur aide pour toutes sortes de questions par des offrandes ou des rituels particuliers, ou en consultant les tables d'Ifa ou pour élucider un problème. Réalisation de « travaux » *(trabajos)*, c'est-à-dire d'offrandes, de sacrifices et de bricolages et actes spécifiques, exigés par un *orisha* sollicité pour résoudre un problème, débloquer une situation... Le culte d'Ifa est une forme supérieure de la *santería* réservée à une élite dont les « prêtres » sont les *babalaos*, spécialistes notamment de la divination. Ne souriez pas, peu de Cubains, même des plus rationalistes, peuvent prétendre ne jamais y avoir eu recours, et la vie comme l'histoire cubaines foisonnent d'histoires étranges et impressionnantes qui incitent à la prudence sur le sujet.

À telle enseigne que Castro lui-même, après avoir mené dans les années 1970 une vigoureuse campagne contre l'obscurantisme religieux et pour l'éradication des « croyances rétrogrades au moyen de la propagande du matérialisme scientifique », reçut officiellement en 1986 à La Havane sa majesté Alaiyeluwa Okunade Sijuwade Olubuse, roi des Yorubas (ethnie africaine à laquelle se rattachent les *santeros* cubains noirs). En outre, on prétend que Fidel, à l'occasion d'un voyage au Nigeria, en aurait profité pour être initié à Obatalá, l'*orisha* de la paix. On mesure le chemin parcouru !

Par ailleurs, les autorités cubaines ont judicieusement (et tardivement) compris que la *santería* était également un moyen intéressant de maintenir la paix sociale. À signaler qu'il n'y a aucune contradiction à être bon catholique et adepte de la *santería* en même temps. Au contraire, la hiérarchie catholique s'est complètement adaptée à cette situation. D'ailleurs, devenir *babalao* nécessite d'être... baptisé !

En conclusion, pour beaucoup de Cubains, l'adhésion à la *santería* est un bon moyen de conserver son identité culturelle. C'est aussi la reconnaissance de ses racines africaines. Il apparaît que le vide spirituel qui frappe la société cubaine est vraiment important. Si tant de Cubains se réfugient de plus en plus dans les bras des *orishas* et des saints, estampillés ou non par Jean-Paul II, c'est que la Révolution, à force d'assistance politisée au bien-être social des individus, ne peut prétendre à la prise en charge de toutes les âmes... Les acquis incontestables de la Révolution que sont la santé et l'éducation ne sont pas à même de pallier les faiblesses de la rhétorique communiste, aussi teintée de spécificités caraïbes et tropicales soit-elle. Le castrisme, tout en tentant de garantir le bonheur terrestre des gens, aurait dû comprendre et respecter tous les fondements de l'identité cubaine, ainsi que ses profondes racines culturelles.

La *santería* a donc encore de belles années devant elle, d'autant plus qu'aucune autre rivale religieuse ne la menace.

RESTAURANTS ET *PALADARES*

On trouve à Cuba quatre genres de restos bien distincts.

– D'abord, les ***restos « touristiques »*** officiels (c'est-à-dire d'État), où l'on paie uniquement en dollars, donc fréquentés quasi exclusivement par les étrangers. Le menu est invariablement le même (cuisine *criolla,* voire internationale), mais les tarifs vont du simple au double, voire au triple, selon le confort et la réputation de l'endroit. En général, c'est dans ce genre de resto que l'on mange le mieux : pas de problème d'hygiène et qualité des produits assurée. Mais ce n'est pas ici que vous toucherez de près la réalité cubaine. Dans certains restaurants chics, on vous fait payer 10 % de taxes.

– Les ***paladares.*** En espagnol, le mot *paladar* veut dire « palais », dans le sens « goût, intérieur de la bouche ». Le terme a été popularisé par une *novela,* un feuilleton brésilien très populaire à Cuba, mais aussi dans toute l'Amérique du Sud : *Quand l'amour paie.* C'est l'histoire d'une mère qui, ruinée par sa méchante fille, recommence sa vie en vendant des sandwichs sur la plage... À force d'économiser, elle finit par monter un petit restaurant nommé *Paladar...* Désormais, c'est le nom donné aux restaurants privés, ouverts il y a quelques années sur autorisation de Fidel. Rien d'un geste gratuit, puisque la taxe due à l'État s'élève à plusieurs centaines de dollars par mois (variable selon les villes) : un impôt fixe, alors même que les *paladares* n'ont pas le droit d'avoir plus de 12 couverts ! Cela condamne donc à réussir, à fermer ou bien... à rester dans la clandestinité. C'est ce qui explique qu'un grand nombre de *paladares* disparaissent chaque année pour cause d'étranglement fiscal.

Ainsi, les temps ont bien changé depuis les premiers *paladares* dont on cherchait l'entrée avec hésitation au fin fond d'un couloir obscur dans un immeuble délabré. À La Havane surtout, nombreux sont les *paladares* qui rejettent désormais ce qualificatif aux connotations artisanales et familiales pour préférer celui de restaurant. Ils font d'ailleurs tout pour y ressembler : enseigne à l'extérieur, jolies nappes et vaisselle élégante, un service qui se veut professionnel et une carte qui s'essaie à la sophistication culinaire. La qualité de la cuisine a certes progressé, mais au détriment de l'ambiance. Heureusement, on trouve encore quelques *paladares* moins « professionnels » où l'on mange une bonne cuisine familiale, sans originalité, mais dans une atmosphère chaleureuse et bon enfant. Sans parler des clandestins... mais ceux-là, il faudra les trouver par vous-même.

Paladares ou restos d'État ? Dans les premiers, on mange généralement bien, pour des prix plus attractifs que dans les restos officiels. Autre avan-

tage : pour la plupart, les *paladares* sont installés dans de vieilles maisons pleines de charme ou dans des endroits incongrus et surprenants. On y paie en dollars, bien que certains (de moins en moins nombreux) proposent encore une carte en pesos.
– Autre catégorie : les ***restos « pour Cubains »...*** Ils intéresseront surtout les routards fauchés puisqu'on y paie seulement en pesos cubains *(moneda nacional)*. Hélas, on y mange vraiment très mal, du genre légumes bouillis, viande limite avariée et pain rassis. En plus, ce n'est même pas copieux ! Les curieux essaieront d'y manger au moins une fois, ne serait-ce que pour prendre conscience des difficultés de la population cubaine : la pénurie est bien réelle. Certains restos pour Cubains sont interdits aux touristes, afin de les pousser à aller dans les restos touristiques (et plus chers).
– Dernière catégorie : les ***cafétérias*** et les ***fast-foods*** à la cubaine. Pour manger bon marché, un hot-dog *(perro caliente)*, une pizza, un sandwich ou un poulet-frites. Dans les restaurants de la chaîne *Rápido,* par exemple, on mange pour moins de 3 US$, boisson comprise.

¡ REVOLUCIÓN !

Que reste-t-il de l'idée de révolution après plus de 40 ans de régime castriste ? Doit-on se référer aux innombrables panneaux, fresques, banderoles, statues, monuments à la gloire des héros, plaques commémoratives, slogans (souvent amusants : « Comme Javier Sotomayor, toujours plus haut ! », « Tout Cubain doit savoir tirer, et bien tirer »), pour conclure qu'elle a toujours une sacrée santé ?

Une *Revolución* qui s'essouffle

La vérité se révèle cependant plus complexe. Nombre de fresques se fanent et perdent leurs belles couleurs. Le fossé est de plus en plus profond entre les apparences et la réalité. Que les réactionnaires de tout poil ne se réjouissent cependant pas : Cuba n'est pas encore tombé dans la contre-Révolution, loin de là, mais l'insatisfaction grandit et l'horizon est bouché pour la jeunesse. Pis, les vieux sont aigris, avec l'amer sentiment que leurs arguments pro-Fidel sont aujourd'hui éculés face à cette jeunesse moins idéaliste et désireuse avant tout de conditions de vie correctes et d'avenir moins bouché. Même s'ils ne le disent pas tout haut, les vieux se sentent privés de leur Révolution. Pénurie et rationnement sapent le moral des Cubains. L'apparition de trois classes bien distinctes commence déjà à créer de violentes contradictions : la traditionnelle nomenklatura, le peuple... et tous ceux qui, liés au tourisme ou au contact du marché libre (un cousin à Miami, un boulot dans un grand hôtel...), s'enrichissent. Le grand danger est que la Révolution, minée de l'intérieur par la baisse du niveau de conscience, les difficultés matérielles et l'attrait du capitalisme, ne soit bientôt plus qu'une coquille vide.

Une jeunesse sans horizon

En fait, le vrai ras-le-bol vient de la jeunesse qui n'a pas connu l'avant-Révolution. Elle ne possède comme point de comparaison que les récits des aînés. La vue d'un Castro plus que jamais arc-bouté sur son dogme fissuré de partout ne la fait même plus rire. Elle en a assez qu'on lui demande de regarder dans le rétroviseur de l'histoire pour voir le chemin parcouru. Elle veut un peu d'avenir dans lequel se projeter, un peu d'horizon pour respirer un peu mieux. Mais Fidel leur sert toujours les vieilles rengaines. Alors ce ras-le-bol devient rancœur, l'esprit de solidarité fait place au chacun pour soi.

Pourtant, vous trouverez peu de Cubains souhaitant le retour triomphal des émigrés de Miami. Les personnes âgées sont encore assez nombreuses à se souvenir de la mainmise américaine d'avant la Révolution et d'un Cuba soumis à l'analphabétisme, l'exploitation ouvrière, la corruption et la misère. Le Che, Camilo Cienfuegos et, dans une certaine mesure, Fidel ont conservé une excellente image. Le Che, surtout, le pur, l'idéaliste, qui ne s'est pas compromis avec les bureaucrates et la nomenklatura. Ces trois figures emblématiques de la Révolution ont rendu leur dignité aux Cubains.

La dissidence interne

La grande force de Fidel, outre qu'il tient les médias, est qu'il parvient à entretenir un judicieux amalgame intellectuel entre ce que l'on pourrait appeler, pour simplifier, la double opposition. D'une part, la plus radicale, celle des anti-castristes de Miami, qui depuis la Révolution n'ont pour objectif quasi déclaré que la vengeance suite à la « spoliation » de leurs biens et leur obligation à l'exil en 1959. Ceux-là mêmes qui font pression sur les autorités américaines pour que l'embargo ne soit jamais levé. D'autre part, les opposants de l'intérieur, peu fédérés, fragmentés en une centaine de groupes et souvent infiltrés par les services de police. Ils sont journalistes, écolos, syndicalistes en rupture avec la ligne du parti et leur premier propos est de bien se démarquer des anti-castristes en tentant de crier haut et fort qu'ils ne sont à la solde d'aucun gouvernement étranger (notamment américain) et ne demandent pas le renversement du régime. Lors du sommet ibéro-américain de novembre 1999, au cours duquel ils rencontrèrent la presse internationale et surtout plusieurs chefs d'État étrangers, ils présentèrent un texte prônant la réconciliation nationale et la libération des prisonniers politiques. Ils réclamèrent surtout un assouplissement du régime : libre expression, libre accès aux moyens de communication, liberté de conscience et de religion, liberté d'association et pluralisme politique, ainsi que le droit de développer leurs propres entreprises individuelles. Tout cela avec ou sans Castro. Si l'on voit bien ce que le dernier point peut avoir de contradictoire avec l'idée même du communisme, dans leur globalité, ces demandes auxquelles tout le monde aspire ne semblent en rien devoir remettre en cause les principes de la Révolution. Mais le vieux patriarche ne paraît pas vouloir saisir cette main tendue de l'intérieur, qui lui donnerait pourtant les éléments pour préparer une sortie en fanfare.

Exploitation touristique de la Révolution

L'idée de révolution demeure quand même, pour les étrangers, qu'on le veuille ou non, l'une des principales « originalités » de Cuba (comme ce fut le cas pour l'ex-URSS, le Vietnam, etc.). Beaucoup de routards – soixante-huitards ou non – restent fascinés par la Révolution cubaine et ses réelles réussites en termes de santé, de sport et d'éducation. Le Che conserve une « image » énorme, au point que nombreux sont les touristes qui recherchent et achètent tout ce qui lui est lié ! Ça fait même l'objet d'une petite spéculation : les beaux billets roses de 3 pesos avec la photo mythique du Che réalisée par Korda ont disparu de la circulation. Ils réapparaissent de temps à autre dans les mains de Cubains avisés au prix de 1 US$, parfois même 2 ou 3 US$. Jusqu'aux pièces de 3 pesos que des petits malins tentent de vous revendre plus cher, alors qu'elles circulent normalement dans le commerce. Autres « pièces » recherchées, les beaux et rares billets de 1960 avec la signature du Che comme « Presidente del Banco ».
Heureusement, cet engouement n'a rien à voir avec la braderie des symboles qui marqua la fin de l'URSS. C'est tout simplement amusant de constater ces phénomènes de récupération commerciale et publicitaire, voire sous forme de gadgets. De là-haut, Ernesto doit regarder ça avec le petit air détaché et ironique qu'on lui connaissait bien...

RHUM *(RÓN)*

Premier homme sur la Lune, premier rhum sur la terre. Le premier s'appelait Armstrong, le second s'appelle Havana Club. Avec le cigare, c'est une des gloires cubaines. Avec la bière, c'est la boisson nationale. Comme pour son camarade le cigare, le rhum a ses grandes marques qui ont à leur tour leurs aficionados. Nous aimons bien le *Caney,* le *Santiago Añejo* ou le *Paticruzado.* Et le 6 ans d'âge de l'*Añejo Reserva Havana Club.*

Le rhum cubain se concocte avec les mélasses des cannes à sucre une fois broyées. Sa tradition remonte au... XVIe siècle et sa descente est vivement recommandée, qu'il soit blanc *(carta blanca, silver dry),* doré *(carta oro),* ambré (*añejo*; vieilli), avec des glaçons *(a la roca)* ou en cocktail. À l'origine destiné à donner du cœur à l'ouvrage aux pirates, le rhum devra attendre la fin du XVIIIe siècle pour gagner ses lettres de noblesse : avec la découverte de la double distillation, il s'affine et s'impose comme l'un des enjeux du peu glorieux commerce triangulaire. Au milieu du XIXe siècle, il reçoit l'appellation *superior,* qui le distingue des autres rhums antillais, plus « rustres ».

Plusieurs marques se créent, l'histoire en retiendra deux : *Bacardí* et *Havana Club.* Propriétaire d'une petite distillerie à Santiago, la famille Bacardí se bat pour l'indépendance aux côtés de José Martí. Pendant un demi-siècle, la petite marque connaît un succès grandissant auprès des Américains, jusqu'à devenir le premier rhum cubain avant la Révolution. Fuyant les fidélistes, la famille Bacardí se réfugie à Miami, patente et secrets de fabrication sous le bras.

Aujourd'hui, à part pour les anti-castristes de Miami, le premier rhum cubain n'est plus le *Bacardí* mais le *Havana Club.* Créé en 1898, du nom d'un night-club de La Havane, le *Havana Club* est tiré d'un oubli relatif pour être poussé sur le devant de la scène au lendemain de la Révolution. Nationalisée, l'entreprise explose vraiment en 1993 grâce à l'accord passé avec le groupe Pernod-Ricard qui lui assure une renommée internationale. *Havana Club* est aujourd'hui disponible dans le monde entier dans tous les bons supermarchés...

Le rhum cubain est tellement parfumé, tellement léger (rien à voir avec celui des Antilles françaises !), et donc... tellement traître, qu'il ne faudra pas vous étonner s'il vous cause comme une bonne ondulation. Un bon conseil, alors, pour éviter cette sensation éventuelle de *mareo* (doux vertige) : l'accentuer, oui l'accentuer, mais en faisant bien coïncider, jusqu'à plus soif, vos mouvements balancés avec celui d'un fauteuil à bascule, autre produit tropical qui fait partie du décor. Demandez un *sillón* à La Havane, un *balance* à Santiago ou une *comadrita* n'importe où dans l'île.

Autre conseil : bien se garder de l'*aguardiente,* eau-de-vie traditionnelle des paysans... en raison de ses 45°. Très sec. Du feu. Demandez quand vous serez à Trinidad un verre de *canchanchara* ou ailleurs un *santero,* d'à peine 40°.

Les cocktails

À Cuba, un vrai barman, un barman qui se respecte, donc qui est respecté, doit connaître une base de cent cocktails. En tout cas, jamais moins. À base de rhum ou d'autres spiritueux. Puis ajouter, au choix : glace, sucre, fruits, jus de fruits, bitters, feuilles de menthe, produits laitiers et épices.

Il serait idiot de quitter l'île sans se coltiner un *best of* de « queues de coq » : vous avez les classiques, on va y revenir, les fantaisies, les cocktails d'hiver, les Havana Club *long drinks* et les *short drinks,* les plus nombreux, à peine plus nombreux que les différentes explications avancées sur l'origine du mot « cocktail ».

C'est Hemingway qui popularisa dès 1934 deux des grands classiques, dans deux des plus grands bars de la capitale : « Mon daïquiri au *Floridita* et mon *mojito* à la *Bodeguita.* »

Le barman Constante du *Floridita* inventa pour Don Ernesto, appelé aussi Papa, le *Hemingway especial,* tout bonnement un daïquiri glacé... double dose, servi dans un verre conique, soit rhum blanc *silver dry,* le jus d'un demi-citron, quelques gouttes de marasquin et surtout... de la glace pilée. Non loin de là, à la *Bodeguita del Medio,* on vous servira le *mojito* (recette expliquée plus bas).
Le *cuba libre,* mélange de rhum et de Coca, n'est pas né avec la Révolution, mais bien plus tôt, en 1898, dans les rangs des indépendantistes.
Nous avons aussi un petit faible pour le *Rón Collins* (rhum, citron et eau gazeuse, à ne pas confondre avec le *Tom Collins,* également excellent, mais à base de genièvre). Si on insiste, acceptez le *Mary Pickford* ou le *Mulata.* À la fois un régal et un *regalo* (cadeau) céleste.
Et pour la grande histoire, demandez à un vieux barman, vraiment *old,* qu'il vous raconte tout cela dans le détail. Il en aura pour des heures, puisqu'il considère La Havane comme la capitale mondiale du cocktail...
– ***Recette du mojito :*** mettez dans un verre conique deux glaçons, ajoutez un peu de citron vert (l'équivalent du jus d'un demi-citron), une demi-cuillerée de sucre, de l'eau gazeuse (soda, Perrier), des feuilles de menthe *(hierba buena),* deux gouttes d'*angostura* amère (l'angusture est un jus concentré à base de plantes et d'épices douces). Ajoutez toujours du rhum *Havana Club silver dry.* Un régal de fraîcheur ! Attention, on vous aura averti, quand vos tempes commenceront à pulser frénétiquement...
– ***Recette du Hemingway especial :*** versez un bon fond de *Havana Club silver dry* dans un verre. Ajoutez 2 cuillerées de jus de *toronja* (pamplemousse), 1 cuillerée de marasquin, 1 citron vert, de la glace pilée, *bátase y sirvase frapé.*

SALSA

Rutilant sourire ivoire, œil pétillant de séduction, franges à paillettes sur décolleté plongeant et rondeurs généreuses pour ces dames ; costard immaculé, panama, chaîne en or pour ces messieurs... les allumés de la salsa sont les enfants du carnaval et de la mafia. Quant à elle, c'est une fille des rues, une fille de joie à qui les musiciens de toute la Caraïbe ont offert ce qu'ils avaient de plus chouette en guise de petit cadeau.
La salsa a grandi dans les milieux cubains de New York et s'y est épanouie dès le milieu des années 1970. Plusieurs vagues lui avaient ouvert le chemin. D'abord, le retour à la *charanga,* orchestré par les ensembles de ***Johnny Pacheco*** et ***Ray Baretto*** au début des années 1960. Le *boogaloo,* ensuite, mambo teinté de soul, lancé par ***Joe Cuba, Mongo Santamaria*** et ***Willie Colon,*** jeune prodige du trombone. Enfin, la vogue des orchestres *típicos,* emmenée par ***Eddie Palmieri*** et sa Perfecta.
La vie nocturne des musiciens de la diaspora latine est intense à New York. Dans les *descargas,* ces *jam sessions latinas,* toutes les influences se mélangent aux variantes afro-cubaines : *bomba* et *plena* des Portoricains, *merengue* des Dominicains, *cumbia* des Colombiens. C'est au club *Red Garter* que se retrouve la crème des musiciens pour des nuits torrides. Transporté par la musique fantastique qu'il y entend, ***Jerry Masucci,*** fondateur avec Johnny Pacheco du label Fania en 1964, décide d'organiser régulièrement des super *descargas* sous le nom de ***Fania All Stars.*** Immortalisées en disques et en films, elles vont promouvoir la salsa, faisant entrer dans la légende les noms de ***Celia Cruz*** (voir la rubrique « Personnages »), ***Cheo Feliciano, Rubén Blades, Luis Ortiz, Ismael Miranda, Papo Lucca,*** en plus de ceux déjà cités, et bien d'autres encore.
Le pilonnage promotionnel fut tel que pour tout un chacun, musique cubaine égale salsa. Grave erreur ! C'est bien à Cuba qu'est apparu le terme « salsa », dans un *son* de 1929, *Echale Salsita* (« Mets du piquant »), puis en 1962, avec l'album de Pupi Legarreta *Salsa Nova.* Mais ne dites pas à

Juan Formell, leader de ***Los Van Van,*** qu'il joue de la salsa, ça ne lui plairait pas... « La salsa est la musique popularisée par la communauté cubano-portoricaine de New York », explique-t-il. « Cuba a connu une révolution et s'est un peu écarté du monde. » Sous-entendu : la salsa est une invention des capitalistes ! Et à Cuba, on reste des purs et durs... Juan Formell n'a pas tort, le bougre : en tendant un peu l'oreille, vous comprendrez vite qu'il n'y a aucune comparaison entre un gros son FM et la fraîcheur originale des formations cubaines les plus populaires des années révolutionnaires. Ce qui n'empêche pas l'incroyable diversité des styles : « Nous sommes restés très proches de notre public et, quand les gens changent de façon de danser, notre musique change aussi. »

Dans les années 1980, toute l'Amérique hispanophone adopte la salsa. Certains pays révèlent leurs stars. Porto Rico, grand fournisseur de talents pour Fania All Stars ***(Willie Colon, Cheo Feliciano, Hector Lavoe, Tito Puente, Jimmy Bosch...),*** possède d'excellents groupes. Depuis plus de 30 ans, pour le bonheur des foules, ***El Gran Combo*** ou ***La Sonora Ponceña*** jouent un style coulé, policé, moins afro qu'à Cuba, moins électrique qu'à New York, mais tellement *sweet*.

La Colombie est la plaque tournante des... *salseros*. ***Alfredo de la Fé,*** violoniste émigré de Cuba, a donné forme au style de Medellín, actuellement battu en brèche par celui de Cali. L'un de ses meilleurs représentants actuels, ***Grupo Niche,*** a réussi une belle percée à New York, suivant les traces du grand ***Joe Arroyo,*** qui avait su relancer l'ambiance, faisant sauter les braguettes avec ses paroles suggestives et redonnant place à l'improvisation dans un style teinté de calypso et de merengue.

Le Venezuela revendique le titre de deuxième patrie de la salsa après Cuba. Si ***El Puma*** ou ***Los Melodicos*** sont des gloires nationales, ***Oscar D'Leon*** navigue sur l'orbite des légendes entre New York, Tokyo, Londres et Miami. Avec ***Rubén Blades,*** Panamá possède un représentant à multiples facettes : star de la musique et du cinéma, il est aussi avocat et politicien actif. Il a failli de justesse remporter les élections présidentielles de 1994 !

À Cuba, aujourd'hui, les messages de la salsa se sont recentrés autour des questions sociales et sentimentales, ainsi qu'autour des thèmes de l'amour, du cul et du fric. La salsa est aux jeunes Cubains ce qu'est le *son* ou le *danzón* aux vieux. Choisissant pour choristes des gazelles de 16 ans pour lesquelles tout homme normalement constitué est prêt à se damner, ***Adalberto Alvarez*** n'était peut-être pas aussi respecté parmi les grands anciens que ***Los Van Van,*** aux chansons plus « édifiantes »... On a ensuite cru un moment que les paroles concernées de ***Manolín,*** jeune médecin surnommé « El Médico de la Salsa », avaient fait chanceler la suprématie durement acquise par la ***Charanga Habanera.***

D'autres vedettes de la salsa cubaine font l'objet d'un véritable engouement auprès des foules : ***Issac Delgado*** en priorité, mais aussi ***Klimax, Paulito FG y su Elite, Manolito y su trabuco.*** L'un des musiciens cubains les plus influents (l'un des plus francs aussi) est ***José Luis Cortés,*** « enfant terrible de la salsa ». Avec son groupe ***NG*** (prononcer « énérhé ») ***La Banda,*** cet ancien boxeur surnommé *el Tosco* (« le Rustre ») et qui parraina Manolín, considère que sa musique salsa doit refléter le côté jouissif de l'île et pas seulement les difficultés de la « période spéciale ». Un récent retour de manivelle a remis la ***Charanga Habanera*** sous les feux de la rampe. En 1997, lors du 14e Festival international de la Jeunesse, la Charanga demande à enlever les barrières de protection pour se sentir plus proche de son public. Le jeu de scène ouvertement sexuel et les chansons évoquant le désarroi des jeunes passent mal aux yeux des castristes, surtout quand certaines chansons incitent les jeunes Cubaines à trouver un étranger un peu friqué ! L'affaire est tellement prise au sérieux que David Calzado, le leader du groupe, doit faire des excuses publiques à la télévision. Le groupe écope de 6 mois d'interdiction mais il semble que cette mise à l'index galvanise le *templete* (le mixage entre salsa et rap) auprès des foules. Elle s'est depuis

séparée en deux groupes : la ***Charanga Forever*** et la ***Charanga Habanera.*** Malgré les interdictions qui rappellent les émois des vierges effarouchées bien pensantes devant les déhanchements suggestifs du « King », la jeunesse se reconnaît dans un groupe habillé en Nike ou Adidas, exutoire au régime croupissant. Tout cela prouve que la fièvre de la salsa a encore de beaux jours devant elle, comme le prouvent les corps des jeunes Cubains, tout en muscles à force de passer la nuit à danser...
Le rap-salsa est aussi très en vogue chez les jeunes. Un des groupes les plus représentatifs est bien connu en France : ***Orishas.*** Le courant rock de la salsa est représenté par le groupe ***Moneda Dura,*** très en vogue.

Quelques disques

– ***La Charanga Soy Yo,*** la Charanga Forever. Comme à son habitude, les textes sont sulfureux, mais on remarque surtout l'excellente orchestration des 15 musiciens.
– ***La Primera Noche,*** Issac Delgado (RMM, 1998). Issac a grandi dans les jupes de Gonzalo Rubalcaba. Plus tard, il fit partie de NG La Banda. Deux ascendances qui garantissent ce disque. Pas de salsa pure mais des thèmes qui prennent les chemins de traverse de la pop et de quelques accords de jazz.
– ***Euforia Cubana,*** la Ritmo Oriental (Globe, 1999). La « Ritmo » est moins connue que ses illustres consœurs. Et pourtant ! C'est derrière ses pupitres que certains membres de la Charanga Habanera ont fait leurs premières gammes.
– ***Una Voz... mil recuerdos,*** Cheo Feliciano (RMM, 1999). Comme son nom l'indique, le maître de cérémonie de la Fania distribue les clins d'œil à ces inspirateurs : Tito Rodriguez, Ismael Rivera, Tito Puente ou Beny Moré. À la fois salsa *romantica* et plus souvent pêchue comme on l'aime.
– ***Mi vida es cantar,*** Celia Cruz (RMM, 1999). Difficile de rester assis lorsque retentit le célèbre « AZZUUUCAR ! », le cri de guerre de la Oum Kalsoum de la salsa des exilés.
Et toujours :
– ***Salsa Caliente*** (Universal, 1998). Une excellente compilation parrainée par Radio Latina, avec les plus grands noms de la salsa : Fania All Stars, Celia Cruz, David Calzado, et d'autres artistes de la région des Caraïbes, Oscar D'Leon, Robert Torres, Johnny Pacheco...
– ***Concierto Eurotropical en La Habana, The New Generation of Cuban Music*** (éd. Manzana, 1998). Deux CD gravés en direct au théâtre Karl-Marx de La Havane, en 1998. On y découvre des groupes cubains en vogue, comme Klimax, Manolito y su Trabuco, Sabrosura Viva, Los Soneros de Camacho, Llubia María Hevia, Mayelin y el Sabor Oriental.
– ***Manolín, El Médico de la Salsa : Para Mi Gente*** (Milan Music, 1995). Manolín a enflammé la jeunesse cubaine par ses rythmes endiablés, sa voix de velours et les thèmes de ses chansons, relatives aux difficultés de la vie quotidienne. Semble à présent un peu sur la touche.
– ***Veneno*** (EMI). L'album de ***José Luis Cortés*** et de son groupe ***NG La Banda.***

SANTÉ

Le système de santé cubain

La santé publique est l'une des grandes réussites du socialisme cubain, accessible à tous et complètement gratuite. Et les résultats font l'admiration de beaucoup de spécialistes. Ainsi, en 2002, le taux de mortalité infantile n'a été que de 6,5 ‰, soit mieux que certains pays développés (aux États-Unis,

7 ‰). Il existe un médecin de la famille pour environ 500 habitants et Cuba forme chaque année des milliers de médecins originaires des pays du Tiers monde et en envoie 3000 dans les coins les plus reculés des pays pauvres, au nom de la solidarité internationale.

C'est fou le nombre d'hôpitaux que l'on trouve dans ce pays ! Il existe une industrie pharmaceutique performante, compte tenu des moyens dont elle dispose. Et les médecins sont réellement compétents. Seul problème, le manque de médicaments. Encore l'une des conséquences de l'embargo. Toutefois, en cas de pépin, ayez confiance : contre quelques dollars, on trouvera toujours ce qu'il faut pour vous secourir.

Sachez cependant que les soins sont payants pour les touristes, rien d'anormal à cela. Quant aux médicaments, vous devrez vous les procurer en pharmacie *(farmacias)*... Elles sont également nombreuses mais souvent vides. Il existe dans les grandes villes des pharmacies dites « internationales » un peu mieux approvisionnées. Ne comptez quand même pas trop sur elles. Emportez vos médicaments, un bon produit anti-moustiques et des crèmes protectrices contre le soleil. En cas de problème de santé, vous pouvez vous rendre en toute confiance à la *Clínica Central Cira García* (voir « Adresses et infos utiles » de La Havane).

En fait, on a très peu de chiffres précis sur l'état sanitaire de Cuba ; il ne convient pas de tenir compte des slogans faisant état de l'éradication de telle ou telle maladie. En 1981, une gigantesque épidémie de dengue avait atteint 350 000 personnes et avait fait officiellement 158 morts (trois ans après, le leader d'une organisation anti-castriste reconnaissait avoir introduit à Cuba un nouveau virus à l'origine de cette maladie qui provoque une fièvre hémorragique) ; quelques années plus tard, Cuba annonçait l'éradication de cette maladie. En juin 1997, une épidémie a de nouveau éclaté (200 000 cas) et début 2002, encore une, à La Havane, mais qui a été éradiquée en quelques semaines grâce à une gigantesque campagne de démoustication et de nettoyage de la ville.

Il ne faut sans doute pas dramatiser le tableau, mais ne pas non plus accepter pour argent comptant les messages officiels.

Les vaccins

Cuba est sans doute une des régions des Caraïbes les plus saines. Aucun vaccin n'est obligatoire. Cependant, on peut recommander quelques vaccins classiques pour tout voyageur en provenance de l'hémisphère Nord.

– Les ***vaccins « universels »,*** recommandés déjà pour l'Europe, doivent être à jour : tétanos, polio, diphtérie, hépatite B.

– Il ne serait pas raisonnable de partir pour Cuba sans être protégé contre la ***typhoïde*** et surtout l'***hépatite A.***

– La ***fièvre jaune*** a été éradiquée : pas besoin donc de ce vaccin.

Les moustiques et le soleil

Il n'y a pas de paludisme à Cuba. Il faut néanmoins se protéger des ***moustiques*** qui sont très nombreux et agressifs, surtout en été. Ils peuvent transmettre (bien que ce soit rare) quelques maladies, comme la dengue. Donc, prenez l'habitude, sauf sur les plages, de porter des vêtements laissant le moins de zones découvertes. Sur les zones restées découvertes, appliquer un répulsif anti-moustiques. Beaucoup (pour ne pas dire la quasi-totalité) des répulsifs anti-moustiques et arthropodes vendus en grandes surfaces ou en pharmacies sont insuffisants.

– Un laboratoire *(Cattier-Dislab)* vient de mettre sur le marché une gamme enfin conforme aux recommandations du ministère français de la Santé : *Repel Insect Adulte* (DEET 50 %) ; *Repel Insect Enfant* (35/35 12,5 %) ; *Repel Insect Trempage* pour imprégnation des tissus (moustiquaires en par-

ticulier) pour une protection de 6 mois; *Repel Insect Vaporisateur* pour imprégnation des vêtements.
Tous ces matériels et produits utiles au voyageur, difficiles à trouver, sont disponibles en vente par correspondance :

■ ***Catalogue Santé Voyages*** : 83-87, av. d'Italie, 75013 Paris. ☎ 01-45-86-41-91. Fax : 01-45-86-40-59. • www.sante-voyages.com • (infos santé voyages et commande en ligne sécurisée). Envoi gratuit du catalogue sur simple demande. Livraison *Colissimo Suivi* : 24 h en Île-de France, 48 h en province. Expéditions DOM-TOM.

Le ***soleil*** est un ami dont il faut se méfier : ça tape dur sous les tropiques, même à travers les nuages. Enduisez-vous de crème protectrice dès votre arrivée et n'oubliez pas de vous couvrir la tête!

Le sida à Cuba

Selon Fidel, Cuba est un pays où les cas de ***sida*** sont très peu nombreux; mais on n'est pas obligé de le croire... Avec l'explosion du tourisme et de la prostitution, les risques sont forcément devenus très sérieux. Il est donc indispensable d'apporter ses préservatifs... En cas de rupture de stock, sachez que ça se dit *condones*. Depuis quelques années, la politique du gouvernement s'est nettement assouplie à l'égard des malades. En 1986, les autorités avaient créé le « sidatorium » Santiago de Las Vegas (dans la banlieue de La Havane) où étaient internés de force les séropositifs et les malades du sida. Ce centre, plus connu sous le nom de *Villa de Los Cocos,* existe toujours, et continue d'accueillir, mais de manière volontaire, les personnes infectées par le VIH.

L'hygiène alimentaire

L'hygiène de l'eau et de l'alimentation serait officiellement parfaite. Émettons une suspicion légitime, et, par mesure de sécurité :
– ne consommer les ***fruits*** et ***légumes*** que s'ils peuvent être pelés, s'ils ont été dûment lavés, ou, bien sûr, s'ils sont cuits;
– exiger que les ***viandes*** soient bien cuites;
– pas de problème pour les ***poissons*** consommés dans les restaurants, mais ne pas manger, sans avis autorisé, l'éventuel produit de sa pêche : risque d'empoisonnement *(ciguatera),* comme dans toute la Caraïbe;
– consommer sans modération les délicieuses ***langoustes*** cubaines et tous les autres ***crustacés,*** mais s'abstenir des ***coquillages*** (sauf s'ils sont pêchés loin des côtes);
– ***lait*** et ***dérivés*** sont autorisés s'il s'agit de produits industriels;
– si l'***eau*** du robinet n'est peut-être pas dangereuse, on la déconseille quand même. Comme dans tous les pays d'Amérique latine, rien ne vaut l'eau minérale en bouteille capsulée. Voir le paragraphe « Boissons ». En revanche, pas de problème pour se rincer les dents avec l'eau du robinet. Les maniaques pourront toujours prévoir d'emporter des comprimés de désinfection (type Micropur DCCNA).

SAVOIR-VIVRE ET COUTUMES

Malgré leur apparente nonchalance, les Cubains n'en sont pas moins respectueux des règles de politesse. Très tolérants à l'égard des étrangers, ils attendent en retour un comportement correct, ne serait-ce que par respect pour eux. Voici une petite liste (non exhaustive) des gaffes à éviter et des habitudes à respecter, ce qui vous permettra de vous faire plus facilement des amis...

– Évitez le monokini sur les plages. Le nudisme est interdit.
– Portez une tenue correcte dans les restaurants « chic » et les cabarets. La cravate et la veste, inexistantes, sont remplacées par la *guayabera* (une chemise traditionnelle).
– En arrivant dans une file d'attente, demandez quelle est la dernière personne arrivée *(¿ El último?)*, et placez-vous derrière sans chercher à doubler.
– Quand quelqu'un vous rend un service, n'oubliez pas de lui faire un cadeau (voir la rubrique « Cadeaux »).
– Si vous fumez, pensez à offrir des cigarettes autour de vous, c'est toujours bien vu, surtout si ce sont des américaines...
– Ponctuez vos phrases de petits mots gentils, du genre *compañero* (pour un homme) ou *compañera* pour une femme. Abstenez-vous par contre d'utiliser le *mi amor* que les Cubains et les Cubaines se lancent entre eux. Vous paraîtriez ridicule à leurs yeux !
– Ne vous offusquez pas des sempiternels « Pssit-psssitt ! » que lancent tout le temps les Cubains dans la rue pour vous appeler : c'est une pratique courante à Cuba, qui n'a pas le même sens que chez nous et n'a rien de louche...
– Ne prenez pas mal les compliments que pourront vous lancer des inconnu (e)s. Les Cubains adorent les compliments et s'en font très facilement, sans que cela prête forcément à conséquence.
– Enfin, gardez le sourire en toute circonstance, car il n'est pas bien vu de perdre son calme...

SITES INTERNET

Alors qu'Internet a conquis à pas de géant le continent sud-américain, il arrive à pas mesurés à Cuba. Le gouvernement castriste, qui contrôle la plupart des organes d'information, se méfie de ce nouveau moyen de communication. Seuls quelques privilégiés, fonctionnaires, investisseurs étrangers ou entreprises ont droit de surfer sur le Net. Il existe même une loi qui interdit l'utilisation privée d'Internet sans autorisation gouvernementale !
Il n'en fallait pas plus pour réveiller l'esprit révolutionnaire des Cubains et, aujourd'hui, les nouveaux guérilleros sévissent... sur la toile ! Les jeunes se fournissent au marché noir et se connectent en toute illégalité. Ils « s'arrangent » ainsi pour communiquer avec la famille en exil et accéder à l'information internationale, sans que personne n'ait une idée précise des risques encourus. Depuis peu cependant, dans l'éducation, dès le primaire, on pratique une initiation à l'informatique. Chaque école, même dans les zones les plus reculées, dispose de son ordinateur mais ne peut se brancher que sur les sites de l'Intranet cubain.
Quelques *casas particulares* ont même désormais une adresse e-mail. Des points Internet sont ouverts dans toutes les grandes villes, notamment dans les centres internationaux d'appels téléphoniques et *Telepuntos* (gérés par la compagnie *Etecsa*) et dans la plupart des grands hôtels (5 à 6 US$ de l'heure). Ils sont réservés aux touristes (sur présentation du passeport), mais certains sont aussi ouverts aux Cubains, même si ces derniers n'ont encore accès qu'au courrier électronique ou à l'Intranet cubain.

Quelques sites

• ***www.cubaweb.cu*** • Il s'agit du site officiel de Cuba, organisé par l'agence d'information du gouvernement. En espagnol ou en anglais. On peut poser des questions par e-mail et même envoyer de l'argent (dollars canadiens) à des amis cubains par le tout nouveau tout beau système de « Quick Cash » (autorisé par la loi cubaine).

• ***www.cuba.cu*** • Un autre site officiel, en espagnol, l'un des portails les plus importants sur Cuba, et surtout un moteur de recherche. On accède également aux portails de nombreuses villes de l'île (infos touristiques et économiques, photos, etc.).
• ***www.infotur.cu*** • C'est le site en espagnol de l'office du tourisme de Cuba. Renseignements sur les produits touristiques, réservations de logements, d'excursions, locations de voitures, etc.
• ***www.bienvenidos.com*** • Site en espagnol du bulletin des loisirs et de la culture de Cuba. Renseignements sur les produits touristiques, excursions, restaurants, hôtels, musées, spectacles, activités culturelles, etc.
• ***www.cubanet.org*** • Articles intéressants sur l'actualité intérieure de l'île, écrits par des journalistes cubains indépendants. Émis de Miami, ce site n'est pas accessible aux « îliens ». En français et en espagnol.
• ***www.routard.com*** • Tout pour préparer votre périple, des fiches pratiques, des cartes, des infos météo et santé, la possibilité de réserver vos prestations en ligne. Sans oublier *routard mag,* véritable magazine avec, entre autres, ses carnets de route et ses infos du monde pour mieux vous informer avant votre départ.

SPORTS ET LOISIRS

Cuba est l'une des grandes nations sportives du monde. Les résultats sont là, le nombre de médailles recueillies dans des compétitions internationales le prouve. Aux Jeux Olympiques de Sydney, les Cubains ont fait pratiquement jeu égal avec les Français.
Tout amateur de sport a présent à l'esprit quelques grands noms de sportifs cubains qui font partie de l'élite mondiale, d'hier et d'aujourd'hui, comme Alberto Juantorena, double champion olympique (Montréal, 1976) du 400 et du 800 m, le sprinter Leonard, le coureur de haies Casanas, le sauteur en hauteur champion du monde Javier Sotomayor, le champion olympique de saut en longueur Ivan Pedroso, et puis les boxeurs Savon, Rigondeaux, Kindelán, etc. Aux J.O., les Cubains raflent en général les trois quarts des médailles en boxe! Une sportive fait particulièrement l'admiration des Cubains : Ana Fidelia Quirot, l'athlète du 800 m (médaille de bronze à Barcelone en 1992), revenue au plus haut sommet de la compétition en 1996 (médaille d'argent à Atlanta), après avoir été grièvement brûlée lors d'une explosion dans sa cuisine.
Cuba est le premier pays sportif d'Amérique latine et même du tiers monde, et doit ses succès à la politique sportive de la Révolution. Qu'était Cuba sur le plan sportif avant janvier 1959? Onzième seulement aux Jeux panaméricains de 1959. L'unique médaille d'or aux J.O. avant la Révolution remontait à 1904.
Si Cuba n'a pas la place qu'elle mérite quant à la popularité dans le milieu du sport (toujours amateur depuis février 1962), c'est probablement parce que le football n'y a pratiquement pas d'existence. Il est très peu pratiqué et son niveau national est bien bas (Raúl Castro, lui-même, a demandé aux dirigeants du football cubain de faire un sérieux effort, et régulièrement des entraîneurs français sont invités dans l'île). Mais en boxe, en athlétisme et en base-ball (*pelota* ou *beisbol*), les Cubains sont aux toutes premières places. En effet, le base-ball est le sport national cubain, le plus pratiqué, le plus populaire; ses stars actuelles sont Luis Ulacia, Orestes Kindelán et Antonio Pacheco (autorisés à jouer depuis 2002 dans la ligue professionnelle japonaise), ou encore Norge Luis Vera, Michel Enriquez et la jeune star Yulieski Gourriel qui ont permis à l'équipe nationale de remporter sa 24ᵉ Coupe du Monde (sur 27 participations) qui se déroulait à Cuba en octobre 2003... Les Cubains affirment même être à l'origine du base-ball car, lorsque les Espagnols envahirent l'île, ils virent les Indiens jouer en se lan-

çant une balle faite de feuilles roulées, à l'aide d'un bâton, l'*areíto*. C'est d'ailleurs le nom d'une marque de balle cubaine. En mars 1999, pour la 1re fois depuis 40 ans, les Américains ont disputé un match à La Havane, soulignant par là un début de dégel dans les relations entre les deux pays. Les Américains l'emportèrent. La revanche eut lieu à Baltimore et les Cubains arrachèrent la victoire. Vive le base-ball donc !
À partir de 1959, d'autres sports ont été développés, comme le volley (l'équipe féminine est triple championne olympique), l'escrime, le basket et le judo.

TÉLÉPHONE

La digitalisation est pratiquement terminée et beaucoup de numéros ont changé récemment. Renseignez-vous autour de vous ou dans un bureau *Etecsa* (la compagnie de téléphone cubaine). Pour téléphoner, plusieurs solutions :
– ***Cabines à carte :*** dans les modules *Etecsa,* installés aux coins stratégiques dans de nombreuses villes. On achète sur place des cartes de téléphone à 5, 10 et 20 US$.
– ***Cabines à pièces :*** surtout intéressant pour les communications nationales (voir plus bas). La monnaie utilisée est alors le peso cubain.
– ***Chez l'habitant :*** voir « Communications nationales » plus bas.
– ***PCV :*** voir plus bas, pour les appels internationaux.
– ***Portable :*** il peut être utilisé à Cuba, mais c'est très cher. Les accros devront s'assurer que leur forfait comporte l'option « monde ». On peut louer des appareils dans les magasins *Cubacel.*

Communications internationales

– ***France → Cuba :*** composer le 00 + 53 + indicatif de la ville + numéro du correspondant. Tarifs : entre 0,9 et 1,14 €/mn.
– ***Cuba → France :*** composer le 119 + 33 + numéro du correspondant, sans le 0 initial de la numérotation à 10 chiffres.
– Cela coûte ***très cher*** de téléphoner à l'étranger depuis Cuba. Une petite fortune même, si vous téléphonez de votre hôtel (de 4,5 à 6 US$/mn). Il est beaucoup plus intéressant de téléphoner depuis une cabine à carte (4 US$/mn pour la France, 2 US$/mn pour le Canada) des modules *Etecsa*.
– On peut aussi appeler en ***PCV*** *(cobro revertido)* vers la France, le Canada, les États-Unis et le Mexique. Composer le 180 afin d'obtenir l'opératrice. À n'utiliser qu'en cas d'extrême urgence, car le PCV est horriblement cher (environ 16 €/mn !).

Communications nationales

– Pour appeler de La Havane en province : composer le 0 puis le code de la province et le numéro de l'abonné. Pour appeler de province à La Havane : composer le 07 puis le numéro de l'abonné. Pour appeler d'une province à une autre : composer le 01 puis le code de la province et le numéro de l'abonné. Vous pouvez aussi faire le 113 (renseignements, numéro valable sur tout le territoire) pour savoir quels chiffres composer avant le code de la ville et le numéro désiré.
– Contrairement aux appels vers l'étranger, les communications intérieures sont extrêmement ***bon marché,*** mais seulement si vous faites comme les Cubains, c'est-à-dire si vous téléphonez d'une cabine à pièces (peso cubain). Si vous téléphonez d'une cabine à carte en utilisant votre carte de téléphone (que vous avez payée en dollars), la communication revient nettement plus cher. Le plus simple, de toute façon, si vous logez chez l'habitant,

est de demander à votre logeur d'utiliser son téléphone. La communication ne lui coûte quasiment rien, mais laissez-lui quand même un petit quelque chose.

TRANSPORTS INTÉRIEURS

Autant être prévenu, le transport est un problème crucial à Cuba. Les voitures circulent peu, les trains sont rares et les bus sont pris d'assaut... Résultat : les Cubains passent leur temps à marcher, à faire du stop au bord de la route ou la queue dans les gares. Chacun se débrouille comme il peut et tous les moyens sont bons pour avancer un peu : on fait du cheval (voire de l'âne ou du buffle !), on ressort les calèches, on circule à vélo, on apprend le patin à roulettes, on s'entasse sur de vieux tracteurs, etc. ! Bien sûr, certains sont favorisés : les jolies jeunes filles sont tout de suite prises en stop !

L'auto-stop

On appelle ça *botellas*. C'est le moyen de transport le plus utilisé à Cuba ! Autant dire que la concurrence est rude... À chaque embranchement, vous verrez des dizaines de personnes installées sur le bord de la route. Elles attendent, parfois des heures, dans l'espoir d'un autobus qui ne viendra jamais, d'un camion dont la benne est déjà remplie à ras bord, d'une voiture qui daignera s'arrêter. Les étrangers sont favorisés car, pour la plupart, les conducteurs cubains s'attendent à recevoir des dollars en retour. Vous trouverez aussi des Cubains ravis de rencontrer des touristes, qui vous prendront en stop uniquement pour vous rendre service. Inversement, si vous conduisez une voiture, vous ferez office de « transport scolaire ». Pour se déplacer, les Cubains comptent de plus en plus sur les voitures de tourisme facilement reconnaissables à leurs plaques d'immatriculation (couleur bordeaux). En fait, s'arrêter pour prendre des stoppeurs, dès qu'on l'a fait une ou deux fois, apparaît vite comme une évidence, une quasi-obligation morale envers la population. C'est, par ailleurs, un moyen sympa de lier connaissance.

Vous verrez peut-être à la sortie de certaines villes, à de grands carrefours, des hommes habillés tout en jaune, les *amarillos*. Ce sont des agents de l'État qui sont chargés de repérer tous les véhicules administratifs qui passent et de les faire s'arrêter pour faire monter des gens qui attendent. Une sorte d'auto-stop d'État.

Le bus

Vous l'avez compris, le stop vous fera perdre beaucoup de temps. Le bus reste donc pour les touristes un moyen de transport plus sûr et plus pratique, et tout de même moins cher qu'une voiture de location. Cependant, le réseau est peu développé : les bus sont loin de desservir toutes les villes de l'île, il n'existe en réalité que quelques lignes entre les grandes villes et les sites touristiques. Pour s'aventurer en dehors des sentiers battus, la voiture est alors indispensable.

Deux compagnies de bus se partagent le marché :

– ***Astro :*** la plus ancienne, essentiellement utilisée par les locaux. Les bus sont littéralement pris d'assaut par les Cubains, qui doivent réserver leur place plusieurs semaines à l'avance. Généralement, 2 ou 4 sièges sont réservés aux touristes, mais, là aussi, il faut réserver longtemps à l'avance. Ce sont les bus les moins chers (payables quand même en dollars), mais les horaires ne sont pas pratiques du tout, et ils sont plus lents et moins confortables que les bus *Viazul*.

– ***Viazul :*** compagnie récente, essentiellement destinée au transport des touristes. Les bus sont confortables, avec toilettes à bord sur les longs par-

Distances entre les principales villes (en kilomètres)

DISTANCES EN KM	PINAR DEL RÍO	LA HAVANE	MATANZAS	CIENFUEGOS	SANTA CLARA	SANCTI SPIRITUS	CIEGO DE ÁVILA	CAMAGÜEY	HOLGUÍN	SANTIAGO DE CUBA	GUANTÁNAMO
PINAR DEL RÍO		162	264	421	435	513	588	698	899	1024	1074
LA HAVANE	162		98	256	270	348	423	533	734	860	910
MATANZAS	264	98		194	217	284	359	469	683	797	847
CIENFUEGOS	421	256	194		61	145	220	330	532	658	702
SANTA CLARA	435	270	217	61		85	160	270	472	598	648
SANCTI SPIRITUS	513	348	284	145	85		75	186	387	513	563
CIEGO DE ÁVILA	588	423	359	220	160	75		108	312	438	488
CAMAGÜEY	698	533	469	330	270	186	108		202	328	378
HOLGUÍN	899	734	683	532	472	387	312	202		134	182
SANTIAGO DE CUBA	1024	860	797	658	598	513	438	328	134		86
GUANTÁNAMO	1074	910	847	702	648	563	488	378	182	86	

cours. Plus chers que les bus *Astro* évidemment, mais il n'y a pas de problème de place, sauf peut-être en haute saison où il vaut mieux réserver 1 ou 2 jours à l'avance sur certains trajets clés. Attention à l'air conditionné : le bus se transforme rapidement en camion frigorifique. Prévoyez la doudoune !

Le camion

Le camion, avec sa grande benne à l'arrière, s'est révélé très pratique pour le transport des masses populaires, euh pardon, des Cubains qui s'y entassent comme des anchois dans un nuage de fumée noire. Très pratique pour aller d'une ville à l'autre, mais à condition que la distance ne soit pas trop grande. Car non seulement le camion (qui date d'avant la Conquête) ne roule pas bien vite, mais en plus, il s'arrête à tous les croisements pour alléger un peu la charge, ou plutôt, en général, l'augmenter. En revanche, c'est très bon marché : environ 3 pesos pour 30 km. Ayez de la *moneda nacional* sur vous. Normalement, les places assises sont réservées aux femmes. Mais courage, le camion tend à se vider au fur et à mesure qu'il s'éloigne de la ville...

Le train

Le réseau ferroviaire relie La Havane à toutes les principales villes du pays. Les trains sont assez archaïques, lents, et ne sont jamais à l'heure. De plus, ils sont bondés et « over-bookés ». À noter qu'il n'existe pas de train-couchettes. Pour les longs trajets, on dort donc assis... Cependant, le système s'améliore d'une année sur l'autre. Avec même une bonne surprise depuis fin 2001 : la mise en service d'un nouveau train entre La Havane et Santiago. Les Cubains l'ont immédiatement surnommé le *tren francés,* car les wagons ont été fournis par la SNCF. À titre indicatif, comptez 50 US$ pour un billet La Havane-Santiago.

– ***À savoir :*** si vous comptez voyager en train, voici quelques infos. Il n'y a pas de service de repas à bord des trains (excepté dans le *tren francés* entre La Havane et Santiago), donc n'oubliez pas vos provisions et votre bouteille d'eau. Si toutefois vous oubliez votre casse-croûte, sachez que des vendeurs ambulants se présentent à chaque arrêt en gare et proposent des sandwichs, des fruits frais ou des boissons. On peut trouver à boire, mais il n'y a pas souvent de gobelets ! Dans les wagons de 1re classe, où le confort reste très très sommaire (sièges défoncés), prévoyez chaussettes et pulls à cause de l'air conditionné, et surtout une lampe de poche (pannes de courant, ampoules qui ne sont pas changées...). Les toilettes sont souvent rustiques : deux trous sans eau donnant directement sur la voie, et pas toujours de porte !

– ***Attention :*** d'une manière générale, les portes donnant sur la voie ne ferment pas. Elles battent violemment, ce vacarme n'aide pas à dormir. Les soufflets entre les wagons sont souvent percés de trous béants : faites attention en passant. Autre joie du voyage ferroviaire cubain, le train bouge beaucoup et les passagers sont secoués comme des pruniers. Il faut parfois se tenir au fauteuil.

Le taxi

De plus en plus, on trouve aux terminaux de bus des taxis des compagnies officielles (*Transtur, Havanatur, Cubataxi,* en général la moins chère...), qui proposent leurs services sur de grands trajets pour des prix tout à fait compétitifs. En effet, à partir de 4 personnes, le trajet revient au même prix que le billet de bus avec *Viazul.* Il n'est pas difficile de réunir 4 candidats, le chauffeur vous y aidera sans doute. Dans certains cas, les taxis ont déjà des horaires fixes de départ (réservez alors la veille). Gros avantage, le taxi vient vous chercher à votre hôtel et vous dépose à l'endroit de votre choix.

Bien entendu, on peut aussi louer les services d'un taxi privé (voiture particulière). Mais là, il vous faudra négocier fermement...

La voiture

La voiture de location reste la meilleure solution pour visiter le pays. Bien sûr, c'est cher. Essayez de voyager à plusieurs.

La location de voitures

Pour avoir un ordre d'idée des prix, la location d'une petite voiture (genre Fiat 600 ou Citroën Saxo) coûte entre 40 et 50 US$ par jour en basse saison, mais 60 US$ en haute saison. Ce à quoi il faut ajouter l'assurance obligatoire (entre 10 et 18 US$). Si vous comptez laisser la voiture dans une autre ville que celle de départ, sachez que le *drop-off* est calculé en fonction de la distance. À titre indicatif, prévoyez environ 100 US$ si vous prenez la voiture à La Havane et la laissez à Santiago.
Il est conseillé d'effectuer vos réservations à l'avance par une agence de voyages. D'autant plus que cela revient moins cher qu'en louant directement sur place. Véhicules en principe en pas trop mauvais état, voire neufs chez certaines compagnies.

■ ***Auto Escape :*** ☎ 0800-920-940 (appel gratuit). ☎ 04-90-09-28-28. Fax : 04-90-09-51-87. • www.autoescape.com • info@autoescape.com • L'agence Auto Escape réserve auprès des loueurs de gros volumes de location, ce qui garantit des tarifs très compétitifs. Réduction de 5 % aux lecteurs du *Guide du routard* sur l'ensemble des destinations. Vous trouverez également les services d'Auto Escape sur : • www.routard.com •

– Cependant, on vous prévient : ***la réservation*** (même auprès d'une agence sérieuse) ***ne garantit pas toujours une voiture à l'arrivée,*** les réceptifs ayant tendance à « oublier » les réservations. Dans ce cas, on vous répondra une fois sur place qu'il n'y a plus de voiture disponible ! Une seule solution : entreprendre le siège de l'agence pour qu'elle vous trouve une voiture au plus vite. Et refuser une voiture plus luxueuse (sauf évidemment si rien n'est facturé en sus) !
– Attention, l'Oriente est (et restera sûrement pour longtemps) le parent pauvre du tourisme cubain. Cela se répercute donc sur l'état général des véhicules. Bien vérifier donc, en présence du personnel de l'agence de location, que le matériel est complet (roue de secours, adaptateur pour démonter les boulons antivol, cric, plaquettes de freins, essence, capuchon de réservoir d'essence...). Mais oui, il faut vraiment ***TOUT vérifier*** avant de partir. D'une manière générale, attention également à l'***état général*** de la voiture. Certains loueurs ont la fâcheuse tendance de louer des voitures proches de la révision technique. Si pendant la durée de votre location vous devez effectuer une vidange, ne manquez pas de la faire, sinon le loueur peut vous imposer une pénalité de 50 US$.
– Quelques loueurs (*Havanautos,* par exemple) ***facturent au moment de la location le plein d'essence,*** mais le client, lui, est tenu de rendre une voiture avec un réservoir vide. On ne vous remboursera pas un peso pour l'essence qui reste. Vous avez compris la p'tite arnaque : qui se risquerait à ramener un véhicule sans essence ? Dans tous les cas, faites-vous préciser si la voiture doit être rendue réservoir plein, vide ou comme on vous l'a remise.
– Faites-vous bien sûr préciser si le ***kilométrage*** est illimité ou non.
– Quant à l'***assurance,*** vous aurez à choisir entre une assurance totale (autour de 17-18 US$ par jour) ou une couverture partielle avec franchise

(environ 10 US$ par jour) qui ne couvre pas le vol des accessoires, tels que rétroviseur, pare-chocs, essuie-glaces... Faites-vous bien signaler le montant de la franchise et ce qui reste à votre charge. Attention, le montant de l'assurance n'est pas inclus dans le *voucher* que vous a remis votre agence de voyages. Vous aurez à le payer sur place.
Bien se faire préciser la couverture, notamment en cas de dommages corporels. En cas d'accident, surtout s'il y a des blessés, se faire remettre le double du constat par la police (l'agence de location de la voiture et l'assurance l'exigeront). Prendre contact avec *Asistur* (paseo Martí, 208, Habana Vieja. ☎ 866-44-99 et 866-89-20, 24 h/24) qui est le représentant à Cuba d'Europe Assistance et de Mondial Assistance.

– Dans toutes les grandes villes et sur tous les grands axes, on trouve des ***stations-service Cupet*** *(Cubana de Petroleo)* et ***Oro Negro*** (ouvertes 24 h/24) où l'essence se paie en dollars et souvent avec la carte bancaire (à des prix européens), et elle manque rarement. Le prix officiel est de 0,9 US$/l d'essence *especial,* celle qu'il est recommandé de mettre dans les voitures. Attention quand même aux petites arnaques de la part du pompiste qui a tendance (dans certaines stations) à majorer l'addition ou à se tromper dans le montant à payer par le client.

– Le ***marché noir*** de l'essence est florissant : en demandant dans les maisons particulières, dans les parkings gardés, on peut s'en procurer au prix de 0,5 US$/l. Une solution utile en cas d'urgence ou en dépannage, mais on n'est jamais certain de la qualité... donc à déconseiller.

– Sachez que les ***vols de voiture*** sont fréquents. Mieux vaut mettre la voiture au parking. Il s'agit d'un parking officiel gardé ou d'un garage chez un particulier, ou encore d'un jeune homme qui dort dans la voiture. La garde d'un véhicule pour la nuit revient à 1 ou 2 US$ selon les villes.

– Si l'on vous vole des ***accessoires*** sur le véhicule (rétroviseur, essuie-glaces, pare-chocs, etc.), ne manquez pas de le déclarer à la police et demandez un double de la déclaration pour la remettre à l'agence de location. Ensuite, tout dépendra de la couverture de votre assurance.

– Les ***routes*** sont souvent encombrées par les marcheurs, les stoppeurs et toutes sortes d'animaux en baguenaude... Dangereux la nuit, d'autant plus que les routes ne sont pas éclairées et mal entretenues ! En fait, on déconseille très vivement de circuler la nuit, l'éclairage des vélos est inexistant, borgne pour les camions et minimaliste pour certaines voitures. Bien que des efforts soient faits, la signalisation reste très déficiente. Ne pas hésiter à demander son chemin. Dans les villes, beaucoup de rues sont à sens unique. Le sens de circulation est indiqué par une flèche blanche sur fond bleu. Les rues prioritaires sont indiquées par un carré jaune sur fond blanc.

– ***En cas de panne,*** bien entendu, prendre contact immédiatement avec l'agence de location pour qu'elle s'occupe de vous. Cependant, ne pas trop y compter. On vous promettra une dépanneuse par téléphone... qui n'arrivera pas avant un certain temps. Essayez donc de vous faire dépanner sur place si vous avez la chance de tomber en rade dans une agglomération. À vous de voir si ça vaut le coup sur un voyage assez court de perdre 24 h à attendre la dépanneuse (et ensuite, le temps de la réparation)...
Pour les pneus crevés, les stations-service *Cupet* peuvent pour la plupart réparer votre avarie. Sinon, dans la majorité des petites villes, des particuliers arrondissent leurs fins de mois en réparant ici ou là quelques pneus. Ils sont repérables aux petites (et discrètes) pancartes « Ponchera ». Certains sont spécialisés uniquement en chambres à air de vélos, d'autres en voitures... À vous de faire le reste.

– Le réseau routier cubain se caractérise par son absence de panneaux indicateurs. Une ***carte routière*** est donc indispensable pour ceux qui roulent en voiture. Souvent, les passagers que l'on a pris en stop sont d'un précieux secours...

L'idéal, bien sûr, est d'acheter une carte routière avant de partir. Mais on en trouve aussi sur place à des prix modiques : chez les loueurs de voitures, dans les stations-service *Cupet* et dans quelques bureaux de tourisme. La carte d'*Havanautos* est peu pratique mais fiable. Celle de *Rent-a-Car* est bien faite. *Transtur* offre gratuitement une carte de l'île, bien suffisante si l'on ne compte pas sortir des grands axes. Sinon, on trouve aussi facilement le *Guía de Carreteras de Cuba,* petit atlas routier assez détaillé et facile d'utilisation qui coûte 2 US$.
– À La Havane, une des meilleures adresses pour acheter des cartes routières est la librairie *El Navegante* (voir « Adresses et infos utiles » à La Havane).

L'avion

Liaisons régulières entre les principales villes du pays. Un bon moyen de gagner du temps, d'autant plus que les tarifs sont raisonnables. Par exemple, un vol La Havane-Santiago vous fera gagner plus de 11 h de trajet par rapport au train. L'avion est aussi le seul moyen de se rendre sur certaines îles, comme le cayo Largo. Plusieurs petites compagnies de charters privées et des aéro-taxis (de vieux monoplans à hélice des familles...) ont vu le jour récemment.

LA HAVANE ET SES ENVIRONS

Pour les plans de La Havane, voir le cahier couleur.

LA HAVANE (LA HABANA) 3 000 000 hab. IND. TÉL. : 7

La capitale cubaine ne se présente pas comme une mégapole infernale du genre Mexico. Ce qui n'empêche pas une certaine agitation, spécialement le soir, quand tout le monde sort pour aller danser ! Nonchalante le jour (la chaleur n'y est pas pour rien), La Havane se réveille la nuit. À croire que personne ne travaille vraiment !
La « ville aux Mille Colonnes » a bien des atouts. Cette métisse du Nouveau Monde est un régal d'architecture coloniale : gracieuses arcades, balcons ouvragés, patios andalous, débauche de néo-baroque ou de néo-classicisme... On comprend pourquoi toute la vieille ville, *Habana Vieja,* a été entièrement classée Patrimoine de l'humanité... Remarquez, il était temps ! Car l'ancien « bordel des États-Unis » semble aujourd'hui expier ses péchés, rongé par la mer, ébranlé par les ouragans et longtemps oublié des capitaux étrangers : d'où ces maisons craquelées, ces palais lézardés, ces demeures ouvertes à tous vents... La Havane est une ville décadente, dans tous les sens du terme. Et c'est bien cela qui lui donne tant de charme. Comme le dit si bien Zoé Valdés : « Elle aura beau tomber en ruine, elle aura beau mourir de désillusions, La Havane sera toujours La Havane... ville sucrée, ville de miel de la tête aux pieds... ville aux nuits chaudes, suaves... ».
Autre impression étrange : celle d'une ville figée dans le passé, dont l'horloge se serait détraquée. Comme si le calendrier s'était arrêté un jour de 1959... Tout est là pour rappeler les affolantes *Fifties :* « belles américaines » savamment rafistolées, buildings compassés, casinos recyclés, déco kitsch des cabarets... Et le fantôme d'Hemingway à chaque coin de rue ! Pas besoin de fermer les yeux pour se croire dans un vieux film d'aventure hollywoodien : le décor est intact. Pas un néon, pas une construction ne semble avoir dénaturé le site. Seuls les acteurs ont changé : en chassant les Yankees, les Cubains ont repris possession des lieux... Et c'est tant mieux.
Bref, vous ne vous ennuierez pas ici. À condition de ne pas imiter ceux qui passent toutes leurs vacances sur la plage et n'incluent dans leur « tour » qu'une rapide journée de visite en ville. Ils ne savent pas ce qu'ils perdent.

UN PEU D'HISTOIRE

Ne l'oublions pas, La Havane est l'une des plus vieilles villes d'Amérique. Pas étonnant : en 1492, Christophe Colomb posa le pied à Cuba avant de découvrir le continent... D'ailleurs, on en rigole encore : en arrivant sur l'île, il était persuadé d'être en Chine du Sud ! Il pensait même y être accueilli par le Grand Khan et avait engagé à cet effet un interprète parlant l'arabe et l'hébreu... Quelle déconvenue lorsqu'il fut accueilli par d'étranges « hommes nus » (en fait, des Indiens taïnos) !

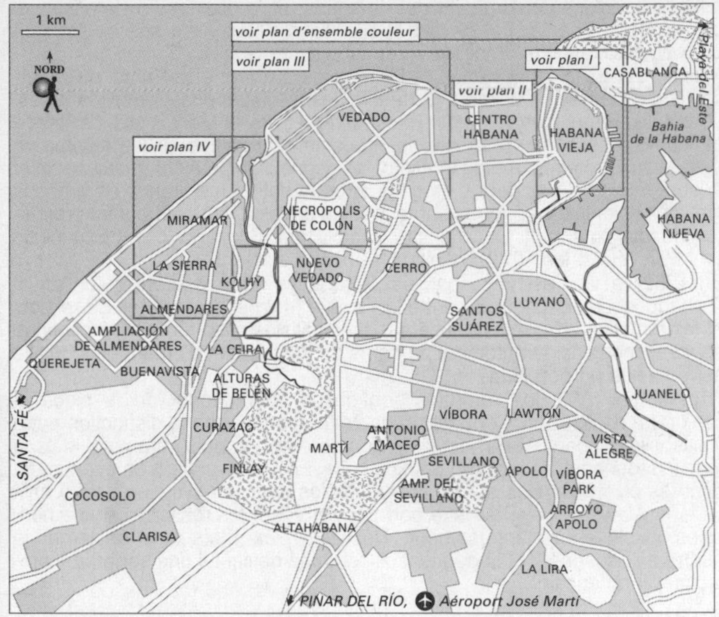

LA HAVANE – AGGLOMÉRATION

L'île en tout cas lui plut puisqu'il s'exclama, à la grande joie des brochures touristiques actuelles : « L'homme n'a jamais contemplé terre plus belle. » Il revint deux ans après et baptisa l'île Juana, en hommage au prince Juan d'Espagne. Mais c'est un certain Diego Velázquez, mandaté par son fils, qui partit à la conquête du territoire, à la tête d'une troupe de 300 hommes.

« La clé du Nouveau Monde »

La ville de San Cristóbal de la Habana est fondée peu de temps après, en 1514, et se fait appeler ainsi en référence au chef indien Habaguanex. D'abord située sur la côte sud de l'île, elle se transporte progressivement, à partir de 1517, sur la côte nord, à son emplacement actuel. Elle va vite s'enrichir, grâce à l'arrivée massive d'esclaves en provenance d'Afrique. Autour, les plantations de tabac et de sucre poussent comme des champignons... En 1556, la ville accueille la résidence du gouverneur. Le port, avec son mouillage naturel, devient la plaque tournante de la Conquête espagnole, havre idéal sur la route de Veracruz à Séville. « Avec ce que nous envoie le Nouveau Monde, on peut paver d'or et d'argent les rues de Séville », écrit un chroniqueur de l'époque. Les cales des navires regorgent de richesses venues d'Amérique latine : des émeraudes, des perles, de la soie, des parfums, de l'indigo, de la cochenille et aussi des oiseaux multicolores et des noix de coco. Les colons cubains les remplissent de tabac, de cuir et de bois précieux. Des navires venus d'Afrique débarquent des esclaves. D'autres bateaux venus d'Europe sont chargés de vins fins, de dentelles et de miroirs.

Mais tout l'or qui s'entasse à La Havane attise les convoitises : la ville est constamment pillée par les redoutables pirates et flibustiers des Caraïbes. Signe révélateur : c'est dans les eaux cubaines qu'apparaît pour la première fois le *Jolly Roger,* le drapeau noir à tête de mort. En 1582, des esclaves

raflés aux colons construisent des remparts, et la première forteresse : el castillo de la Fuerza. Le 29 mai 1586, Francis Drake tire ses boulets sur La Havane. Mais il renonce, le 4 juin, à prendre la ville.
Puis les Espagnols font édifier les forteresses El Morro et la Punta, du super-costaud à l'entrée de la rade. Cette fois, les meilleurs pirates des Caraïbes, l'Olonnais, Henry Morgan, John Rackam, Ann Bony et Mary Read, hésitent à attaquer ce bastion imprenable. Ils se contentent d'attaquer les navires en mer. Mieux protégés, moins inquiets, les négociants peuvent se laisser aller à leurs rêves de grandeur : de cette époque datent les premières grandes maisons coloniales, conçues sur le modèle andalou. L'île peut enfin prospérer tranquillement et La Havane, remplaçant Santiago comme capitale en 1607, atteint les 10000 habitants au XVIIe siècle.
En 1762, la ville est prise par les Anglais. Ils ne la gardent qu'un an et l'échangent aux Espagnols contre la Floride ! Malgré les émeutes d'esclaves et les tentatives d'indépendance des nationalistes cubains, la ville continue de s'enrichir considérablement au cours du XIXe siècle, d'autant plus qu'elle est devenue un port libre.
À partir de 1863, les remparts sont rasés pour gagner de la place et construire de nouveaux quartiers : de cette époque date la distinction entre vieille ville (Habana Vieja) et ville moderne (Vedado puis Miramar). Mais la lutte indépendantiste reprend de plus belle. En 1898 survient un événement dont les conséquences seront considérables pour le pays : un navire militaire, le *Maine,* envoyé dans le port pour protéger les ressortissants américains, explose mystérieusement. Résultat : les États-Unis déclarent la guerre à l'Espagne... et la gagnent. Ainsi Cuba devient-il une sorte de « protectorat » américain.

La Babylone des Caraïbes

Avec le retour de Batista au pouvoir en 1952, les gangs américains renforcent leur mainmise sur La Havane. Près de 270 bordels font de La Havane un haut lieu de la prostitution en Amérique latine, sans compter les maisons de rendez-vous spécialisées et les bars à hôtesses, paradis pour touristes gringos, à quelques heures d'avion de New York. Le vice sous toutes ses formes sévit au cœur du quartier américanisé du Vedado, hérissé de grands hôtels et d'immeubles modernes.
Libérée du tyran Batista par le guérillero Camilo Cienfuegos, suivi de peu par Che Guevara puis par Fidel Castro, la capitale devient pour la première fois totalement cubaine le 2 janvier 1959. Le reste est une autre histoire...

Le vent de la restauration

Depuis quelques années, le gouvernement a donné carte blanche à un historien-architecte, Eusebio Leal, sommité dans son genre, pour rénover et sauver du désastre annoncé tout le secteur de la vieille Havane inscrit au Patrimoine de l'humanité par l'Unesco en 1982. De vieux palais soigneusement sélectionnés pour leur histoire et leurs particularités architecturales sont ainsi transformés en hôtels ou en restaurants de luxe. Tous les revenus de ces infrastructures sont immédiatement réinvestis pour la restauration d'autres sites qui sont souvent transformés en musées, en écoles ou en administrations diverses. L'objectif est de conserver au maximum les anciens édifices tels qu'ils étaient avant leur ruine. La démarche est donc noble et n'a rien à voir avec de basses opérations immobilières. Des aides de l'Unesco et de l'Espagne viennent appuyer ce travail de Titan, mais dans 10 ans, seuls 10 % de la vieille ville seront sauvés du naufrage de façon certaine. Car il faut bien voir que si le côté « chef-d'œuvre en péril » confère un charme indéniable à ce quartier, il est aujourd'hui moribond et les conditions de vie dans bien des endroits sont tout simplement dangereuses pour les

milliers de familles qui s'y agglutinent dans une misère que le touriste n'a que rarement l'occasion de mesurer. Le principal danger réside dans le fait que lorsque les fortes pluies non drainées s'engorgent dans les murs, ceux-ci menacent de céder et de s'écrouler sur leurs habitants.
Souvent, les édifices choisis pour être restaurés sont occupés par des familles que l'on reloge sur place.
Ainsi, bon an mal an, la vieille Havane présente petit à petit un visage nouveau. Peut-être y perdra-t-elle un peu de sa charmeuse décadence, mais il est clair que sa survie est à ce prix. Enfin, il est à noter que le type de restauration réalisé est bien équilibré : pas d'attentats architecturaux, respect de l'histoire du site, pas de couleurs criardes, remarquable travail de conservation...

Arrivée à l'aéroport

✈ ***L'aéroport international José Martí*** *(hors plan d'ensemble par le sud)* est situé à environ 17 km au sud de La Havane.
– ***À la douane :*** attention, il arrive parfois que les douaniers demandent aux visiteurs de présenter un coupon *(voucher)* de réservation de deux nuits d'hôtel à La Havane (se reporter, pour plus de précisions, à la rubrique « Avant le départ : formalités » dans les « Généralités »). Ce n'est pas systématique, plutôt à la tête du client. Si vous ne pouvez pas présenter de justificatif de réservation des deux premières nuits à la douane, il vous faudra peut-être payer à l'aéroport l'équivalent de ces deux nuits (autour de 60 US$), et dormir dans un hôtel quelconque, sous peine de faire demi-tour !
– ***Une astuce :*** si vous n'avez pas de justificatif, donnez un nom d'hôtel et préparez votre petit laïus comme quoi vous êtes parti avant d'avoir reçu la confirmation de votre réservation, ou n'importe quelle autre histoire vraisemblable.
– ***La livraison des bagages :*** à peine posé le pied sur le territoire cubain, il faut commencer à sortir les p'tits billets verts. On se croirait aux États-Unis ! Le chariot à bagages coûte 1 US$. On vous rassure, il n'est pas vraiment nécessaire (taxi à 10 m), sauf si vous êtes très chargé.

Pour aller de l'aéroport international au centre de La Havane

➢ ***En taxi :*** il n'y a pas de bus. Il vous faut prendre un taxi, payable uniquement en dollars. On en trouve de deux sortes : les officiels, que l'on reconnaît parce qu'ils ont un compteur. Pas d'arnaque possible : comptez une vingtaine de dollars selon votre destination à La Havane. Et les taxis privés *(taxi particular),* qui sont de plus en plus rares car le risque d'amende est important. Si vous en trouvez un, négociez entre 12 et 15 US$. Et vérifiez que le coffre ferme bien à clé, sinon, les paranos vont flipper pour leurs bagages aux feux rouges.
À noter que depuis le terminal des vols nationaux, la course revient moins cher (environ 15 US$ en taxi officiel).
➢ ***En voiture de location :*** vous pouvez aussi louer directement une voiture sur place, au cas où vous n'auriez pas fait de réservation depuis chez vous. Tous les loueurs *(Havanautos, Cubacar, Transtur...)* se trouvent sur le parking de l'aéroport.

Orientation

Comme dans de nombreuses villes d'Amérique, on se repère très facilement à La Havane, grâce à la disposition des rues en damier. Dans la partie

moderne (notamment le Vedado et Miramar), pour faciliter l'orientation, elles sont toutes numérotées. Mais attention, il y a des subtilités : les rues paires sont perpendiculaires aux rues impaires. Ne vous attendez donc pas à trouver le 23 après le 22, mais le... 24 ! Autre exception : à l'est du Paseo (qui divise *grosso modo* le Vedado du nord au sud), les rues n'ont pas de numéro mais une lettre, de A à P. Au fait, ne les cherchez pas le nez en l'air : lettres et numéros sont indiqués sur des bornes coniques posées sur le trottoir à chaque carrefour.
Les adresses sont notées d'une façon très précise qu'il vaut mieux savoir décrypter pour éviter les confusions : d'abord le nom de la rue, puis le numéro dans la rue, ensuite la situation par rapport aux rues voisines, et enfin le nom du quartier. Par exemple : « calle 15, 21, e/ 18 y 20, Vedado » se traduit : au n° 21 de la rue 15, entre les rues 18 et 20, quartier du Vedado. Précisons que le « entre » (qui s'écrit en espagnol comme en français) peut s'écrire en abrégé *e/* ou encore avec le symbole %. Et que le mot *esquina* (abrégé *esq.*) veut dire « à l'angle de » ; mais il est souvent remplacé par un simple *y*, qui veut dire « et ». Simple, non ?

Les principaux quartiers

La Havane se compose de plusieurs quartiers bien distincts. La vieille ville se parcourt à pied sans problème, mais il est conseillé de prendre un taxi pour se rendre dans les autres quartiers.
– ***Habana Vieja*** *(plan couleur I)* **:** à l'est, autour du port. C'est le centre historique, le quartier colonial espagnol au charme fou (près de 150 édifices datant des XVIe et XVIIe siècles). Tout ce qu'il y a d'important à visiter y est concentré, ainsi que les vieux palaces, les bars mythiques et de nombreux hôtels coloniaux magnifiquement rénovés. Ce quartier est le plus ancien puisqu'il fut durant plus de trois siècles le cœur même de la capitale, protégée par des remparts jusqu'en 1863. Longtemps oubliée et délaissée, la « vieille Havane » a été paradoxalement sauvée par la Révolution : Batista en avait carrément planifié la destruction pure et simple pour satisfaire la soif immobilière des promoteurs de casinos ! Par la suite, Fidel eut bien d'autres chats à fouetter que de s'occuper d'architecture coloniale... Ce n'est qu'en 1982, sous l'impulsion de l'Unesco, qu'est mis en place un vaste projet de restauration du centre historique, qui n'est d'ailleurs pas prêt de se conclure. Il reste encore des dizaines d'édifices en ruine et, ensuite, il faudra bien s'attaquer au Centro Habana et aux immeubles bordant le Malecón. Après la Révolution, des milliers de paysans ont émigré ici pour squatter les imposantes demeures et les palais abandonnés par leurs riches propriétaires. Le quartier est délimité à l'ouest par une célèbre promenade : le paseo Martí, également appelé Prado, qui mène au non moins fameux Capitole (copie de celui de Washington !), dont le dôme vous servira de repère.
– ***Centro Habana*** *(plan couleur II)* **:** délimité par l'avenue Galiano (à l'est) et l'avenue Infanta (à l'ouest), ce quartier est pris en sandwich entre la vieille Havane et le Vedado. Il a pris son essor au XIXe siècle, alors que la vieille ville étouffait à l'intérieur de ses murailles. Aujourd'hui, il est surpeuplé, puisque ses immeubles délabrés n'ont pas encore été touchés par le vent de la restauration. Ici, plusieurs familles s'entassent par appartement, ce qui en fait un des quartiers les plus vivants et les plus populaires de La Havane. D'une importance touristique mineure, il ressemble un peu à Beyrouth en temps de guerre. Mais c'est ici qu'il faut se balader pour humer l'atmosphère nonchalante de la vie quotidienne des Cubains. La plus grande attraction de Centro Habana reste le Malecón, cette digue qui protège la ville de la mer sur 7 km de long et s'étend de la vieille ville à Miramar. Les édifices du front de mer, peints de couleur pastel mais lézardés par le temps et rongés par les embruns, ont été croqués par Wim Wenders dans son célèbre *Buena*

Vista Social Club. Le Malecón, ce n'est pas seulement le rendez-vous des amoureux, le refuge des cœurs solitaires et mélancoliques, le repaire des danseurs de salsa, c'est aussi l'âme de La Havane où l'on arrive et revient toujours, à l'image de ces vagues hivernales qui viennent s'éclater contre le parapet en gerbes folles.

– ***Barrio chino*** *(plan couleur II) :* eh oui, il y a un petit quartier chinois à La Havane, situé entre Habana Vieja et Centro Habana, juste derrière le Capitole. Quelque 30 000 Chinois sont arrivés à la fin du XIXe siècle pour participer à la construction du chemin de fer ou travailler dans de grandes compagnies. On leur fit miroiter un hypothétique eldorado et ils se retrouvèrent de fait en semi-esclavage. Il en reste moins de 500 aujourd'hui, les autres ayant quitté l'île après la Révolution ou s'étant métissés. Durant la première moitié du XXe siècle, le quartier était connu pour être le grand lieu de débauche et de prostitution de la capitale, avec ses bordels, ses fumeries d'opium et les spectacles pornos du fameux Théâtre Shanghai, fréquenté, entre autres, par Louis Jouvet. Le quartier n'a évidemment plus rien d'un lupanar. Il n'a d'ailleurs pas grand-chose de chinois non plus. On y trouve cependant quelques restos asiatiques bon marché. En 1999, à l'occasion du centenaire de l'arrivée des Chinois à Cuba, la République populaire de Chine a offert à ce mini-Chinatown havanais une immense porte (le portique chinois) qui s'élève au début de la rue Dragones. Depuis quelques années, les traditions chinoises revivent dans ce quartier, avec notamment la célébration, fin janvier, du Nouvel An chinois.

– ***Vedado*** *(plan couleur III) :* délimité au nord par le Malecón, au sud par la gigantesque plaza de la Revolución (au-delà de laquelle se trouve Nuevo Vedado), ce quartier construit en damier est traversé par la célèbre avenue, la Rampa (officiellement calle 23), sorte de *ramblas* ou de Champs-Élysées havanais, qui mène au Malecón. C'est le véritable centre de la ville, quartier résidentiel où vit la majorité des classes moyennes, dans des immeubles Art déco ou de belles maisons de style colonial avec colonnes et terrasses. Le Vedado est aussi un lieu de sortie très apprécié des Havanais. On y trouve quelques grands hôtels, des restos et des discothèques, ainsi que de nombreuses *casas particulares* pour se loger.

– ***Miramar*** *(plan couleur IV) :* à l'ouest, après la rivière Almendares. On s'y rend en empruntant un tunnel. C'est le quartier résidentiel ultra-huppé de La Havane. Toutes les ambassades y sont regroupées, ainsi que les meilleurs restos. Très étendu, Miramar longe la mer sur plusieurs kilomètres, mais les plages n'ont pas de sable ! En revanche, ses palais, ses anciens casinos et ses résidences de luxe valent le coup d'œil. Évidemment, il est indispensable d'avoir un véhicule pour y circuler.

– ***Siboney, Coronela et autour du « laguito » :*** les communistes purs et durs vont déchanter. Ces quartiers dans lesquels est logée toute la nomenclature du régime ressemblent à s'y méprendre à une petite Miami. Pas un brin de gazon ne pousse de travers, les oiseaux gazouillent en ordre serré et en cadence, les maisons coloniales ont grand style. Le tout est gardé par une armée de flics. Vaut le détour, mais attention, ne vous faites pas remarquer car certaines rues sont interdites aux regards indiscrets (cubains comme étrangers) afin de ne pas perturber la tranquillité des volutes de havanes...

Comment se déplacer?

Les vélos-taxis *(bici-taxis)*

Sortes de cyclo-pousses à la cubaine. Moyen de transport assez rapide pour les petites courses, écologique et peu onéreux. On les trouve surtout dans la vieille ville, mais aussi autour des principales places et des grands boule-

LA HAVANE

vards. Compter 1 US$ pour les petits trajets, 3 à 4 US$ pour aller de Habana Vieja au Vedado (mais ça vous prendra presque une demi-heure). Pour Miramar, préférer un taxi car c'est loin. Le chauffeur pédale à l'avant, le passager est assis derrière. Certains ont même la musique!

Les cocos-taxis

La version motorisée du *bici-taxi*. En fait, un scooter tricycle en forme de noix de coco... jaune! On les repère facilement. Marrant et pratique pour les courses moyennes. On s'assoit à l'arrière sur une banquette à deux places, protégée des intempéries par un petit toit.

Les taxis

– ***Taxis officiels :*** les voitures des deux compagnies officielles (*Panataxi* et *Taxis OK*) sont en parfait état, et toutes sont équipées de compteurs, donc pas d'embrouilles à la clé. En plus, les chauffeurs, des fonctionnaires en quelque sorte, sont généralement sympas et le véhicule est souvent équipé de l'air conditionné. Ils ne sont pas plus chers que les *taxis particulares*. Tarifs des taxis officiels : 3 US$ entre Habana Vieja et Centro Habana, de 3 à 5 US$ pour aller du Vedado à Habana Vieja. Vous pouvez même en louer à la journée : si vous négociez le tarif, le chauffeur débranchera le compteur.
– ***Taxis collectifs :*** de nombreuses vieilles américaines déglinguées et fumantes parcourent une seule et unique rue. Elles se repèrent à leur écriteau « Taxi » derrière le pare-brise et parce qu'elles sont souvent bondées. Payables en pesos et en dollars (mais on vous rend la monnaie en pesos). Il suffit d'indiquer la rue et l'*esquina* (l'intersection ; ex. : 27 y 4). Tarif : 10 pesos (0,5 US$). Normalement, ces taxis sont réservés aux Cubains et il n'est pas certain que le chauffeur s'arrête si vous avez trop l'air d'un touriste.
– ***Taxis privés (particulares) :*** ce sont des taxis non autorisés qui d'ailleurs ne portent aucune indication. En fait, de simples particuliers ayant la chance d'avoir une voiture (en général de vieilles Lada) et qui en profitent, voilà tout. Paradoxalement, ils reviennent plus cher que les taxis officiels car, comme ils n'ont pas de compteur, on vous demandera toujours plus que le prix « normal ». Tout est affaire de négociations, mais il est rare d'arriver à faire baisser le prix annoncé. Les Cubains n'aiment pas négocier. Pour prendre un *taxi particular,* il suffit de lever la main quand vous apercevez une voiture. Peu de conducteurs refuseront de vous prendre... si vous avez des dollars. De toute façon, les chauffeurs clandestins vous proposeront directement leurs services. On peut aussi louer un *taxi particular* pour une journée dans La Havane. Il faut négocier le prix avant. Compter environ 20-25 US$.

La *guagua*

L'autre solution, pour les fauchés, consiste à prendre une *guagua* (prononcer « wawa »), autrement dit un autobus urbain. Problème : il y en a peu, en raison de la pénurie d'essence, donc ils sont surchargés! Avantage : ça coûte des cacahuètes puisqu'on ne les paie qu'en pesos (ou plus exactement en centavos).
Prévoir des pièces de 10 cts car il faut avoir la monnaie exacte, 20 cts pour les *camellos* (les bus à deux bosses en forme de chameau), 40 cts pour les autres. Prévoir surtout beaucoup de temps car les queues sont énormes. Dans les principales stations, il faut prendre un ticket, qui vous attribue un numéro d'attente. Mais ce ticket ne vous garantit pas une place dans le bus pour autant! Pas de panique : il arrive que des petits malins revendent leur ticket d'attente aux touristes, contre des dollars. Ça fait gagner du temps. Si le système de ticket est inexistant, il faut, lorsque vous arrivez à l'arrêt du bus, demander qui est le dernier de la queue *(¿ El último ?).* Placez-vous

derrière lui. Bien entendu, si vous entendez la même question, n'oubliez pas de répondre *yo* (moi).
À part ça, les lignes desservent bien le centre-ville. Pour savoir où va le bus, demander au chauffeur. Ensuite, on les repère à leur couleur, qui change selon la destination.
Et si vous tenez à prendre une voiture, attention, il est pratiquement impossible de se garer en centre-ville sans acquitter le dollar symbolique à un gardien de parking officiel.

Adresses et infos utiles

Tourisme

Il n'existe pas à proprement parler d'office du tourisme. Toutes les agences de tourisme *(Havanatur, Cubatur...)* sont bien entendu gouvernementales et disposent en général d'un bureau d'information dans tous les hôtels pour touristes. On peut y faire ses réservations d'hôtels, spectacles, excursions, etc. Mais vous n'obtiendrez rien en dehors des sentiers battus.

🅸 ***Infotur*** *(plan couleur I, zoom)* **:** bureaux à l'aéroport international et dans *Habana Vieja,* angle calle Obispo et calle San Ignacio. ☎ 863-68-84. Un autre, calle Obispo, entre Bernaza et Villegas. ☎ 33-33-33. Autre bureau à *Miramar* à l'angle de la Avenida 5ta et de la calle 112. ☎ 204-70-36. Ouverts tous les jours de 7 h 30 à 19 h 30, sauf celui de l'aéroport qui est ouvert 24 h/24. Informations touristiques, réservations d'excursions (les plages de l'Est, l'art du rhum, La Havane moderne, les cultes syncrétiques, la vieille Havane, La Havane en concert, la légende du havane, rencontre avec Hemingway, etc.), certains billets de bus *(Viazul),* cartes, plans, guides touristiques, cartes de téléphone, etc. Service Internet.

🅸 ***Oficina de turismo*** *(El Palacio del Turismo ; plan couleur IV, I12)* **:** calle 28, 303, entre 3ra y 5ta av., à Miramar. ☎ 204-06-24 et 204-66-35. Centre d'infos, mais c'est surtout le bureau central d'Infotur. Il vaut mieux s'adresser à l'un des bureaux mentionnés ci-dessus.

■ ***Roots Travel*** *(plan couleur III, F9,* ***1****)* **:** calle 4, 512, entre 23 y 21, Vedado. ☎ 833-77-70. • www.rootstravel.com • Ouvert du lundi au samedi de 10 h à 18 h. Demander Luis. C'est ici que les routards iront en priorité car, d'abord, on y parle le français, mais en plus on y cultive la sympathie au quotidien. On vous propose des chambres chez l'habitant dans des maisons coloniales du Vedado, des visites et des cours de danse. Possibilité de logement ici-même pour 30 US$, mais peu d'intimité en dépit de l'accueil chaleureux. Nous vous conseillons de passer par eux avant votre départ. Vous avez d'une part la sécurité de la réservation, d'autre part l'assurance d'avoir une chambre.

■ ***Autre agence Roots Travel*** *(plan couleur III, H8,* ***1****)* **:** à l'hôtel *Colina,* angle calle L et 27, face à l'université de La Havane, dans le Vedado. ☎ 55-40-05. Au 1er étage, chambre 201. Ouvert tous les jours de 10 h à 18 h. Un deuxième bureau, plus au nord dans le Vedado, émanation de la précédente adresse. Il est tenu par les sympathiques et efficaces Adria et Gerardo, qui parlent le français. Réservations de chambres d'hôtels, chez l'habitant, location de voitures, billets d'avion, bus *Viazul,* etc.

■ ***Havanatur*** *(plan couleur III, H8,* ***2****)* **:** angle calle 23 et M, sous l'hôtel *Habana Libre,* Vedado. ☎ 832-15-21. Bureaux également dans tous les grands hôtels. En cas de problème, si vous voyagez avec *Havanatour Paris,* ☎ 203-97-07 ou 203-97-08 aux heures de bureau. En dehors et les jours non travaillés : ☎ 204-95-80 ou 204-29-80 (permanence 24 h/24). Tout le personnel parle le français. Même si le nom s'écrit différemment, ce sont bien les correspondants de

Havanatour Paris, grands spécialistes de Cuba. Le bureau central se situe à Miramar, mais vous trouverez des agences pour vos réservations d'hôtels, location de voitures, excursions, billets d'avion, etc., dans tous les grands hôtels, ainsi qu'à l'aéroport.

■ ***Cubatur*** *(plan couleur III, H8,* ***2****)* **:** angle calle 23 et M, sous l'hôtel *Habana Libre,* Vedado. ☎ 66-21-18. Bureaux dans tous les grands hôtels *(Inglaterra, Sevilla, Habana Libre, Nacional, Meliá Habana...).* Une des grandes agences de tourisme d'État. Personnel très pro. Réservations de spectacles (par exemple, au *Tropicana*), excursions avec des guides parlant le français.

■ ***Cuba Autrement*** *(plan couleur I, zoom,* ***3****)* **:** lonja del Comercio, plaza San Francisco de Asís, Habana Vieja. ☎ 866-98-74. Fax : 866-98-73. • www.cubaautrement.com • Au 5e étage, sur la droite, local F. Se munir de son passeport pour entrer dans le bâtiment. Une agence dirigée par Stéphane Ferrux, un jeune Français émigré aux îles. Sympathique, efficace et doté d'un bon sens du service. Avec son équipe, il propose toutes les formules de séjours imaginables avec la volonté de sortir des sentiers battus, de vous faire partager leur passion pour ce pays et sa population. La spécialité de l'agence est de répondre aux demandes de toute dernière minute (réservation de chambres d'hôtels, chez l'habitant, location de voitures...). Pour les plus prévoyants et les passionnés, ils sont parmi les seuls à proposer un parcours *Habana Passion.* Un circuit qui permet de rencontrer les plus grands *torcedores* (rouleurs) du pays, de visiter les plantations de tabac et les fabriques des grands noms mythiques (Partagas, Cohiba, Romeo y Julieta...). Deux autres circuits vous emmènent, l'un, sur les traces du Che, de Santiago à La Havane, en passant par la sierra Maestra, Santa Clara et l'ouest de l'île; et l'autre, pour les gourmands, à la découverte des secrets de fabrication du chocolat de Baracoa. Enfin, allez faire un tour sur leur site Internet, qui permet en deux temps trois mouvements de « budgétiser » son voyage.

■ ***Gaviota Tours*** *(plan couleur I, A2,* ***4****)* **:** agence à l'hôtel *Sevilla* (voir « Où dormir ? »). ☎ 204-47-81 et 204-76-83. • ventas@gavitur.gav.tur.cu • Propose des circuits dans la capitale, sur les pas de Hemingway, des excusions à Varadero, à Viñales, dans la péninsule de Zapata, etc.

Change

– On se procure des ***dollars*** dans les banques, ou dans les grands hôtels (mais le taux de change y est moins intéressant). De plus en plus d'hôtels prennent les cartes *Visa Internationale* et *MasterCard.* Ne pas oublier son passeport.

– Ceux qui veulent se procurer des ***pesos*** iront dans les bureaux de change spécialisés : les *casas de cambio Cadeca.* Évitez les changeurs au noir, leur taux n'est pas le plus intéressant.

■ ***Asistur*** *(Asistencia al Turista; plan couleur I, A2,* ***5****)* **:** paseo Martí, 208, Habana Vieja. ☎ 866-44-99 et 866-89-20. Ouvert 24 h/24. En cas de problème d'argent, on peut se faire transférer du liquide via le *Crédit Lyonnais* ou la *Société Générale.* Commission de 10 % + 17 US$ par 1 000 US$. Délai maximum de 3 à 4 jours. Le personnel parle le français et l'anglais. Bon à savoir : *Asistur* est aussi le représentant à Cuba d'*Europe Assistance* et de *Mondial Assistance.*

■ ***Cadeca*** *(plan couleur I, B3,* ***6****)* **:** calle Oficios, angle entre Baratillo et Lamparillo, Habana Vieja. Ouvert tous les jours de 8 h à 22 h. Service complet. On y retire des dollars avec les cartes *Visa* et *MasterCard,* plus le passeport. Change les chèques de voyage. Et on peut aussi acheter des pesos cubains.

■ ***Autre agence Cadeca*** *(plan cou-*

leur I, A2, 72) :* à l'intérieur de l'hôtel *Sevilla* (voir « Où dormir ? »), dans Habana Vieja. ☎ 61-85-01. Dans la galerie principale (celle où se trouvent les portraits de personnes célèbres). Ouvert tous les jours de 9 h à 19 h. L'un des rares endroits de la capitale où vous pourrez changer vos chèques de voyage *American Express* (commission de 3,5 %). On peut aussi y retirer des dollars avec une carte de paiement (mais non américaine, faut pas abuser !).

■ ***Banco Financiero Internacional*** *(plan couleur I, B2, **7**) :* angle Brasil et Oficios, près de la place San Francisco de Asís, Habana Vieja. Ouvert de 8 h à 15 h du lundi au vendredi. Possibilité de retirer des dollars avec les cartes *Visa* et *MasterCard* et le passeport.

■ ***Autre agence Banco Financiero Internacional*** *(plan couleur III, H7, **8**) :* le long du Malecón, angle de Linea (calle 9), Vedado. Ouvert du lundi au samedi de 9 h à 19 h ; le dimanche, de 9 h à 14 h. On peut y changer des chèques de voyage (sauf ceux qui émanent d'une banque américaine, bien sûr).

■ ***Banco Popular de Ahorro*** *(plan couleur III, G8, **9**) :* calle 23 (Rampa) à l'angle de J, Vedado. Ouvert de 8 h 30 à 15 h 30. Fermé le samedi. Retrait d'espèces avec les cartes *Visa* et *MasterCard,* plus le passeport. Distributeur automatique.

■ ***Cadeca*** *(plan couleur III, H7, **10**) :* calle M, entre 17 y 19, Vedado. Dans un passage souterrain qui passe sous l'horrible immeuble La Torre et qui relie la calle M à la N. Pas facile à dénicher. Ouvert du lundi au samedi de 9 h à 18 h ; le dimanche, de 9 h à 13 h. Pour ceux qui veulent des pesos cubains.

■ ***Autre agence Cadeca*** *(plan couleur III, F8, **11**) :* calle 19, entre A y B, Vedado. Une petite guérite sur la droite, à l'intérieur du marché paysan. Ouvert de 8 h à 18 h ; le dimanche, de 8 h à 13 h. Pour se procurer des pesos.

Poste, téléphone, accès Internet

✉ ***Poste*** *(plan couleur I, zoom) :* pl. San Francisco de Asís, Habana Vieja. Ouvert du lundi au samedi 24 h/24. Grande poste moderne, principalement à l'attention des touristes. Toutes les opérations courantes sont possibles. Vente de timbres et de cartes téléphoniques. Cabine téléphonique à l'intérieur. Éviter la poste du grand théâtre, bien plus chère.

✉ ***Poste principale*** *(plan couleur III, G9) :* av. de la Independencia, à un bloc de la plaza de la Revolución, Vedado. Timbres payables uniquement en pesos cubains. De toute façon, les touristes ne s'y rendent pas, puisque tous les grands hôtels ont des boîtes aux lettres... Par ailleurs, les magasins qui vendent des cartes postales proposent aussi, pour la plupart, des timbres payables en dollars.

– ***Téléphone international :*** des modules préfabriqués sont installés aux endroits stratégiques. Ils sont blancs et bleus et indiquent *Etecsa,* du nom de la compagnie cubaine des téléphones. On y trouve des cabines à carte *(tarjeta telefónica)* qu'on peut acheter sur place : à 5, 10 et 20 US$. Pour les communications internationales, cela revient beaucoup moins cher que de téléphoner d'un hôtel. Voici les adresses de quelques modules :

■ ***Etecsa*** *(plan couleur III, H8, **12**) :* sur la Rampa (av. 23), Vedado. En face du glacier *Coppelia.*

■ ***Autre agence Etecsa*** *(plan couleur III, F8, **12**) :* en bas du Paseo, avant d'arriver sur le Malecón, face à l'hôtel *Melía Cohiba,* Vedado.

@ ***Internet :*** l'accès à Internet pour les touristes se développe. Pensez à prendre votre passeport. On trouve ce service dans la plupart des grands hôtels. *Telepunto,* dans Obispo, à l'angle de Habana *(plan couleur I, A2, **13**),* ouvert tous les jours de 8 h 30 à 21 h, est un centre particulièrement fonctionnel et bien équipé.

Représentations étrangères

■ ***Ambassade de France*** *(plan couleur IV, I11,* ***14****) :* calle 14, 312, entre 5ta y 3ra av., Miramar. ☎ 201-31-31. Ouvert de 9 h à 12 h. En cas de vol de papiers (passeport), faire une déclaration à la police, puis passer à l'ambassade pour faire établir un passeport provisoire (laissez-passer valable jusqu'au retour). Prévoir 2 photos, le maximum de documents prouvant votre identité et l'équivalent de 23 € payables en dollars ou en pesos convertibles. Dans tous les cas, téléphoner avant d'y passer. Avant de partir, consulter la fiche « Conseils aux voyageurs » sur Internet à l'adresse : • www.france.diplomatie.gouv.fr/voyageurs •

■ ***Alliance française*** *(plan couleur III, G8,* ***15****) :* av. de Los Presidentes, 407, entre 17 y 19, Vedado. ☎ 33-33-70. Ouvert de 9 h à 21 h 30 ; le samedi, de 9 h à 19 h. Fermé le dimanche, ainsi que du 15 juillet à la fin août. Plus de 3000 étudiants cubains apprennent le français ici. Intéressant pour ceux qui voudraient rencontrer la jeunesse cubaine francophile (et phone). Les élèves seront ravis de vous servir de guide dans la capitale. Mais attention, ce n'est pas un lieu de drague ! Pour les routards en manque de culture française : bibliothèque bien fournie et vidéo-club. On peut aussi y consulter la presse française (avec quelques jours de retard).

■ ***Ambassade de Belgique*** *(plan couleur IV, J11,* ***16****) :* calle 8, 309, entre 3ra y 5ta, Miramar. ☎ 204-24-10. Fax : 204-13-18. Ouvert du lundi au jeudi de 9 h à 12 h.

■ ***Ambassade du Canada*** *(plan couleur IV, I12,* ***17****) :* calle 30, 518, angle 7ma av., Miramar. ☎ 204-25-16 ou 204-25-27. Fax : 204-20-44. Ouvert du lundi au jeudi de 8 h 30 à 17 h ; le vendredi, jusqu'à 14 h.

■ ***Ambassade de Suisse*** *(plan couleur IV, I12,* ***18****) :* 5ta av., 2005, entre 20 y 22, Miramar. ☎ 204-26-11 ou 204-29-89. Fax : 204-11-48. Ouvert du lundi au vendredi de 9 h à 12 h. Urgences jusqu'à 15 h.

Transports

Taxis

■ ***Panataxi :*** ☎ 55-55-55. 24 h/24. Une des compagnies les moins chères et service efficace.

■ ***Taxis OK :*** ☎ 204-00-00.

■ ***Habanataxis :*** ☎ 53-90-86.

Location de voitures

■ ***Micar*** *(plan couleur III, F7,* ***19****) :* dans le Vedado. Plusieurs agences. Celle que nous vous indiquons se trouve à l'extérieur du centre commercial qui fait le coin entre le Paseo et le Malecón (face à l'hôtel *Melía Cohiba*). Entrée sur la 1ra av., face à la station-service *Cupet.* ☎ 55-35-35. Également à l'aéroport (☎ 262-50-55 et 56), au Centro de negocios de Miramar et dans les hôtels. Réservations : ☎ 833-02-02. • micarrenta@cubalse.cu • C'est probablement l'adresse la plus sûre pour obtenir des voitures en bon état (Fiat, Peugeot...) car cette agence est l'émanation du consortium *Cubalse,* qui importe les voitures sur l'île. Les prix sont généralement inférieurs à ceux des autres loueurs.

■ ***Transtur*** *(plan couleur III, F8,* ***94****) :* à l'intérieur de l'hôtel *Riviera,* Paseo y Malecón, Vedado, et dans tous les grands hôtels des chaînes *Gran Carribe, Horizontes* et *Islazul.* Central de réservation : ☎ 204-40-

57. • www.transturentacar.cu • Choix varié de 4x4 Suzuki et Daihatsu. Attention, plusieurs lecteurs se sont plaints de cette compagnie (mauvais état des voitures, petites arnaques). En plus, les prix sont plus élevés qu'ailleurs.

■ ***Havanautos :*** dans tous les grands hôtels (*Riviera, Nacional, Habana Libre, Sevilla,* etc. ; voir « Où dormir ? »). ☎ 203-93-47. Assistance technique : ☎ 203-98-33. • reshautos@cimex.com.cu • Tarifs dégressifs pour plusieurs jours.

■ ***Transgaviota :*** plusieurs bureaux, à l'aéroport international José Martí, dans les restos du parque histórico Morro-Cabaña. ☎ 267 16-26 et 27. Location de voitures avec chauffeur, à l'heure ou à la journée. Plus cher qu'une location normale, bien sûr, mais ça dépannera ceux qui n'ont pas le permis !

■ ***Cubacar :*** bureau sur le parking de l'aéroport international et dans les hôtels *Meliá Habana, Vedado, Habana Libre, Comodoro,* etc. Réservations : ☎ 33-22-77.

Location de vélos

Pas de loueur de vélos officiel dans la capitale. Adressez-vous à votre hôte si vous logez chez l'habitant. Environ 3 US$ la journée. On circule facilement en ville, vu l'absence de trafic. Mais attention, la nuit, les rues sont mal éclairées. Et n'oubliez pas le K-way en saison des pluies ! Soyez également vigilant en ce qui concerne les vols, nombreux. Apportez votre propre antivol car il ne semble pas y en avoir dans le pays !

Stations-service

Plusieurs stations-service *Cupet* et *Oro Negro* en ville, toutes ouvertes 24 h/24 et payables uniquement en dollars.

– Linea y Malecón, dans le Vedado.
– Calles L y 17, dans le Vedado.
– Paseo y Malecón, dans le Vedado ; devant l'hôtel *Riviera.*
– Calles 31 y 20, à Miramar.
– Calles 41 y 72, à côté du *Tropicana,* à Marianao.
– 5ta av. y 112, à Miramar.

Compagnies aériennes

– **Les compagnies aériennes** sont regroupées au rez-de-chaussée du grand bâtiment de la ***Cubana de Aviación*** *(plan couleur III, H7,* ***20****),* dans le quartier du Vedado et au Centro de negocios de Miramar, edificio Santiago de Cuba, rez-de-chaussée, 5ta av. y 76 *(hors plan couleur IV par I12,* ***21****).* Pour la fréquence des vols et les tarifs, voir la rubrique « Quitter La Havane ».
– ***Attention :*** une taxe d'aéroport de 25 US$ est à payer avant de sortir du pays.

■ ***Air France*** *(plan couleur III, H7,* ***20****) :* calle 23, 64, entre Infanta et P, Vedado. ☎ 66-26-42. • macastellanos@airfrance.fr • Ouvert du lundi au vendredi de 8 h 30 à 16 h 30 ; le samedi, de 8 h 30 à 12 h 30. Un vol quotidien pour Paris. Bon à savoir : il n'est pas nécessaire de confirmer son vol de retour.

■ ***Cubana de Aviación*** *(plan couleur III, H7,* ***20****) :* en bas de la *Rampa* (calle 23), 64, entre la calle P et Infanta, Vedado. ☎ 33-49-49. Ouvert du lundi au vendredi de 8 h à 16 h ; le samedi, de 8 h 30 à 12 h. Agences également à l'hôtel *Habana Libre* et dans la *lonja del Comercio (plan couleur I, B2,* ***3****).* Vols pour Santiago, Guantánamo, Gerona, Ciego de Ávila, Las Tunas, Camagüey, Holguín, Bayamo, Manzanillo, Baracoa et cayo Largo. Plus de détails dans « Quitter La Havane ».

■ ***Aerocaribbean :*** même immeuble que Cubana de Aviación. ☎ 879-

75-24. Ouvert du lundi au samedi, de 8 h 30 à 16 h. Vols pour cayo Coco, Trinidad, Holguín, Santiago.

■ ***Iberia*** *(hors plan couleur IV par I12,* ***21****)* **:** Centro de negocios de Miramar, edificio Santiago de Cuba, rez-de-chaussée, 5ta av. entre 76 et 78. ☎ 204-34-44 et 45. Ouvert du lundi au vendredi de 9 à 16 h. Un vol quotidien pour Madrid.

■ ***Mexicana et Aerocaribe*** *(hors plan couleur IV par I12,* ***21*** *et plan couleur III, H7,* ***20****)* **:** dans le Centro de negocios de Miramar et dans l'immeuble de la Cubana de Aviación au Vedado. ☎ 204-86-67 et 68. Ouvert de 8 h 30 à 16 h 30 ; le samedi, jusqu'à 12 h. Un vol quotidien pour Mexico et deux vols quotidiens pour Cancún.

■ ***Air Europa*** *(hors plan couleur IV par I12,* ***21*** *et plan couleur III, H8,* ***2****)* **:** dans le Centro de negocios de Miramar et dans le lobby de l'hôtel *Habana Libre*. ☎ 204-69-04. • www.aireuropa.com • Ouvert du lundi au vendredi de 8 à 16 h 30 ; le samedi, de 9 h à 13 h. Un vol quotidien pour Madrid.

■ ***Air Jamaica et Lanchile*** *(plan couleur III, H7,* ***20****)* **:** bureaux dans l'immeuble de Cubana de Aviación.

Santé, urgences

■ ***Pharmacie internationale*** *(plan couleur I, A2,* ***72****)* **:** dans le lobby du *Sevilla,* Trocadero 55, entre Prado et Zulueta, Habana Vieja. ☎ 861-57-03. Ouvert tous les jours de 9 h à 19 h. Les dingues de palaces en profiteront pour visiter ce monument du genre, avec son hall Belle Époque, ses galeries de style colonial...

■ ***Clínica Central Cira García*** *(plan couleur IV, J12,* ***22****)* **:** calle 20, 4101, esq. av. 41, Playa, Miramar. ☎ 204-28-11. Juste après avoir franchi la rivière en venant du Vedado. La meilleure clinique de la ville, qui facture ses services en dollars. C'est ici que le personnel des ambassades se fait soigner. Tous les services spécialisés. Une consultation de base coûte 25 US$, plus les médicaments (assez chers). En face, pharmacie assez bien fournie, ouverte de 9 h à 21 h. Les Cubains n'ont pas accès à ce centre, même s'ils ont des billets verts et ont réellement besoin d'un médicament spécifique que l'on ne trouve pas ailleurs. Sans commentaire.

■ ***Hopital Hermanos Amejeiras :*** sur Belascoaín, entre San Lazaro et Animas, Centro Habana. ☎ 877-60-77. Très grand building facilement reconnaissable, comportant plusieurs centaines de chambres. Très cher là encore, mais très fiable. Ils ont ici tous les médicaments qui font terriblement défaut aux petites pharmacies. Réservé aux étrangers. Paiement en dollars.

Librairies (cartes routières, plans, guides)

■ ***Librairie El Navegante*** *(plan couleur I, zoom,* ***23****)* **:** calle Mercaderes, 115, entre Obispo y Obrapía, Habana Vieja. ☎ 861-36-25. Juste à côté du resto *Torre de Marfil*. L'entrée est discrète. Ouvert du lundi au vendredi de 8 h 30 à 17 h ; le samedi, de 8 h 30 à 12 h. Une très jolie librairie. Idéale pour acheter vos plans et cartes routières de La Havane et des différentes régions de Cuba. On y trouve même des cartes marines. Pour ceux qui voyagent en voiture, se procurer l'excellent *Guía de Carreteras de Cuba,* un atlas routier bien détaillé au format de poche.

■ ***Librairie La Internacional*** *(plan couleur I, A2,* ***24****)* **:** calles Obispo y Bernaza, Habana Vieja. Ouvert du lundi au samedi de 10 h à 17 h 30. En face, ***Moderna Poesía,*** autre librairie également bien approvisionnée. Cartes postales, revues et livres majoritairement en espagnol. Le *Floridita* (voir « Où boire un verre ? ») est à 20 m : allez donc y lire en dégustant un daïquiri !

Presse

Vous trouverez la presse internationale à l'hôtel *Nacional* (à la réception), à l'hôtel *Habana Libre* (au Centro de negocios de Miramar, 2e étage) et à l'hôtel *Sevilla* (voir « Où dormir ? »). Ne vous attendez pas à un grand choix : *Le Monde* hebdomadaire, *Elle, Le Nouvel Observateur* et *Paris-Match* seulement sont au rendez-vous. Les polyglottes trouveront également le *Herald Tribune,* le *New York Times,* le *Wall Street Journal* et *El País.*

Où dormir ?

En gros, trois options pour se loger : Habana Vieja, Habana Centro et Vedado, chacun de ces quartiers ayant sa personnalité propre (lire plus haut « Les principaux quartiers »).
Longtemps populaire, ***Habana Vieja*** s'est un peu vidée de ses habitants traditionnels pour devenir lentement mais sûrement un quartier-dortoir pour touristes. Les anciennes demeures coloniales ont d'abord été transformées en musées. Les vieux palaces des années 1930 ont été rénovés. Et, depuis quelques années, une multitude d'hôtels de charme a vu le jour : de véritables petits bijoux coloniaux remarquablement bien restaurés et agrémentés de tout le confort moderne. Vraiment magnifiques. Avis aux amateurs...
Dans le ***Vedado,*** il n'y a guère d'hôtels de charme, mais quelques grands hôtels célèbres d'avant la Révolution. Le Vedado, c'est surtout une kyrielle de chambres chez l'habitant *(casas particulares),* où vous pourrez loger autour de 25 US$ la nuit. Avantage : on est proche des boîtes, cabarets et autres lieux de vie nocturne.
Quant à ***Habana Centro,*** c'est le quartier populaire par excellence. Très peu d'hôtels, mais quelques chambres chez l'habitant.
Un dernier mot pour éviter les mauvaises surprises. Le bruit est fréquent à La Havane, à cause de la musique des cabarets et autres discothèques, qui restent ouverts jusque tard dans la nuit, puis des coqs, qui vous réveillent à l'aube. Apportez vos boules Quiès. Autre désagrément : l'eau des salles de bains. Soit il n'y en a pas, soit l'eau chaude n'en a que le nom. C'est souvent lié aux coupures d'eau et d'électricité, ou tout simplement à des installations défectueuses.

Dans Habana Vieja

CHAMBRES CHEZ L'HABITANT (CASAS PARTICULARES)

☗ ***Jesus y Maria*** *(plan I, A3, **50**) :* Aguacate, 518, entre Sol et Muralla. ☎ 861-13-78. • jesusmaria2003@yahoo.com • Chambres entre 25 et 30 US$. Une bien jolie adresse, propre et lumineuse, certainement une des meilleures dans le genre. Après avoir traversé le petit salon, on découvre un charmant patio carrelé et fleuri, à la tenue absolument impeccable. À l'étage, sur la terrasse, 2 chambres avec sanitaires, frigo et AC. Calme total. Surplombant la rue, un coin de la terrasse est aménagé pour le farniente de fin d'après-midi, avec quelques transats et tables basses. On se sent vraiment comme à la maison. On allait oublier : accueil a-do-rable !

☗ ***Elvia Olivares*** *(plan couleur I, A3, **51**) :* Aguacate, 509, entre Sol y Muralla. ☎ 867-59-74. • elviaoli@yahoo.es • Au 4e étage, appt. 402. À gauche et au fond du couloir. Compter 20 US$ la chambre. Petit appartement dans un immeuble des années 1950. Ne vous fiez pas à l'entrée qui ressemble à un coupe-gorge. Tout change à la sortie de l'ascenseur lorsqu'on découvre le panorama sur la vieille ville. Deux chambres avec salle de bains commune. Petites mais sympathiques, elles jouissent d'une belle vue sur les toits. La chambre du fond, la plus agréable (lit matrimonial, ventilo et AC), a son entrée indépendante. C'est celle-ci que vous louerez en priorité. Salle de bains un rien vieillotte mais propre et suffisante (eau chaude). On peut prendre ses repas ici. Elvia est charmante et vous laisse même utiliser Internet. Une autre adresse dans le même immeuble, chez ***Fefita y Luis :*** c'est au même étage, sur le même palier, appt. 403. ☎ 867-64-33. Deux chambres à 25 US$, avec AC. Sympa, simple et familial. Accueil souriant. Un peu plus cher que chez Elvia.

🏠 ***Gustavo Enamorado Zamora, « Chez Nous »*** *(plan couleur I, B2,* ***52****) :* calle Brasil, 115, angle calle Cuba. ☎ 862-62-87. • cheznous@ceniai.inf.cu • Compter 30 US$ la chambre double, sans le petit déjeuner. Dans une demeure de style colonial (début du XXe siècle) qui possède pas mal de cachet. On est vraiment dans le cœur de la vieille Havane. Deux chambres propres, agréables, hautes de plafond : une grande avec lit matrimonial, l'autre un peu moins grande, avec 2 lits. Ventilo, AC, minibar bien fourni et TV. Salle d'eau commune (eau chaude). Gustavo (journaliste à la radio) et sa femme distillent un accueil discret, parfois un rien distant, mais ils parlent le français, ce qui est fort appréciable. Terrasse vraiment sympa sur le toit, accessible par l'étroit escalier de fer. Mini-balançoire.

🏠 ***Margot et Amalia*** *(plan couleur I, A1,* ***53****) :* Prado (paseo Martí), 20. ☎ 861-78-24. C'est au 7e étage (avec ascenseur !), appt. A. Deux chambres aux prix surestimés : la ridiculement petite à 25 US$ (petit lit) et l'autre à 35 US$. En gros, on paie la vue. C'est ce qu'on vient chercher ici. Depuis la grande terrasse, panorama extra sur le Prado, sur le Capitole, et surtout sur la baie juste devant. L'immeuble est indéniablement des années 1950, il est reproduit sur les billets cubains de 1 peso. Les deux sœurs qui vivent ici en sont toutes fières. Déco proprette et gaie. Margot parle un peu le français. Les 2 chambres partagent la salle de bains, propre, avec eau chaude. On peut laver son linge, mais pas cuisiner. La nuit, le veilleur garde la voiture contre un petit billet vert. Bon accueil.

🏠 ***Humberto Acosta*** *(plan couleur I, A3,* ***54****) :* Compostela, 611, à côté du marché, 2e étage. ☎ 860-32-64. • johnyterroni@yahoo.es • Compter 25 US$ la chambre double, avec salle de bains. Parking tout proche. À l'étage, une terrasse extra avec vue sur le couvent Nuestra Señora de Belén et la ville. Le top quand le soleil ne cogne pas trop fort, c'est d'avoir sa piaule sur le toit. Petite terrasse extérieure vraiment agréable, avec sur les murs des petits mots sympas des clients. Une bonne petite adresse comme on les apprécie, hyper-propre et fort calme. En plus, le jeune Humberto a le contact facile !

🏠 ***Pablo Rodriguez*** *(plan couleur I, A3,* ***55****) :* Compostella, 532. ☎ 861-21-11. Deux chambres à 25 et 30 US$ avec petit déjeuner. Tenu par Lydia et Pablo, un couple de retraités adorables. Grand salon charmant donnant sur la rue, décoré avec force bibelots, napperons et fleurs en plastique. Chambres simples et propres, très au calme car donnant sur une sorte de large couloir intérieur. Grande douceur de l'accueil. Lydia ouvre la porte du rez-de-chaussée avec une ficelle pour lui éviter de descendre les marches. Astucieux !

🏠 ***Miriam Soto*** *(plan couleur I, B3,* ***56****) :* Cuba, 611, entre Santa Clara et Luz. ☎ 862-71-44. • miriamyerick@hotmail.com • Deux chambres à 25 US$. Immeuble de style, décrépi, entrée en état de décomposition, mais Miriam est accueillante et l'appartement, simple et propre, propose des chambres tout à fait correctes, avec AC. En revanche, salle de bains commune. Pas la meilleure adresse de la ville, vous l'aviez compris, mais peut dépanner si les autres sont complètes.

HÔTELS

Prix modérés

■ ***Hôtel Lido*** *(plan couleur II, D4, 57)* **:** calle Consulado, 216, à la limite de Habana Vieja et de Centro Habana. ☎ 867-11-02 à 06. Fax : 33-88-14. • reservation@lidocaribbean.hor.tur.cu • Depuis le Prado, prendre la rue Trocadero. Centro. Chambres doubles à 36 US$, petit dej' compris. En haute saison, compter 10 US$ en sus. Les chambres sont désormais rénovées pour plus de la moitié (aux 1er et 5e étages). Avec du bol, eau chaude ! Les chambres sur rue ont un petit balcon (on aperçoit le Capitole en se penchant bien). Les autres donnent malheureusement sur un mur aveugle. Elles sont sombres mais très calmes. Dans tous les cas, un petit coup de chiffon ne serait pas de trop. En plus, les salles de bains sont exiguës. Resto-cafétéria au dernier étage (vue dégagée en terrasse), ouvert jusqu'à 22 h. Coffre à la réception pour vos biens précieux. Service Internet. Parking pour les vélos. Et même un petit bureau de tourisme dans le hall. Certes, l'hôtel n'a absolument aucun charme, n'est pas toujours des plus calmes et on vous décroche difficilement un sourire. Mais c'est l'hôtel pour touristes le moins cher de la Habana Vieja, voire de La Havane. Niurka, à la réception, parle le français. En dépannage.

Prix moyens

■ ***Casa del Científico*** *(plan couleur I, A2,* ***58****)* **:** Prado (paseo Martí), 212. ☎ 862-45-11 ou 863-81-03. Fax : 860-01-67. Attention, l'enseigne est pratiquement invisible. On le repère à sa belle façade jaune. Chambres à 31 US$ avec salle de bains commune pour 2 chambres (eau froide) et 55 US$ avec salle de bains privée (eau chaude *incluida*). Le petit dej' n'est pas compris. Une bonne adresse de charme et à prix doux. Un véritable petit palais baroque, comme en témoignent les dorures au plafond, le magnifique escalier en marbre et les colonnades du hall d'entrée. Au 1er étage, au fond d'un salon, touchante petite chapelle ouverte, avant d'accéder à la salle à manger. C'est là qu'on trouve le resto de l'hôtel, un peu trop vaste à notre goût pour être chaleureux. Pour prendre vos repas, optez pour l'immense terrasse à colonnes donnant sur la rue. Plats autour de 8 US$. Les chambres avec *baño* sont au dernier étage et donnent sur le toit. Les autres donnent sur une coursive. Beaucoup de caractère et de charme dans l'ensemble, mais les chambres ne sont pas bien insonorisées. Pour le prix, reste une bonne adresse dans la Habana Vieja.

■ ***Convento Santa Clara*** *(Residencia Académica ; plan couleur I, B3,* ***59****)* **:** Cuba, 610, angle Santa Clara, entre Sol y Luz, au sud de la plaza Vieja. ☎ 861-33-35. Fax : 866-56-96. • reaca@cencrem.cult.cu • Parking. Compter 25 US$ par personne, petit dej' compris. L'hébergement est principalement réservé aux étudiants, mais quand ce n'est pas complet (c'est fréquent), les touristes sont les bienvenus. Il faut bien actionner le tiroir-caisse ! À l'écart de l'agitation, ce beau couvent du XVIIe siècle a conservé son atmosphère coloniale avec son toit de briques rouges, sa balustrade en bois peinte en bleu, ses tomettes. Neuf chambres doubles spacieuses, propres et calmes, avec salles de bains. Elles donnent sur une vaste galerie. Il y a aussi 2 dortoirs de 7 lits et, enfin, une suite charmante installée dans la cour intérieure (35 US$ par personne). Celle-ci abrite une chambre, un coin salon et une terrasse. Le tout dans un cadre superbe. Personnel aux petits soins. Le couvent est tenu par le ministère de l'Éducation. La visite du couvent est gratuite pour les clients. Cafétéria 24 h/24.

Chic

Hostal Valencia-El Comendador *(plan couleur I, zoom, **60**)* **:** Oficios, 53, angle Obrapía. ☎ 867-10-37 et 861-24-65. Fax : 860-56-28. • reserva@habaguanexhvalencia.co.cu • Compter à partir de 60 US$ la double pour le *Valencia* et entre 90 et 110 US$ pour *El Comendador*. Dans une ancienne bâtisse espagnole, un très bel hôtel de charme idéalement situé à 2 pas de la plaza de Armas. En fait, il y en a deux en un, allez comprendre pourquoi ! Prix plus élevés au *Comendador* (situé au fond, derrière le premier patio) mais pas justifiés pour autant malgré l'air conditionné. Le *Valencia* est de fait l'hôtel de petit luxe de la vieille Havane proposant un des meilleurs rapport qualité-prix du secteur. Pour vous repérer, c'est le *Valencia* qui a pignon sur rue. En tout cas, cette ravissante demeure, avec ses patios en enfilade, est un havre de fraîcheur, de dépouillement et de calme. Les chambres, d'une sobre élégance, sont confortables (TV câblée et minibar) malgré une salle de bains un peu chancelante. Certaines disposent d'un balcon donnant sur la ruelle. Seules les chambres nos 2 et 15 donnent sur l'intérieur. Les amoureux des demeures du XVIIIe siècle à l'atmosphère monastique seront aux anges. Ne pas hésiter à voir des chambres dans les deux hôtels, prix à l'appui, pour pouvoir comparer.

Hôtel Park View *(plan couleur I, A2, **61**)* **:** Colón, angle Morro. ☎ 861-32-93. Fax : 863-60-36. • habaguanex@parkview.co.cu • Dans une rue à gauche, en remontant le paseo Martí, à deux pas du musée de la Révolution. Compter entre 75 et 80 US$ la chambre double, avec petit dej'. Joli petit hôtel récemment rénové par *Habaguanex,* la société chargée de la restauration de la *Habana Vieja*. Chambres coquettes et confortables, pas bien spacieuses cependant, que l'éclairage au néon ne met pas forcément en valeur... Ceci dit, bon service. Restaurant au 7e étage *(le Prado)* avec belle vue sur le port. Parking. Un bon rapport qualité-prix.

Convento Santa Brigida *(plan couleur I, B2, **62**)* **:** Oficios, 204, entre Teniente Rey y Muralla. ☎ 866-43-13. Fax : 866-40-85. • brigidahabana@enet.cu • De 70 à 130 US$ la chambre double, petit déjeuner compris. Comme le lieu le laisse sous-entendre, on ne vient pas ici pour l'ambiance révolutionnaire. À défaut d'être décoiffantes, les 11 chambres sont nickel et assez spacieuses quoique pas très gaies. Vraiment calmes cependant. Les religieuses qui vous accueillent sont dans le même esprit, disons... effacées. Mais on n'est pas là pour les familiarités et c'est une bonne adresse. Possibilité de prendre ses repas en réservant la veille.

Plus chic

Hôtel Beltrán de Santa Cruz *(plan couleur I, B3, **63**)* **:** San Ignacio, entre Muralla y Sol. ☎ 860-83-30. Fax : 860-83-83. • habaguanex@b_santacruz.co.cu • Doubles de 90 à 110 US$ selon la saison. Un hôtel avec patio élégant, aux pavés inégaux, aux murs chaleureux, bleu et ocre, égayés par des plantes vertes qui dégoulinent des balcons. Colonnes de pierres, piliers de bois et chambres élégantes, spacieuses, soignées, décorées avec goût mais sans luxe démesuré. Très calme et excellente situation. Salle de bains nickel, TV, AC. Service sympa à défaut d'être vraiment efficace. On s'en fiche un peu, on se sent bien.

Hostal Los Frailes *(plan couleur I, B2, **64**)* **:** Teniente Rey, entre Oficios y Mercaderes. ☎ 862-93-83 et 862-95-10. Fax : 862-97-18. Tout près de la plaza de Armas. Compter autour de 110 US$ la double. Dans une ancienne demeure coloniale, un hôtel à la déco ravissante. Les chambres donnent sur un patio intérieur avec fontaine et donc – gros handicap – ne possèdent pas de fenêtres. Assez sombres par conséquent (faut aimer !). Des plantes vertes dites *teléfono* pendent des balcons. Chambres décorées avec sobriété, agréables et confortables, disposant de sanitaires nickel. Des sculptures de moines en métal rouillé rappellent que nous sommes à quelques pas de l'église Saint-François-d'Assise. Même la tenue du personnel rappelle le côté monacal du lieu.

Encore plus chic

☗ ***Hostal San Miguel*** *(plan couleur I, A1,* ***65****) :* calle Cuba, 52, angle Peña Pobre. ☎ 862-76-56 et 863-40-29. • reserva@sanmiguel.co.cu • Un petit bijou pour 120 à 180 US$ la chambre double selon la saison, avec petit dej'. Parmi les nombreuses restaurations de la *Habana Vieja,* celle-ci est une véritable réussite. Située face à la baie, cette ancienne maison à l'atmosphère bourgeoise et légèrement compassée évoque les années 1920 : dorures au plafond, vitraux, superbe escalier en marbre et de magnifiques sculptures en bronze cachées dans les niches. Bar au rez-de-chaussée. Mobilier d'époque dans un petit salon assez intime. Depuis la terrasse sur le toit, on sirote un *mojito* face au coucher du soleil sur la baie. Les chambres sont nickel et disposent de tout le confort souhaité : AC, téléphone, minibar. En revanche, salle de bains un peu étriquée. Aux murs, des photos anciennes. L'accueil est agréable. Mieux vaut réserver à l'avance, surtout en haute saison.

☗ ***Ambos Mundos*** *(plan couleur I, zoom,* ***66****) :* angle rues Obispo et Mercaderes. ☎ 860-95-30. Fax : 860-95-32. Chambres doubles à 110 US$ en basse saison et 130 US$, voire 160 US$, en haute et très haute saison, petit dej' compris. Encore un hôtel mythique, ne serait-ce que grâce à papa Hemingway qui y avait établi son quartier général, très exactement dans la chambre 511. Il y écrivit les premiers chapitres de *Pour qui sonne le glas,* avant d'aller s'installer à la *finca Vigía* (voir la rubrique « Dans les environs de La Havane »). Les clients peuvent la visiter gratuitement, les autres pourront économiser leurs 2 US$. Vaste lobby-bar ouvert sur la rue où se croisent les incontournables groupes de touristes. Si l'hôtel est chargé d'histoire, les chambres se révèlent sans cachet, même si elles sont plutôt confortables. Les salles de bains, quant à elles, sont bien fatiguées. La moitié des chambres donne sur l'intérieur (à éviter), certaines sont même petites et sombres. Demandez-en une qui donne sur la rue, de préférence en étage, pour profiter de la vue sur la ville. Sinon, contentez-vous de grimper au dernier étage pour prendre un verre au *roof garden* (ouvert de 8 h à 22 h 30) et admirer la superbe vue panoramique. Également un resto, *Grillada Hemingway,* avec un menu à 20 US$.

☗ ***Hostal Conde de la Villanueva*** *(plan couleur I, zoom,* ***67****) :* calle Mercaderes, 202, angle Lamparilla. ☎ 862-92-93. Fax : 862-96-82. • reserva@cvillanueva.co.cu • Entre 130 et 160 US$ la double. Un autre petit palais savamment transformé en un hôtel de charme, discret et de grand confort, essentiellement dédié aux amateurs de cigares. Large patio bordé de plantes agrémenté de photos d'amateurs réputés, et équipé des inévitables rocking-chairs pour déguster un bon D4 de chez Partagas (c'est un cigare). Neuf chambres seulement, toutes dénommées d'après une grande marque de vitoles (« Hoyos de Monterey », « Vegas Trinidad », « Perla de Llevada »...) et dans lesquelles on peut sans problème se laisser aller à son péché mignon (le cigare, pas les galipettes !). Spacieuses, hautes de plafond mais assez sombres cependant. Salle de bains moderne, ce qui n'est pas si courant. Beaucoup de caractère et une décoration sobre et chic qui devrait plaire aux routards les plus fine bouche. Resto recommandable au rez-de-chaussée. Sur la droite dans le patio, la boutique de cigares (voir aussi la rubrique « Achats »), excellente car c'est l'une des rares à vendre autant de cigares à l'unité. Petit salon de dégustation pour les apprécier avec un café. Des rencontres sont régulièrement organisées entre amateurs.

Hôtel Telégrafo *(plan couleur I, A2,* ***68****)* **:** au bout du Prado (paseo Martí), face au parque Central. ☎ 861-10-10 et 861-22-42. Fax : 861-47-41. • reserva@telegrafo.co.cu • Compter 130 US$ la double (petit dej' compris) en temps normal, 150 US$ durant les périodes de pointe. À la fin du XIXe siècle, ce fut l'un des hôtels les plus classieux d'Amérique latine. Aujourd'hui, c'est sans doute le plus design de La Havane. Très beau dans son genre. Déco d'avant-garde réalisée par un décorateur cubain de la veine de Philippe Stark. Bois clair et métal, mobilier contemporain, structures minimalistes et quelques rappels discrets à l'univers du téléphone. Dans le vaste lobby, les fauteuils en cuir retourné s'harmonisent de manière osée avec des sofas en skaï argenté. Les chambres donnent toutes sur l'extérieur, la plupart avec vue sur le parque Central. Celles du 1er étage ont un petit balcon. Elles sont très modernes, super-confortables, avec tous les services de cette catégorie. Très calmes aussi grâce au double vitrage des fenêtres. Une douzaine d'entre elles disposent d'un lit *king size*. Au bar du rez-de-chaussée, fresque en mosaïques et arcades. Pas donné évidemment, mais l'hôtel a vraiment du style, et tient bien la route. Le resto est élégant mais très cher. Service Internet.

Hôtel Santa Isabel *(plan couleur I, zoom,* ***69****)* **:** sur la plaza de Armas, là même où tout a commencé. ☎ 860-82-01. Fax : 860-83-91. • comercial@habaguanexhsisabel.co.cu • Compter 200 US$ la chambre double avec petit déjeuner. Merveilleusement situé, l'ancien palais des comtes de Santovenia occupe tout un côté de la plus vieille place de La Havane. Derrière la splendide façade à arcades bordée par un immense balcon en fer forgé, se cache un havre luxueux de 27 chambres seulement dont une dizaine de suites. Là encore, la rénovation est un sans faute. Autour du ravissant patio, les chambres se répartissent sur 2 étages. La majorité a une terrasse donnant sur la plaza de Armas. Leur confort est parfait, avec TV satellite, téléphone, AC, *room-service,* minibar... Tout le confort moderne dans un cadre élégant. Parking.

Hôtel Florida *(plan couleur I, A2,* ***70****)* **:** calle Obispo, 252, angle de Cuba. ☎ 862-41-27. • comercial@habaguanexhflorida.co.cu • Compter 150 US$ la chambre double, avec belle salle de bains. Façade sobre et très chic de cet hôtel de charme, au magnifique patio autour duquel s'agencent 25 chambres. Ici, l'atmosphère n'est que détente et volupté, mais devient plus trépidante le soir, quand les rythmes de la salsa résonnent au piano-bar. Jazz le mercredi de 16 à 18 h.

ET DES PALACES...

Bien que célèbres, ces établissements sont souvent décevants car impersonnels. En plus, vu les prix, les prestations ne sont pas toujours à la hauteur des fantasmes qu'on a pu se faire. Et puis c'est un peu comme si l'on passait du *Charme discret de la bourgeoisie* aux *Bronzés* (en vacances de luxe). Ce sont plutôt des palaces à visiter que de véritables lieux de séjour. Beaucoup de groupes envoyés par les agences.

Hôtel Inglaterra *(plan couleur I, A2,* ***71****)* **:** sur le parque Central, qu'il domine de sa superbe façade. ☎ 860-85-93 à 97. Fax : 860-82-54. • comerc@gcingla.gca.tur.cu • Compter 120 US$ la chambre double, 160 US$ en période de *rush*. Palace élevé en 1875, dont l'architecture s'inspire à la fois du néo-classicisme et du style arabo-andalou. Il dut être vraiment splendide pendant son heure de gloire, mais sa splendeur en a pris un coup. On s'en doute, beaucoup d'artistes et de personnalités défilèrent ici, parmi lesquelles Federico García Lorca. Sarah Bernhardt y retrouvait son amant, le torero Mazzantini... Mais les temps ont changé : du lobby aux chambres en passant par la salle à manger, on traverse des pièces ternes et tristes, à l'ambiance compassée. Et les volumes imposants ne font qu'accentuer cette impression ! Quant aux chambres, elles sont inégales. Certaines ont un balcon, d'autres donnent sur le parque Central ou le théâtre. N'hésitez pas à en visiter plusieurs avant de vous décider.

Hôtel Sevilla *(plan couleur I, A2,* ***72****)* **:** Trocadero, 55, entre Prado y Zulueta. ☎ 860-85-60. Fax : 860-85-82. • reserva@sevilla.gca.tur.cu • Compter 165 US$ la chambre double de base, avec petit déjeuner servi sous la forme d'un plantureux buffet. Superbe palace géré par le groupe *Accor*. Son histoire mérite d'être narrée : édifié en 1880, le *Sevilla* est une parfaite réplique du style mudéjar cher à la capitale andalouse : colonnes mauresques, plafonds à caissons, mosaïques, et bien sûr un rafraîchissant patio où boire un verre... On ne compte plus les personnalités de la politique et des arts qui s'y sont succédé : Tito, Perez Prado, Joséphine Baker, Caruso, Gloria Swanson, Paul Morand, l'incontournable Hemingway et même Al Capone, qui loua l'intégralité du 6ᵉ étage pour lui et ses gardes du corps. L'hôtel, ancien *Seville-Biltmore,* a également inspiré Graham Greene : c'est ici, dans la chambre 510, que le héros de *Notre agent à La Havane* rencontre son patron de l'Intelligence Service... Chambres en parfait état depuis les récents travaux. Elles sont meublées avec goût et sobriété et disposent d'un excellent confort, avec des lits qui feraient flancher les plus résistants. Par contre, elles sont de taille assez inégale. Même si vous n'y séjournez pas, ne manquez pas d'admirer le panorama sur la ville depuis le dernier étage. Vue superbe depuis la salle à manger du restaurant *Roof Garden,* réservé à ceux qui souhaitent casser la tirelire pour un repas plus européen qu'exotique. Belle piscine avec bar. Dans la galerie des célébrités, on trouve les agences *Havanautos* et *Transtur,* ainsi qu'un bureau de change *Cadeca*. Quelques boutiques également. Sauna en sus. Service Internet : 2 US$ les 15 mn, 8 US$ l'heure.

Dans Centro Habana

CHAMBRES CHEZ L'HABITANT (CASAS PARTICULARES)

David y Lidia Diaz *(plan couleur II, D5,* ***75****)* **:** San Miguel, 426, entre Lealtad y Campanario. ☎ 879-79-34. • charmi@infomed.sld.cu • Petite chambre double à 15 US$, 20 US$ pour la plus grande (immense). Voici une grande et belle demeure coloniale où le temps s'est arrêté. Rien n'a bougé depuis l'époque où le père de David servait au Zaïre dans les colonnes du Che. L'étrange sofa rouge trône toujours sous les arcades en pierre du vaste vestibule plongé dans la pénombre, les boiseries reflétant à peine la pâle lumière des lustres Art nouveau. Plus de modernité dans les chambres : AC, ventilateur, lecteur de CD. Et même un véritable coffre-fort du XIXᵉ siècle encastré dans le mur. On dort facilement à 5 dans l'immense chambre double, en ajoutant un lit. La 2ᵉ, avec lit matrimonial, donne directement sur un ravissant salon privatif aux murs décatis, meublé à l'ancienne et où l'on peut prendre des airs en fumant un havane... David est vétérinaire et parle bien le français, tout comme son copain Omar, guide à ses heures, qui vous fera découvrir les coins secrets de la ville.

🏠 ***Casa Roomantic Colonial*** *(plan couleur II, D4, **76**)* **:** Amistad, 178, entre Neptuno y Concordia, à la limite de Habana Vieja. ☎ 862-23-30. Chambres à 20 US$. Tamara et Guillermo, un jeune couple à la trentaine sympa, louent 2 chambres dans une maison ancienne qu'ils rafraîchissent peu à peu. Les hôtes disposent de tout le 1er étage, composé notamment d'une grande salle des pas perdus qui fait office de salon. Un grand balcon ensoleillé donne sur la rue animée et les ruines langoureuses de Centro Habana (ne pas manquer la photo souvenir sous le magnifique vitrail !). Chambre avec lit matrimonial, salle de bains (eau chaude sur le pommeau de douche), AC et ventilateur. Frigo et cuisine à disposition des clients. Petit dej' bon marché. Ce n'est pas le grand luxe, mais on est bien accueilli et il règne ici une bonne atmosphère.

🏠 ***Amada Pérez Guelmes, « Chez Tony »*** *(plan couleur II, D4, **77**)* **:** calle Lealtad, 262, à l'étage, entre Neptuno y Concordia. ☎ 862-39-24. Chambres doubles à 25 US$. Standing général correct pour ces 2 chambres, l'une donnant sur la cour intérieure où le linge sèche à la *West Side Story* sur de grands fils, l'autre sur la rue et donc plus bruyante. Sanitaires avec chauffe-eau sur la pomme de douche. Chouette petite terrasse coloniale où il fait bon prendre le pouls de la rue, tranquillement installé sur une chaise à bascule. Possibilité de dîner sur place en prévenant à l'avance.

🏠 ***Juan Carlos*** *(plan couleur II, D4, **78**)* **:** Crespo, 107, entre Colón y Trocadero. Au 1er étage. ☎ 863-63-01 et 861-80-03. Compter 20 US$ la chambre double. Petit déjeuner à 3 US$. Une adresse modeste mais chaleureuse, alors que le quartier, tout proche du Malecón, est bien décrépi. La chambre pour 2 personnes est simple mais convenable. Salle de bains attenante. Juan Carlos est jeune et vous réserve un accueil chaleureux.

Dans le Vedado

CHAMBRES CHEZ L'HABITANT (CASAS PARTICULARES)

🏠 ***Iliana García*** *(plan couleur III, F9, **80**)* **:** calle 2, 554 (étage), entre 23 y 25, Vedado. ☎ 831-33-29. Deux chambres à 20 US$, meublées simplement, donnant l'une sur une belle terrasse, l'autre sur la calle 2 (nous la préférons). Grande salle de bains à partager. Iliana et sa charmante mère Albertina occupent cet appartement clair et frais auquel on accède par un escalier de marbre débouchant sur un salon confortable, dont les hôtes ont la jouissance, bien sûr.

🏠 ***Mercedes González*** *(plan couleur III, G8, **81**)* **:** calle 21, 360, entre G y H, appt. 2A. ☎ 832-58-46. Pour réserver : • mercylupe@hotmail.com • Au 2e étage d'un immeuble des années 1950 (ascenseur). À l'interphone, appuyez sur la sonnette de Mercedes. Compter 25 US$ la chambre. Dans un vaste et bel appartement, 2 chambres spacieuses, l'une à 2 lits, l'autre avec un très beau lit double de style Art déco en bois de caoba. Bien équipées : frigo, AC, ventilateur, TV et salle de bains très correcte. Mercedes est charmante, bavarde et discrète à la fois. Elle rend de nombreux services. N'ayez pas peur du gros chien, Lobo, il adore les hôtes de passage. Belle terrasse avec vue dégagée pour prendre le frais ou le café du matin, en feuilletant un des nombreux bouquins de la bibliothèque. Une bonne adresse sympathique.

🏠 ***Delta Torres Pagán*** *(plan couleur III, G8, **82**)* **:** calle D, 501, angle 21 et D. ☎ 832-90-78. Compter 25 US$ la chambre. Une belle et ancienne maison bourgeoise où s'entassent les vieux meubles d'époque sous le regard d'une *Joconde* très kitsch qui doit faire se retourner le pauvre Léonard dans sa tombe. On prend son petit dej' sur la terrasse (très agréable), face à un petit jardin, entre les plantes et le linge qui sèche. Trois chambres confortables et joliment meublées (ventilo et AC), chacune avec salle de bains moderne. L'une pour un couple avec enfant, l'autre avec un lit double. La 3e (lit matrimonial) donne sur la terrasse et bénéficie d'une entrée indépendante et de sanitaires rikiki. Le ménage est fait tous les jours, on peut utiliser la cuisine et le frigo, et laver son linge. Vous serez reçu par un couple d'un certain âge, mais ici, l'ambiance est très cool. On se sent comme « à la maison ». Delta vous couvera comme une seconde *mama* et vous racontera ses souvenirs d'avant la Révolution. Service gastronomique à la demande et petit dej' à 3 US$.

☗ ***Casa Mariveli*** *(plan couleur III, F8-9,* ***83****) :* calle 19, 857, entre 4 y 6. ☎ et fax : 55-28-69. • mariveli@web.de • Au 1er étage de la maison. Compter 25 US$ la chambre double. Une belle maison coloniale, avec sa vaste et superbe terrasse à colonnes qui domine la rue. On y prend le frais, confortablement installé dans les incontournables fauteuils à bascule, sous le regard indifférent de deux chats blancs magnifiques et le sourire ironique d'un petit perroquet. Les 2 chambres sont très propres et bien arrangées, avec AC, ventilateur et salle de bains. Au choix, lit double ou 2 lits individuels. Marita est allemande et parle aussi l'anglais. Accueil sympathique. Garage à vélos.

☗ ***Mélida Jordán*** *(plan couleur III, F9,* ***84****) :* calle 25, 1102, entre 4 y 6. ☎ 833-52-19. • melida@girazul.com • Chambres doubles à 25 US$ (pour celle dont la salle de bains, indépendante, est à l'extérieur) et 30 US$, pour l'autre. Nous resterons *gentlemen* et ne dévoilerons pas l'âge de Mélida, une mamie dont le dynamisme et l'humour viennent même à bout de ses propres filles. Chambres au rez-de-chaussée dans une magnifique maison plongée dans la végétation et protégée des regards indiscrets par de hautes grilles noires. On a un faible pour l'une d'entre elles, avec son entrée indépendante et ses petites fenêtres coloniales à lattes. Un léger bémol quant au petit dej' (2,5 US$), qui n'est pas des plus copieux, mais c'est vraiment aller chercher la petite bête. Repas entre 5 et 12 US$, selon le menu bien sûr...

☗ ***Manuel Arena Musa*** *(plan couleur III, G9,* ***85****) :* calle B, 710, entre 29 y Zapata. ☎ 831-25-52. Chambres doubles à 25 US$. Belle maison coloniale. Les 2 chambres disposées en enfilade sont assez grandes, propres et calmes avec ventilo, AC et salle de bains. Sanitaires propres et corrects. Frigo dans le couloir, à disposition des hôtes. Pas de vue, mais bon accueil. Une bonne adresse, quoique Manuel ait un peu trop tendance à pratiquer la surréservation. Si vous en êtes victime, n'hésitez pas à manifester votre mauvaise humeur...

☗ ***Olga González y Fria*** *(plan couleur III, F-G9,* ***86****) :* calle 27, 851, entre 2 y 4. ☎ 830-09-96. Attention, l'entrée donne calle 2, angle calle 27. Compter 25 US$ la chambre. Petite maison sans charme, mais on est bien accueilli. Deux chambres confortables avec chacune sa salle de bains, AC et ventilateur. Bonne literie. La chambre du rez-de-chaussée (2 lits individuels) a même le téléphone (pour des communications locales). Toutefois, le meilleur est en haut, au 1er étage : une chambre très spacieuse et claire, totalement indépendante. Coin cuisine, frigo, lit matrimonial et surtout une grande terrasse bien agréable. Petit lavoir pour laver son linge, qu'on fait ensuite sécher sur le toit. Garage pour 2 voitures. Une maison tranquille.

☗ ***Casa de Graciela*** *(plan couleur III, E9,* ***87****) :* calle 18, 208, entre 15 y 17. ☎ 831-36-41. Compter 25 US$ la nuit. Petit appartement de plain-pied récemment rajeuni par le propriétaire, un médecin qui exerce dans la maison attenante. Salle de bains minuscule mais propre, avec eau chaude. Un petit plus : la kitchenette, ce qui permet d'économiser sur les repas. Entrée indépendante et possibilité de garer sa voiture dans la courette.

Également une chambre agréable et confortable dans la maison. Une de nos très bonnes adresses.

Casa Ataidi *(plan couleur III, G9,* ***88****) :* calle 39, 142, entre 2 y 4 (derrière la place de la Révolution et le Théâtre national). ☎ 881-61-62. • gisela.hechavarria@infomed.sld.cu • Compter 30 US$ la chambre, très claire, avec AC, frigo, TV, bain privé, penderie. Entrée indépendante. Dans une grande maison jaune entourée d'un jardin planté de palmiers. Garage. Une adresse qui serait somme toute banale si Aidita (nom transformé en Ataidi par Compay Segundo dans sa chanson *Las flores de la vida*) n'était autre que... la veuve du célèbre auteur de *Chan Chan !* La maison est pleine d'objets personnels de Compay (ses panamas, costumes de scène, photos, disques de platine, prix Grammy et son premier *armónico,* la guitare à 7 cordes de son invention). Aidita est charmante et parle sans peine de son fameux compagnon : « Pour moi, il est toujours vivant ! » Une adresse vers laquelle vont se précipiter tous ceux qui, un jour ou l'autre, ont fredonné : « *De Alto Cedro voy para Marcané...* ».

Milagros Cordero *(plan couleur III, H7,* ***89****) :* calle Linea, 6, entre N et le Malecón. ☎ 832-67-29. Au 9e étage d'un haut immeuble. Deux chambres avec lit double à 30 US$. De nuit, on ne traînerait pas longtemps au rez-de-chaussée de ce grand immeuble, sauf pour y tourner un remake de *Sueurs froides.* Mais, une fois monté dans l'ascenseur antédiluvien et accueilli par Milagros, toute angoisse se dissipe. Petit appartement au mobilier post-moderne tendance Confo bon marché. Chambres confortables (TV, vidéo, coffre, téléphone, frigo), assez grandes avec salles de bains modernes et fonctionnelles. Bien entendu, demandez celle qui donne sur le Malecón, au réveil, de votre lit, vous aurez une vue imprenable sur le remblai et la mer.

Alicia Hernández Padrón *(plan couleur III, H7,* ***89****) :* calle Linea, 6, entre N et le Malecón. ☎ 832-91-66. Dans le même immeuble que *Milagros Cordero* (voir ci-dessus). Cette fois, on monte au 15e étage, mais les prix aussi prennent l'ascenseur. Compter 35 US$ la chambre. La vue coûte plus cher du 15e que du 9e étage, C.Q.F.D. Il est vrai que la large baie vitrée qui s'ouvre sur la mer a de quoi donner le vertige. Chambres grand luxe, tout comme le salon. Pour les fans de panoramas.

HÔTELS

Prix modérés

Hôtel Bruzón *(plan couleur III, H9,* ***90****) :* calle Bruzón, entre Pozos Dulces y Independencia. ☎ 877-56-82 et 83. Juste derrière le terminal des bus *Astro.* Entre 22 et 28 US$ la double. Cet établissement est moins folklorique qu'il ne l'a été. En effet, les (petites) chambres pour touristes ont été rénovées avec maintenant eau chaude et AC. Les Cubains, eux, paient en pesos, mais doivent se contenter d'un confort spartiate. Bon finalement, c'est une adresse qui peut dépanner en cas d'arrivée tardive en bus.

Prix moyens

Hôtel Colina *(plan couleur III, H8,* ***91****) :* angle L y 27. ☎ 833-20-66. • odalys@colina.hor.tur.cu • Face à la grande université de La Havane. Chambres doubles à 50 US$ en période normale (la plus grande partie de l'année), 54 US$ en haute saison, petit dej' compris. Petit hôtel de la chaîne *Horizontes,* sans grand charme mais bien situé. Dire qu'il serait mignon serait osé, mais force est de constater qu'une rénovation récente est venue rafraîchir le couloir. Les chambres auraient aussi besoin d'un petit coup de neuf, mais, dans l'ensemble, c'est tout à fait correct pour le prix. Les sanitaires sont passables. Demandez une chambre au 5e ou au 6e étage pour la vue sur la belle université ou pour avoir une chance d'apercevoir la mer. Bars et resto. Fait le change. Bureau de tourisme également. C'est aussi là qu'est installé l'un des bureaux de *Roots Travel* (voir la rubrique « Adresses et infos utiles »).

Chic

Hôtel Saint John's *(plan couleur III, H7-8,* ***92****) :* calle O, entre Humboldt y 23. ☎ 33-37-40. Fax : 33-35-61. Les prix ont baissé ces dernières années : chambres doubles à 67 US$ en période normale, 80 US$ en haute saison, petit dej' compris. Une grande tour vert canard bien laide. Hôtel de même catégorie que le *Vedado,* situé à côté, mais celui-ci a eu le bon goût d'avoir mené une réfection en profondeur. Chambres avec beau mobilier et tissus imprimés méditerranéens. Salle de bains super-nickel, mais parfois l'eau chaude a du mal à grimper au-delà du 5e étage. Quant à la piscine, considérez qu'elle est surtout là pour le décor... L'hôtel est réputé pour ses concerts, qui ont lieu dans le cabaret *Pico Blanco* sur le toit (voir « Où sortir ? Où danser ? ») ! Pas vraiment pour les couche-tôt. Attention de ne pas vous retrouver au dernier étage, qui fait fonction de sas anti-bruit. Si c'est complet, allez voir au *Vedado* (mêmes tarifs).

Hôtel Vedado *(plan couleur III, H8,* ***93****) :* parfois appelé hôtel *Flamingo,* calle O, angle 25. ☎ 33-40-72. Tout à côté de l'hôtel *Saint John's.* Compter 67 US$ la chambre double en basse saison, 80 US$ en période de pointe. Petit dej' compris. Deux bâtiments vaguement Art déco s'organisant de part et d'autre d'une piscine-mouchoir de poche ensoleillée quelques minutes dans la journée et pas bien engageante. Bien étudier la question, donc, pour y piquer une tête. Chambres petites mais confortables (qui mériteraient un petit coup de pinceau), toutes avec salle de bains (eau chaude). Préférer celles en hauteur et ne donnant pas sur la rue. Bon confort général et accueil avenant. Personnel compétent, parlant généralement le français à la réception. Service Internet. Autre avantage : on est à deux pas de la délicieuse boulangerie-pâtisserie *Pain de Paris.*

Encore plus chic

Hôtel Riviera *(plan couleur III, F8,* ***94****) :* Paseo y Malecón. ☎ 33-40-51. Fax : 33-37-39. Compter 130 US$ la chambre double, avec petit dej'. Grand hôtel de style américain, typique des années 1950, repris par la chaîne *Gran Caribe.* Il reste de cette époque mythique un vieux goût de luxe désuet, un clinquant patiné. Chambres d'un vert à rendre malade un daltonien. Magnifique piscine avec plongeoir, dans laquelle ont batifolé, entre autres célébrités, Ginger Rogers et Esther Williams. On s'y rendra surtout pour les agences de location de voitures *(Transtur, Havanautos)* et pour la magnifique vue sur la baie depuis le 20e étage.

Hôtel Habana Libre *(plan couleur III, H8,* ***95****) :* calle L, entre 25 y 23. ☎ 55-40-11. Fax : 33-38-06. • reservas1.thl@solmeliacuba.com • Chambres doubles à 160 US$. Dans le cœur névralgique du Vedado : sur la Rampa, en face du cinéma *Yara* et du glacier *Coppelia.* C'est l'ancien *Hilton* (chaîne américaine). À peine la Révolution terminée, il est promptement débaptisé pour prendre le nom de *Habana Libre.* Tout un symbole ! Aujourd'hui, il est géré par la chaîne espagnole *Meliá.* S'il a changé de nom, il n'a rien perdu de son côté usine à touristes. Plus de 500 chambres, 3 bars, 3 restos, 1 disco (au 25e étage), 1 piscine (2e étage), des boutiques et une clientèle principalement d'agences. Chambres dans les tons bleu pâle, avec AC « shooté » aux amphétamines, et vue sur tout le Vedado, Centro Habana et Habana Vieja. Très cher tout de même. Dans le lobby, on trouve tous les services habituels : bureaux d'information touristique, agences de voyages, banque... Journaux et Internet au Centro de negocios, au 2^{e} étage. Malheureusement, la cafétéria *La Rampa* (ouverte 24 h/24), rendez-vous des touristes du monde entier, pratique des prix très élevés. Sans être client, on peut accéder à la piscine pour 15 US$ de consommation minimum.

🏠 ***Hôtel Nacional*** *(plan couleur III, H7,* ***96****)* **:** calle 21. ☎ 873-35-64. Fax : 873-51-71. • www.hotelnacionaldecuba.com • Tout au bout de la calle 21, vers la mer. Attention, pas d'accès côté Malecón. Compter entre 170 et 210 US$ la chambre double avec petit dej' (copieux et varié). On ne peut mieux situé, sur le Malecón, face à la baie. L'autre hôtel mythique du Vedado, et probablement le plus photographié : avec son allée de palmiers et ses deux clochers, on jurerait un édifice public, genre palais présidentiel... Devant se dressent, face à la mer, deux remarquables et énormes canons Krupp sur leur affût, datant du début du XXe siècle et qui défendaient la baie. Pas étonnant que, depuis 1930, toutes les personnalités y soient descendues, de Churchill à Joséphine Baker en passant par Errol Flynn et Ava Gardner, et même Jean-Paul Belmondo. De vieilles photos de ces personnages célèbres (essentiellement américains) s'étalent toujours sur les murs du bar *Vista al Golfo*. On a même laissé celle de Meyer Lansky (avec son garde du corps, dont la taille est gigantesque !). Ce célèbre mafieux gérait les casinos à l'époque de Batista ! Dans les années 1950, l'hôtel comprenait même un casino, où chantait un certain Sinatra... Immense, avec près de 450 chambres, il propose tous les services pour satisfaire les touristes : restos, bars, cabaret, bureaux de change, location de voitures, tennis, etc. Et bien sûr une superbe piscine. Encore faut-il avoir les moyens de se payer tout ça... Les inconditionnels de la piscine peuvent se baigner au *Nacional* sans toutefois être clients, à condition de consommer pour 15 US$ minimum. Ça fait cher la trempette, mais la piscine est plus agréable que celle du *Habana Libre*... On peut aussi y aller simplement pour prendre un verre, confortablement installé dans de profonds fauteuils en osier, face à la pelouse qui s'étend jusqu'au Malecón.

Dans Nuevo Vedado

C'est un quartier très résidentiel, au sud du Vedado, donc très excentré par rapport aux principaux centres d'intérêt.

CHAMBRES CHEZ L'HABITANT (CASAS PARTICULARES)

🏠 ***Micheline Marie*** *(plan d'ensemble couleur,* ***92****)* **:** av. del Bosque, 58, 1er étage, entre calle Nueva et av. Zoológico. ☎ 881-08-81. À 30 mn à pied du centre du Vedado, et à 5 mn du terminal *Viazul*. Pour y aller : bus n° 27 de la vieille Havane. En sortant du terminal, prendre la rue qui monte sur la gauche. Passer près de la maison de l'ex-femme de Pablo Milanes (Yolanda, cela ne vous rappelle pas une merveilleuse chanson d'amour ?...), notre adresse est dans la 2e rue à droite dans la descente. Petit appartement pour 30 US$, petit dej' compris. Tarifs dégressifs pour plusieurs jours. Native de Normandie, Micheline est une dame charmante qui vit à Cuba depuis 1959. Parfaitement bilingue, elle fut traductrice, accompagna souvent Fidel en tournée, et a suivi l'histoire du pays au jour le jour. Elle peut en parler pendant des heures, et elle est passionnante. Elle loue un studio clair et calme, avec une chambre, un coin salon, une petite cuisine (gazinière toute neuve) et une salle de bains. Il est recommandé de téléphoner avant pour réserver. Sachez que Micheline n'apprécie guère les visites d'une fiancée d'un jour...

À Miramar

Pas vraiment un quartier pour routards, c'est sûr. Quoique... Aussi surprenant que cela puisse paraître, les prix des hôtels baissent d'année en année. Sans doute sous l'effet de la concurrence des petits bijoux qui apparaissent à Habana Vieja. Ainsi, ceux qui veulent se sentir au calme et séjourner dans ce quartier bourgeois de bon ton (qui a dit qu'il n'y avait pas de classe sociale en terre communiste ?), pourront faire de bonnes affaires en logeant dans l'un des hôtels de Miramar. Précaution souvent indispensable : avoir une voiture.

CHAMBRES CHEZ L'HABITANT (CASAS PARTICULARES)

■ ***Chez Clarisa Santiago Esquivel*** *(hors plan couleur IV par I12,* ***97****)* **:** 1ra av., 4407, entre 44 et 46, en face de l'hôtel *Copacabana*. ☎ 209-17-39. Environ 30 US$ pour un petit appartement comprenant une chambre et un salon-cuisine. AC dans la chambre, salle de bains privée, frigo. Entrée indépendante. Petit patio. Très bon accueil des propriétaires.

■ ***Chez Fanny Thelmo*** *(plan couleur IV, J11,* ***98****)* **:** calle 2, 107, entre 1ra et 3ra av. ☎ 209-39-60. Entrée par un petit portillon de fer vert juste après les bureaux de la société Mercedes. Fanny loue 2 chambres avec salle de bains privée et AC à 40 US$ (TV, minibar). Au rez-de-chaussée d'une maison cossue dont l'extérieur ne paie de mine. Très propre. Mobilier de style. Adresse toute proche d'arrêts de bus permettant d'aller en centre-ville et jusqu'au port.

HÔTELS

Prix moyens

■ ***Hôtel Mirazul*** *(plan couleur IV, I12,* ***99****)* **:** 5ta av., 3603, angle calle 36, Playa. ☎ 204-00-45 ou 204-00-88. Sur l'avenue principale de Miramar. Chambres doubles à 50 US$, et même prix pour la suite « Partagas ». Profitez-en ! « C'est une maison bleue accrochée à la 5e, avec son toit de tuiles... », naguère propriété du patron des cigares Partagas. Son intérieur contraste avec l'idée qu'on peut avoir d'un hôtel. Chaque chambre a sa propre personnalité, mais toutes sont soigneusement décorées. AC et TV câblée. Resto de cuisine internationale dans les anciens salons, et cafétéria dans un patio décoré d'une fontaine. Sur la terrasse du dernier étage : sauna et solarium. En prime, un accueil tout à fait charmant...

Chic

■ ***Hôtel El Bosque*** *(plan couleur IV, J12,* ***100****)* **:** calle 28A, entre 49A y 49C, Kholy, Playa. ☎ 204-92-32 ou 35. Fax : 204-56-37. Là encore, les prix ont baissé : chambres doubles à 60 US$ avec petit dej'. Hôtel en majeure partie fréquenté par de riches Cubains. Et on comprend pourquoi. Baigné dans la verdure à l'écart de la circulation. Chambres disposant, pour certaines, d'un petit balcon, bien équipées, spacieuses, aux couleurs chaudes, piscine, bref, une bonne adresse...

Encore plus chic

▲ ***Château Miramar*** *(hors plan couleur IV par I12,* ***101****) :* 1ra calle, entre 60 y 70. ☎ 204-19-51 ou 57. Fax : 204-02-24. • reservas@chateau.cha.cyt.cu • Chambres doubles à 120 US$. Qu'on ne s'y trompe pas : ce bâtiment moderne n'est pas un château, malgré tous ses efforts pour y ressembler ! À part ça, tous les avantages d'un hôtel de luxe, dont l'atout principal est sa situation face à la mer. Mais ses environs immédiats sont atteints d'un syndrome de « constructionite » aiguë, ce qui devrait édulcorer quelque peu son côté exceptionnel. Chambres tout confort, avec balcon, majoritairement fréquentées par une clientèle d'affaires. Superbe hall avec un bassin. Piscine. Accueil souriant.

Où manger ?

En dehors d'une grande quantité de restos (d'État, bien entendu), certains d'ailleurs très convenables, on trouve à La Havane plus de 400 *paladares,* c'est-à-dire des restos privés. Mais la législation cubaine insiste pour que les *paladares* n'aient pas plus de 12 couverts. Pas plus mal, nous direz-vous. Sauf que dans ces conditions peu d'entre eux ont la possibilité de « marger » et ce, d'autant plus qu'ils doivent payer au fisc un quota mensuel en dollars. Ceux qui dérogent à ces deux règles sont priés de la mettre en veilleuse un certain temps... en principe, car il existe parfois des exceptions surprenantes. Pas besoin d'être grand clerc pour comprendre qu'il en résulte une très grande volatilité des adresses et une hausse importante des prix qui n'a rien à voir avec l'esprit de lucre des proprios (lire aussi la rubrique « Restaurants et *paladares* » dans les « Généralités »). La grande majorité des *paladares* se trouve dans le Vedado.

Dans Habana Vieja

Chaque année, on supprime des adresses de *paladares* dans Habana Vieja. Sous l'effet de la facilité, ils ne servent plus qu'une cuisine médiocre, voire mauvaise, à des prix disproportionnés. Dans ce quartier, ce sont finalement les restos qui ont le plus de cachet et on en trouve pour tous les budgets.

PALADARES

|●| ***La Mulata del Sabor*** *(plan couleur I, B3,* ***120****) :* Sol, 153 A, angle Ignacio. ☎ 867-59-84. Ouvert tous les jours sauf le dimanche, de 12 h à 23 h. Plusieurs options entre 5 et 10 US$. Un *paladar* de poche, une petite salle avec pignon sur rue, fausses fleurs et nappes à carreaux, tenu par la généreuse Justina, adorable et pétulante patronne, offrant une cuisine créole des plus classiques : *pollo a la mulata* (la spécialité), *bistec de cerdo* et quelques *tortillas.* Vraiment familial.

|●| ***Paladar Don Lorenzo*** *(plan couleur I, B3,* ***121****) :* Acosta 260, entre Habana y Compostela. ☎ 861-67-33. Monter l'escalier, c'est tout en haut. Ouvert tous les jours de 12 h à 23 h 30. Entre 15 et 20 US$ la spécialité, ce qu'on trouve bien cher à dire vrai. Mais vu le nombre modeste de *paladares* qui sont parvenus à survivre dans la vieille Havane au fil des années, le choix est limité. Celui-ci, installé un peu à l'écart des sentiers touristiques, s'est spécialisé dans le poisson et les fruits de mer. On ne sait pas très bien ce qui lui donne le droit de servir de la langouste. Toujours est-il qu'on vient pour ça, à moins que vous ne préfériez goûter au crocodile (pas toujours disponible). Ce sont les deux spécialités de la maison. On mange sur une jolie terrasse abritée et bien aérée. Nappes en tissu sur les tables. Offre intéressante de vins, le bar est également bien fourni.

RESTAURANTS

Bon marché

🍽 ***Hanoï*** *(plan couleur I, A2-3,* ***122****) :* Teniente Rey y Bernaza (dans le prolongement du Capitole). ☎ 867-10-29. Ouvert tous les jours de 12 h à minuit. Propose aussi des petits déjeuners. Plusieurs menus à partir de 2,5 US$. Installé dans une croquignolette (et rare) demeure populaire du XVIIIe siècle. À l'intérieur, petit patio (mais vous préférerez rester au frais). Tables et bancs en bois. Petites salles bien ventilées. Décor minimum et atmosphère agréable. Un petit charme, tout ça. Pas énormément de choix, mais bonne cuisine créole simple et classique à prix absolument imbattables. Sans doute le vrai resto le moins cher du quartier et une adresse incontournable depuis plusieurs années. Avec, en prime, un accueil sympathique.

🍽 ***Bosque Bologna*** *(plan couleur I, A2,* ***123****) :* Obispo, 460, entre Compostela y Aguacate. ☎ 866-41-39. Ouvert midi et soir. Menu à 4,5 US$, café inclus. *Comida criolla* servie dans un jardin ouvert sur la rue. À défaut d'être une halte gastronomique hors pair, c'est un endroit stratégique pour capter l'ambiance de la rue. En plus, on grignote à toute heure sous la tonnelle, au milieu des palmes. Le soir, musiciens et cocktails au programme.

🍽 ***Éventaires de la calle Obispo :*** ils sont nombreux à vendre des pizzas au jambon et au fromage. Très bon marché. Payable en pesos cubains. Faire un tour au ***Variedades Obispo,*** à l'angle d'Obispo et de Habana. Ouvert du lundi au dimanche de 7 h à 21 h (ferme une heure plus tôt le dimanche). Une salle énorme qui relève aussi bien du grand magasin que du *fast-food* local. Des stands de cuisine super-simple (sandwich, riz frit, part de pizza...). Rien de bien sorcier mais si vous ne tenez pas à y manger, jetez-y un œil tout de même, en buvant une bière au long bar. Il n'y a pas grand-chose dans les vitrines mais l'ambiance est là, étrange et bien vivante.

🍽 ***Isaman*** *(plan couleur I, B2,* ***124****) :* av. del Puerto, dans le prolongement d'Empedrado, face au castillo de la Fuerza. Ouvert jour et nuit. Quelques chaises à même le trottoir, sous une espèce de paillote. On mange ici (et sur le pouce) la cuisse de poulet la moins chère du quartier. Poulet frit donc, mais aussi quelques sandwichs. On n'y vient pas exprès, vous l'aviez compris.

🍽 ***Cabaña*** *(plan couleur I, A1,* ***128****) :* calle Cuba, angle Peña Pobre. ☎ 860-56-70. À côté de l'*hostal San Miguel*. Ouvert de 10 h à minuit, en continu. Trois formules complètes à 7 US$. Un resto plutôt sympa où règne une bonne ambiance et où l'on mange une honnête cuisine créole classique pour un prix raisonnable. La terrasse est aussi agréable que la salle à l'intérieur est chaleureuse, avec ses tables en bois. Accueil routinier depuis que pas mal de groupes y font halte. Mais les prix sont restés abordables. Attention, le pourboire est directement inclus sur la note. Du jeudi au dimanche, ambiance plus animée, entre 21 h et 2 h, avec les soirées karaoké.

Prix moyens

🍽 ***Taberna de la Muralla*** *(plan couleur I, B2,* ***125****) :* plaza Vieja. Ouvert tous les jours de 11 h à minuit. Poisson grillé autour de 7 US$. Grosse taverne sous les arcades où l'on brasse de la bière (servie au litre pour ceux qui le désirent !) financée par des capitaux autrichiens. Possibilité de voir les cuves de la brasserie sur l'arrière. Grandes tables de

LA HAVANE

bois sous les arcades où le soir, on fait griller de bons poissons frais : excellent et pas cher.

I●I ***Café Taberna*** *(plan couleur I, B2,* ***126****)* ***:*** calle Teniente Rey, angle Mercaderes. ☎ 861-16-37. Petits plats entre 7 et 15 US$. Une vaste salle aérée, tendance néo-coloniale avec grands miroirs dominant le superbe bar, où la musique flotte en permanence et où l'on pourra écouter du *son* toute la journée puisque le lieu est dédié à ce style musical. On peut d'ailleurs se nourrir ici simplement de musique et de *mojitos* pas trop chers ; mais les plats de poulet et de *bistec* sont copieux, alors pourquoi ne pas alimenter le ventre en même temps que les oreilles ? Sandwichs, *filete miñon...*

I●I ***El Mercurio Café*** *(plan couleur I, zoom,* ***127****)* ***:*** plaza San Fancisco d'Asís. ☎ 860-61-88. Ouvert de 7 h 30 à minuit tous les jours. Plats autour de 8 US$. Cafétéria populaire à l'heure du déjeuner, au rez-de-chaussée du plus vieil immeuble d'affaires de la ville (1909). Petite terrasse, cadre banal mais nourriture copieuse. Beaucoup d'employés y viennent prendre un repas léger. *Arroz marinero* plutôt bien fait. Bons *garbanzo fritos* (pois chiches et morceaux de jambons) en cassolette. Service fort aimable.

I●I ***La Bodeguita del Medio*** *(plan couleur I, A-B2,* ***129****)* ***:*** Empedrado, 207. ☎ 867-13-75. Ouvert tous les jours de 12 h à minuit et demi. Plats entre 9 et 14 US$ et plein de petites choses à grignoter autour de 4 US$. Un must pour certains, pour ne pas dire un mythe. Pour d'autres, un attrape-pigeons. Quoi qu'il en soit, c'est, avec le *Floridita,* le resto le plus connu de Cuba (ouvert en 1942). Naguère, c'était une vieille taverne bondée, bruyante et joyeusement bordélique, avec le bar sur le devant de la scène et plusieurs petites salles sur l'arrière et dans les étages (on est assez tranquille sur la terrasse couverte pour le déjeuner). Aujourd'hui, la *Bodeguita* est toujours bondée, mais plutôt envahie par les touristes. Les murs croulent sous les graffiti, ainsi que les plafonds ! Une ribambelle de célébrités défilèrent ici : Errol Flynn et Nat King Cole, Bardot et Allende, Cortázar et García Marquez, Perez Prado et Beny Moré, Alejo Carpentier et Pablo Neruda... Une personnalité sort du lot : Hemingway, qui avait fait de la *Bodeguita* sa cantine. Au milieu de ce capharnaüm, les musiciens dispensent leurs éternelles ritournelles cubaines. À part ça, nous direz-vous, qu'est-ce qu'on mange ? Eh bien, quelques spécialités cubaines 100 % *criollas* (créoles), comme le *pollo cacerola* ou le *picadillo a la habanera,* très goûteux. Service rapide et personnel plutôt sympa compte tenu du côté « usine » du lieu. Carte *Visa* acceptée (avec passeport), voire nécessaire vu que l'addition a tendance à grimper aussi vite que descendent les *mojitos* (4 US$).

I●I ***La Torre de Marfil*** *(plan couleur I, zoom,* ***130****)* ***:*** calle Mercaderes, entre Obispo y Obrapía. ☎ 867-10-38. Ouvert tous les jours de midi à 23 h. Deux menus à 8,5 et 9 US$. Les plats sont plus chers. Un resto chinois, comme le suggèrent le bouddha en vitrine et un pavillon rouge abritant une grande table tournante. Petit jardin intérieur. Ce n'est pas pour la salle grise qu'on se déplace mais pour la généreuse cuisine cantonaise servie par des Cubains en tenue vaguement asiatique. On apprécie les spécialités de la maison, comme les rouleaux de printemps ou les nouilles, qui ont en plus le sérieux avantage de ne pas grever le budget ! Bon accueil et service aimable. Une adresse constante.

I●I ***Don Giovanni*** *(plan couleur I, B2,* ***131****)* ***:*** Tacón, 4, angle Empedrado. ☎ 33-59-79. Ouvert de 10 h à minuit. Pizzas et pâtes de 3,5 à 8 US$. Repas complet autour de 10 US$. Encore une belle demeure espagnole de style mudéjar, avec terrasse et patio du XVIIe siècle. Pas déplaisant de changer des traditionnels *moros y cristianos* pour aller à la croisée des cuisines italiennes et cubaines. Des *bruschettas* qui se laissent tranquillement avaler et quelques plats aussi italiens que Fidel l'est lui-même. La salle à l'étage est fermée pour restauration.

On vient là pour le lieu, pour le calme, pas pour faire des folies.

lel ***XII Apostoles** (plan couleur I, A1, **132**) :* parque histórico Morro-Cabaña. ☎ 863-82-95. Au pied du castillo del Morro, de l'autre côté de la baie, face à la vieille ville. En voiture, prendre le tunnel vers les playas del Este, puis tourner à droite juste après le péage autoroutier. Ouvert de 12 h 30 à 23 h. Plats entre 6 et 27 US$, les moins chers étant tout à fait satisfaisants. Large fourchette de prix. Les poissons et fruits de mer sont à des prix délirants ! Plus intime et beaucoup moins cher que son voisin *(La Divina Pastora)*. Cuisine créole sans beaucoup d'envergure mais situation exceptionnelle, notamment pour la terrasse du bar en contre-haut d resto, juste au-dessus des flots. Parfait après la visite des deux forteresses, pendant la journée. Plutôt mortel le soir. La version plus haut de gamme, c'est la *Divina Pastora*, toute proche.

lel ***La Paella** (plan couleur I, zoom, **60**) :* calle Oficios, 53, angle Obrapía. ☎ 867-10-37 et 861-64-25. Sert tous les jours de 12 h à 22 h. Paellas entre 8 et 15 US$. Décor rustique et plutôt plaisant, peut-être un peu moins enlevé que celui de l'hôtel *Valencia* dont il fait partie. Céramiques aux murs, grosses tomettes au sol, déco hispanisante, service pro et gentil et, pour couronner le tout, une large variété de paellas copieuses et fidèles à celles qu'on trouve chez nos amis ibères. Olé ! Également soupe de poisson et soupe à l'oignon *(sopa de cebolla)*...

Plus chic

lel ***Parillada del Marques** (plan couleur I, zoom, **133**) :* plaza de la Catedral, 54. ☎ 867-10-34. Sert tous les jours de 12 h à minuit. À l'étage du ***Patio***, place de la Cathédrale. Plats de 5 à 15 US$. Et oui, le Patio est un restaurant à deux vitesses : la façade, c'est le *Patio*, avec son incontournable terrasse sur la magnifique place. Mais vu le turbo qui a été mis sur les tarifs, on a préféré les coulisses. On a donc atterri à l'étage. Les places de premier choix, c'est au balcon, avec la cathédrale sous vos yeux et l'animation de la place en contrebas. Le soir, la version éclairage tamisé sur les tables est bien romantique. En revanche, la grande salle à manger à l'intérieur a peu d'intérêt. Dans l'assiette, on prend plaisir à savourer une cuisine de bon aloi qui n'hésite pas à marier audacieusement viandes et crevettes.

lel ***Vuelta Abajo** (plan couleur I, zoom, **67**) :* c'est le resto de l'*hostal Conde de Villanueva*, calle Mercaderes, 202, angle Lamparilla. Ouvert tous les jours, midi et soir. Plats principaux autour de 12 US$. Menus à 12 et 25 US$; le second propose un cigare en fin de repas. Sous les arcades des deux patios de ce bel établissement, un chouette resto assez classe, et déjà bien rodé sur le plan culinaire. Service longuet pour la *paella de la casa*, mais elle est préparée avec attention. Il y a même quelques morceaux de langouste ! Une petite resucée ne serait pas de refus...

lel ***Al Medina** (plan couleur I, zoom, **134**) :* à côté de la casa de los Arabes, calle Oficios, entre Obispo y Obrapía. ☎ 860-29-17. Ouvert tous les jours de 12 h à 23 h. Plats d'inspiration arabe entre 6 et 12 US$. Poissons nettement plus chers. L'assiette complète (*houmous, falafel, kafta,* taboulé...) avec dessert vaut 15 US$. Quant aux végétariens, ils ont droit à une *combinación* à 10 US$. On déjeune ou on dîne dans le tranquille patio arboré, ou en salle s'il pleut, ce qui perd de son intérêt. Pour la musique, on a droit en alternance à un groupe de musiciennes ou à un trio de guitaristes. Halte reposante à défaut d'être culinairement décoiffante. Plutôt dépaysant de déguster ici des douceurs orientales !

Dans Centro Habana

PALADARES ET RESTAURANTS CHINOIS

Bon marché

🍽 ***Cafétéria de la plaza de las Columnas*** *(plan couleur II, D5,* ***140****)* **:** angle av. d'Italia (Galiano) et Zanja, 2e à droite après la « porte chinoise ». Pour 2,5 US$, un bon plat de riz frit avec des morceaux de jambon et langouste.

🍽 ***Restaurant Chung Shan*** *(plan couleur II, D5,* ***141****)* **:** calle Dragones, 311, entre Rayo y San Nicolas. ☎ 862-09-09. Ouvert de 12 h à 22 h 30. Plats autour de 6 US$. Il faut monter un escalier assez raide et pousser la porte de droite. On découvre une grande salle décorée avec un goût exquis. Non, non, on rigole ! Entre les affiches chinoises et quelques paravents japonisants *made in Cuba,* le portrait de José Martí fait face à celui de Sun Yat-Sen, leader chinois de la Révolution populaire, en somme la version asiatique du Che. Deux grandes tables d'une douzaine de personnes où l'on mange à la bonne franquette, et quelques petites tables rondes sous les lampions rouges à fanfreluches. Des petits prix pour une cuisine copieuse et savoureuse. Marrant et sympa, et surtout à l'écart du *boulevard Chino* où sont concentrés tous les restos chinois pour touristes.

Prix moyens

🍽 ***Restaurant Seeman*** *(plan couleur II, C-D5,* ***142****)* **:** Zanja, 306, entre Lealtad y Escobar. ☎ 878-64-84. Attention, pas vraiment d'enseigne. Seule indication : « Restaurant asiatique de la société Alliance socialiste chinoise de Cuba » (tout un programme !). Au fond du couloir, au 1er étage. Ouvert de 12 h à 23 h 30. Plats autour de 5 US$. Plus cher que le *Chung Shan*, mais, ici, le cadre est beaucoup plus sophistiqué : nappes en tissu, petites fleurs sur les tables, ambiance tamisée et AC. De grands rideaux protègent de la lumière du jour. Les plats sont copieux. Et puis, une excellente surprise : la langouste grillée à 7 US$, en sauce ou à l'ail. Service un peu pingouin mais bon... c'est toujours une bonne adresse.

🍽 ***Paladar Bellomar*** *(plan couleur II, D4,* ***143****)* **:** Virtudes, 169A, entre Industria y Amistad. À la limite de Centro Habana et de Habana Vieja. Ouvert tous les jours de midi à 22 h 30 environ. Compter 10 US$ le repas complet, sans la boisson. Voici un minuscule *paladar* à la pimpante façade rose, avec quelques tables et une carte correcte. Des fleurs en plastique, un rideau rouge et un mur graffité atteint du syndrome *Bodeguita.* Cuisine très copieuse.

Plus chic

🍽 ***Paladar La Guarida*** *(plan couleur II, C4,* ***144****)* **:** calle Concordia, 418, entre Gervasio y Escobar. ☎ 204-49-40. Ouvert tous les jours. Réservation fortement recommandée. Compter largement 25 US$ tout compris. Dans un vieil immeuble bourgeois et baroque, à l'image de la ville, somptueux, mystérieux, aujourd'hui *solar* délabré. *Paladar,* dans l'appartement même où furent tournées les principales scènes du film culte *Fresa y Chocolate (Fraise et Chocolat),* d'où les inévitables photos du film. Lieu fréquenté par les artistes du monde entier dont Pierre Richard et Jean-Paul Belmondo. Lors du sommet ibéro-américain de La Havane, le proprio reçut un coup de fil lui annonçant que quelqu'un d'important allait venir. Quelques minutes plus tard, il ouvrit la porte et tomba nez à nez avec la reine d'Espagne ! Pas franchement donné, mais on y sert une très bonne cuisine, avec des plats qui sortent de l'ordinaire. Excellent *cherna compuesta a lo caimanero* (dos de poisson braisé), avec des accompagnements, comme les typiques *malanga* et *yuca con mojo.* Atmosphère *jazzy* tombant un peu comme un cheveu sur la soupe.

Dans le Vedado

Très bon marché

– Comme un peu partout sur l'île, à midi, une foule de ***petites guérites*** proposent pizzas et sandwichs aux employés cubains qui n'ont pas de cantine. Possibilité de se sustenter pour une poignée de pesos cubains.
– Hormis certaines mentionnées ci-dessous, on ne vous conseille pas les cafétérias.

Iel ***Marché paysan*** *(plan couleur III, F8,* ***149****) :* c'est le *mercado agropecuario,* calle 19, entre A y B. Ouvert du mardi au samedi de 9 h à 19 h ; le dimanche, jusqu'à 14 h. On peut y acheter (en pesos) des fruits tropicaux et quelques légumes. Mais il y a aussi plein de petits stands où l'on peut manger des plats typiques cubains pour une poignée de pesos. Beaucoup de Cubains des bureaux du quartier viennent manger ici. Ambiance sympa. Choisissez le stand *La Güireña,* c'est le meilleur. Si vous n'avez pas de pesos, vous pouvez vous en procurer ici au bureau de change *Cadeca* (à gauche, en entrant).

PALADARES

Bon marché

Iel ***Doña Juana*** *(plan couleur III, F9,* ***150****) :* calle 19, 909 (étage), entre 6 et 8. ☎ 832-26-99. Ouvert de 12 h à minuit. Entre 3 et 8 US$ pour des plats copieux et bons. Goûter le *biste uruguayo* (farci au jambon et fromage) pour 3 US$. Après un long couloir, on grimpe par un escalier en colimaçon (très raide, attention à la descente si vous abusez de l'apéro !) jusqu'à la terrasse close par un grillage qui empêche (et ce n'est pas plus mal) de voir le paysage ambiant sans intérêt. Que les amoureux de la plantureuse Juana la Cubana (qui a fermé son *paladar*) se rassurent, elle vient là donner un coup de main à sa mère.

Iel ***El Hueco*** *(plan couleur III, E9,* ***151****) :* calle 23, 1414, entre 20 y 22. ☎ 830-07-52. Ouvert de 12 h à minuit. Plats à 6 US$. Au bout d'un long couloir, on débouche sur une petite terrasse couverte... Atmosphère paisible où l'on déguste une cuisine italienne à petits prix (spaghetti, pizzas...). Et, en plus, ce n'est pas mauvais.

Iel ***Sarasúa*** *(plan couleur III, G8,* ***152****) :* calle 25, 510, entre H y I. ☎ 832-21-14. Au 1er étage d'un immeuble des années 1950, la porte de droite. Ouvert de midi à 23 h. Fermé le dimanche. Plats entre 5 et 8 US$. On vous laisse découvrir la carte tout seul, d'autant que certains plats qu'on vous proposera discrètement n'y apparaissent pas... Très bonne cuisine à petits prix. Le *mojito* est excellent. Le restaurant est installé dans un grande salle meublée avec goût et décorée d'armes anciennes, notamment françaises. Juan-Bruno les collectionne depuis plus de 30 ans... sans pour autant pratiquer le coup de fusil !

Prix moyens

|●| ***Le Chansonnier*** *(plan couleur III, G7,* ***153****)* ***:*** calle J, 257, entre 15 et Linea (9), Vedado. ☎ 832-15-76. Ouvert tous les jours à partir de 19 h. Compter entre 10 et 12 US$. Ce *paladar* situé dans une vieille maison coloniale est vraiment exceptionnel. La carte originale propose des gaspachos, des terrines (on rêve !), des poissons marinés, des salades tellement copieuses qu'on pourrait s'en contenter, des spécialités comme le canard aux olives qui méritent le détour, des mousses au chocolat (mais oui !). Et le décor est à l'avenant avec ses vieilles horloges et son piano, les tables fleuries et parées de nappes, la vaisselle de style... Pas étonnant, le créateur de ce lieu est propriétaire de l'établissement homonyme parisien de la gare de l'Est où Hector, qui vous reçoit maintenant à La Havane, a fait ses classes. Bien sûr, il parle le français et se montre plein d'attention. Un must, évidemment très fréquenté par la communauté française de la capitale.

|●| ***Villa Babi*** *(plan couleur III, F9,* ***154****)* ***:*** calle 27, 965, entre 6 y 8. ☎ 830-63-73. Enseigne discrète. Prendre l'escalier sur la gauche de la maison. Plats entre 6 et 10 US$. Un sympathique *paladar* qui concocte une gentille et copieuse cuisine. On mange en terrasse ou à l'intérieur de la maison. La patronne est productrice et c'est une des ex-femmes du réalisateur du film *Fraise et Chocolat.* Rien d'original dans la déco (photos du film et du tournage), mais on est bien reçu et on se sent bien. Babi réserve maintenant sa cuisine à ses hôtes (elle loue aussi des chambres) et aux routards. Votre cher guide vous servira donc de sésame.

|●| ***El Gringo Viejo*** *(plan couleur III, G8,* ***155****)* ***:*** calle 21, 454, entre E y F. ☎ 831-19-46. Ouvert tous les jours de 12 h à 23 h. Compter de 6 à 15 US$. Petit restaurant invisible depuis la rue. En fait, il faut descendre une rampe de garage puis sonner pour enfin pénétrer dans la petite salle couverte de boiseries et photos et ressemblant à un véritable petit resto bien propret. Toute la famille est aux fourneaux et au service, suivant le barbu et affable patron Omar. Plats traditionnels (poulet, porc) et également quelques bestioles à carapace rouge vivant dans la mer... Possible de payer en pesos, au taux de change strictement identique. Accueil jovial et service *presto.* Encore un *paladar* très prisé des artistes et personnalités (on vous gâte !), la réservation est donc recommandée.

|●| ***Nerei*** *(plan couleur III, G7,* ***156****)* ***:*** calle 19, angle L. ☎ 832-78-60. Ouvert de 12 h à minuit. Compter entre 7 et 15 US$ le repas. Dans une belle maison de style colonial, avec sa terrasse à colonnes où sont installées quelques tables pour les convives. Les plats sont bien cuisinés, on sent une certaine recherche, avec des viandes en sauce, parfois du canard ou une salade originale au thon et à l'ananas. Ambiance tranquille et cadre agréable. Pour patienter, demandez la carte des cocktails : elle est bien fournie.

|●| ***La Tasquita*** *(plan couleur III, H8,* ***157****)* ***:*** calle 27 de Noviembre (Jovellar), 160, entre Espada et San Francisco. ☎ 873-49-16. Ouvert de 12 h à minuit. Entre 8 et 13 US$ le plat garni de salade et *congrí* (service plus 10 %). Le *bistec de cerdo* farci au chorizo, jambon et fromage est délicieux et cale bien l'estomac. Dans une rue aux maisons un peu délabrées, ce *paladar* ne paie pas de mine. Le mobilier de bois rappelle les anciens cafés de nos campagnes. Petite attention : la maison vous offre des flocons de maïs pour patienter en sirotant votre apéro. Resto non-fumeurs (mais la cour est là pour les accros qui ne peuvent s'empêcher d'en griller une).

Plus chic

|●| ***Las Mercedes*** *(plan couleur III, E9,* ***158****)* ***:*** calle 18, 204, entre 15 y 17. ☎ 831-57-06. Ouvert de 12 h à minuit. Une dizaine de menus très complets (avec café) à 17 US$. Facilement repérable le soir, grâce à sa lanterne rouge à l'entrée ; on y arrive en traversant un petit pont qui enjambe un bassin. Voici un vrai petit resto qui n'a plus rien d'un *paladar*. Les prix non plus d'ailleurs. Mais on mange bien, dans un décor chaleureux : une sorte de chaumière rustique et charmante, avec ses murs crépis, toit de palmes (qui va malheureusement disparaître sur ordre des autorités) et mobilier en bois. La carte est variée, quoique sans prétention particulière, et la cuisine de qualité. Le patron a un faible pour les routards et leur consent (en principe) une petite ristourne.

|●| ***Decamerón*** *(plan couleur III, F8,* ***159****) :* Linea, 753, entre le Paseo y calle 2. ☎ 832-24-44. Ouvert de 12 h à minuit. Repas autour de 12 US$, sans la boisson. Le verre de vin est à 2,5 US$. Ce *paladar* élégant fait tout pour ressembler à un vrai restaurant occidental, avec ses nappes immaculées, ses serviettes assorties, une jolie vaisselle, des éclairages subtilement tamisés, une musique d'ambiance au doux volume et, bien sûr, une carte très chic : poisson thermidor, filet mignon, *chuleta* de porc au whisky... Au mur, très belle collection d'horloges anciennes. Service efficace et aimable. À vrai dire, on a du mal à se croire à La Havane. Mais pour un petit dîner intime, cela a-t-il vraiment tant d'importance ?

RESTAURANTS D'ÉTAT

Bon marché

|●| ***Casa de la Amistad*** *(plan couleur III, F8,* ***160****) :* Paseo, 406, entre 17 y 19. ☎ 830-31-14. Ouvert de 11 h à 23 h. Compter moins de 4 US$ par personne. Dans une belle et immense demeure coloniale. Ne confondez pas avec le resto, nettement plus cher. Nous, on parle de la cafétéria (au fond), qui se révèle être une bonne adresse le temps d'une pizza, d'un sandwich, d'un bon plat de spaghetti ou d'un poulet frit à 1,8 US$. De toute façon, l'endroit est incontournable, puisqu'on y va aussi pour acheter des cigares (*torcedor*, sur place), boire un verre, grignoter sur le pouce, écouter de la musique (voir plus loin « Où boire un verre ? » et « Où sortir ? Où danser ? ») et rencontrer plein de Cubains sympas... Un lieu bien agréable, sous une tonnelle ou bien en terrasse face au grand jardin. En revanche, le service est toujours aussi lambinant.

Prix moyens

|●| ***Unión francesa de Cuba*** *(plan couleur III, F8,* ***161****) :* calles 17 et 6. ☎ 832-44-93. Ouvert de midi à minuit. Pizzas de 2 à 4 US$. Également du poulet, du porc ou du poisson pour à peine plus cher. On a passé l'épreuve du vigile sans problème, mais on s'est demandé si notre frimousse de français ne nous avait pas valu un petit piston ! On n'est en tout cas pas déçu de pénétrer dans cette belle demeure coloniale où l'on s'installe à l'étage, sous la véranda. Service rapide pour une cuisine pas plus française qu'ailleurs. Au 2e étage, une *parilla* (grill). Pour vous tenir compagnie, des groupes de temps à autre.

Plus chic

|●| ***Restaurant 1830*** *(plan couleur III, E8,* ***162****) :* Malecón, 1252, angle calle 22. ☎ 55-30-91. Juste après la forteresse de la Chorrera, en allant vers Miramar. Ouvert tous les jours de 12 h à minuit. Compter autour de 15 US$. Luxueuse demeure aux airs de palais, installée en bordure de mer. Sept salons particulièrement classieux servent de

salles à manger. Cuisine internationale à des prix somme toute assez abordables. Accueil charmant. L'endroit est surtout connu pour son grand jardin, prolongé d'une adorable petite île... japonaise! Un vrai délire rococo, entre la création du facteur Cheval et les « chinoiseries » du XVIIIe siècle. On s'y promène avec plaisir après un verre ou un bon repas, pour profiter de la brise du large... Voir aussi « Où boire un verre? » et « Où sortir? Où danser? ».

À Miramar

PALADAR

Prix moyens

lel ***Paladar La Cocina de Lilliam*** *(plan couleur IV, I12, **165**)* **:** calle 48, 1311, entre 13 y 15, Playa. ☎ 209-65-14. Ouvert de 12 h à 15 h et de 19 h à 22 h. Autour de 20 US$. Superbe maison perdue dans un quartier calme de Miramar. Idéal le soir pour goûter le frais dans le jardin, bercé par le chuchotement des fontaines. Cuisine copieuse et bien servie. Quelques bouteilles de vins cubains et espagnols pour changer de la démocratique bière Cristal. C'est une des adresses préférées du personnel des ambassades qui peuplent les alentours. Il est donc préférable de téléphoner pour réserver. Parmi les hôtes prestigieux qui ont fréquenté cet établissement, Jimmy Carter, l'ex-président des États-Unis, lors de son séjour à La Havane en 2002.

RESTAURANTS

Plus chic

lel ***Restaurant El Aljibe*** *(plan couleur IV, I12, **166**)* **:** 7ma av., entre 24 y 26. ☎ 204-15-84. À côté du complexe touristique et culturel *Dos Gardenias.* Ouvert tous les jours de midi à minuit. Compter 20 US$ par personne. Immense salle sous un toit de palmes. Les connaisseurs vous le confirmeront : on y mange la meilleure cuisine créole de La Havane. Comme quoi les restaurants d'État n'ont pas tous mauvaise réputation! Une valeur sûre. Le service est très efficace (on n'a jamais été servi aussi rapidement dans le pays). Pour un peu, on se croirait en Floride! Prenez la spécialité maison : le *pollo asado al aljibe* (une vieille recette, gardée secrète, inspirée de la cuisine arabe). Le meilleur poulet de Cuba! D'autant plus qu'il est servi à volonté, avec du riz, des haricots noirs, de la salade et des bananes frites (pour 12 US$). Venez y dîner après avoir assisté au show de *La Maison* (voir « Où sortir? Où danser? ») : bonne soirée garantie. En outre, l'*Aljibe* possède sans doute la meilleure cave de Cuba. Conservées à température idéale, pas moins de 15000 bouteilles de 500 crus de tous les pays du monde dont un certain Château-Pétrus (à 1300 US$ la bouteille!). Plus raisonnablement, les sommeliers Inti et Regino vous recommandent parmi les vins cubains, aussi bien rouges que blancs, le *San Cristobal* et le *Castillo del Morro.*

lel ***Parillada Caribeña*** *(plan couleur IV, I12, **167**)* **:** 7ma av., entre 24 y 26. Mitoyen du restaurant *El Aljibe,* dans le complexe *Dos Gardenias.* Ouvert de midi à minuit. Plat de viande avec accompagnement à 6 US$. Poisson à partir de 10 US$. Grande salle ouverte sous un toit de tôle (qui jure un peu dans le décor). Immense bar. C'est l'un des restaurants du complexe *Dos Gardenias* qui abrite également un restaurant chinois et un restaurant italien, des boutiques, une boulangerie-pâtisserie *Pain de Paris* (ouvert de 8 h à minuit), ainsi qu'à l'étage le *Rincón del Bolero* (voir « Où sortir ? Où danser ? »). Bon rapport qualité-prix.

Ⓘ ***Restaurant La Cecilia** (hors plan couleur IV par I12, **168**) :* 5ta av., 1010, entre 110 y 112. ☎ 204-15-62 ou 202-67-00. Ouvert de midi à minuit. La spécialité est la *lechonada Cecilia* (du porc rôti à la créole avec des haricots, du riz, de la salade, des frites et des *tostones,* le tout servi à volonté) qui ne coûte que 6,5 US$. À la carte, plus original mais plus cher (à partir de 10 US$ les viandes et poissons). Avec la *parillada,* vous avez dans votre assiette un bifteck de bœuf, une escalope de porc et une cuisse de poulet (pour très gros mangeurs). Autre adresse réputée de Miramar, qui apparaît même dans les chansons de la Charanga Habanera. Immense jardin tropical. On dîne en terrasse au milieu des palmiers ou sous une véranda. On peut se contenter d'y manger un poulet pour 1,5 US$ à la cafétéria ou d'y prendre un verre le soir, bercé par la musique, dans le patio. En soirée, cabaret. À l'entrée, magasin de rhum et de cigares. Carte *Visa* acceptée.

Où déguster une glace ? Où manger une pâtisserie ?

🍦 ***Coppelia** (plan couleur III, H8, **170**) :* angle L et 23 (la Rampa), au cœur du Vedado. Ouvert de 11 h à 23 h. Fermé le lundi. Compter de 2 à 6 US$. Cette gigantesque « soucoupe volante » posée dans un parc est le rendez-vous favori des Havanais... Ils sont prêts à faire la queue plusieurs heures pour repartir avec leur glace sans saveur ! Le dimanche, faire la queue devient quasiment une activité en soi.

Ⓘ ***Pain de Paris** :* 4 adresses. La première se trouve dans le Vedado : calle 25, 160, entre O y Humboldt *(plan couleur III, H8, **171**)*. La deuxième est située dans Nuevo Vedado, près du terminal des bus *Viazul* (idéal pour les petits creux du voyage) : calle 41, esq. 26 *(plan d'ensemble couleur, **171**)*. La troisième est à l'intérieur du terminal des bus *Astro (plan couleur III, H9)*. La quatrième dans le complexe *Dos Gardenias (plan couleur IV, I12, **167**)*. Il s'agit d'une véritable boulangerie-pâtisserie plutôt réservée aux touristes, vu qu'on paie en dollars. Croissants et brioches à moins de 1 US$. Les délicieux éclairs au chocolat et les religieuses tournent autour de 2,5 US$.

Ⓘ ***Pastelería francesa** (plan couleur I, A2, **172**) :* sur le parque Central, Habana Vieja. Elle est coincée entre les hôtels *Inglaterra* et *Telégrafo*. Ouvert de 8 h à 23 h. Une pâtisserie à la française, vous l'aviez deviné, même si la qualité, il faut bien l'avouer, n'a vraiment rien de comparable. Croissants au fromage et au jambon, petits sandwichs et quelques pâtisseries. On peut déguster tout ça sur place, dans la salle climatisée ou, mieux, en terrasse sous les arcades. Bien vérifier la fraîcheur des produits qu'on vous sert.

Où boire un verre ?

La Havane n'a pas pour rien des racines espagnoles et africaines : ici, tout le monde vit la nuit. Faites la sieste l'après-midi, prenez des vitamines, buvez du café, du rhum, tout ce que vous voulez... mais, par pitié, le soir, ne restez pas bêtement couché ! Sinon vous ne pourriez ni prendre le pouls de la ville, ni saisir l'âme cubaine. Le fil rouge des soirées cubaines, c'est la musique, la musique sous toutes ses formes, encore et toujours. La capitale offre quan-

tité de fêtes et de concerts, des shows réputés, de superbes revues de cabaret et les meilleurs groupes de salsa. À croire que tous les plaisirs sont permis : profitez-en. Le problème, c'est que, après, on n'arrive plus à se coucher...
Il n'est pas facile de classer les différents lieux nocturnes de La Havane car les styles et ce qu'on y fait s'imbriquent inextricablement. Ainsi un bar se transforme-t-il en dancing sous l'impulsion frénétique des clients. Une salle de concert est toujours également un dancing, mais la réciproque n'est pas vraie. Pour faciliter le tout, les activités changent selon les moments de la journée (par exemple, *peña* l'après-midi, concerts salsa dans la soirée et discothèque pour finir). Par ailleurs, il faut savoir que certains endroits ne sont pas accessibles aux Cubains car trop chers. Les bars musicaux sont les meilleurs rendez-vous pour rencontrer la jeunesse cubaine car elle peut y accéder sans payer... Ainsi est-il important de bien choisir son adresse en fonction du moment et du type de soirée. Bon, de toutes manières, on peut s'éclater partout.

Dans Habana Vieja

Pour la plupart, les lieux de la vieille Havane sont avant tout des bars où se produisent en permanence des groupes. Selon la formation, on se met naturellement à danser ou l'on se contente de siroter son *mojito*. Plus que dans les grands cabarets qui coûtent une petite fortune et qui sont l'équivalent du *Lido* et autre *Paradis Latin* parisiens ou les boîtes de nuit « traditionnelles », si vous n'avez qu'une ou deux soirées à passer à La Havane, il faut traîner vos guêtres dans Habana Vieja et égrener le chapelet des adresses qui suivent. Laissez-vous enivrer par la musique qui suinte de partout, happer par l'atmosphère et par les gens qui la créent, prendre par la manche par les jeunes Cubains, toujours ravis de vous faire découvrir des lieux nouveaux.

Plutôt durant la journée

🍸 ***Mirador de la Bahía*** *(plan couleur I, zoom,* ***178****)* **:** plaza de Armas, 61. Sur le toit du musée d'Histoire naturelle. Ouvert de 12 h à 23 h 30. C'est l'ancienne ambassade des États-Unis, transformée en école après la Révolution et désormais musée d'Histoire naturelle. On prend l'ascenseur pour accéder à la grande terrasse sur le toit. Vue sur le port moderne, avec ses citernes de pétrole et ses colonnes de fumée noire, mais aussi sur le chenal d'entrée, avec, au fond, les deux forteresses El Morro et Cabaña. Superbes panoramas.

🍸 ***El Floridita*** *(plan couleur I, A2,* ***179****)* **:** Obispo, 557, angle Bélgica (Monserrate) Egido. ☎ 867-13-00. Ouvert tous les jours de 11 h 30 à minuit. Un bar mythique ! En 1817, les dames de la bonne société havanaise venaient déjà y savourer des glaces. Ce n'est qu'à la fin du XIXe siècle que l'endroit prend le nom de *Floridita*. En 1914, un Catalan du nom de Constante prend les commandes du bar. Il y invente le *daïquiri*, cocktail rafraîchissant qui fera le tour du monde : jus de citron vert, rhum, sucre, un zeste de *maraschino* et beaucoup de glace pilée. Dans les années 1930, Constante se lie d'amitié avec son meilleur client, qui se fera aussi son plus grand promoteur : Hemingway. L'écrivain attire dans son sillage les stars hollywoodiennes : Marlène Dietrich, Ava Gardner, Gary Cooper, Spencer Tracy, Errol Flynn, Robert Taylor... Il invente à son tour un cocktail maison : le *Hemingway especial* (ou simplement « Papa »), plutôt corsé : un daïquiri sans sucre mais agrémenté d'une double ration de rhum, avec, pour faire zoli, un zeste de jus de pamplemousse ! En 1943, le magazine *Esquire* classait le *Floridita* parmi les 7 meilleurs bars du monde ! Aujourd'hui, il n'a rien perdu de son cachet : la déco n'a pas changé et le tabouret d'Hemingway est toujours là (attaché à une chaîne). On y a rajouté en 2003 une statue en bronze grandeur nature de l'écrivain, histoire que les centaines de touristes puissent se faire prendre en photo avec Ernest. Si ça c'est pas du marketing ! Bon, malgré l'histoire du lieu, on a trouvé l'atmosphère guindée, la clientèle friquée pas toujours sympathique et les serveurs (qui portent toujours nœud pap' et veste rouge) imbuvables, contrairement au daïquiri (il y en a 6 variétés, au choix), la star incontestée de la maison. Car venir ici pour boire un Coca, c'est comme aller dans le Périgord pour manger des rillettes. Mais on vous prévient : le *daïquiri* y est le plus cher de La Havane (6 US$) !

Café O'Reilly *(plan couleur I, zoom,* ***180****)* **:** calle O'Reilly, 203. Ouvert de 10 h à 23 h tous les jours. Vieux café à la façade ancienne. Un escalier en colimaçon monte à la salle du premier. Si vous êtes pressé, allez vous servir au bar avant de monter ! Là, du petit balcon dominant la rue, on peut prendre un verre en écoutant un petit groupe de musiciens qui joue le soir à la demande des clients.

El Bosquesito *(plan couleur I, zoom,* ***181****)* **:** angle O'Reilly et Ignacio. Ferme en général vers 20 h. Adorable bout de terrasse en longueur et surélevé, sous les arbres, qui concilie tranquillité et animation populaire. Un lieu stratégique et agréable pour observer les passants.

La Canasta *(plan couleur 1, B2,* ***182****)* **:** sur Teniente Rey, à deux pas de Mercaderes. Ouvert de 9 h à 19 h tous les jours. On fait halte dans ce minuscule caboulot, avec ses 2 tables en terrasse, pour les milk-shake de jus de fruits naturels. Sympa pour une pause rafraîchissante.

LA HAVANE

Plutôt pour le soir

La Bodeguita del Medio *(plan couleur I, A-B2,* ***129****)* **:** voir « Où manger ? ». Attention, bar mythique ! Les *mojitos* sont faits à la chaîne par une armée de barmen. N'allez pas croire que ce sont les meilleurs de La Havane. Mais enfin, pour ceux qui veulent tituber sur les traces d'Hemingway, dont la phrase la plus alcoolisée est affichée au mur : « Mon *mojito* à la *Bodeguita,* mon *daïquiri* au *Floridita* »...

El Patio *(plan couleur I, zoom,* ***133****)* **:** sur la superbe place de la Cathédrale et à deux pas de la *Bodeguita.* Terrasse très agréable et arcades de charme pour boire un verre en admirant la cathédrale. Notre moment préféré reste au coucher du soleil ou le soir tard quand la place de la Cathédrale se vide et que la musique résonne sous les arcades. D'excellents groupes qui ont vraiment la pêche distillent une bonne humeur communicative.

Café París *(plan couleur I, zoom,* ***184****)* **:** Obispo y San Ignacio. Ouvert de 8 h 30 à 3 h du mat', tous les jours. Troquet aéré, qui n'a de parisien que quelques affiches de l'Arc de triomphe ainsi qu'un *pollo Paris* à la carte ! Avec ses ventilos et son vieux bar patiné, on aime y traîner à l'apéro ou en soirée. Beaucoup de monde, même en plein après-midi. Et bien sûr des *jineteras* et des *jineteros.* Néanmoins, le meilleur moment reste le cœur de la soirée, quand les clients, touristes et Cubains, se mêlent sous les rythmes endiablés des musiciens. Très souvent de la bonne musique. Bières assez bon marché, et *mojito* léger, presque deux fois moins cher qu'à *La Bodeguita del Medio.* Également des parts de pizza et quelques plats qui ne devraient pas grever votre budget.

Lluvia de Oro *(plan couleur I, A2,* ***185****)* **:** calle Obispo, angle Habana. Ouvert jusqu'à minuit, plus tard le week-end. Grand bar donnant sur la rue où la salsa fait danser les murs. Beaucoup de touristes, mais c'est compensé par la présence de nombreux Cubains. Un classique du circuit nocturne. On n'y passe pas toute la soirée mais on y fait une petite halte, histoire de se mettre les oreilles en jambes. Souvent plein.

Castillo de Farnés *(plan couleur I, A2,* ***186****)* **:** calle Bélgica (Monserrate), angle Obrapía. ☎ 867-

10-30. Bar ouvert jusqu'à environ de 4 h du matin (resto jusqu'à 23 h). Sur la rue, un bar vieillot assez populaire, plus modeste que le nom ne l'indique. À l'arrière, un petit resto apparemment sans histoire, et pourtant... À une certaine époque, un étudiant du nom de Castro affectionne l'endroit. Le 9 janvier 1959, il est de retour, accompagné de Che Guevara : au moment de libérer La Havane, après 4 ans de guérilla, le premier endroit qu'il investit dans la capitale est sa cantine d'étudiant ! À 4 h 45 du matin, il fait donc réveiller le cuisinier. Puis les deux convives s'attablent tranquillement pour savourer leur toute fraîche victoire... Après une telle anecdote, la cuisine d'inspiration espagnole qu'on vous sert paraît vraiment fade ! Et de fait elle l'est, contrairement à l'addition, très relevée. Contentez-vous d'un *mojito* au bar, au milieu des piliers de comptoir.

🍸 ***Bar Dos Hermanos*** *(plan couleur I, B2,* ***187****)* **:** San Pedro, angle de Sol, connu aussi sous le nom de l'Avenida del Puerto. Ouvert tous les jours de 8 h à minuit. Face au port, c'était le bar à p... des marins américains dans la période de l'avant-Fidel. Le bar ne semble pas avoir changé, le long comptoir de bois est toujours fidèle au poste. Seule la clientèle a évolué. On savoure son p'tit *mojito* en laissant le regard flotter sur les vieilles images de La Havane d'antan.

🍸 N'oubliez pas qu'il est possible de se désaltérer dans les ***palaces,*** d'autant plus que les boissons n'y sont pas trop chères (proportionnellement au cadre, bien sûr). Essayez le ***patio de l'hôtel Sevilla*** *(plan couleur I, A2,* ***72****)* et le ***bar de l'hôtel Inglaterra, la Terraza*** *(plan couleur I, A2, 71).* Idéalement placé au dernier étage de l'hôtel, il ouvre dès 17 h et sert un *mojito* bien meilleur qu'à *La Bodeguita del Medio,* et presque trois fois moins cher (voir « Où dormir ? »).

Dans le Vedado

🍸 ***Casa de la Amistad*** *(plan couleur III, F8,* ***160****)* **:** Paseo, 406, entre 17 y 19. ☎ 830-31-14. Les soirs de spectacle : 5 US$. Une bonne adresse pour venir prendre un verre durant la journée ou le soir. Dans une admirable demeure coloniale, avec une charmante terrasse à colonnes sur l'arrière, côté jardin. Également un joli patio. Spectacle ou groupe de musique deux fois par semaine. Le mardi soir, *peña del chanchan.* Le samedi, c'est le jour de la *noche cubana* (à partir de 22 h), un show avec danseurs. Mieux vaut passer se renseigner à l'avance pour s'assurer qu'un groupe garantira l'ambiance. Ça permet d'éviter les déconvenues. C'est évidemment l'un de ces soirs-là qu'il est intéressant de s'y rendre. On peut aussi aller y grignoter un morceau dans la journée (voir « Où manger ? »).

🍸 ***Café La Fuente*** *(plan couleur III, G8,* ***191****)* **:** calle 13, entre F y G. Ouvert de 12 h à 24 h. Moins de 1 US$ la bière. Pour ceux qui sont dans le quartier, un endroit tranquille pour boire un verre en fin d'après-midi après avoir vadrouillé dans le Vedado. Au pied d'un très beau palais colonial (l'institut de Géographie tropicale). Dans le bassin central barbotent quelques poissons. Peu de touristes, beaucoup de Cubains. Repas légers.

🍸 ***La Torre*** *(plan couleur III, G-H7,* ***192****)* **:** calle 17 y M, au dernier étage de l'immeuble *Focsa.* L'entrée est située à gauche de l'hôtel. Prendre l'ascenseur jusqu'au 34e étage. Ouvert tous les jours de 10 h 30 à 2 h du matin. *Mojito* à 4 US$, *Cuba libre* à 3 US$. C'est la tour Montparnasse de La Havane ! Au sommet, un bar panoramique et un resto où l'on ne va évidemment que pour la vue, car le cadre hésite entre la poussière et l'ennui. La plus belle vue, souvent reproduite dans les magazines, se trouve du côté resto : l'hôtel *Nacional* au premier plan, puis le Capitole et la vieille ville. Sur la droite du bar, un poste d'observation de l'armée, qui scrute l'horizon et les côtes de Floride.

🍸 ***Bar Colonial du restaurant 1830*** *(plan couleur III, E8, **162**) :* voir « Où manger ? ». Ouvert tous les jours de midi à 4 h du matin. Bar élégant décoré de vitraux colorés. On y concocte d'originaux cocktails maison. On peut aussi prendre un verre dans les ravissants jardins en regardant le show. Tout à côté, dans la forteresse du XVIIe siècle, qui gardait l'embouchure de la rivière *Almendares,* avec ses 4 canons toujours pointés vers le large, on peut préférer la ***Mesón de la Chorrera.*** Prix assez doux et admirable vue sur la mer.

🍸 ***Café Fresa y Chocolate*** *(plan couleur III, F9, **193**) :* calle 23, entre 12 et 10. Ouvert tous les jours de 10 à 23 h. Décor évidemment inspiré du film de Gutierrez (on n'en sort pas !). Du jeudi au dimanche, à partir de 21 h, concerts de flamenco, de musique mexicaine (pour changer de la salsa) et d'un *cuarteto de voces.* À l'intérieur, boutique (ouverte de 9 h à 17 h) où l'on peut acheter des affiches de cinéma cubain et des vidéos.

Où sortir ? Où danser ?

Outre les lieux de concerts (où souvent l'on danse !) et les cabarets, il ne faut pas manquer les ***peñas,*** ces fêtes improvisées typiques de La Havane. Il y en a partout, dans les appartements ou carrément dans la rue, à n'importe quelle occasion. Pas facile de savoir où et quand elles ont lieu. Cependant, certaines *peñas* sont fixes. Essayez de vous y rendre car les moments qu'on peut y vivre sont assez étonnants. Ce sont souvent des moments de grâce incroyables, de partage, de dialogue, de sensualité aussi. Ils seront surtout ce que vous en ferez. Apportez donc une bouteille de rhum, les Havanais se chargent de la musique... Nous vous donnons plus bas des adresses (la *peña de la Rumba* et la *peña de l'Union nationale des écrivains et artistes cubains*) qui sont des lieux de *peñas* en plus d'être des salles de concerts ou de danse.

Dans le Vedado

Lieux de concerts (où souvent l'on danse !)

♪ ***Café Cantante Mi Habana*** *(plan couleur III, G9, **200**) :* Paseo y 39. ☎ 873-57-13. Salle située sous le Théâtre national, face à la plaza de la Revolución. Ouvert tous les jours à partir de 22 h jusqu'à 3 h du matin. Entrée : 10 US$. Immense salle de danse et de concerts très fréquentée par les Cubains. Très sympa. Il y en a pour tous les goûts. On peut y applaudir tous les groupes de salsa en vogue. Ensuite, l'endroit se transforme en discothèque avec de la musique enregistrée. L'ambiance s'échauffe... Matinées (plus calmes) de 16 h à 20 h. Entrée : 5 US$.

♪ ***Salón Rojo*** *(plan couleur III, H7, **201**) :* calle 21, entre N et O. ☎ 33-37-47. Juste à côté de l'hôtel *Capri,* dont il dépend. Ouvert de 22 h à 1 h environ. Se munir de son passeport. Entrée : 20 US$. On a quand même droit à 2 boissons pour ce prix-là ! Ambiance conventionnelle, de bonne tenue (trop ?). Orchestres et chanteurs assez ringards, entre l'atmosphère balloche et la variété de boulevard, pour danser *muy caliente.* En fait, un peu le genre « thé dansant », avec le côté à la fois rigolo et déprimant du genre. Lecteur de moins de 40 ans, passe ton chemin.

♪ ***Pico Blanco*** *(plan couleur III, H7-8, **92**) :* à l'hôtel *Saint John's* (voir « Où dormir ? »), calle O, entre Humboldt y 23. Sur le toit de l'hôtel. Entrée : 10 US$ (boisson à volonté). Spectacle de 22 h à 3 h du matin. Se renseigner avant sur le programme. Assez petit, style piano-bar, intime et très populaire. Fréquenté par les acteurs, les gens de la télé et les artistes cubains, ainsi que par quelques touristes. Il y passe souvent de très bons groupes de salsa ou des chanteurs en solo, mais ce sont surtout des comiques qui s'y produisent. Ce style peut paraître assez déroutant pour les touristes français. Reste que c'est un genre très prisé à La Havane. Compréhension de l'espagnol indispensable. On y danse aussi parfois, en admirant les lumières de la ville à travers les grandes baies vitrées.

♪ ***Peña de l'Union nationale des écrivains et artistes cubains*** *(UNEAC; plan couleur III, G8,* ***202****) :* angle calles 17 y H. L'Union nationale des écrivains et artistes cubains propose d'excellentes *peñas* tous les mercredis de 17 h à 20 h (en alternance, *peña de rumba* et *peña de bolero*). Voir la rubrique « Activités culturelles », plus loin.

♪ Ne pas oublier la ***Casa de la Amistad*** *(plan couleur III, F8,* ***160****) :* Paseo, 406, entre 17 y 19. Voir « Où manger ? » et « Où boire un verre ? ». Elle organise également des concerts, notamment les mardi et samedi soir.

Cabarets et revues musicales

♪ ***El Parisien*** *(plan couleur III, H7,* ***96****) :* à l'hôtel *Nacional,* au bout de la calle 21 (voir « Où dormir ? »). ☎ 873-35-64. Sur la gauche, à l'extérieur de l'hôtel. Ouvert tous les jours. Ferme à 3 h du matin. Entrée : 35 US$, ou 60 US$ avec le dîner. Spectacle de 22 h à 23 h 30 environ. Grand show caraïbe, extra, dans un cadre luxueux. Bien moins cher que le *Tropicana* (à Miramar). Après, il y a en général un petit show humoristique ou musical, et, pour finir, la salle se transforme en discothèque. Cet ancien casino fut le grand rival du *Tropicana* durant les années 1950. Frank Sinatra, entre autres stars, y chanta.

♪ ***Habana Café*** *(plan couleur III, F8,* ***203****) :* au bout du Paseo, entre 1ª et 3ª, sous l'hôtel *Meliá Cohiba.* ☎ 33-36-36. Entrée : entre 10 et 15 US$ suivant les groupes qui s'y produisent. Spectacle en général vers 23 h. Ça ressemble assez à un *Hard Rock Café,* avec ses voitures américaines, son avion de la *Cubana de Aviación* au plafond et ses multiples photos aux murs. Clientèle un peu chicos-frimos, des locaux, et beaucoup de touristes. On vient surtout ici pour le show ou le concert de salsa, vers 23 h, avec des groupes phares comme *Los Van Van* qu'il est toutefois bien préférable de voir dans des lieux plus populaires.

♪ ***El Gato Tuerto*** *(plan couleur III, H7,* ***204****) :* calle O, entre 17 y 19, Vedado. ☎ 836-02-12. Ouvert de 12 h à 3 h du mat'. Spectacle à partir de 23 h. Dans un décor club chic, c'est l'un des temples du boléro créé en 1960 par des vedettes comme Elena Burke et Omara Portuondo, qui lui ont donné ce curieux nom du Chat borgne. En juin 2001, on y a chanté le plus long boléro du monde composé de 2175 chansons enchaînées sans interruption par 498 artistes cubains et 74 étrangers qui se sont relayés sur la scène pendant 76 heures ! *Coquetèles* un peu chers (5 US$) mais tellement bons ! Le samedi, de 16 h à 19 h, la *hora infiel* (pour les célibataires rentrant du bureau !) avec musique *en vivo* et boissons à seulement 1 US$. À l'étage, restaurant (cuisine internationale et cubaine, entre 15 et 20 US$).

À Miramar

Lieux de concerts (où souvent l'on danse !)

♪ ***Salon Rosado de la Tropical Benny Moré*** *(plan couleur IV, J13,* ***205****) :* av. 41 y calle 46, Playa. Excentré, prendre un taxi. Facile à repérer, les murs sont tout roses ! Prix d'entrée selon les groupes : généralement, aux alentours de 5 US$. La boîte la plus populaire de La Havane. La clientèle de ce grand dancing à ciel ouvert est à 95 % cubaine. L'entrée se paie en pesos pour les locaux et en dollars pour les touristes. À l'intérieur, il y a une immense fosse (pour les Cubains) et une sorte de mezzanine géante, le *protócolo* (pour les touristes). C'est l'un des rendez-vous des bons groupes où se donnent tous les meilleurs concerts. Les vendredi et samedi soir, à 21 h, salsa avec des groupes comme *Manolito Simonet y su trabuco*. Le jeudi, à 16 h, matinée dansante. Le dimanche, de 13 h à 19 h, musique traditionnelle avec des formations de *danzón* et boléro comme la *Aragon* ou l'orchestre *Chapotín*. Le dimanche soir (en principe), concerts de rock.

♪ ***Casa de la Música*** *(plan couleur IV, J12,* ***206****) :* calle 20, 3308, esq. 35. ☎ 204-04-47. Deux salles de spectacles. La salle *Te quedaras* ouvre à 16 h. Jusqu'à 20 h, elle accueille des groupes moins connus. Entrée : 5 US$. À partir de 22 h, place aux grandes vedettes. Le prix d'entrée varie de 10 à 20 US$ selon la notoriété des chanteurs et musiciens. Il y en a pour tous les goûts, de *Eliades Ochoa* à *Bamboleo* en passant par les *chicas* de Azucar, *Elito Reve y su Charanga, Isaac Delgado, la Charanga Habanera*... La programmation est en principe diffusée dans les hôtels. La grande salle, pas terrible, ne contient que 280 places assises. Prudent donc de réserver. Le piano-bar *Diablo Tuntun* est ouvert de 22 h à 6 h (entrée : 10 US$). À côté, resto-grill, *La Fuente,* ouvert de midi à minuit. Boutique de disques *Egrem*.

♪ ***La Maison*** *(plan couleur IV, J12,* ***208****) :* calle 16, 701, angle 7ma av. À dire vrai, ce n'est ni une salle de concert, ni même une discothèque mais... un magasin de mode ! Des défilés (environ 45 mn) sont organisés dans le jardin de cette très chic et belle demeure, à partir de 22 h. Entrée : 10 US$. Les mannequins sont superbes. Après le défilé, concert de musique cubaine, piano-bar et karaoké. Les boutiques de vêtements de marques, à l'étage, sont ouvertes de 10 h à 18 h 30, celles de bijoux et parfums, au rez-de-chaussée, de 10 h à 22 h. Restaurant à prix abordables.

♪ ***Rincón del Bolero*** *(plan couleur IV, I12,* ***167****) :* 7ma av. y calle 26. ☎ 204-23-53. Dans le complexe *Dos Gardenias,* à l'étage. Ambiance et musique traditionnelles, excellente adresse pour les amateurs de bons vieux boléros romantiques. Entrée : 5 US$. Les chanteurs se produisent à 22 h 30 et sont suivis par un spectacle musical. Le programme change tous les jours, il est affiché au bas de l'escalier. À côté, la discothèque ***Trobar*** est ouverte de 16 h à l'aube.

Cabaret

🍸 ♪ ***Tropicana*** *(hors plan d'ensemble couleur,* ***210****) :* calle 72, angle calle 41, Marianao. ☎ 267-01-10 et 267-17-17. Assez loin, mais des navettes s'y rendent : renseignez-vous auprès de votre hôtel. Réservation vivement recommandée, surtout si vous souhaitez être bien placé. On peut réserver dans les bureaux de tourisme des hôtels, avant 20 h. Entrée chère, c'est rien de le dire : places à 65, 75 et 85 US$; bouteille de rhum (pour 4 personnes) comprise, ainsi qu'un Cola par personne. C'est le prix à payer pour le fameux spectacle de cabaret qui a lieu tous les soirs à 22 h. À partir de minuit, mini-concert, groupe musical traditionnel jusqu'à 0 h 30, et ensuite ça fait disco. Archi-célèbre, le *Tropicana* est tout bonnement le plus grand cabaret du monde... puisqu'il est en plein air. Imaginez une sorte de *Moulin-Rouge,* version tropicale. On peut trouver ça un peu ringard, et surtout très cher pour une soirée. Mais l'endroit, construit en 1939, est un monument du genre. Tous les plus grands artistes de passage à Cuba s'y sont produits, de Perez Prado à Nat King Cole. Et puis, reconnaissons que les shows sont absolument somptueux, les danseuses superbes et le cadre vraiment étonnant, avec sa végétation pour le moins exubérante. En plus, par beau temps, tout se passe à ciel ouvert ! Les centaines de danseurs évoluent au milieu d'un millier de touristes ébahis et l'atmosphère peut vite devenir incandescente. Dans ce cas, avec quelques rhums dans le nez (Havana Club, bien sûr), vous vous envolerez vers le « paradis sous les étoiles », comme le dit si bien le slogan des lieux...

Dans Centro Habana

♪ ***Nouvelle Casa de la Música*** *(plan couleur II, D4, **209**) :* av. d'Italia (Galiano), entre Neptuno y Concordia, Centro Habana. Même programmation que sa sœur jumelle du Vedado. En matinée, à partir de 16 h, entrée à 5 US$; en soirée, à partir de 23 h, entrée entre 10 et 20 US$ selon l'affiche.

♪ ***La Maison du Tango*** *(plan couleur II, D5, **210**) :* Neptuno, 309, entre Galiano et Aguila, Centro Habana. ☎ 863-00-97. Spectacle gratuit le lundi à 17 h. Du mardi au samedi, à 22 h, spectacle de danse (entre 3 et 5 US$), du *son* à la salsa en passant par le tango. Ruben Daubar, petit-fils du créateur de la maison, vous affirme, preuves à l'appui, que le premier pays du monde où l'on dansa le tango fut... Cuba. Après tout, Carlos Gardel était bien d'origine française ! Ruben cultive la même passion que son grand-père et peut parler du tango pendant des heures. Il vous fait visiter son petit musée avec des photos, des vieux disques, des affiches, des livres, un bandonéon et la dernière photo de Gardel prise 15 jours avant sa mort (un don de F. Castro lui-même à la *Maison du Tango*). Avec son épouse Yoshani, Ruben donne des leçons de tango et de salsa, de 9 h à 20 h (10 US$ de l'heure).

Où écouter du jazz latino ?

Dans le Vedado

♪ ***Peña de la Rumba*** *(plan couleur III, H8, **211**) :* callejón de Hamel, entre Aramburu et Hospital. Incontournable *peña* le dimanche matin, dans une ambiance festive et villageoise, au cœur de la capitale (à propos du callejón de Hamel, lire le paragraphe sur l'univers naïf et fantastique de Salvador Escalona dans la rubrique « À voir »).

♪ ***La Zorra y el Cuervo*** *(plan couleur III, H7, **212**) :* calle 23 (la Rampa), 155, entre N y O. ☎ 66-24-02. Surtout de jeunes formations, tous les soirs, de 23 h à 3 h du matin. Ne pas manquer Chucho Valdés ou son frère Oscar, quand ils s'y produisent. Entrée : 10 US$ (dont 5 US$ à valoir sur des consommations). « La Renarde et le Corbeau », voilà une jolie manière de poétiser les choses. En plein Vedado, un club de jazz latino très réputé où l'on entre par une cabine téléphonique anglaise. Y aller tôt car il y a toujours du monde et l'endroit est minuscule, ce qui permet de mieux apprécier la musique, toujours excellente.

♪ ***Casa de la cultura de Plaza*** *(plan couleur III, F8, **213**) :* calle Calzada, 909, angle calle 8. Activités culturelles occasionnelles. Pour les touristes, surtout intéressant pendant le Festival international de Jazz.

♪ ***Jazz Café*** *(plan couleur III, F7-8, **214**) :* tout au bout du Paseo. Entrée côté Malecón. Au dernier étage du centre commercial. Ouvert de midi à 2 h du matin. Entrée : 10 US$ (consommations comprises). Ne présente en tant que tel pas grand-chose de bien planant. Une débauche de marbre et une climatisation poussée à fond n'incitent pas à la franche rigolade. C'est un endroit fréquenté par les jeunes Cubains ayant quelques dollars en poche. La vue sur la mer et les concerts tous les soirs (entre 23 h et 2 h) peuvent avoir leur intérêt bien que certains soirs la musique qu'on y joue n'ait qu'un très lointain rapport avec le jazz...

Les *discotecas*

– En majorité, les ***boîtes*** se trouvent à Miramar ou dans le Vedado, notamment autour de la Rampa. À la porte, des jeunes filles vous demanderont souvent de les inviter (à plus forte raison si vous êtes un homme et seul) : l'entrée est bien trop chère pour elles...
– Sinon, tous les ***grands hôtels*** ont leur discothèque, souvent avec orchestre.
– Si vous avez une voiture, vous pouvez toujours pousser jusqu'aux ***playas del Este,*** où se trouvent encore bien d'autres discos... La *Finca* est l'une des plus courues.
– Outre les adresses ci-dessous, plein d'autres ***discotecas improvisées,*** style rave, notamment le samedi soir... Demandez aux jeunes Cubains pour savoir comment y aller.

Dans le Vedado

♫ ***Las Vegas*** *(plan couleur III, H8, **215**)* **:** calle Infanta, 104, entre 25 y 27. Entrée : 5 US$. Cette boîte était en rénovation lors de notre dernier passage. Les prix vont sans doute augmenter.
♫ ***El Turquino*** *(plan couleur III, H8, **95**)* **:** calle L, entre 25 y 23. Entrée : 15 US$. Il s'agit de la discothèque de l'hôtel *Habana Libre* (voir « Où dormir ? »). Au dernier étage. Ouvert tous les soirs. Y aller avec son passeport, car il est demandé à l'entrée. Vue splendide sur La Havane nocturne. C'est l'une des discos pour touristes les plus sélectes de la capitale. Show à 22 h 30.
♫ ***Jardines de 1830*** *(plan couleur III, E8, **162**)* **:** Malecón, 1252, angle calle 22. *Night-club* du restaurant *1830* (voir « Où manger ? »). Tous les jours de 22 h 30 à 4 h. Organise chaque soir des petits spectacles sur la piste en plein air, et parfois des démonstrations de danses. Musiques cubaine et européenne. Groupes musicaux *en vivo* et discothèque.

À voir

DANS HABANA VIEJA

🚶🚶🚶 Inscrite au Patrimoine mondial de l'humanité par l'Unesco, la vieille ville nécessite au strict minimum 2 jours de visite. C'est un témoignage unique de l'architecture coloniale espagnole, l'un des ensembles les plus riches d'Amérique. Le fait qu'elle ait conservé son caractère profondément populaire, qu'elle s'effondre en partie, lui confère un côté pathétique, un charme, un naturel que l'on ne trouve plus dans la vieille Europe.
Dans *Habana Vieja,* derrière les façades fatiguées, ça bouge, ça remue, ça vibre intensément. Le nez en l'air, vous découvrirez des centaines de détails pittoresques, insolites. Toits, frises, encadrements de fenêtres originaux. Les régions d'Espagne ont exporté leurs styles. Certains balcons, grilles en fer forgé et auvents rappellent l'Andalousie : Grenade, Cadix, Melilla, voire les Canaries... Festival de badigeons colorés et pastels fanés. Notez ces demeures aristocratiques qui présentent des coins en fonte ouvragés sur les côtés des portes d'entrée (même si pas mal de portes sont aujourd'hui condamnées, les coins restent).
Il faut partir au fil des rues pavées, placettes et places, patios grandioses, goûter au charme indolent, à la noble décadence de cet extraordinaire témoignage de quatre siècles d'architecture coloniale. N'attendez pas trop pour visiter la vieille Havane, afin d'éviter les deux maux de la ville : les plus

belles demeures qui se dégradent et s'écroulent ou celles qui, sauvées et restaurées, gagnent en splendeur mais perdent leur nostalgie émouvante. Lire à ce sujet le texte consacré à la restauration de la ville, en introduction. Il reste dans la vieille Havane quelques bonnes centaines de palais que seul l'œil attentif et fouineur parvient à détecter sous la couche de poussière. Ainsi le terme *solar* désigne-t-il des habitations autrefois majestueuses, aujourd'hui décadentes et aux façades lépreuses dans lesquelles s'entassent des dizaines de familles dans des conditions déplorables. On vous invitera sans doute à pénétrer dans certains de ces lieux. Il n'y a en général absolument rien à craindre et l'invitation est sincère, simple et directe, même si à la fin du petit tour un petit dollar est espéré. On a alors un aperçu de la vie réelle des Cubains de la capitale, du point de vue de l'hygiène et surtout de la promiscuité.
La visite de *Habana Vieja* est très dense. On l'a organisée par zones d'intérêt, qui représentent autant de mini-itinéraires. On les a voulus souples afin de laisser libre cours à vos humeurs. Vous pouvez les enchaîner ou bien sauter de l'un à l'autre au gré de votre inspiration. Les musées et les *casas* (centres culturels) font l'objet de chapitres séparés.
➢ ***Visite guidée de la vieille ville :*** se renseigner au musée de la Ville *(palacio de los Capitanes Generales; plan couleur I, zoom, **225**)*, plaza de Armas. Visite (à pied) du lundi au vendredi. Durée : environ 2 h. Prix : 5 US$. Gratuit pour les moins de 14 ans. Infos à la réception du musée, sur la droite sous l'arche. Demandez un des guides qui parle le français (s'il est disponible). Possibilité de réserver au : ☎ 861-28-76 ou 861-50-62. On visite la plaza de Armas, la place de la Cathédrale, la plaza Vieja et la plaza San Francisco de Asís. Cinq personnes minimum.

👁👁 ***La maqueta de La Habana Vieja*** *(la maquette de la vieille ville; plan couleur I, zoom, **220**)* **:** Mercaderes, 116, entre Obispo y Obrapía. Ouvert tous les jours de 9 h à 18 h 30. Entrée : 1 US$ (supplément pour les appareils photo et vidéo). C'est sans doute par là qu'il faut commencer la visite de *Habana Vieja*. Cette immense maquette de plus de 25 m² est une reproduction fidèle de la vieille ville et du port. Tout y est, même les éclairages qui reproduisent le coucher du soleil et l'aube (avec chant du coq !). Cela permet d'avoir une vue d'ensemble de cet exceptionnel paysage urbain. Il aura fallu trois années de travail pour mener à bien cette superbe réalisation. En réalité, le plus dur n'a pas été la maquette elle-même, mais la prise de mesures des quelque 3500 édifices de la vieille ville.

Autour de la cathédrale

👁👁 ***La plaza de la Catedral*** *(plan couleur I, B2)* **:** l'ensemble architectural le plus harmonieux et le plus homogène de l'époque coloniale. Bordée par la cathédrale, chef-d'œuvre du baroque jésuite, le musée d'Art colonial et d'autres palais. À voir aussi la nuit, le spectacle devient alors féerique.

👁 ***La catedral :*** assez rarement ouverte. Tentez votre chance au moment de la messe, de 10 h à 11 h le dimanche ; sinon, ouverture officielle de 11 h 30 à 15 h. Short et épaules nues interdites. Construite par les jésuites au XVIIIᵉ siècle avec une élégante façade baroque et ondulante aux réminiscences italiennes, ses 2 campaniles latéraux de formes et hauteurs inégales, ses colonnes. Dédiée à san Cristóbal, le patron de la ville (sa statue est à l'intérieur). À l'intérieur, 3 nefs et 8 chapelles. Décor franco-italien (toiles de Jean-Baptiste Vermay, fresques de Giuseppe Perovani). Dans la nef centrale reposèrent jusqu'en 1898 les cendres supposées de Christophe Colomb, avant qu'elles soient rapatriées dans la cathédrale de Séville.

👁👁 Les autres édifices de la place sont :
– ***Le palacio del Marqés Lombillo :*** à droite (quand on est face à la cathédrale), angle calle Empedrado. Il fut édifié en 1730, puis agrandi quelques années plus tard.

– À côté, la ***casa del Marqués de Arcos,*** qui fait l'angle avec Mercaderes. Bel édifice à arcades, typique de l'architecture coloniale, construit en 1741 par le trésorier du roi, Diego de Peñalver Angulo y Calvo de la Puerta. Ses descendants y vécurent jusqu'au milieu du XIXe siècle. Plein de jolis détails baroques. Noter les vitraux en demi-lune *(medio puntos),* qui permettaient de faire entrer la lumière tout en filtrant la chaleur. Aujourd'hui, on y trouve l'Atelier municipal d'Arts graphiques et une galerie d'art au rez-de-chaussée.
– L'édifice du fond, face à la cathédrale est le ***palacio de los Condes de Casa Bayona*** *(plan couleur I, B2,* ***221****).* Il fut construit en 1720 (donc avant la cathédrale) pour le gouverneur de l'île. Façade assez sobre. L'intérieur est plus accueillant, avec ses corridors ouverts et ses patios. Il abrita un temps une manufacture de rhum avant de devenir aujourd'hui le très beau musée d'Art colonial (voir « Les musées » plus loin).
– Enfin, à gauche de la cathédrale (à l'angle de San Ignacio et Empedrado), s'élève la ***casa de los Marqueses de Aguas Claras*** *(plan couleur I, zoom,* ***133****).* Datant de 1751, c'est l'un des palais les plus élégants du quartier. Joli patio intérieur avec fontaine. Abrite aujourd'hui le restaurant *El Patio.*

🔭 ***Le centre Wifredo Lam d'Art contemporain*** *(plan couleur I, B2,* ***223****)* **:** Empedrado, juste derrière la cathédrale. Voir « Les musées » plus loin.

🔭 À quelques mètres de là, sur Empedrado, allez reconstituer vos forces à coups de *mojitos* à la célébrissime ***Bodeguita del Medio*** *(plan couleur I, A-B2,* ***129****).* Voir « Où manger ? » et « Où boire un verre ? ».

🔭 À côté, la ***casa del Conde de la Reunión*** *(plan couleur I, A2,* ***224****),* qui abrite le petit musée Alejo Carpentier. Très bel escalier intérieur.

Autour de la plaza de Armas

🔭🔭🔭 ***La plaza de Armas*** *(plan couleur I, B2)* **:** c'est ici que tout a commencé. Construite dès le XVIe siècle. Très vite, elle a été squattée par les militaires qui y pratiquaient leurs exercices, d'où son nom de place d'Armes. Elle est entourée de prestigieux édifices. Les premiers, à vocation militaire bien sûr, comme le *castillo de la Real Fuerza* (château de la Force Royale), d'autres, administratifs et résidentiels. Peu à peu, les militaires rendirent la place à la population civile. Elle fut reconstruite et agrandie en 1776 aux dimensions actuelles. Plusieurs fois modifiée par la suite, elle a aujourd'hui le visage qu'elle avait en 1841. Au centre, un grand jardin avec la statue de Carlos Manuel de Céspedes, initiateur de la première guerre d'Indépendance en 1868.
– De nombreux *bouquinistes* s'installent autour de la place du lundi au samedi. Des centaines de bouquins de tous bords *(sic)* : Fidel Castro, le Che, José Martí...

🔭🔭 ***Le palacio de los Capitanes Generales*** *(plan couleur I, zoom,* ***225****)* **:** il occupe tout le côté ouest de la plaza de Armas, entre O'Reilly et Obispo. Construit en 1776 au moment du réaménagement de la place. Superbe style baroque finissant. Il fut le siège du gouvernement espagnol de l'île jusqu'en 1898 et également prison publique. Palais présidentiel depuis la fondation de la République (en 1902) jusqu'en 1920, puis hôtel de ville. Dans le beau patio intérieur, statue de Christophe Colomb (1862). Le palais abrite aujourd'hui le superbe *museo de la Ciudad* (musée de la Ville). Voir « Les musées ». C'est devant l'entrée principale du palais qu'on trouve les pavés de bois qui servaient à amortir le bruit des sabots des chevaux.

🔭 ***Le palacio del Segundo Cabo*** *(palais du Second-Caporal ; plan couleur I, B2)* **:** angle plaza de Armas et rue O'Reilly. Possibilité de visite de 10 h à 17 h. Fermé le dimanche. Entrée : 1 US$ pour grimper à l'étage (avec un guide – prévoir un pourboire en plus) mais c'est gratuit pour admirer le patio d'en bas. Autre superbe exemple de baroque cubain, avec son immense porche encadré de colonnes. Édifié en 1770. Fut successivement Maison royale des postes, siège du Bureau royal des impôts, siège de la Trésorerie de l'armée. En 1854, résidence du sous-gouverneur. Au XXe siècle, siège du Sénat, puis de l'Académie nationale des Arts et des Lettres. Aujourd'hui, on y trouve l'Institut cubain des Livres et une galerie de peinture, ainsi que deux librairies. Élégant patio intérieur.

Le castillo de la Real Fuerza *(plan couleur I, B2)* **:** calle O'Reilly, donnant sur la plaza de Armas. Ouvert tous les jours de 9 h à 18 h 30. Entrée : 1 US$. C'est la plus vieille forteresse du pays. Elle est entourée de douves profondes et présente des avancées en pointes de diamant et un appareillage de bonnes grosses pierres. Construite en 1558 par le roi Philippe II. Résidence des capitaines généraux jusqu'en 1762. La tour fut rajoutée en 1632, surmontée de la fameuse *Giraldilla,* girouette qui symbolise la ville (et que l'on retrouve sur les étiquettes du rhum Havana Club). Le fort abrite aujourd'hui, au rez-de-chaussée, sous des voûtes bien fraîches, un petit musée de la Céramique contemporaine cubaine d'excellente qualité. À l'étage, terrasse d'où l'on a une vue extra sur le chenal et le port.

Le palacio de los Condes de Santovenia *(plan couleur I, zoom,* ***69****)* **:** au fond de la plaza de Armas, occupant quasiment tout le côté est. Il a été merveilleusement restauré pour devenir l'hôtel *Santa Isabel.* Date de la fin du XVIIIe siècle. Belle balustrade en fer forgé portant les initiales du comte de Santovenia. À partir de 1867, ce palais devient un hôtel, fréquenté par les armateurs, les négociants et les voyageurs en escale à Cuba.

À côté, sur la gauche de l'hôtel *Santa Isabel,* on peut jeter un œil rapide à ***El Templete*** *(plan couleur I, B2),* petit mausolée édifié en 1828 pour marquer l'endroit de la fondation de La Havane en 1519. Ouvert tous les jours de 9 h à 18 h. Entrée : 1 US$. C'est ici, paraît-il, que fut célébrée la première messe et que s'est tenu le premier conseil municipal *(primer cabildo).* Il renferme le buste du Français Jean-Baptiste Vermay, né à Tournan-en-Brie en 1786, peintre et fondateur de l'École des beaux-arts de La Havane. On y voit 3 toiles racontant l'inauguration du Templete. Style pompier particulièrement ennuyeux. Sinistre couronne de fleurs noires sur son urne funéraire.

Au sud de la plaza de Armas, descendre la ***calle Oficios.***
– Au n° 8, l'ancien ***mont-de-piété*** abrite le Musée numismatique. Ouvert de 9 h à 16 h 45 du mardi au samedi, ainsi que le dimanche matin. On donne ce qu'on veut pour entrer. À l'origine, résidence des évêques de la ville du XVIIe à la première moitié du XIXe siècle. Collection pas palpitante.
– À côté, au n° 16, la ***casa de los Arabes.*** Voir « Les *casas* ».
– En face, au n° 13, un petit ***musée de l'Automobile :*** ouvert tous les jours de 9 h à 19 h. Entrée : 1 US$. C'est un ancien entrepôt où sont conservées une trentaine de voitures anciennes, dont une Cadillac, de 1905. De beaux modèles : Rolls, Packard, Ford, Mehari *(sic !).* La vedette, c'est la Chevrolet du Che de 1960. Voir aussi la petite MG du chanteur Benny Moré. Quelques motos également. Certaines voitures sont visibles de la rue, ce qui permet d'économiser le droit d'entrée.

Puis, prendre la ***calle Obrapía*** vers le parque Central.
– À l'angle de Mercaderes, la ***maison de la culture du Mexique.*** Bel édifice à colonnes et patio tout rose avec petite fontaine.
– Presque en face, la ***casa de Guayasamín,*** la demeure du célèbre peintre équatorien. Superbe petit palais colonial. Voir « Les *casas* ».
– Toujours sur Obrapía, entre Mercaderes et San Ignacio, on trouve la ***casa de África,*** tout à la fois centre culturel et musée (voir plus loin).
– En face, au n° 158, la ***casa Obrapía.*** Construite dans la première moitié du XVIIe siècle, ce fut à l'époque l'une des plus prestigieuses demeures de la ville. Splendide portail monumental (assez rare à La Havane). Patio à colonnes possédant beaucoup de charme. Voir ci-après « Les *casas* ».

La calle Obispo

★★★ ***La calle Obispo,*** colonne vertébrale touristique de la vieille Havane, fut la première à être rénovée et les travaux avancent à grands pas. C'est l'une des rues les plus pittoresques de la vieille ville, animée depuis plus de 200 ans. Rue commerçante en diable, plusieurs librairies, galeries de peinture, etc. On y pratique beaucoup le « façadisme » (on garde les façades, on reconstruit derrière).

★ Prendre la calle Obispo depuis la plaza de Armas. Dans sa partie longeant le palacio de los Capitanes Generales, elle aligne parmi les plus ***anciennes demeures*** de La Havane. La maison au n° 113 abrite le musée de l'Orfèvrerie. Aux n°s 117-119, à deux pas de la plaza de Armas, on trouve l'une des plus anciennes maisons de la ville (XVIe siècle), avec son balcon brun et ses oculus. Beau patio intérieur. En cours de rénovation.

★ À ce niveau de la rue, des trous dans la chaussée laissent deviner les anciens ***tunnels*** qui accédaient à une crypte souterraine.

★ À l'angle avec Mercaderes, aux n°s 121-123, noble ***demeure seigneuriale*** avec un superbe balcon.

★★ Toujours à l'angle de Mercaderes, s'élève l'***hôtel Ambos Mundos*** *(plan couleur I, zoom,* ***66****)*. Voir « Où dormir ? ». Musée (chambre d'Hemingway) ouvert aux visites de 10 h à 17 h du lundi au samedi. Fermé le dimanche. Entrée : 2 US$. Gratuit pour les clients. Construction « moderne » toute rose mais s'intégrant bien au quartier. C'est là que descendit un certain temps Hemingway. La chambre de l'écrivain, la 511, a été transformée en petit musée. Trois fenêtres éclairent cette belle chambre d'angle (jolie vue sur la vieille ville) où ont été conservés des souvenirs du célèbre écrivain. Sa machine à écrire *Underwood* (une de celles qu'il utilisa), le fac-similé du texte de *Pour qui sonne le glas ?,* un rostre d'espadon, quelques photos. Chaque année, de petites variantes dans les objets exposés. Le mobilier, dont le lit, est d'époque, mais n'est pas celui utilisé par l'écrivain. On a vite fait le tour de la chambre, mais la visite pourra intéresser les plus fidèles lecteurs d'Ernest.

★ Au n° 155 d'Obispo, la ***farmacia y drogueria Taquechel.*** Ouvert tous les jours de 9 h à 18 h 30. Entrée libre. Contre l'hôtel Ambos Mundos. La *farmacia,* au cadre vieillot tout en bois, possède des bocaux de porcelaine (d'Espagne, mais aussi de France !) du XIXe siècle. Elle date de 1898. On peut y jeter un œil sans déplaisir. Fait encore office d'herboristerie, mais comme on paie en dollars, les cubains affluent un peu plus loin, au n° 260, entre Cuba et Aguilar, à la ***drogueria Johnson.*** Depuis 1895, rien non plus ne semble avoir bougé.

★ À l'angle de San Ignacio, le ***café París*** *(plan couleur I, zoom,* ***184****)*. Pour trinquer avec ses principaux actionnaires (voir « Où boire un verre ? »).

★ Plus loin dans la rue Obispo, on aborde un quartier qui fut dans les années 1920-1930 une sorte de ***mini-Wall Street.*** Siège de grosses banques et d'importants établissements financiers. Comme à Paris, Londres, New York ou San Francisco, on étalait richesse et prospérité au travers de façades ultra-chargées, d'une architecture néo-classique et grandiloquente, voire pompeuse.

★ À l'angle d'Obispo et Cuba, s'élève l'un des édifices les plus importants de la rue : l'ancien ***Banco Nacional de Cuba*** durant les années 1920. Grosses colonnes corinthiennes et fronton à la grecque. L'immeuble appartient aujourd'hui au ministère des Finances. Petit musée des Finances.

★★ Faites un petit tour par la ***rue O'Reilly.***

– À l'angle de la calle Cuba, la ***Bank of Nova Scotia,*** avec sa façade cossue, abondamment sculptée. Débauche de pilastres et colonnes, chapiteaux corinthiens, etc.

– Continuez sur O'Reilly en direction du parque Central. Au n° 311 (entre Aguilar et Habana), s'élève la ***casa O'Reilly.*** La maison, en restauration, devrait abriter un lieu en hommage à Victor Hugo.

Revenez sur Obispo par la rue Habana. À l'angle d'Obispo et Habana, ***« marché local »*** traditionnel, avec ses rayons quasi vides, mais plein de trucs des plus hétéroclites. D'un côté, on trouve des nippes, de l'autre, des stands de friture (voir « Où manger? »). Bar sympa tout en longueur pour des *refrescos* à prix cubains. Ambiance locale garantie!

En face, le ***café,*** toujours animé, ***Lluvia de Oro*** *(plan couleur I, A2,* ***185****)*, avec son vieux comptoir de bois précieux. Le soir, bons groupes (voir « Où boire un verre? »).

Vous pouvez continuer la rue Obispo jusqu'au parque Central; vous passerez alors devant le célèbre ***bar-resto El Floridita*** *(plan couleur I, A2,* ***179****)*. Ou bien, dirigez-vous vers la plaza Vieja : prenez alors la calle Habana puis tournez à gauche sur Amargura pour passer devant le couvent San Agustín.

Autour de la plaza Vieja

Convento et iglesia San Agustín *(plan couleur I, B2)* **:** sur Amargura, entre Aguilar et Cuba. De style Renaissance tardive, elle date de 1633 mais fut restaurée plusieurs fois, notamment dans la première moitié du XIXe siècle. L'ancien couvent attenant abrite le musée historique des Sciences Carlos J. Finlay.

La plaza Vieja *(plan couleur I, B2)* **:** elle aligne nombre de beaux palais. Presque totalement restaurée, il ne reste plus qu'une ou deux demeures délabrées. Le seul raté est la fermeture de la fontaine centrale par des grilles hautes et bien moches. Et il manque des bancs pour jouir de cette paisible atmosphère.

Construite au milieu du XVIe siècle, elle fut la première opération d'urbanisme planifiée lors de l'extension de la ville, et remplaça la plaza de Armas confisquée par les militaires. Celle qu'on appelait alors la *Nueva Plaza* (nouvelle place) fut un endroit prestigieux aux XVIIe et XVIIIe siècles. Les nobles, les bourgeois aisés et les riches commerçants furent autorisés à y construire leurs résidences. Festival de portiques, loggias, façades ornementées de détails pittoresques (balcons en bois, toits de tuiles et porches montés sur colonnes). Allez, on commence le tour :

– Tout d'abord la ***casa de los Condes de Jaruco :*** à l'angle de Muralla et San Ignacio. Construit en 1733, le palais des Comtes de Jaruco est typique de l'architecture de la place. Remarquez au 2e étage les superbes vitraux. Ce fut l'un des grands salons littéraires de La Havane au XIXe siècle. On y trouve aujourd'hui une galerie d'art, tenue par la *Fondation cubaine des biens culturels*. Ouvert du lundi au vendredi de 10 h à 17 h; le samedi, de 10 h à 14 h. Fermé le dimanche. Entrée gratuite. À l'intérieur, remarquable patio à colonnes à un étage. Fort bel escalier également. Impression d'élégance et de sérénité toute simple. Elle accueille des expos et parfois des soirées musicales diverses.

– ***La casa del Conde Lombillo :*** San Ignacio, 364, entre Muralla et Brasil (Teniente Rey). Avec son grand balcon, elle occupe une position stratégique, presque au centre de la place. Elle semble attendre impatiemment une prochaine restauration.

– À côté, à l'angle d'Ignacio et Brasil (Teniente), s'élève la ***casa de las Hermanas Cárdenas.*** Il s'agit de la maison de deux sœurs, célèbres pour leur dévotion. Construite à la fin du XVIIIe siècle, elle abrita en 1824 la Société philharmonique, le cercle musical le plus prestigieux de La Havane.

Aujourd'hui, elle accueille le *Centre de développement des arts visuels*. Imposant patio à colonnes et belles boiseries baroques.
– En face, dans ce même angle, on trouve l'***antiguo colegio Santo Angel,*** de la fin du XVIIIe siècle. Ce palais a appartenu à une grande dame de l'aristocratie espagnole, Suzana Benitez de Parejo. À la mort de son jeune fils, en 1866, elle fonda dans cette maison un collège pour orphelins. Abrite désormais un luxueux restaurant et un bar où il fait bon prendre un verre en terrasse, face à la place.
– ***Camera Oscura*** *(plan couleur I, B2,* ***226****)* **:** angle Brasil (Teniente) et Mercaderes. Ouvert tous les jours de 8 h 30 à 18 h. Entrée : 1 US$. Bel immeuble du XIXe siècle qui accueille une *camera oscura* sur la terrasse. Il s'agit d'un système de visionnage de la ville à 360° sur une sorte de parabole, qu'on observe dans l'obscurité. Commentaire sur les principaux édifices que l'on peut voir et le port. Guide bredouillant sympathiquement le français.
– À côté, sur Mercaderes, au n° 307, la ***casa de Beatriz Pérez Borroto*** (1752), belle demeure toute bleue, à arcades. On y trouve la *Photothèque de Cuba,* riche de 25000 photos d'avant 1920.
– Au n° 107 de Muralla, à l'angle de Mercaderes, petite maison couleur saumon qui abrite le ***musée de Naipes,*** consacré aux cartes à jouer.
– Derrière, à l'angle de Muralla et Mercaderes, se trouve le ***palacio Viena,*** bâti en 1906, avec sa façade baroque exhalant des réminiscences Art nouveau. Cet ancien hôtel (l'hôtel *Cueto*) est en cours de rénovation. Seule la façade va subsister. C'est là qu'ont été tournées des scènes du film argentin *Tango.*

ৎৎৎ ***Iglesia, convento et museo de artes religiosas San Francisco de Asís*** *(plan couleur I, B2)* **:** depuis la plaza Vieja, descendre la rue Brasil (Teniente Rey). Édifices élevés à la fin du XVIe siècle sur une ancienne crique asséchée. Église reconstruite fin 1739 dans le style baroque. Après restauration (en cours), elle retrouvera toute sa splendeur. Superbe nef dont les bas-côtés accueillent de nombreuses toiles religieuses. Malgré les lourds piliers carrés, il se dégage de l'ensemble une certaine élégance. La crypte abrita les sépultures des grandes familles aristocratiques.
– ***Les chapelles du cloître*** sont occupées par le ***musée d'Art religieux.*** Ouvert tous les jours de 9 h 30 à 19 h. Entrée : 2 US$. Statues en bois polychrome, mobilier, quelques objets issus de fouilles (poteries). À l'étage, quelques salles un peu vides. L'une d'elles donne accès à la tribune de l'église (vue sur la nef) et sur la terrasse offrant, elle, une vue superbe sur la place.
– Au fond, un ***deuxième cloître*** qui présente trois volées d'arcades (ce qui est assez rare) et une fontaine centrale, charmante dans son cadre verdoyant et serein.
– La superbe ***tour*** à trois paliers de l'église fut longtemps la plus haute de la ville (40 m). On peut accéder à son sommet (payant) et jouir d'une vue grandiose sur la vieille ville.

ৎ Face à l'entrée de l'église, quelques jolies ***demeures,*** dont la ***casa de la Pintora Venezolana,*** où l'on peut admirer des peintures d'artistes sud-américains dans un bel intérieur du XVIIe siècle.

ৎ Devant l'église, sur la place, la ***fontaine des Lions,*** de 1836.

ৎ Au nord de la place (à l'angle d'Amargura), la ***lonja del Comercio*** (la bourse du Commerce), imposant immeuble construit en 1909. Dominée par une coupole et la statue en bronze du dieu Mercure (patron des marchands et dieu des voleurs). Elle abrite aujourd'hui les sièges de sociétés mixtes qui apportent des capitaux étrangers à Cuba...
– On peut terminer ici cet itinéraire, à moins que vous ne ressentiez le besoin impératif d'un p'tit remontant. Dans ce cas, direction le *musée du Rhum* : prenez Oficios vers le sud et tournez à gauche dans la calle Sol.

El museo del Rón Havana Club *(musée du Rhum Havana Club ; plan couleur I, B2,* ***232****)* **:** calle San Pedro, 262, angle calle Sol. Dans un beau palais du XVIIIe siècle. Visite d'une rhumerie reconstituée et dégustation à la clé... Voir plus loin « Les musées ».

Le sud de la vieille ville

Si vous venez de la plaza Vieja, prenez la rue San Ignacio. Deux intéressantes ***casas*** aux n°s 411 et 414. Puis tournez à droite dans la rue Sol.

Le convento Santa Clara *(plan couleur I, B3,* ***59****)* **:** calle Cuba, 610. Son imposante masse jaune occupe tout le quadrilatère Sol, Habana, Luz et Cuba. Ouvert du lundi au vendredi de 8 h 30 à 17 h. Fermé le week-end. Entrée : 2 US$ (incluant la visite guidée, en français également). Gratuit pour les clients de l'hôtel. Ce fut le premier couvent de religieuses établi à Cuba en 1638. Bel ensemble architectural qui abrite aujourd'hui le *Centre national de restauration, conservation et muséologie,* ainsi que l'hôtel *Convento Santa Clara* (voir « Où dormir ? »). Les religieuses de l'ordre des Clarisses, y vivaient jusqu'en 1919, date à laquelle elles vendirent le couvent. Ne pas manquer la visite du cloître, vraiment bien restauré. Les cellules abritent aujourd'hui sculptures, meubles...

Iglesia et convento de Nuestra Señora de Belén *(plan couleur I, A3)* **:** Luz y Compostela. En restauration depuis plusieurs années. C'est le principal édifice du XVIIIe siècle de la Habana Vieja. Date de 1712. Couvent de style baroque, cédé en 1854 aux jésuites qui créèrent un collège chic pour les enfants de la haute. À en croire les projets en chantier, une maison de retraite devrait y voir le jour, ainsi qu'un musée de météorologie et d'astronomie. Église à une seule nef. Ravissante façade ouvragée avec clocher accolé. Porche avec fenêtre au-dessus en forme de coquille Saint-Jacques. Traces de polychromie rouge et bleue.

Tout proche de l'entrée du couvent, sur Compostela, 609, un pittoresque petit ***marché*** populaire *(mercado campesino).* Ouvert du mardi au samedi de 8 h à 18 h.

Beaucoup d'édifices intéressants dans le coin. Sur Luz notamment. Noblesse des ***façades*** à pilastres derrière l'usure et la patine. Cette architecture est le reflet des classes plutôt élevées qui vivaient ici. Au 1er étage, fenêtres cintrées avec mascarons et ravissantes frises sculptées, comme cet immeuble à l'angle d'Acosta et Compostela. Sur un étage avec arcades et un long balcon en fer forgé, encadrements de fenêtres sculptés. Puisqu'on est sur Acosta, continuons la rue jusqu'à l'église Espíritu Santo.

La iglesia del Espíritu Santo *(plan couleur I, B3)* **:** Acosta, angle Cuba. Sa construction commence en 1637. La plus ancienne de La Havane en l'état. Belle pierre blanche. Façade à fronton triangulaire et clocher attenant d'une grande simplicité. On trouve les restes de l'évêque Gerónimo Valdes, qui a fondé le premier orphelinat de Cuba.

Si l'on continue jusqu'à la mer, on tombe sur la rue ***Alameda de Paula*** (San Pedro) où l'on tourne à droite. C'est l'ancienne promenade des Havanais au XVIIIe siècle. Au milieu, une charmante église baroque, la ***iglesia de San Francisco de Paula*** (1730), avec sa coupole octogonale.

➢ Ensuite, prenez la calle Perez et tournez à droite dans Cuba.

L'église de la Merced *(plan couleur I, B3)* **:** Merced, angle Cuba. Elle date de 1755. Façade classique à un étage de colonnes. À l'intérieur, impression de grande ampleur avec trois nefs et une voûte en berceau, largement couvertes de fresques. Riche décoration. Sur les colonnes, dorures en trompe l'œil. Elle était très prisée par l'aristocratie pour y célébrer ses mariages et ses baptêmes. À gauche, une porte ouvre sur un cloître. Vaut le coup d'œil.

➢ Revenez sur la rue Perez en direction de la gare ferroviaire.

★ ***La casa natal de José Martí*** *(plan couleur I, A3,* ***233****)* **:** Leonor Perez, 314, angle Bélgica (Egido). Ouvert du mardi au samedi de 9 h à 17 h ; le dimanche, de 9 h à 13 h. Fermé le lundi. Entrée : 1 US$. Au niveau symbolique, cette immense figure de l'Indépendance cubaine ne pouvait qu'être née ici, dans cette modeste maison d'un quartier populaire de la vieille Havane. Elle date du début du XIXe siècle. Le proprio vivait au rez-de-chaussée. La famille Martí louait le premier étage, deux petites pièces, un minuscule couloir. De là-haut, on a une vue dégagée sur la gare, toute proche. C'est là que naquit José Martí, le 28 janvier 1853. Bien sûr, demeure chargée de souvenirs. On y trouve des objets personnels et son écritoire, ses livres et diverses publications, de nombreuses photos, des poèmes *(Versos Sencillos)*. Photo très rare de Martí et du général Máximo Gómez à New York en 1893. En fait, pas mal de reliques qui ont une valeur plus sentimentale que pédagogique et qui font de ce petit musée un mémorial émouvant pour les admirateurs de José Martí, grand émancipateur de Cuba, géant de la Révolution... et poète.

★ ***Le monument aux morts du vapeur La Coubre :*** av. Pesquera, en bordure d'eau quand on arrive à la gare ferroviaire centrale. On dit que ce bateau français fut sabordé par la CIA en 1960, alors qu'il apportait des armes à la jeune Révolution cubaine.

★ Sur l'avenida Bélgica (Egido), quelques vestiges de l'***ancienne muraille de la ville,*** détruite à partir de 1863 : *cortina de la Muralla, puerta de la Terraza.*

★ ***Estación central de ferrocarriles*** *(la gare ferroviaire centrale ; plan couleur I, A3)* **:** av. Bélgica (Monserrate) Egido. Cette grande bâtisse sans trop de grâce présente l'architecture ferroviaire monumentale si typique du début du XXe siècle, avec ses deux tours massives et carrées. Très espagnole, avec ses coquilles Saint-Jacques en décoration, surmontées d'écussons aux armes de la ville (trois tours). Elle a été construite sur l'emplacement de l'ancien arsenal. Inaugurée en 1912. De là partent les trains chargés de rêves et de désillusions, les plus lents des Caraïbes (et les plus longs) ! Des deux côtés de la gare, des restes de l'ancienne muraille et les vestiges du corps de garde (1674-1740).

Le Capitolio et le parque Central

Voici une balade dans la partie la plus récente de la vieille ville, à la limite de Habana Centro. Depuis la gare ferroviaire, on peut se diriger directement vers le Capitole par l'avenida Bélgica (Egido). Mais ceux qui ne sont pas encore saturés de vieilles églises feront un petit détour pour aller admirer l'église Santo Cristo del Buen Viaje.

★ ***La iglesia Santo Cristo del Buen Viaje*** *(plan couleur I, A2)* **:** sur une jolie placette, dans le quadrilatère Brasil (Teniente Rey), Bernaza, Villegas... Il y eut d'abord ici un ermitage fondé en 1640. Puis l'église, construite en 1755. Petite, intime, avec deux clochers hexagonaux encadrant un large portail en plein cintre. À l'intérieur, trois nefs avec colonnes à chapiteaux doriques. Coupole à ciel ouvert. À côté, sur la droite, une petite école primaire.

★ À l'angle de Teniente Rey et Bernaza, maisons très anciennes. L'une d'entre elles, la ***casa de la Parra*** *(plan couleur I, A2-3,* ***122****)*, du XVIIe siècle, abrite aujourd'hui le restaurant *Hanoï* (voir « Où manger ? »).

★★ ***Le Capitolio*** *(plan couleur I, A2-3)* **:** ouvert de 9 h 30 à 18 h 30 tous les jours. Visite guidée : 3 US$. Compter 1 US$ supplémentaire pour la visite de la salle des pas perdus, réputée pour son acoustique. Construit de 1920 à 1929, c'est la reproduction du Capitole de Washington. Des milliers d'ouvriers travaillèrent à ce qui fut à l'époque l'ouvrage le plus imposant de Cuba. Siège de la Chambre des représentants et du Sénat jusqu'à la Révolution castriste. À l'intérieur, immense salle des pas perdus. On peut y jeter un œil gratuitement depuis l'entrée. La coupole s'élève à 61 m. Au centre, par terre, un « diamant » marque le km 0 de toutes les routes du pays (enfin, une copie... l'original est bien à l'abri dans les coffres de la *Banque Nationale*!). Colossale statue de 17 m de haut et de 49 tonnes, symbolisant la *République*. C'est la troisième du monde après celle du Bouddha d'Or au Japon et celle de Lincoln aux États-Unis, mais la première en salle. Quatorze salles plutôt dépouillées mais si vastes qu'on en a plein les guiboles. Service Internet (5 US$ l'heure) et grand café situé sous les arcades de la façade. À la sortie, des calèches stationnées sur le *parque Central*.

Derrière le Capitole, la célèbre maison de cigares, la ***fábrica de Partagas*** *(plan couleur II, D5,* ***249****)*. Voir plus loin « Les manufactures de cigares ».

Toujours derrière le Capitole, vous apercevrez au début de la rue Dragones qui s'enfonce dans Habana Centro, la « ***porte chinoise*** », qui marque l'entrée du quartier chinois *(plan couleur II, D5)*. Lire en début de chapitre la rubrique « Les principaux quartiers », ainsi que le paragraphe qui lui est consacré plus loin. N'hésitez pas à y faire un tour. Très populaire mais pas chinois pour deux sous.

Le palacio de Aldama *(plan couleur II, D5)* **:** av. de Bolívar et Máximo Gómez. Construit en 1840 dans un style néo-classique pour un riche Espagnol, Domingo de Aldama y Arréchaga. Son fils Miguel, partisan de l'indépendance de Cuba pendant la première guerre d'Indépendance, dut émigrer aux États-Unis. Le palais fut mis à sac par le pouvoir espagnol en 1869. Intéressante façade malgré un 3e étage intempestif ajouté au début du XXe siècle, lorsque l'édifice fut transformé en manufacture de tabac. Aujourd'hui, on y trouve l'*Institut d'Histoire du mouvement communiste et de la Révolution socialiste* à Cuba. Ne se visite pas.

➢ Pour revenir dans *Habana Vieja,* prenez la rue Amistad et tournez à droite après le Capitole. On tombe sur le parque Central.

Le parque Central *(plan couleur I, A2)* **:** il est l'aboutissement du Prado (paseo Martí) et c'est l'un des points névralgiques de la ville. Jolie place plantée d'arbres et toujours très animée, qui a pris son visage définitif à la fin des années 1920. Elle est bordée par quelques splendides palaces qui se font face depuis des lustres, notamment l'hôtel *Inglaterra (plan couleur I, A2,* ***71****)*, l'hôtel *Telégrafo (plan couleur I, A2,* ***68****)* et le *Plaza Hotel*. Le café de l'hôtel *Inglaterra, Le Louvre,* était l'un des lieux de réunion favoris des indépendantistes lors de la première guerre d'Indépendance. Allez faire un tour à l'intérieur (voir « Où dormir? »).

Ceux qui feront une petite halte dans le parc s'apercevront que, sous la statue de José Martí, les conversations sont souvent animées. On appelle d'ailleurs ce coin *la esquina caliente* (« le coin chaud »). Non, on ne fomente pas là une nouvelle Révolution, mais on parle *pelota,* c'est-à-dire base-ball. C'est le premier sport national et le premier sujet de conversation. Les paris vont bon train et on discute ferme sur les chances d'*Industriales* ou de *Metropolitanos,* les deux équipes de La Havane.

Autour de la place, quelques autres édifices dignes d'intérêt :

– À l'angle du paseo Martí et de San Rafael, le ***Gran Teatro.*** Visites guidées (2 US$) tous les jours de 9 h à 15 h. La visite dure une demie-heure environ. Construit en 1915, en marbre, un des sommets du style néo-baroque. Festival de tourelles tarabiscotées, balcons, colonnes, balustres, baies longitudinales, arcades, sculptures diverses... Remarquable ornementation des lucarnes ondoyantes. Sarah Bernhardt y a joué et Caruso y a chanté. On peut assister à des spectacles de ballets vraiment fameux (voir plus loin la rubrique « Activités culturelles »).

– De l'autre côté, calle San Rafael, le magnifique immeuble néo-classique qui abrite le ***museo de Bellas Artes*** *(musée des Beaux-Arts)* et ses collections de l'*arte universal.* Voir « Les musées ».

Autour du paseo Martí (le Prado)

Depuis le parque Central, descendez à pied le paseo Martí jusqu'à la rue Capdevila ou même jusqu'à la mer. Ensuite, revenez sur vos pas en prenant des rues parallèles.

Le Prado *(paseo Martí ; plan couleur I, A1-2)* **:** il relie le Malecón et le parque Central. C'est la plus belle avenue de La Havane (la Rampa du Vedado n'ayant comparativement aucun charme). Bordée de vénérables demeures, cette noble promenade témoigne du passé fastueux du quartier, avec ses bancs de pierre ombragés, ses lampadaires Art déco et ses courants d'air calculés. On imagine très bien les élégantes de la Belle Époque s'y pavaner et les riches négociants créoles les saluer du haut de leurs calèches... Ne manquez pas d'admirer les façades des maisons, aux belles couleurs pastel et aux vieux balcons ouvragés dont certains sont en pleine rénovation. Le meilleur moyen de se balader sur le Prado, c'est à pied ou en déambulant lentement en *bici-taxi.*
Le paseo Martí est aussi un lieu de rendez-vous perpétuellement animé. Vous y croiserez les *jineteros* en quête de dollars, des queues de travailleurs en attente d'un bus, des ribambelles d'enfants en uniforme et des groupes de Havanais, aux airs de conspirateurs, rassemblés autour de la « Bourse d'échange des appartements »... Les Cubains, n'ayant pas le droit de vendre leur maison (propriété de l'État), n'ont que la solution de permuter lorsqu'ils veulent changer de domicile.

Si vous continuez le paseo Martí jusqu'à la pointe extrême nord, vous tomberez sur le ***castillo de San Salvador de la Punta.*** Construit à la fin du XVIe siècle, en forme de trapèze fortifié. Au XVIIe siècle, une énorme chaîne barrait l'entrée du chenal en reliant le castillo de los Tres Reyes del Morro, afin de contrôler l'entrée des navires.

Toujours dans la pointe nord de la vieille ville, des bouts, de-ci de-là, de l'***ancienne muraille,*** le ***palacio Pedroso,*** la *statue équestre* monumentale *du général Máximo Gómez.* Tout en haut du Prado, vestiges de l'ancienne *prison* (1834). José Martí y fut emprisonné en 1869.

El museo nacional de la Música *(le musée national de la Musique ; plan couleur I, A1, **243**)* **:** calle Capdevila, 1. Dans une très belle demeure seigneurlale. Voir « Les musées ».

La iglesia San Ángel Custodio *(plan couleur I, A2)* **:** date de 1690, reconstruite en style néo-gothique en 1866. José Martí y fut baptisé.

El palacio presidential *(l'ancien palais présidentiel ; plan couleur I, A2, **234**)* **:** El Refugio, entre Bélgica (Egido) et le Prado. Construit à partir de 1913. Devint la résidence des présidents de la République à partir de 1920. Bien dans le style néo-baroque éclectique et prétentieux des maîtres de la république néo-coloniale. À l'intérieur, escaliers monumentaux, salles immenses. La décoration en avait été confiée à la célèbre maison Tiffany de New York. Le 13 mars 1957, le palais présidentiel, avec le dictateur Batista, fut attaqué par les révolutionnaires. Aujourd'hui, il abrite le musée de la Révolution (voir plus bas, « Les musées »). Devant s'élève le *mémorial Granma.*

El museo nacional de Bellas Artes *(plan couleur I, A2, **240**)* **:** calle Trocadero, entre Zulueta y Bélgica (Monserrate) Egido. Très belles collections d'art cubain. Voir plus loin.

***El edificio Bacardí* :** av. Bélgica (Monserrate) Egido, entre San Juan de Dios y Empedrado. Superbe architecture années 1930, mâtinée d'Art déco tropical. Jolie décoration de céramique polychrome. Tout en haut de la tour, une grosse chauve-souris (qui inspira, dit-on, l'auteur de *Batman,* qui fonctionnait au Bacardí). Ancienne propriété de la firme Bacardí. Abrite désormais des bureaux.

Les musées

ꝶꝶꝶ ***El museo de la Ciudad*** *(plan couleur I, zoom,* ***225****)* **:** plaza de Armas. Ouvert tous les jours de 9 h à 18 h 30. Entrée : 3 US$. Et 1 US$ de plus pour une visite guidée (mais le guide qui parle le français n'est pas toujours là).
Niché dans le superbe *palacio de los Capitanes Generales.* Édifice admirable par sa taille, son architecture et son équilibre. Certainement l'un des trois plus beaux musées de la ville, avec des collections très complètes sur l'histoire de la cité jusqu'à l'épopée révolutionnaire, mais aussi des collections d'art. Et puis la présentation des œuvres est aérée et donc bien agréable. Au centre du patio, la statue de Christophe Colomb accueille les visiteurs.
Au rez-de-chaussée, à droite, les anciennes écuries. On y trouve la *Giraldilla,* symbole de la ville. C'est la plus ancienne statue fondue à Cuba (1630), conçue à l'origine pour orner la tour du fort Real Fuerza, en souvenir d'Inés de Bobaldia, qui attendit en vain son conquistador de mari, Hernando de Soto, parti laisser sa peau en Floride. Plusieurs salles avec portraits d'évêques du XVIIIe siècle, pierres tombales, devants d'autels en cuivre. À voir aussi, les grosses colonnes torses en bois et un beau christ du XVIIIe siècle représentatif de l'art baroque. Également des attelages du XIXe siècle...
À l'étage, nombreuses et vastes pièces accueillant des collections thématiques. Voici les principales :
– *Salas de la Capitanía General* et *salón Verde* richement meublées XVIIIe et XIXe siècles.
– *Salas del Cabildo :* c'est ici que se tinrent les sessions du conseil municipal de 1791 à 1967.
– *Sala de las Banderas :* portraits de tous les grands leaders indépendantistes, ainsi que le premier drapeau cubain.
– *Sala de Maceo :* souvenirs divers, objets personnels, lettres.
– *Salas de recibo :* pièces de réceptions du XVIIIe siècle. D'abord, la salle de bal, puis, témoignage d'une autre époque, le salon de « besamano » !
– *Salles de la République :* nombreux témoignages des années d'avant la Révolution. « Unes » de journaux relatant les grands événements des années 1960-1961.
– Et puis encore plusieurs salles et salons (salon Blanc, salle du Trône, salon des Miroirs), où sont exposés meubles coloniaux, porcelaines italiennes, françaises et allemandes, portraits des rois d'Espagne, beaux objets, peintures, argenterie... sous les stucs et les ors de la République.

ꝶꝶ ***El museo de Arte colonial*** *(plan couleur I, B2,* ***221****)* **:** pl. de la Cathédrale. ☎ 862-64-40. Ouvert de 9 h à 18 h 30. Entrée : 2 US$.
Au rez-de-chaussée, peintures des XIXe et XXe siècles et vaisselle, ferronneries d'art, fenêtres en bois tourné, vieilles portes, serrures, heurtoirs, etc. Calèche, vieilles lanternes et éperons espagnols. Deux sculptures en terre cuite au charme délicat du XVIIIe siècle qui nous rappelleraient presque les peintures de Fragonard.
Au 1er étage, plusieurs salons au bel ameublement colonial. Autres objets un peu kitsch, comme ce vase sur pied avec angelots. Mieux encore, une chaise percée ! Sèvres, armoires, jeux de dames sculptés, lavabo en émail peint, belles collections de chaises et fauteuils.
Superbe collection de *mamparas,* ces portes intérieures typiques des demeures bourgeoises. Chambre à coucher avec ravissants cristaux et reconstitution d'une ancienne cuisine.

⚫⚫⚫ ***El museo nacional de Bellas Artes*** *(le musée national des Beaux-Arts; plan couleur I, A2)* **:** ☎ 861-38-58. • www.museonacional.cult.cu • Ouvert du mardi au samedi de 10 h à 18 h; le dimanche, de 10 h à 14 h. Entrée : 5 US$ pour un musée, 8 US$ pour les deux musées. Service de guide (en français) : 2 US$. Récemment rénové, le musée est divisé en deux édifices : l'un rassemble les collections de l'art cubain, l'autre est dédié à l'art universel.

– ***Arte cubano*** *(plan couleur I, A2,* ***240****)* **:** calle Trocadero, entre Zulueta y Bélgica (Monserrate) Egido. Dans un immeuble d'architecture moderne, l'ancien palais des Beaux-Arts construit en 1954. Visite incontournable pour qui veut pénétrer la culture cubaine. Il abrite de très belles collections. Le musée s'organise en quatre sections.

La première section : au 3e étage. Consacrée à la peinture de la période coloniale, du XVIe au XIXe siècle.

Toujours au 3e étage, on visite la *deuxième section,* intitulée « Changement de siècle » (1894-1927) et qui marque la naissance d'un art national, proprement cubain, avec en figure de proue l'artiste Rafael Blanco.

La troisième section : 3e et 2e étages. Reflète la période de l'art moderne qui débute en 1927 jusqu'au début des années 1960. Bien entendu, une salle entière est consacrée au surréaliste Wifredo Lam, l'artiste cubain sans doute le plus célèbre. Mais l'extraordinaire sculpteur Rita Longa est également bien représenté.

Enfin, la *section Art contemporain* occupe presque tout le 2e étage. De beaux exemples de peinture révolutionnaire. À partir des années 1970 se développe une peinture hyperréaliste, mais également un art à la recherche de ses racines au travers de la tradition afro-cubaine et du monde paysan.

– ***Arte universal*** *(plan couleur I, A2,* ***241****)* **:** calle San Rafael, entre le parque Central et Bélgica (Monserrate) Egido. Dans un somptueux édifice néo-classique du début du XXe siècle, superbement rénové. La visite commence au 5e et dernier étage.

On y trouve les écoles flamandes, hollandaises et allemandes, avec des toiles de Rubens et Van Dyck, entre autres. Des peintures aussi nombreuses que variées, mais aussi des vitraux de l'école allemande du XVIe siècle représentant des scènes du jugement dernier.

La partie consacrée à l'*art de l'Antiquité,* au 4e étage, présente d'importantes collections égyptiennes, grecques et romaines. Puis on suit l'évolution de l'*art européen* depuis le XVe jusqu'au XXe siècle. On y trouve en vrac amphores, mosaïques très bien conservées, sarcophage, papyrus précieux... La peinture française trouve également sa place à ce niveau. Pas que des chefs-d'œuvre, parmi les *best of,* quelques Delacroix, Millet, Courbet, Greuze, Boudin. Bref, du monde familier...

Le 3e étage est principalement consacré à l'art espagnol. Vous remarquerez à votre passage quelques corridas hautes en couleur !

Une section est également dédiée à l'art asiatique. Au rez-de-chaussée, ce sont les peintures nord-américaine et latino-américaine, avec des œuvres de l'école de Cuzco. Une salle est dédiée à l'art du XXe siècle, représenté par des peintres tels que Dufy, Max Ernst, Rauschenberg (pour le pop art)...

⚫⚫⚫ ***El museo de la Revolución*** *(plan couleur I, A2,* ***234****)* **:** El Refugio, 1. ☎ 862-40-91 à 94. Ouvert tous les jours de 10 h à 17 h (jusqu'à 18 h le mardi). Entrée : 4 US$. Service de guide (en espagnol et en anglais) : 2 US$. Un conseil : pour une visite un peu sérieuse, prévoir du temps. Minimum 1 h 30 de visite. Plus de 30 salles !

Installé dans l'ancien palais présidentiel, superbe. Quelle revanche sur l'histoire ! Toute l'histoire de Cuba avec un souci pédagogique réel puisque chaque objet ou photo est commenté (en espagnol et parfois en anglais).

Le musée est organisé chronologiquement et se révèle très complet. Évidemment, les dernières sections concernant les périodes récentes sont plus résumées et l'analyse politique qui en est faite est disons... orientée. La visite débute par le niveau 3 (2e étage), puis on descend le fil du temps en même temps que les étages : période coloniale, république néo-coloniale, guerres d'Indépendance, édification du socialisme, salle consacrée au Che. Vous verrez, c'est dense et on se sent parfois étourdi par la propagande. Voici quelques temps forts :

Niveau 3

– ***La période coloniale, la république néo-coloniale (1899-1952) et la guerre de libération :*** la conquête, les aborigènes, l'esclavage, la canne, une maquette de « sucrerie ». La guerre de Dix Ans (1868-1878), la fondation du Parti révolutionnaire cubain par José Martí. Le contexte international, la Révolution russe, l'histoire du mouvement ouvrier et révolutionnaire des années 1920 et 1930.
– Et puis l'***histoire de la République.*** La situation du pays socialement, économiquement et culturellement jusqu'à la Révolution. Intéressante liste des « présidents choisis » par les États-Unis. Premières cartes du parti communiste cubain de 1925. Castro apparaît sur quelques photos, notamment lors de la manif au cours de laquelle il fut blessé par la police en 1948. Voir la lettre rédigée de sa main en 1951 et par laquelle il félicite ses amis du parti orthodoxe, ainsi que le balai, symbole de la volonté de « balayer » les démons de la république. Poignante illustration de la pauvreté du pays durant la période américaine. Un poste radiophonique utilisé pour les activités révolutionnaires. Des souvenirs historiques comme les fusils utilisés lors des préparations à l'attaque du 26 juillet.
Préparation des insurrections de 1953. Maquette de la *Granjita* de Siboney. Attaque de la Moncada. L'amnistie et le départ au Mexique, la préparation du nouveau débarquement sur le *Granma*. Tout sur la guérilla révolutionnaire et la libération, avec notamment les portraits des différents protagonistes de la lutte contre le pouvoir impérialiste. Maquettes des principaux combats. À cet étage, une salle est également consacrée à Che Guevara et Cienfuegos. Représentation des deux héros en statue de cire, autour desquels sont exposés quelques objets-souvenirs : pipe, mitraillette...

Niveau 2

– ***L'édification du socialisme :*** tout sur la marche victorieuse de Castro, le Che, Cienfuegos... La réforme agraire, le nouveau pouvoir, l'agression de la playa Girón, « première défaite de l'impérialisme en Amérique latine », la fondation du PC cubain, les réalisations du régime, la nationalisation des entreprises. Période 1975-1990 : photos de congrès présidés par Fidel, témoignages des avancées sociales, notion de travail volontaire, photos de ce nouveau monde « parfait », « amitié » soviéto-cubaine – avec accent mis sur l'éducation et la santé. Équipement d'un cosmonaute d'origine cubaine témoignant de la réalité des échanges scientifiques. Quelques articles de presse évoquant la rupture des relations soviéto-cubaines.
– À cet étage, jeter également un œil aux différents ***salons officiels,*** du temps où ce palais était encore le siège du pouvoir exécutif. Salon Doré, salon des Miroirs, bureau présidentiel, ainsi qu'une chapelle.

Niveau 1 (rez-de-chaussée)

– Salle consacrée au ***período especial,*** curieusement assez petite (la salle, pas la période). Plus évocatrice, la section concernant ***le Che en Bolivie.*** Il est en effet plus facile d'exploiter à l'infini le mythe du Che que de justifier la paralysie actuelle. Photos du Che, objets personnels, copie du faux passeport qui lui permit de passer en Bolivie. Chouette autoportrait. Le culte de la personnalité est à son comble, avec des cheveux et quelques poils de la barbe d'Ernesto, ses chaussettes, les instruments de son autopsie et on en passe, comme cette sorte de linceul. Et on se dit que derrière cette exploitation du mythe à l'infini, il y a Fidel qui apparaît en filigrane.

Le mémorial « Granma » *(plan couleur I, A2)* **:** accès par le musée de la Révolution, mais visible également de la rue puisqu'il est en plein air. Mêmes horaires que le musée de la Révolution. Derrière une baie vitrée, exposition du célèbre yacht qui amena Fidel et ses 82 compagnons du Mexique à la sierra Maestra. L'intérieur ne se visite pas. Tout autour, des véhicules militaires.

El museo Che Guevara *(plan couleur I, B1)* **:** de l'autre côté du chenal, dans la forteresse San Carlos de la Cabaña (voir plus loin « Les deux forteresses »). Dans l'un des bâtiments de ce vieux fort, plusieurs salles consacrées au *guerillero heroico,* qui prit l'endroit d'assaut en 1959. Les adorateurs de Che Guevara ne seront pas déçus. Dans des vitrines, ses affaires personnelles pendant la guérilla, devenues objets de culte : sac à dos, fusil, radio, jumelles, etc. Une grande carte du monde retrace ses nombreux périples, de son époque *Easy Rider* à travers le sous-continent américain à ses voyages officiels en Asie, en passant par les tentatives de soulèvement en Afrique. Un drôle de routard... À droite de la salle principale, une galerie de photos permet d'admirer de rares documents d'époque. Et, à gauche, une reconstitution de son bureau de ministre ! Dommage, les légendes explicatives, pourtant intéressantes, ne sont pas traduites. N'escomptez aucune explication des gardiens dont le discours (officiel) est bien huilé. Dommage également que les responsables du musée n'aient pas eu l'idée de collecter l'ensemble des produits dérivés sur le Che. À croire que l'histoire du bonhomme s'est totalement arrêtée le 9 octobre 1967.

Le centre Wifredo Lam d'Art contemporain *(plan couleur I, B2,* ***223****)* **:** San Ignacio y Empedrado. ☎ 861-20-96. Derrière la cathédrale, à deux pas de *La Bodeguita del Medio.* Ouvert du lundi au samedi de 10 h à 17 h. Entrée : 2 US$. Dans une belle maison coloniale.

Ce centre rend hommage au grand peintre surréaliste cubain Wifredo Lam, par son nom seulement. Il ne présente en effet que quelques-uns de ses dessins, ce qui ne nous empêche nullement de rappeler quelques éléments de sa vie. Pour voir ses œuvres, il faut visiter le musée national des Beaux-Arts (section *Arte cubano* ; voir plus haut).

Né en 1902 à Sagua la Grande, il partit étudier en Espagne, où il combattit la dictature de Franco. Son ami Picasso le fit ensuite venir en France, où il fréquenta tout le gratin artistique de l'époque : Eluard, Matisse, Léger, Braque, Leiris, Tzara, Breton et toute la bande. Il retourne dans son pays pour soutenir la Révolution, et meurt à Paris en 1982. Son œuvre influença considérablement la peinture cubaine.

Bon, mais qu'est-ce qu'on voit ici finalement ? Eh bien, des expositions temporaires d'artistes du monde entier, qu'ils viennent d'Asie, d'Afrique ou d'Amérique du Sud. En général, des œuvres intéressantes.

El museo de Armas *(le musée des Armes ; plan couleur I, zoom,* ***242****)* **:** Mercaderes, 157, entre Obrapía y Lamparilla. Ouvert du mardi au samedi de 9 h à 17 h et le lundi de 13 h à 17 h en théorie. Sorte d'annexe du musée de la Révolution, cette ancienne armurerie a hérité d'une collection de choix : les armes personnelles de Fidel !

La casa del Tabaco *(le musée du Tabac ; plan couleur I, B2)* **:** calle Mercaderes, 120, entre Obispo y Obrapía. Au 1er étage de la casa de Porto Rico. Ouvert du lundi au samedi de 9 h à 17 h, de 9 h à 12 h 40 le dimanche. Entrée gratuite.

Tout petit musée évoquant sans grand génie le monde du tabac cubain qui méritait mieux. Pas grand-chose à voir en fait. En vitrines, quelques cadeaux que le chef de la *Revolución* a reçus lors de ses visites officielles : blagues à tabac, étuis à cigares, briquets, boîtes, pipes. Quelques lithos en noir et blanc du XIXe siècle représentant les tout premiers motifs des bagues. On y trouve aussi un échantillonnage de pierres sur lesquelles sont gravés en filigrane les *sellos,* timbres officiels.

👁👁 ***El museo del Rón Havana Club*** *(plan couleur I, B2,* ***232****)* **:** calle San Pedro, 262, angle calle Sol. ☎ 861-80-51. • www.havanaclubfoundation.com • Ouvert tous les jours de 9 h à 17 h (16 h du vendredi au dimanche). Entrée : 5 US$, incluant une visite guidée de 30 mn très bien rodée (en français) et une dégustation. Départ toutes les 15 mn. C'est dans un beau palais du XVIIIe siècle que le musée *Havana Club* (de la célèbre marque de rhum cubain) a installé un musée dédié à la mythique boisson tropicale. Vous saurez tout sur les origines du rhum (petit film), son histoire, le processus de fabrication et sa place dans la culture cubaine. Le clou de la visite, une superbe maquette reproduisant une sucrerie des années 1930, avec son petit train apportant la canne.

On atterrit ensuite au bar, la réplique du célèbre *Sloopy Joe's* des années 1930. Puis, bien sûr, passage à la boutique. On trouve également une galerie d'art présentant des artistes cubains. Le musée accueille aussi de bons concerts.

👁👁👁 ***El museo nacional de la Música*** *(plan couleur I, A1,* ***243****)* **:** calle Capdevilla, 1, entre Habana y Aguiar. ☎ 861-98-46. Ouvert de 10 h à 17 h 45. Fermé le dimanche. Entrée : 2 US$. Visite guidée : 1 US$ supplémentaire. Un musée oublié des touristes et pourtant !

– En haut d'un escalier, on tombe dans une *première salle* pleine d'antiques pianos, ainsi ce très beau Sassenhoff construit à Brème.

– Mais c'est à partir de la *deuxième salle* que la visite commence... sa petite musique. Cette salle est baptisée Fernando Ortiz, un des plus grands historiens de la musique cubaine. Tous les instruments sont exposés dans des vitrines et accompagnés d'une notice et d'un commentaire général (malheureusement non traduits). Elle est consacrée aux instruments de la musique afro-cubaine. La tradition africaine y est bien représentée avec des tambours d'esclaves de différentes cultures. Belle collection de *chekeres,* ces espèces de coloquintes géantes (vendues partout à tous les touristes), avec un filet de billes de verre. Chouettes *bembés* de fabrication artisanale, avec leur fût droit comme un « i » ou d'autres calqués sur des barriques décapitées. Voir également ces drôles de tambours *abakuas,* des Noirs ñañigos, avec une jupe en raphia et un plumeau.

– La *troisième salle* présente les ensembles instrumentaux typiquement créoles qui apparaissent au XIXe siècle. Ils accompagnent les danseurs des rues lors des carnavals et *parrandas.* Ce sont aussi les orchestres à vent comme la *charanga francesa,* les ensembles instrumentaux du *son* et de la musique campagnarde. Aux différents styles *(minué, rigodones, lanceros, contradanzas, danzas, danzones)* correspondent de nouveaux instruments et nouvelles formations qui viennent enrichir la palette « autochtone ».

C'est l'occasion, d'ailleurs, de faire un petit point sur la danse nationale, le *danzón,* qui apparaît au XIXe siècle comme un style de transition entre la *contradanza* et la *danza cubana.* Pour de plus amples informations sur le *son* (et autres *punto cubano, son montuno, changüi, sucu-sucu, son habanero*), n'hésitez pas à vous reporter à la rubrique « Musique cubaine » dans les « Généralités ».

À voir donc des instruments purement cubains comme les *tumbadoras, bongos, bokú,* fameux *trés* et *guiros* (ces courges séchées entaillées que l'on gratte avec une baguette) magnifiquement sculptés.

– La *quatrième salle* est réservée aux orgues, la *cinquième* aux reproducteurs mécaniques de la musique (comme les boîtes à musique et orgues de Barbarie), la *sixième* à l'histoire de la phonographie qui a fait son apparition

à Cuba en 1893 tandis que la première maison de disques *Panar* voyait le jour en 1944. Une salle est consacrée à l'histoire de la maison et deux autres à des expositions temporaires.
– Avant de descendre, jeter un œil au beau ***patio cubano-andalou.***
Dans la ***boutique,*** les prix des CD sont *grosso modo* identiques à ceux pratiqués en ville (autour de 15 US$), mais la sélection est intéressante et on est bien conseillé. Service payant de copies d'œuvres anciennes (la maison possède évidemment un très riche fonds d'archives musicales).
Bref, un chouette musée qui ravira les passionnés. Un seul petit regret : il n'y a pas de musique dans le musée lui-même.

El cabinete de arqueología *(plan couleur I, B2,* ***244*)** ***:*** Tacón, 12. Entre la place de la Cathédrale et la plaza de Armas. Ouvert de 9 h à 16 h 45 du mardi au samedi et de 9 h à 12 h 30 le dimanche. Entrée : 1 US$. On y pratique toujours des recherches actives. Installé dans une jolie maison, dont la partie la plus ancienne (le rez-de-chaussée), date du XVIIe siècle. On y trouve des fragments de l'époque coloniale, découverts dans les maisons de la ville. Céramiques, *azulejos,* bouteilles de vins retrouvées sous les eaux. Facile de remarquer par sa forme celle du Médoc (XIXe siècle) ! À l'étage, des fossiles un peu poussiéreux, mais les arcades bien restaurées sont représentatives des demeures coloniales. La fresque murale est la plus ancienne qu'on ait retrouvée à La Havane. Elle date de 1730 et a été conservée grâce aux couches de peinture qui la recouvraient tout en la protégeant. Petite salle consacrée au Pérou pré-hispanique.

Également le ***musée Máximo Gómez*** (av. Salvador Allende, quinta de los Molinos), celui ***de l'Histoire du sport*** et, pour ceux que ça amuse, les ***musée des Finances, musée de l'Humour, musée du Capitolio*** (dans le Capitole), etc.

Les casas

La visite de ces *casas* n'est pas payante, mais à chaque entrée une urne solicite votre générosité.

La casa de Simón Bolívar *(plan couleur I, zoom,* ***245*)** ***:*** Mercaderes, 160, entre Obrapía y Lamparilla. Ouvert du mardi au samedi de 9 h à 17 h, jusqu'à 13 h le dimanche. Fermé le lundi. Cette très belle maison coloniale fut offerte par le Venezuela au peuple cubain. On y retrouve la disposition habituelle des vieilles *casas* du quartier : superbes patios décorés de verdure et étage en galeries. Mais les traditionnels perroquets en cage sont remplacés par de magnifiques aras d'Amazonie (attention, ça mord !).
– Au *rez-de-chaussée,* chapelle minuscule, vitrail résumant un peu rapidement l'épopée de l'Amérique du Sud. Salle consacrée à la vie de Simón Bolívar, racontée d'une manière plutôt originale, par le biais de figurines de terre cuite peintes de toutes les couleurs. D'autant plus rigolo que l'artiste ne s'est épargné aucun détail : le grand libérateur sud-américain est même représenté dévêtu aux côtés d'une jeune femme.
– Un bel escalier de marbre mène à l'*étage* : expo d'art contemporain et souvenirs divers sur Bolívar. On remarque surtout une épée d'or recouverte de brillants (mais c'est une copie), offerte par le Pérou. Nombreuses peintures et sculptures d'artistes vénézuéliens et cubains, certaines de très bonne facture.

La casa de los Arabes *(plan couleur I, zoom,* ***134*)** ***:*** calle Oficios, entre Obispo y Obrapía. Ouvert de 9 h à 17 h, jusqu'à 13 h le dimanche. Fermé le lundi. Encore une noble bâtisse du XVIIe siècle, typique de la vieille Havane, à la décoration simple. Cette dernière rappelle plus l'Afrique du Nord que l'Espagne. Mais n'oublions pas que les colons espagnols venaient d'Andalousie, profondément influencée par la culture arabe... Un peu de mobilier mudéjar et quelques tapis. Pas grand-chose, en fait.

Du 2e étage, on accède au minaret, petite tour carrée avec quatre fenêtres aux volets verts. Pour y monter, on passe devant une modeste salle de classe. Plus loin, la salle de prière, minuscule mais toujours en activité. Tous les vendredis s'y réunissent des diplomates musulmans du Nigeria, d'Algérie et du Congo pour la prière. Le tapis accroché au mur indique la direction de La Mecque.

🔭 ***La casa de África*** *(plan couleur I, zoom,* ***246****)* **:** Obrapía, 157, entre Mercaderes y San Ignacio. Ouvert du mardi au samedi de 9 h à 16 h 30 ; le dimanche, de 9 h à 14 h. Fermé le lundi. Installé dans un ancien palais. Vitrine de la culture africaine contemporaine, plutôt que musée, elle était en restauration lors de notre passage.

🔭 En face, la ***casa Obrapía :*** Obrapía, 158. Ouvert du mardi au samedi de 9 h 30 à 16 h 30 ; le dimanche, jusqu'à 12 h 30. Fermé le lundi. Un hôtel particulier de 1665, remodelé en 1793. Le rez-de-chaussée est consacré à Alejo Carpentier (on peut voir notamment la Coccinelle dans laquelle il circulait quand il était attaché culturel à l'ambassade de Cuba à Paris), le premier étage aux arts décoratifs de l'époque coloniale. On y trouve des pièces et des meubles de la même époque qu'au musée d'Art colonial.

🔭 ***La casa de Guayasamín*** *(plan couleur I, zoom,* ***247****)* **:** Obrapía, 111, entre Oficios y Mercaderes. ☎ 861-38-43. Ouvert du mardi au samedi de 9 h à 16 h 30 ; le dimanche, de 9 h à 12 h 30. Fermé le lundi.
Demeure d'Oswaldo Guayasamín, le plus grand peintre équatorien contemporain, décédé en mars 1999. C'est tout à la fois un centre de popularisation de son œuvre et l'occasion pour les visiteurs d'admirer l'un des plus beaux petits palais coloniaux de la vieille ville.
– ***Patio*** aux colonnes imposantes. Sol en marbre. Intérieur élégant, remarquable luminosité, douce fraîcheur.
– Au *premier étage* : vestiges de fresques du XVIIIe siècle sur les murs. Chez le peintre même, beaux meubles dans la chambre à coucher. On comprend un peu mieux peut-être l'intérêt des autorités pour Guayasamín (son talent mis à part), quand on voit parmi les œuvres présentées ici cet étrange portrait de Fidel avec les mains du Christ !

Les deux forteresses

De l'autre côté du chenal. Elles sont distantes de quelques centaines de mètres l'une de l'autre. Prendre un taxi. En voiture, emprunter le tunnel qui passe sous la mer.
– *Attention,* l'entrée de chacune des deux forteresses est facturée selon le nombre de visites que vous effectuez et l'heure à laquelle vous y venez.

🔭🔭 ***La fortaleza San Carlos de la Cabaña*** *(plan couleur I, B1)* **:** face à la vieille ville, de l'autre côté de la baie. Ouvert tous les jours de 10 h à 22 h. Entrée payante : 3 US$ avant 18 h et 5 US$ entre 18 h et 22 h. Visite guidée possible en espagnol.
Cette imposante forteresse qui domine le port fut construite en 1763 par les Espagnols. Il faut dire que les Anglais avaient pris La Havane un an auparavant : le dispositif précédent n'avait donc pas fait ses preuves. Ce vaste complexe militaire, construit en triangles et protégé d'épaisses murailles, pouvait héberger plus d'un millier de soldats. Il devint l'un des plus importants d'Amérique latine. Après avoir servi de prison pendant les guerres d'Indépendance puis pendant la Révolution, la forteresse est redevenue une caserne. Jeter un œil à la petite chapelle voûtée. Intéressant autel baroque en bois du XVIIIe siècle.
Quelques expositions originales financées par des subsides étrangers dans les casemates au pied des murailles, mais le point d'orgue de la forteresse est la visite du musée du Che (voir plus haut).

Le soir, vous pourrez assister à la fameuse *ceremonia del cañonazo,* suivie d'un petit spectacle. Elle a lieu tous les jours vers 20 h 45 avec coup de canon à 21 h pétantes. Cette « cérémonie du coup de canon », qui signalait autrefois la fermeture des portes de la ville, se fait encore en costume d'époque et avec un authentique canon espagnol !

Le castillo de los Tres Reyes del Morro *(plan couleur I, A1)* **:** à l'ouest de San Carlos de la Cabaña, toujours de l'autre côté de la baie. Ouvert tous les jours de 9 h à 20 h. Entrée : 3 US$ pour le site et 2 US$ pour la visite du phare d'où l'on a une belle vue panoramique.
Une autre forteresse, moins imposante que la précédente mais tout de même importante : construite à la fin du XVIe siècle, c'est elle qui commandait l'accès au port, donc à la ville. En s'en emparant en 1762, les Anglais se rendirent maîtres du pays !
Toujours est-il qu'elle nous paraît plus photogénique que sa grosse voisine, avec son vieux phare et son avancée en éperon sur la mer. Depuis la terrasse, avant de pénétrer dans l'enceinte de la forteresse, vue extra sur l'entrée du port. On trouve là quelques vendeurs d'artisanat et des peintres du dimanche. À l'intérieur, après avoir longé l'étroit couloir rythmé par des meurtrières, un autre bout de terrasse au pied du phare. En fait, rien de particulier à visiter. On se contente de déambuler par les cours et les coursives à la recherche de points de vue divers.

Les manufactures de cigares

La plupart des fabriques sont situées à La Havane et aux alentours, mais deux seulement sont ouvertes à la visite : *Corona* et *Partagas* (avec *Upman* et *Laguito*). Attention, elles ferment 15 jours en août, pour les vacances des salariés. Il arrive aussi qu'elles ne fonctionnent pas à certains moments de l'année... par manque de tabac. Pour ceux qui iront à Pinar del Río, il est bon de savoir que la visite de la petite fabrique locale coûte beaucoup moins cher, mais se révèle tout de même moins complète.
On assiste à tout le processus de confection d'un vrai havane, qui s'effectue toujours à la main... Vraiment passionnant. Avant la visite, on vous conseille de lire ou relire nos « Généralités » concernant le cigare. Dans la grande salle, un « lecteur » est chargé, une heure le matin et une heure l'après-midi, de distraire tout le monde en lisant des journaux ou des romans entiers à voix haute ! Avant, le boulot était tellement ennuyeux que ce fut la première revendication des syndicats au début du XXe siècle... Si autrefois la lecture se déroulait sur toute la journée, aujourd'hui la radio a en partie remplacé cette tradition.
La visite permet d'observer le roulage, le pressage, la mise de la cape, la vérification de la qualité des modules... On s'aperçoit qu'il s'agit bien d'un artisanat puisque chaque *torcedor* s'occupe de ses cigares du début à la fin. Un *torcedor* est payé à la tâche et réalise en moyenne une centaine de modules par jour. La compagnie lui donne deux cigares quotidiennement, mais il peut en fumer autant qu'il veut sur place. Sans doute le dernier lieu de travail où il est autorisé de fumer sans restriction (mais où est la loi Évin ?!).
Sachez que malgré le nom que porte chaque fabrique *(Partagas, Upman...),* qui correspond souvent au nom d'une marque précise, on roule dans chaque fabrique plusieurs marques de cigares qui peuvent apparaître comme concurrentes. En fait, elles ne le sont nullement puisqu'elles ont toutes été étatisées. Par exemple, chez *Partagas,* on roule 21 marques. Les modules sont fabriqués en fonction des besoins, qui varient selon les périodes de l'année. Chaque *torcedor* est spécialisé dans le roulage de certains types de cigares. Seules quelques personnes particulièrement compétentes connaissent exactement le mélange utilisé pour chaque vitole. Un secret de fabrication très bien gardé.

Chaque fabrique possède une boutique bien approvisionnée (voir la rubrique « Achats »), mais attention, ne pas acheter à l'aveugle dans l'engouement de l'après-visite. Si vous décidez de rapporter une boîte, il faut être certain du type de cigares que vous souhaitez et du budget que vous voulez y mettre. On rappelle que le journal *L'Amateur de cigare* est un excellent outil pédagogique pour entrer dans le monde du cigare. Il raconte l'histoire de chaque marque et son évolution. Il permet également de faire des choix judicieux et d'éviter de coûteuses erreurs car ses commentaires sont de grande qualité. À acheter en France avant de partir.

*** *La fabrique de cigares Corona*** *(plan couleur I, A2,* ***248****) :* calle Zulueta (Agramonte), 106, entre El Refugio y Colón. ☎ 862-00-01. À côté du musée de la Révolution et du mémorial du *Granma*. Ouvert du lundi au vendredi de 9 h à 11 h 30 et de 12 h 30 à 15 h. Visite guidée. Entrée : 10 US$. Au rez-de-chaussée, la boutique de cigares *El Palacio del Tabaco* (voir la rubrique « Achats », plus bas) est ouverte tous les jours. C'est l'une des mieux approvisionnées de La Havane.

*** *La fabrique de cigares Partagas*** *(plan couleur II, D5,* ***249****) :* calle Industria, 520. ☎ 863-57-66. Derrière le Capitole. Ouvert du lundi au vendredi de 9 h à 15 h. Visite guidée toutes les 15 mn, en français sur demande. Durée : 45 mn environ. Entrée : 10 US$. Gratuit pour les moins de 12 ans. C'est ici que les stars – dont Gérard Depardieu – achètent leurs cigares. Des photos sont là pour en témoigner. Pour la boutique, voir la rubrique « Achats », plus bas.

DANS CENTRO HABANA

*** *Le Malecón :*** incontournable, au propre comme au figuré ! Depuis des décennies, cet épais remblai long de 7 km protège la ville des assauts de la mer. Et Dieu sait si les vagues peuvent être violentes dans la région... C'est pourquoi la ridicule digue construite au début du XXe siècle fut constamment agrandie jusqu'en 1950. Le Malecón est sans doute le plus beau symbole de la ville. Il fascine considérablement les Havanais, qui y reviennent toujours. On raconte qu'ils y ont tous prêté serment d'amour, un jour. Peut-être l'influence du Gulf Stream, situé à quelques encablures...
Lieu romantique, lieu de fête, lieu de rendez-vous, lieu de rêverie, le Malecón est tout simplement un lieu de vie. On y pêche, on y dort, on y joue de la guitare, on y rêve de l'Amérique proche, on y trafique, on s'y soûle, on s'y embrasse... et toujours on y revient.
La gigantesque « promenade » qui longe la digue démarre du ***castillo de la Punta,*** dans la vieille ville, et s'arrête au ***castillo de la Chorrera,*** juste avant Miramar. La plus grande partie du Malecón se trouve donc dans le quartier du Vedado, mais ce n'est pas la plus belle. Ça tombe bien : ceux qui n'aiment pas marcher des plombes ne s'en plaindront pas ! On vous recommande la partie ancienne, dans Centro Habana, *grosso modo* située autour de l'hôtel *Deauville* (construit par la mafia !).
« Forts espagnols à bâbord, gratte-ciel à tribord », écrivait Jean-Louis Vaudoyer dans ses *Esquisses havanaises*. Entre les deux : « une ceinture scintillante de maisons, sans beauté particulière mais toutes peintes de crépis frais qui ont la couleur de la meringue, du beurre et du lait ». Un régal, en somme. Et Jean-François Fogel de conclure (dans le même recueil de récits intitulé *La Havane*) : « Le Malecón est une merveille. Une vague d'édifices jetée vers l'eau, et non l'inverse... »
Un peu avant l'extrémité du Malecón s'élève maintenant la ***Tribuna de la Revolución José Martí*** (il est là, en statue, avec un enfant dans les bras). Cette esplanade, sous des structures métalliques, est le cadre de la plupart des grand-messes politico-culturelles, en particulier dirigées contre les États-Unis. L'endroit n'a pas été choisi au hasard. Le grand immeuble

(entouré de policiers) qui se trouve tout proche abrite... la Section des Intérêts américains (« ersatz » d'ambassade des États-Unis).

El callejón de Hamel *(l'univers naïf et fantastique de Salvador Escalona; plan couleur III, H8,* ***211****) :* 1054, entre Aramburu et Hospital. ☎ 878-16-61. « Je suis celui qui peint les murs, et qui envoie des messages à l'âme humaine. » Artiste autodidacte inspiré par Dalí, Miró et Picasso, peintre muraliste, sculpteur, Salvador Escalona est aussi un *santero* originaire de Camagüey. Il appartient à la branche la plus primitive de la *santería,* cette religion qui mélange allègrement le culte *yoruba* du Nigeria avec des éléments du catholicisme.
Inspiré par l'esprit de cette culture afro-cubaine, il a projeté ses visions esthétiques sur les murs gris et les façades lépreuses d'un pâté d'immeubles, en plein centre de la capitale. Plus de 10 ans de travail ! Le quartier semble revivre sous l'effet de ce nouveau souffle de couleurs tropicales et de messages universels. Même les réservoirs à eau, perchés sur les toits, ont été touchés par la magie de son pinceau.
Considéré comme l'un des plus grands muralistes d'Amérique latine, demandé dans le monde entier, Salvador voyage beaucoup. Mais s'il est là, il ne sera pas difficile de le rencontrer.
Pas de voitures dans cette rue Hamel, seulement des piétons, des habitants du quartier, des amis qui passent. Une petite maison en bois abrite un couple en chiffons peints adossé à un étrange bric-à-brac : c'est un autel où les passants font des prières et des offrandes (pour avoir la chance, la santé et l'argent). De nombreuses sculptures et œuvres baroques et dada viennent égayer la ruelle : caisse enregistreuse, baignoire suspendue désespérément intitulée *La Nave del olvido* (« le navire de l'oubli »)... on vous laisse découvrir le reste. À côté, une galerie où les compagnons de Salvador (ils sont cinq), vêtus de noir, exposent et vendent ses peintures.
Des animations gratuites et « populaires » sont organisées dans la rue. Le dimanche (le meilleur jour pour y venir), de midi à 15 h 30, la *rumba El Callejón.* Sinon, le 3e samedi du mois, à 10 h : activités pour les enfants ; le dernier vendredi du mois, à 20 h 30 : *El Tecón.* C'est une *peña* (fête) culturelle où l'on sert du thé avec du lait et du miel (la Terre promise !). *Tecón* signifie d'ailleurs « thé avec », avec ce qu'on veut en fait.
Le futur ? Les façades du secteur étant toutes couvertes, Salvador envisage de creuser un tunnel sous la chaussée pour continuer à peindre ses messages sur les murs. *Vengo de una realidad oculta a una realidad abierta para que me conozcas* (« Je vais d'une réalité cachée à une réalité ouverte pour que tu me connaisses »). Ce projet devrait voir le jour dans les années qui viennent. Le problème principal que rencontre notre artiste étant de se procurer de la peinture. À vot' bon cœur, M'sieudame !...

Quelques belles maisons coloniales *(plan couleur II, C4) :* calle Concordia, 418, entre Gervasio y Escobar, très bel *hôtel particulier* à la superbe façade sculptée. On remarque aussi l'impressionnant escalier. Devenu un lieu de culte de La Havane depuis qu'y fut tourné *Fraise et Chocolat,* film archi-célèbre à Cuba. Aujourd'hui, l'appartement du film abrite un *paladar* réputé, *La Guarida* (*plan couleur II, C4,* **144** ; voir « Où manger ? »).

Le barrio chino *(quartier chinois ; plan couleur II, C-D5) :* dans le cœur de ce quartier populaire le plus abandonné de la ville qu'est Centro Habana, tout près de Zanja et Dragones, on trouve un quadrilatère appelé un peu abusivement *barrio chino* (quartier chinois). Sans grand intérêt sur le plan touristique. En se baladant et en croisant les habitants, on notera ici un grain de peau différent, là des yeux qui ne trompent pas, ailleurs un phrasé particulier trahissant des origines asiatiques, voire un journal en idéogrammes. Le cœur du quartier se résume à une ruelle, le *cuchillo de Zanja,* appelée aussi *boulevard chino,* transformée tout à fait artificiellement (avec des fonds chinois, entre autres) en une rue quasi folklorique bordée de restaurants.

La plaza de las Columnas *(plan couleur II, D5,* ***140****)* **:** quelques enseignes, une association des boutiques d'artisanat *made in China* et une cafétéria! Lire plus haut la rubrique « Les principaux quartiers » et voir « Où manger? » pour des adresses de p'tits restos chinois bon marché.

DANS LE VEDADO

¶¶ ***La Rampa*** *(plan couleur III, de E10 à H7)* **:** officiellement calle 23, elle commence au Malecón et remonte jusqu'au cœur du Vedado. C'est la rue préférée des *Habaneros.* Bordée de cafés et de petits night-clubs, elle reste animée jour et nuit, surtout au niveau du cinéma Yara. On y trouve les deux plus grands hôtels de la ville : le *Nacional* et le *Habana Libre* (voir « Où dormir? »), ainsi que le célébrissime glacier *Coppelia,* autour duquel la file d'attente semble ne jamais s'arrêter...

¶ ***L'immeuble Focsa*** *(plan couleur III, G-H7)* **:** calle 17, entre M y N. Un des derniers buildings construits à La Havane sous Batista, c'est aussi le plus laid de la ville. Le plus haut bâtiment de Cuba et le premier immeuble sur le continent américain à avoir été construit selon une nouvelle technique de câblage et de bétonnage. Vous aurez du mal à le manquer : il gâche le paysage des kilomètres à la ronde! Seul intérêt : on peut boire un verre au dernier étage, au bar *La Torre* (voir « Où boire un verre? »), qui offre l'un des plus beaux panoramas sur la ville et la mer.

¶ ***La Universidad*** *(plan couleur III, H8)* **:** calle San Lazaro. Située sur une colline, l'université fut créée en 1728. Noirs et métis n'y furent admis qu'à partir de 1842. L'édifice actuel date du début du XXe siècle. Style néo-classique pompeux, avec son escalier monumental et ses colonnes corinthiennes surmontées d'un fronton triangulaire. Devant se déroulèrent, bien sûr, de nombreuses manifs étudiantes. Sur la place, *monument* en l'honneur de *Julio Antonio Mella,* fondateur de la Fédération des étudiants communistes, assassiné en 1929.

¶¶ ***La plaza de la Revolución*** *(plan couleur III, G9)* **:** au sud du Vedado. Encore plus grande que la place de la Concorde, elle peut contenir jusqu'à un million de personnes! Depuis 1959, cette vaste esplanade a connu toutes les grandes heures de l'histoire cubaine, du lancement de la campagne d'alphabétisation à la cérémonie d'adieux à Che Guevara. C'est aussi ici que, pendant des années, Fidel a prononcé ses plus beaux discours, qui pouvaient durer de 3 à... 6 h! L'observateur étranger a donc souvent l'impression que la ferveur est identique à celle des débuts de la Révolution...

– Au centre, le ***monument à José Martí,*** étrange pyramide de béton d'inspiration un tantinet soviétique, bien que tout ait été construit sous Batista! Et tout autour, les bâtiments administratifs les plus importants : comité central du PC cubain, palais du Gouvernement, ministères de la Justice et des Communications, Bibliothèque nationale et Théâtre national. Sur l'une des façades (précisément celle du ministère de l'Intérieur), un *portrait géant du Che,* les yeux fixés vers une Révolution éternelle.

¶¶¶ ***Le cementerio Colón*** *(plan couleur III, F9)* **:** calzada de Zapata et calle 12. Entrée : 1 US$. La grande nécropole de la bourgeoisie et de l'aristocratie cubaines, aussi belle que le Père-Lachaise à Paris ou que la Recoleta à Buenos Aires. L'enceinte principale fut construite en 1871. Monumentale porte d'entrée de style roman. Large avenue menant à un rond-point avec une église, bordée de tombeaux et mausolées somptueux, souvent d'une grandiloquence et d'un kitsch extrêmes. Toutes les formes, tous les styles empruntant aux diverses civilisations et mythologies. En particulier, en remontant l'avenue, sur le côté droit, s'attarder sur le *monument en hommage aux soldats du feu.* Chef-d'œuvre de l'art funéraire colossal et... pompier!

Parmi les personnalités enterrées ici, citons, entre autres, Alejo Carpentier et Cecilia Valdés (du moins pense-t-on qu'il s'agit bien de la femme qui inspira le grand roman de Cirilo Villaverde enterré tout près). Dans le mausolée central reposent des dignitaires de la Révolution, comme Celia Sanchez, dans des urnes anonymes. Fidel y a la sienne, réservée... Cherchez la *sépulture du héros de la patrie, Arnaldo Ochoa Sanchez,* le général condamné pour l'exemple par Fidel. Sa tombe est aujourd'hui anonyme mais l'emplacement reste malgré tout connu des Cubains. À voir aussi la tombe de *La Milagrosa* (toujours fleurie et entourée de dévots). Cette jeune femme, morte en couches, avait été enterrée avec son enfant à ses pieds, comme le voulait la coutume. Lorsqu'on a ouvert la tombe, quelques années plus tard, le bébé se trouvait dans les bras de sa maman... La tombe avec la statue du chien mort de désespoir au décès de sa maîtresse. Ou encore, la tombe représentant la séquence du jeu de dominos que n'acheva jamais la « locataire » du lieu, morte au cours de la partie. La visite du cimetière peut se faire en cocotaxi.

☙ ***Les maisons :*** disséminées un peu partout dans le quartier, elles sont forcément plus récentes que celles de la vieille ville, mais ne manquent pas pour autant d'intérêt. D'inspiration rococo ou construites dans un style appelé « moderniste », elles rappellent que le quartier fut celui d'une bourgeoisie huppée, ainsi qu'un lieu de plaisir, car maisons closes et casinos y étaient monnaie courante avant la Révolution. Vous en découvrirez à chaque fois de plus belles au fil de vos déplacements. Vous pourrez même dormir ou manger dans certaines, car de nombreux propriétaires les transforment en *paladares*. Voici les plus intéressantes que nous ayons repérées, mais la liste reste à compléter !

– Calle 19, entre N y O (en face de l'hôtel *Nacional*; *plan couleur III, H7,* ***96***) : étonnante *façade médiévale,* parmi les plus originales du quartier.

– Calles 17 y H : cette somptueuse demeure abrite aujourd'hui le *siège de l'Union nationale des écrivains et artistes cubains (plan couleur III, G8,* ***202****).*

Les musées

☙ ***El museo Napoleónico*** *(plan couleur III, H8,* ***251****)* **:** San Miguel, 1159, entre Ronda y Mazón. ☎ 879-14-60. À côté de l'université. Ouvert du lundi au samedi de 9 h à 17 h (en été, de 10 à 18 h). Entrée : 3 US$ (5 US$ avec un guide parlant français). Installé dans une sorte de palais de style florentin, construit par Julio Lobo, un millionnaire fou furieux de Napoléon. Il souhaitait pour son idole un endroit digne de ses collections et fit même venir du marbre de Carrare... Sur quatre étages donc, peut-être la plus riche expo au monde de souvenirs napoléoniens et de son époque. Là (tant pis pour nos lecteurs corses), vraiment impossible de tout énumérer !

☙☙☙ ***El museo nacional de Artes decorativas*** *(le musée national des Arts décoratifs ; plan couleur III, G8,* ***252****)* **:** calle 17, 502, entre D y E. Ouvert du mardi au samedi de 11 h à 18 h. Entrée : 2 US$. Ce musée, installé dans l'hôtel particulier de la comtesse de Revilla de Camargo, qui appartenait à une riche famille espagnole de collectionneurs, renferme des trésors. Au total plus de 30 000 pièces, plus magnifiques les unes que les autres, en majorité de provenance française, du XVIIe siècle jusqu'au début du XXe (Art déco). Et l'on y fait encore des découvertes ! En octobre 2003, lors de la restauration d'une salle, derrière des tentures collées sur les murs, sont apparus cinq tableaux monumentaux de l'école française néo-classique de la fin du XVIIIe siècle qui sont en cours d'identification (sans doute, la comtesse les avait-elle camouflés avant son départ pour l'exil, espérant les récupérer un jour...). Parmi les œuvres remarquables, citons des porcelaines et biscuits de Sèvres et de Limoges, des meubles signés Simoneau ou Gallé, de l'argenterie anglaise, des lampes vénitiennes, des porcelaines et laques chinoises et japonaises, des tapis d'Aubusson, un secrétaire ayant appartenu à la reine Marie-Antoinette, des créations Art déco de Lalique, etc.

✎ ***La statue de John Lennon*** *(plan couleur III, F8,* ***253****)* **:** dans un square, calle 17, entre 6 et 8. Un hommage au plus célèbre des Beatles pour son engagement au service de la paix. Sur la plaque, la fameuse phrase de la chanson Imagine : « On dira que je suis un rêveur, mais je ne suis pas le seul ! » que F. Castro a reprise souvent dans ses discours... Le chanteur est assis sur un banc et nombreux sont ceux qui se font photographier à ses côtés. Ne touchez pas à ses lunettes ! Un garde veille non loin, car elles ont déjà été volées plusieurs fois...

✎ ***El museo postal cubano*** *(plan couleur III, G9)* **:** av. Rancho Boyeros, angle plaza de la Revolución. À côté du bâtiment de la poste principale. Ouvert en semaine de 10 h à 16 h. Timbres du monde entier et, plus rigolo, une fusée cubaine qui devait propulser le courrier dans l'espace ! Le panneau ne dit pas si elle a réussi sa mission...

À MIRAMAR

✎ ***La Quinta avenida*** *(5e avenue ; plan couleur IV, I-J11-12)* **:** dans le prolongement du Malecón. Cette somptueuse avenue bordée d'allées et de petits squares traverse tout le quartier chicos de La Havane. Son nom, qui n'est pas sans rappeler une célèbre avenue new-yorkaise, fut paraît-il choisi par les milliardaires américains qui s'étaient installés ici... Aujourd'hui, les Cubains rêvent d'y vivre.

✎ ***Les mansions :*** c'est le nom (à l'américaine !) donné aux petits palais du quartier. On en trouve un peu partout, disséminés entre les ambassades et les pavillons chic, souvent cachés derrière des grilles et la végétation des jardins. Un peu tous les styles, du néo-classique au néo-baroque. Ils sont en tout cas mieux entretenus que ceux du Vedado...

✎✎ ***La marina Hemingway :*** au bout de Miramar. Véritable ville dans la ville, cet immense complexe touristique (plus de 5 km) accueille des centaines de yachts le long de ses canaux intérieurs. L'ensemble détonne quelque peu en pays socialiste : hôtels de luxe, boîtes de nuit, restos, bungalows, piscine, sports nautiques, etc. Tout est prévu pour les (riches) plaisanciers étrangers ! Pour info, Hemingway n'y mit jamais les pieds. En revanche, le concours de pêche au gros qu'il créa en 1960 existe encore : il attire les fanas du genre tous les ans au mois de juin.

Activités culturelles

On trouve le programme des activités culturelles dans le journal *Granma* (en vente partout), quotidien pour l'édition en espagnol, hebdomadaire pour celle en français. Ceux qui parlent l'espagnol achèteront l'édition nationale, moins chère car payable en pesos. À consulter également : la *Cartelera* en espagnol et en anglais, et *Bienvenidos, la guía del ocio de Cuba* (● www.bienvenidoscuba.com ●) disponibles dans tous les grands hôtels et à l'office du tourisme. On peut également se renseigner dans les bureaux de tourisme installés dans les grands hôtels. Sans oublier que le mieux reste de s'informer auprès des Cubains. (Voir aussi la rubrique « Adresses et infos utiles » au début de ce chapitre sur La Havane.)

Cinéma, théâtre, danse

■ ***Cinéma Yara*** *(plan couleur III, H8)* **:** dans le Vedado, sur la Rampa (calle 23). En face de l'hôtel *Habana Libre*. L'un des plus populaires. Parfois des films français sous-titrés en espagnol. Très bien pour perfectionner ses talents de polyglotte... Le samedi soir, étrange rassemblement de jeunes garçons devant le ciné. Ce sont les gays de la capitale qui attendent les voitures qui les amèneront vers des lieux de fête improvisés dont les adresses, secrètes, se murmurent de bouche à oreille. Sinon, plein d'autres cinémas en ville. Les *Habaneros* sont très cinéphiles !

■ ***Gran Teatro de La Habana*** *(plan couleur I, A2)* **:** dans Habana Vieja, angle Prado et calle San Rafael. ☎ 861-30-96 et 861-58-73. Essayez d'assister aux représentations du Ballet national de Cuba (Alicia Alonso), somptueux. Tous les soirs vers 20 h 30, le dimanche à 17 h. Réservations sur place et dans les bureaux de tourisme.

Poésie, littérature, musique

■ ***Union nationale des écrivains et artistes cubains*** *(UNEAC, plan couleur III, G8,* ***202****)* **:** angle calles 17 y H, dans le Vedado. ☎ 832-45-51, 52 et 53. Un endroit superbe, qui ravira les érudits : livres rares, vidéoclub et de temps en temps, rencontres avec les plus grands artistes cubains. Mais le moment qu'il ne faut pas manquer, c'est un mercredi sur deux, entre 17 h et 20 h, pour la *peña del ambia,* l'autre mercredi étant réservé à la *peña de la trova*. Bref, de la musique, toujours de la musique, pour une clientèle d'étudiants cubains et de touristes. Entrée : 5 US$ pour les touristes et 10 pesos pour les Cubains, ce qui permet le mélange des populations. Tout se passe dans le jardin et même les arbres transpirent, tellement l'atmosphère est chaude. Le samedi à 21 h, place au boléro.

Manifestations

– ***Festival Latin Jazz* :** 15 jours en décembre.
– ***Festival du Film latino-américain* :** début décembre.
– ***Carnaval de La NETHavane* :** sur deux week-ends au mois d'août (parfois aussi en février ou en novembre).
– ***Foire internationale du Livre* :** en février, dans la forteresse de la Cabaña.

Achats

Feria de la cathédrale *(plan couleur I, B2,* ***260****)* **:** en plein air, dans les jardins qui bordent le chenal d'entrée du port. Immense, c'est le plus grand marché artisanal de La Havane. En plein air. Il a lieu du mercredi au samedi de 8 h 30 à 20 h. Une multitude de stands dont beaucoup de peintres. On y trouve aussi de petits bijoux, des sculptures, en bois ou en noix de coco, des poupées ou encore des chapeaux.

Palacio de la Artesanía *(plan couleur I, A1,* ***261****)* **:** calle Cuba, 68. Ouvert de 9 h 30 à 19 h. Un centre commercial... colonial, à la cubaine, et au rythme de la salsa ! Plus connu comme le temple du tourisme. L'endroit idéal pour dépenser vos dollars : quelques boutiques d'artisanat, une boutique de disques, des boutiques de fringues ou de pompes (on a même droit à un Ted Lapidus !). Les boutiques donnent sur un remarquable patio central. Quelques jolis objets pour les souvenirs, de bonne qualité.

Casa del Abanico *(Maison de*

l'Éventail; plan couleur I, zoom, ***247)*** **:** calle Obrapía, 107, entre Mercaderes y Oficios. ☎ 863-44-52. Ouvert du lundi au vendredi de 9 h à 17 h et le samedi de 9 h à 12 h. Belle galerie-boutique consacrée aux éventails avec un grand choix de modèles. Bien sûr, tout un éventail (!) de prix à partir de 1,8 US$. On observe les artisans peindre les motifs. Et on peut même passer commande d'un éventail personnalisé, avec son propre dessin.

Marché d'artisanat La Atarroya *(plan couleur III, F7,* ***262)*** **:** sur le Malecón, entre D y E. Un marché en plein air, qui a lieu tous les jours, sauf le mercredi. Bien fourni et très varié : sculptures en bois, instruments de musique, jolis bijoux en céramique, chapeaux de paille, coquillages, livres d'occasion...

Marché d'artisanat de la Rampa *(plan couleur III, H8,* ***263)*** **:** sur la Rampa (calle 23), entre M y N ; un peu plus bas que l'hôtel *Habana Libre,* sur le même trottoir. Un autre marché en plein air, plus petit que le marché *La Atarroya* et un peu moins varié.

Musée national de la Musique *(plan couleur I, A1,* ***243)*** **:** calle Capdevilla. Ouvert de 10 h à 17 h 30. Fermé le dimanche. Voir « Les musées » dans Habana Vieja. Petite boutique de CD où l'on est bien conseillé.

Casa de la Música *(plan couleur IV, J12,* ***206)*** **:** calle 20, esq. 35. Ouvert de 10 h à minuit et demi. Fermé le lundi. Pour les fans de salsa... Cassettes, CD et même vinyles pour les nostalgiques, mais un peu fouillis, mieux vaut être connaisseur. Également quelques instruments en vente. Voir « Où sortir ? Où danser ? ».

La Casa del Rón *(plan couleur I, zoom,* ***264)*** **:** calle Baratillo, 53. À côté de la place d'Armes. Ouvert de 10 h à 18 h. Vous hésitez entre tel ou tel rhum ? Il y a de quoi, avec plus de 120 rhums différents... Bar à l'étage. Attention, les dégustations sont gratuites, si on n'insiste pas trop sur la bouteille ! Vente également de cigares. Si vous voulez vous rafraîchir les idées en sortant, vous trouverez la *Maison du Café* juste à côté, au n° 51.

– ***La Calle San Ignacio*** *(plan couleur I, B2)* **:** dans cette rue du centre, à partir de la plaza de la Catedral, nombreuses petites boutiques d'artisanat local. Au rez-de-chaussée, poupées, peintures, objets en papier mâché, en bois...

Cigares

Lire la rubrique « Cigares » dans les « Généralités ».

El Palacio del Tabaco *(plan couleur I, A2,* ***248)*** **:** calle Zulueta (Agramonte), 106, entre El Refugio y Colón. ☎ 33-83-89. Ouvert tous les jours de 9 h à 17 h (14 h le dimanche). Il s'agit de la boutique de la fabrique de cigares *Corona.* Située au rez-de-chaussée de celle-ci, c'est l'une des mieux approvisionnées de la ville. Quelques modules à l'unité également.

Boutique de la fabrique de cigares Partagas *(plan couleur II, D5,* ***249)*** **:** calle Industria, 520. ☎ 33-80-60. Derrière le Capitole. Ouvert du lundi au samedi de 9 h à 19 h ; le dimanche jusqu'à 15 h. Deux *torcedores* (rouleurs de cigares) y officient régulièrement. Large choix également à l'unité. Les prix sont généralement plus élevés qu'ailleurs.

Boutique de l'hostal Conde de la Villanueva *(plan couleur I, zoom,* ***67)*** **:** calle Mercaderes, 202, angle Lamparilla. Voir « Où dormir ? ». ☎ 862-92-93. Ouvert tous les jours de 10 h à 19 h. Un lieu tout en bois et très feutré que fréquentent les amateurs. Beaucoup de choix et, surtout, une large sélection de vitoles à l'unité. Très intime pour se noyer dans des volutes de fumées. En général, on vous offre un excellent café si vous achetez.

La Casa del Tabaco *(plan couleur III, F8,* ***160)*** **:** Paseo, 406, entre 17 y 19. ☎ 830-31-14. En entrant à droite, dans la *Casa de la*

Amistad (voir « Où manger ? »). Ouvert du lundi au samedi de 9 h à 18 h. Les prix sont parmi les plus bas. En tout cas, beaucoup moins cher qu'à la fabrique *Partagas,* sauf pour les Cohiba, qui sont au même prix partout. *Torcedor* à l'entrée.

Autre boutique La Casa del Tabaco *(plan couleur IV, J11,* ***266****)* **:** 5ta y 16. ☎ 204-79-74. Ouvert de 9 h à 18 h. Au rez-de-chaussée d'un resto, une bonne boutique de cigares, peu connue des touristes. Produits de qualité et bons prix.

Autre boutique La Casa del Tabaco *(hors plan couleur IV par I13,* ***267****)* **:** av. 244. Dans le complexe de la *Giraldilla.* Ouvert de 11 h à minuit. Très grand choix de vitoles. *Torcedor* à disposition des clients.

Boutique de l'hôtel Château Miramar *(hors plan couleur IV par I12,* ***101****)* **:** 1ra calle, entre 60 y 70. À droite en entrant vers la réception.

➤ DANS LES ENVIRONS DE LA HAVANE

Finca Vigía *(la maison de Hemingway)* **:** à San Francisco de Paula, à environ 15 km au sud-est de La Havane. Pas de bus : il vous faudra louer les services d'un taxi (gardez-le pour le retour). Ouvert de 9 h à 16 h. Fermé les mardi et jours fériés. Prix : 2 US$ la visite, pour le même prix n'hésitez pas à demander un guide (parlant l'espagnol ou l'anglais), parce que le personnel qui surveille l'intérieur de la maison ne vous apprendra pas grand-chose... L'intérieur de la maison ne se visite pas, mais les nombreuses fenêtres et baies vitrées sont largement ouvertes et la visite se fait de l'extérieur.

On y accède par une longue et belle allée bordée d'arbres, style manoir des Caraïbes. Construite à la fin du XIXe siècle dans un luxuriant parc tropical, sur une butte dominant la vallée, la *finca Vigía* où s'installa « Papa » Hemingway en 1939 est une jolie maison créole d'inspiration espagnole néocoloniale. Mais la décoration intérieure, restée telle quelle depuis sa mort, fait terriblement penser à sa maison de Key West, de l'autre côté du golfe du Mexique. La *finca* est ouverte et aérée : un côté ouvre sur le nord, on y voit des collines, La Havane et un peu de mer au loin.

On y retrouve l'univers typique de l'aventurier-écrivain : élégance dépouillée, mobilier espagnol, impressionnants trophées de chasse de ses nombreux safaris en Afrique, affiches de corrida et... des livres partout, y compris dans les toilettes ! Parmi les objets notables : LA machine devant laquelle il se tenait, debout, pour écrire ses romans, de jolies statuettes africaines, une assiette représentant une tête de taureau gravée par Picasso, le certificat délivré par le prix Nobel, et les petits canons Winchester avec lesquels le plaisantin souhaitait la bienvenue à ses invités ! Dans le bureau, le sofa sur lequel dormait tant bien que mal Gary Cooper, trop grand pour le lit d'amis... Il y a aussi la tête empaillée d'un grand koudou (aux cornes torsadées), l'antilope africaine qui obsédait tant l'écrivain. Autre détail amusant, le tampon-encreur qui lui servait à expédier son courrier : *I never write letters* (« Je n'écris jamais de lettres »)...

Derrière la maison, une tour de 12 m, où se niche un petit bureau décoré d'une peau de félin aux yeux brillants et d'un télescope, où Hemingway aimait s'isoler pour mettre la touche finale à ses manuscrits. L'étage en dessous était réservé à ses chats. Et, dans le jardin décoré de palmiers royaux, les reliques d'une gloire mondiale construite à coups de best-sellers : la piscine autour de laquelle Ernest recevait les stars hollywoodiennes. Bien conservé sous son hangar, le *Pilar,* célèbre yacht en bois qui accueillait jusqu'à 6 personnes pour partir à la pêche au gros. Sur le toit, plutôt qu'un banal gouvernail, Hemingway avait jugé plus utile d'installer... un bar. On remarquera aussi les tombes de ses 4 chiens (mais pas celles de ses 60 chats), seuls autorisés à le déranger lorsqu'il écrivait...

El jardín botánico nacional : carretera Rocio, après le parc Lénine, en face Expo Cuba. Ouvert du mercredi au dimanche de 9 h à 17 h (en fait, les étrangers peuvent aussi le visiter le lundi et le mardi !). Deux formules : 1 US$ pour la visite simple et 3 US$ pour le tour du parc en petit train avec commentaires. Parc de plusieurs hectares regroupant des espèces tropicales du monde entier, certaines rarissimes. Ne pas manquer le jardin japonais et ce palmier préhistorique appelé « fossile vivant » ! Également une impressionnante collection d'orchidées, en fleurs entre mi-décembre et mi-janvier.

Regla : de l'autre côté de la baie de La Havane, accès par une *lancha* (petit bateau à moteur) depuis la vieille ville (embarcadère face à l'hôtel *Armadores de Santander, plan couleur I, B3*). Coût de la traversée : 10 centimes de peso. Mesures strictes de sécurité depuis le détournement de mars 2003 (voir la rubrique « Histoire » dans les « Généralités »). Un vieux quartier datant de trois siècles, où les rites de la *santería* sont encore très vivaces. On y visite l'***église de la Santísima Virgen de Regla,*** patronne des marins et de La Havane. Cette célèbre Vierge noire tient un Enfant Jésus blanc dans les bras ! Évidemment très vénérée par la population. Grande ***fête*** populaire en son honneur le 8 septembre.

QUITTER LA HAVANE

En voiture

Bon courage pour sortir de La Havane en voiture ! Toutes nos explications ne serviraient pas à grand-chose. C'est assez la galère car il n'y a pratiquement aucune indication. Donc, le plus simple, c'est de faire comme tout le monde : s'arrêter et demander plusieurs fois aux passants. L'idéal étant bien sûr de trouver un stoppeur qui va dans la même direction...

➢ ***Vers l'est*** *(playas del Este, Varadero, Matanzas...)* **:** prendre le Malecón jusqu'à Habana Vieja, puis le tunnel qui passe sous le chenal en direction de Habana del Este. Ensuite, c'est toujours tout droit. Voir aussi le chapitre « Les plages de l'Est ».

➢ ***Vers le sud-est*** *(Trinidad, Cienfuegos, Santa Clara)* **:** prendre la vía Blanca, puis l'A1 direction Guanamaco.

➢ ***Vers l'ouest*** *(Viñales, Pinar del Río)* **:** prendre le Malecón jusqu'à Miramar (après le tunnel), puis la 5e avenue *(5ta avenida),* d'où l'autoroute *(autopista)* est fléchée.

En bus

Il existe deux compagnies de bus (dans les deux cas, les touristes paient en dollars) :

– ***Viazul :*** c'est la compagnie principalement utilisée par les touristes. Les bus sont modernes, très confortables avec toilettes et AC (attention, prévoyez un bon pull, voire la doudoune, car, à l'intérieur, on se croirait dans un camion frigorifique !). Plus cher qu'avec *Astro,* mais il n'est pas nécessaire de réserver sa place à l'avance (bon, disons, en dehors des périodes de pointe).

– ***Astro :*** la compagnie la moins chère, principalement utilisée par les Cubains. Bus moins confortables. Les horaires ne sont pas toujours très pratiques et il faut impérativement réserver sa place quelques jours à l'avance.

Terminal des bus Viazul *(plan d'ensemble couleur)* **:** av. 26, 1152, angle Zoológico, Nuevo Vedado. ☎ 881-14-13, 881-11-08 ou 881-56-52. • www.viazul.cu • Tickets en vente de 7 h à 20 h. On peut réserver par téléphone aux numéros indiqués ci-dessus. Que l'on réserve par téléphone ou que l'on achète son billet directement sur place, il faut de toute façon se présenter 1 h avant le départ. On peut également acheter les billets des bus *Viazul* au terminal des bus *Astro* (voir ci-dessous) et dans les agences de voyages.

➢ ***Pour Varadero :*** départs à 8 h, 8 h 30 et 16 h. Durée du trajet : 2 h 30 à 3 h. Dans le sens Varadero-La Havane, départs à 8 h, 16 h et 18 h. Compter 10 US$. Arrêts à Matanzas et à l'aéroport de Varadero.
➢ ***Pour Trinidad :*** départs à 8 h 15 et 13 h. Durée du trajet : 5 h. Dans le sens Trinidad-La Havane, départs à 7 h 45 et 15 h. Compter 25 US$.
➢ ***Pour Santiago de Cuba :*** départs à 9 h 30, 15 h et 20 h. Durée du trajet : 15 h. Ce bus dessert *Santa Clara, Sancti Spiritus, Ciego de Ávila, Camagüey, Las Tunas, Holguín* et *Bayamo.* Dans le sens Santiago-La Havane, départs à 9 h, 15 h et 20 h. Autour de 50 US$.
➢ ***Pour Pinar del Río et Viñales :*** départ à 9 h. Durée du trajet : respectivement, 2 h 30 et 3 h. Compter 11 et 12 US$.
➢ ***Pour Holguín :*** départs les lundi, mercredi et jeudi à 20 h 30. Compter 44 US$. Dessert *Ciego de Ávila, Camagüey* et *Las Tunas.*
➢ ***Pour les plages de l'Est :*** départs à 8 h 40 et 14 h 20. Retour de Guanabo à 10 h 45 et 16 h 45. Prix 4 US$.
➢ ***Pour l'aéroport José Martí :*** liaisons régulières. Compter environ 3 US$.

🚌 ***Terminal des bus Astro*** *(plan couleur III, H9)* **:** av. de Independencia et calle 19 de Mayo, Vedado. ☎ 870-94-01. Réservations jusqu'à 2 jours à l'avance. On se procure le billet dans un bureau situé à l'entrée (côté calle 19 de Mayo). Ouvert 24 h/24. Payable en dollars. On peut y acheter aussi bien des billets *Astro* que *Viazul* (mais les bus *Viazul* partent de l'autre terminal). Le terminal *Astro* est énorme et dispose de tous les services : une banque *(Banco de Credito y Comercio),* avec distributeur automatique (pesos convertibles), la délicieuse boulangerie-pâtisserie *Pain de Paris* (pour faire ses provisions de viennoiseries avant le voyage), un bureau de poste, des boutiques et cafétérias.

➢ ***Pour Pinar del Río :*** départs à 8 h, 17 h, 19 h 30 et 20 h 20. Durée du trajet : 2 h 30. Compter 7 US$.
➢ ***Pour Viñales :*** 1 bus à 9 h 20. Durée du trajet : 3 h. Compter 8 US$.
➢ ***Pour Matanzas :*** départs à 9 h 10 et 16 h 55. Durée du trajet : 2 h 30. Compter 4 US$.
➢ ***Pour Varadero :*** départ à 4 h 35 du matin *(sic !).* Durée du trajet : 2 h 50. Compter 5,5 US$.
➢ ***Pour la playa Girón :*** les vendredi, samedi et dimanche, départ à 11 h 40. Durée du trajet : 6 h. Compter 10,5 US$.
➢ ***Pour Cienfuegos :*** départs à 6 h 15, 12 h 05, 16 h 15, 19 h 30 et 21 h 15. Durée du trajet : 4 à 5 h. Prix : 14 ou 17 US$ selon le bus, *regular* ou *especial.*
➢ ***Pour Trinidad :*** un jour sur deux, départ à 5 h 45 du matin. Durée du trajet : 5 h. Compter 21 US$.
➢ ***Pour Sancti Spiritus :*** un jour sur deux, départ à 15 h 50. Durée du trajet : 5 h. Prix : 15,5 US$.
➢ ***Pour Camagüey :*** départs à 9 h 20 et 19 h 45. Durée du trajet : 9 h. Billet à 27 US$.
➢ ***Pour Holguín :*** départs à 19 h. Durée du trajet : 12 h. Prix : 36 US$.
➢ ***Pour Santiago :*** départs à 12 h 15 et 19 h 20. Durée du trajet : 15 h. Compter 42 US$.

En train

Les Cubains doivent réserver leur billet au moins une semaine à l'avance, voire 15 jours. En revanche, régime de faveur pour les touristes, qui n'ont besoin de réserver que le jour-même. Paiement en dollars, mais les étudiants pourront toujours essayer d'acheter leur billet en pesos. Il n'y a qu'une seule classe (sauf pour le train spécial, La Havane-Santiago). Pas de couchettes, mais des sièges inclinables. Penser à prendre suffisamment d'eau. La durée des trajets est très variable : ne pas se fier à celle annoncée sur les panneaux.

Estación central de ferrocarriles *(gare ferroviaire centrale ; plan couleur I, A3)* **:** av. Bélgica (Egido), angle Arsenal, Habana Vieja. ☎ 861-29-59 et 862-19-20.

■ ***Achat des billets*** *(plan couleur I, A3, **38**)* **:** dans un bureau « spécial touristes » gare de *La Coubre,* situé sur le côté droit de la gare, calle Egido. ☎ 862-10-06. Ouvert de 7 h à 19 h. On achète ses billets ici, quelle que soit la destination. En dollars, bien sûr. Il faut acheter son billet 2 h avant le départ. Ceux qui veulent vraiment assurer leur coup pourront réserver la veille ou le matin pour le soir. On vous indique les horaires d'arrivée, mais ces données sont assez théoriques...

➢ ***Pour Santiago :*** le *tren francés* (spécial) et le *regular* circulent en alternance, un jour sur deux. En *tren francés,* départ à 18 h 05, arrivée à Santiago à 6 h 40 du matin. Compter 72 US$ avec une collation (apportez quand même votre casse-croûte !). Fini le vieux tchoutchou. On a droit au *tren francés,* un train vendu par la France fin 2001. Les Cubains en sont très contents. Il y a la clim'. Ce train spécial ne dessert que Santa Clara, Camagüey et Santiago. En train *regular,* départ à 15 h 15, arrivée à 5 h 50. Il coûte beaucoup moins cher : 30 US$. Il dessert *Matanzas, Santa Clara, Guayos* (d'où l'on prend le bus pour *Trinidad*), *Ciego de Ávila, Camagüey, Las Tunas, Cacocum (Holguín)* et Santiago.

➢ ***Pour Guantánamo :*** départ à 15 h 15, arrivée à 6 h 50. Prix : 32 US$. Ce train circule les mêmes jours que le *tren francés* et dessert les mêmes gares que le *regular* pour Santiago.

➢ ***Pour Sancti Spiritus :*** un jour sur deux, départ à 21 h 45, arrivée à 5 h 25. Autour de 13,5 US$.

➢ ***Pour Bayamo et Manzanillo :*** un jour sur deux, le train *regular* part à 20 h 25 et arrive à 9 h 30 du matin à Bayamo et à 11 h 40 à Manzanillo. Respectivement, billets à 26,5 et 27,5 US$. Ce train passe par *Matanzas, Santa Clara, Guayo* (correspondance pour *Trinidad* en bus), *Ciego de Ávila, Camagüey.*

➢ ***Pour Holguín :*** un jour sur deux, le train *regular* part à 19 h et arrive à 9 h 30 du matin. Compter 27 US$ environ. Ce train passe par *Matanzas, Santa Clara, Guayo* (correspondance pour *Trinidad* en bus), *Ciego de Ávila, Camagüey, Las Tunas.*

➢ ***Pour Pinar del Río :*** un jour sur deux, départ à 21 h 45, arrivée à 3 h 26 du matin (!). Prix : 7 US$. Un véritable omnibus, le voyage n'en finit pas. Franchement, on conseille le bus.

➢ ***Pour Morón :*** un jour sur deux, départ à 16 h 40, arrivée à 23 h 10. Prix : 24 US$.

➢ ***Pour Cienfuegos :*** un jour sur deux. Départ à 7 h 30. Durée du trajet : environ 10 h. Compter 10 US$.

➢ ***Pour Matanzas :*** le *train Hershey.* Attention, ce train part de la *gare ferroviaire de Casablanca (hors plan d'ensemble, à l'est),* av. de Gamis, Casablanca. ☎ 862-48-88. Cinq départs dans la journée, à 4 h 45, 8 h 35, 12 h 45, 16 h 35 et 20 h 45. Choisir de préférence celui de 8 h 30, car il ne fait que 5 arrêts contre une cinquantaine (!) pour les autres. Arrivée 3 h 30 après. Il faut être très en avance à la gare car le prix du billet (pour les touristes aussi, chut, ne le dites pas trop fort !) n'est que de 2,8 US$. Ça vaut bien une petite attente, non ?

➢ ***Pour les plages de l'Est :*** attention, ces trains partent de la *gare ferroviaire Cristina (hors plan couleur II par D6),* av. de Mexico (Cristina), 7. Face au marché *(mercado Unico)* de Cuatro Caminos. Circule en juillet et août seulement. Deux départs par jour. Le train arrive à *Guanabo*. Remarquer dans le hall la vénérable locomotive datant de 1843.

En avion

– ***Attention*** à ne pas vous tromper d'aéroports : ils sont situés dans le même secteur... Renseignez-vous bien auprès de l'agence qui vous a fourni vos billets.
– ***Réservations*** vivement conseillées en haute saison. Pour les îles, les réservations sont souvent couplées avec celles de chambres d'hôtel (forfaits spéciaux).
– Pas de ***consigne à bagages*** aux aéroports. Si vous restez une journée à La Havane avant votre départ de l'île, déposez vos sacs dans l'un des grands hôtels de la ville (environ 1 US$ par bagage).
– ***ATTENTION :*** TAXE D'AÉROPORT DE 25 US$ À PAYER AVANT DE SORTIR DU PAYS. PAYABLE EN ESPÈCES UNIQUEMENT. RÉSERVEZ CETTE SOMME DÈS VOTRE ARRIVÉE À CUBA, CAR LES RETRAITS D'ESPÈCES À L'AÉROPORT SE FONT POUR UN MINIMUM DE 100 US$.

✈ ***Aéroport international José Martí :*** à 17 km au sud de La Havano. ☎ 33-57-53 et 266-41-33. En voiture, passer par la plaza de la Revolución, prendre l'avenida Rancho Boyeros, puis continuer tout droit. Bien fléché. Attention, il y a trois terminaux : en principe, les T2 et T3 sont réservés aux compagnies nationales et internationales pour les vols internationaux *(Cubana de Aviación, Iberia, Air France)*. Vérifiez bien d'où décolle votre avion...

✈ ***Aéroport national :*** à environ 1 km après l'aéroport international. ☎ 33-55-76 et 77. Attention, si vous prenez un petit coucou pour les *cayos,* les vols partent du T5, le terminal charter d'*Aerocaribbean.*

– Pour les ***coordonnées des compagnies aériennes,*** se reporter à la rubrique « Adresses et infos utiles » au début de ce chapitre sur La Havane.

➢ ***Pour Santiago :*** 2 vols par jour avec la *Cubana de Aviación*. Durée de vol : 2 h. Un vol par jour avec *Aerocaribbean*. Compter autour de 100 US$.
➢ ***Pour Trinidad :*** 2 vols le mardi avec *Aerocaribbean*. Durée de vol : 50 mn. Compter 87 US$.
➢ ***Pour Camagüey :*** 1 vol par jour avec la *Cubana de Aviación*. Durée de vol : 1 h 35. Compter 80 US$ environ.
➢ ***Pour Holguín :*** 1 vol par jour avec la *Cubana de Aviación* et un vol quotidien avec *Aerocaribbean*. Durée de vol : 1 h 30 environ. Compter 90 US$.
➢ ***Pour Guantánamo :*** 1 vol par jour avec la *Cubana de Aviación* (sauf le mardi et le jeudi). Durée de vol : 2 h 40. Compter 120 US$.
➢ ***Pour Bayamo :*** 2 vols par semaine le mardi et le jeudi avec la *Cubana de Aviación*. Durée de vol : environ 2 h. Compter 90 US$.
➢ ***Pour Ciego de Ávila :*** 1 vol le jeudi, avec la *Cubana de Aviación*. Durée de vol : 1 h 25. Compter 66 US$.
➢ ***Pour l'isla de la Juventud (Gerona) :*** 3 vols par jour (sauf le mardi et le jeudi, seulement 2 vols) avec la *Cubana de Aviación*. Compter 24 US$ environ.

➢ ***Pour cayo Coco :*** 2 vols par jour avec *Aerocaribbean*. Durée de vol : 1 h 40. Compter autour de 95 US$.

➢ ***Pour cayo Largo :*** 2 vols, les mardi, mercredi et jeudi avec *Cubana de Aviación*. Durée de vol 50 mn. Compter 67 US$.

➢ ***Pour Las Tunas :*** 1 vol le mardi et le samedi avec la *Cubana de Aviación*. Durée de vol : 2 h. Compter 88 US$.

➢ ***Pour Manzanillo :*** 1 vol le samedi avec la *Cubana de Aviación*. Durée de vol : 2 h. Compter 90 US$.

➢ ***Pour Baracoa :*** avec la *Cubana de Aviación,* 1 vol direct le jeudi et 1 vol avec escale le dimanche. Durée de vol (sans escale) : 3 h 30. Compter autour de 120 US$.

L'OUEST DE CUBA

L'ouest de Cuba, c'est-à-dire la province de Pinar del Río, vous montrera un visage inattendu de l'île, et pas le plus laid ! Pour beaucoup, c'est tout simplement la plus belle région de Cuba... Ce n'est pourtant pas la plus touristique, ses plages n'étant pas spécialement plaisantes (à quelques exceptions près, dont on vous reparlera !). Tant mieux, vous y serez tranquille et la population vous réservera le meilleur accueil.
Cette région sauvage propose d'abord les doux paysages montagneux de la cordillère de Guaniguanico. Cette chaîne de basse altitude est truffée de grottes gigantesques. Un vrai gruyère jurassique. On comprend pourquoi le Che se réfugia ici pendant la crise des missiles... avec les missiles cachés non loin ! Cela dit, ce ne sont bien sûr pas les grottes que l'on remarque en premier, mais les épaisses forêts de pins interrompues par des couches de terre couleur brique ou d'un ocre intense... D'où le nom donné à la province (et à sa capitale Pinar del Río), qui ne produit pas de vin, contrairement à ce que pensent certains obsédés du pinard ! Au cœur de cette région, une petite merveille qui mérite à elle seule le détour : la douce vallée de Viñales, parsemée de *mogotes,* ces étranges formations géologiques, monts recouverts de verdure qui donnent toute sa magie au paysage enchanteur de cette oasis fertile. Mais Viñales, c'est aussi, avec le triangle de Vuelta Abajo, la terre du tabac : ici se ramassent les meilleures feuilles parfumées qui partiront en... fumée sous le nom de havanes. Une culture artisanale, minutieuse et délicate, à l'image de cette région...

UNE RÉGION (PRESQUE) COMME AU PREMIER JOUR

L'ouest de Cuba a longtemps été délaissé. Tandis que les gouvernements concentraient leurs efforts de développement sur La Havane et l'est du pays, la province de Pinar del Río maintenait ses traditions séculaires. Après la Révolution, Fidel fit de cette région l'une de ses priorités et, afin de désenclaver cette prestigieuse terre à tabac, on construisit l'une des plus belles autoroutes du pays. Peine perdue ! La pénurie d'essence a redonné à la région tout son caractère ancestral : les mules tirent les carrioles, les bœufs la charrue, et... l'autoroute sert de séchoir pour le café.
On est ici dans la partie géologiquement la plus ancienne de l'île. Ainsi, lors des différentes périodes glaciaires, cette région a-t-elle subi comme les autres une importante montée des eaux, mais les pointes des *mogotes* furent épargnées. Quand les eaux se retirèrent, une petite partie de la forêt primaire survécut donc. Témoin de cette période, le palmier liège *(palma corcho).* Grâce au relief escarpé, la végétation est abondante et variée, alternant pins, fougères arborescentes, eucalyptus, nombreux *alteas* (famille de l'hibiscus, très vénéré par les Cubains car c'est dans ce bois qu'on taille... les battes de base-ball). Vous rencontrerez aussi l'*almacigo* (bel arbre à l'écorce rouge) que les locaux appellent *árbol del turista,* « arbre du touriste », du fait d'abord de sa peau rouge (coup de soleil), ensuite de ses deux branches principales, largement écartées et qui rappellent les jambes des touristes qui bronzent sur les plages.
Au-delà de Viñales, dans le prolongement de la cordillère, on trouve la péninsule de Guanahacabibes (à vos souhaits !), quasi déserte, dont la forme rappelle étrangement celle d'une queue de crocodile : voici l'origine du surnom de Cuba, le « crocodile vert »... Là, posée sur la queue du croco, une petite plage de rêve du nom de María la Gorda.

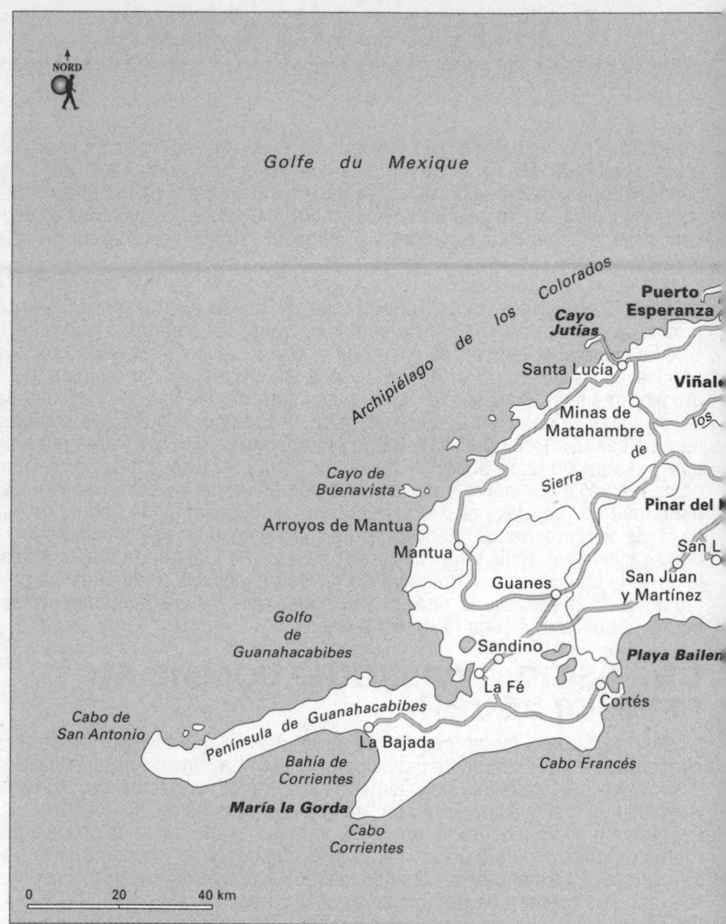

Comment y aller?

Autant être prévenu, la région est très mal desservie par le train, et les bus sont rares. Il est donc recommandé de louer une voiture pour la parcourir. Vous ne le regretterez pas : les occasions de promenades sont nombreuses et les routes traversent de superbes paysages. De plus, la voiture permet de s'éloigner des principaux axes et de baguenauder à son gré sur les petites routes de campagne. Cela dit, pas de panique pour ceux qui n'ont pas de véhicule. Une fois à Viñales, de nombreuses excursions sont organisées par les locaux. Balades en 4x4, à cheval, à pied...
Pour pénétrer dans la région, plusieurs itinéraires sont possibles :

➢ ***Par l'autopista A4*** **:** 180 km de La Havane à Pinar del Río. Compter 3 h de voyage sur cette impressionnante autoroute à 6 voies, pourtant complètement déserte. Les vingt premiers kilomètres franchis, on entre dans la cam-

DE LA HAVANE À PINAR DEL RÍO

pagne. Au bord de la route, des paysans agitent selon les saisons des tresses de gousses d'ail, des pots de confiture de goyave, ou encore du fromage artisanal. Ces denrées, hors de prix dans les villes, sont ici vendues beaucoup moins cher. Beaucoup de stoppeurs en attente d'une improbable *guagua*...

➢ ***Par la route nationale (carretera central) :*** pour les moins pressés. Elle traverse de nombreux et charmants petits villages. Beaucoup de cyclistes.

➢ ***Par la jolie route côtière du nord :*** pour ceux qui ont tout leur temps. Depuis La Havane, prendre la direction de Mariel, puis Bahía Honda, etc. En fait, on la recommande plutôt pour le retour.

– ***Conseils :*** pour visiter la région, prévoyez une bonne carte car les panneaux sont quasi inexistants et faites le plein d'essence si vous vous éloignez des villes. Selon les cartes routières, elles sont indiquées ou non. D'autre part, il est raisonnable de faire le plein avec l'essence *especial,* qu'on trouve dans les stations-service *Cupet* ou *Oro Negro.* Il faut savoir que si les routes les plus empruntées sont à peu près correctes, il convient d'être particulièrement vigilant sur les routes secondaires de montagne peu fréquentées où nids-de-poule et nids-de-dinosaure se succèdent sans fin. Certaines bonnes routes sont complètement défoncées sur quelques kilomètres avant de redevenir excellentes un peu après (allez savoir pourquoi !).

LAS TERRAZAS

IND. TÉL. : 082

Dans la sierra del Rosario, à 51 km de La Havane, on découvre Las Terrazas dans un paysage somptueux, en grande partie replanté par l'homme. C'est ici que le Che s'entraîna avant son expédition bolivienne.

➢ Depuis l'autoroute en direction de Pinar, prendre à droite, 800 m environ après le panneau « publicitaire » l'annonçant, puis tout droit. Suivre les flèches sur 7 km. La route est peu engageante au début. C'est la bonne ! Droit d'entrée au domaine si on ne loge pas à l'hôtel (2 US$ par personne ; et encore 4 US$ si on va à la rivière San Juan).

UN PROJET AMBITIEUX

Comme dans une bonne partie de l'île, les forêts qui couvraient ce coin subirent au fil des siècles des coupes successives qui modifièrent le paysage de manière radicale. Totalement dénudées, les collines superbes faisaient pitié. La décision politique de tout reboiser prit corps à partir de 1968. On embaucha des centaines de paysans qui logèrent sur place (bâtiments tout en longueur qu'on voit en arrivant) et finirent par constituer une petite communauté. Les arbres ayant poussé, les autorités décidèrent de transformer le secteur en une sorte de station touristique proche de l'idée qu'on peut se faire de l'« éco-tourisme ». En 1985, 50000 ha furent déclarés réserve de la biosphère et, en 1994, un hôtel assez luxueux vit le jour, le *Moka,* tout près d'un grand lac artificiel bourré de truites. On tenta ensuite d'y faire venir les touristes (ce qui fut plus difficile) en proposant des activités nature.

Cela dit, peu de monde semble connaître l'endroit, ce qui était prévu à l'origine pour l'amateur de tourisme vert ne fonctionne visiblement pas aussi bien que prévu. Tout ça tourne un peu au ralenti, ce qui permet d'être tranquille, après tout. Mais pour ceux qui ont le temps, une cinquantaine de plantations en ruine sont à visiter dans la région. Comme l'hôtel est très cher, ceux qui veulent faire une halte ici essaieront d'arriver tôt et de passer simplement la journée sur place. Pour info, le coin abrite le *zunzuncito,* le plus petit oiseau du monde. Peu de chance de le repérer donc.

■ ***Station-service Cupet :*** à la sortie du village en direction de Soroa.

Où dormir ? Où manger ?

Pas vraiment de choix, parfois la possibilité de dormir chez l'habitant. Se renseigner au péage, en arrivant.

Camping

▲ ***El Taburete :*** au bord du río San Juan. Accessible par une route, à gauche avant l'hôtel *Moka* (virage à 90°). Ouvert toute l'année. Compter 5 US$ par personne. Une cinquantaine de cabanons plus que rudimentaires pour 2 et 4 personnes, en pleine forêt. Aucun confort et aucune hygiène, mais c'est très très bon marché. En hiver, c'est désert, mais vous avez des chances de côtoyer les Cubains en vacances pendant les mois les plus chauds. La piste de danse fonctionne le week-end pour qui veut créer des contacts ! On y loue également des chevaux pour une balade de 2-3 h sur la montagne du *Taburete* où le Che s'est rendu avec ses troupes avant son départ en Bolivie.

Plus chic

☗ |●| ***Hôtel Moka :*** prendre à gauche avant d'arriver au lac. ☎ 24-37-39 et 40. Pour les réservations : ☎ 204-37-39 (La Havane). Fax : 204-53-05. • reservas@commoka.get.tur.cu • Compter 90 à 105 US$ pour 2 selon la saison, ce qui n'est pas donné même si le confort est excellent. Bien meilleur marché si l'on réserve depuis une agence en France. Noyé dans la végétation tropicale, un très bel hôtel au charme néo-colonial, construit en 1994 autour d'un arbre *algarrobo* ! L'architecte des lieux n'est autre que le ministre du Tourisme en personne. En tout cas, il ne manque pas de goût. Quelque 25 chambres au grand calme, très confortables, toutes avec balcon privé et salle de bains donnant sur la verdure. AC, TV, téléphone international et salle de bains avec baie vitrée pour contempler le jardin depuis sa baignoire... Le pied ! Surplombant le jardin, une splendide piscine avec bar. Cher, on s'en doute, mais ça vaut largement le coup si vous avez les moyens... Deux restos dont l'un fait *parillada* (au bord de la piscine), et un autre à l'intérieur (poulet grillé, langouste, crevettes...). Plein d'activités sur place : tennis, cheval (5 US$/h) et randonnées dans la réserve. Réservez dès votre arrivée. Cartes de paiement acceptées.

– À droite, juste après l'entrée-péage, on aboutit à une jolie terrasse où les ruines d'une demeure ayant appartenu à un planteur de café ont été transformées en resto, le ***Buenavista.*** Menu assez cher : 13 US$. Dans l'assiette, le *pollo brujo,* la spécialité de la maison. À la carte, on peut s'en tirer avec des plats autour de 6 US$. De là, quand les arbres n'étaient pas si hauts, on pouvait voir les deux côtés de l'île car on se trouve à l'endroit le plus étroit de l'île.

À faire

➢ ***Balade sympa et baignade extra :*** départ du village de Las Terrazas (près du rodéo, en allant vers l'entrée de l'hôtel *Moka*), prendre la route sur la gauche. Faire environ 3 km au milieu des douces collines d'El Salón et d'El Taburete. On ne peut pas se tromper, la route suit un gros tuyau métallique. Au bout, petit parking. De là, sentier aménagé le long de la rivière San Juan. Très rapidement, on découvre de belles piscines naturelles creusées par les rapides de la rivière et dans lesquelles on plonge sans hésitation. Humm ! Qu'elle est bonne et claire ! Évitez d'y aller le week-end. Les Cubains viennent en famille pique-niquer et le lieu perd beaucoup de sa tranquillité naturelle... Sur place, petite cafet' pour déjeuner et quelques cabanes rustiques (11 US$ la nuit pour deux).

➤ *DANS LES ENVIRONS DE LAS TERRAZAS*

ANGERONA

À 46 km à l'ouest de La Havane. Sortir de l'A4 à Artemisa, puis prendre la route sur la gauche et rouler environ 7 km. Pas de panneau. Prendre la piste à gauche, signalée par des piliers de pierre carrés et s'engager dans les champs de canne. Emprunter le chemin de terre, c'est au bout, à environ 700 m.

Angerona n'est pas un village mais une ancienne plantation de café, complètement ruinée, fondée en 1820 par un Franco-Allemand marié à une Haïtienne. Cette plantation, qui employait plus de 500 esclaves, fut la deuxième du pays en importance. Plusieurs films y furent tournés, dont *Le Siècle des lumières,* tiré du fameux roman historique d'Alejo Carpentier. Pourtant, l'endroit semble inconnu des touristes mais aussi de beaucoup de Cubains, ce qui pose parfois quelques problèmes pour trouver son chemin. Vous serez donc seul à profiter de la quiétude des lieux.
Le gardien de la plantation vous servira de guide, si vous parvenez à le rencontrer. La maison de maître, qui devait être luxueuse, a brûlé. Il n'en reste que quelques ruines, soutenues par de grosses colonnes. Dans le fond, la maison avec une tour était le dortoir des esclaves. Ceux qui sont morts sur place sont enterrés derrière, dans un cimetière enfoui sous la végétation...

SOROA

IND. TÉL. : 85

Agréable village de villégiature perdu dans la verdure, au pied des montagnes. Également à l'écart de l'autoroute La Havane-Pinar del Río, à la hauteur de Candelaria. Luxuriante et exubérante, la nature est la seule maîtresse des lieux et règne sur ce havre de paix et de verdure, réputé pour sa cascade et son jardin botanique. De jolies balades à faire dans le secteur.
Pour la petite histoire, la ville doit son nom à un propriétaire terrien français qui, comme d'autres, s'installa ici après avoir fui Haïti lors de la Révolution (issue de la Révolution française). Il planta du café et fit fortune. Comme à Las Terrazas, nombreuses ruines de plantations dans le coin, à découvrir accompagné. C'est aussi l'occasion d'enrichir ses connaissances sur la flore et la faune locales.

Comment y aller ?

➢ ***De Las Terrazas :*** il est préférable de prendre la route à l'intérieur du parc et de ressortir par l'autre côté. Si vous rencontrez quelqu'un, faites-vous confirmer le chemin car il n'y a aucune indication. Paysages saisissants, noyés dans une abondante végétation tropicale. L'état de la route, par contre, est assez mauvais.

Où dormir ? Où manger ?

☗ |●| ***Mayra's room :*** sur la gauche en venant de Las Terrazas. C'est à côté de l'école et de l'ancienne église. Compter 25 US$ la chambre double. Repas à 7 US$ environ et petit dej' à 2 US$. Les propriétaires proposent une chambre sommaire avec salle de bains en sous-sol.

☗ |●| ***Villa Soroa :*** au centre de la station, c'est la seule bâtisse. ☎ 85-35-34 ou 85-35-12. • tomas@hvs.pr.minez.cu • Chambres doubles entre 43 et 52 US$. Au resto, compter entre 5 et 8 US$ le plat. Le seul hôtel de Soroa, à l'architecture genre motel des années 1960 standardisé. Il fait partie de la chaîne *Horizontes.* Les bungalows en béton sont répartis autour de la jolie piscine, dans le jardin. Chambres simples, très propres, mais à la climatisation ronflante. AC, douche et frigo. Le service laisse parfois à désirer. Au resto *El Centro,* plats assez bon marché, notamment les spaghetti à la bolognaise, le poulet et le cochon. Pas très copieux, mais cuisine correcte. Organisent des balades en forêt (compter 6 US$ par personne). Se renseigner à la réception.

|●| ***El Salto :*** situé au point de départ de la randonnée pour la cas-

cade. Ouvert toute l'année de 9 h à 16 h. Menus entre 5 et 8,4 US$. *Pollo* ou *bistec de cerdo* entre 3 et 5,5 US$. Un resto sous une paillote, sympa et vivant. Animé par des artistes et artisans locaux. Cuisine assez ordinaire proposant pâtes et crevettes. On est à quelques mètres seulement de la piscine d'eau sulfureuse, ce qui fait de ce resto stratégique le QG du village ! Billets pour l'accès à la cascade en vente au restaurant.

I●I *El Castillo de las Nubes :* à 2 km au-dessus du jardin botanique. Ouvert de 12 h à 16 h. Compter moins de 10 US$, ce qui est déjà pas mal. Une fois arrivé là-haut, vous ne pourrez pas le manquer : cet étrange château hyper-kitsch en pierre domine le village. Il paraît presque abandonné. Il ne fait que resto, pas hôtel. Poulet et cochon à prix modiques. Dommage, l'intérieur est assez lugubre alors que la vue sur la vallée est extra.

À voir. À faire

Inutile de se disperser : tout est concentré au même endroit. On vous conseille de laisser votre véhicule au restaurant *El Salto* (en échange d'un petit billet vert, évidemment).

Le jardin botanique *(orquideario)* **:** à l'entrée du village, sur la gauche. Ouvert en général tous les jours de 9 h à 16 h ; le dimanche, horaires réduits. Entrée : 3 US$. Visites guidées uniquement. Ce jardin fut créé sur la propriété d'un avocat d'origine espagnole, qui voulut rendre hommage à sa fille décédée qui adorait les orchidées. C'est son jardinier japonais qui élabora la plupart des croisements qu'on voit ici. Très belles variétés d'orchidées (plus de 700) sur quelques hectares. Elles sont admirables en novembre ou décembre, car c'est le moment de la floraison. Moins intéressant entre mai et octobre.

La cascade de l'Arc-en-Ciel : départ du resto *El Salto,* au bord de la route, de l'autre côté du jardin botanique. Entrée : 3 US$ (*refresco* inclus). Compter 10 mn pour l'aller, un peu plus pour le retour (ça monte !). On l'appelle ainsi car vers 9 h du matin, quand il y a du soleil, un arc-en-ciel apparaît. Belle chute d'eau de 22 m de haut, mais évitez d'y aller le week-end si vous voulez avoir une chance de vous baigner peinard au pied des chutes. Exagérément cher pour une cascade somme toute assez banale...

La piscine d'eau sulfureuse « Baños Romanos » : située sur la gauche avant le départ pour le mirador. Autour de 10 US$ l'entrée + le massage, négociables. Bassin de 2 m sur 3 construit en 1945. Son eau possède des vertus thérapeutiques contre les rhumatismes et l'arthrite. L'insolite et sensuel Pedro, spécialiste de médecine chinoise, vous initiera à ses massages à l'hygiène douteuse mais aux bienfaits psychologiques incontestables !

➢ ***Promenades :*** demander au personnel de l'hôtel de vous conseiller les meilleurs coins. Une balade sympa consiste à se rendre au ***mirador,*** que l'on atteint à pied en 30 mn environ. Elle débute depuis le parking du restaurant *El Salto.* Beau panorama, on s'en doute. Possible d'y aller à cheval. On les loue sur le parking. Compter 3 US$ l'heure.

SAN DIEGO DE LOS BAÑOS

IND. TÉL. : 7

Petite bourgade thermale au bord d'un fleuve, sans grand charme, avouons-le. Seuls les acharnés du Che s'y arrêteront pour visiter la grotte où il s'est réfugié pendant la crise des missiles en 1962, *La cueva de los Portales.*

¶¶ ***La cueva de los Portales :*** à environ une petite quinzaine de kilomètres de San Diego de los Baños, vers le nord-ouest, en empruntant la route de San Andres. Un *campissimo* a été installé à proximité, suivre les panneaux indicatifs. Peu de Cubains connaissent l'existence de cette grotte pourtant classée Patrimoine national. Ouvert de 8 h à 17 h en général. Entrée : 2 US$. Le gardien qui vous accompagnera certainement à l'intérieur pourra vous fournir quelques explications.
Grotte immense, cachée dans la végétation. Un cours d'eau passe sous l'entrée, en forme d'arche ! Le site est assez étonnant, avec, en musique de fond, les bruissements de la jungle. À l'intérieur, la voûte, très haute et en forme d'accolade, est agrémentée d'énormes stalactites. Cette grotte était déjà un site touristique dès la fin des années 1950. C'est d'ailleurs en la visitant en tant que touriste que le Che eut l'idée de s'y réfugier au moment de la crise des missiles en 1962. Il ne pouvait pas trouver meilleure cachette ! Les missiles, quant à eux, étaient dissimulés non loin. Le Che se servit de la grotte comme base stratégique et refuge pour son commandement. Une trentaine d'hommes et lui-même y séjournèrent 45 jours, reliés à Fidel par une radio. Au centre, le réservoir d'eau. De petits escaliers permettent de gagner des grottes plus petites, des petites terrasses naturelles. Sur l'une d'elles, une table de pierre où le Che écrivait. Dans un recoin, vous pourrez voir une minuscule casemate en parpaing et ciment, littéralement brut de décoffrage : c'était le quartier général du Che ! On y trouve encore un lit de fer pour son adjudant, un vieux matelas et son bureau. Tout au fond, dans un mini-boyau de la grotte, son lit de camp. Petit point de stratégie militaire : il peut apparaître curieux que le Che ait choisi un cul-de-sac pour dormir, en cas d'attaque ennemie. C'est mal connaître l'homme : le fond de cette grotte possède, dit-on, un passage secret !

LE TRIANGLE DU TABAC : VUELTA ABAJO

Pinar del Río, le village de San Luis et celui de San Juan y Martinez sont les 3 points qui délimitent le triangle du Tabac (région de Vuelta Abajo), où se trouvent les meilleures terres à tabac de Cuba... et par conséquent du monde !
Ici vivent les *vagueros,* dans les plantations de tabac. Celles-ci sont l'objet de tous les soins, car, en ce lieu, on produit surtout des *capas,* c'est-à-dire l'enveloppe du cigare. Ces feuilles doivent être absolument impeccables, sans trous, sans défaut, sinon, il faut les jeter, tout simplement. C'est pourquoi les plants sont recouverts par de vastes moustiquaires blanches qui protègent la récolte des insectes mais aussi du vent et du soleil qui assèchent les feuilles. L'enveloppe du cigare doit posséder une couleur uniforme, une grande solidité mais aussi une bonne élasticité (obtenue durant le séchage, grâce au taux hygrométrique idéal de la région). Imaginez Naomi Campbell ou Brad Pitt habillés avec des serpillières ! Impossible ! Eh bien, ici, on fait de la haute couture du cigare.
La plantation s'effectue à partir d'octobre, la récolte trois mois plus tard. Les feuilles sont alors délicatement cueillies, une par une, en commençant par le pied de la plante. Ensuite, jusqu'à la bouche du fumeur, il faudra 162 opérations différentes pour la réalisation d'un cigare, entre le séchage (les feuilles sont suspendues pendant 2 à 3 mois dans la *casa de secado*), la fermentation dans des caisses en feuilles de palmier royal (durant 1 mois) et le travail en manufacture. Une fois traitées, les feuilles de tabac sont envoyées à La Havane où sont fabriqués les cigares : d'où leur nom... Pour votre info, 80 % des terres sont privées mais seul l'État peut acheter le tabac aux planteurs. (Lire aussi le paragraphe consacré au cigare dans les « Généralités ».)

À voir. À faire

– ***Visiter une plantation de tabac,*** pardi ! En général, à chaque arrêt, on vient vous proposer la visite d'une plantation ou *casa de tabaco*. C'est surtout intéressant à l'époque de la récolte, entre octobre et mars.

En vous promenant dans la région, vous arriverez immanquablement à ***San Juan y Martinez,*** à 21 km au sud de Pinar, par la route principale. Village coloré, pas touristique pour un sou, typique de la région, avec son alignement de maisons à colonnes. À l'entrée, un grand panneau vous prévient : vous êtes sur « La tierra del mejor tabaco del mundo ». Pas besoin de traduction... Certaines plantations sont célèbres, comme celle de *Hoyo de Monterrey,* fondée en 1860, située avant San Juan en venant de Pinar del Río. À l'entrée du village, des gamins ont l'habitude de faire des signes aux voitures, pour montrer que leurs pneus sont dégonflés. Il s'agit seulement d'une astuce pour que les voitures s'arrêtent et qu'ils puissent proposer des services en tout genre.

Finca El Pinar *(plantation d'Alejandro Robaïna)* ***:*** sur la commune de ***Barbacoa.*** De Pinar del Río, faire environ 13 km sur la route de San Juan y Martinez (surveiller le compteur). Puis prendre à gauche (pas de panneau, mais il y a une cafétéria à l'angle de la route, côté gauche). De là, il faut vraiment demander car vous allez croiser un tas de chemins et on ne sait jamais lequel prendre (c'est sur la gauche puis à droite). Dur de s'en sortir sans demander son chemin, mais attention à ne pas vous faire racoler par les malins qui sévissent dans le coin en quête de routards paumés. Vas-y que je déboule à l'improviste et te vends des cigares détournés (gare à la douane !). Ne vous laissez pas berner par le pseudo-ingénieur de la plantation prêt à vous rendre mille services... Mais on ne vous refusera pas un conseil, même gratuit ! Ouvert de 9 h à 17 h environ. Fermé le dimanche. Entrée : 2 US$. Visite guidée (possible en français).
L'une des plantations les plus célèbres, après avoir été récompensée à plusieurs reprises par le gouvernement depuis les années 1990 pour la « meilleure récolte ». Alejandro Robaïna est un vénérable patriarche, considéré comme une légende vivante non seulement à Cuba mais aussi dans le petit monde fermé des amateurs de cigares. Il possède cette plantation (une des plus belles de la région) et est aujourd'hui le seul planteur vivant à qui l'État a permis que son nom soit donné à une marque de cigares, et ce depuis 1997. La consécration pour cette lignée de planteurs qui perdure depuis 1845 !
Les 16 ha de plantations permettent de produire de 6 à 8 millions de cigares à l'année. Durant la visite, on découvre les serres où pousse le tabac, protégé par des bâches, les séchoirs, la maison de famille, avec ses nombreux souvenirs et ses photos. Sont passées en revue les différentes étapes de la vie du cigare, de la semence au cendrier. Un travail si méticuleux et entièrement manuel force l'admiration. Dans les séchoirs, on observe que les feuilles de tabac ont été cousues une à une sur les barres. Sur chacune, 110 à 120 feuilles de tabac. Quand on pense que certaines ouvrières en confectionnent jusqu'à 80 par jour, on imagine le travail ! Les cigares sont vendus à l'exportation sous la marque familiale, mais la famille n'a pas le droit d'en vendre puisque toute la production est achetée par l'État. En revanche, on en trouve dans toutes les boutiques officielles. Demandez au *torcedor* de vous faire une démonstration de roulage et de vous montrer les objets qu'il parvient à faire avec des feuilles de tabac (mesdames, détournez les yeux !). Avec un peu de chance, vous aurez droit à la chaleureuse accolade d'Alejandro, ce timbré du cigare : c'est le seul avec Fidel à avoir un timbre à son effigie.

PINAR DEL RÍO

IND. TÉL. : 82

De La Havane, après 180 km d'autoroute, on arrive à Pinar del Río, la capitale de la province du même nom, autrement dit le centre économique de l'une des terres les plus chouchoutées du pays, la terre du précieux tabac. La ville est fébrile et bourdonnante. On avait presque oublié la civilisation ! On est aussi content de la visiter que de la quitter après une petite journée. Le centre n'est qu'effervescence et désordre. Pas évident de se repérer dans ce labyrinthe. Les maisons, peintes dans des teintes multicolores, sont garnies de colonnades néo-classiques. Le problème, c'est qu'on n'a pas vraiment envie d'y séjourner quand on sait qu'il y a de merveilleuses adresses dans les environs, bien au calme, notamment à Viñales, à seulement 25 km. En résumé, on n'y viendrait donc pas passer sa nuit de noces, mais pour les fêtards, c'est la seule ville du coin qui bouge.

UN PEU D'HISTOIRE

La ville est en fait assez récente puisqu'elle ne se développe qu'au XIXe siècle, période à laquelle certains descendants de pirates se sédentarisent dans le sud de la province. Pinar se couvre alors d'édifices pompeux cherchant à singer le style néo-classique des autres grandes villes et, bien sûr, de La Havane. Un somptueux théâtre voit le jour. La ville est rapidement surnommée la Cendrillon de Cuba car tout le monde profite d'elle (de sa terre fertile), s'enrichit, mais repart investir ses revenus ailleurs. Ainsi, au cœur de la principale région de cultures de tabac, il fallut attendre 1965 pour que la ville ait sa propre manufacture de cigares. Un comble pour la 3e province du pays. Rappelons que pratiquement toutes les feuilles de tabac qui entourent les cigares, et qui doivent être absolument sans défaut (les *capas*), poussent ici ; elles représentent 70 % du prix d'un cigare. C'est dire si la région revêt une grande importance économique.

Tiens, le célèbre chanteur Willy Chirino est originaire de Pinar (il vit aujourd'hui à Miami). De même, Omar Linares, grand champion de base-ball, qui refusa les 40 millions de dollars proposés par les Américains pour jouer dans leur ligue. C'est ce qu'on appelle un soutien indéfectible à la Révolution !

Adresses et infos utiles

- Poste
- Gare ferroviaire
- Gare routière
- 1 Banco Financiero Internacional
- 2 Banco de Credito y Comercio
- 3 Station-service Cupet
- 4 Courrier électronique
- 11 Havanautos, Transtur, Micar et parking

Où dormir ?

- 10 Casa Colonial
- 12 Marie Julie & Robert
- 13 Reynaldo Camejo Macia
- 14 Dilma Gomez-Rodriguez
- 15 Hôtel Pinar del Río

Où manger ?

- 20 El Mesón
- 21 Rumayor
- 22 La Casona

Où boire un verre ? Où sortir ?

- 21 Cabaret Rumayor (Arcaires)
- 31 Plaza de la Revolución
- 32 Café Pinar

À voir. Achats

- 40 La manufacture de cigares Francisco Donatien
- 41 La casa de Garay

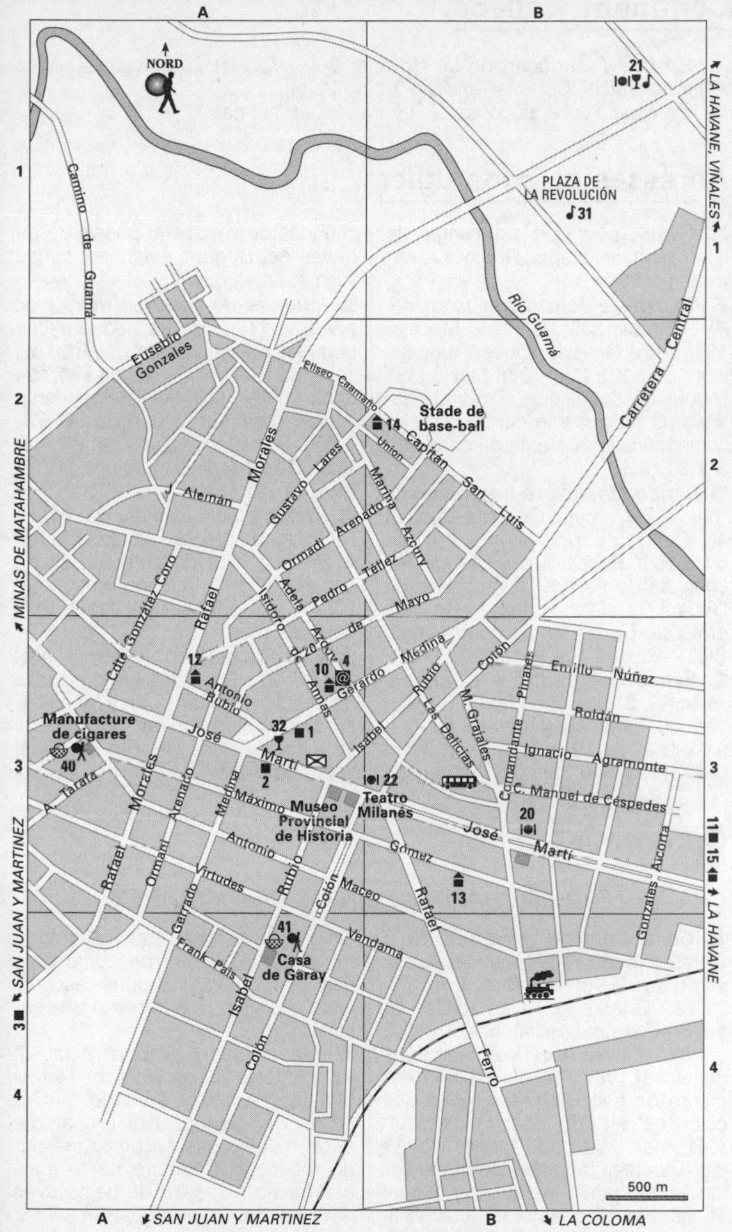

PINAR DEL RÍO

Comment y aller?

➢ ***En bus :*** au départ de La Havane. Voir « Quitter La Havane ». Avec *Astro* ou *Viazul*. Compter environ 3 h de trajet.
➢ ***En train :*** on le déconseille. Le trajet n'en finit pas.

Adresses et infos utiles

✉ ***Poste*** *(plan A3)* **:** à l'angle de José Martí et Isabel Rubio. Ouvert de 8 h à 20 h.
@ ***Courrier électronique*** *(plan A3, 4) : Etecsa,* calle Gerardo Medina, 137, angle Delicias. Ouvert tous les jours de 8 h à 22 h. Compter 6 US$ l'heure de connexion. Trois ordinateurs. C'est aussi le centre de télécommunications. Vente de cartes de 5 à 20 US$.
■ ***Banco Financiero Internacional*** *(plan A3,* ***1****)* **:** calle Gerardo Medina, 46. Ouvert du lundi au vendredi de 8 h à 15 h. Possibilité de changer les chèques de voyage et de retirer de l'argent liquide avec les cartes *Visa* et *MasterCard.* Pas de commission. Plus efficaces que le suivant.
■ ***Banco de Credito y Comercio*** *(plan A3,* ***2****)* **:** av. José Martí, 32. Ouvert du lundi au vendredi de 8 h à 12 h et de 13 h 30 à 15 h 30 et un samedi sur deux. Change les chèques de voyage et possibilité de retirer de l'argent avec les cartes *Visa* et *MasterCard.*
■ ***Loueurs de voitures*** *(hors plan par B3,* ***11****)* **:** les trois loueurs se trouvent à l'hôtel *Pinar del Río,* av. José Martí (voir « Où dormir ? »), soit dans l'hôtel, soit sur son parking. *Havanautos* (sur le parking ; ☎ 78-015) ; *Transtur/Rent a Car* (☎ 78-278) ; *Micar* (sur le parking ; ☎ 75-50-70 à 74).
■ ***Parking*** *(hors plan par B3,* ***11****)* **:** à l'hôtel *Pinar del Río,* av. José Martí. À 5 mn à pied du centre. Parking payant : 1 US$. Solution pratique et sûre pour déambuler l'esprit libre dans les rues.
■ ***Stations-service*** *(hors plan par A4,* ***3****)* **:** *Cupet* à 1 km de la ville en direction de San Juan y Martinez, sur la droite. Également *Oro Negro* à la sortie de Pinar del Río en allant vers La Havane.

Où dormir?

CHAMBRES CHEZ L'HABITANT (CASAS PARTICULARES)

🏠 ***Casa Colonial*** *(plan A3,* ***10****)* **:** Gerardo Medina, 67, entre A. Azcuy y Isidoro de Armas. ☎ et fax : 75-31-73. Chambres avec salle de bains privée et ventilateur à 15 US$ et 20 US$ avec AC (TV et frigo dans certaines). Voici ce qui fut une demeure de belle noblesse, avec des colonnes et des chapiteaux sculptés, mais la façade bleue est aujourd'hui bien fatiguée. Un grand salon et un jardin serein sur lequel donnent les 8 chambres, tout à fait correctes. Une nouvelle loi autoriserait les propriétaires à n'en louer que deux. Tenue impeccable. Un vrai petit charme et beaucoup de simplicité. On prend ses repas sous la véranda au milieu du jardin, en compagnie des perroquets. Patronne accueillante. Parking. Une adresse très satisfaisante.
🏠 ***Marie Julie & Robert*** *(plan A3,* ***12****)* **:** Antonio Rubio, 70, entre Rafael Morales y Osmani Arenado. ☎ 74-92-42. Compter 20 US$ la chambre si on n'arrive pas accompagné par un rabatteur. Chambre petite mais gaie, avec AC, salle de bains avec eau chaude. On entre par un joli salon où un aquarium fait office de déco. Mais la vraie merveille, c'est la moto de Roberto, sacré motard. Au pied de l'escalier, ce sont de rigo-

lotes tortues qui pataugent dans la fontaine ! Terrasse bien agréable. Quant aux repas, ils ont déjà régalé plus d'un routard !

- ***Reynaldo Camejo Macia*** *(plan B3, **13**)* **:** Máximo Gómez, 180, entre Nueva y Pinares. ☎ 77-98-04. • mabel@princesa.pri.sld.cu • Chambre à 20 US$ avec salle de bains indépendante. Une maison coloniale verte avec une chambre assez sombre, compensée par la gentillesse de l'accueil. Gros atout : on dispose de l'ensemble de la maison quand la gentille propriétaire préfère dormir chez sa mère. TV, vidéo et cuisine à disposition.
- ***Dilma Gomez-Rodriguez*** *(plan B2, **14**)* **:** calle Union, 5, entre Herriman y Carmen. ☎ 75-32-42. Si vous ne trouvez pas, demandez le stade de base-ball, c'est tout contre. Encore une chambre sympathique et vraiment bien entretenue ! Le dessus-de-lit en satin rose avec un cœur rose bonbon est vraiment touchant. Un bon confort : AC, salle de bains indépendante et même un garage. On y prend aussi ses repas, à la demande.

HÔTELS

De prix moyens à plus chic

- ***Hôtel Pinar del Río*** *(hors plan par B3, **15**)* **:** au bout de l'av. José Martí. ☎ 75-50-70 à 74. À l'entrée de la ville en venant de La Havane. Compter 38 US$ la chambre double (avec petit dej') et 10 US$ de plus pour les bungalows, qui donnent sur la piscine. Le plus grand hôtel de la ville, aussi haut que moche, avec près de 150 chambres et quelques bungalows. Bâtisse moderne, sans le moindre charme. Seul intérêt : la piscine, grande et agréable quand elle n'est pas bondée. Chambres fonctionnelles sans surprise, avec petit balcon, téléphone, AC, TV et douche. Attention, ne pas choisir les chambres au-dessus de la piscine car la boîte de nuit se trouve juste en dessous ! Vraiment pas l'hôtel le plus aguichant, à ceci près que se côtoient touristes et Cubains et que les étudiants de l'université, en face, ont l'habitude de côtoyer les lieux. Sur place, pizzeria, *parillada* sous les paillotes le long de la piscine, cafétéria. Bref, le gros complexe, quoi !

Où dormir dans les environs ?

- ***Villa Aguas Claras*** **:** route de Viñales, au km 7,5. ☎ 77-84-27. Bungalows doubles à 42 US$ avec AC, petit déjeuner inclus. Sans conteste le meilleur endroit où loger si on ne réside pas à Viñales (à 18 km). On dort dans des bungalows de brique, tous avec terrasse, espacés les uns des autres dans un magnifique jardin fleuri, plein de manguiers et de palmiers en surplomb de la piscine. Cette dernière est grande, avec solarium et bar. Chambres simples, très correctes et propres, avec douche. Choisir de préférence celles qui donnent sur la piscine, au même prix. Resto sur place. Nombreuses activités proposées au bureau d'infos : excursions, équitation (3 US$/h), cours de salsa, etc.

Où manger ?

Bon marché

– De petites ***confiterías*** proposent beignets et autres croquettes. Payables en pesos. À vos risques et périls !

L'OUEST DE CUBA

🍽 ***La Casona*** *(plan A-B3,* ***22****)* **:** à l'angle de Martí et Colón, face au théâtre. Ouvert de 11 h à 23 h. On y mange pour 3 US$ avec une bière. Resto central avec tables et bancs en bois, où se côtoient Cubains et touristes. Atmosphère chaleureuse. Poulet et plats de spaghetti. Pas ruineux mais ne pas s'attendre à des merveilles. Service long et désinvolte.

Prix moyens

🍽 ***El Mesón*** *(plan B3,* ***20****)* **:** José Martí, 205. ☎ 75-28-67. En face du museo de Ciencias naturales (palacio Guasch). Ouvert de midi à 22 h 30. Fermé le dimanche. Compter entre 6 et 8 US$ le menu complet. Petite salle avec quelques tables. Rien de particulier, mais la cuisine est bonne et copieuse, et l'ambiance familiale. Porc et poisson selon l'arrivage. Un endroit très fréquenté par les Cubains.

🍽 ***Rumayor*** *(plan B1,* ***21****)* **:** sur la route de Viñales. ☎ 76-30-07 ou 75-28-07. À 2 km du centre de Pinar, face à l'hôpital militaire. Ouvert tous les jours de 12 h à 22 h. Plats autour de 3 US$. Grande maison typique en bois, au toit de palme. Entrée superbe, décorée de mystérieux masques afro-cubains utilisés dans les cérémonies de *santería*. Plats bon marché mais peu de choix. Goûtez la spécialité de la maison : le poulet fumé *(pollo ahumado)*. Ne pas s'y tromper, c'est d'abord un endroit réputé pour sortir le soir, et le vaste resto est bien vide quand il n'y a pas d'affluence, même le soir ! (Voir « Où sortir ? »)

– Évitez le *Marino* : mauvaise cuisine et accueil antipathique.

Où boire un verre ? Où sortir ?

Si Pinar del Río n'a pas le charme de Viñales, elle bouge pas mal le soir...

🍸 ***Café Pinar*** *(plan A3,* ***32****)* **:** Gerardo Medina, non loin du glacier *Coppelia*. Lieu de prédilection des *jineteras*. On y dansait jusqu'au bout de la nuit, mais il n'ouvre désormais ses portes que pendant la journée. On peut y prendre un verre, mais il n'y a pas grand monde. Le resto, caché au fond dans une petite salle, ne présente aucun intérêt.

🍸 ♪ ***Cabaret Rumayor*** *(Arcaires ; plan B1,* ***21****)* **:** sur la route de Viñales (voir « Où manger ? »). Entrée : 5 US$. Show tous les soirs à partir de 23 h, sauf le jeudi. Spectacle afro-cubain en plein air (musique et danse), dans un cadre magnifique, très verdoyant, avec des bouquets de bambou. On peut entrer dès 21 h pour boire un verre. Fait disco après le spectacle. Très réputé. Et de fait, c'est l'un des meilleurs endroits nocturnes de Pinar. Au bar, on peut aussi acheter des bouteilles de rhum, bien agricole, pour un prix défiant toute concurrence : 1,5 US$, payables également en pesos.

♪ ***Plaza de la Revolución*** *(plan B1,* ***31****)* **:** tous les soirs dès 21-22 h, on y guinche jusqu'à épuisement, d'autant plus que le lieu, en plein air, est gratuit. Les rythmes latinos fusent, crachés par les haut-parleurs. Consommations à régler en pesos.

À voir

👁👁 ***La manufacture de cigares Francisco Donatien*** *(plan A3,* ***40****)* **:** calle A. Maceo, 157. Ouvert du lundi au vendredi de 9 h à 16 h ; le samedi, de 9 h à 12 h. Fermé le dimanche. Entrée : 5 US$. Visite guidée en espagnol ou en anglais, parfois en français.

Cette petite fabrique, bien plus modeste que celles de La Havane, a été installée dans une ancienne prison, et fut ouverte en 1961. Elle porte le nom d'un révolutionnaire qui combattit Batista. On y voit tout le processus de fabrication. Une armée de femmes roulent les cigares ; ce sont les *torcedores*. Bien entendu, à la fin de la visite, un passage à la boutique est prévu (voir la rubrique « Achats », plus bas).

La casa de Garay *(plan A4, **41**)* **:** Recreo, 189, entre Sol y Virtudes. Ouvert en semaine de 9 h à 16 h et un samedi sur deux. Entrée : 1 US$. On visite le petit atelier.
C'est dans cette minuscule usine d'une pièce que se fabrique la *guayabita*, alcool fruité très doux que l'on ne boit qu'à Pinar del Río. Le fruit, la petite goyave, ne pousse que dans la région. Cette boisson est née de l'idée d'un Asturien qui mélangea par hasard la *guayabita* à du rhum. Il vendit la formule à un certain Garay qui la commercialisa et mit au point cette usine en 1892. Tout récemment, l'usine s'est dotée d'une nouvelle machine qui a remplacé le travail manuel. Côté rendement, la production a doublé et est passée à 2400 bouteilles par jour. Pas d'un grand intérêt, mais on vous offre une dégustation. Au choix, du sec (40°) ou du doux (30°), plus sucré mais tout aussi traître ! Pour un p'tit souvenir, on peut rapporter une bouteille (autour de 4 US$).

Le palacio Guasch – museo de Ciencias naturales *(plan B3)* **:** à l'angle de Martí et Cabada. ☎ 76-30-87. Ouvert du lundi au samedi de 9 h à 16 h 30 ; le dimanche, de 9 h à 12 h 30. Entrée : 1 US$.
Étonnant bâtiment à la déco très kitsch, qui hésite entre le néo-baroque et les fantaisies orientales (colonnes grecques, gargouilles en forme d'hippocampes). Le plus fou est encore le jardin intérieur, décoré de dinosaures en béton ! Construite en 1909, cette demeure mégalo était celle d'un riche médecin du nom de Guasch, qui voyageait beaucoup, d'où l'idée du mélange des styles. Il fut ruiné par les travaux entrepris.
Aujourd'hui, c'est un musée de Sciences naturelles assez poussiéreux, kitsch et plein de curiosités bizarroïdes... Mais la star des lieux est un croco de 4,30 m, qui terrorisa la population de Los Palacios pendant 10 ans : tous les poulets et les cochons du village disparaissaient mystérieusement. On l'appelait d'ailleurs « le visiteur nocturne ». Capturé en 1984, il résista vaillamment puis fut abattu. Triste fin.

Le teatro Milanés *(plan B3)* **:** à l'angle de Martí et Colón. En rénovation (depuis plusieurs éditions déjà !). Grand théâtre (plus de 500 places) du XIXe siècle, terminé en 1842, monument principal de la ville. Construit en bois, il fut restauré plusieurs fois et ça ne se voit plus beaucoup (qu'il est en bois). Pour l'anecdote, la bétonnière avait été oubliée à l'intérieur après les derniers travaux : il a fallu casser le mur pour la faire sortir !

Achats

La boutique de la manufacture de cigares Francisco Donatien *(plan A3)* **:** calle A. Maceo, 157. Ouvert du lundi au vendredi de 8 h 30 à 17 h ; le samedi, de 8 h à 12 h. Fermé le dimanche. Vous pouvez acheter ici des cigares maison, mais sachez qu'ils ne sont pas tous d'une grande qualité, puisqu'en partie destinés à la population et en partie à l'exportation (sous la marque Veguero). Ils ne sont pas mauvais pour autant. Simplicité et franchise caractérisent ces modestes vitoles, ce qui comblera les débutants.

La Casa del Rón **:** calle Maceo, à l'angle de Galiano, un peu plus bas que la fabrique de cigares Francisco Donatien. Ferme en fin de matinée le week-end. Dégustation et vente de rhums. Également du café.

QUITTER PINAR DEL RÍO

En bus

Gare routière *(plan B3)* **:** calle Adela Azcuy.
De manière générale, pour aller à l'ouest de Pinar del Río, il n'y a pas ou peu de bus.
➢ ***Pour María la Gorda :*** pas de bus. Seule solution : le taxi (voir la rubrique « Comment y aller ? » dans le chapitre sur cette ville).
➢ ***Pour Viñales :*** 2 bus par jour : 1 avec *Astro* et 1 avec *Viazul*.
➢ ***Pour La Havane :*** 5 bus environ avec *Astro* et 1 avec *Viazul*. Durée du trajet : entre 3 h et 3 h 30. Compter entre 7 et 11 US$.

En taxi

Ils stationnent devant la gare routière. Compter 50 US$ pour María la Gorda et 40 US$ pour vous conduire à La Havane. Valable à plusieurs.

En train

Gare ferroviaire *(plan B4)* **:** calle Ferrocarril, dans le quartier de Jamaica.
➢ ***Pour La Havane :*** train un jour sur deux, à 9 h 30. Arrivée à La Havane « en principe » vers 15 h 30, mais il est toujours en retard... Pour avoir une place, il faut arriver très tôt (vers 7 h 30) et faire la queue. C'est donc presque une journée entière de transport (pour faire 200 km !). Mais évidemment, c'est donné : 7 pesos ! Paiement en monnaie nationale uniquement, même si on a une fâcheuse tendance à vouloir faire aligner les dollars aux touristes. Ce train dessert en chemin plusieurs villes de la province : *Consolación, San Cristóbal, Candelaria, Artemisa* et *Paso Real* (pas loin de San Diego de los Baños).

VIÑALES

IND. TÉL. : 8

Pour arriver au charmant village de Viñales, on traverse la verdoyante vallée du même nom. Quelques images permanentes dans cet univers bucolique : tout d'abord, un paysage d'une splendeur incroyable avec des arbres aux couleurs éclatantes : flamboyants, orangers, bougainvilliers, plants de tabac attirent le regard. Et puis les *bohíos*, ces petites maisons paysannes traditionnelles en bois peint de couleurs joyeuses, au toit de palmes, avec un minuscule bout de véranda devant où le classique rocking-chair s'offre au repos. S'il n'est pas là, le planteur de tabac *(buguero)* est sans doute dans sa *casa de tabaco*, cette haute et curieuse maison au grand toit en V renversé où sèchent les feuilles de tabac qui font vivre des milliers de familles de la région. Sans oublier des charrues à bœufs, les attelages à cheval sans lesquels le tableau serait incomplet et les *macheteros* à l'œuvre dans les plantations de canne à sucre.
De ce paysage intact, paisible et hors du temps, surgissent d'impressionnants monticules : les *mogotes* ! Selon une belle légende locale, ces énormes protubérances sont les piliers d'une gigantesque grotte qui se serait effondrée après l'éternuement d'un dinosaure ! On n'est pas trop loin de la vérité. Il y a quelques millions d'années (au jurassique), alors que le sol était beaucoup plus élevé, les eaux souterraines ont érodé le calcaire, for-

mant d'immenses cavernes ; celles-ci se sont effondrées et n'ont laissé que les parois en roche dur, les *mogotes*. Cette formation géologique très surprenante n'est ailleurs présente qu'en Thaïlande et en Chine. Certains y voient un exemple intéressant de relief karstique, d'autres un spectacle superbe, émouvant et surréaliste à la fois lorsque, au petit matin, ces monts émergent des brumes humides.
Quant au village de Viñales, ses ruelles sont ombragées et colorées, sa placette agréable et dominée par une croquignolette église coloniale. La rue principale se caractérise par une grande unité architecturale. Les maisons basses sont modestes, souvent peintes en rose ou en bleu, et possèdent toutes un perron soutenu par de grosses colonnes. Le tout, populaire, simple et élégant, avec un charme champêtre et baigné d'une étrange douceur de vivre qui flotte dans l'air...
Vous l'avez compris : Viñales est un endroit tout indiqué pour poser son sac quelques jours... voire plus ! D'autant plus que les promenades dans les environs ne manquent pas. D'ailleurs, Viñales est maintenant un parc national et, par conséquent, une zone protégée. Et, pour ne rien gâcher, la population est très accueillante, le climat est plus doux que sur la côte et on y mange mieux qu'ailleurs. Viñales, on adore !

Comment y aller ?

➢ ***En bus :*** depuis le terminal de bus de La Havane. Compter environ 3 h de route (voir « Quitter La Havane »).
➢ ***En voiture :*** depuis l'A4, sortir au km 136. Il reste ensuite une trentaine de kilomètres à parcourir.

Adresses et infos utiles

✉ ***Poste*** *(plan II, B1-2)* **:** calle Fernandez. Ouvert de 8 h à 18 h 30. Fermé le dimanche.
@ ***Internet*** *(plan II, B1)* **:** calle Salvador Cisneros, chez *Cubanacan*. En face de l'église. Ouvert de 8 h 30 à 12 h 30 et de 13 h 30 à 21 h. Carte à 6 US$ pour 3 h de connexion. Si vous ne consommez pas la totalité de votre carte, vous ferez des heureux en l'offrant !
■ ***Téléphone*** *(plan II, B1,* ***3****)* **:** calle Fernandez, en face de la poste. Deux cabines à pièces *(moneda nacional)* et une cabine à carte pour les appels internationaux. On peut acheter les cartes sur place : 5, 10 et 20 US$. Les cartes peuvent aussi s'acheter dans les stations-service et à la poste.
■ ***Station-service Cupet*** *(plan II, B1,* ***2****)* **:** à la sortie du village, en direction de Puerto Esperanza. C'est la seule du village.
■ ***Policlínico de Viñales :*** calle Salvador Cisneros. ☎ 79-33-48. En cas de pépin.
■ ***Location de voitures :*** *Rent a Car,* à côté de la place de l'église, derrière la Maison de la culture. On peut aussi y louer des scooters pour 24 US$ la journée. Tarifs dégressifs. Bonne formule pour sillonner le coin.
■ ***Location de vélos*** *(plan II, B1,* ***4****)* **:** à l'angle de la place principale et de la rue Salvador Cisneros, un monsieur s'installe avec ses VTT rudimentaires : 1 US$ l'heure, tarifs dégressifs. Sinon, demandez à votre logeur qui se fera un plaisir de vous en trouver un. Loue aussi des scooters. Également d'autres loueurs dans la rue principale.
■ ***ADECA*** *(plan II, A1,* ***6****)* **:** Salvador Cisneros, 94. Ouvert de 8 h 30 à 17 h 30 du lundi au samedi et le dimanche de 8 h 30 à 12 h. Propose le meilleur taux de change.
■ ***Banco Popular de Ahorro*** *(plan II, B1,* ***1****)* **:** Salvador Cisneros, 56. Ouvert du lundi au vendredi de 8 h à 12 h et de 13 h 30 à 15 h 30. On peut retirer de l'argent avec la carte *Visa*.

■ ***Banco de Credito y Comercio*** *(plan II, B1,* ***1****)* **:** Salvador Cisneros, 58. Ouvert du lundi au vendredi de 8 h à 12 h et de 13 h 30 à 15 h. Change le liquide et les chèques de voyage, mais retrait possible avec une carte de paiement.

Où dormir ?

Chambres chez l'habitant *(casas particulares)*

Si vous ne pouvez pas vous payer un grand hôtel, l'idéal pour se loger est une chambre chez l'habitant. Pratiquement toutes les maisons du village en proposent, en général une ou deux, qui peuvent souvent accueillir 3 ou 4 personnes, et les prix sont les mêmes quel que soit le nombre de personnes, à savoir entre 15 et 20 US$ la nuit. Vous serez souvent sollicité. *Psst, una habitación!* Impossible d'être ici exhaustifs. À vous de fureter, la truffe en l'air. Bien jeter un œil avant d'accepter. Il faut aussi savoir que même s'il n'y a pas beaucoup de circulation le soir, il est préférable de choisir une maison dans les rues derrière la route principale. Si la *casa particular* que vous avez choisie est complète, nul doute que les proprios vous proposeront une autre maison, chez la tante, la cousine ou le frangin. Vu la concurrence sévère, les propriétaires se donnent un mal de chien pour proposer des chambres vraiment proprettes. Et comme le sourire fait partie du paysage tout autant que le soleil, beaucoup de très bonnes surprises.

🏠 ***Villa Yudi y Emilio*** *(plan II, A2,* ***10****)* **:** *Casa del campesino tabacalero,* calle Sergio Dópico, 36 ; accès également par Salvador Cisneros, 202A. ☎ 79-33-69, chez Maria, la voisine ou par mail auprès du guide *Jesus* • angelsan@cubarte.cult.cu • Compter 15 US$ la nuit, salle de

---

■ Adresses utiles

- ✉ Poste *(plan II)*
- @ Internet *(plan II)*
- 🚌 Station de bus *(plan II)*
- **1** Banco Popular de Ahorro et Banco de Credito y Comercio *(plan II)*
- **2** Station-service Cupet *(plan II)*
- **3** Téléphone *(plan II)*
- **4** Location de vélos *(plan II)*
- **5** Villa La Salsa *(plan II)*
- **6** ADECA *(bureau de change ; plan II)*

Où dormir ?

- **10** Villa Yudi y Emilio *(plan II)*
- **11** Doña Hilda *(plan II)*
- **12** Teresa Martinez Hernandez *(plan II)*
- **13** Regla Paula *(plan II)*
- **14** Villa Dulce Maria *(plan II)*
- **15** Maria Elena Urra *(plan II)*
- **16** Hôtel Las Magnolias *(plan I)*
- **17** Hôtel Rancho San Vincente *(plan I)*
- **18** Hôtel La Ermita *(plan I)*
- **19** Hôtel Los Jazmines *(plan I)*
- **20** Camping Dos Hermanas *(plan I)*
- **21** Casa Campo Alberto Rodriguez *(plan II)*
- **22** La Jutia *(plan I)*
- **23** La Campestre *(plan II)*
- **24** Nery Hernandez Rodriguez *(plan II)*
- **25** Casa Boris y Cusyta *(plan II)*

Où manger ?

- **30** Restaurant Casa de Don Tomás *(plan II)*
- **31** Resto Mural de la Prehistoria *(plan I)*
- **32** Resto El Palenque de Cimarrones *(plan I)*
- **33** Finca San Vincente *(plan I)*
- **34** Cueva del Indio *(plan I)*
- **35** Paladar Villa Nora y Luis *(plan I)*
- **36** Paladar Wilfredo y Zita Rodriguez *(plan I)*

Où sortir ? Où danser ?

- **32** Disco El Palenque de Cimarrones *(plan I)*
- **40** El Patio del Decimista *(plan II)*
- **41** El Viñalejo *(plan II)*

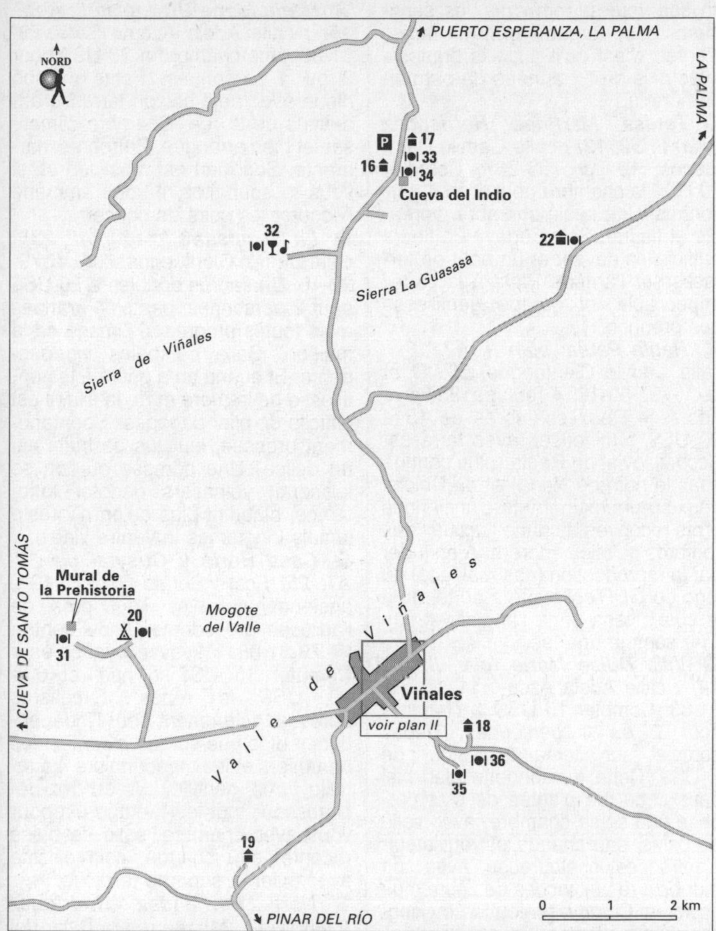

LES ENVIRONS DE VIÑALES (PLAN I)

bains privée, eau chaude. Repas de 6 à 8 US$. Dans le virage à l'entrée de Viñales ; fourche à 100 m, prendre à gauche, et à moins de 100 m, on tombe sur la maison de Yudy et Emilio. Au bord du champ de tabac, au pied des *mogotes,* en pleine nature et pourtant tout près du centre. Accueil incomparable de ces paysans chaleureux qui sont d'une douceur et d'une gentillesse impressionnantes. On peut suivre Emilio et son père lorsqu'ils travaillent aux champs. Yudy prépare aussi d'excellents repas.

Doña Hilda *(plan II, A2,* ***11****)* **:** carretera Pinar del Río, 4. Juste après Nery Hernandez. ☎ 79-56-053. Chambres doubles à 20 US$. Ici, on est dans une affaire de famille : la maison communique directement avec celle de Pitin et Juana. Il y a en tout 4 chambres à louer dans les 2 maisons mitoyennes. L'une est perchée sur le toit. D'un âge mûr mais toujours espiègle, Pitin sait vous prendre par les sentiments et se targue d'offrir un *mojito* d'enfer. C'est qu'il a de la bouteille avec plus de 40 années de barman derrière lui !

Teresa Martinez Hernandez *(plan II, B2, **12**) :* calle Camilo Cienfuegos, 10. ☎ 793-267. Compter 20 US$ la chambre pour 3 ou 4 personnes. Une seule chambre, agréable et fleurie. Salon égayé de fleurs artificielles devant et un bout de terrasse sur l'arrière. Plats à la carte ! Impeccable, et grande gentillesse des proprios.

Regla Paula *(plan II, A2, **13**) :* calle Camilo Cienfuegos, 56. ☎ et fax : 793-60-18. • reglapa1957@yahoo.es • Deux chambres de 15 à 20 US$, lumineuses avec terrasse. Accueil jovial de Regla (plus connue sous le nom de Nena) et de Chichi, deux sœurs exubérantes, anciennes profs reconverties dans l'accueil des routards qu'elles adorent. À en juger par la reproduction (pas mal faite) du logo du *GDR* collé sur la porte, on a la côte ! Nena parle l'anglais et cuisine comme une fée.

Villa Dulce Maria *(plan II, B2, **14**) :* calle Adela Azcuy, 11. ☎ 79-31-83. Compter 15 US$ la chambre pour 2 ou 4 personnes. Repas complet sur demande autour de 7 US$. Cette maisonnette bleu ciel dans cette rue plantée de pins propose une seule chambre, avec salle de bains, eau chaude et ventilateur. L'entrée est chaleureuse, avec son mur bizarre aux taches de zèbre multicolores. Comme partout, le rocking-chair vous attend sous la véranda.

Casa Campo Alberto Rodriguez *(plan II, A1-2, **21**) :* calle Sergio Dopico, 2C. Compter 15 US$. Repas entre 6 et 8 US$. Tout près du centre, et pourtant on est dans la campagne, au milieu de la végétation, au pied des *mogotes* que l'on découvre quand on ouvre les volets de l'unique chambre de la maison. Celle-ci, typique du coin, est construite en bois. C'est l'une des rares qui existe encore. La chambre, munie d'un ventilateur, a 2 grands lits et une salle de bains avec eau chaude. Alberto et Nora sont charmants et servent, en outre, une bonne cuisine.

Maria Elena Urra *(plan II, A-B2, **15**) :* calle Adela Azcuy, 5. ☎ 79-31-83. Une chambre à 20 US$ pour 2 ou 4 personnes. Petite maison bleue avec petit balcon-terrasse au-dessus de la rue. Chambre climatisée et bien arrangée. Patronne charmante. Son mari est musicien et, si vous le souhaitez, il vous emmène l'écouter les soirs de concert.

La Campestre *(plan II, A2, **23**) :* calle Camilo Cienfuegos, 60A. ☎ 79-32-45. Chambres doubles à 20 US$ pour 2 personnes, pas bien grandes mais toutes propres, à l'image de la maison. Salle de bains indépendante. Et quand on a goûté à la gentillesse de la mère et de la fille, il est difficile de plier bagages ! Spontanément proposé, leur jus de fruits est un délice ! Une adresse où l'on se laisserait volontiers dorloter longtemps, d'autant plus qu'on n'y reste jamais longtemps le ventre vide !

Casa Boris y Cusyta *(plan II, A1, **25**) :* calle Sergio Dópico, 19A, anciennement 1A. Tout près de l'adresse précédente et du centre. ☎ 79-31-08. • kusysa@yahoo.es • Compter 15 US$ la nuit, et 6 à 10 US$ le repas. Excellente adresse, notamment pour l'indépendance et la vue sur les *mogotes,* les bananiers et les mandariniers. La famille, très gentille, vit au rez-de-chaussée ; tout le 1er étage est pour vous avec chambre, salle de bains récente, eau chaude, coin cuisine avec évier et superbe terrasse.

Nery Hernandez Rodriguez *(plan II, A2, **24**) :* carretera Pinar del Río, 6. ☎ 79-60-51. À l'entrée du village, côté gauche, en arrivant de Pinar del Río. Compter 15 à 20 US$ pour la chambre, qu'on soit 2 ou 5 personnes. Dîner à 7 US$ par personne. Grande chambre toute rose, très propre, qui peut loger jusqu'à 5 personnes. Une autre est en construction. Eau chaude dans la salle de bains. Accueil gentil des propriétaires et de leur fils Noël, qui se fait un devoir et un plaisir de vous guider dans des excursions diverses. Il a beaucoup de cordes à son arc : spéléo, balades, équitation. Sans parler des repas dont certains gardent un souvenir ému...

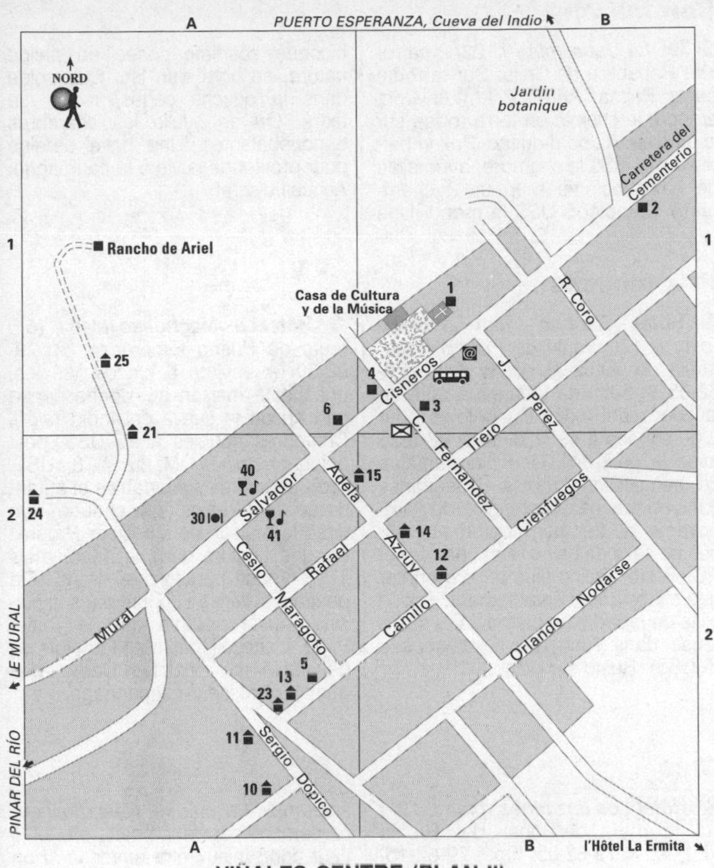

VIÑALES CENTRE (PLAN II)

Où dormir dans les environs?

Camping

Camping Dos Hermanas *(plan I, 20)* **:** un peu avant l'entrée du site du mural de la Prehistoria (voir la rubrique « Dans les environs de Viñales »). ☎ 793-223. Compter 15 US$ pour 2 personnes, ce qui est vraiment trop cher vu l'absence totale de confort et d'hygiène. Petit dej' à 2,5 US$. Ouvert depuis 1996, l'endroit fut inauguré par Fidel. Merveilleusement bien situé, au pied des *mogotes*, en particulier des deux *mogotes* « jumeaux », les deux sœurs, d'où le nom du camping. Un tableau presque bucolique pour une réalité moins féerique. Une cinquantaine de bungalows au confort rudimentaire pour 2 et 4 personnes. Pas d'eau chaude, il faut demander le PQ *(papel de baño)* à la réception, les lits sont un peu durs, l'eau de la piscine super-trouble. Vraiment réservé aux accros du voyage à la dure. Au même prix, si vous voulez vraiment dormir, allez chez l'habitant. Sinon, sachez que le camping est aussi fréquenté par les Cubains qui n'ont pas l'habitude de rester moroses, une fois la nuit tombée...

Bon marché

🏠 🍽 *La Jutia (plan I, 22) :* carretera Republica de Chile. Sur la route de la Palma. Après 2 km environ, prendre le chemin en terre rouge sur la gauche. Au bord du lac. Prix imbattable : 12 US$ la chambre, avec salle de bains commune (pour 2 chambres). Compter 5 US$ le menu. Une bicoque spartiate posée en pleine nature, au bord d'un lac. Eau froide dans la douche certes, mais vue extra. On en oublie les chambres brinquebalantes. Une halte sereine pour profiter de la vie à la campagne. Accueil discret.

Prix moyens

🏠 ***Hôtel Rancho San Vicente** (plan I, **17**) :* route de Puerto Esperanza. ☎ 79-62-01 et 79. Fax : 79-62-65. À 6 km de Viñales, à côté de la cueva del Indio. Bungalows pour 2 personnes à 43 US$ ou à 48 US$ avec le petit dej'. Une cinquantaine de bungalows en bois, disséminés dans un très beau parc orné de flamboyants, de très bon confort et équipés de salle de bains (eau chaude) et AC. Petite piscine plus pour barboter que s'y baigner véritablement. Possibilité de prendre un bain à l'eau sulfureuse dans l'une des 5 baignoires (5 US$). Resto sur place.

🏠 ***Hôtel Las Magnolias** (plan I, **16**) :* route de Puerto Esperanza. ☎ 79-62-80. À environ 6 km de Viñales, une petite maison qui donne sur le parking de la cueva del Indio *(sic !)*. Chambres doubles à 25 US$, petit déjeuner inclus. Menu à 8 US$. Trois chambres confortables et autant de salles de bains (eau chaude). On dirait la maison de Monsieur Propre ! Aucune fioriture dans la déco, mais TV (antenne parabolique) et AC. On peut aussi faire sa popote dans la cuisine, aussi rutilante que le reste. Frigo. L'accueil mériterait toutefois un peu plus de chaleur. Cadre pas génial. Adresse de dépannage.

Chic

🏠 ***Hôtel Los Jazmines** (plan I, **19**) :* sur la route de Pinar del Río à Viñales. ☎ 79-62-05. Fax : 79-62-15. Prendre sur la gauche, 4 km avant d'arriver à Viñales. Bien indiqué. Chambres doubles à 71 US$ avec petit dej'. L'hôtel le mieux situé, construit sur une colline, avec jardin fleuri et piscine. Le concurrent de *La Ermita* (voir ci-après). Mais ici, la vue sur les *mogotes* tout proches est encore plus surprenante, tout simplement admirable depuis la terrasse de la grande piscine. En revanche, les murs commencent à être décrépis et les chambres ne sont pas toutes mirobolantes. Les bungalows qui s'étagent sur les flancs de la colline sont vraiment riquiquis et mal insonorisés. Ne pas être trop regardant. Les chambres du bâtiment annexe (n°s 100 à 300) sont beaucoup plus spacieuses et la vue est tout aussi sidérante. La cuisine n'est malheureusement pas leur point fort, et il vaut donc mieux être motorisé si on veut essayer les restos du village. Vous profiterez de la vue spectaculaire de la salle à manger sur les *mogotes* au petit déjeuner. Randonnées et possibilités de balades à cheval. Bureau sur place.

🏠 ***Hôtel La Ermita** (plan I, **18**) :* au km 2, au sud-est de Viñales. ☎ 79-60-92. Fax : 93-60-69. Au-dessus du village. Prendre la carretera La Ermita (pardi !). Chambres doubles à 65 US$ avec petit déjeuner décevant. Hôtel moderne au style néo-colonial des années 1960, avec ses balcons à colonnes et ses vastes galeries. Il jouit d'une belle situation (on domine toute la vallée), même si le panorama depuis l'hôtel *Los Jazmines* est beaucoup plus envoûtant. Plusieurs longs édifices dans le grand jardin, qui s'intègrent assez bien dans le paysage. Évitez la section ancienne *(Vieja Ermita),* où les chambres sont vétustes. Demandez à loger dans le bâtiment récent *(Nueva Ermita),* nettement mieux : les chambres sont correctes et disposent d'une terrasse individuelle (banale). Les n°s 60 et suivantes jouissent d'une meilleure vue car elles sont à l'étage. En règle générale, la propreté pourrait être améliorée. Le resto s'avère particulièrement décevant. Jugez-en par l'odeur de graillon qui refroidirait le plus gros appétit ! Excursions organisées. Le must : au coucher du soleil, commander un *mojito* au bar de la piscine et le siroter les pieds dans l'eau, les yeux perdus sur les *mogotes*...

Où manger ?

Sans conteste, le moyen le plus simple et le moins cher de bien manger est de dîner chez l'habitant. Ce n'est pas cher et en général on y fait de véritables festins pour un prix entre 6 et 8 US$. On vous demande souvent ce que vous voulez manger et on vous proposera parfois une p'tite bébête marine à la carapace rouge ! En outre, les bons restos ne courent pas les rues, à Viñales.

|●| ***Paladar Villa Nora y Luis*** *(plan I, **35**) :* à 1 km de Viñales, on peut donc y aller à pied pour le déjeuner (jolie route). Le soir, mieux vaut avoir une voiture. Suivre la route qui va à l'hôtel *La Ermita*, et 500 m avant d'y arriver, prendre un chemin en contrebas, sur la droite. C'est tout au bout. Compter 8 US$ le repas. Penser à réserver. Nora et Luis reçoivent chez eux en toute simplicité, dans une maison en bois typique de la région. On mange dans une petite salle à manger, dans la quasi-confidentialité. Mais la table est connue des touristes comme des rabatteurs, qui se prennent leur com' au passage. Quelques fauteuils à bascule sur la terrasse pour faciliter la digestion. Bonne cuisine copieuse à base de produits frais.

|●| ***Paladar Wilfredo y Zita Rodriguez*** *(plan I, **36**) :* km 1, carretera La Ermita, Viñales. Juste derrière le *paladar* précédent, par le chemin sur la gauche, qui monte légèrement. Très vite, c'est à droite. Repérable grâce aux deux cornes sur la porte. Évidemment, il faut connaître et il vaut mieux prévenir de son passage. Compter 8 US$ le repas. Une table commune toute simple, sous une véranda. Mais Wilfredo a de la suite dans les idées et vous propose des repas à la belle étoile au bord d'un lac. L'organisation, c'est lui qui gère ! Probablement le seul endroit où l'on mange de la crevette, délicieuse avec sa sauce spéciale à la tomate. Côté quantité, on est bien gâtés, et le service est des plus charmants.

|●| ***Restaurant Casa de Don Tomás*** *(plan II, A2, **30**) :* calle Salvador Cisneros. Dans la rue principale. Plats entre 6 et 8 US$ et la spécialité *(las delicias)* à 10 US$. La plus vieille maison de Viñales, tout en bois, fondée en 1889, avec ses terrasses de part et d'autre de la maison. Le resto le plus classe de Viñales, mais ils ne sont pas légion au centre du village. C'est là que se précipitent en priorité les groupes. Portions un peu chiches et pas très appétissantes. Le plat de *las delicias* se laisse manger, surtout quand on a faim. C'est une sorte de paella maison à base de riz, poulet, porc, saucisse espagnole et un chouïa de langouste qui ressemble en fait à une grosse bouillie. Orchestre local pour accompagner les plats.

Où manger dans les environs ?

|●| ***Resto Mural de la Prehistoria*** *(plan I, **31**) :* à 4 km à l'ouest du village (voir la rubrique « Dans les environs de Viñales »). ☎ 79-62-60. Ou-

vert tous les jours de 11 h à 20 h. Il faut payer un droit d'accès au site et au parking (1 US$). Repas complet à 15 US$. Installé sous une grande paillote en plein air, juste en face de la célèbre fresque peinte sur la montagne (on en parle plus bas), c'est le resto le plus réputé du coin : on y mange le meilleur cochon de Cuba. Très touristique, bien sûr, tous les cars qui font la vallée s'y arrêtent. Si vous voulez les éviter, venir tôt ou tard. De toute façon, l'ambiance reste sympa, grâce aux grandes tablées où l'on mange au coude à coude, mais surtout pour le trio de musiciens cubains qui couvrent le brouhaha des étrangers. Menu unique, très complet : cochon fumé et grillé, riz, manioc (ou igname), crudités, bananes, coupe de fruits et café.

|●| ***Resto El Palenque de Cimarrones*** *(plan I,* ***32****) :* sur la route de Puerto Esperanza. Un peu avant la cueva del Indio, sur la gauche. ☎ 79-62-90. Le resto se trouve au fond d'une grotte, dans un *mogote*. Il faut donc traverser celui-ci au moyen d'un tunnel pour y accéder. C'est là que se réunissaient les esclaves fugitifs. On peut éviter l'accès par la grotte en contournant le *mogote* en voiture. Ouvert de 12 h à 16 h. Plats autour de 5 US$. Une bonne adresse agréable, située sous des *bohios,* anciennes habitations africaines, entourées de superbes *mogotes,* dans un cadre paisible et somptueux. Chacune représente un dieu de la *santería*. Un peu de musique accompagne le repas. On y mange bien. Spécialité de *pollo a la cimarrón,* de *cerdo asado* et d'*arroz mixto*. Dans la grotte, petite reconstitution d'un village indien. Également un bar et une discothèque (voir « Où sortir? Où danser? ») où se mêlent touristes et locaux.

|●| ***Finca San Vicente*** *(plan I,* ***33****) :* sur la route de Puerto Esperanza. ☎ 79-61-10. À 6 km de Viñales. À la sortie de la cueva del Indio, prendre le chemin sur la droite et franchir un petit pont. Ouvert de 12 h à 17 h. Menus fixes et complets de 9 à 11 US$. De grandes tables collectives sous une paillote accueillent les groupes de touristes. Même style que le resto *Mural de la Prehistoria,* mais plus intime. Si le parc paraît agréable, ceux qui voyagent en couple trouveront l'endroit bien peu intime. Sur le plan culinaire, ce n'est pas mal du tout.

|●| ***Cueva del Indio*** *(plan I,* ***34****) :* route de Puerto Esperanza. ☎ 79-62-80. Face à la grotte de l'Indien. Ouvert de 11 h à 17 h. Plats entre 5 et 8 US$. Grand réfectoire au cadre aussi insipide que la nourriture. Pas notre préféré, d'autant qu'il y a des endroits plus sympas.

Où sortir? Où danser?

À Viñales

🍸 ♪ ***El Patio del Decimista*** *(plan II, A2,* ***40****) :* calle Salvador Cisneros, 120. Peu d'espace, mais l'ambiance bat son plein, surtout le samedi soir. Salle en plein air avec des tables en fer forgé. C'est agréable d'y prendre un verre (ou plusieurs!) sur la terrasse qui domine la rue principale. On y rencontre moult routards. Des groupes viennent jouer régulièrement à partir de 21 h ou 22 h 30.

🍸 ♪ ***El Viñalejo*** *(plan II, A2,* ***41****) :* calle Salvador Cisneros, face au *Patio del Decimista*. Ce sont les deux bars qui bougent un peu le soir, et ici comme là, on se trémousse entre deux *mojitos,* à prix très doux. En fait, on passe de l'un à l'autre en suivant les groupes!

♪ Le jeudi soir, sur la place principale du village, une ***noche campesina*** à partir de 21 h. Typique et populaire, comme on aime. Également des concerts le samedi soir.

♫ Il est prévu qu'un nouveau lieu de danse, ***Artex,*** voit le jour à côté de la Casa de la Cultura. À suivre...

Dans les environs

🍷 ♪ ***Disco El Palenque de Cimarrones*** *(plan I, **32**)* **:** sur la route de Puerto Esperanza. À 3,5 km de Viñales. Un peu avant la cueva del Indio, sur la gauche. Bien indiqué. Entrée : 5 US$ avec boisson. Un étonnant bar-discothèque installé dans une grotte ! Cadre assez génial : on danse sous les stalactites ! Pour les amoureux, des petites grottes intimes dans les recoins... Hélas, peu de monde en semaine mais, le samedi (concert à partir de 22 h 30), c'est un rendez-vous prisé des touristes comme des Cubains. L'animation Club Med, ça vous dit quelque chose ? Mais quand tout le monde participe de bon cœur, il suffit de suivre ! Dans la journée, on peut venir y prendre un verre, avant ou après la visite de la cueva del Indio.

À voir

👁👁 ***La casa de la Caridad*** *(Le jardin botanique ; plan II, B1)* **:** à la sortie de Viñales en allant vers Puerto Esperanza, dans le virage après la station-service. Il n'y a rien d'indiqué devant la petite grille, mais il y a des fruits qui sèchent. Pas de droit d'entrée en tant que tel, mais c'est à vot' bon cœur ! Deux mamies « super-chou », et un poil allumées, ouvrent les grilles du paradis : un jardin délirant, orné, entre autres, de splendides orchidées et planté de manguiers, cacaoyers, caféiers, sapotiers, pamplemoussiers, orangers, palmiers royaux, arbres à pain, avocats, jaquiers... Bon, on arrête là. Charmante invitation dans l'univers de ces dames qui vous le font visiter (l'une d'elles parle le français). C'est le grand-père de la famille qui planta les premiers arbres de ce jardin. Il venait de Chine. C'est ainsi qu'on trouve des essences d'Indonésie, de Chine et de Malaisie en plus de celles de Cuba. Le père puis les filles prirent le relais. Leur générosité appelle celle du voyageur ! Mais, surtout, allez-y sans intermédiaire, car certains hôtels abuseraient de leur gentillesse en vous faisant visiter l'endroit sans rien leur donner en échange. Pour éviter les groupes, venir tôt. Vous y serez de toute façon dix fois mieux accueilli en venant seul. Dégustation de fruits.

👁 ***La casa de la Cultura y de la Música*** *(plan II, B1)* **:** sur la place principale du village. Accès gratuit. Vieille maison coloniale qui sert de salle d'exposition aux artistes locaux. Oh, pas grand-chose à voir, mais montez donc à l'étage admirer la vieille salle de théâtre municipale et prendre l'air au balcon. En bas, classique petite galerie de portraits des courageux et héroïques révolutionnaires.

À faire

➢ ***Randonnées pédestres ou à VTT :*** de très nombreuses balades et randonnées sont possibles dans le secteur. Plusieurs options, de 2 h, 4 h, d'une journée, voire plus. Tous les hôtels (*La Ermita, Los Jazmines* et le *Rancho San Vincente*) sont en contact avec des guides. Il suffit de s'adresser à eux la veille (qu'on séjourne dans un de ces hôtels ou pas). En général, compter 8 US$ par personne. De même, dans certaines maisons louant des chambres, les proprios pourront vous proposer des balades. À voir notamment : le *camino Hacia el Arte,* la *Mayor Caverna de Cuba, la cueva de la Vaca, Viñales desde adentro* et *San Vicente.* Jesús de *Havanatur* est sympathique et donne pas mal d'explications (en anglais) sur la culture du tabac et les plantes.

➢ ***Balades à cheval :*** on peut louer des chevaux partout, notamment dans les hôtels. C'est même là que c'est le plus pratique d'arranger un circuit, mais, en fait, les gens du village vous en proposeront à des tarifs souvent plus intéressants. Compter autour de 5 US$ l'heure, parfois négociables. La balade est assez marrante, juché que vous serez sur ces petits chevaux nerveux mais pas farouches, qui semblent aller là où ils ont décidé plutôt que d'obéir à vos timides injonctions. À califourchon, dirigez-vous vers les ***Aquaticos,*** près du mural de la Préhistoire. On traverse des champs de maïs, de topinambours avant d'apercevoir quelques habitations perchées sur les *mogotes.* S'y réfugie une communauté vivant en autarcie complète. Les touristes qui s'y aventurent sont les bienvenus.

– ***Ariel :*** on peut réserver une balade en s'adressant chez sa grand-mère, villa Geo, juste à l'entrée de Viñales, calle Salvador Cisneros, 182, ou en laissant un message à Maïbel au : ☎ 76-61-84, ou encore en tentant de le trouver à son rancho : depuis la maison de la grand-mère, prendre calle Sergio Dópico vers les *mogotes* (fourche de droite). Après 200 m de chemin de terre, on voit une maison de tabac sur la droite, c'est là. Tarif : 4 US$ de l'heure par personne.

Les chevaux sont si dociles que les balades par les chemins de terre rouge, entre cèdres centenaires et flamboyants, champs de tabac, yuccas, malangas, bananiers, palmiers royaux, caféiers, manguiers, orangers, pamplemoussiers, goyaviers, papayers, mameyers... sont accessibles à tout un chacun. Ariel est d'une sympathie extraordinaire.

– ***Fernando Diaz Arencibia :*** calle Salvador Cisneros, 142A. ☎ 79-33-90. Fernado possède une vingtaine de chevaux et se fera un plaisir de vous faire découvrir la vallée à cheval. Il connaît bien sa région.

– ***Spéléo :*** on trouve des grottes partout dans la région. Plusieurs centaines, pour la plupart inexplorées. Seules quelques-unes sont exploitées et peuvent se visiter. Certaines abritent jusqu'à 150 km de galeries et d'autres un lac souterrain. Caractéristique locale : contrairement aux grottes françaises qui s'enfoncent dans la terre, celles de Cuba ne descendent pas. Elles restent pratiquement à l'altitude de votre point d'entrée, ce qui est moins flippant. Enfin, un peu moins ! La plus fréquentée est la *cueva del Indio* (voir plus loin), car elle fait partie du programme de visite des tour-opérateurs. Pour sortir du circuit classique, adressez-vous aux hôtels, qui vous trouveront un guide de l'école de spéléologie. Il vous emmènera dans des coins peu fréquentés. De même, certaines familles proposant des logements connaissent des guides. Demandez-leur des infos. Compter environ 8 US$ par personne pour 1 h 30. On rappelle qu'il est interdit de les visiter seul. C'est vrai qu'il y a des dangers que même les « pros » ne peuvent pas connaître. À l'entrée des grottes les plus connues, des gamins de la région proposent leurs services. N'acceptez que si la grotte ne présente pas de risque particulier et n'allez jamais loin. N'oubliez pas : bonnes chaussures et lampe de poche. Le plus prudent est, bien entendu, de vous faire accompagner par une personne compétente.

– ***Cours de salsa :*** enfin, pour les jours de pluie, allez donc améliorer votre déhanchement en prenant des cours de salsa avec le jeune directeur de la maison de la Culture, sur la place de l'église. Antonio Diaz Sanchez est passionné de danse, adorable et très pédagogue. Il vous mettra en confiance pour découvrir les pas de la salsa, du merengue, du mambo ou du cha-cha-cha. En contrepartie de sa générosité, vous pouvez lui donner entre 3 et 5 US$ l'heure.

■ ***Villa La Salsa*** *(plan II, A2, **5**)* **:** calle Camilo Cienfuegos, 50. ☎ 79-91-46 (chez la tante). Wilber et son frère Raulin vous apprennent la salsa. Le premier est danseur professionnel et se produit d'ailleurs certains soirs à l'hôtel *Los Jazmines,* à *La Ermita* ou au *Palenque de Cimarrones.* Ils sont jeunes et surtout très patients.

Que rapporter ?

– Pas grand-chose dans le coin, mais on vous signale quand même quelques babioles assez bon marché, vendues au-dessus du parking de l'hôtel *Los Jazmines.* On y trouve des objets en bois, des panières en feuilles de palmier et des petits souvenirs. Et des fruits à profusion, mais pas facile à trimbaler !

➤ *DANS LES ENVIRONS DE VIÑALES*

ጜጜ ***La vallée de Viñales :*** après avoir profité des meilleurs panoramas depuis les hôtels *La Ermita* et *Los Jazmines,* perdez-vous sur les petites routes de campagne, toutes plus charmantes les unes que les autres. Sur la route qui mène à la cueva del Indio, on trouve des fruits à acheter (en pesos) sur le bord de la route.

ጜ ***La cueva del Indio*** *(plan I)* **:** route de Puerto Esperanza. À 6 km de Viñales. Ouvert tous les jours de 8 h à 18 h. Entrée : 5 US$. Le plus amusant, dans cette « grotte de l'Indien », c'est qu'après avoir marché 500 m, on la visite en barque ! L'endroit est assez beau, mais la visite express ne laisse voir qu'une petite partie de la caverne. Les quelques curiosités décrites par le guide (comme ces rochers qui évoquent les caravelles de Christophe Colomb ou ces stalactites des « molaires ») sont en réalité plus ou moins artificielles. Bref, c'est un peu l'attrape-touristes. Le lieu fut nommé ainsi en hommage aux Indiens qui y vécurent. Un paysan retrouva quelques ossements dans les années 1920.

ጜ ***Le mural de la Prehistoria*** *(plan I)* **:** à 4 km de Viñales. Emprunter la route vers Moncada et faire 3 km, puis prendre à droite au panneau. Après 1,5 km, on voit le mural sur la gauche. Bien fléché. Entrée : 1 US$.
La grande attraction locale ne vaut pas tripette : une gigantesque fresque peinte (180 m de côté et 120 m de haut) sur une falaise. Voici le prototype parfait de la fabrication d'une attraction touristique fondée sur... rien ! C'est Fidel qui aurait commandé cette œuvre d'art à un artiste cubain. L'idée était de faire venir des touristes dans le coin. Il choisit donc, dans les années 1960, une falaise et un artiste, Leovigildo Gonzáles, ancien élève de Diego Rivera (peintre muraliste mexicain), pour lui faire peinturlurer la paroi d'un *mogote.* On mit 10 ans pour réaliser cette... « œuvre » qui est censée représenter la chaîne de l'évolution depuis la première amibe jusqu'à l'homme civilisé. D'où des escargots, des dinosaures, etc., au trait naïf...
Pour tout vous dire, on trouve vraiment dommage d'avoir abîmé un endroit si merveilleux ! Mais qu'on se n'y trompe pas, c'est d'abord par curiosité qu'on vient traîner ses savates ici. Et puis la montagne est si renversante ! C'est aussi l'occasion de se balader dans la campagne environnante. Les paysans du coin sont ravis de faire visiter leurs petites cultures.

ጜጜ ***La cueva de Santo Tomás*** *(hors plan I)* **:** à El Moncada. ☎ 38-44. Dans un lieu-dit situé à 18 km au sud-ouest de Viñales. Pour y accéder de Viñales, à environ 16 km sur la route de Miñas de Matahambre, prendre à gauche (vers Moncada), puis c'est à droite. Au rond-point, continuer tout droit, c'est indiqué. La visite de base coûte 8 US$ et dure 1 h 30. Pas donné, mais on vous prête tout un attirail : lampe frontale, casque. Prévoir de bonnes chaussures. Pas vraiment besoin de réserver, mais vous pouvez le faire à partir d'un hôtel de Viñales. Y aller de préférence le matin, la lumière est meilleure.
Un centre d'accueil ouvert tous les jours de 8 h 30 à 17 h a été construit à deux pas de l'entrée de la plus grande grotte de Cuba (47 km en tout sur 8 niveaux), qui est aussi la 3e d'Amérique latine (paraît-il !). Il y a toujours des guides compétents et disponibles sur place (ils font partie de l'école de spé-

léologie) pour vous accompagner dans la grotte avec casque et lampe. Le grand plus de cette grotte est qu'elle n'a jamais été défigurée. Pas de néons criards, ni d'escaliers en vilain ciment et encore moins de cris de touristes. Tout est intact. Elle est vaste et majestueuse. Des Indiens y vécurent, ainsi que des esclaves marrons. Au niveau de la faune, des chauves-souris, des crevettes d'eau douce et des crabes.

QUITTER VIÑALES

En bus

Station de bus *(plan II, B1)* **:** calle Salvador Cisneros, 63A. Face à la place principale et à l'église.
➢ ***Pour La Havane :*** avec *Viazul,* départ tous les jours à 13 h 30. Durée du trajet : environ 3 h 15. Compter 12 US$. Avec *Astro* (plus populaire, il vaut mieux réserver 1 ou 2 jours à l'avance), départ tous les jours à 14 h 30, mais le bus part souvent en retard. Durée du trajet : environ 4 h. Compter 8 US$.
➢ ***Pour Trinidad :*** en s'adressant à *Cubanacan,* face à l'église, possibilité de remplir un minibus à plusieurs touristes pour continuer sur Trinidad sans repasser par La Havane.

En taxi

Les taxis (des voitures confortables) sont installés dans la rue, devant la station de bus. Plusieurs compagnies : *Transtur, Havanatur* et *Cubataxi.*
➢ ***Pour La Havane :*** avec *Cubataxi,* ça revient au même prix que le bus *Viazul* si on se réunit à 4 personnes. Pratique aussi pour des endroits inaccessibles en bus.
➢ ***Pour Pinar del Río :*** compter 10 US$ la course.

En voiture

➢ ***Pour La Havane :*** si vous êtes venu par l'autoroute, ça vaut le coup de rejoindre la capitale par la route côtière ou la route intérieure. Faites le plein d'essence à la sortie de Viñales et continuez vers La Palma. Sans avoir fait auparavant le détour jusqu'à Puerto Esperanza. À La Palma, prenez la direction de Bahía Honda. Vous passerez à 3 km de Palma Rubia, l'embarcadère pour cayo Levisa. Après Bahía Honda, vous avez le choix entre poursuivre par la côte (jusqu'à Mariel) ou bien pénétrer dans la sierra pour aller visiter la région de Las Terrazas.
➢ ***Pour Puerto Esperanza :*** à 25 km seulement de Viñales. C'est la même route, sinueuse, qui passe par la cueva del Indio.

PLAYA BAILEN

À 80 km au sud de Pinar, dans la baie de Cortés. La playa Bailen se situe à l'ouest de San Juan y Martinez. Faire environ 16 km après San Juan : un grand panneau publicitaire donne la direction sur la gauche. Parcourir encore 8 km sur une route très abîmée (gare aux crevaisons !). C'est tout au bout.
Plage immense, sauvage, presque inconnue des touristes. Le sable n'y est pas aussi fin ni aussi blanc qu'à María la Gorda, mais on a les cocotiers et la mer turquoise ! Très populaire auprès des habitants de la région, qui y viennent en famille le week-end, de juillet à septembre. Le reste de l'année,

c'est franchement désert et tranquille ! À même la plage, les bunkers sont en fait des bungalows réservés aux Cubains. Également une cafet' peu engageante, mieux vaut prévoir son pique-nique. L'endroit est donc assez peu fréquenté par les touristes, et c'est peut-être pour cette raison qu'on s'y est plu. On vient ici avant tout pour l'ambiance (bon enfant) et les contacts, ainsi que pour toucher de près la vraie vie cubaine. L'été, les bandes de copains dansent devant leurs bungalows, les hommes font la sieste, les mamans bercent leurs petits et les amoureux s'embrassent sous les palmiers.
Pour les amateurs, une ***ferme des crocodiles,*** 1 km avant d'arriver à Playa Bailen. Visites de 8 h à 17 h. Petit droit d'entrée. Dans des enclos sont parqués 700 crocos. L'espèce représentée est l'« acutus », une espèce d'Amérique du Nord qu'on essaie de protéger ici. Pour les amateurs du genre.

MARÍA LA GORDA

À la pointe de la péninsule, sur la baie de Corrientes. María la Gorda n'est pas une ville ni même un village, mais un site superbe en bord de mer. Il n'y a qu'un seul hôtel et quelques habitations disséminées aux alentours. L'endroit doit son nom à une certaine... María. Capturée par des pirates dans des contrées lointaines, cette jolie jeune fille fut ensuite abandonnée ici. Elle construisit une cabane et y resta toute seule. Mais, n'ayant rien d'autre à faire, elle se mit à manger. Elle devint tellement énorme que les pirates, une fois revenus, l'appelèrent María la *gorda* (la grosse) !
Vous trouverez ici plusieurs petites plages tranquilles, bordées par une eau merveilleuse. Le cadre est idyllique. Et le coucher de soleil est l'un des plus beaux de Cuba. Il faut tout de même vous prévenir, il n'y a pas ici de vastes et larges plages. Il s'agit surtout de petites criques de sable blanc, et la majeure partie de la côte est bordée de roches calcaires. Le paysage est vraiment enchanteur, et le spectacle continue sous l'eau. C'est pourquoi l'endroit est surtout réputé auprès des plongeurs. María la Gorda est considéré par les professionnels comme l'un des plus beaux sites de Cuba. Bon, même si vous ne plongez pas, vous pouvez quand même venir vous y reposer deux ou trois jours, l'hôtel étant agréable et d'une grande tranquillité.

Comment y aller ?

En voiture

➢ ***Depuis Pinar del Río :*** il faut prévoir 3 à 4 h de trajet. La route est globalement très correcte, avec quelques passages un peu moyens mais rien de bien méchant. On traverse l'une des régions les plus sauvages de Cuba. La forêt est habitée de sangliers, de biches, de chats sauvages, mais aussi... de serpents, de crocos et de taureaux sauvages ! Mais bon, pas de panique, vous avez peu de risque de croiser tout ce beau monde. La récompense est au bout du chemin. Soyez quand même attentif, surtout au printemps, des migrations de crabes ont lieu parfois sur la route. Spectacle impressionnant, mais dangereux, car la purée de crabes écrasés rend la route très glissante (et très odorante !).

En taxi

➢ ***Depuis Pinar del Río ou même de Viñales :*** compter, par exemple, 60 US$ depuis Viñales avec *Transtur* (☎ 75-01-30). Avec un taxi non officiel, prévoir autour de 30 US$ depuis Pinar del Río.

➢ Le plus simple, le moins coûteux et le plus rapide pour les gens seuls est de réserver le transfert directement auprès de l'hôtel : 60 US$ par personne, départ de La Havane à 8 h, arrivée à María la Gorda à 13 h.

Où dormir ? Où manger ?

Hôtel María la Gorda : sur la plage. ☎ 82-77-81-31. Fax : 82-77-80-77. • comercial@mlagorda.co.cu • Réservation vivement conseillée auprès des grandes agences, soit à La Havane, soit à Pinar del Río. Si ça vous embête de réserver, téléphonez au moins pour savoir s'il y a de la place. Chambres doubles à 66 US$ (haute saison), avec le petit déjeuner. Déjeuner et dîner-buffet chacun à 15 US$. C'est le seul hôtel du site, d'une cinquantaine de chambres, complètement isolé, avec une atmosphère de bout du monde tropical, directement sur la plage. Deux types de bungalows : certains sont sur la plage et valent la peine si on a vue sur la mer. Sinon, des cabanons en bois, construits sur pilotis et reliés les uns aux autres par un ponton. Joliment aménagés avec vue sur la mer au loin pour certaines chambres. Plage ou verdure, à vous de choisir ! Dans un cas comme dans l'autre, les chambres sont spacieuses et confortables, avec TV, AC et belles salles de bains. La construction de 20 nouveaux chalets sur la plage est prévue. Seul inconvénient, les repas, servis sous forme de buffet, sont trop chers et décevants. En plus, le resto principal manque de gaieté. On ne recommande pas la demi-pension, pour rester libre de prendre ses repas au restaurant situé près de la réception si bon vous semble. Il propose un choix succinct mais les plats sont copieux. Sinon, apportez vos provisions, et complétez le pique-nique d'un *mojito* pris au bar... Assez idyllique ! Crème anti-moustiques (indispensable) ! Activités : pêche, plongée et excursions avec guide de la réserve obligatoire. Devant l'hôtel, belle plage, mais le petit plateau corallien ne facilite pas la baignade.

Où dormir sur la route ?

Motel Alexis : Zona L, 33, à Sandino. Indiqué depuis la route. À une soixantaine de kilomètres avant María la Gorda. Compter tout de même 1 h 30 de trajet. ☎ 32-82. Compter 20 US$ la chambre avec salle de bains. Possibilité de prendre ses repas pour une poignée de dollars. Évidemment, la bourgade est sans charme, mais peu touristique, et cette chambre chez le très sympathique Alexis constitue une halte chaleureuse sur la route de María la Gorda, qu'on peut ensuite gagner en 1 h 30 de voiture. Côté tambouille, ils en font leur affaire ou vous dirigent au *paladar Toni,* à quelques *cuadras.*

À faire

Plongée sous-marine

L'eau est cristalline, avec une température moyenne de 28 °C. Le site permet 40 plongées différentes, allant du simple baptême (entre 3 et 5 m) aux super plongées d'exploration. Les récifs coralliens sont abondamment recouverts d'éponges et de gorgones. On reste émerveillé devant le corail noir tout fin, les hautes éponges tubulaires mauves ou vertes, les entrelacs d'éponges cordes orange ou vertes et jaunes, les éponges barriques centenaires, les tapisseries de coraux champignons plats, vers arbres de Noël de toutes les couleurs... D'incroyables tunnels, des canyons et des cheminées.

Plongées entre 18 et 38 m qui se terminent par un quart d'heure sur des récifs-jardins très vivants. Au cours d'une simple plongée proche du rivage (avec palmes), on peut découvrir des bancs de chirurgiens bleus, des barracudas, des nudibranches bleus transparents, des crevettes nettoyeuses d'une élégance raffinée, poissons-coffres, poissons scorpions, mérous, diodons hystrix, grosses murènes vertes ou des petites tachetées, mais aussi d'énormes crabes. De temps à autre, des tortues.

Parmi les plongées proposées :

– ***El Paraiso perdido,*** le top du top, magnifique tombant avec gorgones à contre-jour, tunnels, et une vie riche le long du tombant comme en haut grâce au courant.

– ***La Cadena misteriosa,*** tombant avec beaucoup de canyons et de tunnels étroits, et beaucoup de vie en haut.

– ***Yemaya,*** tombant très vertical recouvert de coraux champignons plats. On y descend en parachute par une cheminée. Jardin de coraux et gorgones.

– ***El Patio de Vanessa,*** à 8-12 m, magnifique jardin de coraux, gorgones en tout genre, éponges, avec pas mal de vie.

On a bien aimé le ***jardin de las Gorgonias*** (15 m), avec les mérous qui viennent vous faire un p'tit coucou. Les débutants iront dans l'***Aquarium*** (foule de poissons multicolores, langoustes...). Les plongeurs tranquilles auront peut-être la chance de faire ***El Almirante,*** deux tombants qui abritent un des plus grands champs de corail noir d'Amérique latine (entre 12 et 40 m). Les chevronnés apprécieront sans doute ***El Encanto*** (30 m), exploration d'un tombant de 2000 m avec traversée de grottes, plates-formes...

– Si vous ne plongez pas avec bouteille, vous pouvez tout de même aller sur le ***bateau*** ou, si vous voulez nager, possibilité de louer ***masque, palmes*** et ***tuba*** au club.

■ ***Club de plongée :*** attenant à l'hôtel. ☎ 78-131. Possibilité de réserver la plongée par téléphone. Prix : 42 US$ pour les plongeurs non équipés (tarif dégressif seulement à partir de la 5e plongée !). Trois sorties par jour : à 8 h 30, 10 h 30 et à 15 h. Bateau un peu chargé, mais les trajets sont courts, moins de 20 mn pour rejoindre la plupart des spots. Pour aller sur le bateau sans plonger : 5 US$. Pour nager avec masque, palmes et tuba : 12 US$, location du matériel et balade en bateau comprises. Moniteurs jeunes et sympas parlant un peu anglais. Blocs acier ou alu. Les palanquées étant de 6 à 8 personnes, il est conseillé de plonger en binôme.

Randonnées

➢ ***Balades à pied :*** à l'entrée du site, à *La Bajada* (14 km avant d'arriver à María la Gorda), une minuscule baraque audacieusement appelée *estación ecológica* présente la réserve de manière sommaire. À côté, départ de deux petits ***sentiers,*** *des cuevas Las Perlas* et *del Bosque al Mar*. Ces petites balades sont soumises à la ponctualité des guides, assez aléatoire et on vous demande 6 et 8 US$ pour 1 à 3 h de marche dans la forêt. À la clé, des grottes à visiter.

➢ Possibilité également de faire une ***excursion en voiture*** dans la réserve, que vous pouvez louer auprès de *Transtur* (à l'hôtel). À plusieurs, le taxi revient moins cher. Compter 10 US$ par personne pour le guide (obligatoire) de la *estación ecológica.* Prudent de réserver depuis l'hôtel. On rencontre iguanes, perroquets, colibris, taureaux, sangliers et, au bout de la route, une superbe plage déserte. Compter 5 h au minimum pour la visite, mais ça les vaut bien.

LA PÉNINSULE DE GUANAHACABIBES

C'est la pointe la plus extrême de l'île. Toute cette région a été classée Réserve de la biosphère en 1987 par l'Unesco et couvre 101 000 ha. À l'intérieur, on trouve la ***réserve naturelle de Guanahacabibes,*** constituée d'une partie de la côte et incluant les fonds sous-marins, ce qui est rare. Ainsi, cet ensemble de faune et de flore, l'un des plus riches du monde, est-il complètement protégé de toute exploitation. On trouve de drôles d'oiseaux, dont le plus petit du monde, le *zunzuncito.* L'accès y est difficile, pas de bus ni de train. En pénétrant sur cette pointe très isolée, on rencontre parfois un poste militaire chargé de contrôler l'identité des voyageurs (passeport obligatoire). Ceux qui voudront explorer la réserve devront en outre louer les services d'un guide (voir à l'hôtel *María la Gorda,* cité dans le chapitre précédent ou à La Bajada). La balade jusqu'au Cabo San Antonio vaut le détour quand on dispose de 5 h minimum. Des plages enchanteresses au sable blanc, à l'écart de toute civilisation !

PUERTO ESPERANZA

IND. TÉL. : 08

Après avoir quitté Viñales vers le nord, la route traverse de magnifiques paysages. On passe au pied d'imposants *mogotes,* on se faufile au fond de souriantes vallées à la végétation abondante et variée. Soudain, au détour d'un virage, on aperçoit, tout au bout d'une avenue bordée de pelouses, la mer. On est arrivé au petit village de pêcheurs de Puerto Esperanza.

Le port de l'Espérance. Quel joli nom ! Certes, en face, à quelques kilomètres, se trouve la Floride. Mais ici, on en est bien loin. Il flotte dans cet endroit une atmosphère d'une incroyable tranquillité, simple et empreinte de douceur. Idéal pour les rencontres, tellement les habitants sont accueillants. La nonchalance nous gagne. Il n'y a rien à faire ici. Même pas de plage, tout juste un long ponton qui s'enfonce dans la mer. Quand l'été approche, on s'y dispute les places pour lézarder au soleil. C'est une étape hors des sentiers battus.

Par la route, vers l'ouest, on atteint cayo Jutías (par Santa Lucía). La liaison en bateau jusqu'à cayo Levisa est suspendue. Pour combien de temps ? Mais à Puerto Esperanza, le temps lui-même suspend son vol, et on ne désespère pas que les vedettes reprennent un jour du service.

Adresse utile

■ ***Station-service Cupet*** : 3 km avant d'arriver à Puerto Esperanza, prendre à gauche à une fourche (on la voit mal, mais la station est sur le côté droit). Attention, il faut reprendre la partie droite de la fourche pour retrouver la route de Puerto Esperanza.

Où dormir ? Où manger ?

🏠 🍽 ***Ranchón Las Estrellas*** : calle Hermanos Cruz. ☎ 79-38-93. Dans le village, quand on est sur la rue principale, tourner à gauche avant la banque (maison verte). Juste avant la patte-d'oie, sur la droite. La maison est en retrait, dans un jardin qui donne sur la campagne. Une chambre double à 15 US$, super-propre et spacieuse avec ses 2 grands lits. Une autre est en construction dans une petite maison indépendante. Séducteur, Rodolfo aime plaire et bichonne les touristes qu'il reçoit. Il faut dire qu'elle a bien des atouts, sa coquette maison avec son accueillant *ranchón,* décoré de filets de pêche et d'un trophée de tortue plutôt impressionnant. Bricolo, pêcheur à ses heures perdues, et surtout très jovial ! Félicitations à belle-maman et à Maria Isabel qui, dans l'ombre, s'activent aux fourneaux ! On sympathise facilement avec la famille ! Possibilités de balades à vélo, à cheval et même en bateau.

Teresa Hernandez Martinez : calle 4 ter, 7. ☎ 79-38-39. En arrivant dans la bourgade par la route principale, prendre à gauche à l'angle de la *policlínico,* puis la 3e à gauche. La maison est sur le côté gauche, bordée d'une rangée de jeunes palmiers. Compter 15 US$ la nuit. Repas autour de 8 US$. La jolie terrasse arborée et l'atmosphère chaleureuse sous la paillote offrent un cadre idéal pour siroter un verre et déguster un délicieux repas. Les 2 chambres communicantes (une pour 2 personnes et l'autre pour 4) sont très bien tenues. Une seule dispose de sa salle de bains indépendante. Teresa est une femme extra, disponible et serviable. Une adresse chez l'habitant vraiment sympa.

Dora Gonzalez Fuentes : Pelayo Cuervo, 5. ☎ 79-38-05. En arrivant à Puerto Esperanza, aller jusqu'au front de mer. Quand on est face au buste de José Martí, tourner à droite et prendre la 2e à gauche. La maison est sur la droite. Il y a un drôle de routard peint sur la façade ! Compter 15 US$ la chambre. Environ 8 US$ le repas. Une maison modeste où l'on se sent vite chez soi. Les murs sont recouverts des témoignages de routards passés par ici. Les 2 chambres sont petites mais bien propres, et se partagent la salle de bains. Il manque quelques rangements. L'une d'elles dispose de la clim'. Par ailleurs, c'est une table exceptionnelle, et Dora ne fait pas de fausse modestie ! Question tambouille, la *mamma* Dora en connaît un bout, elle était cuisinière dans une école pour handicapés. Femme d'ancien pêcheur, elle a de la bouteille dans le choix de la marchandise. Menu archi-copieux servi sur la petite terrasse derrière. On en garde un souvenir ému.

Leonila Blanco : calle Hermanos Caballeros, 41. ☎ 79-38-48. Après l'entrée dans la bourgade, prendre la 3e à droite. Chambres à 15 US$. Encore un routard sur la porte ! Les chambres sont soignées et la plus grande a 2 grands lits. Salle de bains et entrée indépendante. On se croirait presque à l'hôtel ! Accueil chaleureux. La grand-mère, la *abuela,* est très dévouée. Bonne cuisine à base de produits frais. On prend le repas sous une véranda en bois. N'hésitez pas à accompagner Franco à la ferme lorsqu'il va chercher les œufs et les ananas. Garage.

Villa Dos Palmas-Tony y Cary : calle 13 de Marzo. ☎ 79-38-65. Compter 15 US$ la chambre ; on peut négocier doucement en période creuse. Repas entre 6 et 8 US$. Une *casa particular* avec 1 chambre à 2 lits. Le dessus-de-lit est rose acidulé. Salle de bains indépendante avec eau chaude. Air conditionné. Simple mais confortable. Famille chaleureuse et accueillante. On prend ses repas derrière la maison, dans le *ranchón,* comme on dit ici, qui donne sur un frais jardinet. C'est là que Tony puise sa « hierba buena » pour préparer le tilleul local, le *mojito.* La cuisine de Cary est délicieuse. Enclos pour la voiture.

Villa Maribel : calle Maceo, 56. ☎ 79-38-46. Compter 15 US$ la chambre. Repas aux mêmes prix que dans les adresses précédentes. Une maison indépendante et une chambre proprette à 2 lits, avec salle de bains. Ils s'y sont succédé, les routards conquis par la charmante Maribel ! Preuve de leur satisfaction, les murs maculés de commentaires élogieux. Encore une bonne adresse.

Où sortir le soir?

Aller au bout de la grand-rue en bord de mer, sur la droite de la rotonde. Les vendredi, samedi et dimanche soir, à partir de 21 h, on y danse, on y danse... Bon, disons, plutôt sur des rythmes tropicaux. Bonne ambiance.

CAYO JUTÍAS

À une cinquantaine de kilomètres à l'ouest de Puerto Esperanza. Un îlot sauvage avec quatre kilomètres de sable blanc sur lesquels avance langoureusement une mer translucide. À 200 m du bord, un récif corallien permet d'observer les poissons multicolores dans une eau d'une limpidité absolue. Un seul bar-resto sur l'île ouvert de 10 h à 18 h (cher, mieux vaut prévoir un pique-nique) et quelques paillotes en bord de plage. On y loue masque et tuba pour 2,5 US$ l'heure et des pédalos pour 4 US$ l'heure. La route goudronnée prend fin au resto, mais on peut continuer à pattes. Une superbe plage, *La Estrella,* dénommée ainsi pour ses étoiles de mer, est accessible aussi en bateau.

Comment y aller?

Il faut d'abord se rendre à Santa Lucía. De là, on accède au cayo Jutías par une longue route de 7 km construite sur la mer, telle une langue de terre s'avançant vers le paradis! Au début de la route, poste de péage où l'on s'acquitte d'un droit d'entrée de 5 US$ par adulte (qui inclut une boisson au bar de la plage) et 1 US$ en plus pour le parking. Attention, les Cubains doivent avoir une autorisation écrite... mais délivrée sur Santa Lucía!

➢ ***De Viñales à Santa Lucía :*** prendre la route qui passe par Minas de Matahambre (compter 1 h 30 de trajet à travers de magnifiques paysages). Elle est en bien meilleur état que la route côtière qui passe par San Vicente.

➢ ***De Puerto Esperanza :*** prendre la route côtière jusqu'à Santa Lucía, en piteux état. Elle est loin d'être entièrement goudronnée et c'est un chapelet de nids-de-poule qu'il faut franchir. On déconseille cette solution.

CAYO LEVISA

Comme son nom l'indique, il s'agit d'un îlot... Entouré d'une eau translucide au bord, puis verte, puis turquoise... Miam! Un seul hôtel au bord de la plage unique de l'île, le reste de l'îlot étant recouvert par la mangrove. On peut y aller seulement pour la journée (possibilité de plongée), l'hébergement en lui-même n'offrant pas grand intérêt.

Comment y aller... et en revenir?

En bateau uniquement. Le *cayo* n'est qu'à quelques kilomètres de la côte. Il y a un port d'embarquement principal :

➢ ***De Palma Rubia :*** Palma Rubia se situe à 62 km au nord de Viñales, via La Palma. Fléché depuis la route côtière. Compter 1 h de route depuis Viñales, puis 30 mn de traversée. Si vous êtes en voiture, possibilité de laisser votre véhicule sans danger sur le parking du débarcadère. Départs du

bateau à 10 h et à 18 h. Pour le retour, départs du cayo Levisa à 9 h et 17 h. Plusieurs formules sont proposées.
– *À la journée :* les tickets de bateau comprennent l'aller-retour et un cocktail de bienvenue (15 US$) et peuvent aussi inclure le repas de midi (12 US$ de plus). Ils s'achètent sur le « port » de Palma Rubia, au poste des garde-côtes (noter le mirador). Il n'est pas indispensable de réserver mais ce n'est pas plus mal. Départ à 10 h et retour à 17 h. Attention, il arrive que le bateau parte plus tôt que l'horaire indiqué ! Les plongeurs peuvent ainsi se rendre sur l'île à la journée, participer à la plongée de 13 h (seulement sur demande, donc à réserver) et reprendre le bateau à 17 h. À noter : les Cubains n'ont pas le droit d'embarquer, à moins d'avoir une autorisation spéciale (l'Amérique est en face) ou d'accompagner des touristes !
➢ ***De Puerto Esperanza :*** la liaison en vedette est suspendue, on ne sait pour combien de temps encore. Renseignez-vous.

Où dormir ? Où manger ?

■ |●| ***Cayo Levisa Hotel :*** le seul hôtel de l'île. ☎ 66-60-75. Réservation possible dans n'importe quel hôtel de la chaîne *Horizontes*. Compter 81 US$ la nuit en haute saison, 71 US$ en basse saison (aller-retour en bateau inclus). Au resto, plats allant de 8 à 25 US$ pour la langouste grillée. En débarquant sur l'île, on découvre un étonnant paysage de mangrove. Une passerelle de bois se faufile à travers le *cayo* pour aboutir au bord de cette plage de sable blanc, superbe, frangée de palmiers. Une quarantaine de bungalows en brique et au toit de palmes. Si vous avez le choix, les 1, 2, 3 ont les pieds dans l'eau, et les 21 à 25, plus récents, sont en bois, face à la mer. Les autres bungalows n'ont rien d'extraordinaire, mais, dans un endroit pareil, c'est loin d'être un sacrifice. Resto un peu triste, sans doute à cause de l'accueil. Mais où est donc passée la légendaire « affabilité cubaine » ! Carte variée mais sans surprises, pâtes, riz *con pollo* et produits de la mer.

À faire une fois sur place

Se baigner, bronzer, lézarder... comme d'habitude ! La plage est vraiment extraordinaire et le lagon ressemble à une piscine. Revers de la médaille, les fonds de sable (sans coraux) limitent la vie sous-marine. Aucun poisson aux abords de la côte. Pour en observer, il faut prendre un bateau jusqu'à la barrière de corail. Sur la plage, en profiter pour ramasser des oursins plats blanchis par le soleil et admirer des coquillages hyper-fragiles d'une finesse incroyable.
– À l'hôtel, possibilité de ***louer masques, pédalos, canoës, catamaran...***
➢ Également des ***excursions en bateau*** pour faire du *snorkelling,* ainsi qu'une journée au ***cayo Paraíso.***
Plongée sous-marine : pour profiter de la barrière de corail, qui est à 3,5 km du rivage.

■ ***Club de plongée sous-marine :*** attenant à l'hôtel. Il propose 2 plongées par jour, à 9 h et 15 h (parfois à 13 h, sur demande), si le temps le permet (bien se renseigner avant si vous ne venez qu'à la journée). Prix très élevés : 45 US$ la 1re plongée et 20 US$ la 2e si les deux se font dans la même journée. Voilà un procédé marketing frisant l'entourloupe... et une manière de dissuader les plongeurs qui viendraient seulement à la journée.

BAHÍA HONDA

À l'est du cayo Levisa, en poursuivant la route côtière vers La Havane. Petite bourgade animée, bruyante et sans grand intérêt, sur l'une des baies les plus importantes du pays. Plage à 2 km du centre (pas fléchée) et assez banale. Petite anecdote : quand les Américains s'arrogèrent le droit d'intervenir sur l'île par un amendement voté par le Congrès américain, le projet de créer cinq bases navales militaires prit forme : deux devaient se situer sur la mer des Caraïbes et trois sur la côte atlantique. Bahía Honda fut l'une d'elles. La protestation fut si vive dans la population que les Américains reculèrent. Seule la base de Guantánamo fut finalement édifiée.

Deux belles plages dans les environs, les ***playas La Altura*** et ***San Pedro*** : la première se trouve à 10 km au nord-ouest de Bahía Honda, la seconde est sur la route de La Havane.

Où dormir ?

Motel Punta de Piedra : à Punta de Piedra, au nord de Bahía Honda. ☎ 66-83-41. Compter 20 US$ la chambre. Plus ou moins réservé aux Cubains. Installé dans un jardin, sur une falaise dominant la baie. Chambres très mal entretenues aux murs plus que douteux. Il manque de la concurrence dans le secteur... On vous l'indique quand même, on ne sait jamais.

– Sinon, à Bahía Honda, une *casa particular* chez ***Vivi Pandelio y Papito,*** calle 32, 1920. En face de la casa de la Cultura. C'est la maison jaune. Compter 20 US$ pour chacune des 2 chambres moyennement engageantes. En dépannage.

LES PLAGES DE L'EST

Las playas del Este! Les plus proches de La Havane, et donc, bien sûr, celles où se rendent depuis toujours les habitants de la capitale. C'est 30 km de plages, le lieu de rendez-vous des Habanais pendant le week-end et surtout en juillet et août, durant les vacances scolaires, quand la chaleur est étouffante en ville.
Si vous êtes là en été, on vous conseille plutôt d'y aller en semaine, quand elles ne sont pas bondées. Sinon, beaucoup d'embouteillages sur la route. Partir tôt et revenir tard. On y va pour la journée, mais ceux qui veulent fuir un moment la capitale peuvent y passer une nuit ou deux.

Comment y aller ?

De La Havane

➢ ***En voiture :*** sortir de La Havane par le tunnel qui accède au fort El Morro. De là, une grande route (la vía Blanca) longe la côte. Différentes sorties permettent d'accéder aux plages qui se succèdent. Tout d'abord, vous passerez à côté de ***Cojimar,*** le célèbre village de villégiature d'Hemingway. Ensuite viennent les ***playa Bacuranao*** (très familiale et sans grand intérêt) et ***playa Tarará*** (qui a accueilli un temps les enfants irradiés de Tchernobyl – fraternité russo-cubaine oblige). Puis, on arrive à la grande ***plage de Santa María del Mar,*** la meilleure et la plus fréquentée par les Cubains mais aussi par les touristes, notamment italiens. Enfin, on atteint la bourgade de ***Guanabo,*** bordée par une plage. C'est là qu'il est le plus facile de se loger. Si vous continuez encore plus loin sur la route, vous tomberez sur la ***playa Jibacoa*** puis sur la ville historique de ***Matanzas,*** petit interlude culturel avant d'arriver aux immenses plages de ***Varadero,*** star incontestée du tourisme cubain...

➢ ***En bus public :*** il y en a, c'est entendu, mais ce serait vraiment ridicule de les emprunter tellement la perte de temps serait grande. Pour ceux qui insistent, sachez que le bus n° 400 va directement jusqu'à ***Guanabo.*** Il part de la station de bus près de la gare ferroviaire, dans la vieille Havane. Les bus *Viazul* assurent une liaison pour les playas del Este : départs à 8 h 40 et 14 h 20. Retours à 10 h 45 et 16 h 45. Prix : 4 US$.

➢ ***En camion :*** de nombreux camions y vont pour quelques pesos par personne. Le terminal des camions se trouve le long de la gare ferroviaire centrale de La Havane *(estación este-central ; plan couleur I, A3),* entre les rues Arsenal et Misión. Les nombreux habitants de La Havane eux-mêmes préfèrent louer des camions à plusieurs familles pour se rendre à ces plages plutôt que d'utiliser les transports publics.

➢ ***En taxi :*** la solution la plus pratique si l'on ne dispose pas de voiture. Mais attention, les taxis particuliers de La Havane ne sont pas officiellement autorisés à sortir de la capitale. Ne peuvent ainsi se rendre aux playas del Este que les taxis qui paient leur licence en dollars. Les chauffeurs le savent et refusent généralement la course. Sauf si vous êtes plutôt typé, histoire de passer pour un Cubain, quoi ! Comptez environ 10 US$ pour ***Santa María.*** Arrangez-vous aussi avec le chauffeur pour le retour.

➢ ***En train :*** seulement en juillet et août. Départ de la gare *Cristina (hors plan couleur II par D6).* Pour le folklore !

COJIMAR

IND. TÉL. : 7

À une dizaine de kilomètres de La Havane. Sympathique petit village de pêcheurs qu'on découvre après avoir passé les immeubles disgracieux de la banlieue (mieux vaut ne pas s'y perdre !). Cojimar doit sa célébrité à Ernest Hemingway. C'est là que « Papa » venait pêcher en compagnie de son ami le marin-pêcheur Gregorio, que l'écrivain américain a ensuite immortalisé dans *Le Vieil Homme et la mer,* roman qui lui valut le prix Nobel de littérature en 1954. Les locaux ont d'ailleurs érigé sur le port un buste de Hemingway, face à la mer.
Un petit village tranquille, donc, mais sans plage, et qui soudain, en 1994, a fait la une de la presse internationale : des milliers de *balseros* en ont fait leur point de départ vers la Floride. C'est également dans cette baie que les Anglais débarquèrent pour approcher La Havane. Ils attaquèrent ensuite la ville par voie terrestre. Est-ce pour cela que la population nous a paru aussi amicale et enjouée ? Agréable petite balade à faire le long du port.

Où manger ?

Bon marché

Iol ***Paladar El Barco :*** tout au bout du Malecón (la jetée). ☎ 65-67-10. Aucune indication (sinon un petit gouvernail sur la façade). Quand on fait face à la petite forteresse, c'est sur la gauche à 100 m. On s'en sort avec un billet de 5 US$. Une charmante petite maison avec balcon. Minuscule resto de pêcheurs, modeste comme tout, mais la terrasse est bien agréable en été. La carte n'annonce pas ce qu'ils servent vraiment (ce sera à vous de le demander). Poisson frit, poulpe, calamar ou poulet, payables en pesos cubains.

Iol ***Paladar La Terracita :*** vía Nueva, 9606, entre Concha et Pezuela. ☎ 65-71-18. Ouvert midi et soir. Fermé le mardi. Plats entre 3 et 5 US$. Modeste maison où l'on mange une bonne cuisine familiale, simple et traditionnelle, à base de riz et de viande. Il faut surtout goûter aux bananes frites *(platanos fritos)* : un must. On patiente sur le toit, d'où l'on a une vue exceptionnelle sur le village et la baie, avant de s'installer sur l'agréable terrasse du 1er étage. Accueil très sympa.

Prix moyens

Iol ***La Terraza :*** calle Real, au débouché de Candelaria. ☎ 93-92-32 et 93-94-86. Dans la rue principale qui mène au port, côté mer. Ouvert tous les jours de 11 h à 23 h environ. Plats autour de 10 US$, mais compter de 17 à 25 US$ pour une langouste selon la préparation. Menu complet à 11 US$. Bien beau resto mythique au mobilier des années 1920, où Hemingway adorait se prélasser. Salle à manger superbe, avec ses grandes fenêtres donnant directement sur l'eau. On aperçoit, dans un coin, l'ancien port de pêche. Aux murs, plein de photos de Hemingway, pêchant le requin, l'espadon, ou encore en compagnie de Fidel, lors du fameux concours de pêche à la marina. Ce fut d'ailleurs leur unique rencontre. L'endroit est tout de même assez chic : fruits de mer pas donnés donnés. Mais, au moins, la langouste est toute fraîche, comme l'atteste le grand vivier ! Parmi les spécialités abordables : *arroz con mariscos, sopa del pescador* ou paella maison. On peut aussi se contenter d'un *mojito,* pour faire comme « Papa » !

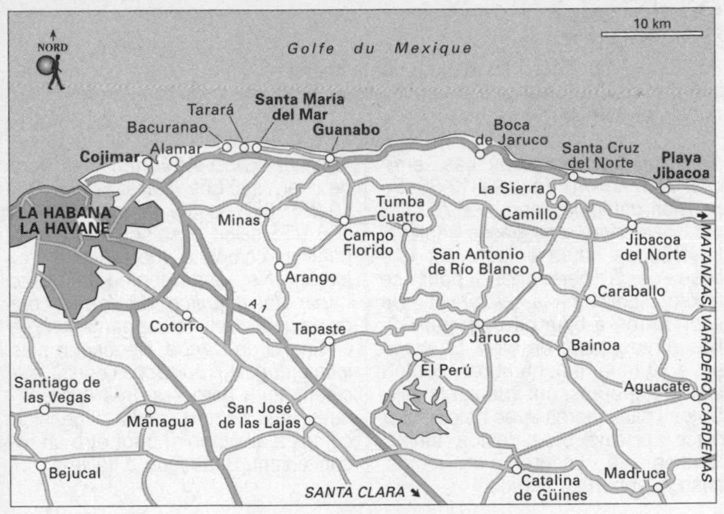

LES PLAGES DE L'EST

À voir

Sur le port, petite forteresse carrée et flanquée de tourelles de vigie. Elle a été construite par les Espagnols au milieu du XVIIe siècle.

Juste devant, sous une coupole, le ***buste de Hemingway*** (1962). Dès qu'ils eurent connaissance du décès de leur copain, tous les pêcheurs de Cojimar qui l'avaient connu apportèrent leurs ancres de bronze pour fondre ce buste rendant hommage à leur compagnon de pêche. Beau geste ! Pendant longtemps, l'ancien capitaine du bateau de Hemingway, Gregorio Fuentes (mort centenaire), a veillé sur le *Pilar,* qui était amarré dans le port, mais qui se trouve désormais à la maison de Hemingway (voir « Dans les environs de La Havane »).

SANTA MARÍA DEL MAR

IND. TÉL. : 7

À une vingtaine de kilomètres seulement de La Havane. Pas de village ici, plutôt une sorte de zone hôtelière, où, le long d'une immense plage de plusieurs kilomètres, des hôtels en ruine alternent avec quelques complexes pseudo-chic. C'est la plus connue des plages de l'Est. Beaucoup de monde en été, des touristes et des Cubains... et des *jineteras,* bien sûr, puisque les Italiens sont là aussi, à moins que ce ne soit l'inverse. Tout ce beau monde s'entasse sur la partie de la plage située en face de l'hôtel *Tropicoco.* N'hésitez pas à vous éloigner un peu si vous voulez être plus tranquille. Tout au bout de la plage, en direction de Guanabo, c'est la plage *Mi Cayito,* « officiellement » réservée aux gays : un aspect insoupçonné de la tolérance cubaine... et de l'évolution des mœurs socialistes. Il y a des parkings le long de la route côtière, ou alors on peut laisser sa voiture dans un parc de stationnement d'hôtel.

Où dormir ?

Pas de chambre chez l'habitant pour la bonne raison qu'il n'y a pas de maison particulière, c'est pas plus compliqué. Pour une chambre d'hôtes, allez dormir à Guanabo.

- ***Hôtel Tropicoco :*** av. Las Terrazas. ☎ 97-13-71. Fax : 97-13-89. En pension complète, compter 70 US$ par personne en basse saison, 80 US$ en haute saison, sur une base de 2 personnes ; pour ce prix-là, boisson à volonté ! Un énorme (on a bien dit énorme) édifice affreux, peint en bleu. La plage est à 50 m et les chambres, confortables et propres, ont vue sur la mer. Un peu plus chères avec balcon. Sur place : piscine, bars, restos, tennis, location de voitures et motos, change et bureau d'infos.
- ***Hôtel Club Atlántico :*** en bord de mer, av. Las Terrazas. ☎ 97-10-85, 86 et 87. Entre 130 et 150 US$ selon la saison, pour 2 en pension complète (boissons à volonté). Ne pas confondre avec l'*Apartotel Atlántico,* de l'autre côté de la rue. Celui-ci appartient à la chaîne *Gran Caribe.* Beaucoup plus intime que le *Tropicoco.* Tennis, piscine, etc. Chambres très bien tenues, tout confort, mais la pension complète obligatoire peut être un inconvénient. Beaucoup d'Italiens.

Où manger ?

- ***Mi Rinconcito :*** av. Las Terrazas. En bord de plage. Pas loin de l'hôtel *Tropicoco.* Ouvert de 12 h à 21 h 30. Bonnes pâtes entre 2 et 5,5 US$. Pizzas de 2 à 6 US$. Le poisson est plus cher. Il y a même du *tiramisù* pour le dessert. Salle propre, sans charme, mais climatisée avec un p'tit côté chic : nappes de couleur et vaisselle noire !
- ***Mi Cayito :*** au bout de la route côtière en direction de Guanabo. Sur un îlot de la lagune Itabo. Pour y accéder, on passe sur un petit pont en fer. Ouvert seulement pour le déjeuner. Ferme vers 17 h. Filet de poisson grillé ou brochette de langouste autour de 5 US$. On mange en plein air, sous des petites paillotes au bord de l'eau, avec vue sur la lagune. Un ravissement. Possibilité de louer des pédalos.

GUANABO

IND. TÉL. : 7

À une dizaine de petits kilomètres de Santa María, c'est la première véritable agglomération que l'on rencontre depuis La Havane. Grande plage (ce n'est pas la plus belle qu'on ait vue), un peu moins fréquentée que Santa María del Mar, mais avec un vrai petit village au charme toutefois limité. Il s'étale de part et d'autre de l'artère principale, la 5ta avenida, assez bruyante.
Une impression mitigée. Beaucoup d'Italiens par ici, si bien que, en majorité, les restos proposent pâtes et pizzas. Plusieurs petits hôtels bon marché, quelconques et sans charme et des dizaines de chambres chez l'habitant.

Orientation

Le point de référence, c'est la 5ta avenida où se trouvent les commerces et l'animation. À signaler, la numérotation particulièrement « pratique » des rues : les parallèles à la mer sont affublées de numéros comme 5, 6, 7, 8...

agrémentés de lettres (A et B), tandis que les perpendiculaires ont également des numéros, mais bien plus grands (472, 474...).

Adresses utiles

🚌 ***Station de bus :*** au rond-point, au tout début de la 5ta av.

■ ***Station-service Cupet :*** à l'entrée de la bourgade.

■ ***Change :*** les banques se trouvent sur la 5ta av., au niveau du *parque principal.*

Où dormir ?

CHAMBRES CHEZ L'HABITANT (CASAS PARTICULARES)

On est proche de la capitale et loin de la campagne innocente. Conclusion : des prix assez élevés. En revanche, les sanitaires sont généralement récents et très convenables. Il y a une kyrielle de *casas particulares,* mais, bizarrement, elles sont mal signalées et difficiles à trouver. Les maisons les plus agréables ne sont pas situées au bord de la mer (pour des raisons de sol humide et mou), mais sur la pente de la colline, de l'autre côté de la 5ta avenida.

Prix modérés

■ ***Bertha y Tony :*** calle 472, 902, angle calle 9. ☎ 96-64-74. Chambres doubles à 25 US$ en basse saison et 30 US$ en haute saison. Une maison en bois, avec des murs beige et marron, et une grande véranda qui rappelle les maisons de Louisiane. Sans conteste, la plus belle architecture de nos adresses. Malheureusement, on ne loge pas à l'intérieur, mais dans des constructions modernes attenantes. Quatre chambres très confortables avec AC. Celle du 1er étage est un véritable petit studio avec terrasse. C'est la plus agréable. En bas, 2 chambres partagent la salle de bains, un coin salon et une belle cuisine. Les sanitaires sont super-clean. Le tout est très confortable bien que le patron (qui investit beaucoup, il est vrai) ait parfois tendance à tirer sur les prix. Garage pour une voiture.

■ ***Roberto y Yojaida :*** calle 486, 7B02, entre les calles 7B y 9. ☎ 96-47-42. Pour deux, compter entre 25 et 30 US$. On loge dans un petit appartement indépendant au 1er étage de la maison, où il y a 2 chambres qui partagent une salle de bains (toute moderne et avec eau chaude), une belle cuisine équipée et un salon très confortable. Deux terrasses. Bien tenu, calme et propre. Roberto est un bricoleur, sympathique et sérieux. Yojaida est tout simplement charmante et discrète.

■ ***Alejandro y Sonia :*** calle 472, 7B08, entre les calles 7B y 9. ☎ 96-36-38. C'est au fond, derrière la maison. Attention, en arrivant, on manque de s'assommer en passant sous un petit pont construit trop bas. Compter 25 US$ pour deux. Une chambre modeste avec AC et salle de bains moderne. Cuisine et salle à manger rikiki. Plutôt propre mais sans aucun charme. En dernière solution.

■ ***Paula Padron Martinez :*** calle 486, 7B07, entre 7 et 9. ☎ 96-00-60. Entre 25 et 30 US$ la chambre. La première, dans une extension de la maison, est toute neuve avec une grande salle de bains, AC et tout le confort. Jolie décoration en boiseries. La seconde est plus ancienne et la salle de bains est plus petite. Les locataires peuvent utiliser la cuisine très bien équipée et jouir d'un grand salon-véranda et d'une cour-solarium. Toute menue et petite, Paula a travaillé dans le tourisme et en connaît un rayon en matière d'accueil.

■ ***Yhogny Romero :*** calle 486, 5D08, entre 5D y 7A. ☎ 96-33-69.

Entre 25 et 30 US$ la chambre. Petit déjeuner à 4 US$. Deux grandes chambres neuves et très propres, bien meublées, AC mais avec une salle de bains (équipée d'une baignoire) à partager. Dans une agréable maison disposant de deux salons et d'une grande terrasse ensoleillée et gardée par un paisible molosse. Il y a même une douche à l'extérieur (pratique quand on revient de la plage). Garage.

≙ ***Carlos y Nery :*** calle 492, 701, angle calle 7. ☎ 96-20-36. Il s'agit d'une villa entière louée entre 90 et 120 US$ selon la saison et la durée du séjour (35 à 40 US$ si on ne loue qu'une seule chambre). Pour un groupe d'amis de 6 personnes ou une famille nombreuse. Excentré, mais avec un grand jardin : barbecue, pelouse et arbres fruitiers. Immense salle de séjour, cuisine superspacieuse, 3 chambres modernes, avec salle de bains. Bien équipé et impeccable. Réservez par téléphone. Nery habite deux maisons plus loin, dans la calle 7.

HÔTEL

≙ ***Hotel Villa Playa Hermosa :*** 5ta av., entre 472 y 474. ☎ 96-27-74. Compter entre 25 et 29 US$ la chambre double avec petit déjeuner. Bungalows dans un jardin avec piscine (et musique, évidemment). Chambres et sanitaires ont été rénovés. Eau froide uniquement. Deux restos dont un de l'autre côté de la rue, un de cuisine *criolla* et un autre italien. Boîte de nuit tous les soirs, entrée à 2 US$ pour les non-résidents. Toujours pour les non-résidents, entrée à la piscine à 5 US$ dont 3 à valoir sur des consommations.

Où manger ?

●| ***Paladar El Piccoli :*** calle 7, 48410, entre les calles 484 y 486. ☎ 96-26-63. Ouvert pour le déjeuner et le dîner jusqu'à 23 h. Pizzas entre 4 et 7 US$, pâtes entre 3 et 5 US$. Et des plats de poisson. Bonne adresse tenue par le sympathique Adalberto Abelas Duran (ses ancêtres étaient des Français d'Haïti). Proche de l'avenue 5, et pourtant très calme, ce *paladar* en plein air ne sert que des produits frais du marché. Carte très variée (et même traduite en français !), cuisine exquise, plats copieux. Le four à pizzas marche au feu de bois.

●| ***Restaurante El Brocal :*** 5ta av., angle calle 500. ☎ 96-28-92. Plats de poisson autour de 4 US$. Six menus différents de 5 à 8 US$. On dirait une vieille maison de Martinique ou de Guadeloupe. Restaurée, elle abrite un bon petit resto. On mange en salle ou sur la spacieuse terrasse-véranda en bois. Les tables sont recouvertes de nappes brodées. Joli cadre. Musique avec des groupes *en vivo.*

●| ***Paladar Pizzeria Piccolo :*** 5ta av., A, entre 502 y 504. ☎ 96-43-00. Ouvert de midi à minuit. Toutes sortes de pizzas de 6 à 8 US$. On mange à l'intérieur d'une grande maison sur des tables en bois, dans un décor chaleureux et agréable, en face du grand four à pizzas et d'immenses corbeilles de fruits resplendissants de vitalité. Pizzas variées, mais aussi des plats de pâtes. Beaucoup de monde en saison. Il est vrai que les pizzas sont délicieuses, arrosées d'un filet d'huile d'olive. Parking.

PLAYA JIBACOA

IND. TÉL. : 0692

À une trentaine de kilomètres après Guanabo, la route conduit à Santa Cruz del Norte qui n'a pas de vraie plage, mais une côte caillouteuse. La réalité industrielle de cette partie de la côte s'annonce bien vite lorsqu'on découvre les nombreuses têtes de pompage de pétrole le long de la mer. Plus loin, des installations pétrolières ! À la sortie de Santa Cruz, vous apercevrez l'usine où se concocte le célèbre rhum Habana Club (ne se visite pas).

Après le désert, quelques collines en pente douce et une végétation docile, soumise, dans cette région fortement peuplée, on arrive à la playa Jibacoa, petit centre de villégiature le long de la mer, tranquille, avec plusieurs criques très propices à la baignade, et des fonds coralliens pour les plongeurs. En revanche, peu de solutions vraiment chouettes pour se loger. Dans ce coin-là comme ailleurs, beaucoup de monde l'été, c'est donc difficile de trouver un logement, même dans les endroits les plus minables. Hors saison, par contre, il n'y a personne et le secteur est un rien *bluesy*. De plus, l'absence de village, malgré la présence de la plage, n'en fait pas un endroit où l'on a envie de séjourner longtemps. Tout au plus une halte d'une nuit accompagnée d'un petit plouf.

Comment y aller ?

➢ ***En bus :*** les bus des lignes La Havane-Matanzas et La Havane-Varadero s'arrêtent à Jibacoa.

Où dormir ? Où manger ?

Bon marché

☗ ***Hôtel El Abra :*** sur la route côtière. ☎ 85-224. Compter environ 10 US$ le bungalow pour 2. Grand complexe touristique composé de 80 cabanons en partie en rénovation, minuscules, pas folichons mais pas chers. Tenue très moyenne. Douche et AC. Personnel serviable. Piscine olympique. Belle plage. Problème : les cabanons n'étant pas ombragés, la chaleur est difficilement supportable en août. Restaurant, bar, billard. Épicerie.

☗ ***Villa Camping :*** vía Blanca. ☎ 85-320. À l'entrée de la playa Jibacoa, juste sous le pont. Compter 18 US$ pour 2. On l'appelle encore le « camping des Français » : c'est ici que nos compatriotes des Jeunesses communistes ont passé leurs vacances pendant des années ! Une trentaine de petites maisons un peu délabrées (2 chambres, une cuisine, une salle de bains, une terrasse et un garage) pouvant accueillir jusqu'à 6 personnes.

– D'autres ***complexes de vacances*** du type de l'hôtel *El Abra* jalonnent la côte, mais ils sont la plupart du temps réservés aux Cubains.

Prix moyens

☗ ●● ***Villa Loma :*** vía Blanca. ☎ 85-316. Juste après le *Villa Camping* (si on vient en voiture). Compter environ 40 US$ pour 2. Une quarantaine de chambres dans une douzaine de petites maisons d'une propreté indiscutable, même si elles sont tristes, disséminées sur des centaines de mètres le long de la mer. Chacune avec salon, chambre et kitchenette, AC. Une plage de chaque côté et, sur place : piscine, 2 restos et un bar-*mirador* (grill) au sommet d'une vieille tour en pierre. Plongée en apnée possible : fonds abondants en coraux et crustacés.

Plus chic

■ |●| ***Ventaclub Villa Trópico :*** sur la playa Jibacoa. ☎ 85-205, 206 ou 207. Fax : 85-208. Compter 120 US$ pour 2 en pension complète en haute saison. Hôtel-club de très bonne tenue, devant une superbe plage. Pas grand-chose de routard. On séjourne dans de petits blocs de qualité. Piscine, plongée, catamaran, genre grand centre de vacances. Discothèque. Seul inconvénient, pension complète obligatoire. Clientèle essentiellement italienne.

MATANZAS

120 000 hab. IND. TÉL. : 45

Après Jibacoa, la route passe sur le pont de Bacunayagua, le plus élevé du pays (116 m), qui sert de frontière entre la province de La Havane et celle de Matanzas. Panorama plongeant sur la mer d'un côté, la vallée de l'autre. On aperçoit plus loin la baie de Matanzas, l'une des plus grandes de l'île (près du pont, mirador, restaurant et cafétéria).

Importante ville industrielle, carrefour pétrolier, Matanzas s'étire tout en longueur. Deux fleuves, le San Juan et le Yumurí, traversent cette cité fondée à la fin du XVIIe siècle, qui compte énormément de ponts... On trouve même une plage sous l'un d'eux !

On s'arrêtera pour visiter le centre historique, près de la caserne des pompiers, un célèbre opéra et une grotte étonnante. Devenue au XIXe siècle le centre culturel le plus important de l'île (avant d'être doublée par La Havane), Matanzas fut baptisée « l'Athènes de Cuba » ! Bon, c'était peut-être un peu exagéré. Elle a conservé d'intéressants témoignages de ce passé glorieux, notamment de belles demeures coloniales. Lieu de naissance du *danzón* (ancêtre du mambo et du cha-cha-cha), c'est aussi la capitale des *paleteros,* chanteurs sacrés de la religion afro-cubaine. C'est aussi le berceau de la *rumba* dont elle est la capitale incontestée (ne ratez pas un de ses meilleurs groupes, les *Muñequitos de Matanzas*).

Curieusement, la ville n'a plus qu'un seul hôtel ! Cela dit, une petite halte suffit ici et il n'y a guère de raison d'y dormir, bien que précisément l'hôtel en question possède un vrai brin de charme parfaitement désuet. Puisqu'il n'y en a pas à Varadero, les chambres chez l'habitant ici peuvent être une bonne solution de repli. La ville s'organise autour de la calle Medio.

Adresses et infos utiles

■ ***Bureau d'informations touristiques :*** calle Milanés, esq. Santa Teresa. ☎ 25-35-51. Ouvert tous les jours de 8 h à 23 h. Cartes, affiches, brochures, tous renseignements sur les centres d'intérêt de Matanzas, mais aussi de Varadero, de Cardenas et de la péninsule de Zapata.

■ ***Station de bus :*** tout au bout de la calle 272. À environ 1 km du centre, en direction de Varadero, dans l'ancienne gare ferroviaire.

■ ***Banco Financiero Internacional :*** calle Medio (calle 85), à l'angle de 2 de Mayo (également appelée calle 298). ☎ 25-34-00. Ouvert du lundi au vendredi de 8 h à 15 h. Possibilité de retirer des dollars en espèces avec la carte *Visa*. Change le liquide et les chèques de voyage.

■ ***Téléphone, Internet :*** nouveau *Telepunto,* calle Milanés, esq. Jovellanos. Ouvert 24 h/24.

■ ***Stations-service Oro Negro :*** plusieurs, dont une à la sortie de la ville. À 2 km en direction de Varadero.

Où dormir? Où manger?

🏠 🍽 ***Hostal Alma :*** calle Milanés, 29008 (étage), entre Santa Teresa y Zaragoza. ☎ 24-78-10. • alberto@tuisla.cu • Entre 20 et 25 US$ la chambre double. Petit déjeuner à 3 US$ et repas entre 6 et 10 US$. Deux chambres au confort acceptable avec AC et salle de bains correcte (eau chaude). Elles donnent sur une immense terrasse d'où on accède à une autre terrasse dominant la ville et ses deux fleuves. Située en plein centre, cette grande maison coloniale a été construite en 1900 par un riche commerçant espagnol et possède encore des vitraux et carrelages d'époque. Alberto, le propriétaire, est historien et vous fera partager son amour pour sa ville et son île.

🏠 ***Villa Nela :*** calle 133, 14205, entre 142 et 144, reparto Reynold García (Pastorita). ☎ 26-14-63. Environ 25 et 40 US$ la chambre. Au rez-de-chaussée, petit appartement indépendant avec kitchenette très propre et bien équipée. AC, eau chaude, frigo, TV. Donne sur une petite cour intérieure. À l'étage, avec escalier extérieur, un autre appartement plus grand avec 2 chambres, cuisine, salle de bains, téléphone, TV et petite terrasse avec vue sur la mer. Le nettoyage des appartements est assuré régulièrement. La maisonnette proprette, jaune et verte, avec sa pelouse entretenue, se trouve tout près d'une petite plage et à 2 km du célèbre *Tropicana*. Rendez-vous à cette (excellente) adresse par vos propres moyens, pour ne pas payer la commission du rabatteur.

🏠 ***Raúl et Betty :*** calle 133, 14228, angle de la 144, reparto Reynold García (Pastorita). ☎ 26-22-74. Environ 25 US$ la chambre. Dans une petite villa avec minuscule jardin, 2 chambres avec meubles en rotin, AC, frigo, et chacune son coin cuisine, sa salle de bains (eau chaude), et son entrée indépendante. Garage. Raúl est un ancien *barbudo* qui après la Révolution a beaucoup voyagé dans les ex-pays de l'Est. Il vous racontera...

🏠 🍽 ***Hôtel Louvre :*** parque de la Libertad. ☎ 24-40-74. Chambres pour 2 ou 3 personnes entre 18 et 31 US$. Une petite vingtaine de chambres dans ce vieil établissement très colonial, genre vieux palace décati, ouvrant sur une des places les plus agréables de la ville. Seules 4 chambres possèdent des fenêtres (les n°s 1, 2, 3 et 4). Les autres donnent sur le patio, mais sont plutôt sombres et beaucoup moins agréables. De récentes rénovations n'ont pas apporté plus de confort : pas d'eau chaude et même l'eau froide fait des caprices, entretien très limite. Reste que l'ensemble garde un certain cachet : le bel escalier, le mobilier en bois dans le grand hall, la table où trône un petit croco, le gros bar de pierre... Dans la grande salle à manger, tout aussi désuète que l'hôtel, on vous propose des pizzas et de la cuisine créole à 25 pesos. En attendant le plat, on laisse gambader ses yeux sur les vitres colorées, sur les lustres vieillots et les grands vaisseliers sombres.

🏠 ***Hôtel Casa del Valle :*** dans la très belle et luxuriante vallée du Yumurí, à 7 km de Matanzas en direction de La Havane et 7 km de la vía Blanca (la sortie est fléchée). ☎ 25-35-84. Entre 36 et 38 US$ la double. La réception est située dans une grande bâtisse entourée d'un corridor à arcades. Le hall est un peu austère, pas étonnant puisqu'il s'agissait à l'origine de la demeure d'un officier de police de Batista! À côté, l'établissement hôtelier est plus accueillant avec ses chambres agréablement décorées, réparties en 4 petits édifices (choisir celui qui donne directement sur la vallée), 6 bungalows et 8 appartements de 2 chambres. Téléphone, frigo, TV satellite et AC. Il y a aussi 2 chambres au-dessus de la réception avec leurs meubles d'origine. Restaurants, bar, piscine (pour les non-résidents, entrée à 5 US$ à valoir sur les consommations). Possibilité de faire de l'équitation, des randonnées pédestres, de visiter la *Finca campesina* proche qui ne produit que des fleurs. La *Casa del Valle* est aussi un centre anti-stress et anti-obésité. Vous l'avez compris, ne venez pas là chercher l'animation, mais le calme et une nature grandiose.

Hôtel Canimao : à 7 km à la sortie de Matanzas en direction de Varadero sur l'autoroute. Prendre la petite route à droite juste avant le pont qui enjambe la rivière. L'hôtel est juste derrière le cabaret *Le Tropicana.* ☎ 26-10-14. Compter 30 US$ pour 2 avec le petit dej'. Grand hôtel de 120 chambres, propres et fonctionnelles, avec AC. Des peintures naïves et des perruches vous accueillent dans un immense hall. Piscine bien propre et établissement vraiment agréable. Juste en contrebas de l'hôtel, possibilité d'excursions sur le río Canimar (demander à la réception où prendre une *lancha* sur le río).

Café Atenas : plaza Vigía, face au théâtre Sauto. Ouvert de 9 h à minuit. Vraiment pas cher. *Pollo,* sandwichs, pizzas entre 2 et 4 US$. Agréable terrasse couverte de bougainvillées qui donne sur l'angle de la place entre le musée et le théâtre. Certainement la nourriture la moins mauvaise de la ville.

Où sortir ?

Le Tropicana : à quelques kilomètres de Matanzas, en direction de Varadero, sur la droite. ☎ 26-55-55. Ouvert à 21 h 30 du jeudi au dimanche en basse saison, tous les soirs (sauf le lundi) en haute saison. Réservations dans les agences de voyages et les hôtels de Varadero. Sans transfert de Varadero, le prix est le même (59 US$), alors autant prendre la navette au départ de l'hôtel (départ : 20 h). C'est le petit dernier (et troisième cabaret du même nom, après ceux de La Havane et de Santiago), architecture dernier cri. Comme dans les deux autres, le spectacle est fait de paillettes et strass, jolies filles dénudées, danse, chants, musique... Le show est évidemment excellent.

À voir

El teatro Sauto : sur la petite plaza Vigía. Ouvert du mardi au samedi de 9 h à 16 h. Entrée : 2 US$, avec un guide. Bel exemple d'architecture néo-classique dessinée par l'Italien Daniel Dall'Aglio. Construit en 1863, il s'appela le théâtre Estebán jusqu'en 1899, puis il prit le nom du richissime docteur et mécène Sauto. Longtemps, il fut le théâtre le plus réputé de Cuba : Caruso et Sarah Bernhardt (dans *La Dame aux camélias*) y jouèrent.

El Antiguo Cuartel de los bomberos *(la vieille caserne des pompiers et ses vieux véhicules)* **:** tout près du théâtre, sur la place Vigía. Ouvert de 9 h à 17 h. Entrée payable en pesos. L'antique caserne des pompiers est toujours en service. Elle abrite un musée d'une dizaine de véhicules très anciens à moteur et à cheval (le plus vieux date des années 1700).

El Museo provincial : à côté du théâtre. Ouvert du mardi au samedi de 9 h 30 à 12 h et de 13 h à 17 h ; le dimanche, de 8 h 30 à 12 h. Fermé le lundi. Entrée : 2 US$. Ancien palais de Don Vicente de Unco y Sardinas, de style néo-colonial. Un peu de tout dans les salles : éléments sur l'esclavage, armes anciennes, objets religieux, copies de gravures anciennes, schéma d'une usine de sucre, histoire des Indiens de la région, etc. À l'étage, une salle d'archéologie et la reconstitution d'un salon bourgeois du XIXe siècle. Également, un récapitulatif sur les héros des guerres d'Indépendance.

El Museo farmacéutico : parque de la Libertad. Ouvert du lundi au samedi de 10 h à 18 h ; le dimanche, de 10 h à 12 h. Fermé le lundi. Entrée : 2 US$ (3 US$ avec guide). Le musée est situé sur l'ancienne plaza de

Armas, pleine de charme et au centre de laquelle la statue de Martí apparaît en libérateur, avec une femme déchaînée en dessous.
Fondée en 1882 conjointement par le Français Ernest Triolet (lointain parent d'Elsa, la femme d'Aragon !) et le Cubain Juan Fermin Figueroa, c'est l'une des plus vieilles pharmacies de l'île et la mieux conservée : tous les médicaments sont d'époque ! Cette pharmacie française du XIXe siècle ainsi conservée est unique au monde (il n'y en a pas en France !). La gentille guide vous expliquera (en espagnol) que cette très belle boutique, qui fonctionna jusqu'au 1er mai 1964, est devenue le premier Musée pharmaceutique d'Amérique latine. On visite 7 salles en tout, toutes aussi intéressantes les unes que les autres, et la maison du pharmacien Triolet, adjacente au musée.
Luxueux étalages en bois précieux, couverts de pots de porcelaine fabriqués en France. Sur le comptoir, des bonbonnes en cristal de Bohême et une balance en marbre et en bronze. Parmi les objets les plus amusants, un moule à suppositoires ! Onze médicaments élaborés par Triolet remportèrent une médaille de bronze à l'Expo universelle de 1900. Dans l'arrière-boutique, la réserve, pleine de potions magiques, élixirs rigolos et plantes médicinales cubaines... Imposants registres médicaux (55 tomes). On passerait des heures à lire les vieilles étiquettes, pour la plupart écrites en français ! Dans le labo, alambic en cuivre, chaudron servant aux distillations et aux stérilisations, pressoir et des milliers de vieilles fioles.

Y ***L'hôtel Louvre :*** parque de la Libertad, à côté du Musée pharmaceutique. Même si vous n'y séjournez pas, jetez un œil à l'intérieur de cet hôtel (voir « Où dormir ? Où manger ? »). Construit en 1894, un petit palace de style colonial plein de cachet. La déco et le mobilier, dignes d'un musée, n'ont pas bougé depuis des lustres ! On peut y prendre un pot dans le joli patio.

Y ***La catedral San Carlos :*** entre la plaza de Armas et la plaza Vigía, sur la calle 83, à l'angle de la calle 282. Ouvert tous les jours de 8 h à 12 h et de 14 h 30 à 17 h... en théorie. Édifiée en 1730 dans un style espagnol.

Y ***La Loma de Monserrate :*** c'est la colline qui domine la ville et offre une très belle vue sur la vallée du Yumurí. Ruines d'un vieil ermitage.

➤ DANS LES ENVIRONS DE MATANZAS

YYY ***La cueva de Bellamar :*** à Finca La Alcancia, à 6 km au sud-est de la ville. Ouvert tous les jours de 9 h à 17 h ; dernière entrée à 16 h 15. Entrée : 3 US$. Supplément pour photo et film. Visite guidée uniquement, de 45 mn environ. Découverte en 1861, on estime sa formation à plus de 300 000 ans avant notre ère. Cette grotte impressionnante se caractérise par ses vastes galeries, ses nombreux couloirs et boyaux, les belles couleurs de ses concrétions et ses énormes stalactites. Beaucoup d'humidité à l'intérieur. L'éclairage met bien en valeur l'ensemble. Les guides vous emmèneront dans cette superbe grotte longue de plus de 2 km. Pas très profonde, elle présente, en revanche, d'intéressants souterrains ponctués par des piscines naturelles d'une incroyable limpidité.

QUITTER MATANZAS

En bus

➢ Avec *Astro* : pour ***La Havane,*** 2 bus par jour (4 US$) ; pour ***Santiago,*** 1 bus le matin un jour sur deux (31 US$) ; pour ***Camagüey,*** 1 bus le matin un

LES PLAGES DE L'EST

jour sur deux (19 US$) ; pour ***Santa Clara,*** 1 bus en fin d'après-midi (8 US$) ; pour ***Cienfuegos,*** 1 bus le matin (10 US$).

➢ Avec *Viazul* : pour ***Varadero,*** 2 bus le matin et 1 l'après-midi (6 US$) ; pour ***La Havane,*** 1 bus le matin et 2 l'après-midi (7 US$).

En train

➢ Avec le fameux *train Hershey* (gare : calle 181, reparto Miret, au sud de la ville), on peut aller à ***La Havane*** (arrivée à la gare de Casablanca). Cinq départs par jour entre 4 h 15 et 21 h. Durée du trajet : 3 h 30 (il y a une cinquantaine d'arrêts !). Prix : seulement 2,8 pesos si vous vous faites passer pour un Cubain (ou alors 2,8 US$) !

➢ Le train de la ligne ***La Havane-Santiago*** passe dans l'autre gare, au nord de la ville. Il s'arrête également à Matanzas.

VARADERO

IND. TÉL. : 45

À 40 km de Matanzas. La vía Blanca conduit en ligne droite à la longue péninsule Hicacos, bordée de sable blanc (20 km de plages !). Et tout autour, une mer de rêve, à la fois azur, émeraude et turquoise... Hmm !
Ce site superbe, gâté par la nature, a fait du village de Varadero une station balnéaire réputée dans le monde entier. C'est ici que fut construit le premier hôtel balnéaire de l'île, en 1940. Aujourd'hui, Varadero est de loin le lieu le plus touristique de Cuba, fréquenté presque exclusivement par des Allemands, des Italiens, des Canadiens, des Espagnols et des Mexicains. Depuis l'ouverture de l'aéroport international, les investissements ont suivi, transformant l'endroit en station organisée à l'américaine, avec ses complexes hôteliers pharaoniques, ses voitures de luxe, ses allées bordées de palmiers, ses pizzerias et ses immenses panneaux publicitaires (le comble en pays socialiste !). Bref, on se croirait un peu en Floride... mais vraiment pas dans une ville cubaine.
Les avis sont partagés sur Varadero. Selon les brochures touristiques, le paradis cubain est ici. Mais ceux qui rêvent d'authenticité et ne supportent pas les attroupements touristiques y voient plutôt un enfer (un enfer doré, n'exagérons rien !). Pour nous, la beauté de la plage et de l'eau justifie le fait d'y passer au moins un ou deux jours, mais il faut savoir qu'il n'y a pas de village à proprement parler et que les seuls Cubains que vous rencontrerez sont ceux qui vous serviront votre *mojito* au bord de la piscine. Il est donc clair que ce n'est pas ici que l'on découvrira Cuba.
Sur le plan architectural, c'est une longue litanie d'établissements hôteliers de tous niveaux, où chacun vit un peu en vase clos. Au fur et à mesure que l'on se dirige vers l'est, les hôtels deviennent de plus en plus grands et fastueux. De véritables mastodontes de 500 chambres et davantage. Pour ceux qui voudraient se reposer sans voir personne, il y a ailleurs des petites îles bien plus tranquilles.
Si certains touristes voient en Varadero un éden, le gouvernement y a installé sa plus grosse « pompe à devises ». Le péage de l'autoroute en venant de Matanzas donne le ton : 2 US$ pour entrer et 2 US$... pour sortir.

Orientation

Varadero est d'une simplicité enfantine : les rues sont toutes parallèles et numérotées dans l'ordre, de 1 à 69, en commençant à l'entrée de la ville. Elles croisent cinq grandes avenues, la 1ra avenida et l'avenida Playa faisant office d'artères principales puisqu'elles longent la plage, où sont concentrés tous les hôtels.

Comment se déplacer ?

➢ ***En navette :*** quelques navettes circulent régulièrement dans les 2 sens et vous mènent d'un point à un autre : 1 US$. Notamment un bus anglais *(Beach Tour)* et un petit train qui desservent la 1ra avenida et vont jusqu'au Delfinarium.

➢ ***À vélo ou à scooter :*** possibilité de louer des vélos à l'heure ou à la journée et des scooters à la journée. Voir la rubrique « Adresses et infos utiles » ci-après.

➢ ***En cocos-taxis ou en voitures à cheval.***

Adresses et infos utiles

Tourisme

■ ***Cubatur*** *(plan II, **1**)* **:** calle 33 y 1ra av. ☎ 66-72-17. Fax : 66-70-48. Ouvert tous les jours de 8 h à 20 h. Ils peuvent s'occuper de vos problèmes d'hébergement, vous trouver une voiture de location et vous réserver des excursions (sans commission). Également un bureau à l'aéroport.

■ ***Havanatur*** *(plan II, **2**)* **:** 3ra av., entre les calles 33 y 34. À l'étage. ☎ 66-70-27 et 66-75-89. Fax : 66-70-26. Permanence tous les jours 24 h/24. Utile pour les transferts vers les aéroports (Varadero et La Havane) et les excursions.

■ ***Sol y Son*** *(plan II, **3**)* **:** 1ra av., entre les calles 54 y 55. ☎ 66-75-93. Ouvert tous les jours de 9 h à 17 h. Agence de voyages. Pour tous renseignements et achats de billets d'avion.

LES PLAGES DE L'EST

Poste, télécommunications

✉ ***Poste principale*** *(plan II)* **:** à l'angle calle 36 y 1ra av. Ouvert du lundi au samedi de 8 h à 20 h.

■ ***Centro telefónico*** *(plan II, **4**)* **:** 1ra av., angle calle 30. Face à l'hôtel *Villa Caribe*. Ouvert 24 h/24. Vente de cartes téléphoniques. Possibilité également d'envoyer des fax et de consulter Internet, moyennant l'achat d'une carte valant 15 US$!

@ ***Centre Internet :*** 1ra av., angle calle 64. À l'entrée de l'hôtel *Palma Real*. Ouvert de 8 h à 20 h.

Banques

■ ***Banco Financiero Internacional*** *(plan II, **5**)* **:** calle 32, 3202, y 1ra av. ☎ 66-70-02. Près du *Villa Caribe*. Ouvert tous les jours de 9 h à 19 h pour les touristes. Pour changer de l'argent ou en retirer avec une carte bancaire (carte *Visa*). Bien évidemment, se munir de son passeport pour les retraits d'argent. Distributeur automatique.

■ ***Banco de Credito y Comercio*** *(plan II, **6**)* **:** 1ra av., entre les calles 36 et 35. Ouvert du lundi au vendredi de 8 h 30 à 14 h et de 14 h 30 à 19 h. Distributeur automatique.

Santé

■ ***Clinica internacional*** *(plan II, **7**)* **:** 1ra av. y calle 61. ☎ 66-77-10 et 66-77-11. Urgences : ☎ 66-86-11. Face à l'hôtel *Cuatro Palmas*. Une permanence est assurée 24 h/24. Réservé aux touristes, donc payant. Tous les

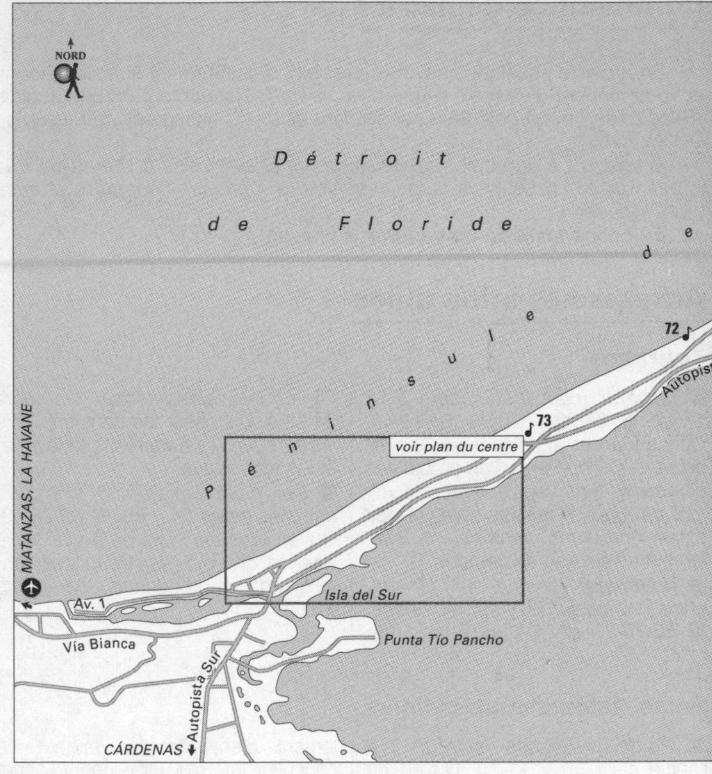

■ **Adresses utiles**

- Poste principale *(plan II)*
- Terminal des bus *(plan II)*
- **1** Cubatur *(plan II)*
- **2** Havanatur *(plan II)*
- **3** Cubana de Aviación, Aero-caribbean, Sol y Son *(plan II)*
- **4** Centro telefónico *(plan II)*
- **5** Banco Financiero Internacional *(plan II)*
- **6** Banco de Credito y Comercio *(plan II)*
- **7** Clinica internacional et pharmacie *(plan II)*
- **8** Air France *(plan II)*
- **9** Mica Rent a Car *(plan II)*
- **10** Transtur Rent a Car *(plan II)*
- **11** Havanautos *(plan II)*
- **12** Station-service Oro Negro *(plan II)*
- **13** Librairie Hanoi *(plan II)*

Où dormir ?

- **20** Hôtel Dos Mares *(plan II)*
- **21** Hôtel Tropical *(plan II)*
- **22** Hôtel Pullman *(plan II)*
- **23** Delfines *(plan II)*
- **24** Acuazul *(plan II)*
- **25** Hôtel Herradura *(plan II)*

Où manger ?

- **20** Itsmo *(plan II)*
- **23** Restaurant Imperial *(plan II)*
- **40** Casa del Chef *(plan II)*
- **41** El Bodegón Criollo *(plan II)*
- **42** El Criollo *(plan II)*
- **43** El Caney *(plan II)*
- **44** Lai Lai *(plan II)*

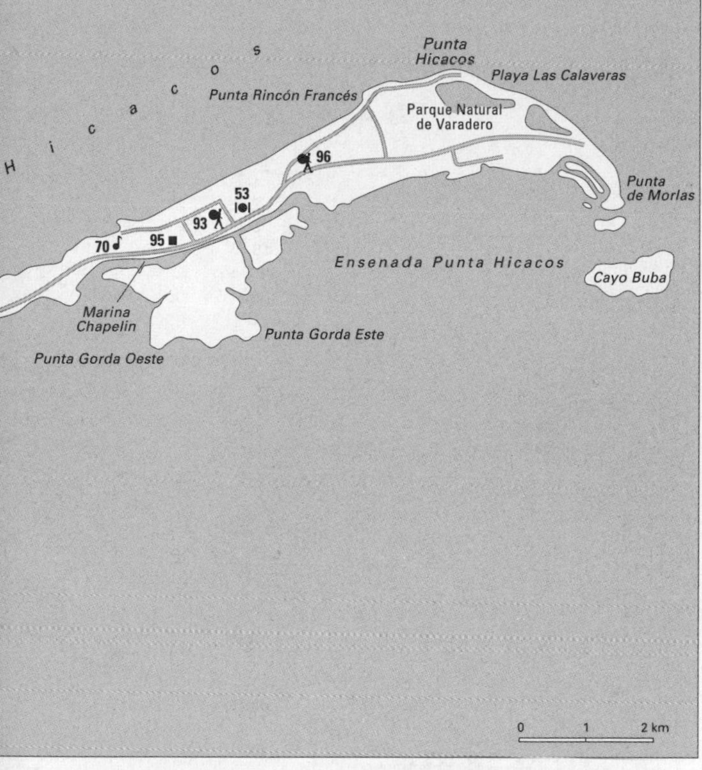

VARADERO – VUE D'ENSEMBLE (PLAN I)

- **45** Ranchón Mediterráneo *(plan II)*
- **46** Esquina Cubana *(plan II)*
- **47** Castel Nuovo *(plan II)*
- **48** La Barbacoa *(plan II)*
- **49** El Mesón del Quijote *(plan I)*
- **50** El Retiro *(plan II)*
- **51** Mansión Xanadú *(plan II)*
- **52** Antiguedades *(plan II)*
- **53** El Galeón *(plan I)*

Où déguster une glace ?

- **54** Coppelia *(plan II)*

Où boire un verre ?

- **20** Bar de l'hôtel Dos Mares *(plan II)*
- **51** Bar-mirador Casablanca *(plan I)*
- **60** FM 17 *(plan II)*

Où voir un spectacle ? Où sortir ? Où danser ?

- **70** La Cueva del Pirata *(plan I)*
- **71** Cabaret Mediterráneo *(plan II)*
- **72** Palacio de la Rumba *(plan I)*
- **73** Cabaret Continental *(plan I)*

À voir

- **51** Mansión Dupont de Nemours (mansión Xanadú ; *plan I*))
- **90** Museo municipal *(plan II)*
- **92** Parc Josone *(plan II)*
- **93** Delfinarium *(plan I)*
- **96** Cueva Ambrosio *(plan I)*

À faire

- **94** Club Barracuda *(plan II)*
- **95** Catamaran Jolly Roger *(plan I)*

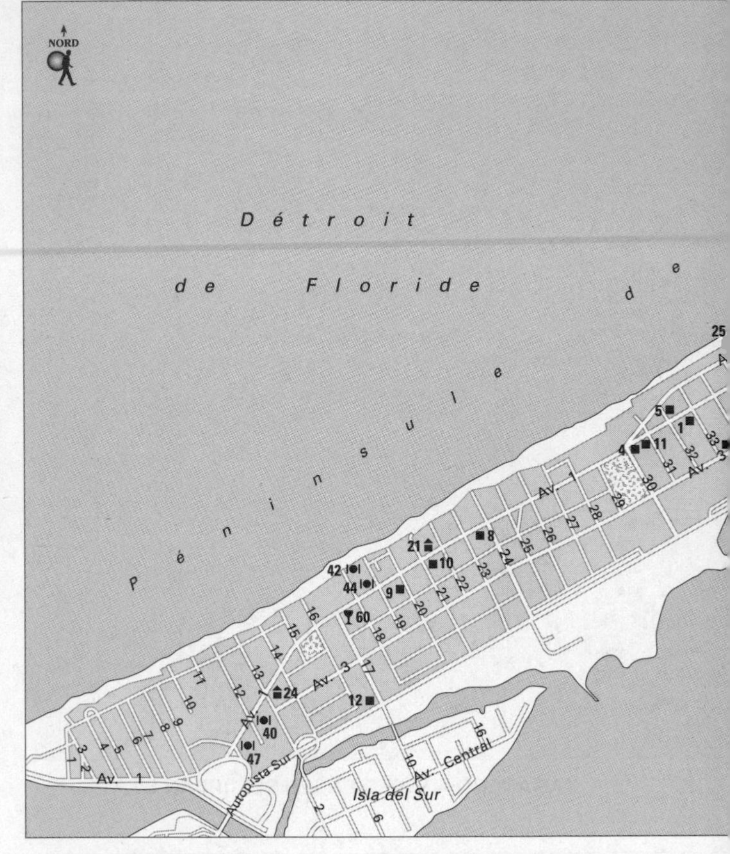

services : gynéco, labo, radio, stomato, pharmacie et ambulances.

■ ***Pharmacie*** *(plan II, **7**)* **:** dans la *Clinica internacional*. Ouvert 24 h/24.

Transports

🚌 ***Terminal des bus*** *(plan II)* **:** calle 36 y autopista Sur. À l'opposé de la plage, à hauteur du centre. Voir « Quitter Varadero », plus loin.

✈ ***Aéroport international J. G. Gómez*** *(hors plan I)* **:** à 12 km à l'ouest de Varadero, sur la route de La Havane puis à gauche. Si vous arrivez en avion, on trouve à l'aéroport des taxis pour Varadero. Pour se rendre à l'aéroport du centre de Varadero, aller à la gare des bus, il y a toujours des taxis disponibles.

■ ***Cubana de Aviación*** *(plan II, **3**)* **:** 1ra av., entre 54 y 55. ☎ 61-18-23. Pour confirmer les vols, acheter des billets...

■ ***Aerocaribbean*** *(plan II, **3**)* **:** même bureau que *Cubana de Aviación*. ☎ 61-14-70. Vols (irréguliers) pour Pinar del Río, Trinidad et cayo Largo. Téléphoner pour se renseigner.

■ ***Air France*** *(plan II, **8**)* **:** 1ra av., angle 23. ☎ 66-82-85 et 66-82-87. Fax : 66-82-86. Ouvert du lundi au vendredi de 8 h 30 à 16 h 30 ; le samedi de 8 h 30 à 12 h 30. Vente de billets, réservations, changements.

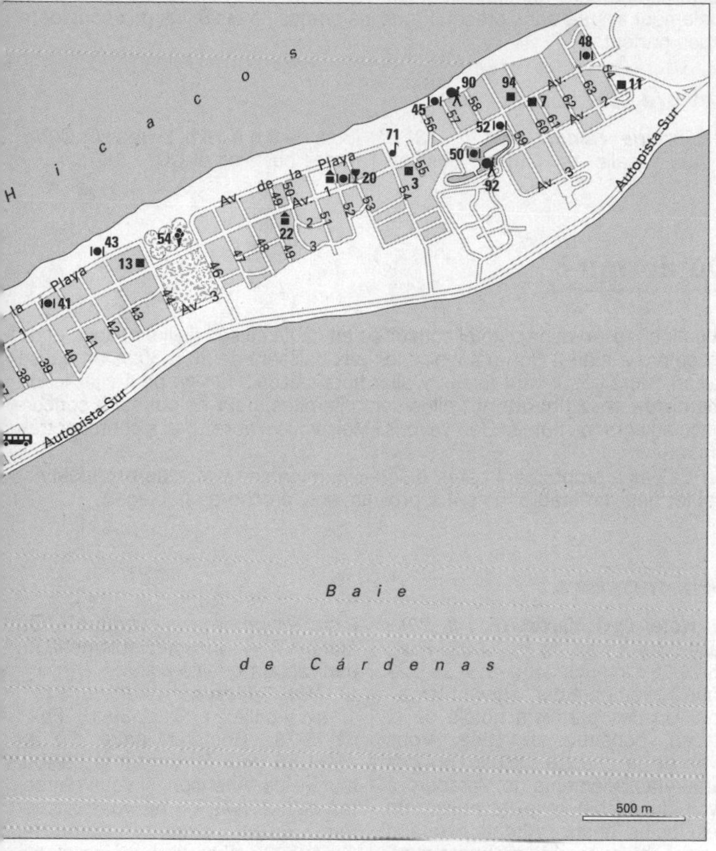

VARADERO – CENTRE (PLAN II)

Location de voitures, station-service

■ ***Mica Rent a Car*** *(plan II, 9)* **:** calle 20 y 1ra av. ☎ 61-18-08. Fax : 61-10-84. Certainement parmi les meilleurs tarifs.

■ ***Transtur Rent a Car :*** plusieurs adresses d'agences. La première à l'aéroport. Ensuite, calle 21 y 1ra av. *(plan II, **10**),* face à l'hôtel *Tropical.* ☎ 66-73-32. Bon à savoir : les tarifs sont dégressifs.

■ ***Havanautos :*** bureau central à l'angle de la 1ra avenida et de la calle 31 *(plan II, **11**).* Des agences dans tous les hôtels. L'agence principale, avec permanence 24 h/24, se trouve près de l'hôtel *Palma Real,* 2da av. y calle 64 *(plan II, **11**).* ☎ 66-70-94.

■ ***Station-service Oro Negro*** *(plan II, **12**)* **:** autopista Sur y calle 17, à l'entrée de la ville. Ouvert 24 h/24.

Location de scooters

Tout au long de la 1ra avenida, location de scooters entre 25 et 30 US$ la journée. Pas d'adresses en particulier, les loueurs mettent une table sur le trottoir, un parasol, quelques mobs devant et le tour est joué. Ce service est également assuré dans presque tous les grands hôtels et les prix sont identiques partout.

Culture, souvenirs

■ ***Librairie Hanoi*** *(plan II, **13**) :* 1ra av. y calle 44. Ouvert tous les jours de 9 h à 19 h. Livres sur Cuba, cartes postales et CD.

Où dormir ?

Attention : réservation d'hôtel conseillée en haute saison (juillet et août, et de décembre à mars). Bon à savoir : les prix baissent de 20 à 30 % en basse saison. Moralité : il vaut mieux y aller hors saison... On ne peut citer ici de **chambres chez l'habitant** : elles sont interdites, pour ne pas faire concurrence aux grands hôtels. Ben voyons ! Mais vous n'aurez pas à chercher très loin...
Il n'y a pas à proprement parler d'hôtels bon marché à Varadero. L'idéal est d'opter pour un établissement à prix moyens, proche de la plage.

Prix moyens

■ ***Hôtel Dos Mares*** *(plan II, **20**) :* calle 53 y 1ra av. ☎ 61-27-02. Fax : 66-74-99. Compter entre 42 et 54 US$ pour 2 avec petit dej', suivant la saison. Un des premiers hôtels de la station, construit en 1940. Vous avez de la chance : c'est l'un des rares établissements de Varadero à avoir du cachet et c'est aussi l'un des moins chers ! Attention quand même, l'hôtel semble proposer quelques belles chambres de standing... et d'autres beaucoup moins confortables ! Demander à en voir plusieurs avant de vous installer. Cet ancien palais de 2 étages, à la disposition intérieure étrange, a même du marbre dans ses couloirs. Bar et resto (*Itsmo*; voir la rubrique « Où manger ? »). Incontestablement un bon rapport qualité-prix.

■ ***Hôtel Tropical*** *(plan II, **21**) :* 1ra av. y calle 21. ☎ 61-39-15. Fax : 61-46-76. Compter entre 50 et 110 US$ pour 2, suivant la saison, tout inclus. Attention, si vous ne restez qu'une nuit, on ne vous acceptera qu'en pension complète. Grande structure en bord de plage, composée de plusieurs édifices de part et d'autre de la route. Sans charme particulier, mais le bon confort des chambres (AC, TV, salle de bains) et les prix raisonnables en font une adresse plus que recommandable. Service sans défaut.

Un (tout petit) peu plus chic

■ ***Hôtel Pullman*** *(plan II, **22**) :* 1ra av. y calle 49. ☎ 66-71-61. Fax : 66-74-99. Entre 47 et 54 US$ pour 2 avec le petit dej'. Une jolie maison ancienne, tout en pierre, d'une petite quinzaine de chambres seulement. Rien à voir avec la chaîne d'hôtels française évidemment. Chambres un peu sombres pour certaines, avec salle de bains et AC. Sans conteste l'hôtel le plus original, avec sa curieuse tour carrée, même si les chambres sont plutôt banales. Pas mal de cachet, avec son petit jardin et son beau bar en bois. Billard sous l'agréable terrasse, et quelques bons fauteuils pour se relaxer après. Un des bons rapports qualité-prix de la station. Accueil moyen.

⌂ ***Delfines*** *(plan II, **23**)* **:** 1ra av., entre les calles 38 et 39. ☎ 66-77-20. Fax : 66-77-27. Uniquement en demi-pension : entre 65 et 97 US$ pour 2. Essentiellement revendu par une agence italienne, ce qui explique que ce soit souvent plein. Directement sur la plage. Un très bel hôtel en deux parties. L'édifice neuf, très grand mais bien arrangé, d'un exceptionnel confort, avec des chambres ultra-confortables (AC, TV, coffre...), qui encadrent une belle piscine. Mais notre coin préféré, c'est vraiment la partie ancienne, dans un petit bâtiment en pierre de taille avec patio, surplombant directement la plage. Vraiment extra. Beaucoup de charme. Juste une dizaine de chambres, hautes de plafond, avec terrasse. Les deux meilleures sont indéniablement les nos 214 et 215 (un peu plus chères que les autres), juste au-dessus de la plage. Sans doute le meilleur rapport qualité-charme de la ville. À noter aussi, le restaurant *Imperial* (voir « Où manger ? »), au rez-de-chaussée de cette même maison.

⌂ ***Acuazul*** *(plan II, **24**)* **:** 1ra av. y 13. ☎ 66-71-32. Fax : 66-72-29. Compter 72 US$ pour 2 avec petit dej'-buffet. Immense hôtel peu accueillant. Chambres tout confort, aux peintures assez défraîchies, mais attention de ne pas choisir celles donnant sur l'arrière, très bruyantes (autoroute toute proche). Comme le nom l'indique, ils ont vraiment forcé sur le bleu ! Piscine. Service Internet. Les annexes (*Varazul* et *Villa Sotavento*) proposent des bungalows sur la plage à des tarifs assez identiques.

⌂ ***Hôtel Herradura*** *(plan II, **25**)* **:** av. Playa, entre 35 y 36. ☎ 61-37-03. Fax : 66-74-96. Compter entre 58 et 77 US$ avec le petit dej'. Grand bâtiment sans charme, orange et crème, mais en bord de mer. Grande terrasse sur le large. Appartements de 2 à 4 chambres bien tenues, avec salle de bains privée pour la plupart et minibar. TV dans le salon commun. Les fenêtres des chambres donnent sur la rue, mais le balcon du salon donne sur la mer. Personnel aimable. Gros défaut : très bruyant. Donc, en dépannage seulement.

Où manger ?

Paladares

Les restos privés sont officiellement interdits ! Cependant, des habitants vous aborderont sur la plage pour vous proposer de venir manger chez eux du poisson ou de la langouste. Ils proposent en général presque tous la même formule au même prix (autour de 10 US$: langouste – pêchée en principe le matin –, plats d'accompagnement – riz, haricots noirs, bananes frites, petite salade de choux et tomates vertes –, dessert et jus de fruits).

Bon marché

|●| ***Casa del Chef*** *(plan II, **40**)* **:** 1ra av. y calle 12. Ouvert tous les jours jusqu'à 23 h. Plats pas chers : entre 4 et 8 US$. Viandes grillées le midi. Le chef vous propose une langouste grillée, avec salade, accompagnement, dessert et une bière pour... 7 US$! Un des restos cubains les moins chers de Varadero. Il faut savoir que, comme son nom l'indique, cette maison est le rendez-vous de tous les chefs des hôtels de Varadero. La déco simple ne paie pas de mine, mais l'atmosphère est sympa et le service très accueillant.

|●| ***El Bodegón Criollo*** *(plan II, **41**)* **:** av. Playa y calle 40. Face à la mer. Ouvert tous les jours de 12 h à 23 h. Plats entre 5 et 8 US$ (langouste à 12 US$). Cette vieille maison de pierre aux murs couverts de graffiti

est une copie de la fameuse *Bodeguita del Medio* de La Havane ! À la différence près que, ici, on trouve une agréable terrasse sur la rue. Une adresse très connue dans Varadero et bien agréable. En tout cas, on y mange de bien bons plats créoles : *pierna de cerdo asada en cazuela, camarones a la plancha, picadillos a la criolla,* etc.

lel ***El Criollo*** *(plan II, **42**)* **:** 1ra av., angle calle 18. Ouvert tous les jours de 12 h à 23 h. Compter entre 2 et 4 US$ pour les plats de base, entre 6 et 8 US$ pour les autres. Petite maison ancienne avec véranda. Également de longues tables en bois sous une grande paillote. Bref, un cadre agréable pour dîner en amoureux... Bonnes spécialités cubaines pas trop chères : *ropa vieja, cerdo asado, pollo frito,* etc. Dommage, ce n'est pas très copieux. *Mojitos* et *cuba libre* raisonnables !

lel ***El Caney*** *(plan II, **43**)* **:** au bout de la calle 43, sur la plage même. On y mange pour moins de 5 US$. Minuscule paillote ouverte de 10 h à 22 h. On grignote un morceau sur le pouce avant de retrouver sa serviette de bain et les eaux turquoise. Oh, pas de la grande cuisine et on ne traverse pas la ville pour venir ici, c'est sûr. D'ailleurs, on conseille plutôt de se contenter d'un *pollo congris con papas,* une petite salade, une bonne bière et *basta* ! Si le chouette guitariste qui passe régulièrement est là quand vous mangez, le tableau sera complet.

lel ***Lai Lai*** *(plan II, **44**)* **:** 1ra av. y calle 18. Au fond d'un grand parc, en bordure de la plage. Ouvert de 12 h à 23 h. Menus de 5,5 à 9 US$. Un vrai restaurant avec des cuisiniers chinois (dans le cadre d'un contrat expérimental entre la chaîne cubaine *Rumbos* et l'État chinois !). Bonne cuisine et bon service. La salle, un peu froide, est vaguement décorée de quelques chinoiseries.

Prix moyens

lel ***Ranchón Mediterráneo*** *(plan II, **45**)* **:** au bout de la calle 57. Une grande paillote sur la plage même, juste derrière le musée municipal. Ouvert tous les jours de 10 h à 19 h. On y propose de bonnes petites langoustes autour de 13 US$ ou des poissons grillés à point autour de 6 US$. Vraiment chouette. Pratique : il y a des cabines pour se changer quand on sort de la plage.

lel ***Esquina Cubana*** *(plan II, **46**)* **:** 1ra av. y calle 36. ☎ 61-40-19. Ouvert de 12 h à minuit. La spécialité est à 12 US$. Sous une superbe paillote, ce resto propose essentiellement un plat qui a fait sa célébrité, *el pollo asado al Aljibe,* qui fait office de repas complet et qui existe depuis plus de 50 ans : il s'agit d'un poulet aux riz, salade et haricots noirs. La recette à l'*Aljibe* (du nom arabe d'un récipient en terre cuite) est tenue secrète et partagée avec le célèbre restaurant de La Havane, *El Aljibe.* Vraiment excellent ! Et l'on peut en redemander jusqu'à satiété pour le même prix. Bref, on passe un bon moment dans une atmosphère rappelant les années 1950 : vieille Oldsmobile à l'extérieur, et une Paige 1914 à l'intérieur même du restaurant. Le bar *La Guantanamera* est ouvert de 10 h à 23 h.

lel ***Castel Nuovo*** *(plan II, **47**)* **:** 1ra av. y calle 11. Tout au bout de l'avenue, juste à l'entrée de la ville. Ouvert tous les jours de 12 h à 23 h. On y mange pour pas moins de 10 US$. Salle à manger assez chic, bien aérée, où l'on sert les pizzas parmi les moins chères de Varadero, et l'avantage, c'est que ce sont des pizzas qui ressemblent à des pizzas. À la carte également : soupes, *pasta,* plats de viande... Inconvénient : c'est un peu excentré.

lel ***La Barbacoa*** *(plan II, **48**)* **:** 1ra av. y calle 64. Plusieurs formules tout compris, entre 6 et 13 US$, mais pour faire un bon repas complet, compter au moins 15 US$. *Brocheta de langosta y camarones, pollo a la parrilla,* filet mignon, *chuleta de cerdo.* Installé dans une grande maison de style colonial hispanisant.

Terrasse couverte et belle salle à manger, aménagée avec goût. Atmosphère musicale délicate. Plutôt une adresse du soir. Le spécialiste des viandes, assez réputé, mais ce n'est pas donné.

I●I ***El Mesón del Quijote*** *(plan I, **49**)* **:** av. Las Américas. À l'écart du « centre », à côté d'un château d'eau en pierre. Ouvert de 12 h à minuit. Plats chers, autour de 12 à 15 US$. Une statue trône à l'extérieur : on reconnaît Don Quichotte, mais Sancho a disparu de son âne ! Assez bonnes spécialités espagnoles : *fabalas,* paella (à la cubaine), *combinado de pollo y camarones,* etc. Cuisine assez fine, mais la déco est vraiment quelconque. L'ouverture d'un bar-mirador est prévue en haut du château d'eau.

I●I ***El Retiro*** *(plan II, **50**)* **:** 1ra av., juste après la calle 59. Entrer dans le parque Josone, c'est à droite du bassin. Ouvert de 12 h à 23 h. Menus de 5 à 12 US$. Belle maison des années 1940. Resto international qui sert une des meilleures viandes de Varadero. Spécialité : le filet mignon !

I●I ***Steakhouse El Toro*** **:** après l'hôtel *Tropical.* De 10 à 14 US$ pour un steak ou des brochettes. Un resto qui nous fait sortir du cycle poulet-jambon-poulet. La viande est cuite à votre goût et servie avec plusieurs variétés de sauces. Salle agréable, on se croirait dans un chalet de montagne. Service impeccable.

I●I On rappelle que l'hôtel *Dos Mares* possède un resto à la réputation un peu surfaite, l'***Itsmo*** *(plan II, **20**)* **:** calle 53 y 1ra av. Chère et sans saveur, leur spécialité, le *pollo Itsmo,* est tout simplement un plat de poulet pané. Sinon, plusieurs sortes de *pasta.* Cadre frais et sympa.

Plus chic

I●I ***Restaurant Imperial*** *(plan II, **23**)* **:** 1ra av., entre les calles 38 et 39. Resto de l'hôtel *Delfines,* voir « Où dormir ? ». Ouvert de 21 h à 1 h. Prévoir environ 15 à 18 US$ pour un repas complet. La petite salle, mais surtout la terrasse de grosses pierres de taille dominant la plage et la mer en font un des lieux les plus charmants de la station. Le site est romantique mais peu fréquenté car niché dans l'enceinte de l'hôtel et finalement peu visible de l'extérieur. Outre les plats à la carte, à noter une formule « tout compris » intéressante, offrant soupe, spaghetti, demi-langouste avec crevettes et filet de poisson, le tout grillé ; dessert compris. Une nourriture très honnête, sans recherche particulière mais plutôt bien préparée. C'est surtout un site vraiment chouette.

I●I ***Mansión Xanadú*** *(plan I, **51**)* **:** attention, sur la autopista Sur, tourner à gauche au panneau vert « Varadero Golf Club », c'est au bout. Ne pas confondre avec l'hôtel *Melia Las Américas,* qui est, lui, un complexe hôtelier énorme. ☎ 66-77-50. Compter au moins 30 US$ pour un repas complet. Le plus beau resto de Varadero, dans une très luxueuse demeure des années 1930 (on en parle plus bas, dans la rubrique « À voir »). On y sert des plats d'origine française et des langoustes, ainsi que des poissons cuisinés, dont on peut parfaitement se contenter. En surfant sur la carte et en slalomant entre les plats, on peut s'en tirer sans trop de dégâts. Pas si cher pour un tel endroit, même si ce n'est pas donné. La qualité de la cuisine est plutôt régulière, et elle reste l'une des meilleures de la station. Belle carte des vins, surtout français et espagnols. Service classieux, ça va de soi, n'y venez pas en tenue trop négligée ! Ceux qui n'ont pas les moyens d'y manger se rabattront sur le *café* de la terrasse : entre 12 h et 17 h, on y sert des sandwichs, hot-dogs et omelettes pas très chers et des petits menus complets entre 8 et 18 US$. On peut aussi se contenter d'y boire un verre, ici ou au superbe bar-mirador *Casablanca* du dernier étage.

I●I ***Antiguedades*** *(plan II, **52**)* **:** 1ra av. y 59. ☎ 66-73-29. Juste après l'entrée du parque Josone. Ouvert de 12 h à minuit. Plats de

15 à 30 US$. Comme son nom l'indique, il ressemble à un magasin d'antiquités, d'où la déco assez délirante : les tables sont noyées entre meubles rares et bibelots anciens, fauteuils d'osier, grosse horloge. Beaucoup d'étrangers très friqués. Cadre idéal pour un dîner romantique, essentiellement axé sur les produits de la mer (poisson, langouste, crevettes). Prix en conséquence...

ꟾ●ꟾ D'autres restos dans ce très joli parque Josone, dont un bon cubain, ***La Campana,*** dans une maison qui rappelle celle de Zorro, mais le menu est cher ; et la ***pizzeria Dante,*** abordable (lasagnes entre 6 et 9 US$), avec terrasse sur le lac.

Où manger dans les environs ?

ꟾ●ꟾ ***El Galeón*** (restaurant de la marina *Chapelín*; *plan I, **53***) **:** en allant vers le bout de la presqu'île de Varadero, à 10 km du centre. ☎ 66-77-55. Ouvert tous les jours de 12 h à 22 h. Plats à tous les prix, entre 8 et 15 US$ (sauf la langouste, évidemment). Petit resto coquet devant les superbes catamarans du groupe *Cubanacan,* au milieu des bateaux de pêche au gros. Il y a deux viviers dans la mer. On y choisit soi-même sa langouste ou son crabe. Délaissée par les touristes qui préfèrent baigner dans la chaude agitation de la première avenue, la salle de resto semble endormie.

LES PLAGES DE L'EST

Où déguster une glace ?

🍦 ***Coppelia*** *(plan II, **54**)* **:** 1ra av., entre les calles 44 et 46. Ouvert tous les jours de 10 h à 22 h. Une valeur sûre, annexe du grand glacier havanais, située dans un édifice qui ressemble à un radiateur. Plusieurs parfums annoncés, malheureusement pas toujours disponibles.

Où boire un verre ?

🍸 ***Bar de l'hôtel Dos Mares*** *(plan II, **20**)* **:** voir la rubrique « Où dormir ? ». Ouvert 24 h/24. L'un des plus sympas.

🍸 ***Bar-mirador Casablanca*** (bar de la *Mansión Xanadú*; *plan I, **51***) **:** on en parle plus haut, dans « Où manger ? ». Le bar, situé au 3e étage, est ouvert jusqu'à 23 h environ. Cadre superbe : colonnes, plafond à caissons et baie vitrée donnant sur le large.

🍸 ***FM 17*** *(plan II, **60**)* **:** 1ra av. et calle 17. Bar ouvert 24 h/24. Cabaret en plein air à partir de 21 h. Entrée libre. Groupes *en vivo.* Show un peu ringard.

– ***Kiosques à bière :*** on en trouve plusieurs dans la station, le long des principales avenues. C'est ici que se retrouvent les Cubains. Pas cher du tout. Animation jusque tard dans la nuit.

Où voir un spectacle ? Où sortir ? Où danser ?

♪ ***La Cueva del Pirata*** *(plan I, **70**)* **:** sur l'autopista Sur, km 11. Ouvert à partir de 21 h. Fermé le dimanche. Show tous les soirs du lundi au samedi à 22 h ou 22 h 30. Entrée : 10 US$. C'est le moins cher de la ville. Célèbre cabaret installé dans une belle grotte ! Spectacle costumé dans une amusante ambiance de vieille taverne pour pirates. Discothèque après le show. Certainement le meilleur choix prix-qualité-rigolade.

♪ ***Cabaret Mediterráneo*** *(plan II, **71**)* **:** av. Playa y calle 54. Ouvert à partir de 20 h 30. Show tropical à 22 h 30 en plein air. Entrée : 5 US$ (10 US$ avec buffet). Boissons à volonté. Évidemment, ce n'est pas le *Tropicana* ! Fait boîte après.

♩ ***Palacio de la Rumba*** *(plan I, **72**)* **:** av. Las Américas, km 6. À l'est de la ville, juste après l'hôtel *Bella Costa*. Ouvert tous les soirs jusqu'à 4 h du matin. Entrée : 10 US$ avec boisson. Il s'agit là d'une boîte de nuit classique avec sa clientèle de jeunes touristes branchés et de Cubains. C'est vraiment ici qu'il faut venir pour mouiller sa chemise. La piste est comble tous les soirs ! Le revers de la médaille : le bar est difficilement accessible. Au moins, on a le temps de sympathiser avant de mourir de soif !

♩ ***Cabaret Continental*** *(plan I, **73**)* **:** à côté de l'hôtel *Internacional Varadero*. Fermé le lundi. Show de 22 h à minuit, puis disco. Entrée : 25 US$ (40 US$ avec le dîner). C'était le cabaret le plus réputé avant l'ouverture du *Tropicana* de Matanzas. Bon, selon nous, franchement, ça ne vaut pas le prix demandé. Grand spectacle de variétés mythologico-exotique avec danseurs en costume et danseuses en string ! On peut y dîner (à éviter). Possible de réserver depuis n'importe quel hôtel. Fait disco après minuit.

♩ ***Cabaret Tropicana*** **:** voir « Où sortir ? » à Matanzas.

À voir

🎥🎥 ***La mansión Dupont de Nemours*** *(Mansión Xanadú ; plan I, **51**)* **:** sur l'autopista Sur, tourner à gauche au panneau vert « Varadero Golf Club ». Cet étonnant petit palais de 1930 était la résidence d'été du milliardaire américain Irénée Dupont de Nemours, premier promoteur de Varadero. Il a été transformé en hôtel de luxe. Il est malheureusement difficile de le visiter. On doit se contenter de monter au bar-mirador en empruntant obligatoirement l'ascenseur. En 1958, la configuration politique a amené Irénée Dupont de Nemours à abandonner sa propriété. Construite sur une corniche de 6 m de haut par deux architectes cubains, Govantes et Cavarrocas, c'est la demeure la mieux située de la station : on voit la mer à perte de vue depuis la terrasse. Le point de vue est superbe depuis la terrasse-resto (voir « Où manger ? »), et encore plus impressionnant depuis le bar-mirador *Casablanca* au 3e étage (voir « Où boire un verre ? »). Dire qu'il y a 20 ans l'endroit était uniquement entouré d'arbres et de plages sauvages... Vous remarquerez un petit port privé au pied de la *mansión,* sur la droite en regardant la mer : le magnat l'avait aménagé pour son yacht.
On peut admirer le hall avec son inutile cheminée, ainsi que les luxueuses salles à manger aux plafonds à caissons. Pour l'anecdote, le lac situé en face de la maison, à côté du terrain de golf, appartenait au dictateur Batista. L'hôtel *Carenas Blanca* (calle 64 y av. Playa) a été construit à l'emplacement même de la maison de l'ancien dictateur...

🎥 ***El museo municipal de Varadero*** *(plan II, **90**)* **:** calle 57. Tout au bout de la rue, juste devant la plage. Ouvert tous les jours de 10 h à 18 h. Entrée : 1 US$ (2 US$ avec un guide parlant le français). Ce modeste musée est installé dans une jolie maison en bois, blanche et bleue, datant de 1921. Elle appartenait à un riche Cubain qui l'abandonna après le triomphe de la Révolution. D'une belle architecture rappelant les maisons de Louisiane, elle fut restaurée en 1981. Un gentil fourre-tout où l'on conserve pêle-mêle la récente mémoire de la station, quelques produits de fouilles archéologiques, des reproductions d'anciennes cartes du pays, des photos de la maison d'Irénée Dupont de Nemours et du premier hôtel de la station, une incontournable section révolutionnaire. À l'étage, sections sports et sciences naturelles.

🎥🎥 ***El parque Josone*** *(plan II, **92**)* **:** 1ra av. y 59. Bel espace vert, avec lac et piscine (entrée de la piscine : 3 US$, deux boissons comprises). Cette pro-

LES PLAGES DE L'EST

priété appartenait avant la Révolution à un milliardaire espagnol, qui avait fait creuser un tunnel pour accéder à la plage sans avoir à traverser la route ! Très bien entretenu, l'endroit est un havre de paix où se rendre quand on est lassé de la plage... On peut y louer des petites barques, bouquiner dans les transats, écouter des orchestres le soir et se restaurer dans l'un des restos qui y sont installés (voir « Où manger ? »). Au fond du parc, une piscine et un bar, fréquentés par trois gros iguanes.

***Le delfinarium** (plan I, **93**) :* carretera Las Morlas, km 11,5 de l'autopista Sur. À la pointe est de la péninsule, après les grands hôtels récents. Ouvert tous les jours de 9 h à 17 h. Shows à 11 h, 14 h 30 et 16 h 30 (durée : 15 mn). Prix : 10 US$. À noter que si vous réservez par le biais d'une agence ou d'un hôtel, vous économiserez en principe quelques dollars. Pour nager avec les dauphins, 5 sessions de nage organisées par jour entre 9 h 30 et 16 h 30. En haute saison, il est impératif de réserver par le biais d'une agence en ville (pas de réduction). Prix : 59 US$.
Il s'agit d'un centre aquatique installé au bord de la mangrove, en milieu naturel. Ce qui n'a rien à voir sur le plan du cadre et de la qualité de la vie avec les « Aqualands » artificiels où les animaux baignent dans une eau de piscine lamentable qui réduit leur espérance de vie de moitié. Voilà pour notre refrain écolo. Ouvert en 1985 avec 3 dauphins, le *delfinarium* compte aujourd'hui 7 bébêtes.
Voir dans les « Généralités » la rubrique « Environnement » à propos des dauphins.

LES PLAGES DE L'EST

À faire

Profiter de la ***plage,*** autant pour ***se baigner*** (la température de l'eau est un régal – moyenne de 27 °C !) que pour ***bronzer*** (vous avez 20 km de plage pour trouver un endroit où étaler votre serviette ; mais attention aux coups de soleil !).

La plongée : les fonds sous-marins des environs sont beaux, mais il est bon de préciser que ce ne sont pas, et de loin, les plus chouettes de Cuba. S'il y a des clubs de plongée dans le coin, c'est parce qu'il y a des touristes, mais pas à cause de fonds exceptionnels, autant le savoir ! Les coraux des îles voisines sont bien plus beaux, mais, pour y accéder, il faut se payer une excursion en bateau. Ceux qui n'ont pas de brevet (ou n'ont pas le temps de le passer) peuvent très bien se contenter de plonger avec masque et tuba.

■ ***Plusieurs clubs de plongée*** (en espagnol, *club de buceo*), tous au même prix. Un des meilleurs, ***Aqua,*** est représenté dans tous les hôtels, ou vous pouvez téléphoner directement au club : ☎ 66-80-63.
■ ***Club Barracuda** (Cubanacan Nautica ; plan II, **94**) :* 1ra av., entre les calles 58 et 59. ☎ 66-70-72 et 61-34-81. • ventas@aqwo.var.cyt.cu • Une immersion : 35 US$ (avec prêt d'équipement), ensuite tarif dégressif. Plongées sur le littoral nord de la péninsule et les *cayos* proches, en baie des Cochons, dans la grotte Saturne (près de l'aéroport), plongée nocturne et sur des épaves. Cours.

➢ ***Excursion en bateau à la journée :*** avec le catamaran *Jolly Roger (plan I, **95**),* géré par un Américain. Vous le trouverez à la marina Chapelín, autopista Sur (km 12). ☎ 66-75-65. Départ à 9 h, retour vers 17 h. Billet en vente dans tous les hôtels. Compter 70 US$ la journée, coups de soleil compris. On visite des îles désertes, on croise jusqu'aux *cayo Blanco, cayo Piedra,* on se baigne, on plonge en apnée, on pêche et on assiste au coucher du soleil... Très cher, mais le transfert et le repas (avec langouste) sont inclus.

➢ ***Se balader en bateau à fond de verre :*** départs de l'hôtel *Paradiso,* à 10 h, 11 h 30 et 14 h. ☎ 66-71-65. Là aussi, l'excursion est en vente dans tous les hôtels. Assez cher : 25 US$. On visite la barrière de corail pendant 2 h. On vient vous chercher en navette (autobus) à votre hôtel.
➢ ***Et encore :*** les agences proposent aux clients des hôtels une balade en *Aqua Ray* (que vous conduisez vous-même) au départ de la ***marina Chapelín*** avec visite d'un petit parc zoologique ; de la pêche au gros ; des sorties en catamarans et monocoques (65 US$) ; un *sea-safari* au ***cayo Blanco,*** avec plongée, déjeuner, show avec des dauphins (70 US$) ; une croisière sur le *Galeón* (25 US$ de jour et 39 US$ de nuit, avec dîner) ; une excursion au ***río Canimar*** à Matanzas avec déjeuner, promenade à cheval, etc. (45 US$) ; et le plus original, une promenade dans les champs de canne à sucre : départ à 8 h de Varadero en bus jusqu'à la escalera de Jaruco, balade dans la ***vallée de Hershey,*** déjeuner, visite d'une ferme, parcours en train électrique datant de 1917, puis retour en bus à Varadero vers 17 h (68 US$).
– ***Ski nautique, parachutisme... :*** informations dans tous les hôtels qui revendent toutes les activités possibles et imaginables.
– ***Golf :*** parcours de 18 trous aménagé en face de la mansión Dupont de Nemours.

Achats

Artisanat : de plus en plus d'artisans locaux étalent leurs échoppes et vendent vêtements, souvenirs, céramiques, etc. Plusieurs marchés artisanaux, calle 12, à l'angle de la 1ra av., de 9 h à 19 h ; un autre plus important entre les calles 45 et 46 sur la 1ra av. et un troisième dans la calle 57, à l'angle de la 1ra av.

➤ *DANS LES ENVIRONS DE VARADERO*

★★ ***Le Parc naturel*** *(plan I)* ***:*** en allant vers la pointe d'Hicacos, au nord-est de la péninsule. Jolie promenade à pied dans le dernier coin de la péninsule resté vierge. On peut y admirer notamment un cactus géant de plus de 8 m appelé le *Patriarca* (et pour cause, il aurait plus de 500 ans !). Possibilité de massages avec la boue de la lagune. Visite avec guide : 3 US$.

★ ***La cueva Ambrosio*** *(plan I,* ***96****)* ***:*** à 2 km avant d'entrer dans le Parc naturel. Circuit pédestre à l'intérieur de cet ancien lieu cérémonial aborigène contenant 72 impressionnants dessins rupestres. La grotte est peuplée de chauves-souris (inoffensives).

★★ ***La cueva de Saturno :*** de Varadero, en voiture, prendre la route vers La Havane et faire 19 km, puis tourner à gauche en direction de l'aéroport. Faire 1 km puis c'est bien indiqué sur la gauche. On atteint la cavité en 3 mn de marche. Ouvert tous les jours de 8 h à 19 h. Entrée : 5 US$, ou 7 US$ avec la location de matériel (palmes, masque et tuba). C'est en pleine forêt, et, trop pressés de prendre leur avion, les touristes passent à côté sans soupçonner l'existence de cette grotte... C'est le lieu de baignade préféré des gamins du village... et aujourd'hui des touristes qui la connaissent ! Il s'agit d'une grotte en partie ouverte sur l'extérieur et en partie remplie d'eau. Une piscine naturelle donc, aux eaux d'une limpidité cristalline, profonde d'une trentaine de mètres... et d'une tiède douceur. N'oubliez pas votre maillot et louez, ça vaut le coup, un masque pour observer les fonds.
Les clubs de plongée de Varadero y viennent régulièrement. On peut y plonger jusqu'à 17 m. Resto et bar à l'entrée. Si vous prenez un avion, faites halte ici une petite heure, vous ne le regretterez pas.

Les mercredi et vendredi à 9 h et 15 h, un petit train part de la grotte de Saturne et vous emmène visiter le ***parc des Cavernes.*** Après avoir emprunté la vía Blanca, il suit un sentier et vous conduit à la ***cueva de Santa Catalina,*** l'une des plus belles de la région. Elle fait 21 km de long (on n'en visite que 3 km). Là aussi, on peut se baigner et plonger. La visite dure environ 1 h. Le ticket (8 US$) donne droit à la visite de la cueva de Saturno.

La playa El Coral : à 16 km à l'ouest de Varadero, pas loin de l'aéroport. Pour y aller en voiture : après le péage, la route se sépare. À gauche l'aéroport, à droite à 2 km en longeant la mer, on arrive à la plage. Entrée : 2 US$. Encore intact il y a peu de temps, le site est maintenant aménagé, pris d'assaut et... payant. On y admire les fonds sous-marins avec un masque et un tuba : récif de corail et poissons tropicaux. L'eau est translucide par 2 m de fond, mais la plage est souvent assez sale, ce qui peut gâcher le plaisir.

QUITTER VARADERO

En taxi

➢ ***Pour La Havane :*** bon à savoir, si vous ne trouvez pas de place dans le bus, des taxis ou des chauffeurs privés proposent leurs services pour La Havane (ils attendent devant le terminal des bus). Compter entre 60 et 100 US$ pour la voiture entière.

En bus

Terminal des bus *(terminal de omnibus interprovinciales; plan II)* **:** situé au carrefour de la calle 36 et de l'autopista Sur. ☎ 61-48-86. Réservez longtemps à l'avance.

➢ ***Pour La Havane :*** avec la compagnie *Viazul*. En principe, 3 bus par jour. Compter 3 h de trajet et 10 US$.

➢ ***Pour Santa Clara et Trinidad :*** avec la compagnie *Viazul*. Une liaison quotidienne pour les deux villes. Départ le matin. Compter 11 et 20 US$.

En avion

– Pour tout renseignement et achat de billets, s'adresser à ***Sol y Son*** (voir la rubrique « Adresses et infos utiles »).

✈ L'***aéroport Juan Gualberto Gómez*** (☎ 61-30-16) est sur la route de La Havane (voir « Adresses et infos utiles »).

➢ ***Pour cayo Largo :*** 1 vol quotidien. Durée de vol : 30 mn. Compter 70 US$ le billet aller.

➢ ***Pour cayo Coco :*** 1 vol quotidien. Durée de vol : 50 mn. Compter 80 US$ le billet aller.

➢ ***Pour Trinidad et Santiago :*** vols très irréguliers. Se renseigner à l'aéroport.

CARDENAS

IND. TÉL. : 45

À environ 15 km au sud-est de Varadero, par la route de Santa Clara. En cours de route, vous apercevrez un crabe géant (en ciment, rassurez-vous !) puis, en ville, une bicyclette et une calèche du même tonneau : ce sont des monuments élevés à la gloire des trois produits qui font vivre Cardenas... Cardenas est devenue célèbre à la fin 1999, car c'est dans cette ville que réside avec sa famille le petit Elian Gonzalez dont l'histoire tragique a fait le tour du monde (voir dans les « Généralités » la rubrique « *Balseros* »).

Cette charmante petite ville ancienne fut la première à voir flotter le drapeau cubain, en 1850. Elle a donc une grande valeur nationale aux yeux des Cubains. Très francophile, la ville est fière de son jumelage avec Dieppe. Jolie artère centrale, large, aérée, avec ses calèches qui font office de bus municipaux et ses façades simples et colorées. À part ça, pas grand-chose à voir, mais la promenade est plaisante et ça change un peu des plages de Varadero !

Adresses utiles

■ ***Station-service Cupet :*** à l'entrée de la ville en venant de Varadero.

■ ***Centre téléphonique :*** calle Real, angle calle 12.

À voir

La iglesia : calle Real. Face à l'hôtel *La Dominica,* toujours dans la rue principale. Grande construction du début du XIXe siècle, avec ses tours d'angle hexagonales.

La estatua de Christophe Colomb : devant l'église. C'est la plus vieille statue de Cuba, peut-être même de toute l'Amérique du Sud... Noter le globe terrestre à ses pieds. Quelle humilité !

El museo de la Batalla de ideas *(le musée de la Bataille d'idées)* ***:*** il est fléché. Ouvert du lundi au vendredi de 8 h à 12 h et de 13 h à 17 h. C'est ainsi que l'on appelle le musée (encore un ! On n'allait pas rater une si belle occasion !) consacré à l'affaire Elian.

El museo Oscar Maria de Rojas : calle Coronel Verduzo, entre Vives y Genes. Ouvert du mardi au samedi de 10 h à 17 h ; le dimanche, de 8 h à 12 h. Fermé le lundi. Entrée : 2 US$. Installé dans la maison du gouverneur de la ville au XIXe siècle, ce musée a ouvert ses portes en 1959. Parmi les pièces maîtresses : le portrait du premier « Nègre » peint à Cuba, le sympathique doyen de l'île, un squelette vieux de 5790 ans, et surtout la *Chancha.* Cette tête de femme aux longs cheveux blonds, grosse comme un poing, est plantée sur un pic. Elle a été offerte par l'Équateur, œuvre des Jivaros, Indiens réducteurs de tête.

LA PÉNINSULE DE ZAPATA

Située au sud de la province de Matanzas, cette région est également appelée *Cienaga de Zapata*. En espagnol, *zapata* désigne une « chaussure » : c'est tout bêtement la forme de la péninsule, de même que l'Italie est une botte (et Cuba un crocodile)... Les crocodiles, parlons-en ! Ils sont ici chez eux : la péninsule n'est qu'une vaste zone marécageuse, déserte, sauvage, plate, et longtemps inhospitalière. Le gouvernement a eu la bonne idée de décréter la Cienaga parc national (sous le nom de *parque Montemar*) : les marécages forment ainsi la plus belle réserve naturelle du pays, paradis des oiseaux (190 espèces, dont des colibris, des colombes à tête bleue, des oiseaux-mouches...), des poissons (brochets, truites, black-bass... de taille monstrueuse) et bien sûr... des crocos, symboles du pays. Même si, à cause de leur pudeur excessive en présence du touriste, vous avez plus de probabilités d'en voir dans votre assiette que dans la nature... Autres animaux fameux du coin : les cochons, débarqués par les colons espagnols il y a longtemps pour l'implantation d'élevages sur l'île. Vous n'en verrez pas, mais ils ont donné leur nom à une baie devenue tristement célèbre : ici eut lieu un autre débarquement moins pacifique... Cependant, la baie des Cochons (appelée playa Girón par les Cubains) n'est pas qu'une page d'histoire, c'est aussi une succession de plages, de criques et de piscines naturelles qui font de la région le paradis des plongeurs.

Comment y aller ?

De La Havane

➢ ***En bus :*** le bus *Astro* (*terminal nacional* à côté de la place de la Révolution) part de La Havane pour playa Girón les vendredi, samedi et dimanche à 11 h 40. Compter 10 US$ par personne.

➢ ***En voiture :*** prendre l'*autopista central* (qui part de La Havane), direction Santa Clara. À environ 150 km de La Havane, prendre la petite route à droite, vers Guamá et la playa Girón. Lorsque l'on arrive de Santa Clara, attention, il n'y a pas de pancarte ! Pour visiter la péninsule proprement dite, la voiture est le seul moyen de transport possible. Un 4x4 est obligatoire pour s'aventurer plus avant dans le Parc national.

Adresse utile

🛈 ***Kiosque d'information La Finquita :*** ☎ 93-224. • sistema@cienaga.var.cyt.cu • Juste avant de s'enfoncer dans la péninsule, au km 142 sur l'autoroute, signalé par une barque où est indiqué « Péninsule de Zapata ». Ouvert de 8 h à 20 h. Bien documenté sur la région, dépliants disponibles, possibilité d'acheter une carte des environs avec les différentes activités proposées et de réserver éventuellement des guides pour les excursions à Santo Tomás, Las Salinas, Guamá et au río Hatiguanico. Personnel très aimable.

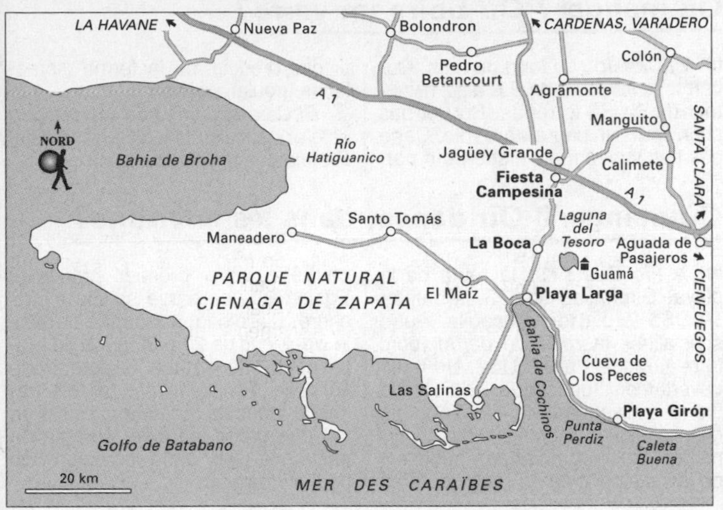

LA PÉNINSULE DE ZAPATA

Où manger ? Où boire un verre en route ?

Le long de l'autoroute s'égrènent de petites ***parilladas,*** stands de fortune où l'on peut boire et manger un morceau pour quelques pesos.

Moins couleur locale, mais ouverte 24 h/24, la ***Finca de Los Morales*** : au km 73, entre San Nicolas et Nueva Paz. Moins de 2 US$ pour un en-cas rapide. Pour se caler avant de reprendre la route, un morceau de poulet ou une part de pizza et une boisson ; sinon, chips et gâteaux à emporter.

Près du kiosque d'information (voir ci-dessus), une ***paillote*** agréable pour prendre un café. Snacks et sandwichs autour de 1 US$ et petites boutiques *Artex* (artisanat) et *Egrem* (disques).

LA FINCA FIESTA CAMPESINA

À 142 km de La Havane, à l'embranchement vers Guamá. Petit arrêt touristique à 100 m sur la droite en direction de la playa Girón. Ouvert de 9 h à 17 h. Parc tenu par des paysans de la région (reconvertis). On y trouve une ferme, un petit zoo (cerfs, oiseaux, perroquets, boas, iguanes, etc.). L'entrée est gratuite. On peut chevaucher un taureau-zébu de plus de 500 kg et faire une promenade à cheval.

Où dormir ?

Batey Don Pedro : au fond du parc. Environ 28 US$ pour 2, ce qui en fait l'hôtel le moins cher de la péninsule. Une dizaine de bungalows en bois avec toits de chaume, ventilo, frigo, bains, eau chaude et TV. Un peu loin de tout dans un jardin fleuri. Le grand calme.

Où manger ? Où boire un verre ?

|●| *El Canelo :* au fond du parc. Ouvert tous les jours de 9 h à 17 h. Autour de 6 US$ le repas. Bon et pas cher. Dans un cadre agréable. Carte pas très variée mais élaborée à partir des produits de la ferme : omelettes, poulet, cochon...

🍸 *El Cafetal :* on y sert un très bon café et d'excellents jus de fruits frais. Parfois des musiciens.

Où manger ? Où danser dans les environs ?

|●| ♫ *Pio Cua :* sur la route de la playa Girón, au km 3. Compter 10 US$ le plat de crocodile. Autre spécialité : la *rulet de cerdo* (porc farci au poulet) à 9,5 US$. Un resto ouvertement touristique. Difficile de croire à l'authenticité de l'endroit, mais quelques tables à l'écart permettent de fuir l'ambiance « cantine » de la salle principale. Vous goûterez peut-être votre premier crocodile. Également une partie snack, moins chère. Discothèque-karaoké ouverte le week-end de 21 h 30 à 2 h du matin sous une grande paillote traditionnelle. Pas loin, une piscine naturelle, dans la végétation : c'est en fait une grotte inondée, comme on en trouve plein dans la région. On peut s'y baigner.

LA BOCA

IND. TÉL. : 45

La Boca (« La Bouche » en français) est le port d'embarquement pour visiter la laguna del Tesoro, magnifique lac entouré de mangrove et de marécages, paradis des pêcheurs et des crocodiles... C'est également ici qu'on prend le bateau pour Guamá. La Boca n'est pas vraiment un village mais une sorte de complexe touristique avec restos, bars, boutiques de souvenirs, atelier de céramique... et l'attraction principale du coin, la réserve de crocodiles.

Où manger ?

|●| *Restaurant La Boca :* à gauche du parking, en arrivant. Ouvert de midi à 16 h 30. Menu complet très copieux à 10 US$, avec poulet, poisson ou rôti de porc, légumes, dessert et boisson. Même formule à 12 US$ si vous voulez goûter au steak de crocodile. À la carte, spécialité de poulet créole pour 5,5 US$. Venir après 14 h, quand les groupes organisés sont partis, pour se faire une place sur la terrasse extérieure au-dessus des nénuphars. Ce grand *caney* (maison au toit de palmes) abrite le meilleur resto du coin. La gérante, Mireya, et son personnel sont très accueillants et font des efforts pour apprendre le français.

|●| *Los Cocodrilos :* à côté du restaurant *La Boca*. Snack-bar, repas légers. Ici aussi, on aime les Français. Tony, le patron, reçoit de façon très sympathique et donne de précieux renseignements sur les trésors ornithologiques de la région.

À voir

👍👍 ***La granja de los cocodrilos*** *(la réserve de crocodiles) :* derrière le resto *La Boca*. Ouvert tous les jours de 9 h à 17 h. Entrée (chère) : 5 US$. On ne visite qu'une partie de cette réserve nationale créée pour sauvegarder l'espèce. Certains routards sont enchantés, d'autres en reviennent déçus.

Le parc est tout de même très agréable. On passe des bébés crocos de 15 cm, de vrais lézards, aux « grocodiles » de plusieurs mètres, beaucoup plus impressionnants. Les plus gros sont dans un enclos au fond du parc. Certains atteignent 3 ou 4 m et pèsent jusqu'à 250 kg. On les nourrit deux à trois fois par semaine, avec de la vache, du cochon, des chèvres, parfois aussi des crabes. Ils sortent du lac pour rester des heures immobiles, la gueule ouverte, en plein soleil. Y'a pas à dire, c'est dur une vie de crocodile. On verserait presque une larme...

On peut aussi assister à une démonstration de capture de crocos au lasso et autres numéros de bravoure du meilleur effet, effectués par le Crocodile Dundee des lieux. Les gardiens seront ravis de vous expliquer la vie de leurs pensionnaires. Si vous n'entendez rien à l'espagnol, vous comprendrez au moins un mot : *cocodrilo* ! Possibilité de se faire prendre en photo avec un jeune crocodile dans les bras (rassurez-vous, on lui a au préalable ficelé solidement la gueule !).

De l'autre côté de la route se trouve le centre de reproduction, que l'on visite avec le même ticket (fermé le dimanche).

GUAMÁ

IND. TÉL. : 45

Un beau site très visité. Le bateau emprunte un long canal bordé de palétuviers et de *filaos* avant de s'engager dans une lagune qui déroule ses bras à perte de vue et évoque vaguement les paysages amazoniens... Cette étendue d'eau de 16 km² est celle du plus grand lac salé de Cuba : la lagune du Trésor. Au milieu : l'île marécageuse de Guamá, autrefois habitée par des Indiens taïnos. Ils auraient jeté leurs richesses dans la lagune à l'arrivée des conquistadores, d'où l'idée qu'il y aurait encore ici un trésor...

Le trésor que vous y trouverez est d'un autre genre : celui d'une nature sauvage intacte. L'île plaira à tous les amoureux de calme : on peut séjourner à Guamá dans un des hôtels les plus originaux de Cuba. Malheureusement pour les amateurs de frissons, les crocodiles qui faisaient sa réputation se font rarissimes autour des bungalows, dédaignant la chair des touristes et une eau peu engageante où d'ailleurs personne ne songe à se baigner. Pour ça, il y a la piscine de l'hôtel. En revanche, vous aurez surtout à vous préserver des moustiques, prévoyez une bonne crème. Piège à touristes pour les uns, c'est de toute façon un cadre dépaysant, blotti au cœur d'une lagune chargée de mystère. L'eau est d'un bleu foncé impénétrable, ce qui ajoute à l'étrangeté du lieu.

Pour l'anecdote, Guamá était le nom d'un cacique taïno qui résista dix ans aux conquistadores espagnols. Il mourut, dit-on, à cause d'une femme...

Comment y aller ?

➢ ***En bateau :*** de La Boca. Navette continue entre 9 h et 18 h tous les jours, en barque pour les individuels, en bateau pour les groupes. Durée du trajet : 20 mn. Le billet est valable pour le retour : 10 US$. Prévoir un coupe-vent en hiver.

Où dormir ? Où manger ?

☗ ***Hôtel Guamá :*** au milieu du lac. ☎ 955-51 et 955-15. Compter entre 30 et 50 US$ la nuit avec petit dej' (auxquels il ne faut pas oublier d'ajouter les 10 US$ de bateau par personne... et 3 US$ pour laisser la voiture au parking !). Le seul hôtel de Guamá, implanté sur des îlots marécageux transformés en jardins aquatiques... Très endommagé par les derniers cyclones, il était en réfection lors de notre passage. Cet incroyable complexe touristique, réhabilité en hôtel depuis 1961, a été conçu sur une idée de Fidel Castro (il paraît qu'il logeait dans le bungalow n° 33). Entièrement en bois et en palmes, ce « village » s'inspire de l'architecture taïno. On dort dans des bungalows sur pilotis, reliés les uns aux autres par d'immenses (et étroites) passerelles en bois. On vous dépose en barque à votre bungalow quand vous arrivez avec les bagages... Les chambres offrent AC, douche et petit salon avec frigo et TV, mais la déco n'a pas retenu le côté le plus *fun* des *Sixties*. Des efforts sont cependant à faire en matière de propreté. Surtout, ne laissez pas entrer les moustiques ! Le matin, en ouvrant les volets, vous découvrez la lagune tout autour de votre bungalow. Et, à vos pieds, les grenouilles, les oiseaux et les fleurs. Attention à ne pas rater la marche au réveil ! On peut louer des barques à l'hôtel pour 2 US$ l'heure.

|●| ***Restaurant Abey :*** sous une paillote, au centre des bungalows. Accès par les ponts ou en barque. Compter entre 10 et 15 US$ le repas complet (avec du crocodile, bien sûr). Immense salle à manger, tout en bois, typique mais qui manque de chaleur. ***Bar Guamá*** sur une belle terrasse, en face du resto. Beaucoup de clients se plaignent que la forte musique gâche le calme envoûtant du lieu...

À voir

★★ ***El pueblo taïno :*** sur l'île, derrière l'hôtel. En bateau, la première vue de Guamá et de belles photos à faire. Reconstitution d'habitations traditionnelles. La vie des Indiens de l'époque est illustrée par des statues en bois assez réussies, réalisées par l'artiste cubaine Rita Longa. Parmi les personnages, le grand chef rebelle Guamá... Petit musée, bar et boutiques de souvenirs bon marché.

★★ ***La laguna del Tesoro :*** promenez-vous en barque sur les bras de mer. Quantité d'oiseaux à observer. Emporter une petite paire de jumelles pour profiter pleinement de la richesse de la faune.

➤ *DANS LES ENVIRONS DE GUAMÁ*

★★ Pêche en rivière au ***río Hatiguanico.*** Le départ de cette très belle excursion se situe au km 103 de l'autoroute. On commence par marcher dans un bosquet jusqu'à la maison des gardes forestiers. Puis on embarque et on parcourt 7 km sur un canal artificiel. La zone est un refuge pour les oiseaux, batraciens et reptiles. On arrive à la source du río Hatiguanico qui ne fait que 2 km de long. Les eaux grouillent de poissons carnassiers (brochets, black-bass, aloses, truites, perches...) é-nor-mes ! Renseignements et réservations au kiosque d'information *La Finquita* (voir plus haut). Départs de l'excursion à 9 h et 13 h. Prix : 15 US$. Pour pêcher, environ 30 US$. C'est un peu cher, mais vous prendrez peut-être le brochet de votre vie !

LA PLAYA LARGA

IND. TÉL. : 45

À 8 km de La Boca, sur la route de la playa Girón. Une grande plage, comme son nom l'indique, située sur la célèbre baie des Cochons. Tout au long de la route, 85 monuments rappellent le souvenir des miliciens cubains tombés au

combat pour empêcher les mercenaires américains d'envahir l'île en 1960. L'une des têtes de pont du débarquement anti-castriste fut implantée ici, l'autre à la playa Girón, un peu plus loin.
La playa Larga est une plage populaire agréable, fréquentée en juillet et août par les Cubains. C'est en hiver que la mer est la plus belle : elle prend des colorations aussi chatoyantes que sur la côte nord. Moins connu que María la Gorda ou l'île de la Jeunesse, c'est pourtant l'un des endroits les plus intéressants de Cuba pour la plongée sous-marine. La flore et la faune y sont d'une richesse exceptionnelle en raison de la présence du Parc naturel de la péninsule de Zapata. Il y a aussi de beaux gisements de corail noir. Les fortes déclivités proches de la plage permettent de plonger du bord sans qu'il soit nécessaire de prendre un bateau. Le petit bureau de tourisme de l'hôtel propose des excursions dans les environs.

Où dormir ? Où manger ?

Chambres chez l'habitant *(casas particulares)*

À playa Larga, les rues n'ont pas toutes un nom. Se repérer grâce au grand pylône de télécommunications (du centre administratif du Parc naturel) à droite en entrant dans le village. Prendre à droite juste avant ce centre, notre 1re adresse se trouve au bout de la rue. Pour la 2e, il faut prendre cette même rue, mais tourner à la première à droite. Pour la 3e, enfin, il faut prendre à droite, mais après le centre administratif. N'hésitez pas à demander, tout le monde se connaît.
Ne chipotez pas trop sur le prix des locations : à playa Larga comme à playa Girón, les loueurs paient une des taxes les plus fortes de l'île (260 US$ par chambre et par mois !).

🏠 🍴 ***Villa Juana :*** Batey Mario Lopez. ☎ 971-43 (chez des voisins). Compter 20 US$ avec le petit déjeuner. Grande chambre pouvant convenir pour 4 personnes. AC, frigo, salle de bains privée. Grand patio, terrasse. La maison est toute verte avec des dauphins sur la terrasse. On peut y faire laver et repasser son linge. Excellente cuisine. Lazaro, le propriétaire, est instructeur de plongée.

🏠 🍴 ***Ameris Oliva Arzuaga :*** Batey Mario Lopez. ☎ 971-31. • caribesol@cubasi.cu • Chambre à 20 US$, repas succulent et copieux à 10 US$ (négocier), petit déjeuner à 3 US$. Une chambre double, toute simple, proprette, pouvant convenir pour 3 personnes, AC, salle de bains à partager avec la famille (eau chaude). Une très bonne adresse pour partager la vie de gens charmants. Ameris a travaillé dans le tourisme. Félix, l'époux, est, lui aussi, instructeur de plongée. Il connaît tous les sites de plongée de Cuba. Il a même plongé avec le commandant Cousteau et son record personnel est de 86 m ! Il peut vous emmener faire des excursions dans toute la péninsule. Un gros coup de cœur.

🏠 🍴 ***Enrique Rivas Fente :*** Caletón. ☎ 971-78. Plus cher, compter 25 US$ par personne, mais Enrique fait un *paquete* : chambre, petit déjeuner et dîner. Une chambre pouvant héberger jusqu'à 4 personnes, avec AC et salle de bains indépendante. Repas gastronomiques. Enrique est également un très bon guide pour découvrir la région.

Hôtel

🏠 🍴 ***Villa Horizontes Playa Larga :*** au bord de la plage. ☎ 972-94, 972-06 ou 971-19. Fax : 941-41. Entre 40 et 50 US$ la chambre double avec petit déjeuner. Buffet (peu varié) à 10 US$. C'est le seul hôtel du village. Une cinquantaine de bungalows (68 chambres) fonctionnels, à défaut d'être coquets, dans un grand parc. Chambres propres, avec salon, moustiquaires, salle de bains, eau chaude, AC, coffre-fort et TV satellite. Piscine et 3 bars sympas. Belle plage.

➤ DANS LES ENVIRONS DE LA PLAYA LARGA

La playa Campismo : à 6 km de la playa Larga. Une plage sans beaucoup de sable, mais l'eau turquoise donne tout de même envie de s'y baigner. Fréquentée presque exclusivement par des Cubains lors de leurs vacances en juillet et août. Ambiance familiale sympa. Musique à tue-tête le week-end. Les enfants s'amusent à plonger d'un ponton surélevé.

La cueva de los Peces *(cenote de llona)* ***:*** à 18 km, sur la route (envahie au printemps par les crabes) de la playa Girón, sur la gauche en venant de la playa Larga. Ouvert de 9 h à 17 h. Entrée : 1 US$. Possibilité de louer masque et tuba. Ce *cenote* est une piscine naturelle de 70 m de profondeur. Quelques poissons dans une eau limpide, mais les vrais amateurs de plongée seront déçus. Cette faille tectonique est entourée d'une belle végétation tropicale. Un hamac vous attend entre deux palmiers. Bar et petit resto de poisson pour ceux que la baignade mettrait en appétit. Il y a d'autres *cenotes* le long de la route côtière, qui sont reliés à la mer par des tunnels souterrains : de véritables aquariums géants.

De l'autre côté de la route, ***belvédère*** d'où l'on admirera la côte, magnifique.

Un peu plus loin, à 24 km de la playa Larga, ***punta Perdiz,*** la plus belle plage du secteur annoncée par une construction en forme de bateau. Ouvert de 9 h à 17 h. Entrée : 1 US$. Initiation à la plongée. Restaurant de poissons.

Au large, une ***barrière de corail,*** idéale pour la plongée. Mais pas de plage de sable, juste un ponton avec escalier pour ceux qui voudraient faire trempette.

Las salinas de Brito : cette lagune située à 25 km au sud-ouest de la playa Larga constitue une étape incontournable pour les oiseaux migrateurs. Ils sont nombreux, entre novembre et mai, à venir faire une halte dans cette réserve naturelle. Cet écosystème, au centre d'un parc de 37 000 ha, abrite plus de 65 espèces d'oiseaux différentes. Idéal pour les ornithologues.
– Un autre point d'observation, le ***corral de Santo Tomás.*** Ouvert seulement aux touristes accompagnés d'un guide. Un poste de péage contrôlera cette formalité.
Dans ces deux parcs, des nuées de moustiques attaquent les peaux blanches et sensibles qui ne sont pas imbibées de répulsifs.

LA PLAYA GIRÓN

IND. TÉL. : 45

C'est sur cette côte d'apparence tranquille qu'eut lieu l'un des épisodes les plus passionnants (et inquiétants) de la guerre froide, la crise de la baie des Cochons. On vous la raconte dans les « Généralités » au début de ce guide (voir la rubrique « Histoire »). Et tous les détails vous seront donnés dans le musée installé ici.

Sinon, l'endroit est surtout un lieu commémoratif et un symbole national : ne pas s'attendre à voir de curiosités du genre bunkers et barbelés, comme sur les plages de Normandie... En fait, la playa Girón se présente comme un petit village touristique avec boutiques, pharmacie, poste, loueur de voitures et... discothèque.
À part ça, belle plage de sable devant l'hôtel, dommage que la vue soit obstruée par une digue en béton, qui apaise peut-être les vagues mais pas le regard. Vraiment plus agréable d'aller se baigner sur la playa de los Cocos, au fond du jardin de l'hôtel. L'île située en face abrite une des résidences de Fidel. Il y reçoit souvent des chefs d'État étrangers. La ronde des hélicos vous indiquera son éventuelle présence...

Adresse utile

■ ***Havanautos :*** dans l'hôtel *Villa Playa Girón.* ☎ 941-23.

Où dormir ? Où manger ?

Chambres chez l'habitant *(casas particulares)*

Comme à la playa Larga, les rues n'ont pas de nom. Ici, on se repérera grâce aux deux petits immeubles du village, à gauche en arrivant. Notre 2e adresse se trouve en face de ces immeubles, la 1re juste derrière cette première maison, et la 3e derrière les immeubles. Là encore, demandez. Si vous vous trompez de maison, pas de problème, les trois loueurs sont amis.

🏠 🍽 ***Mario García Rodriguez :*** ☎ 941-38 et 942-66. Compter environ 15 US$ la chambre. Une grande chambre pouvant accueillir jusqu'à 4 personnes, avec salle de bains indépendante, eau chaude, AC et frigo. Entrée indépendante. Petit déjeuner à 3 US$. Délicieux repas à 8 US$. Mayito, c'est le surnom de Mario, est professeur de sciences physiques, parle l'anglais et donne gratuitement des cours d'espagnol à ses hôtes.
🏠 🍽 ***Zoïla et Lorenzo Reytor Bacallao :*** ☎ 942-96. Compter 20 US$ la double, 3 US$ le petit déjeuner. Repas à 8 US$. Deux chambres mignonnes, avec salles de bains neuves, pouvant accuellllir chacune jusqu'à 4 personnes. Entrée indépendante. Lorenzo est chauffeur à la retraite, c'est un bon guide.
🏠 ***Odalys Figueredo et Miguel Padron :*** ☎ 942-25. Environ 20 US$ la chambre. Petit déjeuner à 3 US$. Là encore, repas très copieux et excellents à 7 US$. Le jeune couple habite dans une jolie maison toute neuve. La chambre peut accueillir jusqu'à 4 personnes (frigo, AC, salle de bains indépendante). Miguel parle très bien l'anglais et un peu le français.

Hôtel

🏠 🍽 ***Villa Playa Girón :*** à l'entrée du site. ☎ 941-10. • reservas@pgiron.esimtz.co.cu • Compter environ 48 US$ la chambre pour 2 en saison avec petit déjeuner. En formule tout inclus, 70 US$ pour 2 en haute saison. Quelque 200 bungalows, toujours aussi soviétiquement alignés. Plusieurs restos, dont la carte nous rappelle que nous sommes dans la baie des Cochons. Ambiance club autour de la piscine, avec soirées animées et cours de danse rythmés. L'hôtel propose quantité d'excursions (spéléo, jardin botanique, faune sauvage de la région...) et loue du matériel de plongée.

À voir

El museo de la Bahia de los Cochinos *(le musée du Débarquement)* **:** sur la grande esplanade centrale, face à l'hôtel. Ouvert tous les jours de 9 h à 17 h. Entrée : 2 US$. Demi-tarif pour les enfants et les étudiants. Un musée de taille modeste mais porté par la fierté légitime d'une petite île ayant vaincu le grand Goliath américain. Dehors, un avion à hélice de l'armée cubaine et, sur un monument, la liste des victimes du débarquement anti-castriste. Panneaux et plans expliquant les différents points d'attaque de l'armée américaine : départ des avions de Floride et des bateaux du Nicaragua. La riposte des fidélistes n'en est que plus impressionnante...
Pour les Américains, il fallait que seuls des contre-révolutionnaires d'origine cubaine posent le pied sur l'île, histoire d'éviter l'accusation d'ingérence. Seulement, sur les 800 membres de cette « brigade » anti-castriste, certains étaient des mercenaires sud-américains ou yankees déguisés... même si la majorité était composée de propriétaires terriens et de riches bourgeois exilés au début de la Révolution. Selon les statistiques affichées ici, leurs familles possédaient à Cuba 70 manufactures, 10 usines de sucre, 5 mines, 2 banques et 666 maisons ! Suffisamment de richesses à récupérer pour débarquer en force... En arrivant, ils furent stoppés par les surveillants de la plage, qui résistèrent deux heures. Les assaillants brûlèrent un bus et ses occupants au napalm, mais l'artillerie castriste arriva à temps pour les empêcher de pénétrer dans les terres.
Une photo choc rappelle qu'un soldat cubain eut le temps d'écrire « Fidel » avec son sang avant de mourir...

➤ DANS LES ENVIRONS DE LA PLAYA GIRÓN

La caleta Buena : à 9 km à l'est de la playa Girón, par la route côtière. Ouvert de 10 h à 18 h. Une belle arnaque à notre avis. Repris par la chaîne *Horizontes,* le site est payant, 12 US$ par personne la journée, repas et accès au bar compris. Un peu cher si vous vouliez juste profiter de la plage...

À cet endroit de la côte, la mer entre dans des grottes sous-marines, formant une succession de piscines naturelles. Celle de droite, sublime, est pleine de poissons tropicaux. On leur jette du pain pour les faire apparaître à la surface ! Encore un beau coin pour les plongeurs. Vous pouvez d'ailleurs vous inscrire au club sans payer le droit d'entrée. Compter 25 US$ pour une plongée, 100 US$ pour 5 immersions. Boutique de location sur place pour masque, tuba et palmes. Également du matériel de pêche. On peut atteindre la mer depuis les *cenotes,* via un tunnel de 25 m, puis 10 m de remontée. Être bien entraîné et avoir des palmes ! Impressionnant de traverser 25 m dans le noir.

LE CENTRE DE L'ÎLE

Les paysages n'y sont peut-être pas aussi remarquables que dans l'Oriente ou la région de Pinar del Río, mais le Centre est d'une grande richesse historique. Chaque ville apporte sa touche de nostalgie coloniale, à commencer par la plus belle de toutes : Trinidad. Pour ceux qui ont un peu de temps, un beau circuit de promenade avant de se rendre dans l'Oriente... Sans oublier la splendide vallée de los Ingenios (classée au Patrimoine mondial de l'humanité par l'Unesco), avec ses champs de canne à sucre immuables, ses villages à l'écart des routes touristiques et ses paysages poignants. Le sang et la sueur des esclaves auraient-ils donné à la terre cette couleur d'un rouge profond ?

CIENFUEGOS

150 000 hab. IND. TÉL. : 432

Hésitant entre une ville coloniale bien vivante et un riche port industriel, la ville de Cienfuegos (qui n'a rien à voir avec Camilo Cienfuegos, le compagnon de Fidel) jouit d'une situation géographique exceptionnelle, au fond d'une baie profonde et bien abritée.
La capitale de la province du même nom est aujourd'hui la cinquième ville du pays. Industrielle (mais ça se voit à peine), Cienfuegos est très fière de sa cimenterie, de sa raffinerie de pétrole, de son usine pétrochimique (quelques tonnes d'acide se sont d'ailleurs répandues dans la mer en décembre 2001...) et surtout de sa centrale nucléaire, la seule du pays ! Pourtant, la centrale de Jaragua, de fabrication russe, n'a jamais été terminée. Malgré toutes ces industries, n'imaginez pas une ville triste, suffoquant sous les fumées toxiques. Cienfuegos, vivante et très provinciale, même dans les rues du centre, offre le visage presque étrange d'un paisible village dès qu'on s'enfonce dans les rues parallèles à l'artère principale. Avec ses vieux casinos installés sur la belle presqu'île de la punta Gorda, la ville ne manque pas d'un certain charme ni de nonchalance *made in Tropics*. Encore peu visitée, elle est un lieu de rencontre privilégiée avec la population cubaine. Mais attention, les rabatteurs y sont un peu oppressants dès qu'ils s'aperçoivent que quelques touristes individuels sont arrivés en ville. Ensuite ça se calme.

UN PEU D'HISTOIRE

La ville s'est développée au départ sous l'impulsion des Français, puis des Espagnols. Jagua était son premier nom, celui que les Indiens lui donnèrent. Au XIXe siècle, le gouvernement central de La Havane jugea la ville « trop noire » ! Pour l'« éclaircir », il fit appel à une famille originaire de Bordeaux, la famille Laurent de Clouet. Le fils, Jean-Louis, né en Louisiane, nomma la ville Fernandina de Jagua, trouvant là un compromis diplomatique avec les Indiens et les Espagnols. Clouet invita de nombreux immigrants de La Nouvelle-Orléans et de Bordeaux à s'y installer. Le 22 avril 1819, la ville de Cienfuegos était fondée.
Ce n'est qu'en 1921 qu'elle fut baptisée Cienfuegos, du nom du général José Cienfuegos qui en fut le maire de 1914 à 1920.
Cienfuegos est jumelée avec la ville française de Saint-Nazaire.

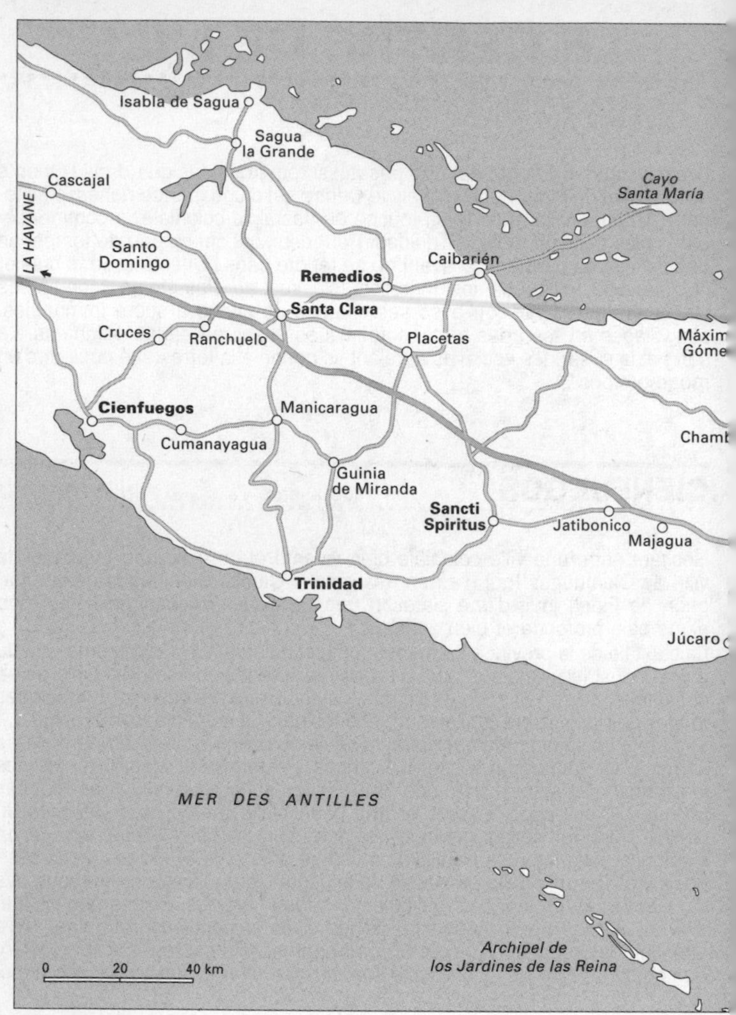

Orientation

Simple comme bonjour, Cienfuegos, c'est comme un jeu d'échecs géant. La ville s'organise en rues parallèles numérotées de 2 en 2 (numéros impairs). Les avenues perpendiculaires sont également numérotées de 2 en 2 (chiffres pairs). Deux axes importants à repérer : d'une part, la calle 37 (nord-sud), qu'on appelle le Prado, et qui devient le Malecón pour rejoindre le quartier de la punta Gorda. D'autre part, l'avenida 54, surnommée le Boulevard. Elle est piétonne entre le Prado et la place principale José Martí.

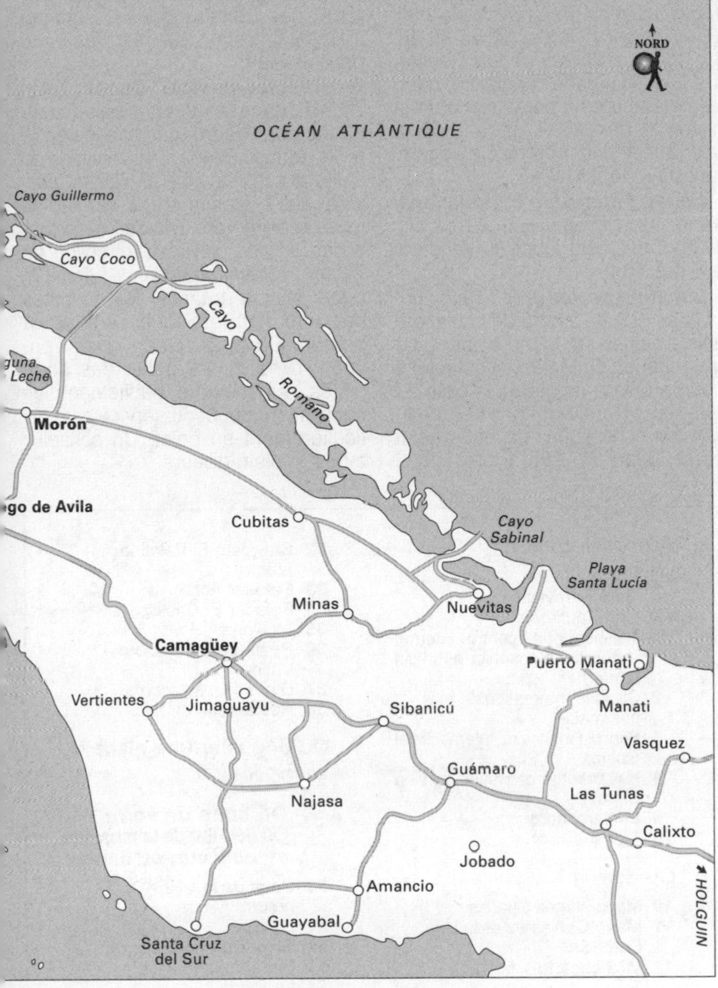

LE CENTRE DE L'ÎLE DE CUBA

Adresses utiles

✉ ***Poste*** *(plan B1)* **:** à l'angle de l'av. 56 et de la calle 35. Ouvert tous les jours de 8 h à 20 h. Également à l'hôtel *Jagua (plan B3,* ***19****)*.

■ ***Téléphone Etecsa*** *(zoom,* ***1****)* **:** calle 31, entre 54 y 56. Juste en face de l'entrée de l'hôtel *La Unión*. Ouvert tous les jours de 8 h 30 à 21 h 30. On peut acheter des cartes téléphoniques de 5, 10 ou 20 US$ sur place.

@ ***Centre Internet et courrier électronique Etecsa*** *(zoom,* ***1****)* **:** calle 31, entre 54 y 56. Ouvert tous les jours de 8 h 30 à 21 h 30. Compter 6 US$ l'heure. Quelques ordinateurs.

■ ***Clinique internationale et pharmacie*** *(Clinica Internacional; plan B3,* ***2****) :* punta Gorda. ☎ 55-16-22. En face de l'hôtel *Jagua.* Ouvert 24 h/24. On y parle l'anglais et quelques membres du personnel parlent un peu le français. C'est un hôpital mais aussi une pharmacie, également ouverte 24 h/24.

■ ***Banco Financiero Internacional*** *(zoom,* ***3****) :* av. 54 y esq. 29. ☎ 55-16-25. Ouvert du lundi au vendredi de 8 h à 15 h.

■ ***Location de voitures :*** *Havanautos (plan B2,* ***4****),* à côté de la station-service *Cupet,* sur la route principale (prolongation du Malecón) qui rejoint la punta Gorda (angle de la calle 37 et de l'av. 18). ☎ 55-12-11. Bureau *Transtur* : kiosque devant l'hôtel *Jagua (plan B3,****19****).* Et à l'hôtel *Rancho Luna* (voir « Dans les environs de Cienfuegos »). Agence *Transtur,* calle 29, en face du parque Martí.

■ ***Stations-service Cupet*** *(plan B2,* ***4****) :* dans la rue principale (continuation du Prado), qui relie le centre à la punta Gorda. Au niveau de l'avenida 16, à côté d'*Havanautos.* Une autre station à 12 km sur la route côtière vers Trinidad (à la sortie de la ville, suivre la direction de l'hôtel *Pasacaballos*). Attention, cette station truande les touristes par une non-remise à zéro de la pompe. On vous déleste ainsi d'environ 10 US$. Le ballet des pompistes qui masque habilement les cadrans au début du service est particulièrement au point. Un conseil : faites le plein ailleurs.

■ Adresses utiles

- ✉ Poste
- Gare ferroviaire
- Gare routière
- @ **1** Téléphone, centre Internet et courrier électronique Etecsa *(zoom)*
- **2** Clinique internationale et pharmacie
- **3** Banco Financiero Internacional *(zoom)*
- **4** Havanautos et station-service Cupet
- **5** Embarcadère
- **19** Transtur

Où dormir ?

- **10** Maria Nunez Suarez
- **11** Mario Cañisarez et Luisa Corcho
- **12** Villa Lagarto – Maylin y Tony
- **13** Martha Peña
- **14** La Perla Cienfuegos
- **15** Casa Piñeiro
- **16** Amparo Sanchez *(zoom)*
- **17** Room for Rent Angel
- **18** Ana Maria Font d'Escoubet
- **19** Hôtel Jagua
- **20** Hotel La Unión *(zoom)*

Où manger ?

- **30** Mercado municipal
- **31** Cafetería San Carlos
- **32** Bar-resto El Palatino *(zoom)*
- **33** Paladar Aché
- **34** Paladar El Criollito
- **35** La Verja
- **36** Restaurant Palacio del Valle
- **37** Dinos Pizza *(zoom)*
- **38** Restaurant 1819

Où déguster une glace ?

- **40** Coppelia

Où boire un verre ? Où écouter de la musique... et, bien sûr, où danser ?

- **50** Casa de la UNEAC *(zoom)*
- **51** D'Prisa
- **52** Club El Benny *(zoom)*
- **53** Casa de la Música
- **54** La Punta

À voir

- **19** Hôtel Jagua
- **36** Palacio del Valle
- **60** Palacio Ferrer (maison de la Culture ; *zoom*)
- **61** Teatro Tomás Terry *(zoom)*
- **62** Museo provincial de la ciudad *(zoom)*
- **63** Cementerio La Reina

Achats

- **70** El Ambajador

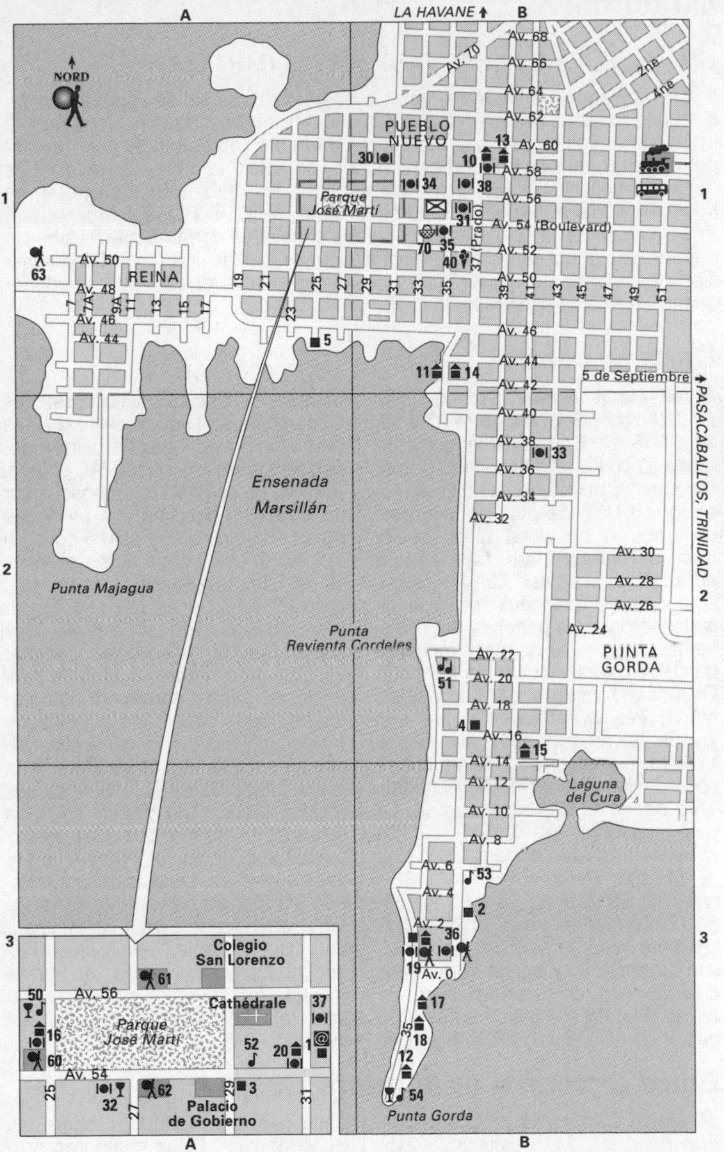
LA HAVANE
NORD
PUEBLO NUEVO
Parque José Martí
REINA
Ensenada Marsillán
Punta Majagua
Punta Revienta Cordeles
PUNTA GORDA
Laguna del Cura
Punta Gorda
5 de Septiembre
PASACABALLOS, TRINIDAD
Av. 54 (Boulevard)
37 (Prado)
Colegio San Lorenzo
Cathédrale
Palacio de Gobierno

CIENFUEGOS

Où dormir?

CHAMBRES CHEZ L'HABITANT (CASAS PARTICULARES)

Il vous faut choisir entre le centre et le quartier résidentiel de la punta Gorda, avec ses maisons colonialo-tropicales décaties en front de mer. Ceux qui ont une voiture n'hésiteront pas : la punta Gorda est l'endroit idéal pour profiter de la mer et jouir des superbes couchers de soleil (et même du lever). Les autres doivent savoir que 2 à 3 km séparent les deux quartiers et que, en taxi, en tricycle ou en carriole à cheval, cela revient à 1 US$ par personne. Pour les indécis, la solution intermédiaire consiste à dormir à mi-chemin. Un dernier mot : allez seul chez l'habitant, pour ne pas avoir à payer la commission des rabatteurs qui ne manqueront pas d'essayer de vous accrocher quand vous arrivez en ville.

Dans le centre

🏠 🍽 ***Maria Nunez Suarez*** *(plan B1,* ***10****) :* av. 58, 3705, entre 37 y 39. ☎ 51-78-67. Sonner à la porte de droite, là où il y a l'autocollant. Compter entre 15 et 25 US$ la nuit selon la saison, 3 US$ de plus pour le petit déjeuner. À quelques blocs seulement du parque Martí. La meilleure adresse du centre. Au 1er étage, 2 chambres blanches et accueillantes, propres et parfaitement entretenues, avec salle de bains indépendante. AC, ventilateur et réfrigérateur. On est vite conquis par l'accueil de Maria, très dynamique, et par son joyeux bavardage avec sa voisine Violetta, qui vous reçoit si les chambres de Maria sont déjà occupées. Très bonne et copieuse cuisine. Le petit déjeuner se prend sur la chouette terrasse donnant sur la rue.

🏠 ***Martha Peña*** *(plan B1,* ***13****) :* calle 39, 5807, entre 58 y 60. ☎ 52-54-77. Compter entre 20 et 25 US$ la chambre selon la période. Belle maison coloniale à la façade verte, avec des colonnes, en surplomb d'une rue calme. Martha est douce comme du papier de soie et reçoit ses hôtes de manière simple et chaleureuse. Les 2 chambres sont spacieuses et hautes de plafond, avec salle de bains indépendante bien aménagée. AC et frigo. Au bout du corridor, on débouche sur un charmant patio où l'on prend les repas. Idéal pour une soirée sous un ciel étoilé. Une bonne adresse.

🏠 🍽 ***Amparo Sanchez*** *(zoom,* ***16****) :* calle 25, 5407, entre 54 y 56. Hyper bien situé, en plein sur la place José Martí. Pas de téléphone. Compter 25 US$ la chambre, 3 US$ le petit déjeuner. On est carrément aux premières loges dans cette authentique maison coloniale : le généreux balcon-terrasse du 1er étage domine la place principale de la ville avec ses rocking-chairs. Le grand salon à colonnes renferme quelques beaux meubles d'époque et rappelle la vie cossue d'antan. Dans la salle à manger, le dîner est servi sur une grande table en bois, les plats arrivent sur une table roulante. Les 2 chambres ont chacune leur salle de bains (chauffe-eau sur le pommeau de douche). Ensemble bien tenu. Accueil sympa.

Entre le centre et la punta Gorda

🏠 ***Mario Cañisares et Luisa Corcho*** *(plan B1,* ***11****) :* calle 35, 4215, entre 42 y 44. ☎ 51-78-64. Compter 20 US$ la nuit. Mario ouvre tout grand les portes de sa maison, bien située car au bord de l'eau, prolongée par une agréable terrasse couverte de plantes. Sa bonne humeur met tout de suite à l'aise et, s'il ne parle pas notre langue, il adore les francophones. Deux chambres propres et claires, chacune avec un petit frigo bien approvisionné en boissons de toutes sortes. Salles de bains privées. L'ensemble est fort bien tenu et on se sent vite chez soi. TV et vidéo dans le salon. Possibilité d'y dîner. Une très bonne adresse.

🏠 ***La Perla Cienfuegos** (plan B1, **14**) :* calle 35, 4210, entre 42 y 44. ☎ 51-91-08. Compter 25 US$ la chambre double (négociable en basse saison). Deux chambres avec salle de bains privée, modernes et fonctionnelles. Vraiment confortables et proprettes mais sombres car quasiment sans fenêtres, c'est le hic. Salon TV. Terrasse à l'étage, dont on peut profiter. Belle vue sur la baie. Accueil discret et courtois.

Sur la punta Gorda

Si vous avez un véhicule, c'est sans doute le secteur le plus agréable pour séjourner. Prix des chambres en général un peu plus élevés que dans le centre. Cela se comprend.

🏠 ***Villa Lagarto – Maylin y Tony** (plan B3, **12**) :* calle 35, 4B, entre 0 y Litoral. ☎ 558-085 (portable). ☎ et fax : 519-966. Tout au bout de punta Gorda, juste à gauche du square La Punta. Compter 35 US$ (30 US$ en basse saison) la chambre double et 4 US$ le petit déjeuner. Au fond de l'allée, sur la droite. Adorable maison nichée à la pointe de la pointe, avec grand jardin-terrasse débordant de plantes vertes et petite piscine entretenue avec amour. Calme total, accueil pro et gentil. Le patron, Tony, connaît le monde du tourisme car il a bossé pour l'UCPA une bonne paire d'années ! Chambres un peu plus chicos qu'ailleurs, avec un vrai effort de déco. Salle de bains privée et AC. Résumons : tenue, accueil, charme, calme... et excellent repas. Ne tiendrions-nous pas là la meilleure adresse en ville ? Juste la maison d'à côté, ***Mandy y Olga.*** Même téléphone que chez Maylin y Tony. Si c'est complet chez lui, il vous envoie ici ! Prestations comparables et tarif identique.

🏠 ***Room for Rent Angel** (plan B3, **17**) :* calle 35, 24. ☎ 511-519. C'est la première maison, juste après la *casa del educador*. Compter 30 US$ la chambre. Une belle demeure avec une façade à colonnes ; cependant, ce n'est pas ici qu'on loge mais derrière. Les 2 chambres, installées en rang d'oignons, donnent sur le jardin qui s'ouvre sur la mer. Un ponton permet même de se jeter à l'eau ou de faire bronzette. Les chambres sont très confortables et cosy, avec sanitaires nickel, frigo et AC. Un gros effort a été fait pour la déco. On prend le petit déjeuner sur la terrasse, juste devant la mer. Bonne cuisine. Seul petit bémol, les matelas sont un peu durs. Accueil agréable. On peut laisser sa voiture dans la rue. C'est bien gardé puisque les trois dernières maisons appartiennent à Fidel Castro.

🏠 ***Ana Maria Font d'Escoubet** (plan B3, **18**) :* calle 35, 20. ☎ 513-269. Deux maisons après celle d'*Angel.* Compter 25 US$ la chambre. Jolie maison coloniale toute rose, un peu vieillotte, au charme désuet et aux murs décrépis. D'un côté, le lever du soleil, de l'autre son coucher. Deux chambres spacieuses, mais attention, confort modeste. L'une a l'AC, l'autre un ventilateur. Les deux disposent d'un frigo bien fourni en boissons. Depuis le mignonnet jardin, on accède à l'eau par une échelle. On y prend son dîner et le petit déjeuner. Ana Maria, déjà d'un certain âge, est tout à fait charmante et elle adore converser. Demandez-lui de vous raconter le jour où Raúl (le frère de Fidel) lui a rendu visite alors qu'il passait quelques jours de vacances à la punta Gorda. Une adresse calme et sympathique.

🏠 ***Casa Piñeiro** (plan B2, **15**) :* calle 41, 1401, entre les av. 14 et 16. ☎ 533-808. • www.casapineiro.cubanonet.com • Compter 30 US$ la double en haute saison (un peu moins le reste du temps). Une maison années 1950, vert tendre, genre pavillon américain (zut, on a dit un gros mot !), de plain-pied avec pelouse sur le devant. Deux chambres spacieuses et bien équipées. On n'est pas certain que le système de chauffage de l'eau dans les salles de bains soit aux normes mais bon... Grand salon ouvert sur un bout de terrasse agrémentée de vraies et fausses plantes. Calme total et la maison ne manque pas de clarté. Accueil un rien distant. Possibilité d'y dîner.

HÔTELS

Chic

🏠 🍽 ***Hôtel Jagua*** *(plan B3, **19**)* **:** calle 37, entre les av. 0 et 2, à punta Gorda. ☎ 551-003. Fax : 551-245. Trois tarifs : 85 US$ en saison creuse, 105 US$ en haute saison, 30 % de plus à Noël. Cette horrible barre de béton qui ressemble à une HLM des années 1950 n'en finit pas de se faire re-lifter. Les chambres sont aujourd'hui nickel et très modernes. L'hôtel jouit d'une situation idéale sur la punta Gorda, face à la mer, et abrite les groupes de touristes. On y trouve tout : bar, resto (le service est inexistant), cafétéria, petit bureau d'information, discothèque, poste, boutiques diverses... Très belle vue depuis les chambres des étages supérieurs. Demander celles-ci de préférence. Même si on n'y loge pas, on peut quand même aller profiter de la piscine (qui donne sur la mer). Entrée : 5 US$ (boissons et petite chose à grignoter compris). On y entre comme dans un moulin ! Accueil impersonnel.

Plus chic

🏠 🍽 ***Hôtel La Unión*** *(zoom, **20**)* **:** entrée principale par la calle 31, entre les av. 54 et 56. ☎ 551-020. À une *cuadra* du parque José Martí. Chambres doubles à 90 US$ avec petit dej'. Ce magnifique hôtel, très bien situé au cœur de la ville, n'a jamais cessé de fonctionner depuis sa fondation en 1869. Il a heureusement bénéficié d'une rénovation absolument totale en 2000. Très réussie. C'est devenu un havre de luxe. Avec ses 49 chambres, il occupe tout un pâté de maisons. Plusieurs cours intérieures dont l'une est agrémentée d'une fontaine, l'autre d'une belle piscine à fleur d'eau, vaste et impeccable. Si vous n'y dormez pas, possibilité de venir s'y baigner pour... 5 US$. Lobby super-confortable dans la douce et fraîche pénombre. Les chambres sont superbes, équipées aux standards de l'hôtellerie haut de gamme. Salles de bains absolument nickel. Nombreux services : sauna, jacuzzi, salle de gym, massages, *room-service*... Resto et 3 bars dont l'un sur le toit, au 4e étage. Ouvert de 12 h à 1 h du matin. Vue magnifique sur la ville et la baie au loin.

Où manger ?

Si l'on ne vous indique qu'une adresse de *paladar*, c'est que peu d'entre eux sont autorisés. Dommage, parce que la cuisine de certains *paladares* clandestins est bien délicieuse, les gens sympathiques et ils proposent souvent de la langouste. On vous laisse donc mener l'enquête...

Très bon marché

🍽 ***Mercado municipal*** *(plan B1, **30**)* **:** av. 58, entre 29 y 31. Ouvert de 7 h à 17 h. Le dimanche et le lundi, seulement le matin. Pour acheter des fruits (en monnaie nationale). On peut aussi y manger des pizzas cubaines (sur la droite en entrant) pour une poignée de pesos. Dans un coin, un réparateur de montres, un coiffeur, une esthéticienne. Ambiance 100 % locale.

🍽 ***Cafetería San Carlos*** *(plan B1, **31**)* **:** sur le Prado, à l'angle de l'av. 56. Reste ouvert tard le soir. Les jeunes de Cienfuegos s'y donnent rendez-vous. On y mange des hamburgers qui ne sont pas si mauvais (et d'autres choses du même genre). C'est pas cher et c'est local. Pratique pour les petits creux ou quand les dollars s'épuisent...

🍽 🍸 ***Bar-resto El Palatino*** *(zoom, **32**)* **:** sur la place José Martí. Ferme vers 21 h. Snacks et sandwichs autour de 1 ou 2 US$. Un vieux bar colonial dans l'une des plus anciennes maisons de la ville (1842). Une terrasse faite pour la contemplation, face à la place historique. Pour attendre des heures plus fraîches au son des accords cubains.

Bon marché

|●| ***Restaurant 1819*** *(plan B1,* ***38****)* **:** av. Prado, 5609, entre 58 y 56. Entrée sous les arcades. Ouvert de 6 h à 21 h 30 en général. Compter autour de 5 US$ le repas complet. 1819 est la date symbolique de la fondation de la ville. L'un des restaurants préférés des locaux, même si la salle est souvent pratiquement vide. Boiseries turquoise dans une salle haute de plafond au charme largement décati. Ça rend l'ambiance tellement glauque que ça en devient un style. Vos papilles gustatives ne monteront pas au paradis, mais parmi les restos bon marché, c'est l'un des meilleurs.

Prix moyens

|●| ***Paladar Aché*** *(plan B2,* ***33****)* **:** av. 38, 4106, entre las calles 41 et 43. ☎ 526-173. Ouvert tous les jours midi et soir, sauf le dimanche. Plats garnis à 8 US$: poisson, poulet et porc, au choix. Soyons francs : la meilleure adresse de la ville, la plus agréable et la plus pro, tout simplement. La cuisine est aussi simple qu'ailleurs, mais ici tout est meilleur qu'ailleurs et mieux présenté. On prend son repas sur une terrasse couverte, décorée avec de vraies plantes et un fond musical passe-partout. Patronne vraiment sympa. Excellents *chicharitos* (bananes frites, fines comme des chips).

|●| ***Paladar El Criollito*** *(plan B1,* ***34****)* **:** calle 33, 5603, entre 56 y 58. Petite enseigne à l'extérieur. Frappez à la porte. Ouvert de 12 h 30 à minuit. On y mange pour 7 US$, le plat avec salade et riz. Quatre tables dans une grande salle fraîche, genre salle à manger de province. Une adresse propre et simple. Oh, rien de très nouveau mais c'est copieux et l'ensemble correct. Accueil familial.

|●| ***La Verja*** *(plan B1,* ***35****)* **:** av. 54, 3306, entre las calles 35 et 33. ☎ 516-311. Ouvert tous les jours de 12 h à 15 h et de 18 h à 22 h. Plats classiques entre 5 et 7 US$. Bien jolie maison coloniale bleue, en plein centre-ville, dans l'agréable morceau de rue piétonne. À l'entrée sur la gauche, un chouette petit bar au superbe comptoir de bois. Sur la droite, une élégante salle à nappes rouges, colonnes, chaises de bois, lustre de cristal. Serveurs en tenue et patio fleuri. Côté cuisine, rien de bien compliqué mais elle n'est pas pire qu'ailleurs et les prix sont vraiment raisonnables compte tenu du cadre.

|●| ***Dinos Pizza*** *(zoom,* ***37****)* **:** calle 31, 5418, entre 54 y 56. ☎ 552-020. En face de l'hôtel *La Unión*. Ouvert tous les jours de 12 h à 15 h et de 18 h à minuit environ (plus tard en fin de semaine). Pizzas entre 4 et 9 US$ et pâtes entre 3 et 5 US$. Lasagnes également. La globalisation culinaire a fini par toucher Cuba. Tout à fait révolutionnaire. Ce resto appartient à une chaîne fondée par un Italo-Canadien, sous la tutelle de *Cubanacan*. Il y en a déjà plusieurs sur l'île. Peu de chances d'y rencontrer des Cubains, à part les serveurs. Dans la salle moderne, sans caractère mais luisante de propreté, la clim' fonctionne à plein tube. Apportez votre petite laine ! On y mange de bonnes pizzas au goût international. Et les pâtes sont également délicieuses.

Plus chic

|●| ***Restaurant Palacio del Valle*** *(plan B3,* ***36****)* **:** calle 37. ☎ 551-226. En face de l'hôtel *Jagua*. Ouvert tous les jours de 10 h à 22 h. Compter 20 US$ pour un repas complet, 25 US$ le plat de langouste, mais en fouillant bien sur la carte, on y trouve des plats autour de 10 US$. Dans un magnifique palais, un restaurant chargé d'his-

toire (on en parle plus bas, dans la rubrique « À voir »). On y déguste des spécialités cubaines, sans oublier langoustes et crevettes, au son du piano de Carmencita, qui « met en son » le hall depuis près de 20 ans. Pour elle seule, ça vaut le coup de venir dîner ici. C'est une femme incroyable qui chante tout en faisant vibrer le demi-queue et les cœurs émotifs. Heureusement qu'elle est là pour égayer la grande salle du resto. Un conseil, venir ici pour le coucher du soleil : grimper sur la terrasse pour admirer le panorama en sifflant un *mojito* (vous pouvez prendre autre chose, on n'est pas sectaire !), restez dans le secteur de punta Gorda puis revenez au *Palacio* pour dîner.

Où déguster une glace ?

Coppelia *(plan B1,* ***40****)* **:** à l'angle de l'av. 52 et du Prado. Ouvert tous les jours de 10 h à 23 h. L'inévitable glacier de la chaîne nationale. À toute heure, la grande salle ressemble à une vraie cantine, chaleureuse comme une aire de parking, heureusement animée par quelques petits Cubains et le bruit des cuillères qui raclent les assiettes en plastique. Peu de choix dans les parfums (en général il y a vanille, vanille ou... vanille), mais les boules de glace sont énormes et les milk-shakes corrects.

Voir aussi au *théâtre Tomás Terry,* dans la rubrique « À voir ».

Où boire un verre ? Où écouter de la musique... et, bien sûr, où danser ?

Les lieux de nuit ferment en général à 1 h du matin depuis 2003, par décision de Fidel. Ainsi les jeunes continuent-ils parfois à faire la fête dans la rue après la fermeture. Par ailleurs, de plus en plus de boîtes sont fermées par la police de manière soudaine, dès que les autorités s'aperçoivent que le lieu devient trop populaire. Faut que la jeunesse s'amuse, mais pas trop, ça peut donner de mauvaises idées !

La Punta *(plan B3,* ***54****)* **:** tout au bout de la punta Gorda, au bord de l'eau. Ouvert en général de 10 h à 22 h. Bien pour un verre en fin d'après-midi. Voilà une bonne occasion d'aller se promener sur l'extrémité de la presqu'île. Une fois passé le très laid hôtel *Jagua,* la rue longe la mer, elle est bordée de belles et anciennes demeures de villégiature dont l'architecture rappelle celle de la Louisiane. Les trois dernières maisons sont réservées à Fidel qui y venait parfois passer quelques jours de repos et faire de la plongée dans les parages, l'un de ses sports favoris. Tout au bout, on tombe sur un gentil square aménagé. Il y a une buvette, quelques tables en plastique et bien souvent un fond musical. Parfois il y a même des gens qui dansent. Ambiance populaire et bon enfant. Un kiosque s'avance dans la mer, rendez-vous des amoureux dès que la lune commence à scintiller au son du clapotis (vous avez lu, on est poète à nos heures).

Casa de la UNEAC *(Union nationale des écrivains et artistes cubains ; zoom,* ***50****)* **:** sur le côté ouest de la place José Martí, à gauche du n° 5415. Ouvert en principe le samedi et le dimanche. Parfois en semaine selon les concerts. Consulter le programme affiché à l'extérieur. Une terrasse agréable où l'on vient écouter de la musique cubaine de qualité. Concerts en général le samedi.

Casa de la Música *(plan B3,* ***53****)* **:** à la punta Gorda, av. 37, en face du resto *Cochinito.* On y vient surtout les soirs de concerts qui ont lieu en général du mercredi au dimanche, à 22 h. Ferme vers 1 h du matin. Entrée : 1 US$. Bons groupes de musique cubaine, souvent assez amateurs. Beaucoup de jeunes et ambiance *muy caliente.*

♩ ***Club El Benny*** *(zoom,* ***52****) :* av. 54 (la rue piétonne), à 50 m de la place José Martí. ☎ 551-105. Ouvert tous les soirs à partir de 22 h. Entrée : 3 US$. À cause du prix, on y trouve moins de jeunes Cubains qu'ailleurs. Pas mal de *jineteras.* Cette discothèque a bonne réputation. Il y règne une bonne ambiance, que certains (ou plutôt certaines !) trouveront d'ailleurs moins stressante qu'à la *Casa Caribeña*. En général, la soirée commence par de la musique *en vivo.* Ensuite, ça se transforme en disco.

♫ ***D'Prisa*** *(plan B2,* ***51****) :* calle 37, angle av. 32. Tous les soirs, mais surtout le vendredi et le samedi, de 21 h à 1 ou 2 h du matin. En plein air, une piste de danse un peu improvisée où se trémousse en cadence la jeunesse locale. Ambiance marrante comme tout.

À voir

Le parque José Martí *(zoom) :* c'est le centre-ville, la place principale entourée d'importants édifices de la fin du XIXe et du début du XXe siècle. Au sol, vers la cathédrale, une *rosace* de 2 m de diamètre, représentant la baie de Cienfuegos, indique l'endroit exact où Jean-Louis de Clouet marqua les limites de la fondation de la colonie française en 1819.

La catedral de la Purísima Concepción *(zoom) :* calle 29, entre 54 y 56. Ouvert durant les célébrations. La cathédrale fut achevée en 1870 dans un style néo-classique mélangé d'éléments baroquisants. À l'intérieur, voir les douze vitraux (mauvais état) représentant les apôtres et qui ont été importés de France. Bel autel avec ses colonnes corinthiennes. Le reste est en fait assez lourd.

– On continue le tour de la place avec le ***collège San Lorenzo*** *(zoom).* De style néo-classique, il a été construit en 1927 par l'architecte cubain Jorge Lafuente. Bon, rien de palpitant. Il abrita jusqu'en 1959 une école d'arts et métiers.

El teatro Tomás Terry *(zoom,* ***61****) :* av. 56 y calle 27. Ouvert tous les jours de 9 h à 18 h. Entrée : 1 US$. Pour les spectacles, achat des billets sur place, prix unique : 3 US$ ou 5 US$ s'il s'agit d'un(e) artiste de réputation nationale. De manière générale, les spectacles sont de qualité.

Commencé en 1887, terminé en 1889 et inauguré en 1900, ce très beau théâtre à l'ancienne de 950 places porte le nom d'un sucrier mécène. Copie du théâtre de Matanzas et de celui de Santa Clara, eux-mêmes copies d'un théâtre milanais, ce lieu accueille toujours de nombreux spectacles variés. C'est l'un des trois lieux de spectacle de Cuba où la scène, très inclinée, permet de voir les pieds des danseurs, même des premiers rangs. Les plus curieux d'entre vous lèveront le bout de leur nez et admireront avec attention la fresque représentant les sept Muses, ainsi que, au plafond, celle où figure un ange tenant une pendule marquant 16 h, heure à laquelle le peintre a fini la fresque ! Chaises en bois à l'ancienne, balcons stylés...

Enfin, pour la petite histoire, sachez que le grand Caruso est venu y faire quelques vocalises, comme dans presque tous les théâtres d'Amérique du Sud ; idem pour Sarah Bernhardt qui a donné ici une représentation de *La Dame aux camélias,* et pour l'Espagnol Antonio Galez...

Sur la droite du théâtre, petit glacier dans le patio Terry où les glaces sont meilleures que celles de *Coppelia.*

Vient ensuite une ***remarquable maison*** particulière jaune, typique du style créole urbain, unique dans ce quartier historique, construite en 1869.

Du côté opposé à la cathédrale, on trouve le ***palacio Ferrer*** *(maison de la Culture ; zoom,* ***60****),* à l'angle de l'av. 54 et de la calle 25. Malheureusement fermé depuis quelque temps. Maison de la Culture depuis 1978.

Construit en 1910 pour José Ferrer Sires, premier propriétaire, ce très beau petit palais de style éclectique garde encore quelques vestiges de son raffinement d'antan : du marbre, un bel escalier, des stucs en veux-tu, en voilà... De l'extérieur, on peut assez bien admirer le travail architectural et décoratif.

Galerie « Galería Marya » : sous les arcades. Ouvert tous les jours de 9 h à 18 h; le dimanche, le matin seulement. Galerie regroupant au rez-de-chaussée le travail de différents artisans de la région : peintures, objets de bois, cuir, papier mâché, étoffes. Un peu de tout. De l'excellent au carrément médiocre.

***El museo provincial de la ciudad** (le musée provincial de la Ville ; zoom, **62**) :* av. 54 y calle 27, 2702. En face du parque José Martí, à côté du palacio de gobierno. Ouvert du mardi au samedi de 10 h à 18 h ; le dimanche, seulement le matin. Entrée : 2 US$. Quelques vitrines historiques, maquettes, tableaux, porcelaines, armes, meubles... des anciennes familles bourgeoises françaises du XIXe siècle et de quelques patriotes. Manifestations culturelles certains soirs (entrée gratuite).

Avant de terminer le tour du *parque Martí,* on remarquera le ***palacio de gobierno** (zoom),* monument gris bleu de style républicain, construit en 1924, terminé en 1954. C'est ici que Fidel, le 7 janvier 1959, dirigea le peuple de Cienfuegos pour sa marche triomphale vers La Havane.

Le tour du parc fini, on fait une pause bien méritée à la terrasse du bar *El Palatino (zoom, **32**),* parfois au son d'un orchestre de salsa.

La punta Gorda : à la pointe de la ville. Du centre-ville, descendre le Prado, l'artère principale de la ville, bien entendu surnommée Malecón à l'endroit où elle longe la mer. Tout au long de la presqu'île, vous admirerez de nombreux palais, anciens casinos de la mafia américaine implantée ici à l'époque de Batista et qui subsistèrent jusqu'à la Révolution... Deux d'entre eux (au bord de la baie) ont été superbement rénovés il y a peu.

Vous passerez à côté de l'***hôtel Jagua** (plan B3, **19**),* qui appartenait au fils de Batista (visiblement, il avait très mauvais goût). Il paraît qu'il voulait en faire un casino.

Juste après, on tombe sur le ***Palacio del Valle** (plan B3, **36**) :* calle 37. Ouvert tous les jours de 10 h à 22 h. Visite guidée express entre 10 h et 17 h, en français, pour 1 US$ (inclus, et bienvenu, un petit cocktail à base de rhum en terrasse). On peut aussi y monter gratuitement, un peu plus tard, pour le coucher du soleil. Vue extra sur la baie. Ce palais a été construit par un Espagnol asturien, Acisclo del Valle. Il avait des goûts éclectiques à en juger par le mélange de styles : romain, mauresque et gothique. Mudéjar, quoi ! Les trois tours du palais ont chacune une signification particulière. De face, celle du centre représente la religion, à droite, la puissance guerrière (créneaux et mâchicoulis) et à gauche, l'incontournable : l'amour (petite alcôve). Il faut absolument monter sur le toit, d'où l'on a une vue superbe sur la baie. On y accède par un spectaculaire escalier en colimaçon. Bar pour y prendre un verre. Aujourd'hui, le palais a été transformé en restaurant (voir « Où manger ? »).

➢ Après cette pause, on continue la promenade le long de ***vieilles maisons en bois*** aux belles couleurs, derniers vestiges des anciens émigrants de La Nouvelle-Orléans. Arrivé à la pointe, on s'affale dans un petit parc à l'ombre d'un flamboyant, au milieu du rire des enfants se baignant sur une plage improvisée. On en profite pour se rafraîchir à la buvette *La Punta (plan B3, **54**).* Vue imprenable sur la baie. Au loin, l'horizon est hélas bouché par de hautes cheminées industrielles, un terminal pétrolier et la fameuse centrale nucléaire.

Les amoureux des vieilles tombes feront un tour au ***cementerio La Reina** (cimetière La Reina, plan A1, **63**) :* au bout de l'av. 50 et du quartier Reina.

Dans un quartier très pauvre et délabré. Ouvert de 7 h à 19 h, mais y aller avant la tombée de la nuit. Voici l'endroit idéal pour les fans d'atmosphère romantique. Un petit cimetière, presque intime, qui date de 1839. On se balade parmi les belles pierres tombales surmontées d'anges aux ailes brisées en marbre de Carrare ou en marbre gris provenant de l'île de la Jeunesse. Au fond, une petite chapelle en ruine, détruite par la tornade de l'an 2000. Soudain, au milieu de cet émouvant ballet de souvenirs mortuaires, surgit la statue en marbre de *La Belle Endormie (La Bella Durmiente),* morte d'un chagrin d'amour à l'âge de 24 ans en 1907. Elle se donna la mort en fumant de l'opium (voir la fleur d'opium sculptée dans sa main). La visite est faite par une grand-mère ou sa fille. Dans la partie centrale du cimetière, on trouve les familles riches (plusieurs familles d'origine française), tandis que celle à gauche est réservée aux familles populaires. On y voit même une tombe d'un des membres de la famille Batista. Pourboire à vot' bon cœur.

Achats

El Ambajador *(plan B1,* ***70****)* **:** sur l'av. 54, angle calle 33. ☎ 552-144. Ouvert tous les jours de 9 h 30 à 22 h. Boutique bien achalandée, spécialiste des cigares, du rhum et du café. Bon choix de vitoles à l'unité.

➤ *DANS LES ENVIRONS DE CIENFUEGOS*

Le castillo de Jagua : on peut y aller par la route, mais ça fait faire un grand tour d'une centaine de kilomètres. Mieux vaut y aller en bateau depuis Cienfuegos. On le prend à l'*embarcadère (plan A1, 5),* au bout de la calle 25. Départs 3 fois par jour, en général à 8 h, 13 h et 17 h 30. Retour à 6 h 30, 10 h et 15 h (mais on ne vous garantit absolument pas ces horaires !). Pas de service le dimanche. Environ 45 mn de traversée. Compter 1 US$. Pour les motorisés, on peut aussi prendre un bateau au pied de l'hôtel *Pasacaballos* situé à environ 25 km de la ville (voir plus bas). Départs très réguliers, selon l'inspiration du jour, à partir de 6 h en théorie, et jusque tard le soir. Une ou deux rotations par heure. Durée : 5 mn. Se renseigner à la réception de l'hôtel. Le trajet coûte 1 US$ aller-retour. Enfin, vous pouvez réserver une vedette à l'hôtel *Jagua* (voir « Où dormir ? », plus haut) pour l'excursion, mais il faut être 6 personnes minimum. La visite dure environ 1 h.
Cette petite forteresse, construite par les Espagnols en 1745, est le plus ancien monument de Cienfuegos. Ouverte de 9 h à 17 h (le dimanche jusqu'à 13 h). Entrée : 1 US$. Elle surplombe l'étroit estuaire de la baie et se prolonge par un petit village tranquille. Elle surveillait l'entrée pour protéger la ville des pirates. On peut jeter un coup d'œil sans déplaisir, même s'il n'y a rien à voir à l'intérieur. Belle vue tout de même. Mais, hélas, de nombreuses barres d'habitations, genre « HLM blêmes », à moitié vide ou même pas terminées, dominent les collines et le village...

El jardín botánico *(le jardin botanique)* **:** à 18 km de la ville en direction de Trinidad. Prendre la route du *Pasacaballos* (la même que pour Trinidad) ; puis la première sur la gauche, 100 m avant la station-service (attention, elle est un peu cachée). Faire encore 8 km. Puis au T, prendre à gauche et faire encore environ 2 km. Ensuite, le jardin est indiqué (sur la droite). ☎ 45-115. Ouvert de 8 h à 16 h 30. Entrée : 2,5 US$, 1 US$ pour les enfants.
Créé en 1901 par un riche sucrier américain, Edwin F. Atkins, ce jardin botanique peut s'enorgueillir d'être le plus vieux de l'île et, selon certains, l'un des plus beaux du monde. Il présente un nombre impressionnant d'arbres et

de plantes exotiques. Près de 80 % de ce qui fut planté ici ne provient pas de Cuba. Il est à la charge de l'État cubain depuis 1961, qui l'a doté d'un personnel scientifique professionnel (mais d'un entretien malheureusement peu financé). Plus de 1 400 espèces végétales et subtropicales sur 94 ha (94 terrains de football). Autant dire que vous ne verrez pas tout. Quelques chiffres : 23 bambous différents (et impressionnants), une vingtaine d'orchidées différentes, 50 sortes de ficus, 200 essences de palmiers – dont le rarissime palmier liège (pour les spécialistes : *Microcycas colocoma*) –, une petite collection de cactus sous serre... Par grand vent, les craquements des énormes tiges de bambous sont impressionnants.
Une belle balade : plan du parc disponible... sauf quand il n'y en a plus. La plupart des visiteurs parcourent la petite route d'environ 1 km qui mène de l'entrée jusqu'au parking. C'est sur ce chemin que l'on trouve les espèces les plus intéressantes : superbe allée de palmiers royaux, banyans, palmier yarey, teck, ébène, acajou africain, arbres « pied d'éléphants », néfliers, palmier talipo (arbre national du Sri Lanka) qui possède les plus grandes feuilles du monde végétal (jusqu'à 4 m). Quant aux étiquettes, elles sont vraiment rares et semblent plus destinées au personnel qu'aux visiteurs. On arrive ensuite au niveau du petit parking. Buvette. À côté de celle-ci, *casa de sombra,* où sont mises à l'ombre les plantes délicates. Pour une visite plus approfondie, faites-vous accompagner par un guide (qu'on prend à l'entrée ; un peu en français, anglais ou espagnol). Compter de 45 mn à 1 h. Mais les botanistes en herbe pourront prolonger la visite jusqu'à 3 h. Le parc est immense. Pourboire à vot' bon cœur.
Cachée au fond, une « forêt sauvage » qui a volontairement été laissée à l'état naturel, avec presque aucune intervention humaine depuis 1932. Le problème est que les chemins sont mal tracés, peu entretenus et qu'aucune indication n'aide le visiteur. Bref, tout le monde s'en fout un peu. Résultat : la majeure partie du jardin (à part la section avant la buvette) n'est pas vraiment exploitable pour les touristes. Dommage. Attention aux moustiques en saison des pluies, ils sont particulièrement voraces !

La playa Rancho Luna : c'est la plage la plus proche de Cienfuegos, à une vingtaine de kilomètres de la ville. Bordée d'eaux turquoise, adorable et tranquille. On peut s'arrêter dès qu'on la voit au détour d'un virage ou continuer un peu plus loin et accéder à la plage par le complexe touristique pour Cubains *Rancho Luna*. En poursuivant la route, la côte devient rocheuse et les possibilités de baignade s'amenuisent.

Si vous voulez voir les poissons de près : centre de plongée en apnée et avec bouteilles, derrière l'hôtel *Faro Luca* (☎ 548-040). Quelques belles plongées autour d'une barrière de corail, fosse, grottes et épaves artificielles...

L'entrée de la baie de Cienfuegos : cette baie profonde ne laisse qu'un étroit chenal pour les navires. D'un côté, le fort de Jagua, de l'autre le lieu-dit *Pasacaballos* (« Passe-chevaux »). C'est en effet à cet endroit que les Espagnols faisaient passer les chevaux sur un bac pour rejoindre le fort qui protégeait l'accès de la baie, notamment contre les pirates.

Où dormir ? Où manger ?

Prix moyens

Finca Los Colorados : playa Rancho Luna. ☎ (43) 548-044. Fax : 513-265. • fincaloscoloradados@hotmail.com • Après avoir passé l'hôtel *Rancho Luna,* poursuivre la route en direction du Pasacaballos. C'est sur la droite, face au phare. Chambres doubles à 25 US$, avec AC, frigo et TV, mais salle de bains commune, absolument nickel.

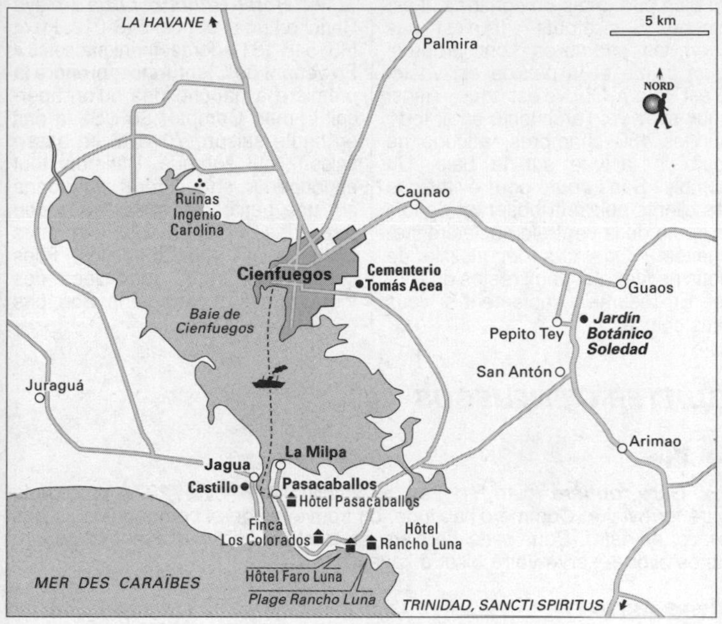

LES ENVIRONS DE CIENFUEGOS

Petit déjeuner à 4 US$. Une charmante propriété un peu isolée, avec des jeux d'enfants dans le jardin, qui font le bonheur des familles. Petite terrasse aménagée (la sculpture près du bassin est ravissante !). Accueil vraiment sympa. José a travaillé dans l'hôtellerie en Europe et cherche à offrir la meilleure hospitalité possible. Cuisine soignée et copieuse. Accès à une petite plage tranquille derrière le phare.

Un peu plus chic

Hôtel *Faro Luna* : playa Rancho Luna. ☎ (43) 548-030 ou 548-139. Fax : 548-062. • www.cubanacan.cu • Compter 55 US$ en haute saison et 45 US$ en saison creuse, petit déjeuner non inclus. Sans conteste, notre hôtel préféré dans le coin. Il s'agit d'une structure moderne de 2 étages et sur la petite cinquantaine de chambres qu'elle propose, la plupart offrent une belle vue sur la mer. Elles sont vraiment confortables et joliment arrangées, avec des meubles en rotin. Salle de bains impeccable, AC, TV... Éviter en revanche celles du bâtiment principal donnant sur le hall, très bruyantes. Espaces verdoyants autour, plantés de palmiers. Magnifique coucher de soleil juste en face. Belle piscine, bar, resto et services habituels. Un hôtel sympa à taille humaine. Malheureusement, il ne donne pas sur la plage, il faut marcher une centaine de mètres pour rejoindre la plage Rancho Luna (à 5 mn à pied). Cela dit, la piscine est très bien, propre et de bonnes dimensions.

Hôtel *Pasacaballos* : à l'entrée de la baie, en face du fort de Jagua. ☎ (43) 548-013. Compter 38 US$ la double en haute saison, petit déjeuner inclus et 30 US$ en basse saison. On a beaucoup jasé sur la laideur de ce gros édifice en béton qui domine l'entrée de la baie de Cienfuegos. Dans le style stalinien, on a vu bien pire, mais on confirme, il est moche. Ses atouts? Il n'est pas cher, les chambres sont propres, c'est calme et la piscine est vaste. C'est tout? Oui, c'est tout. Tiens, vous avez vu, l'architecte a fait fort : sur les 180 chambres, aucune ne jouit de la vue sur la baie. Un comble! Sans doute pour éviter que les clients puissent observer de loin le dôme de la centrale nucléaire inachevée... On vous déconseille de vous risquer aux deux restos de l'hôtel. En résumé : seulement si vous êtes coincé.

Hôtel Rancho Luna : playa Rancho Luna. ☎ (43) 548-012. Fax : (43) 548-131. • jorge@ranluna.co.cu • En venant de Cienfuegos, prendre la première à gauche dès qu'on aperçoit la mer. Compter 80 US$ la nuit en haute saison, 70 US$ en basse saison, tout compris. Bâtiment tout en longueur, sans intérêt, qui donne sur une petite plage aux eaux peu profondes. Plus de 220 chambres toutes aussi impersonnelles. Elles semblent pourtant appréciées des tour-opérateurs canadiens. Bon, pas notre tasse de thé.

QUITTER CIENFUEGOS

En bus

Gare routière *(plan B1)* ***:*** av. 58 y calle 49. ☎ 515-720. À côté de la gare ferroviaire. Comme d'habitude, on trouve les deux compagnies de bus *Viazul* et *Astro*. Pour cette dernière, présentez-vous 1 h avant le départ, après avoir réservé votre billet à l'avance.

Avec Astro

➢ ***Pour La Havane :*** 5 liaisons par jour. Durée du trajet : entre 4 et 5 h 30, ça dépend du trajet emprunté. Il faut impérativement réserver plusieurs jours à l'avance car il n'y a que 2 sièges réservés aux touristes par bus. Compter 14 US$ en service *regular,* 17 US$ en service *especial.*

➢ ***Pour Trinidad :*** 2 départs tous les jours dans la matinée (en général à 6 h 30 et 11 h 30). Durée du trajet : environ 2 h. Compter 3 US$.

➢ ***Pour Santa Clara :*** 2 départs tous les jours à 5 h et 9 h 10. Durée du trajet : environ 1 h 40. De là, on peut prendre le train pour Santiago (voir ci-dessous).

➢ ***Pour Camagüey :*** 1 départ tous les 2 jours à 8 h. Durée du trajet : environ 6 h. Compter 13 US$ en service *regular,* 16 US$ en service *especial.*

➢ ***Pour Santiago :*** 1 départ à 16 h, un jour sur deux. Durée du trajet : environ 14 h. Compter 25,5 US$ en service *regular,* 31 US$ en service *especial.*

Avec Viazul

➢ ***Pour La Havane :*** 2 départs chaque jour à 9 h 30 et 16 h 50. Durée du trajet : 4 h. Compter 20 US$.

➢ ***Pour Trinidad :*** 2 départs chaque jour à 12 h 25 et 17 h 10. Durée du trajet : 1 h 30 environ. Compter 6 US$.

➢ ***Pour Santiago :*** c'est le même bus que pour Trinidad. Il s'arrête pour la nuit à Trinidad et repart le lendemain matin à 8 h 15. Au total, compter 12 h de trajet. En période de pointe, réserver un ou deux jours à l'avance.

En train

Gare ferroviaire *(plan B1)* ***:*** av. 58 y calle 49. ☎ 525-495. Pas cher, mais vraiment pas pratique.

➢ ***Pour La Havane :*** un seul train, les jours pairs seulement. Départ à 7 h du matin. Compter environ 10 h de trajet (glurps!).

➢ ***Pour Santa Clara :*** 1 départ du lundi au samedi à 4 h 10 du matin (décidément !). Durée du trajet : environ 3 h.
➢ ***Pour Santiago :*** pas de train direct, changement soit à Santa Clara, soit à la gare de Guayos (à 20 km de Sancti Spiritus). Train de Santa Clara pour Santiago tous les jours à 7 h 45. On arrive à Santiago dans l'après-midi (en théorie). On peut réserver sa place à la gare de Cienfuegos 7 jours à l'avance !

En voiture

➢ ***Pour Trinidad :*** sur le Malecón, chercher les panneaux qui indiquent l'hôtel *Pasacaballos,* le cimetière Tomás Acea ou la playa Rancho Luna. Si vous ne les voyez pas, prenez l'av. 46 et tournez à droite pour prendre l'av. 5-de-Septiembre. Faire environ 10 km. Après la sortie de la ville, continuez sur la même route jusqu'à la station-service *Cupet* (cachée sur la gauche à 100 m après le changement de direction – mal indiqué, bien faire gaffe), où vous prendrez à gauche vers Trinidad. De toute manière, si vous avez passé le petit pont blanc qui enjambe la lagune, c'est que vous êtes allé trop loin.
➢ ***Pour playa Girón :*** la route côtière entre Cienfuegos et playa Girón (une quarantaine de kilomètres) est en très mauvais état. À éviter de nuit.

TRINIDAD

60 000 hab. IND. TÉL. : 419

Il n'y a qu'une manière de visiter Trinidad : se perdre dans les ruelles, se tordre les chevilles sur le pavé inégal, chercher son chemin, avec la plaza Mayor comme point de repère incertain... Prendre son temps est aussi indispensable. Normal, ici le temps ne compte plus vraiment... Cette paisible ville de 60 000 habitants (mais où sont-ils ?) fut longtemps coupée du monde. Admirez les maisons coloniales, osez jeter un coup d'œil indiscret à l'intérieur des habitations vieilles de 200-300 ans... Vous verrez toujours en premier plan des bibelots, portraits du Che, souvenirs divers à la valeur sentimentale inestimable, photos de famille, pacotilles, verreries, bouteilles de Havana Club vite bues il y a trop longtemps... Au second plan, vous noterez les traces des fastueuses années de gloire : lustre en cristal de Baccarat, marbre, mobilier splendide... Les plus folles extravagances étaient à l'origine de ces imposantes constructions. Comme les palais de la plaza Mayor et du vieux centre-ville, témoins de la rivalité entre les familles de la riche aristocratie soucieuses d'affirmer leur puissance. Sur les pas de portes, la gentillesse et la nonchalance sont au rendez-vous, au rythme des chaises à bascule.
¡ Mira ! (« Regarde ! »)... Ici, à Trinidad, on ne peut s'empêcher de commencer une phrase par ce mot. Avec ses maisons basses, ses façades pastel et ses rues pavées à l'ancienne, Trinidad renvoie aux images qu'on peut avoir de l'époque d'avant l'automobile. Votre première impression sera peut-être négative : petites tentatives d'arnaque, *jineteros* et gamins quémandeurs sont là car il y a des touristes. Mais la plus belle ville du pays se mérite, il faut y rester plusieurs jours, s'imprégner de l'atmosphère. Évitez d'imiter ces touristes qui arrivent dans la matinée pour repartir en fin d'après-midi, vite fait bien fait... Baladez-vous dans la ville soit le matin tôt, soit en début de soirée. Quand, à l'heure de la *novela* à la télé, les portes s'ouvrent pour faire entrer un peu de fraîcheur, ces superbes vestiges de l'époque coloniale se révèlent aux yeux des rares passants et apparaissent soudain dans toute leur splendeur fatiguée.

UN PEU D'HISTOIRE

La Villa de la Santísima Trinidad, troisième colonie espagnole de Cuba, fut établie le 28 décembre 1514 sur le lieu connu sous le nom de Manzanilla. Diego Velázquez, le conquistador espagnol, y avait trouvé de l'or et une population indigène déjà bien organisée. Aux XVIIe et XVIIIe siècles, la ville doit faire face à la piraterie, et s'enrichit grâce au commerce aussi peu glorieux soit-il de la contrebande, qui se développe malgré les mesures prises par le gouvernement espagnol. À la fin du XVIIIe siècle, l'exploitation des esclaves fait fructifier la production sucrière. La ville prospère et se dote de superbes palais, qui ont pour mécènes des Brunet, Cantero, Iznaga ou Borrel et qui trouvent leur écho dans les riches plantations de la vallée où se retirent les propriétaires le temps des récoltes. C'est la glorieuse époque de Trinidad et, en 1846, la ville devient le quatrième pôle commercial de l'île. Mais les signes du déclin sont déjà là. L'affaiblissement des ressources de la vallée, soumise à une exploitation à outrance, et la montée des revendications des esclaves font fuir les capitaux dans d'autres coins de l'île ou à l'étranger. Les crises sociales et politiques, les affrontements entre propriétaires terriens soutenus par l'Espagne et les indépendantistes ravagent une économie déjà bien affaiblie. Les deux guerres d'Indépendance laissent l'industrie de la ville aux mains d'entreprises étrangères et une population ruinée, condamnée au sous-emploi. Ce n'est qu'en 1919, avec le ralliement de la voie ferrée à la voie centrale, puis en 1950-1952, avec la construction des routes vers Sancti Spiritus et Cienfuegos, que la ville sort de son engourdissement. Un engourdissement feint puisque, en 1957 et 1958, un certain nombre d'habitants n'hésitent pas à se soulever contre Batista. Les maquis révolutionnaires puis contre-révolutionnaires du massif de l'Escambray (dans les environs de Trinidad) prouvent que la ville ne dormait que d'un œil... Reste que ce retrait d'un siècle du devant de la scène politique et commerciale a permis à Trinidad d'arriver jusqu'ici intacte et d'être inscrite en 1988 au Patrimoine de l'humanité par l'Unesco.

Orientation

Le centre-ville (notamment la plaza Mayor) n'est pas accessible en voiture. Quelques parkings ont été aménagés dans la ville, squattés par des gamins qui demandent 1 ou 2 US$ pour surveiller le véhicule. Comme dans la majeure partie de l'île, les rues de Trinidad ont été rebaptisées après la Révolution. La plupart des rues ont de nouvelles plaques et c'est bien pratique. Mais, par paresse ou par fidélité aux glorieuses années de la ville, les habitants continuent à utiliser les anciens noms coloniaux. Pensez-y au moment de demander votre route...

Nouveaux noms	***Noms coloniaux***
Antonio Maceo	*Gutiérrez*
Camilo Cienfuegos	*Santo Domingo*
Ernesto Valdés Muñoz	*Media Luna*
Fidel Claro	*Angarilla*
Fernando Hernández Echerri	*Cristo*
Francisco Gómez Toro	*Peña*
Francisco Javier Zerquera	*Rosario*
Francisco Petersen	*Coco*
Franck País	*Carmen*
Gustavo Izquierdo	*Gloria*
Independencia	*Nueva*
Jesús Menéndez	*Alameda*
José Martí	*Jesús María*
José Menoza	*Santa Ana*
Juan M. Márquez	*Amargura*

Lino Pérez	*San Procopio*
Miguel Calzada	*Borrell*
Piro Guinart	*Boca*
Rubén Martinez Villena	*Real del Jigüe*
Santiago Escobar	*Olvido*
Simón Bolívar	*Desengaño*

Adresses utiles

- Terminal des bus *(plan général et zoom)*
- Aéroport Alberto Delgado *(hors plan général)*
- Gare ferroviaire *(plan général)*
- Poste *(zoom)*
- 1 Cubatur *(zoom)*
- 2 Cubanacan *(zoom)*
- @ **3** Téléphone, centre Internet et courrier électronique Etecsa *(zoom)*
- @ **4** Café Las Begonias *(zoom)*
- 5 Clinique et pharmacie internationales *(plan général)*
- 6 Stations-service Cupet *(hors plan général et zoom)*
- 7 Parking surveillé *(zoom)*
- 8 Banco de Credito y Comercio *(zoom)*
- 9 Bureau de change Cadeca *(zoom)*
- 10 Services de l'immigration *(plan général)*
- 11 Banco Financiero Internacional *(plan général)*
- @ **12** Casa del Tabaco *(zoom)*
- 74 Casa Artex ou Casa Fischer *(zoom)*
- 76 Location de vélos *(zoom)*
- 78 Agence Rumbos *(zoom)*

Où dormir ?

- 20 Lidice Zerquera Mauri *(zoom)*
- 21 Hostal Casa Muñoz *(zoom)*
- 22 Manuel Meyer *(zoom)*
- 23 Chez Liliana Zerquera *(zoom)*
- 24 Rogelio Inchauspi Bastida *(zoom)*
- 25 Rosa Diez Giroud *(zoom)*
- 26 Hostal La Rioja, chez Teresa Leria Echerri *(zoom)*
- 27 Betty y Casales *(zoom)*
- 28 Marisela et Gustavo Canedo *(zoom)*
- 29 Hostal Lili *(zoom)*
- 30 La Yolanda *(zoom)*
- 31 Ileana Betancourt *(zoom)*
- 32 Casa Tamargo *(zoom)*
- 33 Sara Sanjuán Alvarez *(zoom)*
- 34 Luis Grau Monedero *(zoom)*
- 35 Carmelina de la Paz *(zoom)*
- 36 Pedro Aliz Peña *(zoom)*
- 37 Pipo Santander *(zoom)*
- 38 Dr Manuel Lagunilla Martinez *(zoom)*
- 39 Carlos Sotolongo Peña *(zoom)*
- 40 Jesús Fernández Juviel *(zoom)*
- 41 Hôtel Las Cuevas *(plan général)*

Où manger ?

- 50 Restaurant Plaza Mayor *(zoom)*
- 51 Restaurant Don Antonio *(zoom)*
- 52 Restaurant El Colonial *(zoom)*
- 53 Restaurant El Jigue *(zoom)*
- 54 Restaurant El Mesón del Regidor *(zoom)*
- 55 Restaurante Via Real *(zoom)*
- 56 Paladar Estela *(zoom)*
- 57 Paladar Sol y Son *(zoom)*
- 58 Paladar La Coruña *(zoom)*

Où boire un verre dans la journée ?

- 70 Bar Daiquiri *(zoom)*
- 71 La Canchanchara *(zoom)*

Où manger une glace ?

- 78 La Cremerla *(zoom)*

Où écouter de la musique ? Où danser en buvant un verre ?

- 72 Casa de la Música *(zoom)*
- 73 Casa de la Trova *(zoom)*
- 74 Casa Artex ou Casa Fisher *(zoom)*
- 75 Ruinas de Segarte *(zoom)*
- 76 Ruinas del Teatro Brunet *(zoom)*
- 77 Discothèque Las Cuevas *(plan général)*
- 79 Palanque de la Congos Reales *(zoom)*

À voir

- 90 Musée d'Art romantique *(zoom)*
- 91 Musée d'Archéologie Guamuhaya *(zoom)*
- 92 Musée d'Architecture coloniale *(zoom)*
- 93 Galerie d'art *(zoom)*
- 94 Palacio Cantero ou musée municipal d'Histoire *(zoom)*
- 95 Musée de la Lutte contre les bandits *(zoom)*
- 96 Manufacture de cigares *(zoom)*

Achats

- 12 Casa del Tabaco *(zoom)*
- 100 La calle Gomez Toro *(zoom)*

A
B
C
1
2
3
4
5
voir zoom
Isidro Armanteros
Ciro Redondo
Conrado Benitez
B. Martínez Villena
Echerri
P. Piz Girón
Piro Guinart
PLAZA MAYOR
Anastacio Cárdenas
Frank País
José Martí
Antonio Maceo
Simón Bolívar
E. Val dés Munoz
Fidel Claro
Clemente Peireira
Gustavo Izquierdo
M. Solano
Francisco Javier Zerquera
Pedro Zerquera
Petersen
Parque Céspedes
Simón Bolívar
Colón
Antonio Guiteras
Lino Pérez
General
5
Anastacio Cárdenas
Camilo Cenfuegos
Jesus Betancourt
Frank País
Manuel Fajardo
Mercado agropecuario
10
Julio Cueva
Hôtels Costa Sur et Ancón, 6

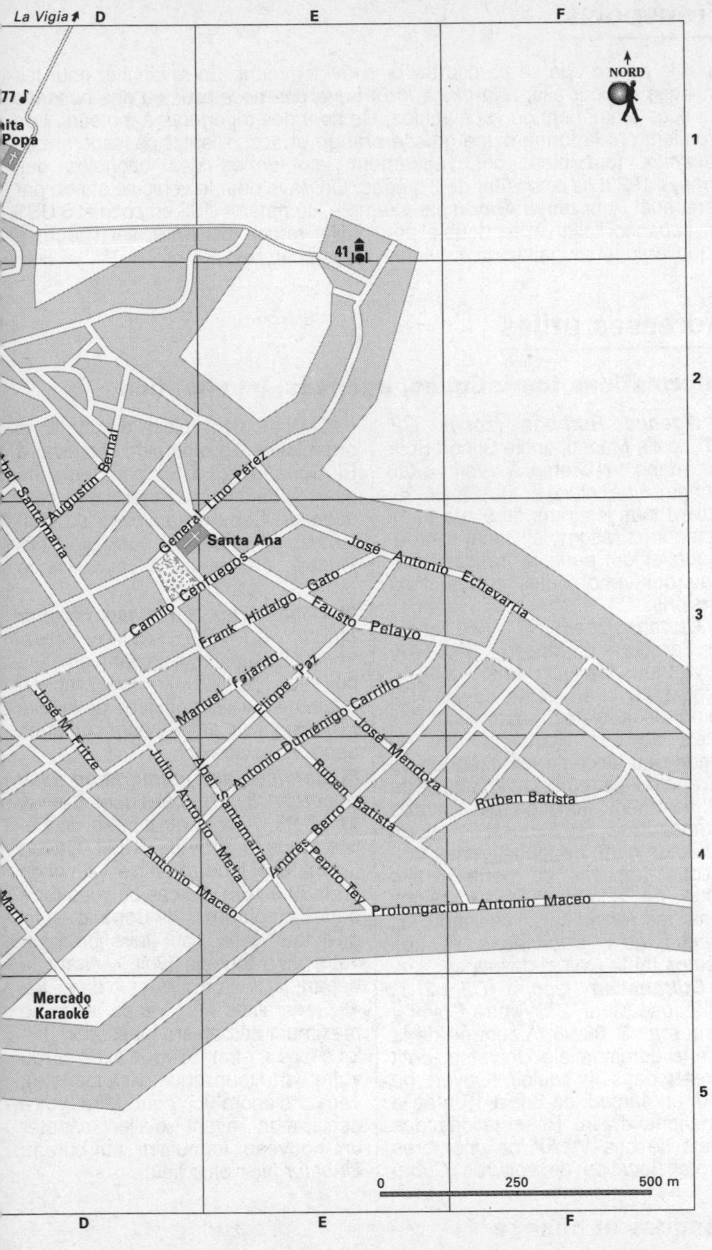

TRINIDAD – PLAN GÉNÉRAL

Transports

Tout le centre-ville se parcourt à pied évidemment. En revanche, pour les environs et pour aller à la plage, on trouve des *coco-taxis* ou des *cubanito* qui vous emmènent où vous voulez. Ce sont des triporteurs à moteurs. Les premiers ont la forme d'une grosse orange et accueillent 2 passagers. Les *cubanito,* tout bleu, ont vaguement les formes des bagnoles des années 1920. Ils disposent de 3 sièges. On paye pour le véhicule et non par personne. Pour ***playa Ancón*** par exemple, compter 4 US$ en *coco* et 5 US$ en *cubanito* l'aller et le double pour l'aller-retour (bien préciser l'heure à laquelle vous souhaitez qu'on vienne vous chercher).

Adresses utiles

Informations touristiques, agences, immigration

■ ***Agence Rumbos*** *(zoom, C2, **78**) :* calle Maceo, angle Simón Bolívar, dans la Cremeria (voir « Où manger une glace? »). ☎ 64-95. Ouvert tous les jours de 9 h à 20 h. Demandez Maggy, efficace, sympathique et qui parle le français. Bureau qui vend toutes sortes d'excursions.

■ ***Cubatur*** *(zoom, C3, **1**) :* à l'angle de Zerquera et Maceo. ☎ 63-14. Ouvert tous les jours de 9 h à 18 h; jusqu'à 20 h en haute saison. De nombreux services : réservation des billets de bus *Viazul*; bureau de change qui accepte les chèques de voyage ou les retraits avec une carte de paiement; location de voitures *(Transautos)*. C'est aussi ici qu'on achète la carte de touriste (visa touristique) en cas de perte. Enfin, vente de nombreuses excursions dans les environs : ce sont les mêmes qu'à *Cubanacan* et aux mêmes tarifs (voir ci-dessous).

■ ***Cubanacan*** *(zoom, C3, **2**) :* calle José Martí, 279, entre Colón y Zerquera. ☎ 66-98. À l'entrée de la galerie commerciale Universo, petit bureau dans le couloir. Ouvert du lundi au samedi de 8 h à 19 h et le dimanche matin. Réservations des billets de bus *Viazul,* de chambres d'hôtel, location de voitures *Cubacar*. Également plein d'excursions organisées : promenade à cheval à El Cubano (23 US$ par personne avec le déjeuner), en jeep à la cascade de Caburní (à Topes de Collantes; 50 US$ avec cocktail et déjeuner), en bateau à cayo Blanco (30 US$), etc.

■ ***Casa Artex ou Casa Fischer*** *(zoom, C3, **74**) :* Lino Pérez. ☎ 64-86. Avant tout un bar (voir « Où boire un verre? »), mais propose également visites guidées de la ville (*Trinidad Tour,* 6 US$ pour quelques heures), excursions...

■ ***Services de l'immigration*** *(plan général, C5, **10**) :* calle Julio Cueva. ☎ 35-95. À côté du bureau de police, dans la zone des HLM. Ouvert les mardi et jeudi, de 8 h à 12 h et de 13 h 30 à 15 h. Au cas où vous tomberiez amoureux... de Cuba, c'est ici qu'il faut venir pour faire proroger votre visa touriste (voir « Avant le départ », « Formalités » dans les « Généralités »). Venez avec le maximum de papiers (passeport, billet d'avion, etc.). Si vous avez perdu votre carte touristique (visa touriste), venez d'abord ici pour faire votre déclaration avant d'aller acheter un nouveau formulaire au bureau *Cubatur* (voir plus haut).

Banques et change

■ ***Banco de Credito y Comercio*** *(zoom, C3, **8**) :* calle Martí, 264, entre Colón y Zequera. Ouvert du lundi au vendredi de 8 h à 14 h. Possibilité de retirer des dollars avec une carte bancaire (*Visa* et *Master-*

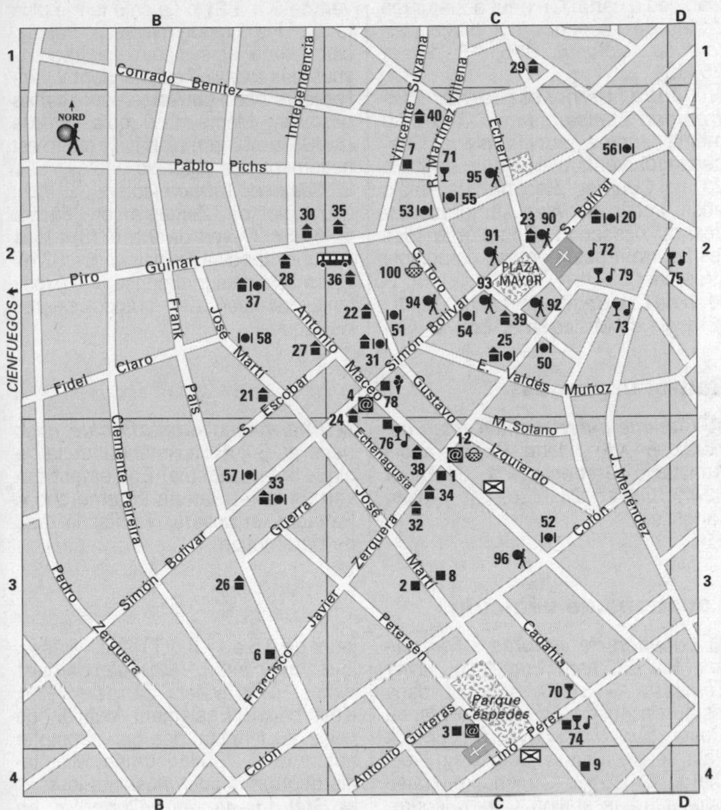

TRINIDAD – ZOOM

Card) et le passeport. Beaucoup de monde.

■ ***Bureau de change Cadeca*** *(zoom, C4, **9**) :* calle Martí, 166, à 50 m de la place Céspedes. Ouvert du lundi au samedi de 8 h 30 à 17 h 30 ; le dimanche, de 8 h 30 à 12 h. On y achète des pesos cubains. Possibilité de retrait avec la carte *Visa.* Pas de commission sur le liquide.

■ ***Banco Financiero Internacional*** *(plan général, C4, **11**) :* à l'angle de Cienfuegos et José Martí. ☎ 61-07. Ouvert du lundi au vendredi de 8 h à 15 h. Possibilité de retrait avec la carte *Visa.*

Poste, téléphone, accès à Internet

✉ ***Poste*** *(zoom, C4) :* calle Maceo, entre Zerquera y Colón. Ouvert tous les jours de 8 h à 18 h. Dans un édifice bleu. On jette les cartes postales dans une grande caisse en métal du genre coffre-fort, à côté de la porte, à l'extérieur. Un autre petit bureau de poste se trouve face au parque Céspedes, sur Lino Pérez.

■ ***Téléphone Etecsa*** *(zoom, C3, **3**) :* préfabriqué sur la place Céspedes, à côté de l'église. Ouvert tous les jours de 7 h à 23 h. Pour les appels nationaux et internationaux.

Cabines à carte. On peut acheter les cartes de téléphone sur place *(tarjeta de teléfono)*, à 5, 10, 20 et 25 US$.

@ ***Centre Internet et courrier électronique Etecsa*** *(zoom, C3,* ***3****)* **:** au même endroit, sur la place Céspedes. Ouvert tous les jours de 7 h à 23 h. Courrier électronique, mais aussi accès au Web sur présentation du passeport. Compter 3 US$ les 30 mn. Également fax disponible (très cher).

@ ***Café Las Begonias*** *(zoom, C2,* ***4****)* **:** à l'angle de Maceo et S. Bolívar. Ouvert de 9 h à 21 h (le café ferme plus tard). Une grande cafétéria fraîche, bien aérée et sympathique, rendez-vous des touristes qui viennent y vérifier leurs mails ou rédiger leurs cartes postales. Même tarif qu'à *Etecsa* (3 US$ les 30 mn) mais ici le cadre est nettement plus agréable.

@ ***Casa del Tabaco*** *(zoom, C3,* ***12****)* **:** à l'angle de Zerquera et Maceo. ☎ 62-56. Ouvert de 9 h à 19 h tous les jours. Un seul ordinateur (6 US$/h). Outre l'ordinateur, propose une excellente sélection des grands cigares classiques.

Santé, urgences

■ ***Clinique internationale*** *(plan général, B4,* ***5****)* **:** Lino Pérez, angle Anastacio Cárdenas. ☎ 64-92 et 62-40. Ouvert 24 h/24. On y parle l'anglais.

■ ***Pharmacie internationale*** *(plan général, B4,* ***5****)* **:** à l'intérieur de la clinique internationale. Également ouvert 24 h/24. Pas un énorme choix. Payable en dollars. Vérifier la date de péremption.

Locations de véhicules

■ ***Location de voitures :*** *Transautos,* Maceo, esq. Francisco Javier Zerquera. ☎ 61-10. Agences dans les hôtels *Ancón, Trinidad del Mar* ou *Costa Sur*. *Transgaviota* : Franck País, entre Simón Bolívar y Fidel Claro. ☎ 22-82. Ou encore *Havanautos :* à la station *Cupet,* légèrement à l'extérieur du centre, en direction de l'aéroport. ☎ 63-01. Ouvert de 8 h à 12 h et de 13 h à 17 h.

■ ***Location de scooters :*** agence dans les hôtels *Ancón, Costa Sur* et *Trinidad del Mar*. Compter environ 27 US$ pour la journée, essence incluse. On peut monter à deux dessus, mais évitez les routes trop en pente.

■ ***Location de vélos :*** à *Ruinas del Teatro Brunet* (*zoom, C3,* ***76***; voir « Où boire un verre? Où danser? »), calle Antonio Maceo, entre Simón Bolívar y Zerquera. Ouvert tous les jours de 9 h à 17 h. VTT sans vitesse, loués avec antivol. Mais ces derniers temps, ils n'avaient plus de vélos, c'est ballot! Également location de vélos au terminal des bus. Compter autour de 3 US$ la journée. Mais tarifs dégressifs pour plusieurs jours.

■ ***Stations-service Cupet :*** en ville, elle se trouve à l'angle de Franck País et Zerquera *(zoom, B3,* ***6****)*. Une autre station-service est située carretera Casilda *(hors plan général par B5,* ***6****)*, à 1 km, en allant vers les hôtels *Ancón* et *Costa Sur*, en face de l'aéroport.

■ ***Parking surveillé*** *(zoom, C2,* ***7****)* **:** quand on arrive de Cienfuegos, on entre dans la ville par la calle Guinart. Prendre alors à gauche la calle Vicente Suyama. C'est bien indiqué. Parking informel mais officiel. Prévoir 1 US$ la demi-journée, 2 US$ pour 24 h.

Où dormir?

Plus de 300 *casas particulares*! Autant dire que vous serez submergé de propositions; sachez qu'il y a de tout, du plus charmant au vraiment crade. Les *casas particulares* officiellement autorisées sont signalées par un logo (deux chevrons bleus à la Citroën) portant l'inscription « Arrendador Inscripto ». Côté prix, c'est bien meilleur marché que l'hôtel, la convivialité en plus... Important d'arriver seul devant la porte et de se recommander du *Guide du routard*. Enfin, il faut savoir que, pour la plupart, les maisons du centre historique se ressemblent. Autant vous dire que la sélection a été ardue. On a privilégié le cachet, le charme et/ou la qualité de l'accueil. Si vous voulez une chambre près de la plaza Mayor et que les barrières qui limitent la circulation dans le cœur de la vieille ville sont fermées, dites au policier que vous déposez vos affaires chez madame Machinas ou monsieur Untelos et que vous revenez vous garer ailleurs.

À Trinidad, on distingue deux types d'hébergements : les *casas particulares* normales (on va les appeler comme ça) et les *casas coloniales*. Les premières sont des maisons assez récentes, qui n'ont pas le charme de l'ancien, mais qui sont pour autant tout à fait convenables, voire très confortables. Les *casas coloniales* sont de vénérables demeures des XVIIIe et XIXe siècles, qui ont pour la plupart conservées un cachet bien particulier. Vastes, hautes de plafond, souvent décorées superbement en ce qui concerne le salon principal, le confort peut parfois y être un rien vieillot et les chambres de même. On voit parfois des Français râler parce que l'eau chaude arrive mal, parce qu'il y a un peu de bruit ou que les sanitaires ne sont pas dans la chambre. Et en même temps ils réclament de l'ancien et de l'authentique. Bref, le beurre et l'argent du beurre ! On rappelle qu'à l'époque, les toilettes étaient rarement dans la chambre... et l'eau était toujours froide ! Sachez donc précisément ce que vous voulez... et éviter de râler auprès des proprios ! Par ailleurs, même dans les maisons coloniales, les proprios ont souvent fait des travaux (heureusement !) et une partie de leur maison s'est modernisée. La chambre que vous occuperez ne sera peut-être pas 100 % coloniale, mais seulement à 70 %, voire pas du tout, même si les murs sont anciens. Parfois, dans les maisons plus récentes, c'est l'accueil qui compense largement le manque « d'ancien » que recherchent souvent les touristes français. Sachez que dans certaines maisons très coloniales, les proprios, assis sur leurs certitudes d'avoir un lieu hors normes, perdent un peu le sens de l'accueil.

On indique clairement quand la maison est historiquement coloniale. Sinon, c'est qu'il s'agit d'une maison normale, ancienne ou pas, mais dont le caractère coloniale n'est pas dominant.

À noter que depuis le durcissement des lois sur le logement chez l'habitant, ici comme ailleurs, les proprios n'ont le droit de louer que 2 chambres.

Haute et basse saison : l'hiver correspond à la haute saison, mais il existe également une très haute saison *(temporada extra alta)* les 2 dernières semaines de décembre ainsi que de la mi-juillet à la mi-août. À Trinidad particulièrement, les prix grimpent alors de 5 à 10 US$ par rapport à la haute saison, qui sont les tarifs que nous indiquons ici.

Chambres chez l'habitant *(casas particulares)*

■ |●| ***Lidice Zerquera Mauri** (zoom, C2, **20**) :* Simón Bolívar, 518, entre la plaza Mayor y Juan M. Márquez. ☎ 34-85 (chez la voisine). Demander à parler à Lidice et dites que c'est une réservation pour la *casa de Cocodrilo*. Chambres à 25 US$ selon la saison. Rien que la façade en impose, dominant la rue de ses hautes fenêtres aux barreaux de bois peints. L'une des plus belles demeures de la ville, dont le salon a d'ailleurs été pris en photo pour la revue *Géo*. On est accueilli par un énorme crocodile empaillé, affalé à côté du billard, entre quelques très beaux meubles du Cuba colonial. Deux chambres dont une avec un lit Louis XV et une imposante armoire du même style. L'autre chambre a moins de cachet, mais profite d'une antichambre. Chacune dispose d'une salle de bains un peu ancienne mais fort propre. Pour les repas, la douce Lidice dresse la table dans le jardin. Terrasse pour prendre le soleil.

■ ***Hostal Casa Muñoz*** *(zoom, B2,* ***21****) :* José Martí, 401, angle Santiago Escobar. ☎ et fax : 36-73. • www.trinidadphoto.com • Compter 25 US$ la chambre. Belle maison de 1800, avec un charmant patio et des meubles d'époque dignes d'un vrai musée d'antiquités. Deux chambres avec lit ancien, meublées en Louis XV. L'une d'elles a d'ailleurs été photographiée pour *National Geographic*. Les deux salles de bains sont nickel, mais à l'extérieur des chambres. Sur le toit, une terrasse très agréable pour lézarder au soleil. Julio, en plus de parler l'anglais, a mille cordes a son arc. Il est photographe, les murs de sa maison en témoignent. En plus, il adore enseigner la photographie de rue. Si vous n'êtes pas un pro, c'est l'occasion ou jamais de lui demander des conseils. Par ailleurs, il connaît bien la *santería,* la religion pratiquée par de nombreux Afro-Cubains. N'hésitez pas à lui poser des questions. Il pourra vous indiquer les dates et lieux des cérémonies. Bref, tous les ingrédients pour passer un agréable séjour en compagnie d'un couple érudit et accueillant. Parking.

■ ***Manuel Meyer*** *(zoom, C2,* ***22****) :* calle Gustavo Izquierdo, 111, entre Simón Bolívar y Piro Guinart. ☎ 34-44. À deux pas de la gare routière. Compter 25 US$ la chambre double. Le temps s'est arrêté dans cette belle maison coloniale qui a encore de beaux restes : les lampes Art nouveau côtoient un antique gramophone Edison, l'argenterie est rangée avec soin dans une vitrine, une poupée dort sagement dans une antique poussette en osier, le piano est malheureusement hors service. Deux chambres avec AC, l'une spacieuse avec une salle de bains (un peu délabrée) et lit à baldaquin, l'autre avec sanitaires modernes. Agréable patio donnant sur un beau jardin où poussent bananiers, goyaviers et citronniers. Mercedes, dentiste à la clinique, parle un peu le français. Possibilité de garer la voiture.

■ ***Chez Liliana Zerquera*** *(zoom, C2,* ***23****) :* calle Echerri, 54. ☎ 36-34. À gauche du musée d'Art romantique, à peine à 20 m de la plaza Mayor. Une maison facilement reconnaissable à sa façade verte et à ses épais barreaux de bois tournés. Une demeure historique encore, mais pas figée dans le passé. Vaste double salon s'ouvrant sur un large et généreux patio lumineux. Tout semble grand et reposant ici. Les chambres, récentes, avec salle de bains privée, se situent dans le patio : l'une très grande, à 2 lits, avec ventilo ; l'autre, légèrement surélevée, plus petite, avec AC. En fin d'après-midi, le rocking-chair prend le frais et n'attend plus que vous pour se balancer. Bon accueil.

■ ***Rogelio Inchauspi Bastida*** *(zoom, C2-3,* ***24****) :* calle Simón Bolívar, 312. ☎ 41-07. Chambres à 25 US$, et une immense, à 30 US$. Cette énorme maison coloniale date du milieu du XVIIIe siècle. Première pharmacie de la ville, puis consulat d'Espagne dans les années 1920. Tout le 1er étage est réservé aux hôtes de passage. On se croirait presque dans un chalet de montagne, à cause du large plancher ! Au rez-de-chaussée, l'atmosphère est moins rustique : plusieurs petits salons accueillants renferment de beaux meubles d'époque espagnole. Pas de jardin, mais l'imposante chambre dispose d'un long balcon d'où l'on jouit du spectacle de la rue.

■ Iol ***Rosa Diez Giroud*** *(zoom, C2,* ***25****) :* calle Francisco Javier Zerquera, 403, entre Ernesto Valdés Muñoz y Rubén Martinez Villena. ☎ 38-18. À deux pas de la plaza Mayor. Deux chambres avec ventilo, très propres, à 20 US$. Les Giroud sont l'une des plus vieilles familles françaises de Trinidad, et Marlène, la fille de Rosa, est d'ailleurs déjà allée en France. Elle parle très bien le français et adore le pratiquer. Quant à Rosa, elle est restauratrice de peintures murales dans les musées de la ville. On a le choix entre une chambre ancienne et une autre, plus petite mais moderne, charmante et confortable, avec ventilateur ; elle dispose de sa salle de bains et d'une entrée indépendante donnant sur la rue. Pas de patio. Bonne cuisine. On peut laisser sa voiture dans le garage d'à côté (2 US$ la nuit). Si vous logez là, pensez à apporter des médicaments pour les œuvres de Rosa.

■ ***Hostal La Rioja, chez Teresa Leria Echerri*** *(zoom, B3,* ***26****)* **:** calle Franck País, 389, entre Símon Bolívar y Francisco Javier Zerquera. ☎ 38-79 ou 41-77. • tereleria@yahoo.com.mx • Chambres à 20 US$. La maison n'a pas le charme désuet des grandes demeures coloniales puisqu'elle est récente, mais elle est bien située, à la limite du centre historique (accès facile en voiture). Les 2 chambres ont une salle de bains indépendante et l'AC. Toute la journée, voisins et amis se succèdent à la lucarne de la porte pour passer un moment avec « Teresitaaaaa ». Et c'est vrai qu'il y a beaucoup de passage dans cette *hostal*. En plus de sa famille, qui l'aide pour le ménage et la cuisine, Teresa aime recevoir, ce qui donne des soirées improvisées toujours très animées et chaleureuses. Teresa comprend le français et commence à le parler. Elle connaît la ville comme sa poche. Copieux petit déjeuner. Toute la chaleur cubaine dans cette adresse. On peut laisser sa voiture juste devant dans la rue sans problème. Possibilité d'y manger : excellent repas. Bref, une excellente petite adresse.

■ ***Betty y Casales*** *(zoom, B2,* ***27****)* **:** calle Maceo, 519, entre Piro Guinart y Santiago Escobar. ☎ 44-61. Deux chambres à 20 US$. Maison typique de Trinidad mais les chambres au fond du patio-jardin (AC, ventilateur et salle de bains privée) n'ont rien de coloniales. Vaste et fraîche salle de séjour. Des bananiers apportent de l'ombre au patio-jardin. Pour la bronzette, charmante terrasse sur le toit. Betty, chaleureuse comme tout, vous accueille comme une seconde maman. Et son époux, Jaime, parle le français. Garage pour la voiture (payant). Vraiment une ambiance sympathique et généreuse.

■ ***Marisela et Gustavo Canedo*** *(zoom, B2,* ***28****)* **:** calle Piro Guinart, 216. ☎ et fax : 66-16. Deux chambres à 30 US$. Ne vous fiez pas à l'extérieur de la maison, son aspect banal cache une très grande et belle demeure coloniale, mais les chambres, spacieuses et fraîches, situées dans le patio, ne le sont pas. Salle de bains commune toute neuve, vaste et très propre. Large patio avec manguier, où il fait bon s'attarder au petit dej', entre les draps qui sèchent. Gustavo, le souriant et adorable propriétaire, est ingénieur en télécommunications, il parle un peu l'anglais et sa femme est infirmière...

■ ***Hostal Lili*** *(zoom, C1,* ***29****)* **:** Juan Manuel Marquez, 108, entre Sanchez et Redondo. ☎ 30-85. Chambres à 25 US$. *Casa colonial* située dans la partie haute du quartier historique, très au calme (peu de touristes montent jusque-là). Coloniale donc, typique et simple à la fois. Une des chambres, à droite du patio, bien dans son jus, sobre, avec salle de bains en face, et l'autre, au fond du patio, plus petite et récente, avec salle de bains intégrée. Excellent accueil de Liliana qui fait de louables tentatives pour parler le français. Bon confort général.

■ ***La Yolanda*** *(zoom, B2,* ***30****)* **:** calle Piro Guinart, 227. ☎ 63-81. Tout près de la gare routière, à côté du *palacio de artesanía* ; en surplomb de la rue. Chambres à 25 US$ en haute saison. Grande maison typique qui date de 1786, avec sa belle salle de séjour agrémentée de fresques, d'un beau lustre ancien et de mille objets du passé. Quelques surprises, comme le flamboyant escalier en colimaçon qui monte de la cuisine. Une chambre (avec salle de bains ancienne mais indépendante) donne sur un corridor. Mais la chambre vraiment géniale, la plus agréable, est celle du 1er étage : spacieuse, avec deux grands lits, bien décorée ; elle donne sur une chouette terrasse privée (malheureusement grillagée sur le dessus). Petit bémol tout de même : accueil pas toujours très agréable et réservations pas toujours honorées (il semble qu'on préfère les clients longue durée, quitte à « oublier » ceux qui ont réservé pour simplement 1 ou 2 nuits).

🏠 🍴 ***Ileana Betancourt*** *(zoom, C2,* ***31****) :* Gustavo Izquierdo, 105, entre Simón Bolívar y Piro Guinart. ☎ 36-83. Chambres à 25 US$. Belle maison coloniale avec mobilier d'époque. Si le piano est depuis longtemps hors d'usage, en revanche, les mandolines valent le coup d'œil. Deux chambres, dont l'une avec un lit du XVIIIe siècle et une commode ancienne, vraiment d'époque. L'autre donne dans le patio, plus simple et récente. Vaste salle de bains. Pas d'AC, mais des ventilateurs efficaces. Le patio est largement ouvert, bien agréable pour prendre un délicieux petit déjeuner. Très bonne cuisine et accueil charmant.

🏠 ***Casa Tamargo*** *(zoom, C3,* ***32****) :* calle Francisco Javier Zerquera, 266, entre Maceo y Martí. ☎ 66-69. Chambres doubles à 25 US$. On est accueilli par Mathilde, son époux Felix ou leur fille Ibis, qui est dentiste. Le manque d'antiseptiques à l'hôpital lui laisse le temps de s'occuper de la maison... joyeusement secondée par toute la famille. Deux chambres (l'une grande, l'autre plus petite) avec salle de bains privée, très propre, plutôt modernes et avec AC. Elles donnent directement sur le vaste patio intérieur. AC et ventilateur. Dans l'entrée, belle bibliothèque de livres anciens. Grande terrasse sur le toit pour prendre le soleil. Accueil adorable.

🏠 🍴 ***Sara Sanjuán Alvarez*** *(zoom, B3,* ***33****) :* Simón Bolívar, 266, entre Franck País y José Martí. ☎ 39-97. Compter 25 US$ la nuit. Un modèle d'intérieur cubain, avec quelques fauteuils Louis XVI dans le grand salon, tout droit venus de France, des coussins à volants et des photos de famille qu'on prendrait pour des affiches de cinéma des années 1950. Façade bleue, intérieur rose avec fresques et déco kitsch. Deux chambres spacieuses dans le charmant patio-jardin, avec salle de bains indépendante et des matelas neufs. Elles donnent sur le joli patio et disposent de sanitaires modernes et de l'AC. On se sent plutôt bien ici. Sara régale également ses hôtes par sa cuisine et le petit dej' est très copieux. Garage possible (payant).

🏠 ***Luis Grau Monedero*** *(zoom, C3,* ***34****) :* calle Francisco Javier Zerquera, 270, entre Maceo y Martí. ☎ 32-53 ou 21-65 pour ceux qui parlent l'anglais. Compter 25 US$ la chambre double, mais on peut négocier en basse saison. Quelques tableaux « primitifs-pop-art-kitsch » du fils de famille. Deux chambres assez petites, avec ventilateur, qui donnent sur le vaste et agréable patio avec son immense bananier. Elles partagent la salle de bains. Terrasse sur le toit. Luis parle un peu l'anglais. Le gendre, Ronaldo, prépare une délicieuse cuisine. Nilda, la mère, est coiffeuse, si vous avez besoin d'une petite coupe... Une bonne adresse.

🏠 ***Carmelina de la Paz*** *(zoom, C2,* ***35****) :* calle Piro Guinart, 239. ☎ 32-94. Compter 20 US$ la double. Si le salon n'est pas aussi grand que dans d'autres maisons, si la déco n'est pas aussi bien léchée, la gentillesse de l'accueil, la douceur de Carmelina (dame d'un certain âge), la modestie des prix et la taille de la chambre située à l'étage, prolongée par une immense terrasse (malheureusement pas aménagée du tout) compense largement cela. Elle offre un panorama grandiose sur la ville. L'autre chambre est au rez-de-chaussée, dans le patio. Bien moins spacieuse et lumineuse évidemment.

🏠 ***Pedro Aliz Peña*** *(zoom, C2,* ***36****) :* calle Gustavo Izquierdo, 127, entre Piro Guinart y Simón Bolívar. ☎ 30-25. Attention, c'est le no du voisin car ils n'ont pas le téléphone. Juste à côté de la station de bus. Chambres à 20 US$ la nuit. Si l'hospitalité a un visage, c'est bien celui des Peña. Teresa et Pedro rivalisent de gentillesse pour vous mettre à l'aise et vous faire aimer leur ville. Certes, la maison n'a pas le charme des grandes demeures coloniales (elle est récente), mais les 2 chambres (à 2 lits) sont assez spacieuses et d'une propreté irréprochable. Salle de bains et ventilo dans chaque chambre. Patio tout en longueur. À l'entrée, on est accueilli par une poupée de chiffon assise sur une banquette, destinée à éloigner les indésirables, traduisez les rabatteurs. Et figurez-vous que ça marche !

■ ●● ***Pipo Santander*** *(zoom, B2,* ***37****) :* calle Maceo, 553. ☎ 33-20. Compter 20 US$ la chambre double. Une maison sans cachet particulier, mais on y loge confortablement et on y mange bien. Chambres propres, avec salle de bains indépendante. Elles se situent dans le petit patio au fond du couloir. L'une au rez-de-chaussée, l'autre à l'étage. Sanitaires très corrects. Patio simple mais agréable et petite terrasse sur le toit. Accueil sympathique par des mamies souriantes. Possibilité de garage.

■ ***Dr Manuel Lagunilla Martinez*** *(zoom, C3,* ***38****) :* calle Maceo, 455, entre Bolívar y Zerquera. ☎ 39-09. Compter 25 US$ la nuit. Manuel est avocat, un des notables de Trinidad. Il loue 2 chambres avec sanitaires privés dans une grande maison indépendante, au 327 de la calle José Martí. Chambres très propres avec AC et ventilateur. Quelqu'un vient pour préparer le petit déjeuner. Grande salle de séjour et petite terrasse agréable sur le toit. Pour ceux qui apprécient l'indépendance.

■ ***Carlos Sotolongo Peña*** *(zoom, C2,* ***39****) :* plaza Mayor, 33. ☎ 41-69. À côté de la galerie d'art. Compter 20 US$ la nuit. Dormir sur la plaza Mayor, c'est possible et pas plus cher qu'ailleurs ! Dans cette demeure du XVIIIe siècle, passé la porte bleue, vous êtes accueilli par un ange et la Vierge grandeur nature, ainsi que quelques beaux meubles anciens dans le vaste salon. On a le choix entre une chambre moderne avec salle de bains ou une autre coloniale avec sanitaires à l'ancienne : ne manquez pas la cuvette des toilettes, stylisée, elle vient de Florence. Dommage que l'accueil ne soit guère sympathique. Aurait-on pris la grosse tête ?

■ ***Jesús Fernández Juviel*** *(zoom, C2,* ***40****) :* Vincente Suyama, 34. ☎ 65-95. Entre les calles Piro Guinart et Ciro Redondo. Compter 20 US$ la double. Dans un quartier très populaire, à 5 mn de la plaza Mayor. Un coin où les touristes ne s'aventurent guère. Voici une demeure où l'aspect colonial des choses s'est arrêté au salon. Derrière, tout est récent, comme les chambres, situées à l'étage. Petites, avec salle de bains privée et AC. La relative modestie du lieu explique la douceur des prix. Pas notre adresse la plus délirante c'est certain, mais si on vous la propose, c'est avant tout pour la chouette petite terrasse aménagée, qui offre un panorama vraiment extra : d'un côté le clocher de l'église et les toits de la ville en cascade, d'un autre le massif de l'Escambray qui se découpe et au loin la mer qui scintille. Tranquillité absolue à l'heure de l'appel du *mojito*.

Hôtel

■ ●● ***Hôtel Las Cuevas*** *(plan général, E1-2,* ***41****) :* finca Santa Ana. ☎ 61-33, 34 ou 35. • reservas@cuevas-co.cu • À 20 mn à pied du centre. Chambres doubles à 71 US$ avec petit dej' (pas terrible). Le grand hôtel de la ville, situé sur les hauteurs. Plus d'une centaine de chambres dans des petits édifices discrets et modernes, dispersés sur la colline, certains avec vue imprenable sur Trinidad et la péninsule d'Ancón. Bons mollets exigés, le centre-ville est à plusieurs rues mal pavées de là. Très calme. Malheureusement, le restaurant ne vaut pas un clou. À part ça, tout le confort que les groupes apprécient. Bar, tennis, vente de tours organisés, piscine et une étonnante discothèque dans une grotte (voir « Où boire un verre ? Où danser ? »). Au-dessus de la piscine, on peut visiter les grottes *La Maravillosa,* qui servaient de refuge aux Indiens taïnos, bien plus spectaculaires que celle de la discothèque. Pas ouvert régulièrement. Il faut demander à la réception que quelqu'un vous accompagne. Entrée : 2 US$.

Où manger ?

Trinidad, très touristique, est inondée de cars des tour-opérateurs dont le programme inclut une journée dans la ville ; aussi ne retrouve-t-elle son calme qu'en milieu d'après-midi. Petite info au passage : la plupart des groupes visitent la ville le mardi et le jeudi (allez savoir pourquoi !). Ces jours-là, les restos de la ville, très animés à midi, sont soit fermés, soit déserts et assez tristes le soir. On conseille donc d'y aller plutôt pour le déjeuner, en évitant les jours des groupes, ou alors en début ou en fin de service. Certains restos, comme le *Plaza Mayor,* proposent des buffets à prix intéressants. Le soir, préférez un *paladar* ou une *casa particular,* qui propose des repas. C'est en général très bon et copieux à défaut d'être original. Pensez à bien fixer le prix auparavant (entre 7 et 8 US$ en général). Et puis certaines *casas* proposent à manger. En effet, on leur fait payer un impôt sur le simple fait qu'on puisse éventuellement y manger. Résultat, presque toutes se sont mises effectivement à proposer des repas et poussent gentiment leurs clients à manger chez eux.

Paladares

Très peu de *paladares* autorisés et des dizaines de clandestins. Pour trouver ces derniers, il faudra demander autour de vous ou suivre, le nez au vent, les rabatteurs et les *jineteros.* Avec un peu de chance, vous tomberez peut-être sur une adresse de rêve...

|●| ***Paladar Estela** (zoom, C2, **56**) :* calle Simón Bolívar, 557. ☎ 43-29. Juste au-dessus de la plaza Mayor. Ouvert seulement le soir, de 19 h à 23 h. Menu très complet à 8 US$. Frappez fort à la porte et criez : « Estelaaaaa ». La meilleure adresse de la ville. Une lourde porte bleue s'ouvre et vous pénétrez dans un beau salon où trône une imposante *pietà* (Vierge de pitié). On mange dans un ravissant jardin envahi par la végétation. Les tables sont discrètement cachées derrière les plantes tropicales, ce qui confère un charme certain au lieu. Parfait pour un dîner intime et romantique. La cuisine est délicieuse et l'accueil sympathique. En plus, c'est très copieux. Tout le monde en ressort ra-vi !

|●| ***Paladar Sol y Son** (zoom, B3, **57**) :* calle Simón Bolívar, 283, entre Franck País y José Martí. Ouvert tous les jours mais seulement le soir. Compter autour de 10 US$ pour un repas complet. Quelques exemples : spaghetti à 6 US$, plats de poulet et poisson autour de 8 US$. Un curieux *paladar* en fait : il ressemble vraiment à un restaurant et pourtant c'est bien officiellement un paladar. Il accueille beaucoup plus de clients que ce qu'autorise la loi (12 couverts) et on trouve sans problème de la langouste au menu, même pas sous le manteau ! Par ailleurs, la carte est bien plus étendue que ce qu'on trouve d'habitude. Curieux tout cela ! Cela dit, la qualité de la cuisine est vraiment irrégulière et parfois ça ferme sans raison apparente. Reste que le patio est agréable avec sa fontaine qui glougloute, la carte variée et la cuisine beaucoup plus sophistiquée qu'ailleurs *(ceviche de pescado, crema de ajo, plato tipico sol y son...).* Si c'est votre jour de chance, vous mangerez bien... Arriver tôt ou tard car parfois il y a du monde.

|●| ***Paladar La Coruña** (zoom, B2, **58**) :* José Martí, 430, entre Santiago Escobar y Fidel Claro. Service con-

tinu, tous les jours de 12 h à 22 h. Compter 8 US$ le repas (sans les boissons). Un endroit simple et sans chichi. On mange dans la courette, derrière la maisonnette, à la bonne cubanette. La maman est en cuisine, le papa ou la fille au service. La cuisine dans sa plus simple expression.

De prix modérés à prix moyens

|●| ***Restaurant Plaza Mayor*** *(zoom, C2,* ***50****)* **:** Francisco J. Zerquera, entre Rubén Martinez Villena y Valdés Muñoz. ☎ 64-70. Buffet le midi de 12 h à 14 h. Le mardi et le jeudi, beaucoup de groupes. Compter 8 US$, dessert et café compris. Grand restaurant à deux pas de la place, deux salles intérieures et quelques tables en terrasse. Désert le soir, c'est l'étape favorite des groupes organisés pour le déjeuner. On le cite pour son buffet proposé à un prix intéressant à midi, copieux et diversifié : crudités, poisson grillé, légumes, dessert plus café. On n'avait plus l'habitude d'une telle abondance...

|●| ***Restaurant Don Antonio*** *(zoom, C2,* ***51****)* **:** calle Izquierdo, 118, entre Piro Guinart y Simón Bolívar. ☎ 65-48. Ouvre surtout pour le déjeuner (beaucoup de groupes), souvent fermé le soir. Plats autour de 8 US$. Spécialité de la maison à 12 US$. Un resto de poissons et de fruits de mer dans une maison coloniale. On mange dans une belle salle haute de plafond, à colonnes de faux marbre, plutôt stylé, avec nappes impeccables. La spécialité de la maison, *Tesoro del Mar* : une assiette avec de la langouste, des crevettes et du poisson. Service efficace et discret.

|●| ***Restaurant El Colonial*** *(zoom, C3,* ***52****)* **:** Maceo, 402, entre Maceo et Colón. Ouvert tous les jours jusqu'à 22 h. ☎ 64-73. Plats de 6 à 9 US$. Son nom l'indique, ce bar-restaurant est une institution au cadre digne de la ville : murs blancs, lustres en cristal, vieilles photos jaunies et portraits désuets dans des cadres en bois, nappes immaculées, mobilier sombre et hispanisant. Spécialités de poissons (à la créole, grillé, etc.) et de crevettes (grillées ou à la diable). Éviter la langouste, hyper chère. Plusieurs bémols cependant : accueil fade, service minimum et dommage que les portions soient un peu chiches. La qualité de la cuisine est irrégulière, du correct au médiocre.

|●| ***Restaurant El Jigue*** *(zoom, C2,* ***53****)* **:** calle Rubén Martinez Villena, angle Piro Guinart. ☎ 64-73. Ouvert tous les jours de 11 h à 22 h mais c'est parfois fermé quelques jours sans raison. Spécialité et plats autour de 6 US$. Compter 10 US$ le repas complet. Situé sur une charmante petite place, devant l'arbre « El Jigue », planté en commémoration de la première messe célébrée à Trinidad en 1513. Noter la croix gravée dans le mur et le texte à côté qui témoigne de cette page historique. Cadre chic dans une belle maison couverte de mosaïques bleues, mais carte très raisonnable. La spécialité, le *pollo al Jigue* : du poulet grillé sur un lit de spaghetti et de fromage.

|●| ***Restaurant El Mesón del Regidor*** *(zoom, C2,* ***54****)* **:** calle Simón Bolívar, 424. ☎ 64-56. À deux pas de la plaza Mayor. Ouvert de 11 h à 22 h. Plusieurs menus complets entre 6 et 11 US$. Jusqu'à 21 US$ si vous craquez pour la langouste. D'un côté, un bar dans un patio très agréable protégé du soleil par une jolie treille, et de l'autre, un adorable restaurant, intime et plein de charme. Spécialité : la viande de porc grillée. Sinon, le menu poisson est servi avec un verre de vin (une piquette).

|●| ***Restaurante Via Real*** *(zoom, C2,* ***55****)* **:** calle Martinez Villena, près de l'angle avec Piro Guinart. Ouvert le midi quand ça les chante... et le soir quand ça les danse. Plats autour de 5 US$. Reçoit beaucoup de groupes les mardi et jeudi. Venir tôt ou tard ces jours-là. Resto à tendance italienne puisqu'on trouve sur la modeste carte une *pizza del cheff* et des *spaguetti via real* de bon aloi. Sinon, les trucs habituels. Deux petites salles à l'avant mais on préfère

déjeuner dans le mignon patio, ombragé par une treille fleurie, sous le regard du Che qui, du coin de l'œil, vérifie que vous finissiez bien votre assiette.

Où boire un verre dans la journée?

🍸 ***Bar Daiquiri*** *(zoom, C3,* ***70****) :* angle Lino Pérez et Cadahia. Ouvert de 9 h à minuit. Le rendez-vous des jeunes de Trinidad... et aussi des routards esseulés. On va surtout y prendre un verre durant la journée pour assister au spectacle de la rue depuis la terrasse... *Mojito* et *daïquiri* pas chers.

🍸 ***La Canchanchara*** *(zoom, C2,* ***71****) :* calle Rubén Martinez Villena. Ouvre de 10 h à 20 h environ. Dans un beau bâtiment du XVIIe siècle. De plus en plus touristique, mais on ne résiste pas à l'appel de la pergola à l'heure de la sieste. Assis dans les fauteuils en bois de la terrasse, on sirote lentement une *Canchanchara,* bercé par la salsa. C'est le cocktail maison, servi dans de petits bols en terre : miel + citron vert + rhum + eau + glace + une plante secrète qui donne ce goût unique à la véritable *Canchanchara* servie ici. Légèrement amer et sucré à la fois; certains préféreront se rabattre sur un jus de canne frais par exemple. *Mojito* médiocre en revanche.

Où manger une glace?

🍦 ***La Cremeria*** *(zoom, C2,* ***78****) :* sur Maceo, angle Simón Bolívar. Ouvert de 9 h à 22 h tous les jours. Glacier ouvert sur la rue, dans une maison ancienne et patio dans en continuité. Agréable malgré le service particulièrement lent.

Où écouter de la musique? Où danser en buvant un verre?

♩ ***Casa de la Música*** *(zoom, C2,* ***72****) :* calle Simón Bolívar. Entrée à droite de l'église, en haut des marches. Le grand rendez-vous de la jeunesse tous les soirs, pour prendre un verre en matant, pour admirer le spectacle des danseurs ou pour simplement être là. À l'extérieur, sur les marches, musique *en vivo* à partir de la toute fin d'après-midi. Le soir, un groupe se met à jouer vers 21 h 30 (entrée libre). On s'entasse sur les marches ou on s'attable face à la piste de danse improvisée. L'occasion de mettre en pratique les cours de salsa que vous avez eu la sagesse de prendre avant de partir. Cubains et touristes affrontent leur conception souvent divergente du rythme, un peu à l'écart des projecteurs... Attention quand même, certains ne sont pas animés du seul amour de la danse... À l'intérieur, tout au fond (entrée payante : 1 US$), spectacles en tout genre, mais pas tous les soirs : représentations de danse, défilés de mode et excellents concerts.

🍸 ♩ ***Casa de la Trova*** *(zoom, C2,* ***73****) :* plaza de Segante. Ouvre vers 9 h. Des groupes de salsa s'y produisent régulièrement, toute la journée. L'entrée devient payante à partir de 20 h environ (1 US$). C'est l'endroit à la mode auprès des petits groupes de touristes. Une maison bleue, à droite de l'église Santísima Trinidad (plaza Mayor). Super concerts de salsa et mojitos excellents! Bar très populaire en soirée.

🍸 ♩ ***Casa Artex ou Casa Fisher*** *(zoom, C3,* ***74****) :* calle Lino Peres, 312, entre José Martí y Cadahía. Ouvert de 10 h à 1 h du matin. Entrée : 1 US$ à partir de 21 h. Maison coloniale avec un agréable patio pour boire un verre. Se transforme en lieu de *concertà* la nuit tombée. Programme différent chaque soir, musique traditionnelle, afro-cubaine, salsa, boléro, etc. Il suffit d'une semaine pour s'essayer à tous les rythmes cubains ! Un rendez-vous de qualité en ville. C'est ici que l'on peut se renseigner sur les cours de salsa qui sont donnés dans différents lieux de la ville.

🍸 ♪ ***Ruinas de Segarte*** *(zoom, CD-2,* ***75****) :* calle J. Menendez. À deux pas de la *Casa de la Trova.* Ouvert 24 h/24 *(sic !).* Concerts vers 21 h (entrée : 1 US$), mais bœufs toute la journée (gratuit). Une très belle cour à moitié en plein air, aussi agréable pour prendre un verre à la fraîche que pour se trémousser le bassin le soir. Dans la journée, pour peu que vous l'encouragiez un peu, El Chato, un vieil habitué, refait l'histoire de Trinidad rien que pour vous.

🍸 ♪ ***Ruinas del Teatro Brunet*** *(zoom, C3,* ***76****) :* Antonio Maceo, entre S. Bolívar y Zerquera. Un autre endroit sympa dédié à la musique et à la danse. En plein air, au pied des arcades en ruine de cet ancien théâtre. Tous les soirs (sauf les samedi, dimanche et lundi) à 21 h 30, show afro-cubain présenté par l'ensemble folklorique de Trinidad. Spectacle de qualité qui dure environ 1 h. Entrée : 1 US$. Les autres soirs, groupes de salsa dès 21 h 30. C'est aussi ici que vous viendrez prendre des cours de salsa (l'après-midi) ou de percussions (le matin). Très bonne ambiance. De toute façon, passez pour voir ce qui s'y passe. En plus du show afro-cubain, il y a souvent des concerts l'après-midi et le soir. Également location de vélos (voir la rubrique « Adresses utiles »).

🍸 ♪ ***Palanque de Los Congos Reales*** *(zoom, C2,* ***79****) :* calle Echerri, à droite de l'église. Sous un patio couvert par une jolie treille, tous les soirs de 21 h à 1 h du matin (2 h le samedi), groupes de salsa, de *son,* cha-cha-cha... Bonne atmosphère plus pépère que la *Casa de la Música.* Cours de salsa dans l'après-midi.

♪ ***Discothèque Las Cuevas*** *(plan général, D1,* ***77****) :* finca Santa Ana. À 20 mn à pied du centre. C'est la boîte de l'hôtel homonyme. À l'entrée, prendre le chemin à gauche de l'hôtel, puis suivre jusqu'au bout. Ensuite, monter le chemin à pied (5 mn). C'est là. Ouvert du mardi au dimanche, de 22 h à 2 h. Entrée : 10 US$ et boissons à volonté. Boîte fréquentée surtout par les touristes. Nous en avons vu des boîtes... mais nous n'avions encore jamais dansé au milieu des stalactites et stalagmites. En effet, comme son nom l'indique, cette discothèque est située dans une grotte naturelle. Il y a des grottes partout : passages, voûtes, coins et recoins pour faire coin-coin. Mixture enregistrée de tous types de musique, cubaine et internationale. Soyez prudent, les murs et plafonds suintent, donc les pistes de danse sont souvent glissantes (apporter votre casque). Attention, caméras et appareils photo interdits depuis qu'un Italien y a tourné clandestinement un film porno... Parking.

LE CENTRE DE L'ÎLE

À voir

★★★ ***La plaza Mayor*** *(zoom, C2) :* encadrée de vénérables demeures, rehaussée de quelques majestueux palmiers royaux, cernée par d'élégantes grilles blanches, aménagée de bancs de fer forgé à motifs végétaux, cette place possède une harmonie totale. Sa pente douce permet d'embrasser une vue dégagée et de laisser filer son regard dans les rues qui descendent en flemmardant, et qui la prolonge. En fin d'après-midi, quand le pavé brille au soleil déclinant, l'œil se régale, l'oreille se repose. Plusieurs musées occupent les nobles demeures tout autour. Elles racontent un passé dont les fastes, ici plus qu'ailleurs, semblent avoir écrasé le temps. L'heure des grandes fortunes est bien loin et pourtant tout est là, comme si c'était hier. Curieusement, la plaza, épicentre historique de la ville, n'en constitue pas aujourd'hui le point d'animation principal. Les flux sociaux l'ont quittée pour être remplacés par les flux touristiques. Ainsi va l'histoire des lieux. Elle n'en est que plus calme une fois le touriste rassasié de jolies images.

Le musée d'Art romantique (zoom, C2, **90**) : pl. Mayor, angle Bolívar y Pero Guinart. ☎ 43-63. Ouvert de 9 h à 17 h. Fermé le lundi. Entrée : 2 US$. Réductions. Photos interdites. La construction de ce palais fut un brin épique. Plusieurs familles richissimes y ont mis leur patte. À commencer par la famille Albarez Traviezo en 1740, qui l'a cédé en 1807 à la famille de Marianno Borrell. Le 1er étage voyait alors le jour. Le palais a trouvé sa forme définitive en 1808. Puis les destins des familles Borell et Brunet se croisèrent, dirigés par la flèche de Cupidon. En 1830, la fille de Marianno épousa le comte Nicolas de la Cruz y Brunet, né à Trinidad, de père espagnol, rejeton de l'une des plus riches familles de la ville. Ils y coulèrent des jours heureux jusqu'en 1857.
Ce palais abrite depuis 1974, à l'étage, un superbe musée d'« ambiance », comme on les surnomme ici. Vaut le détour. On se promène à travers des pièces au décor des XVIIIe et XIXe siècles. Ces messieurs et ces dames avaient du goût... et des moyens : plafond en cèdre dans le grand salon, tableaux représentant Paris (Ah, Paris !), crachoir anglais en porcelaine (ce n'est pas snob, ça ?), mobilier colonial de style espagnol, secrétaire du XVIIIe siècle en émail de Vienne, peintures sur cuir de Cordoue... Un mélange de styles où l'Autriche, la Bohême, l'Espagne, la France et l'Amérique jouent à l'entente cordiale... Beaucoup de bibelots et de verrerie. Voir les vastes toilettes avec sa chaise percée centrale.

Le musée d'Archéologie Guamuhaya (zoom, C2, **91**) : pl. Mayor, calle Simón Bolívar, 457. ☎ 34-20. Fermé en ce moment pour rénovation. Sinon, ouvert tous les jours de 9 h à 17 h. Entrée : 1 US$. L'explorateur et naturaliste Alexander von Humboldt (1769-1859) explora l'Amérique du Sud durant une bonne partie de sa vie. Sans doute épuisé, il s'arrêta deux petites journées à Trinidad, le 14 mars 1801, avant de mettre le cap sur l'Amérique du Sud. Il en reste ce musée fort sympathique, digne d'un cabinet de curiosités. Plusieurs pièces qui forment un fourre-tout éclectique : iguanes empaillés, tortues et crabes côtoient, dans un joyeux désordre chronologique, des pointes de l'âge de la pierre et des objets taïnos et précolombiens qui flirtent avec des pistolets du XIXe siècle... Nombreux témoignages sur l'influence de l'occupation espagnole et des années d'esclavage.

Le musée d'Architecture coloniale (zoom, C2, **92**) : pl. Mayor, côté Rispalda, 83. Ouvert de 9 h à 17 h. Fermé le vendredi. Entrée : 1 US$. Cette maison est très connue des Cubains, non pour ses joyaux architecturaux, mais tout simplement parce qu'elle a servi de décor à l'un des plus fameux feuilletons de la télévision locale, et à *Terre Indigo,* une production de TF1. Un beau musée qui vous fera regarder d'un autre œil la maison coloniale dans laquelle vous dormez peut-être. Explications et photos illustrent la manière dont l'époque coloniale, surtout les XVIIIe et XIXe siècles, s'est approprié les anciennes techniques, comme celle des charpentes, en les adaptant avec des matériaux plus nobles, en ajoutant des fresques, des auvents, des enjolivures... Présentation des différentes inventions de l'époque. Intéressants panneaux de bois sculptés, clous de portes, serrures, moulures de plafond... Dommage que la Révolution n'ait pas songé à accorder une plaque à chaque rue par souci d'équité... ça nous aurait facilité les visites !
Allez faire un tour dans la cour pour jeter un œil aux toilettes. Superbes, elles datent du XIXe siècle. À côté, l'incroyable douche, de la même période. Importée des États-Unis, c'est un véritable ancêtre de la balnéothérapie, avec ses tuyaux chromés et ses nombreux jets d'eau latéraux. Dans un angle, la machine à éclairer la maison au gaz. C'est à ce genre de chose que l'on mesure la richesse des proprios.

★★ ***La galerie d'art*** *(zoom, C2,* ***93****)* **:** pl. Mayor. Dans une grande maison coloniale peinte en jaune, connue sous le nom de *casa Ortíz*. Ouvert tous les jours, sauf le jeudi, de 9 h à 17 h (15 h le dimanche). Entrée gratuite. L'école de peinture de Trinidad est connue à travers tout le pays et même au-delà des frontières, avec des artistes comme Benito Ortíz (mort en 1978). Ses disciples sont au rendez-vous des cimaises de cette galerie. Sculptures, meubles, poteries, peintures et œuvres contemporaines « allumées » sont également présentés, dans le cadre d'expos temporaires. Il y a de tout : du bon et du moins bon. Avis aux collectionneurs, tout est à vendre. Au 1er étage, une école de peinture. Sympa de grimper non seulement pour les broderies à vendre ou les copies de Renoir, Van Gogh, Toulouse-Lautrec... mais aussi et surtout pour la vue sur la place. Noter les restes de fresques du début du XIXe siècle sur quelques murs.

★ ***L'iglesia de la Santísima Trinidad*** *(zoom, C2)* **:** pl. Mayor. Ouvert de 11 h 30 à 13 h ; le dimanche, de 8 h à 12 h. Mais soyez rassuré si vous ne pouvez y entrer, l'intérieur ne présente que peu d'intérêt : l'église a été construite à la fin du XIXe siècle en néo-baroque très simple. Elle n'a jamais été terminée par manque de moyens, suite à une crise sucrière.

★★ ***Le palacio Cantero ou musée municipal d'Histoire*** *(zoom, C2,* ***94****)* **:** calle Simón Bolívar, 423. ☎ 44-60. À 30 m de la plaza Mayor en descendant. Ouvert de 9 h à 17 h. Fermé le vendredi. Entrée : 2 US$; gratuit pour les moins de 13 ans. Cette splendide maison coloniale a été construite entre 1827 et 1830, puis transformée en musée en 1980. Dallée de marbre de Carrare et dotée d'un beau patio en brique. Quelques fresques, lustre américain, fauteuil copie Louis XV... On peut y voir l'arbre généalogique de Cantero, le premier à avoir introduit la machine à vapeur dans l'île et développé les voies ferroviaires, au début du XIXe siècle. Quelques jolis meubles anciens. Petite salle sur la traite des esclaves à Trinidad, toujours édifiant. Surtout quand l'on sait que l'un des premiers propriétaires, Borrel, était négrier de profession. Une pièce présente les différents combats menés à Trinidad pour la libération du pays. Il faut absolument grimper tout en haut du mirador, par l'étroit escalier de bois très pentu : vue absolument superbe sur la ville et la sierra de l'Escambray. Montée sportive, mais belles photos à faire de la plaza Mayor.

★★ ***Le musée de la Lutte contre les bandits*** *(zoom, C2,* ***95****)* **:** Fernando Echerri, angle Piro Guinart. Ouvert tous les jours sauf le lundi, de 9 h à 17 h. Entrée : 1 US$. À l'intérieur de l'ancien couvent Saint-François-d'Assise construit au XVIIIe siècle, l'inévitable musée de la Révolution, comme dans toutes les villes cubaines. Mais ici, avouons-le, il est plus intéressant que de nombreux autres, car le massif de l'Escambray (dans les environs de Trinidad) fut longtemps un maquis révolutionnaire puis... contre-révolutionnaire. Les « bandits », comme on les appelle ici, tinrent le maquis jusqu'en 1965. Une vaste salle est consacrée aux interventions réalisées contre ces groupes de bandits : cartes militaires, photos, textes, galerie de portraits des révolutionnaires. Tiens, le tout dernier contre-révolutionnaire se rendit en octobre 1966 : il avait été oublié de tous !
Le fétichisme révolutionnaire est bien sûr de mise. La pièce maîtresse : un bout de métal d'un *U2* (l'avion de reconnaissance américain) abattu le 27 octobre 1962. Et puis, dans le patio, vedette rapide utilisée pour les combats. Beaucoup de photos, où l'on voit Fidel à 20 ans et le Che, toujours le plus photogénique des *barbudos*... Sauf empêchement majeur (crampe du projectionniste ou réunion du Parti), petit court métrage de 14 mn sur la victoire de la baie des Cochons, très pro-castriste, il faut l'avouer ! Du haut de l'ancien clocher, vue superbe sur Trinidad et la mer des Caraïbes.

★ ***La manufacture de cigares*** *(zoom, C3,* ***96****)* **:** Maceo, angle Colón. En face du restaurant *El Colonial*. Ouvert en général du lundi au vendredi (parfois le samedi), de 7 h à 12 h et de 13 h à 16 h. Entrée gratuite mais pourboire bienvenu. Pour ceux qui n'en ont pas encore visité, vous pouvez toujours jeter un coup d'œil dans cette petite manufacture de cigares bon marché. Une soixantaine de personnes travaillent ici et roulent des cigares destinés au marché cubain (composés essentiellement de débris de feuilles de tabac de petite qualité). En sortant, vous serez beaucoup sollicité, car c'est ici que tous les cars de touristes font halte. On conseille vivement de décliner les offres. La quasi-totalité de ce qui est proposé est de piètre qualité, souvent au bord de l'infumable. Allez donc vous plaindre...

Si vous avez besoin d'une consultation de *santería,* allez au ***templo de Yemaya :*** calle Rubén Martinez Villena (Real del Jigue), 59. En général, ouvert tous les jours. À quelques mètres de la plaza Mayor. Le temple est dédié à Yemaya, vous l'aviez compris. Le *santero* qui officie, Israel Bravo Vega, s'est initié à la *santería* après avoir eu un songe durant lequel un esprit lui révélait que les attributs de la *santería* appartenant aux esclaves d'origine africaine étaient enterrés dans cette maison... *Have a good trip!* Possibilité de jeter un œil à la salle où, dans un coin, une poupée noire à robes blanches fournit quelques explications sur l'histoire de la *santería* et propose des consultations.

Plaza Santa Ana : au-dessus du centre. Avec son église en ruine et ses grands arbres, cette place a conservé un aspect sauvage et naturel, moins apprêté que la plaza Mayor.

Achats

Marché d'artisanat : il occupe plusieurs rues à proximité de la plaza Mayor. Un peu en contrebas de la plaza Mayor. Ouvert tous les jours. Broderies et travaux sur bois pour les touristes. Quelques souvenirs possibles parmi la camelote : dominos en bois, billets de 3 pesos à l'effigie du Che, bagues de cigares...

La calle Gomez Toro *(zoom, C2,* ***100)*** ***:*** plein d'artisans dans la rue. Nappes, travail du bois, colliers de graines...

Casa del Tabaco *(zoom, C3,* ***12)*** ***:*** angle Zerquera et Maceo. ☎ 62-56. Ouvert de 9 h à 19 h tous les jours. Propose une excellente sélection des grands cigares classiques. Certains modules vendus à l'unité.

Atelier de céramiques : Oscar Santander Rodriguez, angle Concordia. Pas très facile d'accès : prendre la prolongation de Maceo, tourner à gauche au niveau de l'école et demander la maison Santander. La famille est dans la céramique depuis... 1891. Un grand atelier où s'arrêtent les cars de touristes. Petites choses amusantes pour les souvenirs de voyage et moins chères que des cigares.

Marchés

– ***Mercado agropecuario*** *(plan général, C5)* ***:*** calle Pedro Zerquera, entre Manuel Fajardo y Julio Cueva. Ouvert tous les jours de 8 h à 18 h (le dimanche jusqu'à 12 h). On peut y acheter des fruits et des légumes (un peu maigrichons). Payables en pesos. Y aller tôt si vous voulez avoir du choix.

– ***Mercado Karaoké*** *(plan général, D5)* ***:*** largement à l'extérieur du centre, sur José Martí, au bout de la rue à droite. Sur un grand terrain vague, dans le quartier des HLM, les vendredi et samedi s'installe ici le plus grand marché de la ville. Pas passionnant en soi mais permet de toucher du doigt la réalité cubaine, au-delà du périmètre touristique des vieilles pierres.

Fêtes

– ***Carnaval :*** entre les 24 et 29 juin, c'est-à-dire entre la San Juan et la San Pedro. Défilé coloré de masques et de chars allégoriques, courses de chevaux dans les rues de la ville et bals populaires. Vous y rencontrerez peut-être la *muchacha del carnaval,* chantée par Cyrius, celle qui arrête son char sous les étoiles...
– ***Semaine de la Culture :*** la 1re semaine de janvier. Pièces de théâtre, films, concerts et spectacles humoristiques se jouent un peu partout dans les rues et sur la plaza Mayor. L'occasion de se balader parmi les vieilles pierres tout en découvrant le patrimoine culturel de la ville. Ambiance garantie.
– ***La Semana Santa :*** en mars ou avril, ça dépend. Tradition assez forte à Trinidad, même si c'est moins le délire qu'en Espagne. Procession dans les rues du centre, rites religieux dans les églises, etc.

Balades à faire depuis Trinidad

➢ ***Balade au mirador de la Vigia*** *(hors plan général par D1)* **:** compter une trentaine de minutes pour mollets bien galbés depuis l'église en ruine *Ermita de la Popa* (beau mur-clocher). Y aller tôt le matin ou dans l'après-midi. Ce mirador (comprendre : point de vue avec antenne) surplombe Trinidad ; pour y aller, prendre la calle Simón Bolívar jusqu'au bout et contourner l'église par la droite. Sur l'arrière, un peu plus loin, un chemin bien visible monte vers le sommet. Un point de vue superbe sur la vallée de los Ingenios et une perspective différente sur la ville coloniale.
➢ ***Le parque natural El Cubano :*** en voiture, prendre la direction de Cienfuegos sur 2,5 km environ. Juste après le pont (et avant l'hôtel *Finca Dolorés* – voir ci-dessous), prendre sur la droite la piste de terre durant 7 km. On peut aussi y aller à pied depuis Trinidad, mais le plus sympa est vraiment de s'y rendre à cheval. Balade sans difficulté. Réservation possible auprès de toutes les agences de Trinidad *(Rumbos, Cubanacan...).* Éviter le mardi et le jeudi, jours des groupes en ville. Ceux qui sont venus en taxi pourront essayer de revenir à Trinidad à cheval (demander au patron du resto). Entrée pour la cascade (incluant un *jugo natural*) : 6,5 US$. Idéal pour les amoureux de la nature. Balade d'environ 30 mn sur un sentier éco-touristique en forme de « 8 », qui démarre par un élégant petit pont suspendu et qui longe la rivière jusqu'à la cascade *(salto de Javira).* N'oubliez pas votre maillot de bain : on peut plonger (9 m de profondeur). Prévoir aussi un pique-nique. Sinon, il y a un resto à l'entrée du parc, sous une grande paillote. On y mange du poisson-chat, fraîchement sorti des bassins d'élevage (voir ci-dessous).

Où dormir ? Où manger dans le coin ?

☗ Iℴl ***Hôtel Finca Dolorés :*** carretera Circuito Sur. ☎ 64-81. Fax : 61-98. • rumbostad@ip.etecsa.cu • À 3 km de Trinidad en direction de Cienfuegos. Compter 56 US$ la nuit en bungalow pour 2 personnes. D'autres chambres plus petites autour de 48 US$. En pleine nature, au bord d'une rivière. Une trentaine de bungalows tout neufs (évitez les anciens, beaucoup moins bien), très bien équipés, spacieux et confortables. Cadre champêtre et atmosphère vraiment agréable... L'accueil laisse à désirer, pas du tout au niveau de l'hôtel. Resto sous une grande paillote. Spectacle *Fiesta campesina* (« Fête paysanne ») quand il y a des groupes. Bar et piscine superbe. Possibilité de louer des barques, de faire des balades à cheval (5 US$/h) ou en bateau (7 US$) : on descend la rivière jusqu'à la mer pour assister au coucher du soleil. Attention aux moustiques en été. Avantage : le grand calme. Inconvénient : la nécessité d'être véhiculé pour se rendre en ville.

Restaurant du parque natural El Cubano : sous une belle paillote, on sert ici du poisson-chat (menu complet autour de 10 US$), élevé dans les bassins d'élevage, auxquels on peut jeter un œil. Un conseil : venir ici à cheval, faire la balade jusqu'à la cascade avec baignade et prendre un bon déjeuner, avant de vous affaler dans un des hamacs qui vous tendent les bras pour un repos bien mérité. Jus naturel de papaye, pastèque, melon et goyave.

Les plages

Les plages d'Ancón : si vous en avez marre des vieilles pierres, les belles plages de sable blanc de la péninsule d'Ancón vous attendent à 15 km de Trinidad. María Aguilar est le nom de l'ancien village de pêcheurs qui a été détruit afin de construire l'hôtel. Les habitants « déportés » vivent désormais dans une barre d'habitations en périphérie de Trinidad. Quand le socialisme fait du zèle pour les touristes !

Attention *jejenes* : amis bronzeurs, sachez qu'avant que le soleil ne chauffe et quand il commence à descendre, les *jejenes* (mouche de sable) attaquent. Ce sont de minuscules insectes peu visibles, particulièrement agressifs. Leurs piqûres peuvent provoquer des démangeaisons sévères durant plusieurs semaines pour les peaux délicates. Aux heures les plus chaudes, pas de problème. Un truc simple pour ceux qui restent tard sur la plage : squatter un des transats de l'hôtel (dites pas que c'est nous qui l'avons dit !).

➢ Pour s'y rendre, prendre un ***coco-taxi*** ou un ***cubanito*** *(zoom, C3, 1)*. Il vous dépose à l'hôtel *Ancón*. Précisez l'heure à laquelle vous souhaitez être récupéré.

➢ Si vous êtes en voiture, prendre la calle Camilo Cienfuegos vers le sud, puis c'est toujours tout droit. Environ 2,5 km plus loin, prendre la direction de l'hôtel Costa Sur. Ensuite, c'est bien indiqué.

– Évitez la *playa La Boca,* à l'embouchure de la rivière, où les égouts de la ville se jettent. Il faut pousser jusqu'à la péninsule.

– La *plage d'Ancón* s'étend sur une douzaine de kilomètres. La plus belle portion de plage (là où il y a du sable essentiellement) se situe autour de l'hôtel *Ancón.* De là, on peut marcher un peu sur la gauche et beaucoup sur la droite si on veut être très tranquille. Toutes sortes de sports nautiques sont organisés par l'hôtel, même de la plongée autour de la barrière de corail. N'oubliez pas vos dollars.

– Nous vous déconseillons, en revanche, la portion de plage située autour de l'hôtel *Costa Sur*. Sable, mais quelques pierres, rochers à fleur d'eau et oursins dans le fond. Charmant !

– ***Plongée :*** sur la plage devant l'hôtel *Ancón,* club de plongée. Info : ☎ 61-23. Départs tous les jours vers 9 h et 11 h. Prix : 30 US$ la plongée, sans l'équipement. Compter 15 US$ en plus. Encadrement pas très pro.

Où dormir ? Où manger à Ancón ?

Hôtel Costa Sur : playa Ancón. ☎ 61-74. Fax : 61-73. À 12 km de Trinidad. Chambres autour de 58 US$ et bungalows à 80 US$, petit déjeuner inclus. Face à la mer et bien intégré au paysage, à la différence de son « voisin de plage », l'hôtel *Ancón*. Ce serait plutôt une structure sympathique, mais elle a très mal vieilli, l'entretien laisse particulièrement à désirer (notamment les sanitaires) et les chambres se dégradent doucement. Resto-buffet très limité, 4 bars et une discothèque. Plage de sable mais des rochers à fleur d'eau qui limitent les possibilités de baignade. Bon, pas top ! Tennis, piscine. Location de voitures.

🏠 🍽 ***Hôtel Ancón :*** playa Ancón, tout au bout. ☎ 61-23 à 29. Fax : 61-51. À 14 km de Trinidad. Chambres doubles à 58 US$ en haute saison. Un peu plus cher que l'hôtel *Costa Sur* et vraiment plus moche, de style « barre de HLM » vraiment déprimante. Le hall ressemble à un parking souterrain. Heureusement, toutes les chambres ont vue sur la mer (salle de bains, AC et TV) ; pour être certain d'en profiter, demander à dormir dans les « bungalows » (appellation abusive), structure en longueur plus basse que l'édifice principal, mais sans charme particulier. Restaurant, bars, piscine et activités diverses (VTT, disco...). Club de plongée, matériel correct mais encadrement pas très pro. Excursions au cayo Blanco (belle barrière de corail noir).

🏠 ***Brisas Trinidad del Mar :*** juste avant l'hôtel *Ancón*. ☎ 65-00 à 07. Fax : 65-65. • reservas@brisastdad.co.cu • Vaste structure moderne, colorée, pas trop haute heureusement, dont l'architecture cherche à rappeler la ville de Trinidad (rues pavées, façades ripolinées, petites maisons hispanisantes...). Clientèle essentiellement composée de groupes en *todo incluido* (tout inclus). Réservations auprès des agences pour ceux que cette formule branche.

🍽 ***Restaurant Caribe-Grill :*** playa Ancón, entre la plage La Boca et l'hôtel *Costa Sur*. Autour de 17 US$ (avec langouste). Paillote sur la plage, au milieu des palétuviers. La langouste, la *rueda de pescado frito* (8 US$) et les crevettes à la diable (10 US$) sont excellentes et à prix encore raisonnables, et le *mojito* bien servi. Baignade impossible à cet endroit.

➤ DANS LES ENVIRONS DE TRINIDAD

➢ ***Le cayo Blanco :*** une île de 2 km de long dont la moitié est occupée par une longue plage de sable qu'on gagne en catamaran. Toutes les agences de tourisme de la ville vendent l'excursion depuis Trinidad (voir « Adresses utiles ») : compter 40 US$ par personne, déjeuner inclus, rhum et bière à volonté ! Soyons francs, quand la balade coûtait 20 US$, on pouvait considérer l'excursion amusante et sympa. Aujourd'hui, vu le prix, on ne la conseille plus du tout. Départ de la marina Trinidad, à proximité de l'hôtel *Ancón* vers 9 h, retour vers 16 h. En 1 h, le catamaran vous emmène jusqu'à la barrière de corail. Là, on s'équipe de masque, palmes et tuba. Sachez que les fonds sont beaucoup plus beaux par mer d'huile, et qu'on se fatigue très vite si la mer est agitée (gilets et bouées sont à disposition). Prévoir crèmes solaires et anti-moustiques. Le groupe, composé d'une quinzaine de personnes environ, se retrouve ensuite sur la plage de cayo Blanco, qui est plutôt jolie, mais qui n'offre rien de particulier, sous un bar-paillote décati, devant une sorte de paella réchauffée et médiocre, à base de langouste (un petit bout), riz, fruits et crudités. Attention, si la bière est comprise, les autres boissons sont payantes. Allez ensuite nourrir les iguanes, apprivoisés bien sûr, qui rôdent derrière la paillote.

➢ ***Le cayo Macho :*** à quelques encablures du cayo Blanco. Magnifique et plus vierge que ce dernier.

QUITTER TRINIDAD

En bus

Terminal des bus *(plan général, B-C2 et zoom, C2)* **:** calle Gustavo Izquierdo, presque à l'angle de Piro Guinart. ☎ 44-48. On y trouve les deux compagnies de bus *Viazul* et *Astro,* ainsi que la compagnie de taxi *Cubataxi.* Paiement en dollars quelle que soit la compagnie.

Avec Viazul

Compagnie la plus fiable et fréquences plus importantes.

– **Minibus pour La Havane, Santa Clara, Varadero, Viñales :** bon à savoir, *Viazul* assure un service régulier de minibus pour ces villes. Nécessité de venir à la station 2 jours avant pour réserver. On vous dira alors si un minibus est prévu pour votre destination. Le jour dit, on vient vous chercher à votre *casa particular,* et on vous dépose, à l'arrivée, à l'adresse de votre choix. Même tarif que les bus normaux et bien plus pratique.

– **Bus normaux :**

➢ ***Pour La Havane :*** 2 départs tous les jours à 7 h 45 et 15 h. Durée du trajet : 5 h 30. Prix : 25 US$. Attention, il faut réserver un à deux jours à l'avance, surtout en haute saison.

➢ ***Pour Cienfuegos :*** départs à 7 h 45 et 15 h, c'est le même bus que pour La Havane. Durée du trajet : environ 1 h 30. Prix : 6 US$.

➢ ***Pour Santa Clara :*** 1 départ tous les jours à 14 h 40. Durée du trajet : environ 3 h. Compter 8 US$.

➢ ***Pour Varadero :*** 1 départ tous les jours à 14 h 40 (même bus que pour Santa Clara). Durée du trajet : 6 h.. Prix : 20 US$.

➢ ***Pour Sancti Spiritus :*** 1 départ à 14 h 40 (même bus que pour Santa Clara). Durée du trajet : 1 h 30. Prix : 6 US$.

➢ ***Pour Santiago :*** 1 départ tous les jours à 8 h 15. Durée du trajet : 12 h. Prix : 33 US$. Il dessert les villes importantes le long de la route, notamment *Sancti Spiritus, Ciego de Ávila, Camagüey, Las Tunas, Bayamo, Holguín.* En haute saison, réserver à l'avance.

➢ ***Pour Viñales :*** il n'y a plus de liaisons en grand bus pour cette ville. Prendre un minibus (voir plus haut), beaucoup plus pratique. Selon les demandes, les départs sont plus ou moins fréquents. Durée du trajet : 7 h. Prix : 40 US$.

Avec Astro

Attention, pour toutes les destinations, seuls 2 sièges sont réservés aux touristes.

➢ ***Pour Cienfuegos :*** départs à 9 h et 14 h 35. Durée : 2 h à 2 h 30. Prix : 3 US$. Réserver plus d'une semaine à l'avance.

➢ ***Pour La Havane :*** 1 départ un jour sur deux à 13 h 30. Durée du trajet : 5 h 30 à 6 h. Prix : 21 US$. Réserver 2 semaines à l'avance (glurrps !).

En taxi

Le taxi est un moyen de transport très souple et peut se révéler très rentable si on arrive à le remplir à 3 ou 4 personnes. Gros avantage : il vient vous chercher à votre *casa particular* et vous dépose à votre hôtel (par exemple). Et cela ne revient pas plus cher que les bus *Viazul.* La principale compagnie représentée au terminal de bus est *Cubataxi* (☎ 22-14). Dans tous les cas, demander à parler à Hector, le responsable commercial, pour réunir un petit groupe et discuter les prix. Quelle que soit votre destination, réservez la veille.

➢ ***Pour La Havane :*** départs possibles entre 8 h et 17 h. Durée : 4 h. Compter 25 US$ par personne.
➢ ***Pour l'aéroport de La Havane :*** 30 US$ par personne.
➢ ***Pour Varadero :*** durée : de 3 h 30 à 3 h 45. Compter 25 US$ par personne.
➢ ***Pour Viñales :*** départ vers 8 h du matin. Cela permet d'économiser une nuit d'hôtel à La Havane. Compter 40 US$ par personne.
➢ Excursions à la journée dans les villes de ***Santa Clara, Cienfuegos, Sancti Spiritus.*** Compter entre 40 et 60 US$ pour le taxi entier (jusqu'à 5 personnes), pour la journée, aller-retour. Prévoir avec le chauffeur les différents arrêts.

En avion

✈ ***Aéroport Alberto Delgado*** *(hors plan général par B-C5)* ***:*** carretera de Casilda, km 1,5. ☎ 63-93. Sur la route de la playa Ancón.
Il n'y a plus de liaisons régulières entre Trinidad et les autres villes du pays. Seuls les avions charters atterrissent et décollent d'ici.

LE MASSIF DE L'ESCAMBRAY

IND. TÉL. : 0142

Besoin d'air et de hauteur ? Enfoncez-vous dans la sierra del Escambray, à 10 km de Trinidad, un des trois principaux domaines montagneux de l'île. Il est préférable de s'y rendre le matin car vous aurez plus de chance d'éviter les nuages qui peuvent couvrir la montagne. La route qui monte à ***Topes de Collantes*** (voir plan), grimpe sur 19 km depuis Trinidad et offre une vue superbe sur la péninsule d'Ancón et la baie de Cacilda. On peut apprécier le panorama depuis le bar-mirador (sur la gauche de la route), à environ une dizaine de kilomètres seulement après avoir quitté la route de Cienfuegos. Mais mollo sur l'accélérateur, la route est raide et particulièrement tortueuse. À éviter par temps de pluie. Pour info, l'un des virages a été surnommé la *curba del muerto* (on vous laisse traduire).
Ce massif de 90 km de long sur 40 de large fut le refuge des guérilleros du Che. Puis, après 1959, un foyer contre-révolutionnaire. Aujourd'hui, on ne croise plus que des randonneurs et des pêcheurs de truites. L'altitude moyenne de 700 m suffit à arrêter les nuages, bien bas ici, sous les tropiques. L'hiver, la température peut descendre autour de 0 °C la nuit. Il pleut donc souvent, d'où cette végétation luxuriante composée principalement de bambous, de caféiers, de pins, d'orchidées, d'hortensias et d'eucalyptus... Énormément de *Mariposa* aussi, fleur symbole de Cuba. En outre, ce curieux microclimat, unique dans les Caraïbes, a des vertus thérapeutiques. C'est d'ailleurs un lieu de cure très réputé.

Où dormir ? Où manger à Topes de Collantes ?

Prix moyens

🏠 ***Villa Caburní :*** ☎ 540-335. Un peu à l'écart du complexe touristique, plus calme que l'hôtel *Los Helechos*. Bungalows à 42 US$ la nuit. Bungalows en dur, spacieux et lumineux, idéal pour 3-4 personnes (supplément de 10 US$ par personne au-delà de 2). Assez triste à l'extérieur, mais très propre à l'intérieur. Meubles en rotin, salle de bains et cuisine, vaisselle et ustensiles à demander à l'accueil. Tranquille et à côté des principaux points de départ des balades, pour les vrais amateurs de montagne. C'est juste à côté que démarre la balade pour la cascade de Caburni.

🏠 |●| ***Hôtel Los Helechos :*** ☎ 540-330 à 334. Compter 42 US$ la chambre double en haute saison, 32 US$ en basse saison. Le rare hôtel pour touristes, car ses voisins (*Los Pinos* et le *Serrano*) sont réservés aux Cubains. Les chambres contrastent heureusement avec l'aspect extérieur du bâtiment, conforme à une esthétique toute soviétique. Spacieuses et confort correct : eau chaude, AC, TV, téléphone. Préférer les chambres dans ce qu'ils appellent les *cabañas* plutôt que les chambres de l'édifice principal. Resto, bar, et piscine couverte. Organise de nombreux tours guidés dans les environs. Accueil souriant. Bon, on préfère largement la *Villa Caburní.*

🏠 ***Kur Hotel Escambray :*** ☎ 540-180. Chambres doubles à 44 US$. Hôtel de plus de 200 chambres, énorme barre en béton qui domine tout le village... N'accusez pas l'architecture socialiste, le bâtiment a été fini en 1954 sous le gouvernement de Batista. Après la Révolution, Fidel en a fait une école, avant de le transformer en 1976 en complexe touristique pour le personnel de l'État. Ce fut ensuite un centre pour tuberculeux. Aujourd'hui, c'est essentiellement un sanatorium spécialisé dans le traitement du cancer... et du stress (!), même si parfois des touristes sont acceptés. Bon, on n'en a vu aucun. Ambiance cure et hôpital.

À faire

Certaines de ces balades peuvent être réalisées tranquillement à pied, mais d'autres nécessitent un guide, voire un 4x4. On peut les réserver chez *Gaviotatours* à Topes de Collantes, bien que leur efficacité reste largement à démontrer : ☎ 540-180 ou, pour certaines, dans les hôtels de Trinidad ou d'Ancón.

La cascade de Caburní : à 3 km après Topes de Collantes. Aller jusqu'à la *Villa Caburní* (voir « Où dormir? ») et garer la voiture sur le parking de l'hôtel. Prendre à gauche de l'hôtel sur une centaine de mètres (entre les HLM en ruine). Le sentier débute sur la gauche (il y a souvent quelqu'un pour vous l'indiquer). Bien balisé et un escalier (avec rampe) a même été aménagé. Compter 2 h 30 aller-retour sans se presser. Aller en 45 mn (ça descend), retour en plus d'une heure (ça monte). Droit d'entrée qu'on paie à la barrière, avant d'accéder au parking : 6,5 US$ avec une boisson (2,5 US$ si vous êtes étudiant et parlez l'espagnol) ! On s'y rend à pied, avec de bonnes chaussures imperméables plutôt qu'avec des baskets dernier cri. Prévoir aussi de l'eau, celle vendue au bord du lac n'est pas distillée. Pour une baignade au milieu des pins : superbe petit lac avec une « chute-douche » de 62 m de haut. En saison des pluies, y aller tôt le matin pour éviter la flotte.

Autres sites dans les environs : les ***chutes de Vegas Grandes, de Batata, de Guanayara*** et ***de Cudina,*** une des grottes où s'est caché le Che. Toutes ses balades se font de *Topes de Collantes.* Renseignements sur place mais il est préférable de prendre un guide.

Le jardin La Represa : à environ 1 km de Topes de Collantes. Passer devant l'hôtel *Los Helechos* et poursuivre la petite route jusqu'au bout. Entrée : 2 US$, avec un guide qui vous accompagne. Espace assez sauvage, sorte de grand jardin qui fut planté d'arbres provenant des 5 continents entre 1935 et 1940, et qui se sont bien adaptés ici. Un sentier de balade traverse la forêt et permet d'observer quelques-unes des 130 espèces présentes : eucalyptus, *coaba africana, arbicia* d'Asie, cèdre...

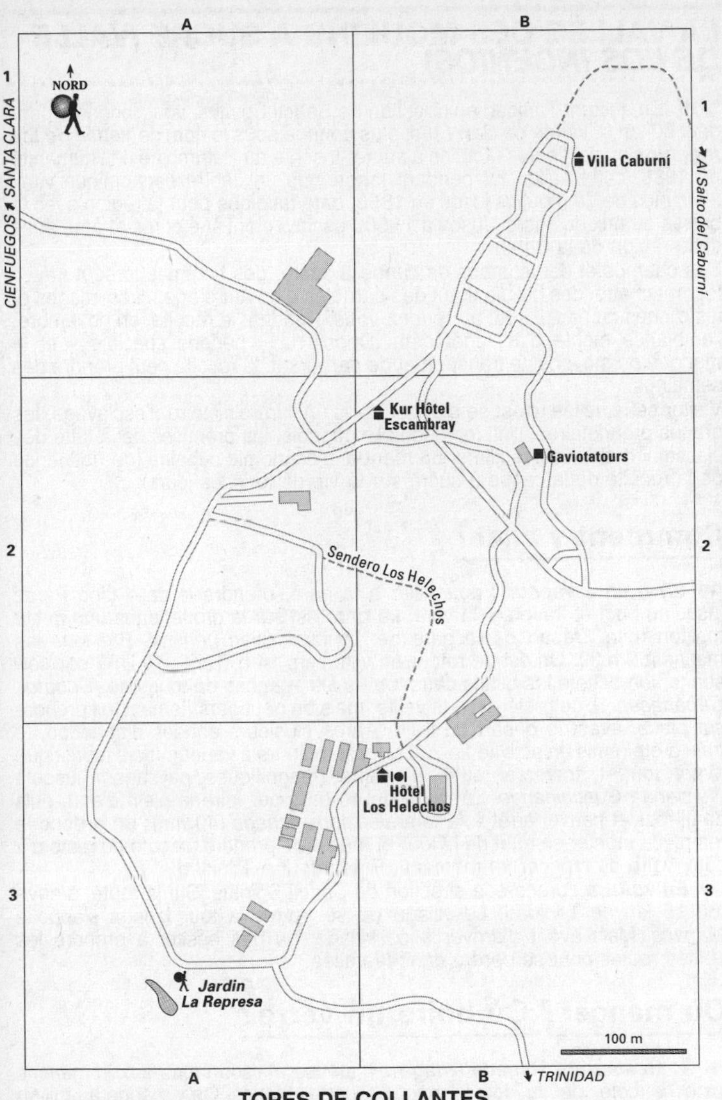

La casa de la Gallega : un lieu où l'on trouve un petit bassin et une cascade. On y monte en jeep seulement, le chemin n'est absolument pas fléché. Il part derrière le *Kur Hotel Escambray*. À la *Gallega,* on vous mijote un repas dans la salle à manger et, le reste de la journée, vous pouvez vous promener et vous baigner sous les chutes d'eau.

– ***Pour les pêcheurs de truites :*** deux lacs bien poissonneux, la *laguna Hanabanilla,* qui est plus proche de Santa Clara (voir plus loin) et le *lac Zaza* (voir plus loin), qui est plus proche de Sancti Spiritus.

LA VALLÉE DES MOULINS À SUCRE *(VALLE DE LOS INGENIOS)*

En quittant Trinidad en direction de Sancti Spiritus, vous longerez pendant 60 km la ***vallée de San Luis,*** plus connue sous le nom de ***vallée de los Ingenios*** ou vallée des Moulins à sucre. Inscrite au Patrimoine de l'humanité en 1988, cette vallée fut pendant longtemps un centre économique vital, avec plus de 70 moulins jusqu'en 1850, date fatidique pour la région avec la baisse du prix du sucre. Jusqu'à 11 600 esclaves ont sué corps et âme dans cette région de la Bahía.
Des champs et des champs de canne à sucre, des hommes torse nu avec leur machette, des bœufs tirant des carrioles d'un autre âge... Les images et les clichés du passé sont au rendez-vous. Pendant la récolte, en novembre, l'ambiance monte d'un léger cran. Depuis la « période spéciale » et le manque de moyens de transport et de carburant, la récolte peut prendre des semaines...
Visiter cette vallée, c'est se plonger dans un livre d'histoire (l'esclavage, les grands propriétaires, l'influence des Espagnols, les prémices de la lutte des classes), mais aussi feuilleter un manuel d'économie cubaine (de l'influence de la récolte de la canne à sucre sur la vie de tous les jours).

Comment y aller ?

➢ ***En train à vapeur :*** pour aller à la gare, prendre la calle Lino Perez jusqu'au bout et traverser la voie. La gare est sur la droite, dans une petite maison rose. Départ de la gare de Trinidad *(plan général, B3)* tous les matins à 9 h 30. On est de retour en ville vers 14 h. Tarif : 10 US$ par personne. On achète les billets dans toutes les agences de tourisme *(Cubatur, Cubanacan...),* de préférence la veille, mais on peut parfaitement les prendre sur place, avant le départ du train. Après plusieurs années d'abandon, le train a été remis en activité fin 2001. Il est toujours à vapeur, mais touristique avant tout. Il traverse toute la vallée (magnifiques paysages) jusqu'à l'*hacienda Guachinango*. Là, arrêt de 40 mn pour faire le plein d'eau, puis demi-tour et nouvel arrêt à la fameuse *torre Iznaga* (40 mn) ; on a donc le temps de monter en haut de la tour et même de prendre un café au resto d'à côté, voire de manger un morceau. Puis retour à Trinidad.

➢ ***En voiture :*** prendre la direction de Sancti Spiritus. Sur la route, à environ 15 km de Trinidad. Le village où se trouve la tour Iznaga s'appelle *Manaca.* Mais avant d'arriver à ce village, ne pas hésiter à prendre les petites routes pour se perdre dans la vallée.

Où manger ? Où boire un verre ?

Restaurant Manaca Iznaga : juste à côté de la tour Iznaga. ☎ 72-41. À une quinzaine de kilomètres de Trinidad en direction de Sancti Spiritus. Fermé le soir. Plats entre 5 et 7 US$. La spécialité de la maison est autour de 5 US$. Dans la belle maison de la famille Iznaga (qui servit de décor au feuilleton de TF1, *Terre Indigo,* et on comprend aisément le choix du réalisateur), un restaurant a été ouvert. C'est une somptueuse maison jaune aux immenses portes bleues. On y mange au milieu des souvenirs du glorieux temps passé, en salle ou à l'ombre d'une vaste véranda à la jolie vue. Poulet, spaghetti, steak et *cerdo* du chef. La spécialité maison est un plat de porc et poivron grillés revenus à la poêle avec des légumes et accompagné de riz et de beignets de banane. Superbe terrasse. Très bon accueil, en musique.

À voir

Pour avoir une belle ***vue*** sur la vallée, arrêtez-vous au ***bar-mirador Loma del Puerto*** à 4 km de la sortie de Trinidad, à gauche sur la route de Sancti Spiritus.

🌟🌟 ***La torre Iznaga :*** attenante au restaurant *Manaca Iznaga*. Dans le village de Manaca. C'est le 1er village qu'on rencontre à une quinzaine de km de Trinidad. Sur la route principale, au croisement, prendre à gauche. Faire environ 300 m, traverser la voie ferrée et immédiatement sur la droite, c'est là. Ouvert tous les jours de 9 h à 17 h. Entrée : 1 US$ (et un autre pour le parking, ben voyons !). Cette tour de 42 m de haut et riche de 137 marches fut érigée par le négrier Alejo María del Carmen Iznaga, devenu par la suite un riche sucrier. Classée Patrimoine mondial par l'Unesco. Ses 7 étages ont donné lieu à de nombreuses légendes : fut-elle construite par le sucrier pour y enfermer son épouse infidèle au dernier étage, parce qu'il la soupçonnait d'aimer l'employé chargé de surveiller les esclaves ? Ou dans le but d'ériger un édifice aussi haut que le puits devant la maison de son frère était profond ? La version officielle, moins croustillante mais plus plausible : la tour servait de mirador pour surveiller les esclaves dans les champs. Grimpette sympa (prendre son souffle) par l'escalier de bois et vue époustouflante sur les champs de canne à sucre, le village et le massif de l'Escambray. Ne manquez pas de jeter un coup d'œil sur la maison, aujourd'hui transformée en restaurant (voir ci-dessus). On peut également y prendre un verre. En contrebas du resto, sous la paillote, un pressoir à canne à sucre du XIXe siècle que les touristes aiment à faire tourner pour presser un jus frais (1 US$).

– En sortant de la ***torre***, repasser la voie ferrée et prendre à droite. Après 3 km environ, vous tomberez sur l'***hacienda Guachinango.*** Possibilité d'y aller à cheval depuis Manaca Iznaga. En plein dans la vallée de los Ingenios. On traverse des champs de canne à sucre à perte de vue. Possibilité de manger sur place. Plat autour de 10 US$. L'hacienda est une jolie maison basse, à la longue véranda et aux balcons ondulants. Des restes de fresques sont encore visibles dans un des salons du resto. Parfois un paysan du coin propose une balade à cheval.

– En reprenant la route de Sancti Spiritus, à environ 3 km, sur la droite, vous apercevrez la seule ***centrale sucrière*** de la région. Sur la gauche de la route, une ***usine à papier.*** Les usines de pâte à papier sont souvent à côté des raffineries de sucre, car le papier se fabrique avec les déchets de canne, appelés *bagasse.* Ni l'une ni l'autre ne se visite.

SANCTI SPIRITUS

100 000 hab. IND. TÉL. : 41

Entre Santa Clara et Trinidad, sur la route de Ciego de Ávila. Aujourd'hui capitale de la province qui porte son nom, Sancti Spiritus fut l'une des sept cités coloniales fondées par les Espagnols. D'abord créée sur les rives du río Tunicu, après le massacre de quelques aborigènes, elle fut transférée huit ans après à son emplacement actuel sur le río Yayabo (qui a donné son nom à la fameuse chemise, *guayabera*...).
Attaquée à plusieurs reprises par les pirates, Sancti Spiritus garde de nombreux vestiges et rappelle un peu Trinidad, avec ses façades colorées et ses grilles en fer forgé.

Adresses utiles

■ ***Havanatur :*** Independencia, parque Central. Au-dessus du resto *El Rápido Saratoga,* au 1er étage. Peut vous aider pour vos réservations, mais renseignements sur la ville limités.

Gare routière : *circunvalación* et carretera Central. ☎ 241-42. À 2 km de la ville, à la sortie en direction de Ciego de Ávila.

■ ***Stations-service Cupet :*** une à la sortie de la ville, en direction de Santa Clara. Une deuxième en ville en direction de Trinidad. Une troisième à 50 km de la ville, sur la carretera Central en direction de Ciego de Ávila, à Majagua.

■ ***Banco Financiero Internacional :*** calle Independencia, 2, esq. Cervantes. À deux pas de l'hôtel *Plaza*. Ouvert du lundi au vendredi de 8 h à 15 h.

■ ***Transautos :*** hôtel *Plaza* (☎ 271-02) et hôtel *Zaza* (☎ 253-34). Les principales agences ont des annexes sur le parque Central.

Où dormir ?

Bon marché

Ricardo Rodriguez : Independencia Norte, 28. ☎ 230-29 (chez un voisin). Sur le parque Central (la place principale). Compter 15 US$ la chambre. Ricardo est « le » taxi de la ville, et loue 2 chambres pour 2 ou 3 personnes. Très propres, avec eau chaude, AC et entrée indépendante. Balcon, terrasse. Accueil familial des plus sympas.

Estrella Gonzalez Obregon : Máximo Gómez Norte, 26. Compter 15 US$ la nuit. Ne vous arrêtez pas à l'état un peu miteux du rez-de-chaussée, tous les efforts se sont portés sur la chambre à l'étage, spacieuse et très lumineuse. AC, eau chaude et frigo. En dépannage, Estrella vous conduira chez son fils, qui loue également des chambres.

Hilda Rosa Mutis Martinez : Independencia 17, près du parque Central. ☎ 230-29. Environ 15 US$ la chambre. Hilda est l'épouse de Ricardo Rodriguez. Une grande chambre pouvant convenir pour 4 personnes. AC, eau chaude. Grande salle, possibilité de faire la cuisine. Balcon, terrasse. Entrée totalement indépendante.

Prix modérés

Hôtel Plaza : Independencia, 1. ☎ 271-02. Sur la place centrale. Entre 28 et 32 US$ la chambre double. Chambres confortables, avec TV, frigo, AC, radio-réveil. Sculptures dans le patio, qui attire les clients du bar ouvert 24 h/24. Autre bar en terrasse ouvert de 20 h à 2 h. Les couche-tôt préféreront donc les chambres qui donnent sur la rue. Restaurant pas très cher.

Prix moyens

Hostal del Rijo : calle Honorato del Castillo, 12, près de l'église parroquial Mayor. ☎ 285-88. • damaris@hostalrijo.co.cu • Chambres doubles à environ 35 US$, petit déjeuner inclus. Un hôtel récent dans une splendide maison du XIXe siècle dont les portes monumentales cloutées s'ouvrent sur des arcades bleues et blanches. C'est l'ancienne maison du docteur Rijo, éminent praticien et bienfaiteur de la ville, qui fut assassiné par un bandit de grand chemin en 1912. Les chambres, 4 au rez-de-chaussée et 12 à l'étage, distribuées autour du patio, meublées et décorées avec goût, disposent d'une grande salle de bains avec baignoire et d'un grand lit. TV satellite, frigo, AC. Excellent restaurant (voir « Où manger ? »). Immense hall où se trouve le bar, ouvert 24 h/24. Dans les escaliers et sur la terrasse (où un bar et une piscine sont prévus), des statues rendent hommage à l'œuvre d'un célèbre compositeur et musicien de Sancti Spiritus, Rafael Gomez dit « Teofilito ». Même si vous n'y logez pas, passez prendre un verre et jetez un coup d'œil à l'intérieur de l'hôtel, ça vaut vraiment le coup.

Villa Los Laureles : carretera Central. ☎ 270-16 et 283-13. À la sortie de la ville en direction de Santa Clara. Chambres doubles entre 34 et 38 US$. Des bungalows confortables, rose pastel et bleu, avec salle de bains, AC et TV satellite. Un peu excentré, mais, excepté les bords de la piscine, c'est un endroit calme, éloigné de l'agitation. Deux restos. Karaoké du mardi au jeudi à partir de 21 h 30, puis discothèque jusqu'à 2 h du mat'. Cabaret en fin de semaine à 22 h.

Hôtel Zaza : ☎ 285-12 et 270-15. Fax : 283-59. En dehors de la ville. Prendre la direction de Ciego de Ávila pendant 5 km, puis, au panneau indiquant l'hôtel, tourner et compter encore 5 km. Entre 36 et 40 US$ la chambre double. Cadre assez réussi, les plantes et la fontaine dans le hall feraient presque oublier la façade en béton. Chambres correctes, pas très spacieuses, mais avec balcon. Rendez-vous des pêcheurs de truites (pour les connaisseurs, ce sont des black-bass) et des chasseurs de canards. Vue imprenable sur le lac. Piscine, salle de jeux, resto, 3 bars, discothèque. Balades en barque. Très tranquille.

Où manger ?

Restaurant de l'Hostal del Rijo : voir « Où dormir ? ». Compter 10 US$. Les *Delicias del Rijo* (morceaux de porc avec une sauce au vin et fruits tropicaux), à 8 US$, sont un régal. Plats bien présentés. Jolis couverts, nappe et vaisselle de luxe. Service excellent. Ambiance intime, seulement quelques tables dans le joli patio, autour d'une fontaine.

Quinta Santa Elena : calle P. Quintero, 60. ☎ 291-67. Du musée d'Art colonial, descendre vers le pont, prendre à gauche une rue pavée. Ouvert tous les jours de 10 h à 23 h. Cuisine créole, spécialité de *vaca frita* (5 US$). Grand restaurant dans une antique maison coloniale qui accueille des expositions de peinture d'artistes locaux. Deux grandes terrasses plantées de manguiers et d'avocatiers avec vue sur le pont et la rivière Yayabo. Bar.

El Mesón de la Plaza : calle Máximo Gómez, 285. À droite en partant du centre-ville vers l'église Mayor. Ouvert de 11 h 30 à 21 h 30. Très grande et belle salle dans une maison coloniale ; vaisselle en terre cuite et mobilier en bois, décor espagnol. La carte réserve quelques bonnes surprises, comme la *ropa vieja* (bœuf en sauce au vin et raisins secs) à 5 US$, ou le *garbanzo mesonero,* potage de pois chiches avec jambon, pied de porc et chorizo (en quelque sorte notre cassoulet !), à 1,5 US$. Une bonne adresse.

El Rápido Saratoga : Independencia, parque Central. En dépannage. Chips et gâteaux, sandwichs et pizzas pour 1,50 US$.

Où boire un verre ? Où écouter de la musique ?

Casa de la Trova : Máximo Gómez, 26. Musique *en vivo,* du mardi au samedi de 9 h à 11 h, puis de 14 h à 16 h et enfin de 20 h 30 à 23 h. Le dimanche, la *Casa* est ouverte, mais pas de groupes. Fermé le lundi. Consulter le panneau à droite pour connaître le programme. Patio sympa.

♩ ***Casa de la Cultura*** : parque Central. *Peñas* de rock, boléro, *quinteto Flor y canción,* matinées de *danzón,* matinée *campesina*... Se renseigner sur le programme.

♩ ***Casa de la Música*** : derrière le musée d'Art colonial. Show et groupes musicaux pratiquement tous les jours. C'est le rendez-vous des jeunes.

À voir

Le vieux centre : avant d'arriver au musée d'Art colonial. Le centre colonial a été restauré. Sympa et calme, ici, les touristes se font rares. À noter : une très vieille *pharmacie* avec un superbe comptoir, au 40, calle Máximo Gómez, et les rues pavées à gauche en descendant vers le pont.

El museo de Arte colonial *(le musée d'Art colonial)* **:** Placido, 74. À droite de la iglesia parroquial Mayor del Espíritu Santo. Ouvert du mardi au samedi de 9 h 30 à 17 h ; le dimanche, de 8 h à 12 h. Entrée : 2 US$. Mérite vraiment le détour.
Construit en 1744, ce palais de style éclectique (le plus grand de la ville) a appartenu à la famille Valle Iznaga jusqu'en 1961 ! À la grande salle, la première salle à manger, les trois chambres et la salle de musique datant du XVIIIe siècle, elle a ajouté un salon Art nouveau et une deuxième salle à manger du XIXe siècle. Malgré les héritages successifs, le patrimoine est resté intact. Nombreuses pièces de vaisselle et objets de porcelaine, précieux mobilier. La puissante famille Valle Iznaga a contribué au développement artistique (grands collectionneurs) et économique (ouverture du chemin de fer) de la ville. Elle a aussi su être fidèle à l'image tyrannique qu'ont pu cultiver certaines familles richissimes. Les caprices de mademoiselle ont conduit son père à lui acheter un piano à New York qui est arrivé par bateau à Trinidad et que les esclaves ont porté sur leur dos jusqu'à Sancti Spiritus. En le voyant, elle a soupiré et décidé que finalement elle n'en jouerait jamais... La maison, qui aujourd'hui abrite l'ambassade de France à La Havane, appartenait aussi à la famille Valle Iznaga. Mercedes fait la visite en français, et, si vous voulez lui faire plaisir, laissez-lui un livre de poche en partant...

La iglesia parroquial Mayor del Espíritu Santo : dans le vieux centre. Ouvert de 9 h 30 à 12 h, puis après 14 h. Construite en 1514 en bois, détruite par des pirates et reconstruite au XVIIe siècle, en pierre cette fois. La tour date, elle, du XVIIIe siècle et la coupole du XIXe. Belles boiseries ouvragées.

➤ *DANS LES ENVIRONS DE SANCTI SPIRITUS*

Le lac Zaza : à 10 km de la ville en direction de Ciego de Ávila. Paradis de la pêche à la truite, au brochet et à l'alose, et de la chasse au canard et au pigeon, ce lac présente une curiosité : au milieu, vous trouverez un pont et une usine (de lait concentré, pour être précis !), tous deux noyés lors de la construction du barrage. On peut y faire un tour en bateau à partir de l'hôtel *Zaza.*
Un jour de pêche dans le lac coûte 30 US$ pour 4 h et 50 US$ pour 8 h. Dans les rivières alentour, 70 US$ (avec transfert) et 55 US$ (sans transfert). Guides de pêche, location de matériel (10 US$ pour 4 h et 15 US$ pour 8 h). Quant à la chasse, n'y comptez pas ! Elle est entièrement vendue par des agences de voyages italiennes.

QUITTER SANCTI SPIRITUS

En bus

➢ ***Pour Trinidad :*** 2 bus par jour. Durée du trajet : 1 h.
➢ ***Pour Santa Clara :*** 1 bus par jour. Durée du trajet : 2 h.
➢ ***Pour La Havane :*** 3 bus par jour. Durée du trajet : 5 h 40.
➢ ***Pour Santiago :*** 3 bus par jour. Durée du trajet : 10 h.
➢ ***Pour Camagüey :*** ligne de Santiago, 3 bus par jour. Durée du trajet : 2 h 30.

En train

La petite gare ferroviaire (juste après le pont sur la rivière Yayabo) n'assure que des liaisons locales. La vraie gare se trouve à ***Guayos,*** à 15 km. Elle se trouve sur la ligne de Santiago à La Havane.
➢ ***Pour La Havane :*** 2 trains par jour. La ligne dessert *Ciego de Ávila, Camagüey, Las Tunas, Cacocum (Holguín), Santiago, Santa Clara* et *Matanzas.*

CIEGO DE ÁVILA

80 000 hab. IND. TÉL. : 033

La capitale de la province du même nom est une ville industrielle. Fondée au milieu du XIXe siècle, elle ne présente pas un grand intérêt touristique. Sur la route de Santa Clara à Camagüey, on s'y arrête pour faire le plein ou pour se reposer, mais inutile d'y faire de vieux os. La spécialité du coin, outre la canne à sucre, est l'ananas.

Adresses utiles

■ ***Banco Financiero Internacional :*** calle Onorato del Castillo y Joaquin Agüero. Ouvert du lundi au vendredi de 8 h à 15 h.

✉ ***Poste :*** angle Chicho Valdés et Marcial Gómez. Deux blocs au sud du parque Martí.

■ ***Téléphone :*** *salón de llamadas nacionales y internationales,* sur le parque Martí. À côté de l'agence *Rumbos.* Ouvert tous les jours de 9 h 15 à 21 h 15.

■ ***Station-service Cupet :*** à la sortie de la ville en direction de Morón. Juste à côté de l'école de médecine.

■ ***Havanautos :*** carretera de Ceballos. ☎ 26-63-45. À 2,5 km en dehors de la ville. Devant l'hôtel *Ciego de Ávila.* Ouvert de 8 h à 12 h et de 13 h ou 14 h à 19 h. On y parle l'anglais.

Où dormir ?

CHAMBRES CHEZ L'HABITANT (CASAS PARTICULARES)

Casa Gloria : Narciso Lopez, 102, entre carretera Central et República. ☎ 343-20. Sur la carretera Central, 3e rue à droite en allant vers Camagüey. Entre 15 et 20 US$. Gloria loue 2 chambres (dont une avec cuisine, AC et salle de bains privée) donnant sur une cour intérieure où il fait bon prendre ses repas le soir. Grand garage.

Omar Valdés : calle Soto, 216, entre Cuba et Ciego de Ávila.

☎ 254-17. Environ 20 US$. Deux chambres avec AC, frigo, TV, salle de bains privée, possibilité de faire la cuisine. Sortie indépendante. Petite piscine.

HÔTELS

Prix moyens

Hôtel Ciego de Ávila : carretera de Ceballos. ☎ 280-13. Dans le sens La Havane-Camagüey, à l'entrée de la ville, après un pont, prendre à gauche, c'est indiqué. À 2,5 km en dehors de la ville. Compter 36 US$ la chambre double. Grand établissement massif d'inspiration soviétique. Les chambres sont plus accueillantes qu'on ne pourrait s'y attendre, plutôt confortables et propres, avec AC, TV et frigo. Bar, resto et piscine. Discothèque. Une adresse à ne pas négliger, compte tenu du choix restreint à Ciego de Ávila !

Hôtel Sevilla : calle Independencia, 57, angle parque Martí. ☎ 256-03 ou 256-47. Compter 28 US$ la nuit. Établissement d'État. Si on a aimé le hall et le lobby, d'inspiration espagnole, les chambres, elles, sont de véritables cages à lapins. À conseiller plutôt pour le resto, propre et agréable.

Où manger ?

Cafétéria La Vicaria : carretera Central, à gauche à la sortie, en allant vers Camagüey. Ouvert de 6 h à minuit. Moins de 3 US$. Cette cafétéria moderne offre une carte assez variée. C'est bon, le cadre est agréable et le service assez rapide.

Hôtel Sevilla : voir « Où dormir ? ». Repas à 6 US$. La lecture de la carte ne prend pas des heures, mais on y fait un assez bon repas pour un prix raisonnable. Service très stylé.

QUITTER CIEGO DE ÁVILA

En bus

Gare routière : sur la carretera Central.

➢ ***Pour La Havane et Santiago :*** avec *Viazul,* 3 bus quotidiens desservant *Sancti Spiritus, Santa Clara, Camagüey, Las Tunas, Holguín* et *Bayamo.*

En train

Gare ferroviaire : près du centre-ville, au bout de la calle Agramonte.

➢ Le train de nuit ***Santiago-La Havane*** s'arrête à Ciego de Ávila. Il dessert *Sancti Spiritus, Santa Clara* et *Matanzas.* Dans l'autre sens, il dessert *Camagüey, Las Tunas, Cacocum (Holguín)* et *Santiago.*

En avion

Aéroport : à Ceballos, à près de 30 km de Ciego de Ávila. ☎ 325-25 et 436-95.

➢ ***Pour La Havane :*** *Cubana de Aviación* assure 1 vol par semaine en soirée.

MORÓN

70 000 hab. IND. TÉL. : 335

Morón a une réputation qui a fait le tour de l'île et qu'elle entretient avec jalousie : ses habitants, et plus particulièrement la gent féminine, sont *muy agradables* (entendez par là qu'ils sont « chaleureux »)... À part ça, Morón est une ville assez animée. Elle constitue un bon port d'attache pour les routards désireux de se rendre aux cayos Coco et Guillermo à peu de frais. On peut s'y arrêter pour visiter ses alentours, qui ne manquent pas de charme, eux non plus. Enfin, sachez, pour votre culture, que l'emblème de la ville est le coq. Comme le prouve ce coq en bronze à côté de l'entrée de l'hôtel *Morón,* dans le parc, bien nommé, du Coq.

Adresses utiles

■ ***Station-service Cupet :*** à l'entrée de la ville en arrivant de Ciego de Ávila, pas loin de l'hôtel *Morón.*

■ ***Transautos :*** av. Tarafa. ☎ 30-76. Situé dans l'hôtel *Morón.*

Où dormir ? Où manger ?

CHAMBRES CHEZ L'HABITANT (CASAS PARTICULARES)

Juan Clemente Pérez Oquendo : calle Castillo, 189, entre San José y Serafin Sanchez. ☎ 38-23. Dans une rue parallèle à la rue principale. Deux chambres à 20 US$, parfois laissées de bonne grâce à 15 US$. AC. Possibilité de faire sa cuisine. On tombe dans les bras de Bélgica, l'épouse de Juan, une vraie *mama* qui adore les Français. Si elle ne peut vous loger, elle vous trouvera toujours une voisine prête à vous accueillir.

Mirta Carballo Gonzalez : calle Dimas Daniel, 19, entre Castillo et Serafina. ☎ 30-36. Compter 20 US$ la chambre. Médecin, Mirta loue une chambre tout confort avec AC. Entrée indépendante.

Gina Margarita Sierra : Callejas, 89, entre Martí et Castillo. ☎ 37-38 (chez des voisins). Gina et son mari Roberto louent une chambre avec une très belle salle de bains dans une grande maison, neuve, avec petit jardin, terrasse. Possibilité de garage. Le couple n'hésite pas à se mettre en quatre pour faire plaisir à ses hôtes.

HÔTEL

Prix moyens

Hôtel Morón : av. Tarafa. ☎ 22-30 et 22-31. À l'entrée de Morón. Chambres doubles à 45 US$. Le seul hôtel de la ville ouvert aux touristes. Le genre de palace que l'on croise un peu partout dans l'île, ni moche ni beau, moderne et confortable... Quelque 144 chambres avec AC, salle de bains, TV et téléphone. Patio agréable et frais. Très bon resto. Massage, piscine et discothèque ouverte tous les soirs à partir de 22 h.

Où déguster une glace ? Où boire un verre ?

Coppelia : calle Martí, 213. Ouvert de 9 h à 21 h. LE glacier.

Jardin del Appolo : calle Martí, angle S. Antuña. Dans la rue principale. Bar en terrasse.

La Fuente : resto *Izlazul,* calle Martí. Ouvert de midi à minuit.

LE CENTRE DE L'ÎLE

➤ DANS LES ENVIRONS DE MORÓN

Le lac de Redonda : à 20 km au nord de Morón, sur la route qui mène aux *cayos*. Pêche à la mouche pour les spécialistes : perches, bars et truites. Possibilités de promenades en bateau, à réserver au bar. Assez cher, de même que les boissons proposées. Restaurant également. Deux précautions : attention aux moustiques et, surtout, gare aux crocodiles, ce n'est pas la même morsure !

La laguna de la Leche : également au nord de Morón. Entre la mer et la terre, on ne sait pas trop, cette lagune est appelée « de lait » car son eau a des reflets blancs, dus au carbonate de sodium. On admire le paysage en écoutant le silence et les oiseaux. On peut aussi se promener en bateau et pêcher brochets et tarpons. Idéal également pour les sports nautiques. Carnaval aquatique en juillet ou août.

La isla Turiguano : comme son nom ne l'indique pas, Turiguano n'est pas une île mais une presqu'île, juste au-dessus de la laguna de la Leche. Le petit village du même nom, à gauche en direction des *cayos*, est original sous ces contrées : les maisons sont de style hollandais, pour ne pas dépayser les vaches, hollandaises, qui paissent tranquillement aux alentours. Pour la petite histoire, ces vaches ont été importées ici par Celia Sanchez, la *pasionaria* de la Révolution.

Le cayo Coco et le cayo Guillermo : on en parle plus loin dans le chapitre « Les îles cubaines ».

REMEDIOS

20 000 hab. IND. TÉL. : 42

À 45 km au nord-est de Santa Clara, sur la route côtière qui mène au cayo Santa María. Encore épargnée par les circuits touristiques, cette vieille ville coloniale fondée en 1514 et attaquée à maintes reprises par des pirates français ne manque pas de charme. Un gros bourg où la nonchalance est au rendez-vous. Un rythme paisible à peine troublé par les touristes égarés cherchant leur route vers le cayo Santa María. Promenez-vous, perdez-vous dans les rues où les voitures se font rares, et où l'on préfère se déplacer en carriole à cheval ou à vélo. La place Martí, paresseusement assoupie sous la chaleur, s'anime à la fraîche, et il fait bon profiter du spectacle sur la terrasse du snack-bar *El Louvre*. Mais Remedios est surtout connue dans toute l'île pour ses *Parrandas*...

LES *PARRANDAS* : UN CARNAVAL À NOËL !

Cette tradition remonterait au début du XIXe siècle. Comme le veut la légende, cette coutume commença la veille de Noël par un tapage nocturne : des habitants voulaient réveiller leurs voisins en musique afin de les contraindre à se rendre à la messe de minuit. L'année suivante, les voisins se vengèrent en relevant le défi, et c'est ainsi que, le 24 décembre, les deux quartiers de la ville (El Carmen et El San Salvador) entrent en compétition avec carrosses, costumes, grandes structures pour décorer le parque Martí, feux d'artifice, pétards et lampions... Il s'agit en fait d'une compétition pour l'honneur, car chacun des quartiers se proclame le vainqueur ! La préparation dure quatre mois et une grande partie des habitants de Remedios y participe. Chaque quartier garde le plus grand secret sur le thème qu'il a choisi

et qui change tous les ans. Et ce carnaval à Noël se déroule au son de la polka, la musique de Remedios. Et la messe de minuit ? nous direz-vous. Elle est célébrée au milieu des pétards et de la musique !
Une autre grande fête se déroule à Remedios pour la Saint-Jean dans la nuit du 23 au 24 juin. Elle met en scène la légende du *güije*, le diable capturé par sept garçons prénommés Jean.

Où dormir ? Où manger ?

Peu d'adresses où se restaurer, car la ville s'ouvre à peine au tourisme, mais on vous proposera sans doute des *paladares* officieux. Sinon, vous avez toujours la solution de prendre vos repas là où vous logez.

Jorge et Gisela Rivero : Brigadier Gonzalez, 29, entre Independencia y José A. Peña. ☎ 39-53-31. Prendre la rue Independencia à l'angle du snack-bar *El Louvre*, puis la 2e à gauche. Chambres à 20 US$. La plus grande est louée 25 US$ pour 4 personnes et 20 US$ pour un couple. Deux chambres agréables et tout confort à l'étage donnant sur une terrasse. Une maison des années 1950, fraîchement repeinte, très lumineuse (les habitants du village la surnomment la « maison de verre »). Jorge et Gisela en sont très fiers, la maison est tenue avec une propreté méticuleuse. Parking.

Gladys Aponte Rojas : Brigadier Gonzalez, 32, entre Independencia y Py Margall. ☎ 39-53-98 (chez un voisin). Chambres de 15 à 25 US$. À quelques numéros de chez les *Rivero*, mais ambiance radicalement différente, un joyeux fouillis en comparaison. Déco afro-cubaine chargée mais sympathique, et accueil tout sourire de Gladys et de ses filles. Deux chambres, dont l'une, toute bleue, est assez grande pour 4 personnes. Salle de bains indépendante, terrasse. Une famille très accueillante.

Hôtel Mascotte : parque Martí. ☎ 39-54-67 et 39-51-44. Sur la place principale. Chambres doubles de 38 à 44 US$. Côté resto, compter 8 US$ par personne (boisson comprise, belle carte de vins). Cet hôtel a joué un modeste rôle dans l'histoire cubaine ; c'est en effet ici que le général Máximo Gómez, commandant de l'armée de Libération, rencontra en février 1899 l'envoyé du président américain, McKinley, pour négocier la libération des *mambis*, ces soldats indépendantistes cubains qui avaient participé à la guerre entre les États-Unis et l'Espagne... Au-delà de cette page historique, cet établissement est un superbe hôtel colonial rénové. Charme et confort pour un prix raisonnable. Chambres spacieuses et de très bon goût, hautes de plafond, dans les tons bleu et jaune, très agréables. Bon resto mais un peu cher. Bar ouvert de 10 h à 23 h. Excellente adresse, mais il vaut mieux réserver.

Snack-bar El Louvre : sur la place principale. Ouvert 24 h/24. Permet de manger sur le pouce pour quelques dollars. Terrasse sympa et beau cadre colonial.

À voir

La iglesia San Juan Bautista de Remedios : pour la visiter, il faut passer derrière, par la sacristie. Ouvert tous les jours de 9 h 30 à 12 h et de 15 h 30 à 17 h 30. Construite entre 1545 et 1548, détruite en partie par un tremblement de terre en 1939, puis reconstruite, cette église cache derrière sa façade banale quelques petits joyaux : imposant autel en cèdre recouvert de feuilles d'or, voûte en acajou, collection de statues de saints aux riches ornements, et surtout une statue de la Vierge enceinte, du XVIIe siècle, qui est peut-être unique au monde.

El museo de la musica Alejandro García Caturla : parque Martí, au nord de la place. Ouvert du mardi au samedi de 9 h à 12 h et de 13 à 18 h ; le dimanche, de 9 h à 13 h. Entrée : 50 centavos (gratuit si vous n'avez pas de monnaie nationale !). Cette splendide maison du XIXe siècle est consacrée à l'œuvre de Caturla (qui habita ici entre 1920 et 1940), un drôle de personnage : juge-musicien, il fut l'un des premiers à introduire des rythmes africains dans la musique cubaine (était-ce l'influence de sa femme originaire d'Afrique ?). On peut donc admirer de nombreux instruments, partitions, objets personnels, ainsi que des enregistrements de ses œuvres. Par contre, côté juge, il était, paraît-il, impitoyable ; il fut d'ailleurs assassiné par un homme qu'il devait juger le lendemain !

El museo de las Parrandas remedianas : calle Máximo Gómez, 71. À deux pas de la place Martí. Ouvert du mardi au samedi de 9 h à 18 h ; le dimanche, de 9 h à 13 h. Entrée : 1 US$. Lire la rubrique « Les *Parrandas* : un carnaval à Noël ! », plus haut. Exposition de maquettes de chars, de structures monumentales, de costumes, etc., utilisés lors des *Parrandas.*

À faire

Journée plage et plongée au ***cayo Santa María :*** « visas » de 2 US$ par voiture à régler directement à l'entrée de la digue. Voir le chapitre « Les îles cubaines ».

SANTA CLARA

250 000 hab. IND. TÉL. : 42

En plein centre de l'île, à 276 km de La Havane, 75 km de Cienfuegos et 89 km de Trinidad. Capitale de la province de Villa Clara, Santa Clara est une étape indispensable pour tous les fans du Che, qui ne manquent pas d'aller voir la plaza de la Revolución et le monument au Train blindé. La ville n'a gardé que peu de vestiges de son passé colonial. C'est une cité dynamique qui attire les étudiants et offre de réelles possibilités d'emploi dans différents secteurs de l'industrie. Donc plus riche que d'autres, et ça se voit, les rabatteurs se font rares. Le moment où jamais de connaître un Cuba plus moderne et de quitter ses réserves de touristes. Moins photogénique que ses sœurs, Santa Clara mérite quand même qu'on prenne le temps de l'apprécier, en se laissant guider par ses habitants.
Dès le mois de novembre et durant tout l'hiver, les festivals se succèdent : musique, cinéma, littérature, etc.

UN PEU D'HISTOIRE

Santa Clara est un haut lieu de l'histoire révolutionnaire cubaine... Nous sommes en 1958, Fidel Castro et ses hommes s'emparent de Santiago, son frère Raúl prend Guantánamo, Camilo Cienfuegos lutte, lui, dans le Centre à Yaguajay et, enfin, le Che entre dans Sancti Spiritus à la veille de Noël...
Mais, le 28 décembre, la bataille de Santa Clara fait rage... Les troupes du Che et la ville sont bombardées par l'aviation. Guevara apprend alors qu'un train blindé rempli de munitions doit traverser la ville en direction de Santiago. À l'aide de cocktails Molotov et d'un bulldozer, le Che et ses compagnons parviennent à s'emparer du train !
Ce fait d'armes fut décisif : le moral de l'armée en prit un sérieux coup et, surtout, pour la première fois, les révolutionnaires se trouvèrent autant armés que l'armée régulière ! Les jours de Batista étaient désormais comptés. À la première heure de l'année 1959 se terminait la bataille de

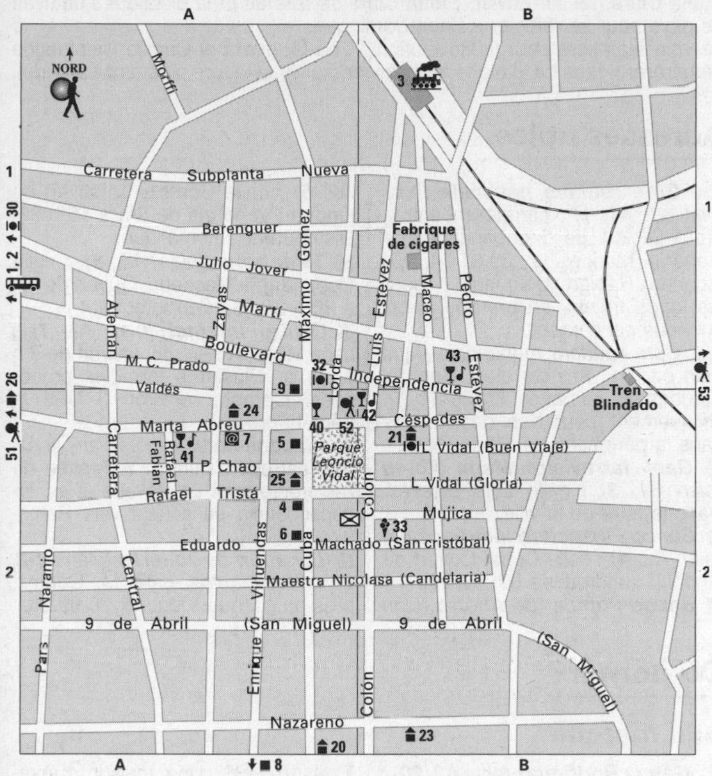

SANTA CLARA

Adresses utiles

- Poste
- 1 Gare routière nationale
- 2 Gare routière municipale
- 3 Gare ferroviaire Marta Abreu
- 4 Banco Financiero Internacional
- 5 Banco Popular de Ahorro
- 6 Téléphone
- 7 Centre Internet
- 8 Stations-service
- 9 Havanautos

Où dormir ?

- 20 García Rodriguez
- 21 Orlando García Rodriguez
- 23 Ana Pérez Martinez
- 24 Martha Artiles Alemán
- 25 Hôtel Santa Clara Libre
- 26 Hôtel Los Caneyes

Où manger ?

- 30 Sabor Latino de Alfonso y familia
- 32 Restaurant 1878

Où déguster une glace ?

- 33 Coppelia

Où boire un verre ? Où écouter de la musique ?

- 40 La Marquesina
- 41 El Mejunje
- 42 Piano-bar El Dorado
- 43 Le Carishow

À voir

- 51 Plaza de la Revolucíon et mausoleo de los martires de la Revolucíon
- 52 Museo de Artes decorativas
- 53 Loma del Capiro

Santa Clara. Le 31 janvier, Santa Clara se rendait et le dictateur s'enfuyait du pays pour se réfugier à Saint-Domingue.
La voie était libre pour la Révolution : Che Guevara et Camilo Cienfuegos pénétrèrent dans La Havane le 2 janvier, suivis six jours plus tard par Fidel.

Adresses utiles

Gare routière nationale *(hors plan par A1, **1**) :* carretera Central, prolongación de Independencia y General Marino. ☎ 29-21-14. En face du *Rápido*. Uniquement pour les longs trajets, en principe, ceux qui nous concernent.

Gare routière municipale *(hors plan par A1, **2**) :* carretera Central, Virtudes y Ampano. ☎ 20-34-70. Uniquement pour des destinations dans la périphérie de Santa Clara.

Gare ferroviaire Marta Abreu *(plan B1, **3**) :* calle Luis Estevez. Dans le nord de la ville.

■ **Banco Financiero Internacional** *(plan A2, **4**) :* calle Cuba. Ouvert du lundi au vendredi de 8 h à 15 h.

■ **Banco Popular de Ahorro** *(plan A2, **5**) :* calle Gómez, 7. Ouvert du lundi au vendredi de 8 h à 15 h 30. Distributeur automatique.

■ **Téléphone** *(plan A2, **6**) :* calle Cuba, angle Machado. Ouvert de 9 h à 20 h 30. Service Internet.

@ **Centre Internet** *(plan A2, **7**) :* calle Marta Abreu, 56. Ouvert de 8 h à 21 h. Plusieurs formules proposées. Compter environ 3 US$ la demi-heure.

■ **Stations-service** *(hors plan par A2, **8**) :* carretera Central. À l'entrée de l'autoroute pour La Havane et av. Independencia en sortant vers Remedios.

■ **Location de voitures** *(plan A1-2, **9**) : Havanautos,* calle M. Gómez, près du parque Vidal. ☎ 20-89-28.

Où dormir ?

Bon marché

García Rodriguez *(plan A2, **20**) :* calle Cuba, 209, appt. 1, Serafin Garcia y E. P. Morales. ☎ 20-23-29. • garcrodz@yahoo.com • Réservations possibles par Internet. Autour de 15 US$ la nuit. Deux chambres particulières, d'une propreté irréprochable, bains privés, dans un appartement tout en longueur. Accueil d'une grande gentillesse d'un couple (un ancien ingénieur qui parle un peu le français et une vétérinaire) reconverti dans le tourisme. L'entrée est peu engageante, mais le sourire de García gagnera votre sympathie. Ils mettent Internet gentiment à votre disposition pendant votre séjour. Garage pour 2 US$ la nuit.

Orlando García Rodriguez *(plan B2, **21**) :* calle Rolando Pardo (Buenviaje), 7, parque Vidal y Maceo. ☎ 20-67-61. En plein centre, à 50 m du parque Vidal. Deux chambres autour de 15 US$. Repas entre 7 et 10 US$. Une maison surprenante, construite dans les années 1950, comme un vrai labyrinthe, immense. Plus insolite encore, Orlando a bâti au 1er étage une petite cahute qu'on verrait mieux sur les plages des *cayos* que sur les toits de Santa Clara. Chambres très propres avec AC et salle de bains commune (eau chaude). Très agréable pour le petit dej' et possibilité d'y prendre ses repas. Bon accueil. Parking gardé (2 US$).

Ana Pérez Martinez *(plan B2, **23**) :* calle Nazareno, 74 nord, entre Colón y Maceo. ☎ 20-64-45. Juste en face de chez *Isolina*. Chambres entre 15 et 20 US$ la nuit (à débattre). Pour les amateurs de tranquillité, 2 chambres indépendantes et confortables, au 1er étage. Petit balcon. Accueil discret et gentil.

Martha Artiles Alemán *(plan A2, **24**) :* Marta Abreu, 56 (à l'étage), entre Villuendas et Zayas. ☎ 20-50-08. • martaartiles@yahoo.es • Entre 15 et 20 US$ la chambre. Petit déjeuner à 3 US$. Deux grandes chambres agréables (l'une peut accueillir jusqu'à 6 personnes) avec salles de bains privées, AC. Dans une belle maison coloniale, bien décorée et entretenue. Plantes vertes sur la terrasse. Nourriture abondante pour 7 à 8 US$. Possibilité de garage. Martha est anesthésiste retraitée et Pepe, son époux, ancien licencié de physique et mathématiques.

Hôtel Santa Clara Libre *(plan A2, **25**) :* parque Vidal, 6. ☎ 20-75-48. Sur la place principale. Compter 36 US$ la chambre double. Dernier point de résistance des francs-tireurs, l'hôtel a effacé d'un coup de peinture verte les dernières traces de balles sur la façade. Chambres petites et ascenseur omnibus. Moyennement tenu. Resto, discothèque et solarium. Bruyant.

Prix moyens

Hôtel Los Caneyes *(hors plan par A2, **26**) :* carretera de los Caneyes. ☎ 21-81-40. En dehors de la ville, juste à 2 km du centre. Propose 91 chambres entre 50 et 58 US$ la nuit. Resto-buffet convenable à 10 US$. Un bel ensemble de bungalows imitant le style taïno, avec toits de palmes. Dommage que la déco intérieure soit un peu défraîchie et les salles de bains pas terribles (l'eau chaude manque parfois). Piscine, bar. Agréable jardin. Service Internet.

Où manger ?

Le Boulevard *(plan B1),* partie piétonne de la calle Independencia, est une succession de ***cafétérias*** et ***bars*** en terrasse agréables, très fréquentés par les étudiants. De la part de pizza au cornet de glace, de quoi se caler à toute heure. La ***cafétéria El Dorado,*** en descendant le Boulevard avant d'arriver à la jolie petite place *Las Arcadas,* est ouverte jusqu'à 2 h du matin. Poulet à moins de 2 US$. À côté, la ***pizzeria Pullman*** propose des pizzas payables en pesos, accompagnées de la bière locale *Manacal.*

Sabor Latino de Alfonso y familia *(hors plan par A1, **30**) :* Esquerra, 157, entre Julio Jover et Berenguer. ☎ 20-65-39. Ouvert 24 h/24. Compter entre 10 et 12 US$ le repas. Un plat principal copieux et bien présenté, avec garniture, salade, dessert pour 10 US$. Mais aussi poissons et autres produits de la mer. Décor sans recherche mais cuisine excellente.

Restaurant 1878 *(plan A1, **32**) :* calle Gómez, entre Independencia et parque Vidal. Ouvert de 8 h à 1 h. Cuisine créole bon marché, bar à bière et rhum dans un très joli patio classé au Patrimoine national. De temps en temps, groupes musicaux.

Où déguster une glace ?

Coppelia *(plan B2, **33**) :* calle Colón, 9, entre Mujica et San Cristóbal. Ouvert de 10 h à 23 h 30. Fermé le lundi. Un vrai temple de la glace dans un immense hall moderne. Pas de queue, 240 personnes peuvent s'y asseoir pour déguster douze spécialités différentes.

Où boire un verre ? Où écouter de la musique ?

La Marquesina *(plan A2, **40**) :* parque Vidal. Accolé au théâtre. Ouvert de 10 h à 1 h. Un lieu de rencontre privilégié pour les artistes et

LE CENTRE DE L'ÎLE

intellectuels de la ville. Avec un peu de chance et en échange d'un café, vous trouverez sans doute un étudiant prêt à s'improviser comme guide pour le simple plaisir de parler avec vous.

🍷 ♪ ***El Mejunje*** *(plan A2, **41**)* **:** calle Marta Abreu, esq. Zayas. *El Mejunje,* c'est-à-dire « Le Mélange ». Comme une synthèse de Cuba, ce lieu unique rassemble toutes les cultures, toutes les musiques, tous les âges. Très apprécié des Cubains, il propose un programme différent tous les soirs.

🍷 ♪ ***Piano-bar El Dorado*** *(plan A-B2, **42**)* **:** calle Luis Estevez, 13, entre le parque Vidal et le Boulevard. Groupes entre 21 h et 2 h, avec notamment le trio de Freyda Anido (bonne pianiste) et le chanteur Manuel Enrique. Restaurant entre 22 h et 1 h (cuisine créole à 1 US$). On peut aussi payer en pesos.

🍷 ♪ ***Le Carishow*** *(plan B1, **43**)* **:** au bout de la partie piétonne du Boulevard. Entrée : 5 US$ par couple. Show à partir de 22 h, discothèque ensuite. Passer réserver dans la journée, car la petite salle est vite bondée. On se bouscule, en effet, pour applaudir d'excellents humoristes dont le duo *El y el otro,* parodistes très satiriques (eh oui ! c'est rare, mais ça existe !). Un show que nous recommandons vivement aux routards comprenant l'espagnol.

À voir

👥👥 ***El tren blindado*** *(le monument au Train blindé ; plan B1)* **:** au nord de la ville, au niveau de la voie ferrée, en direction de Remedios. Ouvert du mardi au samedi de 8 h à 18 h 30 ; le dimanche, de 8 h à 12 h. Fermé le lundi. Un haut lieu de la Révolution, puisque c'est ici que le Che fit vaciller l'armée régulière en s'emparant d'un train blindé rempli de munitions. Les wagons ont été conservés et transformés en musée. À l'entrée, le bulldozer qui a joué un rôle crucial, puisque c'est grâce à lui que les rails ont pu être détruits et le train détourné, trône sur un piédestal en béton. Les rails tordus sont toujours présents... C'était le 29 décembre 1958 à 15 h. La bataille a fait rage jusqu'à la dernière heure du jour. À 18 h, les hommes du Che avaient l'avantage de la situation. L'action du train blindé constitue l'un des faits militaires les plus importants de la guerre de Libération. Cette bataille a permis en outre de démontrer le talent militaire d'Ernesto Guevara. À quelques mètres de là, la voie ferrée et d'autres trains plus anonymes continuent de rouler...

👥👥 ***La plaza de la Revolución*** *(hors plan par A2, **51**)* **:** à l'ouest de la ville, en direction de l'hôtel *Los Caneyes.* Loin du centre-ville, cette place est quasi déserte.

– Cette place de la Révolution est très particulière : on y trouve une des deux ***statues*** en pied ***du Che*** de toute l'île. C'est le ***mémorial au Che...*** Cependant, cette statue ne fut érigée qu'en 1988, à l'occasion du 20ᵉ anniversaire de la mort d'Ernesto « Che » Guevara. Son socle porte l'inscription *Hasta la victoria siempre* (« Jusqu'à la victoire, toujours ») et, en bas à droite, le texte de la fameuse lettre qu'il adressa à Fidel avant de partir pour la Bolivie. Prenez vos photos en arrivant parce que le garde vous prie rapidement de laisser sac et appareil en consigne et il n'est pas très coopératif...

– Au pied de la statue, on peut visiter le ***musée*** bien sûr dédié au Che, avec de nombreuses reliques (dont son dictionnaire Larousse), fusils et photos inédites du héros. Ouvert du mardi au samedi de 8 h à 21 h ; le dimanche, de 8 h à 17 h. Fermé le lundi. Éviter le samedi, jour d'affluence. Entrée gratuite.

👥👥👥 ***El Mausoleo de los martires de la Revolucíon*** *(hors plan par A2, **51**)* **:** pl. de la Revolución, sous la statue du Che. Mêmes horaires que le musée. Entrée gratuite. Recueillement en silence devant les 38 dalles qui honorent la mémoire du Che et des compagnons tombés avec lui au combat en Bolivie. Seules 7 dépouilles ont été retrouvées. Des fouilles continuent en Bolivie. La dalle de marbre du Che est entourée de plantes tropicales. L'architecte du mémorial, Jorge Cao, a cherché à recréer l'atmosphère de la jungle où a vécu et péri le héros national.

La dépouille du Che fut rapatriée à Santa Clara en octobre 1997, date du 30e anniversaire de sa mort. La cérémonie donna lieu à un rassemblement populaire poignant. Audacieux, courageux, charismatique, le Che incarne un idéal, celui de la lutte aux côtés des plus faibles et du respect sans condition des engagements. Le « CHE », pour le peuple cubain, trois lettres qui signifient : *Cubano, Hermano* (frère), *Ejemplo* (exemple). Son visage étoilé de jeune premier a fait entrer définitivement cet homme dans la légende.

★★ ***El parque Vidal*** *(plan A2)* **:** cœur névralgique de la ville. Joli square ombragé. En son centre, un kiosque à musique. Concerts le soir. Se renseigner à la Maison de la culture, juste à côté, près de l'hôtel *Santa Clara.* À noter, face au musée des Arts décoratifs, la statue du *Niño a la bota.* Les Cubains disent qu'il s'agit de la statue d'un enfant qui apportait de l'eau aux soldats *mambis* de la guerre d'Indépendance. En réalité, l'histoire est vraie, mais se rapporte à un jeune Américain qui étanchait la soif des soldats sudistes pendant la guerre de Sécession. La vraie statue qui datait du début du XXe siècle, victime de la ferveur des enfants de la ville, a été brisée. Celle du parc est une copie.

★★ ***El museo de Artes decorativas*** *(plan A2,* ***52****)* **:** parque Vidal, 27, à droite du théâtre. Ouvert les lundi, mercredi et jeudi, de 9 h à 12 h et de 13 h à 18 h ; les vendredi et samedi, de 13 h à 18 h et en nocturne de 19 h à 22 h ; le dimanche, de 18 h à 22 h. Fermé le mardi. Entrée : 2 US$. Superbe maison coloniale construite entre 1830 et 1840 avec une pléthore d'objets et de meubles datant du XVIIe au XXe siècle. Demander Jesús, il parle le français.

★ ***La loma del Capiro*** *(hors plan par B1,* ***53****)* **:** à 20 mn à pied du centre-ville, dans le prolongement de la rue Eduardo Machado (San Cristóbal), à l'est du Train blindé. C'est sur cette petite colline que le Che organisa la fameuse bataille de Santa Clara. Très beau point de vue sur la plaine.

★ ***La fabrique de cigares Constantino Perez Carrodegua*** *(plan B1)* **:** calle Maceo, 182, entre Julio Jover et Revenguel. Ouvert du lundi au samedi, de 7 h 30 à 12 h et de 13 h à 16 h. Fermé en décembre et en juillet. Entrée : 2 US$. On y fabrique des cigares de feuilles entières pour les grandes marques cubaines. En face, la ***Veguita*** vend de vrais havanes (Romeo y Julieta, H. Upman, Monte Cristo) du lundi au samedi de 9 h 30 à 17 h 30.

➤ DANS LES ENVIRONS DE SANTA CLARA

★★ ***La presa*** *(barrage)* ***de Hanabanilla*** **:** à une cinquantaine de kilomètres. Prendre, au sud de Santa Clara, la direction de Manicaragua ; à partir de là, c'est fléché. Située dans le massif de l'Escambray, cette réserve, créée en 1961, alimente en eau les villes de Cienfuegos et de Santa Clara, et une usine hydroélectrique. La route qui y conduit, sans difficultés, traverse de jolis paysages de montagne. La région offre de nombreuses possibilités de belles randonnées pédestres (plans fournis à l'hôtel *Hanabanilla* (voir ci-dessous). C'est aussi un endroit prisé des pêcheurs, notamment de truites.

Hôtel Hanabanilla **:** au bord du lac. ☎ 20-85-50 et 20-23-99. • comazul@teleda.get.tur.cu • Entre 24 et 30 US$. Bon standing. Toutes les chambres ont vue sur le lac. Accueil sympathique. Une bonne base pour un petit séjour de repos écologique. Restaurant un peu cher. Grill. Bar-mirador au dernier étage. Piscine. L'hôtel propose une excursion en barque jusqu'au restaurant *Río Negro* avec halte à une cascade et visite d'une maison campagnarde.

QUITTER SANTA CLARA

En train

Gare ferroviaire Marta Abreu : calle Luis Estevez. Non loin du monument de l'attaque du Train blindé, dans le nord de la ville. Réservations en face de la gare.

➢ ***Pour La Havane :*** 4 départs les jours pairs et 2 départs les jours impairs. Durée du trajet : environ 5 h. Prix : 10 US$ par le train régulier, et 21 US$ par le train spécial.

➢ ***Pour Santiago :*** 3 départs par jour. Durée du trajet : 10 h. Prix : 20 et 41 US$.

➢ ***Pour Bayamo :*** départ un jour sur deux. Durée du trajet : 9 h. Prix : 16 US$.

➢ ***Pour Holguín :*** départ un jour sur deux. Durée du trajet : 10 h. Prix : 17 US$.

➢ ***Pour Sancti Spiritus :*** départ un jour sur deux. Durée du trajet : 2 h. Prix : 4 US$.

En bus

Attention, ici il y a ***deux gares routières :*** l'une pour les destinations locales, l'autre pour les longues distances. Elles sont toutes les deux sur la carretera Central, plus communément appelée route de los Caneyes.

Gare routière nationale : voir « Adresses utiles » plus haut.

➢ ***Pour La Havane :*** 3 départs. Durée du trajet : 4 h 30. Prix : 18 US$.

➢ ***Pour Trinidad :*** 1 départ à 11 h. Durée du trajet : 3 h. Prix : 8 US$.

➢ ***Pour Varadero :*** 1 départ à 17 h 25. Durée du trajet : 4 h. Prix : 11 US$.

➢ ***Pour Santiago :*** 3 départs par jour. Durée du trajet : 11 h. Prix : 33 US$.

CAMAGÜEY

300 000 hab. IND. TÉL. : 32

Capitale d'une province essentiellement agricole (ce qui explique que l'on trouve de nombreux vendeurs de fromages sur les bords – parfois au milieu ! – de la route), troisième ville du pays, à mi-chemin entre Santiago et Santa Clara, Camagüey est une cité charmante où il fait bon s'arrêter une bonne journée. Si Holguín est surnommée la « ville des places et des parcs », Camagüey est dite la « ville des églises » (il y a en neuf !). Elle s'est d'ailleurs construite autour d'elles : les immigrants espagnols arrivaient, construisaient une église et s'installaient autour. Puis, il fallut tant bien que mal relier les différents quartiers, d'où le tracé actuel des rues, à donner la migraine à tout automobiliste.

Le centre-ville colonial est bien animé et en pleine mutation. Les ruelles étroites invitent à musarder le nez au vent, et les Camagüeyens sont d'une gentillesse incroyable.

C'est à Camagüey qu'on trouve une spécialité typique de la ville : les *tinajones*. Ce sont de grandes jarres en terre cuite. Elles mesurent parfois jusqu'à 2 m de haut et font 3 ou 4 m de circonférence. Ce sont des potiers catalans qui, dès le XVIe siècle, découvrirent les vertus de l'argile locale et développèrent cet artisanat. Destinées à recueillir les eaux de pluie, l'huile, le grain, les *tinajones* étaient souvent enterrées pour permettre de conserver l'eau fraîche. De la rue, vous les apercevrez, dans les patios des maisons. Pour ceux qui s'y risqueraient, sachez que goûter l'eau d'une de ces jarres rend amoureux pour toujours, d'après la légende... sans parler des effets secondaires.

UN PEU D'HISTOIRE

Comme Santiago, Camagüey est l'une des villes cubaines les plus chargées d'histoire. Fondée en 1514 par Diego Velázquez, elle fut initialement bâtie en bord de mer puis, à cause des attaques incessantes des pirates, plus haut dans les terres, au beau milieu de l'île, à l'emplacement d'un village indien nommé Camagüey.
Entourée de riches pâturages, la ville développa naturellement l'élevage et la culture de la canne à sucre. Au XVIIe siècle, déjà prospère, elle subit inévitablement moult raids et pillages, dont celui, en 1668, du célèbre Henry Morgan. Ne dit-on pas que le treillage étroit des rues de la ville aurait permis de décontenancer les agresseurs et de faciliter le travail des défenseurs ? Plusieurs révoltes précédèrent les deux grandes guerres d'Indépendance (1868 et 1895).
Ignacio Agramonte, l'un des grands chefs indépendantistes, naquit à Camagüey. Jesús Suarez Gayol, héros de la Révolution castriste, mort aux côtés du Che dans la jungle bolivienne en 1967, était également originaire de la ville.
Aujourd'hui, Camagüey est au centre d'une très importante zone d'élevage et de production de lait. C'est ici que l'on réussit à croiser le zébu (réputé pour sa résistance à tous les climats) et la vache Holstein (très grande laitière), ce qui donna la célèbre hybride F1, grande productrice de lait.

Adresses et infos utiles

■ ***Centre d'information** (plan A3) :* calle Agramonte, 448. ☎ 29-25-50 et 29-89-47. • www.pprincipe.cult.cu • (site en espagnol). Ouvert de 8 h à 17 h du lundi au vendredi, et de 8 h à 12 h le samedi. Excellent centre d'information sur la ville, pour les activités culturelles, les résas d'hôtels, la location de voitures, etc. Bref, un véritable office du tourisme comme on aimerait en trouver plus souvent à Cuba.

■ ***Téléphone international** (plan A2, 1) : centro de llamadas,* calle Avellaneda, 271. Ouvert de 6 h 30 à 22 h 30.

■ ***Banco Financiero Internacional** (plan A3, 2) :* pl. Maceo. En plein centre, à mi-chemin entre la cathédrale et le palais de justice. Ouvert du lundi au vendredi de 8 h à 15 h ; le dernier jour du mois, de 8 h à 12 h. Retrait d'espèces (dollars) avec les cartes *Visa* et *MasterCard*.

■ ***Banco Cadeca** (plan A2, 3) :* calle República, 353. Ouvert du lundi au samedi de 8 h 30 à 18 h, et le dimanche de 8 h à 12 h. Change et retrait avec cartes de paiement.

■ ***Cubana de Aviación** (plan A2, 4) :* República, 400, esq. Correa. ☎ 29-21-56 et 29-13-38. Ouvert du lundi au vendredi de 8 h 15 à 16 h.

@ ***Centre Internet** (plan A3) :* au centre d'information, calle Agramonte, 448. Vente de cartes téléphoniques aux heures d'ouverture du centre (voir plus haut), mais le point Internet est ouvert 24 h/24.

***Boutique d'artisanat** (plan A2, 5) :* choix d'objets, de cadeaux artisanaux de la région et de souvenirs.

***Galería Colonial** (plan A3, 6) :* calle Agramonte, 406. Dans une très jolie maison de la fin du XVIIIe siècle avec un très beau patio orné de *tinajones,* des boutiques : café, cigares, rhum *Puerto Principe* fabriqué à Camagüey. Voir aussi les rubriques « Où manger ? » et « Où boire un verre ? Où écouter de la musique ? ».

– Si vous êtes perdu dans les rues labyrinthiques de Camagüey, de nombreux ***bici-taxis*** sillonnent la ville. Vraiment pas cher et moins sportif qu'à La Havane. Compter 5 US$ l'heure pour visiter les principaux centres d'intérêt de la ville.

Où dormir ?

CHAMBRES CHEZ L'HABITANT (CASAS PARTICULARES)

Si vous avez un problème de logement, allez calle El Solitario (Santa Rita), près du centre, pratiquement que des *casas particulares.*

⌂ ***Casa Lucy*** *(plan A3,* ***10****) :* calle Alegria, 23, entre Agramonte et Montera. ☎ 28-37-01. Entre 20 et 25 US$ la chambre. La location du haut est en fait un petit appartement avec chambre, salon, AC, salle de bains privée. On peut y faire sa cuisine. Celle du bas est plus petite. Ambiance hollywoodienne dans le patio avec fontaine, bar et 7 cages à oiseaux. Un endroit sympa pour passer la soirée avec Lucy et son mari Ivan, qui ne refuse pas de mettre la main à la pâte pour la préparation de succulents repas (entre 7 et 10 US$). Garage : 2 US$.

⌂ ***Casa Manolo*** *(plan A2,* ***11****) :* calle El Solitario (Santa Rita), 18, República y Santa Rosa. ☎ 29-44-03. Compter 15 US$ la double. L'une des chambres donne sur un petit patio très tranquille, les deux autres (qui

■ Adresses utiles

- Centre d'information
- Poste
- Aéroport
- Gare ferroviaire
- Gare routière Alvaro Barba
- Centre Internet
- **1** Téléphone international
- **2** Banco Financiero Internacional
- **3** Banco Cadeca
- **4** Cubana de Aviación
- **5** Boutique d'artisanat
- **6** Galería Colonial

⌂ Où dormir ?

- **10** Casa Lucy
- **11** Casa Manolo
- **12** Casa Iliana et Leticia, Casa Deysi
- **13** Alfredo Castillo
- **14** Hôtel Colón
- **15** Gran Hotel
- **16** Hôtel Plaza
- **17** Hôtel Puerto Principe

Où manger ?

- **2** Cafétéria Las Ruinas
- **6** Don Roquillo
- **14** Restaurant de l'hôtel Colón
- **20** Panadería Doñaneli
- **21** Restaurant El Retorno
- **22** Campana de Toledo et Parador de los Reyes

Où boire un verre ? Où écouter de la musique ?

- **2** Cafétéria Las Ruinas
- **6** Las Arcadas
- **14** Bar de l'hôtel Colón
- **25** Casa de la Trova
- **26** El Cambio
- **27** Café La Terrazza

À voir

- **30** Plaza et iglesia San Juan de Dios
- **31** Catedral
- **32** Galería Alejo Carpentier
- **33** Casa Jesús Suárez Gayol (musée du Mouvement étudiant)
- **34** Casa natal d'Ignacio Agramonte
- **35** Museo provincial Ignacio Agramonte
- **36** Iglesia de la Merced
- **37** Iglesia de la Soledad
- **38** Teatro principal

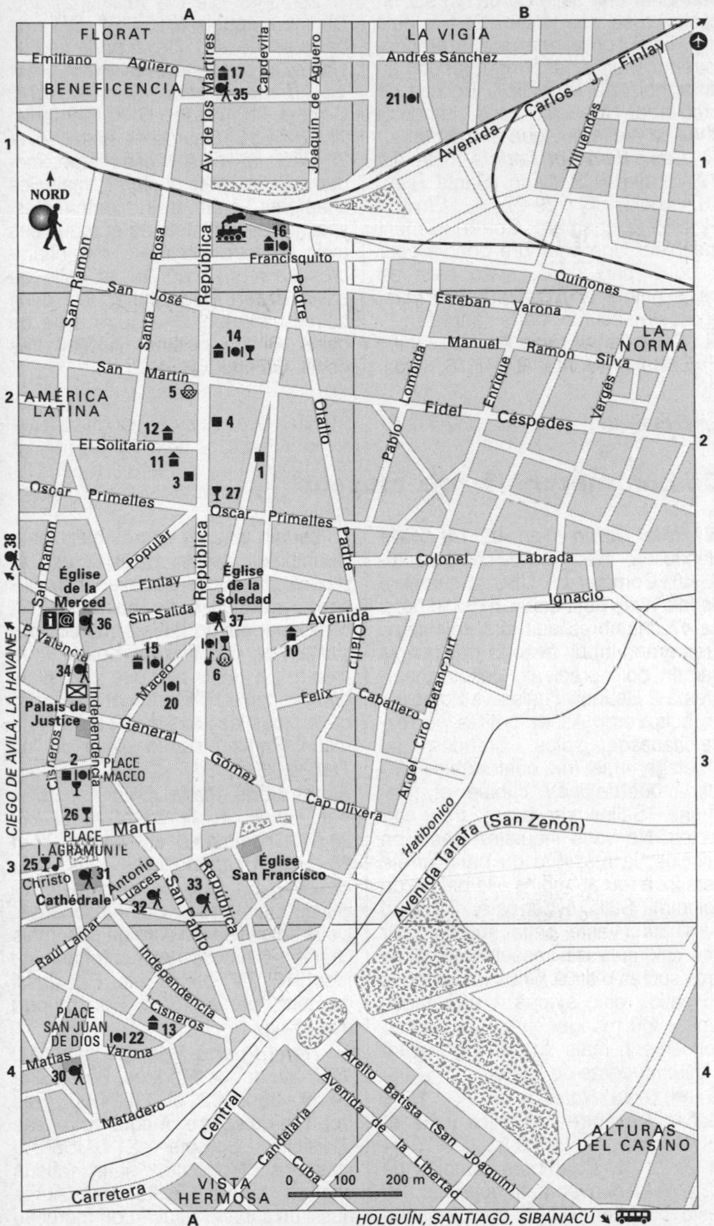

FLORAT
LA VIGÍA
BENEFICENCIA
AMÉRICA LATINA
LA NORMA
ALTURAS DEL CASINO
VISTA HERMOSA
NORD
Emiliano
Agüero
Andrés Sánchez
Av. de los Mártires
Capdevila
Joaquín de Agüero
Avenida Carlos J. Finlay
Villuendas
Francisquito
San Ramon
Santa Rosa
República
San José
Padre Olallo
Quiñones
Esteban Varona
Manuel Ramon Silva
San Martín
Pablo Lombida
Enrique
Vergés
Fidel Céspedes
El Solitario
Oscar Primelles
Popular
Finlay
Colonel
Labrada
Ignacio
Église de la Merced
Église de la Soledad
Sin Salida
Avenida
P. Valencia
Maceo
Independencia
Palais de Justice
Felix Caballero
Ciro Betancourt
Angel
General Gómez
Cisneros
PLACE MACEO
Cap Olivera
Hatibonico
Avenida Tarafa (San Zenón)
Martí
PLACE I. AGRAMONTE
Christo
Cathédrale
Antonio Luaces
San Pablo
Église San Francisco
Raúl Lamar
Independencia
Cisneros
PLACE SAN JUAN DE DIOS
Varona
Matías
Matadero
Central
Candelaria
Cuba
Arelio Batista (San Joaquín)
Avenida de la Libertad
Carretera
0 100 200 m
CIEGO DE AVILA, LA HAVANE
HOLGUÍN, SANTIAGO, SIBANACÚ
A
B
1
2
3
4
1 2 3 4 5 6 10 11 12 13 14 15 16 17 20 21 22 25 26 27 30 31 32 33 34 35 36 37 38

CAMAGÜEY

partagent une salle de bains) sur un couloir rose très kitsch. Sert le petit dej'. Et si l'on ajoute que la propriétaire au sourire désarmant répond au doux nom de Migdalia... En cas de problème, Manolo vous conduira chez sa nièce qui loue 2 chambres.

Casa Iliana et Leticia *(plan A2, **12**) :* calle El Solitario (Santa Rita), 16, abajo. ☎ 29-67-54. Environ 12 US$ la chambre. Entrée joliment meublée. Une chambre double pour 2 ou 3 personnes, avec salle de bains privée et AC. Pedro, le mari, agent de sécurité, parle l'anglais.

Casa Deysi *(plan A2, **12**) :* calle El Solitario (Santa Rita), 16, altos. ☎ 29-33-48. C'est la voisine d'*Iliana*. Chambre double à 15 US$. Salle de bains privée, AC. Deysi prête sa cuisine et sa machine à laver.

Alfredo Castillo *(plan A4, **13**) :* Cisnero, 124, esq. San Clemente. ☎ 29-74-36. Chambres entre 15 et 20 US$. La maison elle-même, moderne, offre peu d'intérêt, mais les chambres sont très confortables, spacieuses, lumineuses et meublées avec goût et sobriété. Trois chambres en tout, avec AC et salle de bains privée pour l'une, les deux autres partagent une autre salle de bains. Bonne cuisine. Accueil très gentil. Garage : 1 US$.

HÔTELS

De bon marché à prix moyens

Hôtel Colón *(plan A2, **14**) :* calle República, 472. ☎ 28-33-80 et 28-33-46. Compter 36 US$ la chambre double avec petit dej'. Un grand hôtel de 47 chambres aux airs coloniaux. Très grand lobby avec le traditionnel bar en bois précieux. Jolies chambres à 2 lits individuels avec mobilier en bois verni. Assez petites au rez-de-chaussée, plus grandes au 1er étage, mais très confortables (AC ultra-moderne), TV câblée et téléphone. Salles de bains très correctes. Ne vous inquiétez pas : en principe, la musique du bar s'arrête vers 22 h (ou au moins elle baisse de volume). Salle cyber-café. Au fond de l'hôtel, vaste patio soutenu par des colonnes qui ressemblent à de gros sucres d'orge. Sous les arcades du patio, resto sympa à prix sages (voir « Où manger ? »). Pas de stationnement, mais un parking payant à deux *cuadras* de l'hôtel.

Gran Hotel *(plan A3, **15**) :* Maceo, 67, entre República y General Gómez. ☎ 29-20-93, 29-20-94 et 29-23-14. Chambres doubles de 42 à 48 US$ avec petit déjeuner. Au resto, compter 10 US$ par personne tout compris. Très central, dans une rue piétonne, animée dans la journée, calme le soir. Hôtel 1930 rétro à souhait, de style néo-colonial, avec un certain charme et très bien tenu. Chambres assez spacieuses et propres, mais pas très bien insonorisées, avec salle de bains et AC. Snack-bar ouvert 24 h/24, avec spécialités de cocktails et poulet à la créole. Le resto propose des plats bons et copieux. Piano-bar (dancing) ouvert tous les jours de 12 h à 2 h du matin. Parking sur la plaza de los Trabajadores.

Hôtel Plaza *(plan A1, **16**) :* Van Horne, 1. ☎ 28-24-13 et 28-24-57. Chambres doubles entre 22 et 28 US$ (*matrimoniales* plus spacieuses). En face de la gare ferroviaire, mais assez bien insonorisé. Déco *seventies* qui date un peu, mais chambres propres et confortables : frigo, AC, TV, *baños,* etc. Fait aussi cafétéria, bar et resto. Bon rapport qualité-prix.

Hôtel Puerto Principe *(plan A1, **17**) :* av. de los Mártires, 60. ☎ 28-24-69, 28-24-03 et 28-24-90. Pas trop loin du centre. À côté du musée d'Histoire. Compter 21 US$ la chambre. Moderne, sans aucun charme, propre. Resto, bar. Abrite aussi un cabaret : ouvert du mardi au dimanche de 21 h à 1 h 30 (groupes musicaux). En face de cet hôtel, remarquer une curieuse maison à colonnes avec statues.

Où manger ?

De bon marché à prix moyens

🍽 🍦 ***Calle República,*** petits ***snacks*** et quelques ***glaciers*** (notamment la *Heladería Impacto*) avec terrasse.

🍽 ***Cafétéria Las Ruinas*** *(plan A3,* ***2****) :* pl. Maceo, en face de la banque. Ouvert 24 h/24. Les ruines délimitent une terrasse agréable où vous pouvez boire un verre ou, si le cœur vous en dit, grignoter un morceau de poulet pour trois fois rien.

🍽 ***Panadería Doñaneli*** *(plan A3,* ***20****) :* calle Maceo. En face du *Gran Hotel.* Ouvert de 7 h à 19 h. Une boulangerie assez chic pour Cuba, où l'on trouve de bons petits pains et quelques pâtisseries.

🍽 ***Restaurante El Retorno*** *(plan B1,* ***21****) :* calle Bella Vista, 115, Vigía, entre Andres Sánchez et Tomás Betancourt. Ouvert de midi à minuit. Moins de 3 US$ le plat. Un petit restaurant à ne pas rater. La nourriture y est excellente et copieuse, le service ultra-rapide et l'on peut payer en monnaie nationale. Spécialités : le *casabe* (friture de yucca), le cochon de lait et le porc.

🍽 ***Restaurant de l'hôtel Colón*** *(plan A2,* ***14****) :* calle República. Voir « Où dormir ? ». Plats de poisson entre 1,5 et 2,2 US$. Poulet à la *criolla* à 2 US$. Tout au fond de l'hôtel, dans un charmant patio à colonnes. Les clients y boivent d'abord relax une bonne bière Tinima de Camagüey bien fraîche. Salle à manger ouverte sur le patio, bien ventilée. Une vingtaine de tables bien espacées. Service lent mais aimable. Bon rapport qualité-prix.

De prix moyens à plus chic

🍽 ***Don Roquillo*** *(plan A3,* ***6****) :* Agramonte, 406. C'est le restaurant de la galerie coloniale. Compter 7-8 US$ le plat de viande et 9-10 US$ le plat de poisson. Dans un patio très joli et aéré. Spécialités : le poulet frit à la *guajira* ou (sur commande) le célèbre *ajiaco* (sorte de pot-au-feu cubain) de Camagüey.

🍽 ***Campana de Toledo*** *(plan A4,* ***22****) :* pl. San Juan de Dios. ☎ 29-58-88. Dans le quartier colonial. Ouvert tous les jours de 12 h à 21 h en service continu. Plats de 3 à 25 US$ (pour la langouste !). Assez chic. Dans une demeure de la première moitié du XVIIIe siècle, agréable salle à manger au décor espagnol et terrasse sur un patio verdoyant. Cuisine assez variée, mais pas très fine. Entrées à base de poisson ou de crevettes. À partir de 21 h, c'est le ***Parador de los Reyes,*** mitoyen, qui prend la relève. Il partage la même maison et donc le même patio où se produisent des groupes les lundi, vendredi et samedi à partir de 21 h. Même menu.

Où boire un verre ? Où écouter de la musique ?

🍸 ♪ ***Las Arcadas*** *(plan A3,* ***6****) :* calle Agramonte, 406. Grand et joli bar au décor rustique de la galerie coloniale qui célèbre à sa manière le culte d'un grand poète, né à Camagüey, Nicolás Guillén, avec un cocktail, le *Palma Sola.* Dans le patio central, tous les jours, de 22 h à 3 h, spectacles et musique.

🍸 ♪ ***Casa de la Trova*** *(plan A3,* ***25****) :* calle Cisneros. Musique traditionnelle. Entrée : 3 US$ avec un cocktail. À ne pas manquer si les choristes du groupe *Desandann* (descendants de Haïtiens français) s'y produisent (ils chantent aussi souvent au Teatro principal), tout simplement re-mar-qua-ble...

🍸 ***Cafétéria du Centre d'information*** *(plan A3)* **:** calle Agramonte, 448. Ouvert 24 h/24. Un lieu sympa pour connaître la ville et sympathiser avec les jeunes internautes.

🍸 ***El Cambio*** *(la Casa de la Suerte; plan A3,* ***26****)* **:** parque Agramonte (pl. de la Cathédrale). Bar fondé en 1909 et décoré sur le thème de la loterie nationale. En effet, c'est ici qu'on vendit le nº 15922 qui rapporta le gros lot en 1947!

🍸 ***Bar de l'hôtel Colón*** *(plan A2,* ***14****)* **:** calle República. Voir « Où dormir? ». Dans un grand patio aux colonnes vertes, autour d'une bizarre fontaine en forme de rocher. Très animé en début de soirée, peut devenir un havre de fraîcheur aux heures chaudes de la journée si les haut-parleurs ne sont pas à leur maximum...

🍸 ***Café La Terrazza*** *(plan A2,* ***27****)* **:** calle República, angle calle Oscar Primelles. Ouvert 24 h/24. Café en terrasse, dans une cour, un peu à l'abri de l'agitation de la rue. Vend aussi des sandwichs.

🍸 ***Cafétéria Las Ruinas*** *(plan A3,* ***2****)* **:** sur la place Maceo. Ouvert 24 h/24. Voir « Où manger? ».

🍸 ♪ ***Discothèque Copacabana*** **:** carretera Central, face au Centre de ballet. À partir de 22 h tous les soirs. Groupes *en vivo* et musique enregistrée.

À voir

👁👁 ***La plaza San Juan de Dios*** *(plan A4,* ***30****)* **:** un bel exemple de conservation d'une placette coloniale. À l'ombre de l'église et de l'ancien hôpital San Juan de Dios, harmonieuse architecture des demeures basses avec les fenêtres à barreaux tournés ou en fer forgé, les petits balcons, les façades colorées, les toits de tuiles aux cent nuances de bruns et roux patinés. Quelques bars-restos avec terrasse intérieure.

👁 ***La iglesia San Juan de Dios*** *(plan A4,* ***30****)* **:** ouverte à 7 h pour la messe; le reste de la journée, c'est plus aléatoire. Édifiée au début du XVIIIᵉ siècle. Une seule nef. Grand retable de bois sombre à colonnes. Au centre, la *Sainte Trinité,* bel ensemble de bois doré et polychrome sculpté au XVIIIᵉ siècle.

👁 ***La catedral*** *(plan A3,* ***31****)* **:** parque Ignacio Agramonte (ancienne place d'Armes). Récemment restaurée. Trois nefs à larges arcades. Vestiges de retables sur les côtés. Côté calle Cisneros (rue descendant vers San Juan de Dios), ravissante demeure bleue et blanche avec pilastres, stucs et toit à balustres.

👁 ***La galería Alejo Carpentier*** *(plan A3,* ***32****)* **:** calle Antonio Luaces, 153. À 200 m de la place Ignacio Agramonte (vers la calle República). Ouvert du lundi au vendredi de 8 h à 17 h; le samedi, de 8 h à 12 h. Dans une très jolie maison typique des demeures coloniales de la ville. Élégant patio avec fines colonnettes. Sculptures, photos, peintures d'étudiants ou d'artistes locaux.

👁👁 ***La casa Jesús Suárez Gayol*** *(le musée du Mouvement étudiant; plan A3,* ***33****)* **:** calle República, 69. Ouvert de 9 h à 17 h. Fermé le dimanche. Entrée : 1 US$. Camagüey, haut lieu des luttes d'Indépendance et de la Révolution castriste, a consacré aux étudiants cet émouvant petit musée. Vous êtes dans une maison camagüeyenne typique du début du XXᵉ siècle. C'est ici que vécut Jesús Suárez Gayol. Leader des mouvements étudiants contre la dictature de Batista à Camagüey, il rejoint le mouvement du 26 Juillet en 1955. Héros de la Révolution, puis vice-ministre du Sucre, il meurt en Bolivie aux côtés du Che. Dans la salle qui lui est consacrée sont exposés son uniforme et sa nomination comme capitaine par le Che. Une photo étonnante du Che en Bolivie avec les cheveux blancs, pour ne pas être reconnu.

¶¶ ***La casa natal d'Ignacio Agramonte*** *(plan A3,* ***34****)* **:** angle Independencia et Agramonte. En face de l'église de la Merced. Ouvert du mardi au samedi de 10 h à 18 h; le dimanche, de 8 h à 12 h. Entrée : 2 US$. Une guide, Yolanda, parle le français. Superbe construction de la fin du XVIIIe siècle, maison natale d'Ignacio Agramonte, héros de la première guerre d'Indépendance. Il participa à 52 combats et mourut le 11 mai 1873 à la bataille de Jimaguayú.
Meubles coloniaux du XIXe siècle, seuls le lit dans la belle chambre à coucher et le piano appartenaient à la famille Agramonte. Une succession de petites salles consacrées au combat révolutionnaire d'Agramonte : la chemise rouge que le héros porta le premier jour de l'insurrection ; l'original de la liste noire des révolutionnaires ou suspects établie par les autorités espagnoles (Agramonte en 2e position).
Pour finir, jetez un œil sur le beau patio avec le puits et cinq grandes jarres en terre cuite d'époque (les *tinajones*).

¶ ***El museo provincial Ignacio Agramonte*** *(plan A1,* ***35****)* **:** av. de los Mártires, près de l'hôtel *Puerto Principe.* Ouvert du mardi au vendredi de 8 h à 16 h ; le samedi, de 14 h à 21 h ; le dimanche, de 10 h à 14 h. Entrée : 2 US$. Dans cette maison datant de la moitié du XVIIIe siècle, d'abord caserne de la cavalerie espagnole, puis hôtel, sont abritées des collections d'œuvres d'art (peintures depuis le début du XIXe siècle jusqu'à l'époque contemporaine – Menocal y Romañach, Lam), d'histoire naturelle, d'archéologie et d'histoire.

¶ ***La iglesia de la Merced*** *(plan A3,* ***36****)* **:** face à la maison d'Ignacio Agramonte. À l'intérieur, grosses colonnes, architecture assez lourde. Vestiges de peintures au plafond. À droite du chœur, sarcophage en argent. En face, une *Assomption,* genre école de Cuzco. Charlotte, d'origine française, parle très bien notre langue. Elle se trouve toujours dans les parages et se fera un plaisir de vous accompagner dans votre visite.

¶ ***La iglesia de la Soledad*** *(plan A3,* ***37****)* **:** à l'intersection de República et Ignacio Agramonte. Église en brique du XVIIIe siècle. Même aspect massif que les autres églises de la ville. Piliers et arcades costauds. Retable en bois sombre et doré. Plafond ouvragé. Quelques fresques sur les arches de la nef.
– Près de l'église de la Soledad, la ***plaza del Gallo,*** petits kiosques, animation en fin de semaine avec les *noches camagueyanas.* Tout près, jeter un coup d'œil sur le ***teatro Avellaneda,*** en réparation. À gauche de l'église, une petite rue piétonne, la rue la plus étroite de Cuba, avec terrasses de bars, le ***callejón Funda del Catre.***

¶¶ ***La Compagnie nationale du ballet de Camagüey*** **:** carretera Central este, 331, esq. a 4ta. Cette compagnie de danse, la plus importante de Cuba après le Ballet national, occupe un joli petit palais, édifié en 1937 par une famille de gros propriétaires terriens et éleveurs, sur les terrains ayant appartenu au début du XIXe siècle à *el Ñato Fernández,* qui fut pirate dans sa jeunesse. La compagnie de ballet a été fondée en 1967 et a commencé à se produire à l'étranger en 1978. Elle voyage dans le monde entier et travaille avec les plus grands chorégraphes. Son effectif est de 56 danseurs et ballerines. Son répertoire comporte plus de 200 œuvres, dont 120 de styles néo-classique et moderne. En plus de la formation des danseurs, elle fabrique dans son propre atelier chaussons et costumes. Sa directrice actuelle est Regina María Balaguer Sánchez. À Camagüey, la compagnie se produit au ***Teatro principal*** (calle Padre Valencia, 64 ; *hors plan par A2,* ***38***). Le Festival de danse de Camagüey a lieu en novembre-décembre.

QUITTER CAMAGÜEY

En train

🚂 ***Gare ferroviaire*** *(terminal de ferrocarril; plan A1)* **:** à l'intersection de l'av. de los Mártires et de la calle República. ☎ 298-501 et 289-357. Réservez votre billet le jour même, ou, de préférence, la veille du départ. Sinon, achetez-le plutôt dans le petit bureau juste en face de l'hôtel *Plaza (plan A1, 16)*. Ouvert de 8 h à 12 h et de 13 h à 15 h. Service rapide.
➢ ***Pour La Havane :*** 1 train de nuit tous les jours.
➢ ***Pour Santiago :*** 1 départ par jour. Durée du trajet : 6 h. Prix : 11 et 23 US$ (train régulier ou train spécial).
➢ ***Pour Santa Clara :*** 1 départ par jour.
➢ ***Pour Morón :*** 1 départ par jour.
➢ ***Pour Florida :*** pas de train spécial. Prendre les autres, réguliers, pour *Santiago, Santa Clara* ou *Morón,* qui passent à Florida.
➢ ***Pour Holguín :*** 1 départ un jour sur deux.

En bus

🚌 ***Gare routière Alvaro Barba*** *(hors plan par B4)* **:** sur la route de Sibanicú, à 2 km au sud-est de la ville.
➢ ***Pour La Havane :*** 3 départs quotidiens. Réserver à l'avance. Durée du trajet : 8 h. Prix : 33 US$.
➢ ***Pour Santiago :*** 4 départs quotidiens. Durée du trajet : 7 h. Prix : 18 US$ l'aller.
➢ ***Pour Santa Clara :*** ligne de La Havane.
➢ ***Pour Holguín :*** ligne de Santiago.
➢ ***Pour Trinidad :*** bus de nuit. Durée du trajet : environ 5 h. Prix : 15 US$.

En avion

✈ ***Aéroport*** *(hors plan par B1)* **:** à 9 km, sur la route de Nuevitas. ☎ 261-010.
➢ ***Pour La Havane :*** 1 vol tous les jours en fin d'après-midi (sauf le vendredi, à 10 h 25).

PLAYA SANTA LUCÍA

IND. TÉL. : 32

Située à 110 km au nord-est de Camagüey, Playa Santa Lucía borde à l'est la baie de Nuevitas. C'est un cadre naturel créé pour le plaisir des sens et des sports nautiques, de la plongée en particulier. Les 21 km de plage sont bordés par une large frange de sable blanc qui descend doucement dans la mer, presque toujours calme grâce au récif corallien, à 2 km de la côte.
C'est l'une des plus grandes barrières de corail du monde, habitée par une cinquantaine d'espèces de coraux. La zone comprend pas moins de 35 sites d'immersion, dont certains sur des épaves de navires coulés au XIXe et au début du XXe siècle. Des flamants peuplent les salines (Santa Lucía a une unité de production de sel marin). Il n'est pas rare d'apercevoir des dauphins près de la plage. Ce n'est évidemment pas là que vous découvrirez la réalité cubaine, mais les amateurs du *Grand Bleu* seront en extase.

Comment y aller?

➢ Si vous êtes en ***voiture,*** Santa Lucía est fléchée à partir de Camagüey.
➢ Sinon, ***bus*** réguliers depuis la gare routière de Camagüey.
➢ Un petit aérodrome reçoit les ***avions-taxis,*** mais c'est hors de prix.

Adresses utiles

■ ***Station-service :*** au rond-point qui marque l'entrée de la plage.

■ ***Clinique internationale :*** à droite avant le restaurant *Las Brisas* et service médical dans l'hôtel *Brisas Santa Lucía.*

■ ***Plongée :*** clubs dans tous les hôtels. Le *Shark's Friends Diving Center (Scubacuba)* est installé tout près de l'hôtel *Brisas Santa Lucía.*

■ ***Balade en bateau :*** le centre *Marlin,* près de l'hôtel *Tararaco,* propose des sorties en mer jusqu'à la barrière de corail (environ 3 h). Compter entre 20 et 25 US$ par personne.

■ ***Centre culturel Mar Verde :*** à droite après l'hôtel *Brisas Santa Lucía.* ☎ 336-205. Ouvert de 9 h à 17 h. Un centre tout vert aux toits de tuiles rouges imitant l'architecture coloniale. Joli patio avec les inévitables *tinajones.* Boutiques de souvenirs, d'artisanat, de disques. Cours de danse et musique.

Où dormir?

Cinq hôtels accueillent les touristes, deux autres sont en projet.

≜ ***Hôtel Tararaco :*** le tout dernier de la plage. ☎ 33-63-10 et 33-64-10. • aloja@tararaco.stl.cyt.cu • Compter de 50 à 60 US$ pour 2 en demi-pension. Cet hôtel a été construit en 1954 par un Nord-Américain (il n'en a pas profité longtemps!) à une époque où il n'y avait pas de route à Santa Lucía. Les riches touristes arrivaient des États-Unis directement en bateau. Quelque 31 chambres mignonnes en bungalows, toutes avec vue sur la mer, AC et TV. Certaines sont joliment meublées en style colonial. C'est l'hôtel d'application d'une école hôtelière. L'accueil y est très sympathique. Pour la restauration, possibilité de service à la carte directement sur la plage. Le charmant gérant vous montrera le *tararaco,* cette plante qui pousse dans les terrains sableux et qui a donné son nom à l'hôtel.

≜ ***Hôtel Brisas Santa Lucía :*** c'est le premier de la plage. ☎ 33-63-17 et 36-51-20. • aloja@brisas.stl.cyt.cu • Compter 60 US$ par personne en chambre double tout inclus en haute saison. Cet hôtel de la chaîne *Cubanacan* dispose de 400 chambres (avec baignoire, AC, TV satellite, frigo, coffre-fort) distribuées dans de petits blocs tout colorés. Malheureusement, seulement une petite trentaine d'entre elles ont vue sur la mer. Clientèle canadienne et allemande. Ambiance décontractée et accueil sympa. Piscine, animations jusqu'à 23 h, 3 restaurants, un grill, un snack, 3 bars dont un ouvert en permanence, une discothèque, un piano-bar, service médical et pharmacie, boutiques, service Internet.

Où manger?

🍽 ***Rapido Palmas de Lucía :*** à 2 km avant d'arriver au rond-point qui marque l'entrée des plages. Ouvert 24 h/24. Poulet frit, sandwich pour un peu plus de 1 US$.

🍽 ***Restaurant Las Brisas :*** à

droite (tout est à droite !) en arrivant à la plage. ☎ 33-63-49. Ouvert de 10 h à 22 h tous les jours. Plat de viande ou de poisson à 7,5 US$, queue de langouste à 15 US$, spécialité la « Combinaison de la mer » (langouste, crevettes et poisson) à 12 US$. Vin espagnol (cher) et cubain (cher aussi, à 8 US$). Décor agréable. Groupe musical le soir.

Où boire un verre ? Où écouter de la musique ?

🍸 ♪ ***Centre culturel Mar Verde :*** voir « Adresses utiles ». Bar et piano-bar (ouvert de 23 h à 2 h). Dans le patio, en plein air, groupes musicaux (en principe) à partir de 23 h. Entrée : 1 US$.

➤ *DANS LES ENVIRONS DE PLAYA SANTA LUCÍA*

À 8 km, près de La Boca, la ***plage Los Cocos*** est pour l'instant vierge de tout hôtel. Elle est encore plus belle que celle de Santa Lucía. Un seul problème, les moustiques. Bars, restaurants de plage. Tout à côté, centre de plongée où les requins (show de *tiburones*) viennent manger dans la main des instructeurs...

De l'autre côté du canal d'entrée dans la baie de Nuevitas, le ***cayo Sabinal*** n'est pas accessible depuis Santa Lucía. Il faut repasser par Nuevitas, puis prendre à droite. La route est par endroit un terre-plein sur la mer (il n'y a pas de péage, pour l'instant). Le *cayo* est réputé pour ses colonies d'oiseaux, en particulier de flamants roses. Pas d'hôtel, mais des bungalows à *Los Pinos*. À la Punta de Maternillos se dresse le *phare Colón* érigé en 1848. Complètement à l'est du *cayo,* joli plage qui porte bien son nom, *playa Bonita*.

L'ORIENTE

Après Camagüey, on n'en a pas encore fini avec les grandes plaines sucrières et d'élevage. La traversée de la province de Las Tunas se révélera même assez ennuyeuse. Ce n'est qu'à partir d'Holguín et Bayamo que les choses se remettent à bouger. Nous sommes aux portes de l'Oriente. Au loin, les cimes brumeuses de la mythique sierra Maestra. Le paysage prend définitivement du relief et l'histoire cubaine un sens plus présent. Mais, au-delà des souvenirs révolutionnaires, se cache une actualité moins glorieuse. L'Oriente est l'une des régions les plus pauvres de Cuba et, à part sa magnifique capitale, Santiago, elle est relativement épargnée par le flot touristique. Ce dernier point n'est pas pour nous déplaire !

HOLGUÍN

200 000 hab. IND. TÉL. : 24

Une ville importante, qui ne possède certes pas le charme colonial de Camagüey, mais se révèle vivante et animée. Dans la province de l'Oriente, on l'appelle la « ville des parcs » car le centre-ville est une succession de parcs (rectangulaires), de vraies *plazas* populaires, ombragées et verdoyantes, où il fait bon flâner la nuit tombée. Holguín est aussi le siège de la plus grande brasserie cubaine (bière *Mayabe*). Et, en plus des balades qu'elle offre sur sa côte nord, elle présente quelques musées qui ne manquent pas d'intérêt. Chaque année, début mai, s'y déroulent les *Romerías,* grand festival des jeunes créateurs cubains.
La ville doit son nom au conquistador García Holguín, qui la fonda en 1525.

Adresses utiles

■ ***Banco Cadeca*** *(plan C2,* ***1****) :* calle Manduley, 205, à 50 m de la place Calixto García. Ouvert du lundi au samedi de 8 h 30 à 18 h ; le dimanche, de 8 h à 13 h. Retrait d'espèces (dollars) avec les cartes *Visa* et *MasterCard.*

■ ***Banco de Credito y Comercio*** *(plan C2,* ***2****) :* parque Céspedes. Ouvert du lundi au vendredi de 8 h à 15 h. Retrait d'argent liquide (dollars) avec la carte *Visa.*

■ ***DHL*** *(plan C2,* ***3****) :* calle Manduley, 183, sur la place Calixto García. Ouvert tous les jours de 10 h à 18 h.

■ ***Téléphone international*** *(Etecsa ; plan B2,* ***4****) :* calle Frexes, esq. Rastro. Ouvert du lundi au vendredi de 7 h à 22 h ; les samedi et dimanche, de 8 h à 21 h.

■ ***Cubana de Aviación*** *(plan C2,* ***5****) :* sur la place Calixto García, à l'angle des rues Martí et Manduley, dans l'immeuble *Cristal.* Au 2e étage.

Où dormir ?

Pas d'hôtel digne de ce nom dans le centre. On en trouve à la périphérie. En revanche, pas mal de chambres chez l'habitant près du *parque* Calixto García.

Chambres chez l'habitant *(casas particulares)*

▲ ***Chez Sonia o Pepe*** *(plan C2, **10**)* **:** calle Miró, 181, entre Martí y Luz Caballero. ☎ 42-32-96. Compter 15 US$ la chambre sans petit dej'. Bonne adresse, coquette et accueillante, même si l'entrée de la maison peut déconcerter. Trois grandes chambres propres et agréables au 1er étage, avec AC et salles de bains privées. Demander la n° 3, avec deux fenêtres, très calme, qui donne sur un patio à l'arrière.

▲ ***Chez Aurora Ferriol Arencibia*** *(plan C2, **11**)* **:** calle Martí, 102, entre Narciso López y Morales Lemus. ☎ 46-11-91. Panneau à l'extérieur. Compter 15 US$ la chambre, avec AC, salle de bains. Dans une maison simple, tenue par une gentille dame.

▲ ***Chez Haydeé H. Torres Marrero*** *(plan C2, **12**)* **:** Narciso López, 151, entre Frexes y Martí. ☎ 42-47-21. Environ 15 US$ la double. Haydeé, ancienne économiste, loue une chambre double au 1er étage avec AC et salle de bains à l'extérieur, mais privée. Elle met à disposition sa terrasse, sa salle à manger et son frigo. Appartement très bien entretenu. Possibilité de garage.

Hôtels

▲ ***Hôtel Pernik*** *(hors plan par D2, **13**)* **:** av. J. Dimitrov (y av. XX° Aniversario). ☎ 48-10-11. • reservas@hotelpernik.cu • À la périphérie de la

L'ORIENTE

ville. Prendre la direction du terminal des bus ou du stade. Chambres correctes entre 38 et 48 US$, petit déjeuner inclus, avec AC et salle de bains. Service Internet. Construit par les Bulgares (« Pernik » est une ville de Bulgarie), dans un quartier verdoyant de HLM pas trop moches. Architecture typique de l'ex-Europe de l'Est. Hall d'entrée immense. Beaucoup de groupes (les agences de voyages y envoient leurs clients). Resto-buffet, bar et piscine. Discothèque (entrée : 2 US$).

🏠 ***Hôtel El Bosque*** *(hors plan par D2, **14**) :* av. J. Dimitrov, reparto Pedro Díaz Coello. ☎ 48-10-12 ou 48-11-40. Plus loin que le *Pernik*. Chambres plaisantes (en appartements et en bungalows). Compter 48 US$ pour 2 avec petit dej'. Bungalows en dur peints aux couleurs de la chaîne *Islazul,* dans un vaste parc.

Où manger ?

RESTAURANTS D'ÉTAT

Très bon marché

🍴 ***Casa del Chef*** *(plan C3, **20**) :* Luz Caballero, entre Martires y Máximo Gómez. Compter moins de 5 US$. Payable en pesos ou en dollars. Dirigée par l'Association culinaire provinciale d'Holguín. Tout est très bien préparé. Un excellent rapport qualité-prix.

Restaurant Isla Cristal *(plan C2, 5)* : pl. Calixto García, angle calles Martí et Manduley. Au 3e étage. Ouvert de 12 h à 15 h 45 et de 18 h 30 à 22 h. Entre 3 et 4 US$ pour un plat de viande, de crevettes ou de poisson. Pour les gourmets, nous conseillons le filet de marlin *(aguja)* farci avec des crevettes. C'est *riquísimo !*

Où boire un verre ? Où déguster une glace ?

La Begonia *(plan C2, 30)* : pl. Calixto García. À côté de la *Casa de la Trova.* Ouvert de 7 h à 2 h du matin. Snack-bar. Sous les treillis de feuillages et de fleurs, une des plus agréables terrasses de la ville. Bonnes occasions de rencontres.

Cafetería Holguín *(plan C3, 31)* : angle calles Luz Caballero et Maceo. Ouvert du mardi au dimanche de 7 h à 22 h 30 ; le lundi, de 7 h à 15 h. Compter autour de 1 US$. Grande terrasse, où l'on sert des jus de fruits et des petits plats simples.

Bar Cristal *(plan C2, 5)* : pl. Calixto García, à l'angle des rues Martí et Manduley, au rez-de-chaussée de l'immeuble *Cristal.* Bar à bière moderne et très fréquenté.

Cremería Guama *(plan C3, 32)* : parc de la Flore (parc Peralta), près de l'église San Isidoro. Le meilleur glacier de la ville. Quand il est approvisionné, la queue s'étend jusqu'au milieu de la place, au-delà de la rue. Possible d'y acheter en pesos quelques pâtisseries au poids.

Où écouter de la musique ? Où danser ?

Casa de la Trova *(plan C2, 33)* : pl. Calixto García, à droite du café *La Begonia.* Ouvert à partir de 20 h 30 ; les mercredi et dimanche, à partir de 15 h. Entrée : 1 US$. Groupes et solistes s'y produisent dans un grand patio au toit végétal. On y danse aussi.

Disco Pico Cristal *(plan C2, 5)* : pl. Calixto García, angle calles Martí et Manduley. Au 2e étage. Ouvert de 22 h à 4 h. Fermé le jeudi. Des disques, pas de groupes *en vivo.* Karaoké.

Club Siboney *(plan C2, 35)* : calle Manduley, place Calixto García, à côté du bureau de *DHL.* Au 1er étage. Entrée : 3 US$. Dans un immeuble bleu à colonnes. Plus ancien que *Pico Cristal.* Musique variée : casino, salsa, merengue et aussi rock'n'roll et disco.

À voir

L'essentiel se concentre au centre-ville, autour des trois ***places principales.***
– La première, le *parc de la Flore (parc Peralta),* avec l'église San Isidoro. Beaucoup de jeunes le soir (normal, on y trouve le meilleur glacier). Rassemblement de calèches et de cyclo-pousses à la vietnamienne.
– Le *parque Calixto García.* Bien animé là aussi. Nombreux bars.
– Plus haut, la *troisième grande place* (avec l'église San José) est beaucoup plus calme.

La iglesia San Isidoro *(plan C3)* : sur le parc de la Flore (Peralta ; parc 4). Construite en 1720, elle a été rénovée récemment avec l'aide d'une église allemande. À l'intérieur, dans l'entrée, il y a une tombe couverte d'une vitre. C'est un vestige de l'église primitive. On y a découvert des objets en argent appartenant à un notable. À droite du chœur, une chapelle avec un plafond en cèdre, fait à la main.

El Museo provincial *(plan C2, **40**)* **:** calle Frexes, 198, et Libertad. Ouvert de 9 h à 15 h ; le samedi, de 9 h à 13 h. Fermé le dimanche. Installé dans un ancien palais. Intéressantes collections historiques, notamment sur la culture aborigène.
Dans la première salle : hache de Holguín, un des chefs-d'œuvre des cultures préhispaniques (roche péridotite vert olive). Tombe aborigène. Émouvante, la lettre d'un esclave en 1845 à la fille de ses maîtres. Souvenirs des guerres d'Indépendance, armes. Témoignages sur les martyrs de la Révolution, notamment les 23 victimes des *Pascuas sangrientas* : chemises tachées de sang, balles, souvenirs personnels. Billets de guerre émis par le mouvement du 26 Juillet.

El museo Calixto García *(plan C2, **41**)* **:** calle Miró, 147. Dans le centre. Ouvert de 9 h à 17 h ; le samedi, de 13 h à 17 h. Fermé le dimanche. C'est la maison du général Calixto García, héros de l'Indépendance. Nombreux souvenirs et témoignages. Si l'on veut éviter une approche trop superficielle, ne pas hésiter à accepter les explications du *staff*. Vitrine sur la maman du héros (avec sa mantille). Drapeau original de ses batailles. Objets personnels. Photos de la guerre cubano-hispano-américaine.

La casa la más antigua *(plus vieille maison)* **de Holguín** *(plan C3)* **:** calle Morales Lemus, 259, entre Aricochea y Cables. Ouvert du lundi au vendredi de 8 h à 16 h 30. Fermé le week-end. Construite à la fin du XVIIIe siècle, elle ressemble à une maison du Pays basque, coiffée de tuiles rouges. Pas de pierres dans les murs, seulement de la terre mêlée à de la paille. Et ça tient bien.

La plaza de la Marqueta *(plan C3, **43**)* **:** Martires, esq. Martí. C'est la place de l'ancien marché, joliment rénovée. Dans le centre *Flor de Holguín* : librairie, magasin de disques et d'artisanat, atelier de gravures, et objets d'art.

La fabrique de poupées Yorubas *(hors plan par C1, **44**)* **:** route de Gibara, 260 A, entre N. Lopez y Cervantes. Visite gratuite pendant les heures de travail. Les 84 employés (en majorité des femmes) de cet atelier se consacrent à la fabrication de poupées en plâtre représentant les *orishas* de la religion afro-cubaine, mais aussi des vendeuses de cacahuètes, de

Adresses utiles

- Aéroport
- Gare ferroviaire
- Gare routière
- 1 Banco Cadeca
- 2 Banco de Credito y Comercio
- 3 DHL
- 4 Téléphone international
- 5 Cubana de Aviación

Où dormir ?

- 10 Chez Sonia o Pepe
- 11 Chez Aurora Ferriol Arencibia
- 12 Chez Haydeé H. Torres Marrero
- 13 Hôtel Pernik
- 14 Hôtel El Bosque
- 15 El Mirador de Mayabe

Où manger ?

- 5 Restaurant Isla Cristal
- 15 El Mirador de Mayabe
- 20 Casa del Chef

Où boire un verre ? Où déguster une glace ?

- 5 Bar Cristal
- 15 El Mirador de Mayabe
- 30 La Begonia
- 31 Cafetería Holguín
- 32 Cremería Guama

Où écouter de la musique ? Où danser ?

- 5 Disco Pico Cristal
- 33 Casa de la Trova
- 35 Club Siboney

À voir

- 40 Museo provincial
- 41 Museo Calixto García
- 43 Plaza de la Marqueta
- 44 Fabrique de poupées Yorubas
- 45 Loma de la Cruz

A
B
La loma de la Cruz 45
NORD
SAN ANDRÉS, La loma de la Cruz
45
1
2
3
LAS TUNAS
G. Valdès
G. Valdès
Morales Lemus
Manduley (Liberdad)
Maceo
Máximo Gómez
José Antonio Cardet
EL LLANO
Av. Capitán Urbino
Pepe Torres
Mártires
Carbó
Colón
Prado (Coyula)
Cuba (Pedro Rogena)
Av. Vladimir Ilitch Lenín
Garayalde
D. Aguilera
Mendiela
Victoria
Unión
Rastro
CENTR
M. de la Torre
LENIN
Agramonte
Arias
Aguilera
4
Av. de los Alamos
Frexes
Pérez Zorrilla
SANTIESTEBAN
Carretera Central
Independencia
Marti
Cimetière
Carretera Central
Constitución
Carbó
20 de Mayo
Aricochea
Cables
JUAN JOSÉ FORNET

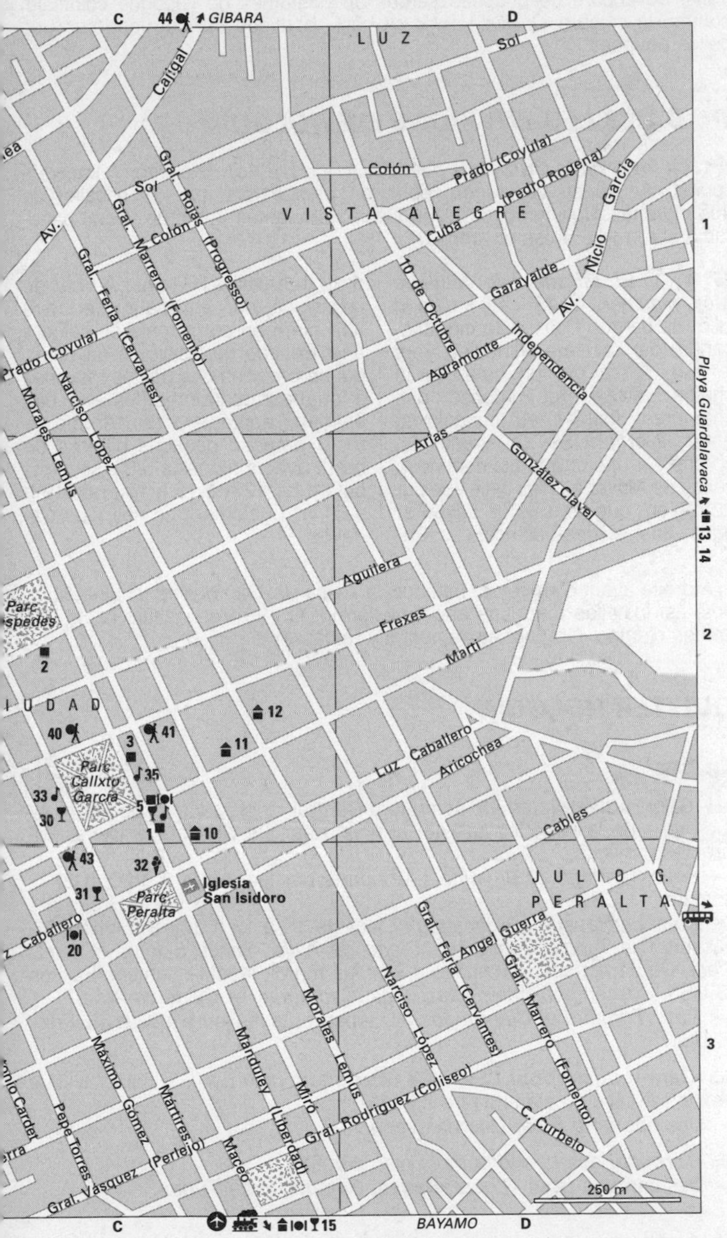

C
44
GIBARA
D
LUZ
Sol
Caligal
Colón
Prado (Coyula)
(Pedro Rogena)
García
Sol
Gral. Rojas (Progresso)
VISTA ALEGRE
Cuba
1
Av.
Gral. Marrero (Fomento)
Colón
Nicio
Gral. Feria (Cervantes)
10 de Octubre
Garayalde
Av.
Prado (Coyula)
Agramonte
Independencia
Narciso López
Morales Lemus
Arias
Playa Guardalavaca 13, 14
González Clavel
Aguilera
Parc Céspedes
Frexes
2
Martí
2
CIUDAD
12
40
41
11
3
Parc Calixto García
35
Luz Caballero
Aricochea
33
5
30
1
10
Cables
43
32
JULIO G. PERALTA
31
Iglesia San Isidoro
Parc Peralta
Caballero
20
Angel Guerra
Gral. Feria (Cervantes)
Gral. Marrero (Fomento)
Narciso López
Morales Lemus
3
Máximo Gómez
Mandutey (Liberdad)
Miró
Gral. Rodriguez (Coliseo)
Mártires
Pepe Torres
Maceo
C. Curbelo
Gral. Vásquez (Perlejo)
250 m
C
15
BAYAMO
D

HOLGUÍN

fruits, ou encore de poupées vêtues de costumes de l'époque coloniale, comme la célèbre *Cecilia Valdés*. À côté, boutique où l'on vend ces très belles poupées.

➤ DANS LES ENVIRONS DE HOLGUÍN

La loma de la Cruz *(hors plan par A1 ou B1,* ***45****)* **:** à environ 3 km, vers l'ouest. Accès en voiture ou, pour les plus hardis, par un escalier de 465 marches. Colline où, au XVIIIe siècle, fut plantée une croix. Beau panorama sur la ville et les environs.

El Mirador de Mayabe *(hors plan par C3,* ***15****)* **:** à 8 km de la ville (du parque Calixto García, descendre par l'avenue Manduley, vers le sud). Géré par un hôtel de la chaîne *Islazul* qui propose des chambres doubles en bungalows, entre 32 et 42 US$. Le mirador est perché sur une colline qui domine la vallée de Mayabe. Très belle vue sur la région que l'on peut savourer dans des sièges-balançoires. Endroit très calme. Piscine. Au bar de la piscine, on peut manger et boire une bière en compagnie du célèbre âne *Pancho* (le troisième du nom), qui se descend des petites mousses à longueur de journée (les amis des animaux apprécieront...). À côté, le resto propose de bons biftecks de bœuf avec *tostones* à 5,5 US$. Il est ouvert de 12 h à 15 h 15 et de 18 h à 21 h. Également un grill, *Los Caneyes*.

– À droite avant d'arriver au mirador, la *Finca del Campesino* (chaîne *Rumbos*) est installée dans une ancienne ferme. On y a reconstitué la vie des fermes d'antan. On peut également s'y restaurer.

QUITTER HOLGUÍN

En bus

Gare routière *(plan A3)* **:** carretera Central, angle calle 1ro de Mayo. Au sud-ouest de la ville. Il s'agit du terminal des bus circulant entre les différentes provinces.

➢ **Pour Santiago et Bayamo :** 4 départs par jour entre 3 h 20 et 22 h. Compter 11 US$.

➢ **Pour La Havane :** 3 départs par jour (le 1er à 12 h 30). Prix : 44 US$. Dessert *Las Tunas, Camagüey, Ciego de Ávila, Sancti Spiritus* et *Santa Clara*. Un départ supplémentaire à 9 h, les mardi, jeudi et samedi. Environ 48 US$. Dessert seulement *Las Tunas, Camagüey* et *Ciego de Ávila.*

➢ **Pour Trinidad et Cienfuegos :** 1 départ tous les jours à 22 h 55. Prix : 26 US$.

Gare routière pour l'Est et le Nord *(hors plan par D3)* **:** sur l'avenue Lénine (en face du stade de base-ball).

➢ Des bus **pour Moa, Guardalavaca...**

Terminal des camions *(hors plan par B3).*

➢ Des camions **pour Gibara, Banes, Bayamo, Las Tunas.**

En taxi

Pour aller à Santiago, ce peut être une bonne solution quand on voyage à plusieurs. Compter 70 US$.

En train

Ce n'est pas le moyen le plus pratique pour quitter Holguín car la ville n'est pas sur la ligne Santiago-La Havane. Il faut se rendre à la gare de Cacocum.
🚆 ***Gare ferroviaire de Cacocum*** *(hors plan par C3)* **:** à 18 km de Holguín, sur la route de Bayamo.
➢ ***Pour La Havane et Santiago :*** des liaisons tous les jours (trains de nuit).
➢ ***Pour Morón et Las Tunas :*** 1 départ par jour, le matin.

En avion

✈ ***Aéroport terminal national*** *(hors plan par C3)* **:** sur la route de Bayamo. ☎ 46-25-12 ou 34. *Attention* : il y a un aéroport international juste à côté.
➢ ***Pour La Havane :*** 2 vols par jour, sauf les mardi, mercredi et samedi (un seul vol). Prix : environ 82 US$.
➢ ***Pour Santiago :*** 3 vols par semaine, les mardi, mercredi et dimanche, à 21 h 10. Prix : environ 22 US$.

GIBARA

IND. TÉL. : 24

À 30 km au nord de Holguín, par une route qui traverse un paysage d'une grande douceur. Petit port colonial fondé en 1827, qui fut en son temps le plus important de l'Oriente. Il y avait même une ligne ferroviaire jusque-là. Gibara a conservé un certain charme. Oh, ça n'a pas le côté léché de Trinidad. C'est brut de forme, peut-être mal dégrossi et très naturel. L'arrivée sur le port, à part quelques belles demeures sur la gauche, est d'ailleurs assez quelconque. Mais il se dégage de cette ville mouillée par les embruns une impression de fin du monde. La panade économique renforce cette sensation d'arrêt du temps. Quelle ironie toutefois, puisque c'est à l'est de Gibara, dans la baie de Bariay, le 28 octobre 1492, qu'aurait débarqué pour la première fois à Cuba Christophe Colomb.
Mais cette thèse, pourtant de plus en plus admise par les historiens et géographes, est contestée par des habitants de Baracoa (voir ce chapitre), qui considèrent que le célèbre explorateur aurait débarqué non à Gibara, mais là où se trouve leur ville aujourd'hui. Peu importe. En débarquant, celui qu'on surnommera plus tard « l'amiral des Moustiques » était convaincu d'avoir enfin atteint le royaume de Mangi, en Chine du Sud, et que cette terre ferme n'était que le commencement de la route des Indes...
Gibara possède une fabrique de cigares où l'on prépare les très cotés *Romeo y Julieta,* qui sont ensuite affinés à Holguín. Les vitoles vendus sous le manteau aux touristes proviennent de Gibara, car les contrôles policiers y sont moins nombreux.
Il n'y a pas de plage à Gibara. Il n'est toutefois pas très difficile de trouver un pêcheur qui accepte de vous embarquer clandestinement pour vous emmener sur la belle plage de sable, complètement déserte, juste en face. Restez discret.

L'ORIENTE

Où dormir?

Chambres chez l'habitant *(casas particulares)*

🏠 ***Hostal Vitral, chez Nancy Pérez Pozo :*** calle Independencia, 36. ☎ 34-469. Dans la rue principale de la ville. Un petit panneau « Hostal

Vitral » fait de l'œil aux passants par la lourde porte entrouverte. Compter 20 US$ la chambre double, petit dej' en sus. Grande maison coloniale de 1874 qui a conservé jalousement toute sa splendeur. La hauteur de plafond fera rêver ceux qui vivent dans une chambre de bonne, une petite troupe de fauteuils à bascule vous accueille dans l'entrée. Les espaces communs, laqués de blanc, accentuent l'impression de farniente qui se dégage du patio couvert. On a même conservé les portes à battant de verre aux motifs Art déco, et c'est le très joli vitrail entre la salle à manger et le patio qui a donné son nom à la maison. Les 3 chambres, quant à elles, ont toutes salle de bains et eau chaude. L'immense terrasse-solarium offre une très belle vue sur la ville. La propriétaire est pleine d'attentions et prépare une cuisine traditionnelle à prix modiques. Bref, un gros coup de cœur.

🏠 ***Los Hermanos :*** calle Céspedes, 13, entre L. Caballero et J. Peralta. ☎ 34-542. Trois chambres de 15 à 20 US$ avec ventilateur ou AC, et bains privés. Vieux meubles de famille. Possibilité d'y manger. Là encore, l'accueil est particulièrement sympa.

Où manger ?

🍴 ***El Faro :*** à la pointe. ☎ 34-596. Ouvert 24 h/24. À côté, snack-bar ouvert de 4 h du matin à 20 h. Paella de fruits de mer à moins de 4 US$. Langouste à 10 US$. Grande salle avec vue sur la mer. Dans la même salle, la discothèque prend le relais de 20 h à 4 h du matin. Jouxtant cet ensemble, l'ébauche d'un futur petit hôtel. On nous a assuré que les chambres seraient bien insonorisées !

À voir. À faire

➢ ***Balade dans le vieux centre :*** tout s'ordonne autour de la calle Independencia, la rue commerçante.

– Tout au bout, la place principale, avec son *église* du XIXe siècle. Façade assez élégante : deux clochers encadrent le fronton triangulaire. À l'intérieur, trois nefs et une coupole avec les évangélistes aux quatre piliers. C'est à cet endroit que Fidel et Birta Díaz Balart se marièrent.

– Devant l'église, *statue de la Liberté*. Sur le côté, l'ancien *palais du gouverneur,* long et élégant édifice à colonnes.

– En face de l'église, la fabrique de cigares, aux murs couleurs jaune et... tabac !

– En quittant cette place pour retrouver la mer, on voit sur la droite l'une des plus *anciennes demeures* (1791) de la ville (face au *Faro*).

– Sur Donato Marmol, on trouve la *Casa de la cultura* et l'hôtel *Gibara*.

– Retour sur Independencia avec ses musées, ses vieux « drugstores » en bois, ses petits stands de bouffe. Tout près de l'*hostal Vitral* se trouve l'atelier de Cosme Proenza, grand peintre cubain. Fidel Castro offrit au pape un de ses tableaux : *San Cristóbal de la Habana*.

El museo de Ciencias naturales *(le musée d'Histoire naturelle)* **:** Independencia y J. Peralta. Ouvert du mardi au samedi de 8 h à 12 h et de 13 h à 17 h ; le dimanche, de 8 h à 12 h. Fermé le lundi.

El museo municipal : Independencia. Ouvert du mardi au samedi de 8 h à 12 h et de 13 h à 17 h ; le dimanche, de 8 h à 12 h. Fermé le lundi. Petite section archéologique, vestiges de la culture indienne. Souvenirs du Gibara ancien et émouvante section consacrée à la solidarité internationaliste en Angola. Des jeunes de Gibara combattirent en Angola contre les troupes de Savimbi (soutenues militairement et politiquement par la CIA et les États-Unis).

El museo de Artes : Independencia. À côté du Musée municipal. Ouvert du mardi au samedi de 8 h à 12 h et de 13 h à 17 h ; le dimanche, de 8 h à 12 h. Fermé le lundi. Installé dans une grande demeure aristocratique de 1862, qui fut le siège du général Calixto García en 1898. Intéressantes collections des XIXe et XXe siècles. Superbes *mamparas* originales, ces portes intérieures avec gravures sur verre (ici, des vues de Paris), si caractéristiques des demeures de l'aristocratie coloniale.

Le Mirador : en haut de la colline. Point de vue magnifique sur la baie, la ville de Gibara et ses toits de tuiles. Petit restaurant où l'on paie en monnaie nationale. En montant sur la gauche, ruines d'un vieux fort.

GUARDALAVACA

IND. TÉL. : 24

Station balnéaire créée de toutes pièces sur la côte nord-est à une soixantaine de kilomètres de Holguín. En passe de devenir un petit Varadero, mais on est loin de l'atmosphère fiévreuse et de l'animation de cette dernière. Pour le moment, il s'agit juste d'une succession de quelques hôtels de luxe à prix internationaux. Belles plages, c'est la moindre des choses. On compte une discothèque et les habituelles animations d'hôtels, mais la vie nocturne est quasiment absente (pas de village, pas de centre). Les Cubains employés dans l'hôtellerie et la restauration sont logés dans une sorte de grande cité HLM, à 400 m en arrière des hôtels et des plages. Vous l'aviez deviné, Guardalavaca, ça n'est pas franchement notre *cup of tea*... mais on peut y séjourner pour rayonner dans la province de Holguín.

Adresses utiles

- ***Clinique internationale :*** Playa, à 200 m de l'hôtel *Club Amigos Atlántico*. ☎ 302-91 et 301-44.
- ***Station-service :*** à l'entrée du pôle touristique.
- ***Banco Financiero Internacional :*** au centre commercial.
- ***Marché artisanal :*** près de l'hôtel *Club Amigos Atlántico*.

Où dormir ?

Bon marché

Villa Cabañas : Playa. ☎ 301-44 et 302-86. Bungalows pour 3 ou 4 personnes à environ 25 US$. À ce prix, mieux vaut réserver à l'avance, c'est souvent complet. Petit ensemble de bungalows tout près de la plage, offrant AC et frigo, mais pas tous l'eau chaude. Peu de choix au resto (poulet, porc, omelettes...). Difficile d'échapper aux décibels de la discothèque (en plein air) *La Roca*.

Prix moyens

Club Amigos Atlántico Guardalavaca : dans la rue principale. ☎ 301-95, 301-21 et 301-80. • rpublic@clubamigo.gvc.cyt.cu • booking@clubamigo.gvc.cyt.cu • Tout près de la plage. Formule tout inclus, de 64 à 76 US$ par personne en chambre double en saison haute. Un club de plus de 700 chambres au total, certaines en bungalows. Piscines, bars, restaurants, gymnase, sauna, discothèque et *cafe cantante,* animations diurnes et nocturnes, service Internet. L'équipe de direction joue la carte de la convivialité et s'emploie (et réussit) à fidéliser sa clientèle, majoritairement canadienne. Accueil sympathique.

Où dormir dans les environs ?

Bon marché

☗ ***Hostal El Cayuelo :*** à 5 km sur la route de Banes. ☎ 307-36. On peut y venir en coco-taxi (1 US$) ou en calèche (4 à 5 US$ aller-retour). Environ 25 US$ la double avec AC, eau froide. Petit déjeuner inclus. Petit hôtel de seulement 4 chambres au bord d'une plage superbe. Une salle de bains pour 2 chambres. Balcons. Restaurant avec terrasse sur la mer où l'on peut manger de la cuisine créole à partir de 7 US$ tout en admirant le coucher de soleil.

Très chic

☗ ***Hôtels Sol Club Río de Luna y Sol Río de Mares :*** ☎ 300-30 à 36. Fax : 300-35. • jefe.reservas.srm@solmeliacuba.com • À 2 km avant d'arriver à Guardalavaca, en venant de Holguín. Prendre en pleine campagne (c'est indiqué) une route sur la gauche (bitumée et éclairée la nuit !) qui mène, 1 800 m plus loin, à ce très grand complexe hôtelier, géré par le groupe espagnol *Meliá.* Compter 300 US$ par jour pour 2 personnes tout compris en haute saison. Classique dans sa conception sans pour autant être déplaisant, ce *resort* qui englobe 2 hôtels surplombe la plage Esmeralda. Chambres tout confort avec lits *king size,* certaines ont vue sur la baie de Naranjo et beaucoup donnent sur la piscine intérieure. Belle plage en contrebas, bordée par une dense végétation. Accueil très pro. Dans la même enclave, *Meliá* exploite un autre hôtel encore plus luxueux (5 étoiles), le *Meliá Río de Oro.*

☗ ***Hôtel Birancito Bahía de Naranjo :*** à 3 km de Guardalavaca, à gauche en venant de Holguín. Bien indiqué. ☎ 301-32 et 304-34. Fax : 304-33. Accès uniquement par voie maritime (voir la rubrique « Dans les environs de Guardalavaca »). Les trajets pour les hôtes sont inclus dans le prix. Compter 85 US$ pour 2 personnes en demi-pension plus un bain de 20 mn avec les dauphins, 110 US$ en pension complète. Une adresse un peu exceptionnelle. Plus qu'un véritable hôtel, il s'agit avant tout d'un delfinarium. Seules 2 chambres dans une petite cabane (réplique de la maison natale de Fidel) sur pilotis constituent l'hébergement. La capacité maximum est de 6 personnes. On a l'impression de vivre avec les soigneurs et d'être un spectateur privilégié des répétitions pour les shows. À l'issue, cerise sur le gâteau, on peut aller faire trempette avec ces grosses bébêtes et s'accrocher au bout de leur nez.

Où manger ?

|●| ***Pizza Nova :*** ☎ 302-37. Resto situé au bord d'une route menant à la discothèque, à 200 m de l'hôtel *Club Amigos Atlántico* (dans la zone touristique où sont concentrés les hôtels). Grand rond-point. C'est après, à droite, un bâtiment genre soucoupe volante. Bonnes et grandes pizzas de 5 à 7 US$ et sandwichs de 3 à 4 US$. Groupe musical.

Où danser ? Où boire un verre ?

♩ ***Discothèque La Roca :*** à gauche de la plage, à la pointe, sur un rocher. En plein air. Fermé les lundi et mardi.

♩ ***Le Boulevard :*** près de la *Pizza Nova*. En plein air. Concerts le soir avec des groupes *en vivo*.

🍷 ***Bar de plage :*** sur la plage, en descendant du *Boulevard* et de la *Pizza Nova*. Ouvert 24 h/24.

Où plonger ?

■ ***Club Eagle Ray Diving Center*** *(groupe Scubacuba)* **:** sur la plage, à gauche vers la pointe. ☎ 303-16. Bureaux ouverts de 9 h à 17 h. Six instructeurs (4 hommes et 2 femmes). À partir de 35 US$ la plongée avec location de matériel. Les plongeurs vont sur 26 sites différents (grottes, épaves, barrière de corail, etc.).

➤ *DANS LES ENVIRONS DE GUARDALAVACA*

Le delfinarium du cayo Naranjo : accessible seulement en bateau. Départ à 9 h. Le show commence généralement vers 12 h. Retour à 17 h. Pour 21 US$ (demi-tarif pour les enfants de moins de 11 ans), vous avez droit au transfert en bateau, à la visite de l'aquarium et au show. Le bain avec les dauphins est cher : 45 US$ pour 20 mn (demi-tarif pour les enfants de moins de 11 ans). Rien à voir avec les *Seaworld* de Floride où les cars déchargent leurs groupes. L'ensemble est organisé en grands bassins délimités par de petits plots. La légende dit que le plus vieux lion de mer (gros phoque) a choisi l'endroit et depuis n'a pas quitté les lieux. Il a été rejoint par 4 congénères. Onze dauphins sont venus agrandir la petite troupe (voir dans les « Généralités » la rubrique « Environnement »).
Dans le delfinarium, restaurant de spécialités de fruits de mer.

Chorro de Maita : à 7 km de Guardalavaca, route de Banes. Bien indiqué. Ouvert du lundi au samedi de 9 h à 17 h ; le dimanche, de 9 h à 13 h. Entrée : 2 US$. Nécropole des XIe et XVIe siècles, restaurée et laissée en l'état. Certains corps en position fœtale indiquent une inhumation avant la conquête, selon les rites de la culture taïno. Ceux allongés avec bras croisés trahissent une nette influence chrétienne. Une petite croix noire indique un crâne d'Espagnol. Les couleurs rappellent la matière des bijoux et objets découverts dans les tombes : vert (cuivre), rouge (or), bleu (coquillage), noir (majolique), jaune (quartz), orange (céramique). Un jeu de lumière astucieux met fort bien les tombes en valeur. Aux dires du directeur, c'est une nécropole assez unique dans les Caraïbes.

Aldea Taina : en face du *Chorro de Maita*. Un petit train automobile vient de Guardalavaca jusqu'au *Chorro* et à l'*Aldea*. Ouvert tous les jours de 9 h à 17 h. Entrée : 3 US$. Reconstitution d'un village taïno d'avant la conquête espagnole avec trois petites maisons *(caneyes)* et deux petites huttes *(bahareques)*. Des sculptures représentent les Indiens et leur façon de vivre. Show nocturne le jeudi à 20 h avec les danses et rites de la culture aborigène (entrée : 12 US$). Sur place, bar et restaurant.

La playa Pesquero Viejo : sur la route de Holguín à Guardalavaca. À environ 34 km de Holguín, prendre à gauche à Santa Lucía. À une dizaine de kilomètres (route en attente de bitume) se trouve la plage Pesquero Viejo, autrefois déserte. Aujourd'hui, il y a trois grands hôtels.

L'ORIENTE

BANES

89 000 hab. IND. TÉL. : 24

L'archétype de la petite ville cubaine « brute de forme », avec sa longue « Main Street » bordée de demeures coloniales basses ou de simples maisons en bois à véranda de style américain (influence de la United Fruit, propriétaire dans le secteur de grandes plantations avant la Révolution), et de vieilles boutiques quasi vides et désuètes. Un côté ville de western fanée et languissante. Population sympa, pas blasée par le tourisme (seuls les voyageurs individuels s'y rendent).
Mais, plus important, Banes est la petite capitale archéologique de Cuba. Près de 100 lieux de fouilles dans cette région, berceau des peuplements aborigènes. Vous y découvrirez le remarquable *Musée indo-cubain*. Sur la place principale, curieuse église de style post-Art déco. Les samedi et dimanche, buvettes à bière ouvertes à la mi-journée pour les travailleurs.

Où dormir ? Où manger ?

CHAMBRE CHEZ L'HABITANT (CASA PARTICULAR)

Bon marché

🏠 ***Evelin Feria Dieguez :*** calle Bruno Meriño, 3401A, Delfin Pupo y J. M. Heredia. ☎ 82-561 et 83-150. Dans le centre de Banes, sur la « Main Street » (celle qui se termine par un petit terre-plein), prendre sur la droite et descendre sur une place. C'est la 3e rue à droite. Faire le tour du bloc et demander Evelin, tout le monde connaît. Compter 20 US$ la chambre, petit dej' inclus si vous savez négocier. Une chambre au rez-de-chaussée, deux autres à l'étage, avec mobilier disparate et salle de bains privée (chauffe-eau sur la pomme de douche, mais eau souvent tiédasse). La bonhomie d'Evelin vous met tout de suite à l'aise et annonce la couleur. Parking gardé chez le voisin d'en face.

PALADARES

Prix moyens

🍴 ***Restaurante Roberto :*** calle General Marero, 710. ☎ 82-128. À côté d'une maison en bois vert pomme. Ouvert tous les jours de midi à minuit. Intéressant si l'on paie en monnaie nationale (60 pesos), sinon compter 4 US$ pour un plat et une boisson. Ce petit restaurant qui ne paie pas de mine prend des allures de saloon quand s'ouvre la porte à doubles battants. Cuisine créole.

🍴 ***La Vicaria :*** calle General Marero. Cafétéria ouverte 24 h/24.

À voir

👁👁 ***El museo indo-cubano :*** calle General Marero. Ouvert du mardi au samedi de 9 h à 17 h ; le dimanche, de 8 h à 12 h. Entrée : 1 US$ (2 US$ avec guide parlant l'espagnol ou l'anglais). Riches collections sur les Indiens aruacos : instruments de travail en coquillages, mortiers, dagues en pierre pour cérémonies funéraires. Belles haches de pierre polie. Crânes déformés et fronts plats (à la mode inca), pierres pour lester les filets, haches pétaloïdes aux formes parfaites.
Riche collection de colliers, certains vieux de plus de 800 ans, dont l'un avec un talisman sculpté (en coquillage, pierre, os, quartz, etc.). Copie d'une

célèbre idole-pendentif en or. Autres idoles en pierre et os. Bagues *(anillos)* en coquillage. *Espátula vómicas,* cuillères pour faire vomir par les *brujos,* « os de *manati* ».

Au 1er étage : gravures montrant divers aspects de la vie quotidienne. Fragments de céramiques décoratives. Statuettes zoomorphes et figurines humaines. On y trouve aussi des objets en métal, fers à cheval, poterie vernissée, etc., traces des premiers contacts indo-hispaniques. La collection est sans cesse remise à jour avec les récents apports des fouilles menées encore aujourd'hui dans la région.

Le circuit-découverte de la ville : le Musée indo-cubain propose un circuit-découverte de la ville (1 US$) avec un guide, aux heures d'ouverture du musée. Il vous emmène notamment voir la *Panchito,* locomotive qui date de 1868, et qui tirait le train, chargé de bananes depuis la *Bahía del Embarcadero* jusqu'à la ville. Le train appartenait à une célèbre famille française, les Dumois, surnommés « les rois de la banane », dont les propriétés furent ensuite achetées par la compagnie américaine United Fruit.

Plages

Deux superbes plages, totalement vierges. Chut ! ne le dites pas trop fort.

La playa Morales : à 13 km du centre de Banes. Pour s'y rendre, au bout de la « Main Street », à la hauteur du terre-plein, prendre sur la droite ; dépasser la vieille *Panchito* ; prendre en direction du cimetière, continuer toujours tout droit (passer 4 voies ferrées). La route vient mourir sur un petit village de pêcheurs. De petites cabanes s'accrochent à l'anse de sable en résidu de corail.

La playa Puerto Rico : à partir de la playa Morales, prendre sur la gauche par un petit chemin de sable. La route suit le littoral pendant 5 bonnes minutes. Après un petit hôtel désaffecté, une autre belle plage s'offre en pleine face, désertée par le tourisme de masse. On a presque l'impression de déranger les quelques palmiers qui se penchent pour baigner leurs feuilles dans l'eau. Elle est protégée par une barrière de corail, ce qui permet de marcher dans l'eau pendant quelques mètres. La plage que l'on préfère. Possibilité de manger quelques crustacés vendus par les pêcheurs (payables en pesos).

LA PROVINCE DE GRANMA

Elle doit son nom à celui du célèbre yacht qui amena, le 2 décembre 1956, le Che, Fidel et leurs compagnons. Elle inclut une partie de la sierra Maestra où prit naissance la guérilla castriste. On y trouve deux grands parcs nationaux : *Desembarco del Granma* et *pic Turquino.*

BAYAMO

150 000 hab. IND. TÉL. : 23

C'est la capitale de la province de Granma, fondée par l'activiste Diego Velázquez, grand fondateur de villes. Bien entendu chargée d'histoire. Peu touristique, sans attraits particuliers, elle fait montre d'une tranquille nonchalance, mais son centre-ville devient de plus en plus agréable et accueillant. Pour ceux qui ont le temps, une étape très sympathique.

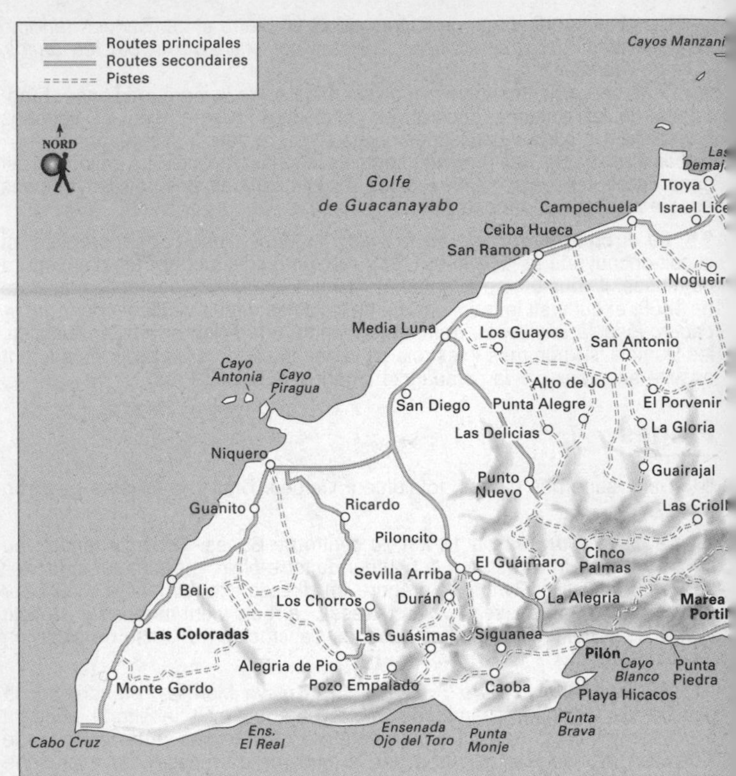

UN PEU D'HISTOIRE

Fondée en 1513, c'est la deuxième ville historique de Cuba. Grand centre d'élevage et de production de sucre. Bien insérée au milieu des terres, Bayamo échappa longtemps aux raids de pirates, mais pas aux dramatiques conséquences des guerres d'Indépendance.

C'est à Bayamo que naquit Carlos Manuel de Céspedes, le plus grand leader révolutionnaire cubain, appelé le « Père de la patrie ». Le 10 octobre 1868, l'insurrection contre le pouvoir colonial espagnol fut déclenchée. Bayamo fut la première ville à se soulever. La franc-maçonnerie y étant très puissante, les idées indépendantistes y trouvaient naturellement un terrain favorable. Carlos Manuel de Céspedes émancipa tous ses esclaves et donna l'exemple à ses compatriotes. Bayamo symbolisa pendant dix ans la première guerre indépendantiste, devenant la capitale de la république insurgée. Environ vingt généraux étaient originaires de la région.

En 1869, sur le point d'être reprise par les troupes coloniales espagnoles, la ville subit l'« incendie révolutionnaire ». Les insurgés y mirent volontairement le feu pour qu'elle ne tombe pas entre les mains des Espagnols. Bayamo y gagna le titre de « ville-monument national ».

C'est un patriote bayamais, Pedro Figueredo, qui composa la *Bayamaise*. Cette chanson devint par la suite l'hymne national cubain.

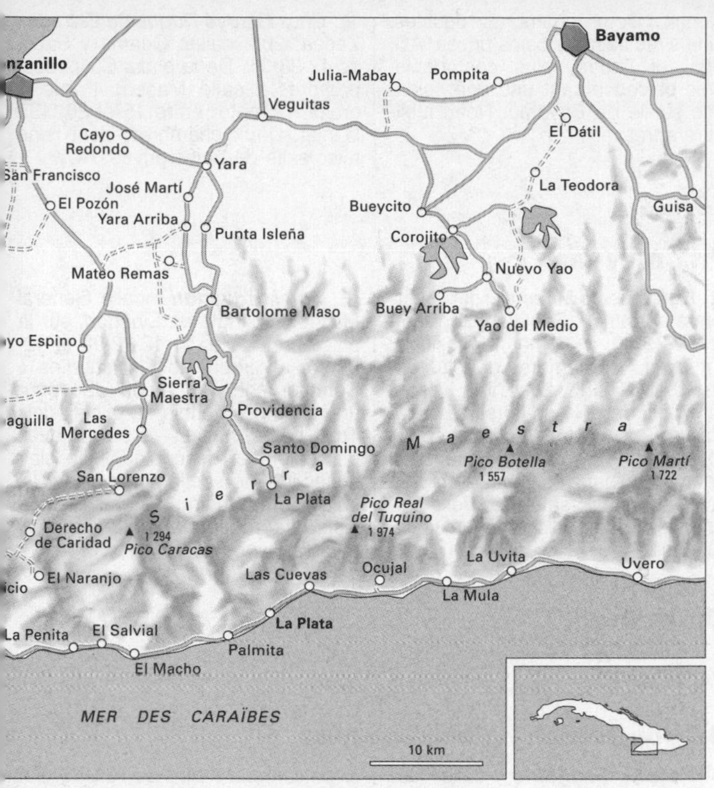

Adresses utiles

✉ ***Correos de Cuba :*** General Maceo y Libertad. Ouvert de 8 h à 20 h.

■ ***Téléphone :*** *centro de llamadas,* calle Libertad, 10, à gauche de la *cafetería Rápido.* Ouvert du lundi au vendredi de 8 h à 16 h ; le samedi, de 9 h à 13 h.

■ ***Banco de Credito y Comercio :*** General Fuente Díaz. Dans la rue commerçante. Retrait d'espèces avec les cartes *Visa* et *MasterCard.*

■ ***Guide francophone :*** Enrique Valera Alarcon. On peut le trouver dans la journée à la *Casa de la Trova* (voir « Où boire un verre ? Où écouter de la musique ? »), où il travaille. Un jeune homme sympathique qui connaît très bien la région.

■ ***Cubana de Aviación :*** calle Martí, entre Parada et Rojas. ☎ 42-39-16.

@ ***Internet :*** deux bureaux, calle del Himno, esq. Céspedes (derrière la poste) et calle García (face à une pharmacie).

Où dormir ?

CHAMBRES CHEZ L'HABITANT (CASAS PARTICULARES)

⌂ ***Chez Saida Llanes :*** Máximo Gómez, 16, entre Maceo et Candu-cha Figueredo. ☎ 42-45-64 et 42-63-97. Compter entre 15 et 20 US$

la nuit. Deux chambres doubles, l'une avec salle de bains privée, AC, frigo, et l'autre, plus confortable, avec balcon offrant une vue splendide sur le río Bayamo. Notre meilleure adresse.

🏠 ***Chez Gladys Duque de Estrada :*** Zenea, 203, calles Guama y Saco. ☎ 42-23-31. De la plaza Céspedes, prendre la calle Maceo, 4e rue à droite. Compter entre 15 et 20 US$ la nuit. Deux chambres, dont l'une avec salle de bains privée. AC.

HÔTELS

Prix moyens

🏠 ***Hôtel Sierra Maestra :*** sur la carretera Central (Santiago-Bayamo). ☎ 42-79-70. • comercial@hsierra.grm.cyt.cu • Chambres doubles entre 35 et 41 US$, suivant la saison, sans petit dej'. Grand hôtel *(Cubanacan)* à l'architecture de type soviétique (hall et couloirs immenses). Chambres banales, mais propres (avec AC et TV satellite). Belle piscine, restaurant, discothèque (insonorisée !).

🏠 ***Hôtel Royalton :*** calle General Maceo, à l'angle de Libertad, sur la place principale. ☎ 42-22-90 et 42-22-94. • geobanisb72@yahoo.es • Compter entre 28 et 30 US$ pour une chambre double sans petit dej'. Très belle maison coloniale avec des colonnes de couleur bleu clair en façade, née de la pouponnière *Islazul*. Bon standing général. Geovanis, à la réception, parle parfaitement le français.

Où manger ?

PALADARES

De bon marché à prix moyens

|●| ***Paladar Sagittario :*** calle Marmol, 107. Compter entre 3 et 4 US$ le repas. Central, accueillant et bonne cuisine. On prend les repas dans une courette intérieure ombragée et calme.

|●| ***Paladar Polinesio :*** calle Parada, 125, Pio Rosado y Cisnero. Possibilité de payer en pesos cubains, sinon compter moins de 10 US$. Sur la terrasse de la maison du propriétaire. Bonne petite adresse, sans prétention, présentant un bon rapport qualité-prix. Plats communs, mais très copieux. Parfois, quelques petits groupes viennent pousser la chansonnette.

RESTAURANT D'ÉTAT

|●| ***Pizzeria La Casona :*** sur la place del Himno, derrière la cathédrale San Salvador. Compter moins de 7 US$. Resto agréable.

Où déguster une glace ?

🍦 ***Tropicrema Capuchinos :*** au croisement de Libertad et de Figueredo. Petit bar-cafétéria. Pas grand-chose de particulier si ce n'est que tous les Cubains s'y rendent. Bière payable en pesos. Il faut s'adresser à la petite guérite dès l'entrée, payer son dû et une armée de serveuses vous apporte votre conso. Variétoche à tue-tête. Un endroit stratégique pour observer la douce agitation bayamaise, à l'ombre des acacias.

Où boire un verre? Où écouter de la musique?

🍸 ***Piano Bar :*** calle Calixto García, 205, dans la partie finale de la rue piétonne. Bar à cocktails ouvert de 15 h à 4 h du mat', *cafe cantante* le matin à partir de 9 h (propose différentes sortes de café et des cocktails à base de café). Un énorme coup de cœur pour cet établissement récemment ouvert, d'abord parce que l'on se croirait dans une « cocktellerie » de Paris, Berne, Québec ou Bruxelles (décor soigné, service attentionné, musique d'ambiance en sourdine – à n'en pas croire ses oreilles à Cuba!) et pour les cocktails exceptionnels que concoctent les trois barmen, payables en... pesos! Le *daïquiri,* le *mojito,* le *rón Collins* entre 4 et 5 pesos. Hemingway n'en reviendrait pas! En soirée, musique avec un trio et un pianiste. On peut y manger du poulet et des en-cas. Courez-y vite avant que les touristes ne soient obligés de payer en dollars. Dernier détail peu habituel à Cuba : l'endroit est totalement non-fumeurs...

🍸 ***Bar Pedrito :*** sur la place principale, à l'angle de General Maceo et de General García. Petit bar plutôt sympa et bien tenu, fréquenté par les jeunes branchés de Bayamo.

🍸 |●| ***La Bodega :*** pl. del Himno, 34. Près de l'église San Salvador, une maison coloniale avec un patio ombragé qui se termine par une terrasse surplombant la rivière de Bayamo. Cette *bodega* de style espagnol, décorée avec goût, a été entièrement rénovée. Le bar est ouvert de 10 h à 2 h du mat'. Au restaurant, dans le patio, on peut manger pour moins de 3 US$. Sur la terrasse, spectacle musical (*septeto* traditionnel) du jeudi au dimanche à 22 h (entrée : 2 US$). À l'accueil, Franck parle bien le français.

🍸 ♪ ***Casa de la Trova :*** calle Maceo, 111, angle calle Martí. À deux pâtés de maisons de la plaza Céspedes. Ouvert du lundi au vendredi de 9 h à 17 h; les samedi et dimanche, musique pour les Cubains, jusqu'à 2 ou 3 h. On peut boire et manger des entremets. Musique traditionnelle : *son,* salsa, merengue, cha-cha-cha et *guajira.* Demandez Enrique, il parle le français (voir la rubrique « Adresses utiles »).

À voir

La catedral San Salvador : construite en 1766. Un des rares édifices religieux qui échappèrent en partie au grand incendie de 1869. À l'extérieur, une plaque indique qu'en ce lieu, le 8 novembre 1868, résonna pour la première fois l'hymne national cubain. La *capilla de Dolorés,* rescapée des flammes, offre peut-être le plus beau retable du pays, en cèdre sculpté et doré. La Vierge de Bayamo et le sarcophage du Christ sont promenés en cortège le Vendredi saint.

Plafond d'origine et chancel en bois précieux. Sur certaines parties du plafond, quelques peintures (faune et flore cubaines). Christ de 1600. À l'entrée de la chapelle, un autre christ en robe violette provenant d'une des 14 églises incendiées de la ville. Celui du baptistère date du début du XVIIIe siècle.

Autour de la cathédrale, quelques édifices à l'architecture intéressante, notamment la ***casa de la Nacionalidad cubana,*** fort bien restaurée. Elle abrite le *Centro de estudio de la nación cubana.* Normal, car Bayamo, capitale de la république insurgée, berceau de l'hymne national, s'enorgueillit également d'avoir produit, avec *Espejo de Paciencia,* la première œuvre littéraire à Cuba. Le Centro ne se visite pas tout à fait comme un musée, mais vous y trouverez toujours un membre du *staff* prêt à fournir aimablement des infos. Ouvert du lundi au vendredi de 8 h à 17 h. Beau mobilier colonial.

À quelques encablures de l'église, la ***plaza de la Revolución,*** place principale, épicentre de la vie bayamaise. Terre-plein, statues de Carlos Manuel de Céspedes et de Pedro Figueredo, auteur de l'hymne national. On y trouve la maison natale du « Père de la patrie », le Musée provincial, l'hôtel de ville, plusieurs édifices coloniaux intéressants. Pour les philatélistes, petite boutique où l'on peut acheter des timbres de collection (parfois en pesos).

De là, débute la calle A. García, la grande rue marchande de la ville. C'est maintenant une rue piétonne très propre, bordée de magasins coquets. Des bancs publics vous invitent à y faire une petite halte. Au nº 174, maison qui servit de QG au général Calixto García Iñiguez. Il y reçut le célèbre message du président W. McKinley, le 1er mai 1898 (porté par Andrew Summers Rowan).

Au nº 153, la *casa de la Croqueta*. Toujours la queue pour les croquettes, c'est bon signe !

La casa natal de Carlos Manuel de Céspedes : pl. de la Revolución. Ouvert du mardi au vendredi de 9 h à 17 h ; le samedi, de 9 h à 20 h ; le dimanche, de 9 h à 15 h. Fermé le lundi. C'est ici que Carlos Manuel de Céspedes vint au monde, le 18 avril 1819. Belle demeure aristocratique, qui échappa à l'incendie.

Grandes pièces au rez-de-chaussée (donnant sur le patio), où s'égrènent souvenirs, témoignages et objets liés au « Père de la patrie ». Au 1er étage, grand salon avec des meubles d'époque, et une jolie vue sur la place. Puis une salle à manger et une chambre à coucher où le lit original est composé de deux panneaux ovales incrustés de nacre. « J'ai fait ce que je devais faire. Je me suis immolé sur l'autel de la patrie dans le temple de la Loi », déclara Céspedes.

Sur la calle Amando Estevez, à côté du monument de Francisco Vicente Aguilera, ruines de la première ***église*** construite à Bayamo en 1702, détruite lors de l'incendie révolutionnaire de 1869. Sa tour servit de portique au premier cimetière urbain de Cuba (déplacé lors de l'extension de la ville).

Fête

– ***Fiesta de Cubanía :*** cette fête locale se déroule sur la place centrale et calle Saco, les samedi et dimanche soir, et elle dure jusqu'à 2 ou 3 h du matin. À chaque angle de la place, des personnes font rôtir des cochons et proposent de la nourriture dans de petits kiosques proprets, tandis que la musique bat son plein. Très animé.

QUITTER BAYAMO

En train

Gare ferroviaire : prendre à droite au bout de l'avenida General Maceo.
➢ ***Pour Santiago :*** 1 départ un jour sur deux à 16 h. Prix : 4,5 US$. Durée : 4 h.
➢ ***Pour La Havane :*** 1 départ un jour sur deux à 18 h 50. Arrivée dans la matinée. Prix : 25,5 US$.
➢ ***Pour Manzanillo :*** 2 départs dans la journée. Prix : 1,7 US$.
➢ ***Pour Camagüey :*** 1 départ un jour sur deux en milieu d'après-midi. Prix : moins de 6 US$.

En bus

Gare routière : carretera Central, vers Santiago.
➢ ***Pour Santiago :*** 3 départs par jour. Prix : 7 US$.
➢ ***Pour La Havane :*** 2 départs par jour en soirée. Prix : 44 US$.
➢ ***Pour Trinidad :*** 1 départ le soir. Prix : 26 US$.
➢ ***Pour Holguín :*** 1 départ un jour sur deux le matin. Prix : 6 US$.

En avion

Aéroport : à 4 km au nord-est de la ville, sur la carretera Central, en direction de Holguín. ☎ 42-36-95.
➢ ***Pour La Havane :*** vols les mercredi et vendredi en fin de matinée.

LA SIERRA MAESTRA

L'île-crocodile ne compte pas beaucoup de massifs montagneux. L'un se trouve à l'ouest (la cordillera de Guaniguanico), l'autre au Centre (la sierra de l'Escambray). Le troisième, le plus important, est cette sierra Maestra, petite cordillère longue de 150 km environ sur une cinquantaine de large, servant d'épine dorsale à l'Oriente, à l'est de Santiago de Cuba. « Dernier balcon en forêt » avant la mer des Caraïbes, culminant à près de 2000 m au pic Turquino, elle n'a rien d'une montagne facile. Ce ne sont que canyons abrupts, vallées sauvages, gorges escarpées, grottes obscures et crêtes balayées par le vent. Le *monte,* sorte de petite jungle broussailleuse, couvre les flancs des monts et rend encore plus difficile leur accès. Peu de villages, peu d'habitants. Quelques rares routes, et de pauvres chemins souvent en mauvais état.
Pour une guérilla révolutionnaire, voilà le cadre idéal pour se cacher et harceler sans cesse l'adversaire. « Chaque accès de la sierra Maestra est comme le défilé des Thermopyles, chaque col devient un piège mortel », déclara Fidel Castro, du temps où il se cachait dans ces montagnes impénétrables, de décembre 1956 à novembre 1958. Il y créa le « foyer » *(foco)* de la guérilla révolutionnaire cubaine et, avec à peine 300 hommes, parvint à défier, et finalement à vaincre, les troupes de Batista, évaluées à 10000 hommes. David contre Goliath, telle est l'histoire de ce combat inégal où le plus faible arriva à terrasser un adversaire plus fort que lui.

LA FLORE DE LA SIERRA MAESTRA

La végétation se condense sur les versants des monts : des bananiers, un peu de café, quelques plants de marijuana (en voie de disparition). Poussent aussi des pins (en altitude) et les palmiers royaux (plus bas), une espèce reconnaissable à son plumet altier couronnant de hauts troncs élancés. Cet arbre majestueux avait déjà été remarqué en 1492 par Christophe Colomb, le « découvreur » de l'île. Son écorce, brune, souple et imputrescible, sert à confectionner des étuis à cigare, ainsi que les parois des huttes paysannes (les *bohíos*).

Comment y aller ?

– ***Attention :*** il n'y a pas de station-service *Cupet* dans la région ! Les dernières stations se trouvent soit à Bayamo, soit à Manzanillo.
➢ ***De Bayamo à Yara :*** 42 km. Compter 1 h 15 de bus.
➢ ***De Yara à Bartolomé Masó :*** 15 km. Camions quotidiens s'il y a de l'essence. En taxi collectif : 20 mn de trajet. Ou auto-stop (plus aléatoire).

➢ ***De Bartolomé Masó à Santo Domingo :*** 18 km d'une route au revêtement de plaques de ciment. Dans le dernier tiers, avant Santo Domingo, quelques jolies pentes et virages accentués dans le fond des vallons. Normalement, cette route ne se fait qu'en camion (quand ils passent !). Avec la pénurie d'essence, plus aucun bus. En fait, les Cubains font la route à pied. Rien ne vous empêche de les imiter. Les prendre en stop si vous circulez en voiture de location.

➢ ***De Santo Domingo à Altos del Naranjos :*** route difficile. Voir plus bas.

Adresses et infos utiles

■ ***Bureau des guides :*** à Santo Domingo. Il est situé à côté de l'entrée de l'hôtel *Santo Domingo,* au bord de la route. Ouvert tous les jours de 6 h à 17 h. Informations, conseils pour les balades dans la sierra Maestra, les randonnées à la comandancia de La Plata et, bien sûr, l'ascension du pic Turquino. Pour toutes ces balades, il est nécessaire d'être accompagné d'un guide cubain. Spécialistes de la montagne et de la nature, extrêmement sympathiques, certains parlent le français et l'anglais.

Où dormir ? Où manger ?

À Bartolomé Masó

Hôtel Villa Balcón de la Sierra : connu aussi sous le nom d'hôtel *El Mirador.* ☎ 59-51-80. Situé à 1,5 km environ, à droite de la route, en sortant de la ville, en direction de Santo Domingo. Compter 18 ou 24 US$ selon la taille des chambres. Sur une colline dominant un vaste paysage, un hôtel rénové et bien tenu avec une piscine, un bar (ouvert jusqu'à minuit), et des maisonnettes en dur de deux types : les *cabañas familial* (avec 2 chambres) et *matrimonial.* Elles sont propres, nettes et à prix raisonnables. Pas de vue des chambres mais seulement de la piscine. Fait aussi resto.

Entre Bartolomé Masó et Santo Domingo

Bon marché

Campismo Popular La Sierrita : à mi-chemin entre Bartolomé Masó et Santo Domingo. ☎ 326 (par opératrice), larga distancia. Compter 5 US$ par personne et par jour pour un logement dans de petites cabanes (27 au total) bien disposées en pleine nature. Deux lits gigognes par cabane (soit jusqu'à 4 personnes) avec petite cuisine. Restaurant, cafétéria. Très fréquenté par les jeunes. Point de départ pour des excursions en montagne et baignades dans les rivières. Nécessaire de passer tôt pour réserver.

À Santo Domingo

Villa Santo Domingo : sur la gauche en arrivant au village. ☎ 595-302. • agby@islazul.grm.tur.cu • Compter entre 24 et 30 US$ la chambre double. Entre la route (peu fréquentée et calme) et la rivière (un aimable torrent), dans un site ombragé et très agréable, une vingtaine de bungalows, noyés dans la végétation et gardés par trois oies.

Chambres bien équipées (AC, TV, douche), propres et tranquilles. Location de tentes pour les randonnées en montagne. Après un rhum *Pinilla* de Manzanillo pris au bar, on peut savourer un poisson de la sierra ou du cochon grillé, en écoutant le *Quinteto Rebelde* (qui a pris la suite de *barbudos* musiciens qui jouaient pendant la guérilla pour détourner l'attention de l'ennemi). Un des hôtels de montagne les plus sympas de la région (bien qu'on ne soit qu'à 245 m d'altitude, on se croirait plus haut).

À voir

Yara : à 42 km de Bayamo et une vingtaine de Manzanillo, c'est ici que se déroula, en 1512, l'ultime bataille des aborigènes de Cuba contre les colonisateurs espagnols. Leur chef, Hatuey, mourut sur un bûcher et devint le symbole de leur résistance. Dans les environs de Bartolomé Masó, à une dizaine de kilomètres au sud, possibilité de se baigner dans le ***lac du barrage** (embalse) **de Paso Malo.***

Santo Domingo : à 18 km au sud de Bartolomé Masó. Point de départ des excursions pour le pic Turquino. Jolie région, avec des plantations de bananiers et caféiers.

Las Mercedes : petit village à une quinzaine de kilomètres au sud-ouest de Bartolomé Masó. Pour y aller de Bartolomé, suivre la direction de Las Mercedes ; arrivé à une patte d'oie, prendre la route qui monte à gauche.

– ***Le « musée » du Che :*** dans le village, après avoir passé le pont à l'entrée, prendre sur la gauche un petit chemin en terre. Pas de pancarte, petite maison verte lovée dans une courbe de la route avant que celle-ci ne redescende vers un carrefour. Ouvert du lundi au samedi de 8 h à 12 h et de 14 h à 17 h 30 ; le dimanche, de 8 h à 12 h. Entrée : 1 US$ symbolique. C'est de cette baraque que le Che dirigea la colonne 8 en 1958. Cette cahute a été donnée aux combattants par les paysans, ce qui explique la présence d'objets de culte dans les quelques pièces, dont la visite complète bien celle du musée de La Havane. On y trouve, entre autres, le premier exemplaire du *Cubano Libre,* où Ernesto Guevara a écrit en tant qu'éditorialiste politique. Dans la guerre qu'ils menaient, l'info était l'une des priorités. Ce petit journal mal ronéotypé défiera la censure et ira alimenter les paysans pour obtenir leur soutien.

– Au sortir de la visite, on peut aller voir la ***tanqueta del Che.*** Reprendre la route, au premier carrefour prendre à droite par un chemin de pierres qui monte sur la colline. En fait, ce petit tank américain n'a jamais été la possession du Che. Il a seulement été capturé par les révolutionnaires à la solde du *comandante.*

Ulises Ramirez Junco : sa maison se trouve de l'autre côté de la rivière, sur la rive opposée à l'hôtel *Santo Domingo.* Pour y accéder, pas de route, mais des grosses pierres dans le lit du torrent sur lesquelles on marche sur la pointe des pieds. L'aventure ! Ulises est le directeur de l'école et le responsable officiel du village de Santo Domingo (il dirige sept écoles disséminées dans la montagne, qui accueillent 95 élèves. L'une de ces écoles n'a que deux élèves... mais comme les autres, elle a son ordinateur, sa télé et sa vidéo alimentés par un panneau solaire...). Tous le connaissent, ici. Si vous allez le voir, ne le dérangez pas pour rien. Apportez-lui des cahiers et des crayons pour ses jeunes élèves, car les écoles de la sierra manquent de tout. Il vous offrira un bon café.

Randonnées

On peut faire des randonnées dans la sierra Maestra toute l'année (risques de pluie toutefois entre mai et juin). Il faut être en forme et avoir un minimum d'entraînement. Emporter son sac de couchage et une lampe de poche (la nuit tombe vers 18 h 30). Location de tentes à l'hôtel *Santo Domingo.*
Aucun ravitaillement à Santo Domingo même, il faut donc acheter ses victuailles avant de partir, soit à Bartolomé Masó, soit dans des villes comme Manzanillo ou Bayamo, mieux ravitaillées.
Le montant des droits d'entrée dans le parc de la sierra Maestra est de 11 US$ par personne (10 US$ pour les groupes).

La route de Santo Domingo à Alto del Naranjo

➢ De Santo Domingo, on peut aller au ***belvédère d'Alto del Naranjo*** en voiture ou en camion par une route assez bien revêtue (plaques de ciment), mais à la dénivellation vertigineuse et aux courbes difficiles. Prudence s'il pleut. À pied, la balade (5 km) prend 1 h 30. Il est plus agréable d'emprunter le sentier de montagne (2 h). Départs du bureau des guides entre 7 h et 9 h.
➢ Depuis Alto del Naranjo, deux possibilités : un sentier conduit à la comandancia de La Plata (3 km), un autre conduit au pic Turquino, à environ 14 km.

Randonnée jusqu'à la comandancia de La Plata

Une belle randonnée, sur des sentiers rocailleux mais sans difficultés particulières. Compter au minimum une bonne heure, au départ du belvédère d'Alto del Naranjo. Les photos sont permises jusqu'à la *mesón de Medina* (droit à acquitter au bureau des guides). Emporter de l'eau.
➢ D'Alto del Naranjo, un sentier de montagne (1,5 km, 30 mn de marche) mène à la ***mesón de Medina*** : c'est le poste d'entrée de la *comandancia*. Il y a quelques chaises sous une grande hutte d'où l'on a une belle vue sur la vallée. Les marcheurs y font une pause avant d'aller à La Plata, ou en en revenant.
➢ ***La Plata*** se trouve à environ 1,5 km après la mesón de Medina (compter 30 mn de marche jusqu'au musée). Ce fut le campement de Fidel Castro et de ses hommes dans les premiers mois de la guérilla : « Pour nous, ce fut l'endroit le plus familier, le plus aimé, celui où nous avons connu les premiers et les derniers combats de la sierra Maestra. »
Le guide fait d'abord visiter un petit musée présentant des photos, des armes, une maquette du site, et même une machine à coudre.
➢ Mais il y a encore 10 mn de marche après le musée pour arriver enfin au cœur même de la ***comandancia de La Plata,*** c'est-à-dire le quartier général de Fidel Castro. Il s'agit d'une série de huttes éparpillées sur un versant abrupt de montagne et enfouies sous l'épaisse végétation tropicale, afin de ne pas être détectées par l'ennemi. Dans ce pauvre bout du monde, hostile et sauvage, la guérilla avait reconstitué un mini-village qui devait être le germe de cette nouvelle société dont rêvaient Fidel et le Che. Chaque hutte avait un rôle assigné : la cuisine, la cantine, le charpentier, l'hôpital, le magasin général, le tribunal populaire (où furent prononcés les premiers verdicts de la Révolution cubaine), sans oublier la hutte des hôtes *(invitados)* et celle de *Radio Rebelde.*

La casita de Fidel : la hutte du chef de la guérilla, Fidel Castro, est toujours debout et bien conservée. Construite en bois, elle possède une porte secrète battante pour échapper rapidement à l'ennemi, en cas d'attaque surprise. À l'intérieur, il dormait dans une pièce percée de trois ouvertures, sur un grand lit double adapté à sa carrure (un luxe). Dans le coin cuisine, noter un gros frigo à pétrole, acheminé jusqu'ici grâce à la force de huit hommes. On voit un trou dans sa porte. C'est l'impact d'une balle. Pour éclairer la hutte, il y avait un moteur à pétrole qui produisait de l'électricité. Fidel vécut dans cette hutte de mai à novembre 1958.

Le parc national du Turquino

Créé en 1995, sous la tutelle du ministère de l'Agriculture, ce grand parc montagneux et sauvage, de 17450 ha, abrite une faune et une flore encore mal connues, et mal répertoriées. Parmi les animaux qu'un randonneur peut voir, notons les *capronis,* les *jutías,* les iguanes et les *amphibios* (endémiques). Il y a aussi des reptiles et de nombreux oiseaux.

La chasse est interdite, bien évidemment. Les règles de protection étant très strictes, les randonneurs doivent obligatoirement être accompagnés d'un guide local. Les paysans qui y vivent peuvent cultiver la terre, mais seulement jusqu'à 900 m, pas au-dessus. Alto del Naranjo est à 950 m d'altitude, la comandancia de La Plata à 1 000 m, et le pic Turquino culmine à 1 972 m.

➢ ***L'ascension du pic Turquino :*** à moins de 20 km de Santo Domingo, une superbe randonnée, mais difficile. Au total, il faut compter deux jours de trajet avec des guides cubains. Ceux-ci donnent des explications sur la faune et la flore (ce sont des botanistes).

Compter 33 US$ par personne. Il faut prévoir sa nourriture, un sac de couchage, de bonnes chaussures et un vêtement chaud pour la nuit. Réserver la randonnée deux ou trois jours à l'avance, soit à l'hôtel *Santo Domingo,* soit au bureau des guides (voir « Adresses utiles »), soit directement à l'*Empresa nacional para la protección de la Flora y la Fauna* (☎ 595-349).

Les moins courageux pourront louer des porteurs ou des mules pour les sacs à dos. Les départs se font de Santo Domingo entre 5 h 30 et 7 h. De Santo Domingo au belvédère d'Alto del Naranjo (950 m), la route se fait à pied. D'Alto del Naranjo au sommet du pic Turquino, il y a 13,5 km.

Le sentier est bien entretenu et jalonné de panneaux. Des équipements de sécurité (marches, rambardes et échelles en bois) ont été installés aux endroits critiques. Nature totalement sauvage. À 9 km d'Alto del Naranjo, on arrive après trois bonnes heures de marche au campement *Joaquín,* où logent en permanence les employés du parc. Ces cinq hommes sont reliés par radio avec la vallée.

Le refuge *Aguada del Joaquín* accueille les randonneurs pour la nuit. On y trouve du café, du thé et on peut y faire du feu. Il y a une source d'eau à proximité.

Du campement au sommet du pic Turquino, il faut parcourir encore 3,5 km : sentier très raide, 2 h de marche.

Le pic Turquino, point culminant du pays à 1 972 m, est souvent dans les nuages. Une superbe végétation (arbustes) cache malheureusement le panorama. À 40 m du sommet se dresse par contre un mirador naturel d'où l'on a une belle vue sur la région.

➢ ***Du pic Turquino au bord de la mer :*** on peut redescendre du pic Turquino (9 km) jusqu'à La Plata, village sur la côte. Ce sentier du versant sud est plus raide que celui du versant nord, mais bien entretenu. Difficile, mais vraiment superbe. Cette descente se fait obligatoirement avec un guide.

MANZANILLO

135000 hab. IND. TÉL. : 23

À 67 km à l'ouest de Bayamo, Manzanillo est la deuxième ville de la province de Granma. En réalité, sur le plan économique, sa principale activité est l'exportation du sucre (terminal sucrier voisin) et la répartition de la pénurie.

Des quartiers résidentiels sur les paisibles collines bordant la ville à l'est jusqu'au Malecón en bord de mer, partout, la ville paraît plus propre, plus nette, mais aussi plus vide que les autres villes de l'Oriente. La circulation y est quasi inexistante. D'anachroniques attelages (les *coches*), tirés par des chevaux malingres, font office de transports en commun.
Voilà un port figé dans le temps, à l'image de ce grand boulevard périphérique (*circunvalación* Camilo Cienfuegos) cernant la ville au sud. Construit dans les années 1960, ce périph' voit passer aujourd'hui plus de piétons que de véhicules à moteur. Manzanillo manque de charme et on n'y passe que si l'on y est vraiment obligé ou bien si l'on tient vraiment à admirer le plus beau coucher de soleil de Cuba. Un intérêt, quand même, c'est une des rares villes de cette importance où l'on ne dépense que des pesos.

UN PEU D'HISTOIRE

Sur le plan historique, il existe une longue tradition de lutte. Fortement impliquée dans les deux guerres d'Indépendance (1868 et 1895), Manzanillo fut dirigée dans les années 1940 par un des deux seuls maires communistes élus dans l'histoire de Cuba.

UN *SON* PARTICULIER ET L'ORGUE DE BARBARIE

Manzanillo est aussi célèbre pour sa musique et son *son* particulier. Des organistes alsaciens y sont arrivés après 1870. Aujourd'hui, on y entretient encore le célèbre *órgano oriental,* orgue de Barbarie, base de toute une branche de la musique cubaine. En fait, il n'en reste que deux qui sont souvent hors de Manzanillo. On les sort les jours de carnaval, et alors la ville vit au rythme de la *música molida,* comme disent les Cubains.

Adresses utiles

■ ***Cubana de Aviación :*** Maceo, angle Merchán.

■ ***Station-service Cupet :*** au croisement, tout en haut de la *circunvalación*. Petite boutique.

Où dormir ?

Faute de visiteurs en nombre, guère de choix pour dormir. Il y a peu d'hôtels et une seule *casa particular* officielle !

⌂ ***Chez Cesar et Blanca :*** Sariol, 245, entre Saco et Dr Codina. ☎ 53-131 (appeler à partir de 19 h). Entre 20 et 25 US$ la chambre. C'est un peu cher (les propriétaires profitent du monopole). Petit déjeuner copieux. Dans une grande maison coloniale, à l'étage. Le palier débouche sur une jolie salle, mais le reste de la maison est sans cachet. Deux grandes chambres à 2 lits (AC pour la chambre « Petit Chaperon Rouge » et ventilateur pour l'autre). Salle de bains commune. Possibilité de repas.

⌂ ***Hôtel Guacanayabo :*** av. Camilo Cienfuegos. ☎ 54-012. À l'extérieur de la ville, près du boulevard périphérique *(circunvalación)*. Entre 18 et 22 US$ la double. Une grande bâtisse sans charme mais fonctionnelle, qui offre une centaine de chambres propres. AC (bruyant), eau chaude (pas toujours), et balcon pour la plupart. Bar et restaurant. Petit déjeuner pas terrible. Piscine.

Où manger ?

Plusieurs restos à prix sages autour de la place principale (parque Céspedes). Les étrangers peuvent encore payer en monnaie nationale.

Très bon marché

|●| ***1800*** : sur Merchán. Ouvert de 12 h à 15 h et de 18 h à 22 h. Moins de 25 pesos. Petit estaminet aux murs lambrissés et aux chaises en poil de vache. Toujours les mêmes choses dans la casserole : pied de porc frit, *bistec de res* et parfois même spaghetti en boîte... Prix révolutionnairement bas et service nonchalant.

|●| ***La Lisetera*** : sur le Malecón. Resto au décor vaguement marin ouvert de 12 h à 15 h et de 18 h à 20 h. On peut y manger pour l'équivalent d'un demi-dollar ! Vous ne pouvez manquer ce grand établissement blanc puisque l'entrée est surmontée d'une *liseta,* ce petit poisson de mer dont il tire son nom. Spécialité de Manzanillo, c'est une sorte de petit merlu qu'on vous sert pané et farci au fromage et jambon. Grande terrasse pour admirer le coucher de soleil sur la mer (rappelons qu'il se couche tôt à Cuba !).

Bon marché

|●| ***Las Américas*** : parque Céspedes, angle Martí et Maceo. Sur la place centrale. Ouvert tous les jours de 12 h à 14 h et de 19 h à 22 h. Compter moins de 5 US$. Très agréable, avec de grandes portes-fenêtres doublées de colonnettes en bois et ouvrant sur la rue. Cuisine cubaine traditionnelle à prix raisonnables.

|●| ***La Barra Polar*** : calle Maceo, entre Villuenda et Merchán. En face du théâtre Maceo qui vient d'être rénové. Ouvert tous les jours de midi à minuit. Moins d'un dollar. On mange autour d'un grand bar très convivial, juché sur de hauts tabourets. Attention, c'est un lieu non-fumeurs !

Où boire un verre ?

Tout autour de la place principale, le parque Céspedes, sous les galeries, de nombreux petits ***kiosques*** proposent la boisson de l'homme cubain : le *cóctel d'ostiones* (jus de tomate, Tabasco et une espèce de crustacé que l'on sort de sa coquille pour l'occasion). Le cocktail ne passe pas très bien dans la gorge mais possède deux vertus. La première est de fortifier la mémoire, la seconde... on vous laisse le soin de demander...

🍸 ***Cafetería La Fuente*** : parque Céspedes, angle calles Maceo et Merchán. Ouvert jour et nuit. Central, aéré, spacieux, avec une grande terrasse, des tables et des parasols bleus. Pour boire un verre et picorer des petits plats pas chers.

Où sortir ?

🍸 ♪ ***Cabaret Costa Azul*** : av. 1ero de Mayo et Narcisso Lopez. Près du restaurant de fruits de mer *El Golfo*. Ouvert du jeudi au dimanche de 21 h à 1 h. Entrée : 10 pesos. L'adresse la plus animée de la ville en fin de semaine. On peut y boire, manger (des en-cas), danser et assister à des shows dansants. À l'extérieur, une grande terrasse ventilée par l'air du large. À l'intérieur, un bar, *Las Cuevas de los Piratas*.

Un autre bar, ***Brisas del Mar,*** est situé dans un bloc en ciment rappelant vaguement un bateau, au bord de l'eau sur le Malecón. Consommations en pesos.

El Balcón : av. Camilo Cienfuegos. Avant d'arriver à l'hôtel *Guacanayabo*. Connu aussi sous le nom de *Mirador del Caribe*. Fait motel et cabaret. Prix sages. On paie en monnaie nationale.

Casa de la Cultura et Casa de la Trova : près du parque Céspedes. Activités en fin de semaine.

À voir

La place centrale** (parque Céspedes)* ***: jolie place célèbre pour son kiosque de style mauresque, surnommé « La Glorieta ». Autour, rien de particulier à voir. Mais c'est plutôt un quartier sympa.

De belles ***demeures*** de type mauresque ***autour du port.***

Jolie ***vue sur la ville*** depuis les collines (on voit la mer).

Le Malecón : les artistes locaux ont commencé à peindre les façades des immeubles.

Fête

– ***Carnaval :*** il se déroule chaque année la dernière semaine d'août, et dure 4 jours. C'est l'occasion de voir et entendre les fameuses orgues. Fête aussi le samedi soir dans la rue Martí et autour du parque Céspedes.

➤ *DANS LES ENVIRONS DE MANZANILLO*

À une douzaine de kilomètres, en allant vers Campechuela, sur la droite (ne pas rater la pancarte très peu visible), possibilité de visiter la ***Demajagua,*** l'hacienda de Carlos Manuel de Céspedes où, en octobre 1868, le « Père de la patrie » sonna le début de la première guerre d'Indépendance. Il libéra tous ses esclaves, démontrant ainsi qu'il ne pouvait pas y avoir émancipation d'un peuple si lui-même en opprimait un autre ! Aujourd'hui, c'est un petit ***Musée historique et archéologique,*** complément à la visite de sa maison natale à Bayamo.

La playa Las Coloradas : à 18 km au sud de Niquero, à 73 km de Manzanillo (1 h en voiture) et à seulement 12 km du *cabo Cruz,* l'extrémité ouest de l'Oriente. En décembre 1956, c'est ici que débarquèrent Fidel Castro, Che Guevara et leurs 80 compagnons du yacht *Granma*. Un haut lieu de l'histoire de Cuba, donc, mais le paysage ne vaut pas le détour de plus de 100 km...

QUITTER MANZANILLO

En bus

Gare routière : à 2 km à l'est de la ville, sur la route de Bayamo.

➢ ***Pour Niquero, Ciego de Ávila, Bayamo, Pilón :*** départ un jour sur deux.

➢ ***Pour Santiago de Cuba, Camagüey et La Havane :*** liaisons quotidiennes.

En train

La meilleure solution.
Gare ferroviaire : au nord de la ville. Infos et réservations.
➢ ***Pour Bayamo et Jiguani :*** 1 train par jour.
➢ ***Pour Santiago et La Havane :*** 1 train tous les deux jours. Durée : 6 h pour Santiago et 16 h pour La Havane.

En avion

✈ ***Aéroport :*** à 8 km au sud de la ville, dans le prolongement de l'avenue Céspedes. ☎ 549-84.
➢ ***Pour La Havane :*** 1 vol en fin de matinée le samedi.

LA ROUTE CÔTIÈRE DE PILÓN À SANTIAGO

Pour rejoindre la côte caraïbe, la route franchit un col à Sevilla Arriba. Le relief prend doucement de l'ampleur mais on ne sent pourtant pas la présence de la sierra, seul un léger changement de végétation en témoigne. Puis, l'horizon s'ouvre sur la mer. Et là, waouh ! C'est une des routes côtières les plus belles de Cuba. Presque aucune circulation. Hormis quelques attelages, des *guajiros* à cheval et des piétons qui attendent désespérément un improbable autobus, il n'y a pas un chat. Pourtant, ce morceau de littoral est bel et bien habité.
De modestes villages s'égrènent le long des flots, se cachent dans les contreforts méridionaux de la sierra Maestra. Il n'empêche : voici la région la plus enclavée de l'île. Il y a une dizaine d'années, elle n'était reliée au reste de l'Oriente que par une seule et unique route défoncée, hérissée de cailloux et coupée par des lits de torrents. Cette voie, encore en partie en très mauvais état (éboulements fréquents entre Pilón et Chivirico), est accessible à tous les véhicules de tourisme. Il suffit de ralentir et ça passe sans problème. Un tunnel a été percé, mais sa construction a été abandonnée pour l'instant. La route épouse les contours du relief, passe au pied des hautes montagnes de la sierra Maestra et longe la mer des Caraïbes, presque sans interruption, depuis Pilón jusqu'à 16 km environ avant Santiago. Un spectacle vraiment incomparable. Quelques échancrures, de temps en temps, livrent une multitude de petites plages que l'on choisit en fonction de ses goûts (sable blanc, blond, noir ou galets).
Aficionados du surf, les jours de vent, de beaux creux se forment. Attention tout de même, les courants sont assez traîtres. D'autant qu'au large, ça en donne presque le vertige, les fonds sous-marins atteignent des profondeurs abyssales : plus de 7 000 m ! C'est ce côté « Far West cubain », sauvage, vierge, loin de tout, qui attirera les routards à l'esprit aventureux. Revers de la médaille : on trouve peu de choses à acheter dans les villages.
– ***Conseils :*** compter (dans un sens comme dans l'autre) au minimum 3 h à 3 h 30 pour faire ce trajet de 175 km, entre Pilón et Santiago de Cuba. Mais, devant pareils paysages, il vaut mieux prendre tout son temps. L'idéal consiste à passer une nuit en route et à dormir (par exemple) vers Chivirico. Attention, aucune station-service entre Pilón et Santiago. Il est fortement déconseillé d'emprunter cette route de nuit.

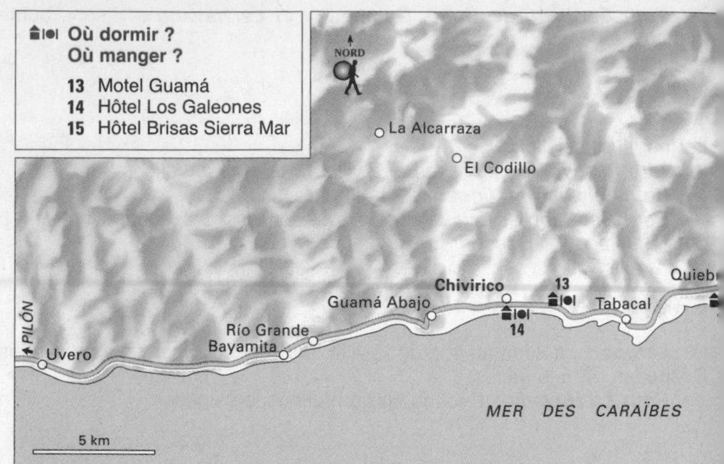

PILÓN

Ville sucrière de 12000 habitants à 91 km au sud de Manzanillo. Rien de particulier à voir si ce n'est une grosse fabrique pas belle du tout mais un peu irréelle.

Adresse utile

■ ***Station-service Cupet :*** sur la route descendant de Sevilla Arriba à l'entrée de Pilón. Ouvert 24 h/24.

Où dormir ? Où manger ?

Hôtel Punta Piedra : à une dizaine de kilomètres de Pilón en direction de Santiago. ☎ 59-44-21. Compter 25 US$ la chambre sans petit dej'. Petit motel de la chaîne *Cubanacan*. Treize chambres pas très rigolotes mais correctes si l'on fait abstraction du bruit de l'air conditionné. Pas mal de cyclotouristes, c'est en effet le moins cher de la région. Plats sans surprise, un poil chers (5 US$). À proximité, club de plongée *Marlin*.

MAREA DEL PORTILLO (ind. tél. : 23)

À une vingtaine de kilomètres de Pilón, une belle plage en arc de cercle protégée des vents par un cirque montagneux. Autant de conditions qui ont appâté les investisseurs et incité le gouvernement à autoriser les Canadiens à construire deux blocs de béton.

L'OUEST DE L'ORIENTE : D'UVERO À EL CUERO

Où dormir ? Où manger ?

🏠 🍽 ***Hôtel El Farallón del Caribe :*** ☎ 59-70-81, 82 ou 83.

🏠 🍽 ***Hôtel Marea del Portillo :*** ☎ 59-71-03 et 59-71-02. Selon la saison, prévoir entre 33 et 50 US$ par personne et par jour en chambre double et en *all inclusive*. *El Farallón* est le grand édifice en W qui s'adosse à un pan de montagne, travaillé pour l'occasion. Salles de bains d'un bleu pâle pas des plus rigolotes, chambres gigantesques et bien équipées qu'affectionne une clientèle de Canadiens dodus qui se disent « bonjour » à chaque coin de couloir. L'endroit est vite bondé et déverse son trop-plein dans l'hôtel *Marea del Portillo,* en contrebas. Ces deux hôtels présentent trois avantages. D'une part, tout est compris, du petit dej' au dîner, ils peuvent donc constituer un arrêt gastronomique pour les routards lassés par la diète. D'autre part, c'est ici qu'on peut louer des scooters permettant de vadrouiller dans la région. Vu qu'il n'y a qu'un bus par jour pour Santiago, c'est une bonne alternative. Enfin, ces hôtels sont les seuls à organiser les trajets pour le petit îlot paradisiaque qu'est le *cayo Blanco*. En 5 mn de bateau, on tombe sur une chouette plage de sable blanc où l'on peut faire de la plongée sous-marine. Excursions dans la sierra Maestra, à Bayamo et Santiago.

À voir. À faire

– La route est toujours aussi belle et serpente le long du littoral, que les vagues viennent lécher et, après La Palmita, de belles plages se succèdent les unes aux autres.

⛱ Après le terrain de base-ball et le pont de La Palmita, sur la droite, belle ***plage de sable noir*** avant la remontée dans les terres.

LA PLATA

À 50 km de Pilón, peu avant le pic Turquino. En janvier 1957, les révolutionnaires y remportèrent leur première victoire sur les troupes de Batista. Les patriotes qui souhaiteront se rendre sur le *site* historique *del Jigüe* resteront sur leur faim. La route est impraticable par les véhicules. Seuls les mollets des touristes et les chevaux des paysans permettent d'y accéder.

À voir. À faire

Juste après le pont enjambant le río Palma Mocha, dans l'ensenada de Las Cuevas, une autre ***plage,*** cette fois-ci, ***de galets.*** Ressac sympa et vagues idéales pour le body-board. Attention, le fond tombe rapidement dans les abysses.

Avant d'arriver à El Ocujal, après le pont et l'ancienne route, aujourd'hui submergée par le lit d'un torrent, petite ***crique de sable blanc.*** Pour ceux qui prennent l'itinéraire dans le sens inverse, c'est à 109 km de Santiago.
– Avant d'arriver à La Mula, la bouche d'un autre cours d'eau est protégée par la mer. Sur la droite, un petit ***bassin,*** mouillé de temps à autre par les flots. Idéal pour les enfants.

On passe à ***Uvero,*** siège d'une autre bataille victorieuse des guérilleros en 1957. **Attention** si vous vous baignez dans le secteur : c'est très rare, mais parfois les requins attaquent... En janvier 2004, un jeune baigneur cubain a été victime d'un squale qui lui a déchiqueté une jambe. Il s'en est sorti par miracle. L'animal ayant été tué, le jeune homme a décidé de se venger en... en mangeant un morceau (véridique !).

En face d'un abribus vert pomme, avant le lieu-dit *Papayo Playa* et après avoir dépassé Uvero, une vague pancarte bouffée par le sel et rouillée par les embruns indique, sur la gauche, le chemin de ***La Cuquita.*** Un petit complexe thermal en pleine nature où paissent tranquillement quelques bufflonnes. L'entrée est gratuite pour se baigner dans une eau à 30 °C naturellement riche en potassium, magnésium et autres sulfures rendant la peau plus douce. Le mauvais entretien ne doit pas vous rebuter, les médecins du centre accueilleraient volontiers des investisseurs... En attendant, ils peuvent vous appliquer des boues et vous faire des massages, gratuitement... Petit bar-paillote.

CHIVIRICO

À 107 km à l'est de Pilón et 68 km à l'ouest de Santiago de Cuba, sur la route de Pilón à Santiago. Une petite ville nonchalante (environ 4 000 habitants), très couleur locale, coincée entre la montagne et la mer. Le climat y est plus sec qu'ailleurs en raison des faibles pluies. Quelques plages près du village. Possibilité d'y dormir.

LES PLAGES À L'OUEST DE SANTIAGO

Très belle plage ombragée par des arbres à ***El Francés,*** avec une petite cafétéria (ouverte jusqu'à 15 h), où l'on trouve des sandwichs payables en monnaie nationale. En face, bel équipement hôtelier mais réservé aux militaires.

La route continue jusqu'à ***Caletón,*** où se trouvent deux autres jolies plages. On ne peut manquer la plus petite, en effet, deux canons de bateaux coulés émergent de ses eaux limpides.

Puis on arrive à la plage de ***Buey Cabon,*** bien ombragée elle aussi et très sûre pour les enfants.

Avant cette plage, en arrivant de Chivirico, après un pont sur la rivière *Nimanima,* prendre un chemin sur la gauche, pour aller voir la ***cascade*** (1 km de marche, des jeunes vous y conduisent). Au pied de la cascade, grand trou d'eau fraîche. Les habitants du coin proposent des grillades de *chivo* (chevreau).

La dernière plage avant d'arriver à Santiago est celle de ***Mar Verde*** (galets).

Où dormir? Où manger?

CHAMBRES CHEZ L'HABITANT (CASAS PARTICULARES)

La solution la plus économique et la plus authentique. Officiellement, il n'y a pas de location possible dans la région. Officieusement, on peut trouver, comme partout à Cuba, des chambres à louer chez les particuliers, à condition de demander discrètement aux gens en traversant les petits villages du littoral (La Plata, La Mula, Uvero, Río Grande...).

HÔTELS

Bon marché

***Motel Guamá** (plan ouest, **13**) :* ☎ 026-124. Sur une colline, à 4 km à l'est de Chivirico, sur la route de Santiago. Très mal signalé, entrée par un terre-plein goudronné. Quatre chambres et quatre bungalows à 15 US$. Ne pas hésiter à négocier. Le confort et la propreté laissent à désirer. Petit restaurant où, en théorie, les prix n'excèdent pas 5 à 6 US$ pour une assiette de poisson avec accompagnement. Chouette terrasse où l'on peut déguster de bons poissons grillés, accompagnés d'une mousse. La plage la plus proche est à 1 km, en face du *cayo* de las Damas.

Plus chic

Les autres rares établissements, l'hôtel *Brisas Sierra Mar* et l'hôtel *Los Galeones,* sont beaucoup plus chers : entre 116 et 136 US$ la chambre double tout inclus (du petit dej' au dîner, boissons comprises), suivant la saison. On peut passer la journée dans l'un de ces deux établissements en profitant des installations et de la piscine (avec repas du midi et boissons) pour 25 US$.

***Hôtel Brisas Sierra Mar** (plan ouest, **15**) :* à playa Sevilla. ☎ (22) 29-110 et 115. • sierrmar@smar.scu.cyt.cu • À 12 km à l'est de Chivirico et 62 km de Santiago. Plus grand que *Los Galeones,* il jouit d'une vue magnifique sur la mer et la montagne, ainsi que d'une très belle plage de 4 km de long. Très bon accueil. Centre de plongée, notamment sur une épave d'un navire espagnol coulé par la marine américaine en 1898.

***Hôtel Los Galeones** (plan ouest, **14**) :* à Chivirico. ☎ (22) 26-160 et 26-446. Les chambres dominent la mer à 60 m de hauteur. Les jeunes enfants n'y sont pas admis *(sic).*

SANTIAGO DE CUBA

450 000 hab. IND. TÉL. : 22

Pour les routards qui passent au moins trois semaines à Cuba, un séjour de 3 à 4 jours à Santiago s'impose. Deuxième ville de Cuba, capitale de l'Oriente, « berceau de la Révolution », Santiago de Cuba ravira les amoureux de villes coloniales. Ici, pas de gigantisme immobilier, la ville s'étale plutôt à l'horizontale. Un ou deux étages maximum, une forêt de toits de tuiles rouges, une débauche de balcons, grilles en fer forgé, longues vérandas, fenêtres en bois tourné. Les rues ondulent à flanc de colline et les quartiers descendent en pente raide vers la baie, livrant une agréable perspective sur l'unité architecturale de la ville. Le centre tient dans un mouchoir de poche et s'organise autour de l'épine dorsale que constituent les quatre places : le parque Ajedrez, le parque Céspedes, la plaza Dolores, que tout le monde connaît sous le nom d'El Búlevar, et la plaza de Marte.

La population est le produit du métissage le plus complet qui soit : Espagnols, Caraïbes, Indiens, Noirs africains, Français arrivés aux XVIIIe et XIXe siècles, Asiatiques... On y trouve, paraît-il, les plus ravissantes *mulatas* du pays. Riches traditions culturelles également : musique, poésie, festival del Caribe et célèbre carnaval de juillet, le plus fou du pays... À Santiago, la fête est omniprésente, les Santiagais cultivent au plus haut point l'hédonisme. Revers de la médaille, la ville ne parvient pas à rattraper son retard séculaire sur les autres provinces du pays. Autre conséquence, le harcèlement des touristes par les *jineteros* et *jineteras* est nettement plus visible que dans le reste de l'île. Certains commencent à s'en plaindre.

UN PEU D'HISTOIRE

Fondée en 1515, Santiago est l'une des villes les plus anciennes d'Amérique. Elle eut un maire tristement fameux, Hernán Cortés, qui, trouvant sa fonction par trop routinière, partit conquérir le Mexique. La ville servit ainsi de camp de base à la colonisation du continent et de premier port de débarquement pour les esclaves africains. Elle fut détrônée en 1607 par La Havane. Attaquée de nombreuses fois par les pirates et autres coureurs de mers, notamment français, elle se dota de nombreux forts. En 1662, une escadre anglaise s'en empara pourtant et de nombreux monuments furent brûlés.

Au XVIIIe siècle (1791-1804), une partie de la colonie française d'Haïti, fuyant les révoltes d'esclaves, se réfugia à Santiago. Voilà pourquoi l'influence française y est ici plus importante qu'ailleurs.

Les colons français d'Haïti développèrent la culture du café dans la région. Ainsi le planteur Victor Constantin Cuzeaux s'installa-t-il avec ses esclaves sur la montagne de la Gran Piedra, où il produisit du café dans la fameuse plantation *La Isabélica,* que l'on peut visiter aujourd'hui. Le quartier du Tivolí, en haut de la calle Padre Pico, la plus vieille rue de Santiago avec une portion en escaliers, abrita des familles de colons enrichies dans ce commerce. À l'époque, le Tivolí était le quartier des Français. D'autres témoignages de leur apport culturel subsistent : les noms propres, la toponymie dans l'architecture, les chansons de troubadours, jusqu'à la *tumba francesa,* une danse inspirée du menuet et réinterprétée par les esclaves haïtiens des colons français. Le médecin de Napoléon Bonaparte à Sainte-Hélène, le docteur Francesco Antommarchi, un Corse lui aussi, s'exila à Santiago où il vécut jusqu'à la fin de sa vie. Mort en 1838, il est enterré au cimetière Santa Ifigenia. Au XIXe siècle, Santiago fut, bien entendu, l'un des principaux foyers de révolte contre la domination espagnole, et fut très active lors des deux guerres d'Indépendance (1868-1878 et 1895-1898).

CE 26 JUILLET 1953...

Ce jour-là, en plein carnaval, un jeune avocat, Fidel Castro, à la tête d'une centaine d'hommes, attaque la caserne Moncada, symbole de la dictature de Batista. But de l'opération : s'emparer de l'armement (pendant que les soldats sont bien éméchés !) pour mener la guerre révolutionnaire, et porter un coup décisif à la dictature en s'attaquant à la deuxième place forte du pays. Mais, malgré les attaques de diversion menées par Abel Santamaría à l'hôpital et Raúl Castro au palais de justice, le rapport de force militaire se révèle par trop écrasant. Plus de 1 000 hommes de Batista ripostent de façon sanglante. Exécutions sommaires des blessés, tortures atroces des survivants. Au total : 61 morts. L'une des femmes du commando, sœur de Santamaría, refusant de parler, se voit apporter en prison l'œil de son fiancé, qui avait également participé à l'attaque.

Castro assurera lui-même sa défense, concluant par le fameux : « L'Histoire m'acquittera ! » Malgré l'échec militaire de l'opération, avec la naissance du mouvement du 26 Juillet, la Révolution cubaine était en marche et allait triompher exactement 6 ans, 6 mois et 6 jours plus tard...

LE CARNAVAL

Le carnaval de Santiago est le plus populaire et le plus fou de Cuba. Il se déroule fin juillet (en gros, du 18 au 27 juillet, coïncidant donc avec la fête nationale). Avant la Révolution, il durait un mois...

Comme pour les carnavals brésiliens, ici, on prépare la fête longtemps à l'avance : élaboration des costumes, répétitions des orchestres. Le soir, av. Garzón, fantastique défilé de chars couverts de fleurs et de belles. Musique et rythmes éclatent partout. Occupant la rue, les ensembles de musiciens et danseurs, les *comparsas,* se déchaînent dans une atmosphère indescriptible.

Des tribunes sont installées pour les touristes (5 US$), celles réservées aux Cubains (20 centavos) sont prises d'assaut. Après le défilé, la fête continue dans les quartiers toute la nuit, spécialement à la Trocha, Ferreiro et dans le Sueño, avec groupes *en vivo*. Les groupes de quartiers *(cabildos)* de Santiago sont évidemment partie prenante du carnaval, composés d'une trentaine de participants (la reine et ses suivantes) et d'une centaine de vassaux. Pour ceux qui n'ont pas l'occasion d'être à Santiago au moment du carnaval, ils donnent des spectacles pendant l'année, répètent souvent et offrent ainsi un petit aperçu de la fête.

Les groupes les plus connus sont les *Carabali Izvama* et *Olugo*. Les *Carabali,* reconnaissables à leurs costumes de courtisans espagnols du XIXe siècle, possèdent leur siège social calle Pío Rosado (et Los Maceos). À la différence du carnaval de Río, il n'y a pas de violence, et on ne retrouve pas de cadavres dans les rues de Santiago après l'euphorie de la fête.

Pour permettre de patienter en attendant le carnaval de juillet, l'avenue Garzón s'anime un samedi par mois, c'est la ***Noche Santiaguera.*** Tout au long de l'artère, stands, buvettes ; la bière à la citerne coule à flots, surtout dans les parages du marché de Ferreiro. Quelques groupes sur scène. Ambiance *caliente*...

■ Adresses utiles

- Gare ferroviaire
- Gare routière
- 21 Stations-service Cupet
- 25 Terminal des camions

Où dormir ?

- 34 Felix and Mary
- 38 Zaida Moraleza Infante
- 42 Rafael Silva Gonzales
- 57 Versalles

Où déguster une glace ?

- 77 La Arboleda

Où écouter de la musique ?

- 105 Casa de las Tradiciones
- 113 Tropicana
- 114 Cabaret San Pedro del Mar
- 120 La Tumba Francesa

À voir

- 120 La Tumba Francesa
- 130 Fabrique de cigares Cesar Escalante
- 133 Casa de Franck País

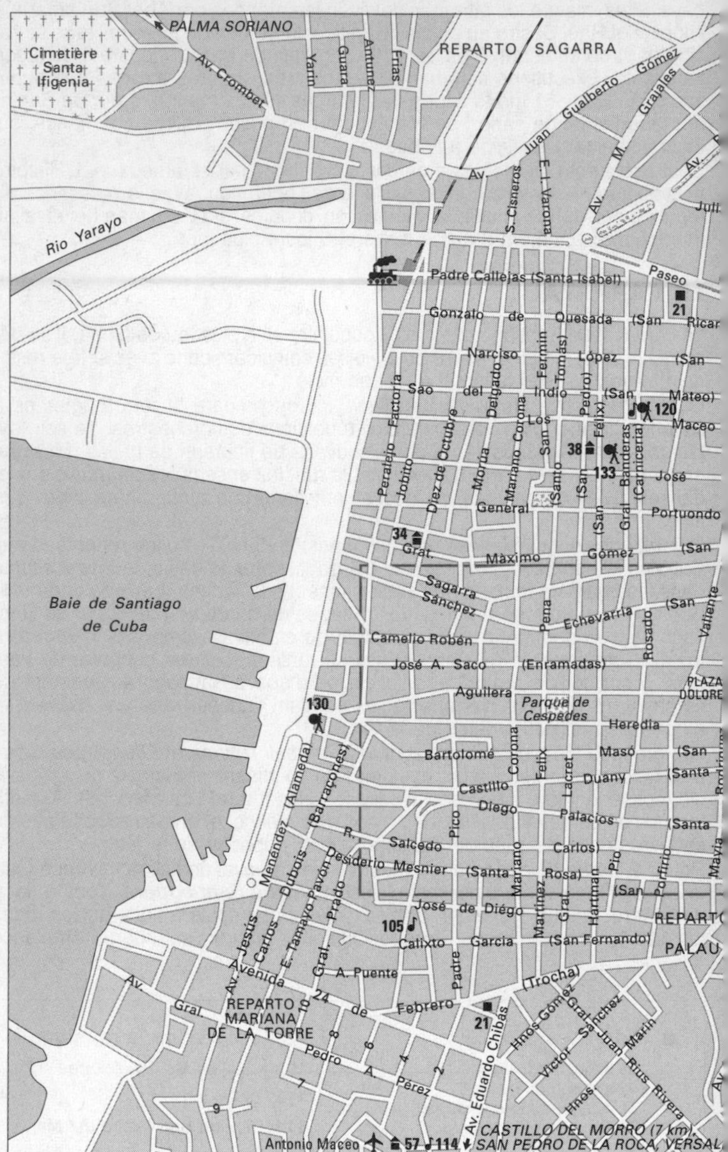

SANTIAGO DE CUBA

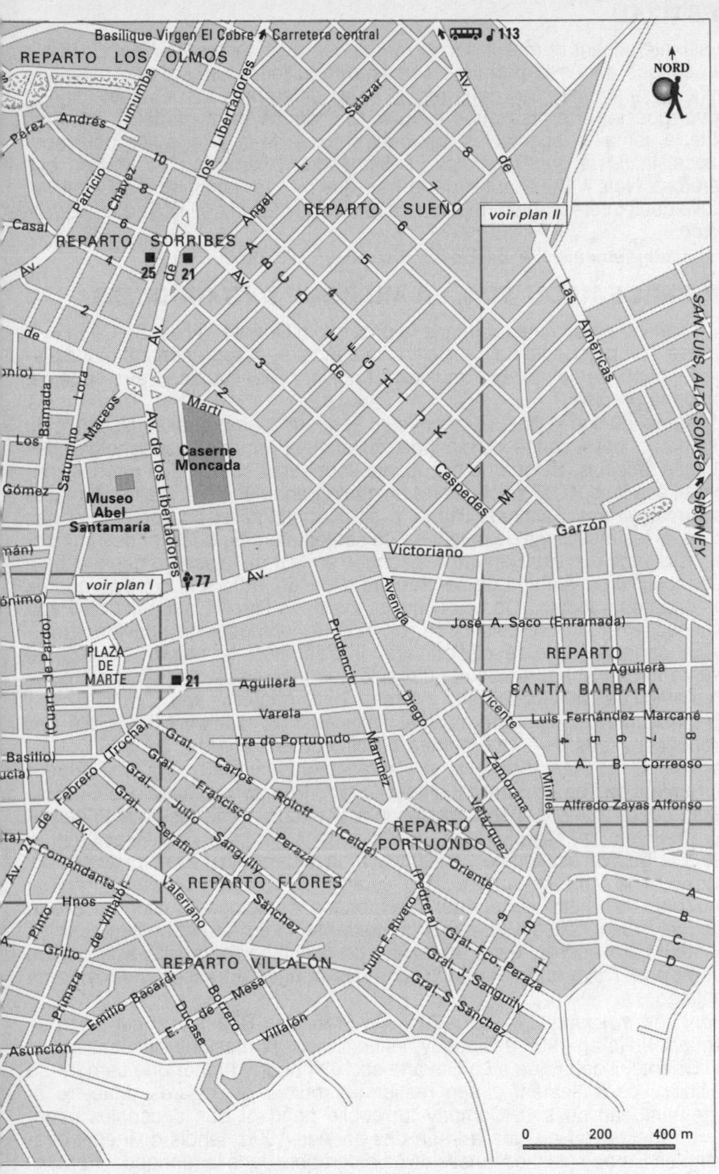

SANTIAGO DE CUBA – PLAN D'ENSEMBLE

FESTIVAL

Aussi intéressant et moins connu que le carnaval, le ***festival del Caribe*** a lieu chaque année la première semaine de juillet. Il s'agit d'une rencontre entre les différentes îles de la région et les différentes formes d'art (ciné et vidéo, poésie, arts plastiques et, bien sûr, danse et musique...). Pendant toute la semaine, spectacles aux quatre coins de la ville, avec, pour apothéose, la *fiesta del Fuego,* av. J. Menendez (Alameda). La Maison des Caraïbes (voir « Où écouter de la musique ? »), organisatrice du Festival, publie deux intéressantes revues : *La revista del Caribe* et *El Caribe arqueológico.*
– Renseignements : ☎ 64-22-85. • caribe@cultstgo.cult.cu •

LE BERCEAU DU *SON,* LA MUSIQUE DES ORIGINES

« Le *son* est né comme moi dans la province d'Oriente, à l'est de Cuba », a déclaré Compay Segundo, musicien nonagénaire, et représentant mondialement connu de la célèbre musique traditionnelle cubaine (afro-cubaine, doit-on le préciser ?).
À l'origine, quelques illustres anonymes auraient contribué à la naissance du *son* (prononcer « sonne »), mariage réussi de la romance espagnole et des rythmes africains. Selon une hypothèse, tout aurait commencé par une rencontre, à la fin du XIXe siècle, entre un photographe anglais, Walter Huma, et un Cubain, Pepe Sánchez. Huma vivait à Santiago, et ne comprenait pas pourquoi les musiciens de cette ville se contentaient de décliner des compositions d'origine exclusivement espagnole, au lieu de laisser le génie cubain s'épanouir. Il se lamenta de ce manque d'identité musicale cubaine auprès des chanteurs locaux. Ce reproche tomba dans l'oreille attentive de Pepe Sánchez. En réaction, celui-ci se mit alors à composer de nouveaux morceaux dans un style révolutionnaire. Il créa ainsi le boléro *Tristeza,* et inventa la chanson avec deux quatrains à la place des rengaines stéréotypées articulées autour de deux syllabes. Ainsi naquit le *son.*
Côté instrumental, ce genre musical n'existerait pas sans la guitare dite *tres* (prononcer « tresse »), une guitare à trois doubles cordes.
Ce serait un paysan appelé Nene Manfugas qui, en 1890, aurait utilisé pour la première fois un *tres,* créant ainsi le *changüi,* le *son* primaire. De Guantánamo, cet instrument fit son apparition à Santiago, à l'occasion d'un carnaval. Quelques années plus tard, des musiciens de cette ville associèrent le *tres* à la guitare espagnole traditionnelle, inventant ainsi le *son maracaibo,* une nouvelle variante sonore. Hier comme aujourd'hui, ce genre musical (pour plus de détails, se reporter à la rubrique « Musique cubaine », dans le chapitre « Généralités » au début du guide) fut interprété et soutenu par les chanteurs *trovadores,* dans les salles de Santiago, particulièrement à *La Casa de la Trova* (calle Heredia), une des bonnes adresses musicales de Santiago.
Parmi ces *trovadores,* le jeune Máximo Francisco Repilado (futur Compay Segundo). Né en 1907 à Siboney, influencé par la musique de Santiago et de l'Oriente, il débarqua à La Havane en 1934 pour y mener une carrière de musicien, parallèlement à son métier de rouleur de cigares. Maestro et porte-flambeau du *son,* Compay fut oublié pendant des décennies avant d'être redécouvert à Cuba à la fin des années 1990, tandis qu'il était ovationné en Europe (voir les détails de sa biographie dans la rubrique « Personnages » du chapitre « Généralités »). Cette reconnaissance tardive a pris l'allure d'un triomphe. Un détail amusant : Compay jouait sur un *armonico,* une guitare qu'il avait lui-même bricolée. Il s'agissait d'un *tres* traditionnel (à trois doubles cordes) auquel il avait ajouté une septième corde.
Son style musical, longtemps considéré comme paysan et provincial, a conquis le grand public cubain. Avec lui, toute une génération de musiciens de *son,* délaissés au profit des groupes de salsa, a refait son apparition sur

le devant de la scène. Pour Compay Segundo, « la salsa manque terriblement de cœur. Le *son* c'est tout le contraire, tendre et romantique ».
À Santiago, tous les soirs ou presque, dans les salles noires de monde, des musiciens jouent notamment *Chan Chan,* la plus populaire de ces chansons. Des formations prestigieuses de Santiago, comme Eliadés Ochoa, avec son quinteto Patria, et la Familia Valera Miranda, ont reconnu en Compay un maître. Ailleurs dans l'île, d'autres groupes perpétuent à leur manière le génie de ce genre musical : Los Guanchés, le groupe Septeto Turquino (avec le musicien français Cyrius), le Septeto Habanero ou le Típico Oriental. Le groupe le plus populaire de Santiago demeure *Son Catorce* et son chanteur moustachu Tiburón. À noter aussi, parmi les valeurs sûres : les « papys » du groupe *Jubilados,* qui cultivent un *son* authentique et l'orchestre *Chepin Chovén* qui, lui, perpétue la tradition du *danzón.*

LA *TUMBA FRANCESA*

Tout a commencé à l'époque de la Révolution française. En 1791, un certain Toussaint Louverture prend la tête d'une révolte d'esclaves en Haïti. Les colons français commencent à fuir et la débâcle atteint son apogée en 1803-1804. Ces propriétaires terriens viennent se réfugier en grand nombre dans la région de Santiago de Cuba. Ils gardent le goût des danses de la cour royale de France : menuets et rigodons. Résultat de cette migration, Santiago et Guantánamo conservent aujourd'hui la trace de ces danses oubliées : celle des menuets (on dit « minué »)... que l'on danse au rythme des tambours africains ! C'est la *tumba francesa* (*tumba* signifie « tambour » en langue bantoue). Les chansons sont déclamées en *patua francés.*
Une association, la *Sociedad tumba francesa de la Caridad de Oriente* (à l'origine société Lafayette), fondée en 1862, perpétue la tradition et organise des spectacles. Elle est dirigée par une reine de la *tumba*, Sara Quiala Vonot, descendante en ligne directe d'esclaves amenés du Dahomey par les planteurs français Venet et Danger. Dans une grande salle aux murs couverts de photos anciennes, les soirs de spectacle, les 24 membres de la Sociedad dansent le « minué », en costume du XVIIIe siècle, des costumes arrangés à la manière des Caraïbes. Voilà une belle illustration de ce qui s'appelle le « métissage culturel ». En novembre 2003, la Tumba Francesa de Santiago a été inscrite par l'Unesco au patrimoine intangible de l'Humanité.

♩ ***La Tumba Francesa*** *(plan d'ensemble,* ***120****)* ***:*** calle Los Maceos, 501, angle San Bartolomé. Les mardi et jeudi, répétition-spectacle à 20 h 30. Entrée : 1 US$.

Arrivée à l'aéroport

✈ ***Aéroport international Antonio Maceo*** *(hors plan d'ensemble par le sud)* ***:*** carreterra del Morro. ☎ 69-86-14. Sur la route de San Pedro de la Roca, à 11 km de Santiago.

ℹ ***Petits bureaux de Cubatur et Havanatur :*** à l'aéroport. Ils donnent quelques infos rudimentaires sur la ville.

■ ***Bureau des douanes :*** à côté de *Cubatur.*

■ Toutes les ***agences de location de voitures*** *(Micar, Havanautos, Via, Cubacar, Transtur, Rex)* sont représentées à l'aéroport.

➢ ***Pour se rendre dans le centre :*** la meilleure solution est un ***taxi officiel.*** Prix : environ 5 à 7 US$ pour le centre de Santiago. Pas de taxi parti-

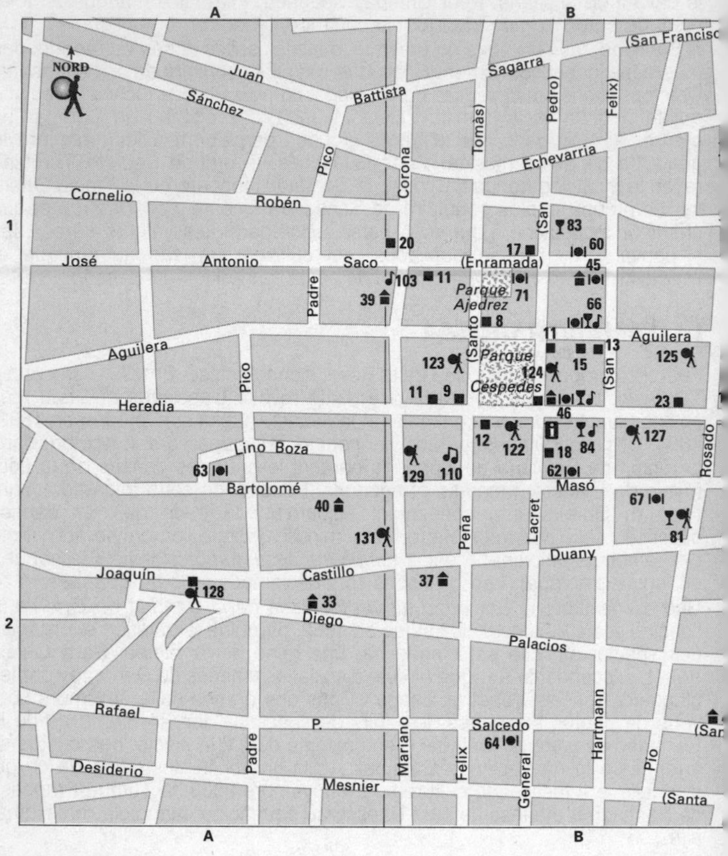

Adresses utiles

- Agence Rumbos
- Poste principale
- 12 Téléphone international et Internet
- 6 Banco Cadeca
- 7 Banco Internacional de Comercio
- 8 Banco Financiero Internacional
- 9 Banco de Credito y Comercio
- 11 Distributeurs automatiques
- 13 DHL
- 14 Boutique Internet Megacen
- 15 Cubatur
- 17 Cubana de Aviación
- 18 Aerocaribbean
- 20 Location de vélos
- 23 Librería La Escalera
- 44 Transtur Rent-car
- 46 Transtur Rent-car
- 72 Cybercafé Tulsla
- 128 Association Casino francés

Où dormir ?

- 30 Gabriel Jardines Tornés
- 31 Casa Verde-José M. Izquierdo
- 32 Regina Céspedes Aroche
- 33 Amparo
- 35 La Casona de San Jerónimo
- 36 Nena Acosta Alas
- 37 Iris
- 39 Ana Castillo Enamorado et Javier Berdion
- 40 Ana Delia Villalón Pérez
- 41 Rey et Nidia
- 43 Amelia Correoso Mustelier
- 44 Libertad
- 45 Gran Hotel
- 46 Hôtel Casa Granda
- 47 Hostal San Basilio

Où manger ?

- 45 Primavera
- 46 Terrasse et roof-garden de l'hôtel Casa Granda
- 60 Las Novedades
- 62 Las Gallegas

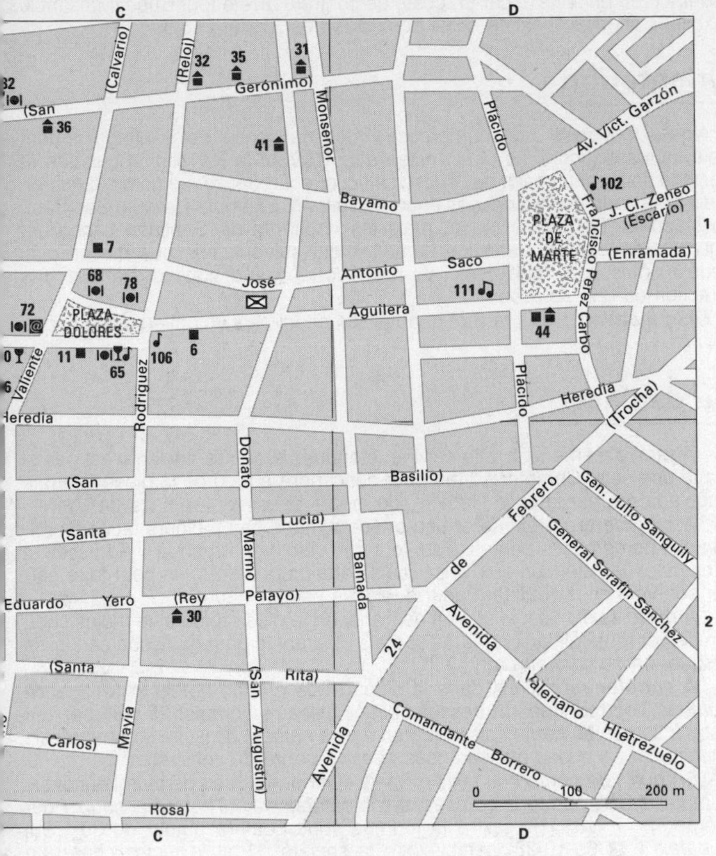

SANTIAGO DE CUBA – PLAN I

63 Doña Cristy
64 Caribeña
65 La Taberna de Dolores
66 El Baturro
67 1900
68 Casa Don Antonio
71 La Fontana de Trevi
72 Matamoros
78 Perla del Dragon

Où boire un verre ? Où sortir ?

46 Terrasse de l'hôtel Casa Granda
65 La Taberna de Dolores
66 El Baturro
80 La Isabélica
81 La Taberna del Rón
82 Le Quitrín
83 Kon-Tiki
84 La Casa de la Trova

Où écouter de la musique ?

84 La Casa de la Trova
100 Casa Artex
101 La Casa del Coro Madrigalista
102 Patio Los Dos Abuelos
103 Casa de la Música
106 Sala Dolores

Où danser ?

110 La Claqueta
111 Discoteca La Iris

À voir

81 Museo del Rón
122 Catedral
123 Museo de ambiente historico Diego Velázquez
124 Casa municipal de la cultura
125 Museo municipal Emilio Bacardí
126 Museo del Carnaval
127 Casa de José María Heredia
128 Museo de la Lucha clandestina
129 Centro cultural Francisco Prat Puig
131 Maquette de la ville

culier ici (en principe !), car un poste de contrôle arrête tout Cubain faisant le taxi sans licence. Il existe aussi deux ***bus*** (les 212 et 213).

Orientation

– ***Noms des rues :*** de nombreuses rues du centre de Santiago portent deux noms distincts. Le plus ancien date d'avant la Révolution cubaine et désigne souvent un saint de l'église catholique. Le deuxième nom est récent, mais beaucoup ne s'y sont pas encore habitués. Exemple : la calle San Basilio s'appelle Bartolomé Masó, mais les habitants de Santiago l'appellent encore San Basilio. Dans les adresses qui suivent, on vous met la plus usuelle, puis son équivalent. Attention donc quand vous demandez une direction ou une adresse.
– ***Utile à savoir :*** pour le mot quartier, on dit ici plus volontiers *reparto* que *barrio*.

Se déplacer

➢ ***À pied :*** même si la ville est très étendue, le centre ancien n'est pas si grand que cela. Compter 10 mn pour descendre à pied de la place centrale jusqu'au port, par la calle Heredia, de même pour monter plaza de Marte.
➢ ***À bicyclette :*** pratique et peu onéreux, mais pas toujours facile en raison des nombreuses pentes. Pour louer un vélo, voir rubrique « Adresses et infos utiles ». Attention aux vols ! Dans certains quartiers, on peut faire garder son vélo chez l'habitant pour quelques pesos l'heure.
➢ ***À moto-taxi :*** c'est le moyen de transport le plus rapide et le moins cher. À réserver toutefois aux routards sportifs et ayant le goût du risque car, ici, le casque, on ne connaît pas !
➢ ***À scooter :*** locations dans la plupart des grands hôtels et à l'agence *Rumbos,* voir rubrique « Adresses et infos utiles ». Compter 25 US$ par jour jusqu'à 3 jours en haute saison (20 en basse saison). Ensuite tarif dégressif. Attention, il n'y a pas d'assurances pour ce genre de véhicules.
➢ ***En taxi :*** de nombreux taxis officiels stationnent près de tous les hôtels. Compter 2 US$ pour une course entre la cathédrale et l'hôtel *Santiago.* Pour l'aéroport : 7 US$. Un taxi à la journée vous coûtera autour de 30 US$. *Cubataxi* (☎ 65-10-38) semble être la société d'État la moins chère. Le voyage jusqu'à Holguin coûte 70 US$. Une solution plus économique (à condition de le faire discrètement) consiste à prendre des taxis privés *(particular).*
➢ ***En carrioles à cheval :*** elles ne circulent que le long du port, assurant la navette régulière d'un bout à l'autre du paseo Alameda. La course est payable en monnaie nationale. Tirées par des chevaux décharnés. Les plus sophistiquées sont couvertes d'une vague toile plastifiée et peuvent contenir une dizaine de personnes. Les passagers sont assis sur des bancs en bois, face à face. Ce type de transport public existait déjà avant la Révolution.

Adresses et infos utiles

Tourisme

ℹ ***Agence Rumbos*** *(plan I, B1-2)* **:** angle calles Heredia et General Lacret (San Pedro). ☎ 625-969. Face à l'hôtel *Casa Granda.* Ouvert tous les jours de 8 h à 20 h. Donne quelques infos sur la ville. Organise aussi des visites de Santiago, des excursions dans les environs, et s'occupe de la réservation des billets de bus *(Viazul)* et d'avions ainsi que

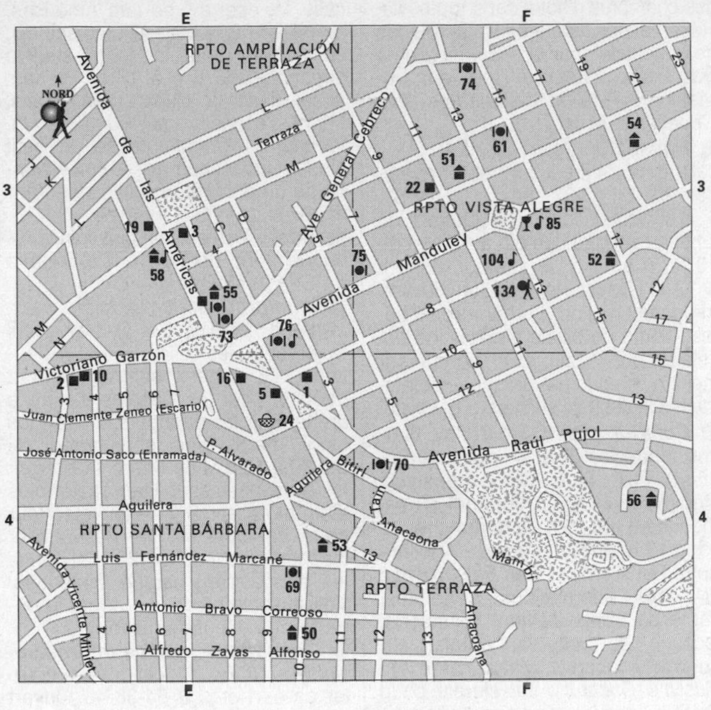

SANTIAGO DE CUBA – PLAN II

■ Adresses utiles

- 1 Havanatur et Consultoría jurídica internacional
- 2 Cubatur
- 3 Cubanacan
- 5 Immigration
- 10 Banco Popular de Ahorro
- 16 Clinique et pharmacie internationales
- 19 Cubanacan Express
- 22 Alliance française
- 24 Marché de Ferreiro
- 55 Havanautos et Transtur Rent-car

Où dormir ?

- 50 Osmel Fernandez
- 51 Zulma Siré Olivares
- 52 Margarita Roca
- 53 Alberto Coureaux
- 54 Hôtel Villa Santiago Gaviota
- 55 Hôtel Las Américas
- 56 San Juan
- 58 Hôtel Meliá Santiago

Où manger ?

- 55 Cafetería Las Américas
- 61 Panadería Doñanelli
- 69 Paladar Salón Tropical
- 70 Club Arabe
- 73 Cafetería Amazonas et restaurant La Fondita
- 74 Cafetería Cubalse
- 75 Zun Zun
- 76 Cafetería de La Maison

Où sortir ? Où écouter de la musique ?

- 58 Café Santiago
- 76 La Maison
- 85 Le CIROA
- 104 Casa del Caribe

À voir

- 134 Casa de las religiones

des chambres d'hôtel dans toute l'île. Réservations également de places de spectacle pour le *Tropicana* et le *San Pedro del Mar*. À l'intérieur, bureaux de location de voitures *Vía, Cubacar* et *Micar*.

■ ***Havanatur*** *(plan II, E4,* ***1****) :* calle 8, 56, entre les 1ra et 3ra avenidas. ☎ 64-12-37. Fax : 68-72-81. • isis@cimex.com.cu • Ouvert du lundi au vendredi de 8 h à 12 h et de 13 h 30 à 17 h; le samedi, de 8 h à 12 h. Transferts, location de voitures, réservation de chambres d'hôtels, vente de billets d'avion, de tickets de bus Viazul, excursions « sur mesure » pour les groupes, notamment à la centrale sucrière d'El Cristo.

■ ***Cubatur*** *(plan II, E4,* ***2****) :* av. Garzón, entre les 3e et 4e rues. ☎ 65-25-60. Fax : 68-61-06. • iber.scu@stgo.cyt.cu • Ouvert du lundi au samedi de 8 h à 19 h; le dimanche, de 8 h à 13 h. Succursale calle Aguilera entre San Pedro et San Felix *(plan I, B1,* ***15****)*. Informations générales, vente de billets d'avion, transports, location de voitures, hôtels, excursions, cabarets, visas... Une exclusivité *Cubatur* : sur simple coup de fil à l'agence, on vous apporte à l'hôtel ou même à la *casa particular* votre billet de bus Viazul et on assure votre transfert à la gare routière.

■ ***Cubanacan*** *(plan II, E3,* ***3****) :* calle M, esq. av. de Las Américas. ☎ 64-22-02. • viajes@stgo.scu.cyt.cu • Ouvert tous les jours, sauf le dimanche, de 8 h à 17 h. Présent aussi dans la plupart des hôtels. Mêmes services que *Rumbos, Havanatur* et *Cubatur*, avec un petit plus : *Cubanacan* est la correspondante de nombreux voyagistes français.

■ ***Roots Travel :*** voir plus loin la rubrique « Où dormir? », *La Casona de San Jerónimo*.

■ ***Immigration*** *(Inmigración y extranjería; plan II, E4,* ***5****) :* av. Raúl Pujol, entre les calles 10 et 1. Attention, il y a deux bureaux, l'un à gauche, pour les Cubains, l'autre à droite pour les étrangers. Ouvert les lundi, mardi, jeudi et vendredi de 8 h 30 à 12 h et de 14 h à 16 h. Pour les personnes souhaitant rester plus d'un mois et faire renouveler leur carte de tourisme. Ne pas oublier d'acheter les timbres (25 US$) dans les banques du parque Céspedes. Voir aussi la rubrique « Avant le départ », en début de guide.

■ ***Consultoría jurídica internacional*** *(plan II, E4,* ***1****) :* calle 8, 54, entre les calles 1 et 3. ☎ 64-36-46. Ouvert du lundi au vendredi de 8 h 30 à 12 h et de 13 h 30 à 18 h 30. C'est le lieu de passage obligé de ceux et celles qui veulent inviter un Cubain ou une Cubaine pour un séjour à l'étranger, voire convoler en justes noces.

Banques, change

Toutes les banques changent les euros et chèques de voyage. Possibilité de retirer des dollars avec les cartes *Visa* ou *MasterCard*. Passeport obligatoire. Possibilité d'achat de pesos dans les *Cadeca (casas de cambio)*, notamment à l'entrée du marché de Ferreiro et dans les hôtels Las Américas et Meliá Santiago (voir la rubrique « Où dormir? »).
En cas de problème de carte de paiement, on peut s'adresser à l'hôtel *Villa Santiago Gaviota* (*plan II, F3,* ***54***; voir « Où dormir? »). *Visa* dispose d'un bureau (CIMEX) juste à côté.

■ ***Banco Cadeca*** *(plan I, C1,* ***6****) :* calle Aguilera, 508, entre Reloj (Mayía Rodríguez) et Clarín. Ouvert du lundi au samedi de 8 h 30 à 18 h; le dimanche, de 8 h 30 à 12 h.

■ ***Banco Internacional de Comercio*** *(plan I, C1,* ***7****) :* angle calles P. Valiente (Calvario) et José Antonio Saco (Enramadas). Ouvert du lundi au vendredi de 8 h 30 à 15 h. Meilleur taux de change.

■ ***Banco Financiero Internacional*** *(plan I, B1,* ***8****) :* Santo Tomás, 565, entre Enramadas et Aguilera. Ouvert du lundi au vendredi de 8 h à 15 h.

■ ***Banco de Credito y Comercio*** *(plan I, B1,* ***9****)* **:** parque Céspedes, face à l'hôtel *Casa Granda.* Ouvert du lundi au vendredi de 8 h à 17 h ; le samedi, de 9 h à 13 h.

■ ***Banco Popular de Ahorro*** *(plan II, E4,* ***10****)* **:** av. Garzón, 338. Ouvert du lundi au vendredi de 8 h à 17 h. Distributeurs automatiques.

■ ***Distributeurs automatiques*** **:** calle Enramadas, 206 (face au salon de coiffure Quisqueya ; *plan I, B1,* ***11***) ; au *Banco Popular* de l'avenida Garzón *(plan II, E4,* ***10***) ; au *Banco de Credito y Comercio* (angle du Parque Céspedes et de la rue Aguilera ; *plan I, B1,* ***11***) ; et au *Banco Popular de Ahorro,* calle Aguilera, 458, sur la plaza Dolores *(plan I, C1,* ***11****).* On y retire des pesos convertibles.

Téléphone, poste, Internet

■ ***Téléphone international et Internet*** *(plan I, B1-2,* ***12****)* **:** *centro de llamadas,* calle Heredia, sur la place Céspedes (place centrale). Ouvert tous les jours de 7 h à 22 h 45. Service de fax, de téléphone et Internet. Tarifs très élevés. Pour un fax, compter 5,5 US$/mn. Pour Internet, cartes Etecsa valables dans toute l'île, compter 6 US$ de l'heure. On peut y acheter des cartes téléphoniques. Nombreuses ***cabines à cartes prépayées*** (qui s'achètent, notamment, au *centro de llamadas*).

– ***Pour appeler en PCV*** depuis Santiago, composer le ☎ 180, afin d'obtenir l'opératrice pour l'international.

✉ ***Poste principale*** *(plan I, C1)* **:** Aguilera, 517. Depuis la plaza Dolores en montant la rue Aguilera, grande bâtisse bleue à gauche. Ouvert tous les jours 24 h/24. Il est parfois prudent de coller soi-même les timbres sur les cartes postales.

■ ***DHL*** *(plan I, B1,* ***13****)* **:** Aguilera, 310, esq. San Felix. ☎ 68-63-23. Ouvert du lundi au vendredi de 8 h à 12 h et de 13 h à 17 h ; le samedi, de 8 h à 12 h. Expédition de courrier et de colis.

@ ***Cybercafé Tulsla*** **:** dans le restaurant *Matamoros,* plaza Dolores *(plan I, C1,* ***72****).* Ouvert de 12 h 30 à 23 h. Le plus économique, grâce à la carte Tulsla qui tend à se généraliser dans l'île (s'achète sur place 5 US$ pour 3 h).

@ ***Boutique Internet Megacen*** *(plan I, B1,* ***14****)* **:** calle Pío Rosado (Carnicería), 459. Près de la Maison de la culture municipale. Ouvert du lundi au vendredi de 8 h à 17 h ; le samedi, de 8 h à 12 h. Compter 6 US$ l'heure, mais tarif dégressif à partir de 2 h. Intéressant pour les accros de la toile. Attention la carte achetée sur place n'est toutefois valable que dans cette boutique. Les 3 ordinateurs permettent en général de ne pas attendre son tour trop longtemps.

@ La plupart des ***grands hôtels*** offrent aussi le service Internet.

Urgences

■ ***Clinique et pharmacie internationales*** *(plan II, E4,* ***16****)* **:** av. Pujol, 10. ☎ 64-25-89. Ouvert 24 h/24. Consultations à 25 US$ jusqu'à 16 h, 30 US$ après. Médecine générale, stomatologie, laboratoire, radio, infirmerie, pharmacie.

Transports

🚆 ***Gare ferroviaire*** *(terminal de ferrocarril; plan d'ensemble)* **:** paseo Alameda, au nord du port. Bureau d'information ouvert 24 h/24. Mais attention, les réservations se font au ***Centre unique de réservations*** *(CUR ; plan I, C1),* calle Aguilera, 563 ; à gauche en montant cette rue, après la poste. Ouvert de 8 h 30 à 15 h 30 du lundi au vendredi. Voir la rubrique « Quitter Santiago » en fin de chapitre.

Gare routière *(terminal de omnibus interprovinciales ; hors plan d'ensemble)* : av. de los Libertadores, 256. À presque 4 km du parque Céspedes, au débouché sur la place de la Révolution. Voir la rubrique « Quitter Santiago ».

■ ***Cubana de Aviación*** *(plan I, B1, **17**)* : au croisement de José Antonio Saco (Enramadas) et San Pedro (General Lacret). ☎ 65-15-77, 65-15-78 et 65-15-79. Ouvert du lundi au vendredi de 8 h 15 à 16 h.

■ ***Aerocaribbean*** *(plan I, B2, **18**)* : Lacret, 701, près du parque Céspedes. ☎ 68-72-55 et 69-87-90. • aerocaribbeanscu@enet.cu • Ouvert du lundi au vendredi de 9 h à 12 h et de 13 h à 16 h 30 ; le samedi, de 9 h à 12 h. Vols nationaux, ainsi que pour Saint-Domingue et Haïti.

■ ***Cubanacan Express*** *(plan II, E3, **19**)* : calle 6, entre L y M, face à l'entrée de l'hôtel *Santiago*. ☎ 68-72-21. Ouvert du lundi au vendredi de 8 h à 17 h et le samedi de 8 h à 12 h. Assure la billetterie pour les vols nationaux (*Cubana de Aviación* et *Aerocaribbean*) et internationaux *(Cubana de Aviación, Aerocaribbean, Air France, Corsair, Air Jamaica)*. Services de courrier et de douane.

■ ***Location de vélos*** *(plan I, B1, **20**)* : *chez Danilo*, calle Mariano Corona, 512, entre les calles José Antonio Saco (Enramadas) et Cornelio Roben. Ouvert tous les jours, le dimanche inclus. Prévoir 3 US$ le vélo la journée (de 7 h à 19 h).

– ***Location de voitures*** : en majorité, les compagnies ont des bureaux à l'aéroport, dans les hôtels, dans les agences de voyages et en ville. Il vaut mieux réserver à l'avance, notamment en période d'affluence.

■ ***Havanautos*** : bureau principal, Alameda, esq. Trinidad. ☎ 65-10-56, 65-10-57 et 65-10-58. Bureau dans le parc de l'hôtel *Las Américas (plan II, E3, **55**)* : av. de Las Américas y General Cebreco. ☎ 68-71-60. Un autre bureau à l'aéroport : ☎ 68-61-61.

■ ***Transtur Rent-car*** : un bureau sous l'hôtel *Casa Granda (plan I, B1, **46**)*, Lacret. ☎ 68-61-07. Ouvert tous les jours de 8 h à 23 h. Bureaux également à l'hôtel *Las Américas (plan II, E3, **55**)* : av. de Las Américas y General Cebreco et à l'hôtel *Libertad*, plaza de Marte *(plan I, D1, **44**)*. Et à l'aéroport.

■ ***Rex*** : à l'aéroport. ☎ 68-64-44. Ouvert tous les jours de 8 h à 19 h. Nettement plus cher que les autres agences, mais loue des voitures avec chauffeur et pour les groupes.

Stations-service

■ ***Station-service Cupet Bujia*** *(plan d'ensemble, **21**)* : angle av. de los Libertadores et de Céspedes. Ouvert 24 h/24.

■ ***Une autre station-service Cupet*** *(plan d'ensemble, **21**)* se trouve à l'intersection de 24 de Febrero (Trocha) et de l'av. Eduardo Chibas (carretera del Morro).

■ ***Station-service Cupet d'Oro Negro*** *(hors plan d'ensemble par C1)* : carretera Central. À 2,5 km au nord de la plaza de la Revolución, reparto Quintero.

■ ***Autres stations-service*** : en descendant de la plaza de Marte par Aguilera *(plan d'ensemble, **21**)* et sur le paseo Martí *(plan d'ensemble, **21**)*.

Photos

■ ***Photo Club*** : Enramadas, 303 *(plan I, B1)*. C'est le magasin le moins cher et on développe aussi les pellicules APS.

■ ***Service photos*** : Lacret, 728 *(plan I, B2)*, sous la cathédrale ; et av. Garzón *(plan II, E4)*, entre les calles 6 et 7, près du magasin Garzón, non loin de la place de Ferreiro. Développement rapide mais qualité pas toujours assurée.

Culture

■ ***Alliance française*** *(plan II, F3, **22**)* **:** calle 6, 253, angle calle 11. ☎ et fax : 64-15-03. Du centre-ville, suivre l'avenida Garzón jusqu'à la place Ferreiro, puis la route d'El Caney (l'Alliance est indiquée). Ouvert du lundi au vendredi de 8 h 30 à 20 h ; le samedi, de 8 h 30 à 12 h. Fermé du 15 juillet à la fin août. L'Alliance française s'est établie dans le quartier résidentiel de Vista Alegre, dans une villa cossue. Nombreuses activités visant à la promotion de la langue et de la culture françaises. Cours de français tous niveaux (plus de 700 élèves), bibliothèque, expositions, presse française, etc.

■ ***Association Casino francés* :** siège au musée de la Lutte clandestine *(plan I, A2, **128**)*, calle G. J. Rabi. Dans le quartier, au sud de la calle Padre Pico. Ce n'est pas une maison de jeu, mais l'association des descendants directs de Français qui entretiennent à Santiago les traces de la présence française. Sa présidente, Margarita Gachassin Lafite (apparentée au célèbre rugbyman français, Jean), est la personne à voir pour tous ceux qui recherchent d'éventuels « cousins » cubains. ☎ 64-18-40 et 62-59-40.

■ ***Librería La Escalera*** *(plan I, B1, **23**)* **:** calle Heredia, 265, entre San Felix (Hartmann) et Pío Rosado (Carnicería). Une belle petite librairie d'antiquités dans un pays où la production littéraire est réduite. Nombreux livres (en espagnol et d'émanation gouvernementale) sur la Révolution, la musique... Parfois, quelques musiciens s'assoient dans l'escalier et poussent une complainte. Les livres et documents y sont vendus en dollars, alors que les autres librairies (plus austères), de la rue Enramadas notamment, proposent, elles, leurs ouvrages en monnaie nationale.

Marché

Marché de Ferreiro *(plan II, E4, **24**)* **:** au croisement des calles 10 et... 10, à proximité du rond-point de Ferreiro. En arrivant sur le rond-point depuis le centre-ville, prendre à droite de la station-service pour Cubains. Le petit marché se cache derrière des murs en pisé, immédiatement sur la gauche. Un super petit marché paysan. En face de l'entrée, kiosque de la *Banco Cadeca*, où l'on peut acheter des pesos.

Où dormir ?

De nombreuses chambres chez l'habitant. Les prix oscillent *grosso modo* entre 15 et 25 US$ la chambre double pour une nuit. En général, les rabatteurs prennent une commission de 5 US$, tenez-en compte si vous vous présentez directement avec votre *Guide du routard* (on vous fera payer le prix le plus faible). Le confort s'améliore un peu... enfin, pour Cuba. Outre celles des hôtels, vous trouverez donc ici quelques adresses de *casas particulares* qui nous ont paru tenir la route.

Dans le centre-ville

CHAMBRES CHEZ L'HABITANT (CASAS PARTICULARES)

Très bon marché

Gabriel Jardines Tornés *(plan I, C2, **30**)* **:** Rey Pelayo, 110, entre Reloj et Clarin. ☎ 65-64-35. Entre 12 et 20 US$ la chambre. Copieux petit dej' à 3 US$. Une seule chambre double, dans cette vieille et grande maison coloniale avec patio. Salle de bains privée toute neuve. Maison tenue par un couple charmant dont le fils parle le français.

Bon marché

Casa Verde-José M. Izquierdo *(plan I, C1, **31**) :* San Agustín, 419, entre San Francisco et San Gerónimo. ☎ et fax : 62-91-60. On peut découvrir la maison sur Internet : • casaverde.cubanonet.com • tio @frcscu.ciges.inf.cu • Compter 20 US$ la chambre. Deux chambres très propres avec meubles de caoba peints, avec AC et coffre. Salle de bains à partager (eau chaude). José parle le français. C'est un géologue retraité, radio amateur, qui travaille chez lui sur son ordinateur (chose rare à Cuba pour le moment). Grand patio. Garage.

Regina Céspedes Aroche *(plan I, C1, **32**) :* San Gerónimo, 551, entre Reloj et San Agustín. ☎ 62-84-72. Compter 20 US$ la double. Petit dej' à 3 US$. Une chambre très propre avec AC et salle de bains indépendante. Une maison plébiscitée par les routards, qui ont aimé se détendre au salon en buvant une bière avec Regina, dentiste à la clinique internationale (cela peut être utile !), et les deux Hector, mari et fils, qui jouent de la guitare.

Amparo *(plan I, A2, **33**) :* Santa Rita (Diego Palacios), 161, entre Corona et Padre Pico. ☎ 65-63-51. En haut des escaliers de la fameuse Padre Pico. Entre 15 et 20 US$. Logement à l'étage ressemblant à une vraie chambre d'hôtel. Frigo, AC, courant 220 volts, salle de bains, grandes baies vitrées, terrasse. Toute la famille est d'une extrême gentillesse et les deux grands enfants et l'époux, Walfrido, parlent parfaitement le français. Et pour cause, Walfrido est professeur à l'Alliance française. Maison très calme et bonne cuisine confectionnée par Amparo elle-même.

Felix and Mary *(plan d'ensemble, **34**) :* calle San Germán, 165, entre Rastro et Gallo. ☎ 653-720. Compter 20 US$. À 5 mn du centre, 2 chambres à deux lits, grand confort, avec salle de bains privée et AC. Salon et patio agréables. Excellente cuisine créole, compter environ 8 US$ le repas. Felix et Mary peuvent réserver des chambres chez l'habitant d'un bout à l'autre de l'île.

La Casona de San Jerónimo *(plan I, C1, **35**) :* San Gerónimo, 571, entre Reloj et San Agustín. ☎ 62-07-68. • lacasonadesj@yahoo.es • Environ 20 US$ la chambre double. Une chambre simple dans une grande maison coloniale toute rose perchée sur un haut perron donnant sur un salon meublé à l'ancienne. Salle de bains indépendante, AC, eau chaude. Il fait bon prendre son petit déjeuner (3 US$) dans le patio ensoleillé. Discrète et charmante, la propriétaire, Asela, est un ancien professeur de zoologie de l'Université. Elle peut vous mettre très rapidement en contact avec la représentante à Santiago de *Roots Travel,* qui parle le français, possède un carnet d'adresses très fourni et vous dépannera en cas de difficultés.

Nena Acosta Alas *(plan I, C1, **36**) :* San Gerónimo, 472, entre Pío Rosado (Carnicería) et Calvario. ☎ 65-41-10. Compter 20 US$ la chambre. Dans une très grande maison coloniale agrémentée de verdure, disposant d'un immense salon et d'un non moins immense patio. La chambre est indépendante et la salle de bains privée. Excellent accueil de Nena et sa fille.

Iris *(plan I, B2, **37**) :* calle Santa Lucía (Joaquín Castillo Duany), 206, Santo Tomás (Felix Peña) y Mariano Corona. ☎ 65-76-02. Compter 20 US$ la chambre. Deux petites chambres de part et d'autre d'un petit patio. AC et salle de bains privée.

Zaida Moraleza Infante *(plan d'ensemble, **38**) :* calle San Pedro (General Lacret), 265, Habana (J. M. Gómez) y Maceo. ☎ 62-21-90. Compter 20 US$ la chambre double. Deux chambres bien proprettes au rez-de-chaussée d'une maison au charme limité et baignant dans le marbre industrialo-pompidolien. Zaida est une chirurgienne à la retraite et sa fille, journaliste, parle un peu le français. Salles de bains avec eau tiède indépendantes. Une bonne adresse.

☗ ***Ana Castillo Enamorado*** *(plan I, A-B1,* ***39****)* **:** calle Mariano Corona, 564, appt. A, Enramadas (José A. Saco) y Aguilera. ☎ 62-70-85. Compter entre 15 et 20 US$ la chambre double. Adresse très centrale et fort bien tenue. Dans ce grand appartement, 2 chambres correctes et indépendantes avec AC, donnant sur une longue salle fraîche et agréable. Il fait bon se prélasser dans les fauteuils à bascule. Salles de bains privées. Si c'est complet, même type de chambres (dont une pouvant convenir pour 3 personnes), au même prix, chez le voisin de palier d'Ana, ***Javier Berdion*** (☎ 62-29-55). Il est médecin anesthésiste à l'hôpital provincial et son épouse, María Antonia, travaille à la casa Velázquez.

☗ ***Ana Delia Villalón Pérez*** *(Casa Mirador ; plan I, A2,* ***40****)* **:** calle Bartolomé Masó (San Basilio), 172 (à l'étage), entre Corona et Padre Pico, tout près du *Balcón de Velásquez*. ☎ 65-11-91. Entre 15 et 20 US$ pour 2 personnes. Ana, vieille dame charmante, propose 2 chambres doubles à l'étage d'une grande maison bleue et blanche, située très près du centre-ville et à deux pas du quartier historique du *Tivolí*. Salles de bains indépendantes, AC et eau chaude. Le balcon offre une très belle vue sur la baie et sur la sierra Maestra.

☗ ***Rey et Nidia*** *(plan I, C1,* ***41****)* **:** calle Donato Mármol (San Agustín), 45, entre Bayamo et San Jerónimo ☎ 62-83-28. • nydiarey@web.correosdecuba.cu • Entre 15 et 20 US$ la chambre. Dans une maison datant du XIXe siècle, proche de la place Dolores, cette chambre au mobilier moderne et boiseries de cèdre, comporte une salle de bains indépendante avec eau chaude, un frigo, et l'air conditionné. Très claire, elle donne sur un passage décoré de plantes vertes conduisant à la cuisine (que peuvent utiliser les hôtes) et au grand salon. Possibilité de repas. Très accueillants et sympathiques, Rey et Nidia se consacrent notamment à la promotion d'un orchestre composé de très jeunes *salseros* sortant du Conservatoire. Une adresse que nous recommandons aux musiciens et amateurs de musique.

Prix modérés

☗ ***Rafael Silva Gonzales*** *(plan d'ensemble,* ***42****)* **:** calle Reloj (Mayía Rodríguez), 201, Trinidad (General Portuondo) y San Germán (General Máximo Gómez). ☎ 62-44-40. Compter entre 15 et 25 US$ la double, jus d'orange et café compris. Deux belles chambres, dont une au dernier étage de la maison avec une chouette terrasse noyée dans la verdure. Une bonne adresse qui bénéficie de la bonhomie de Rafael. Garage en prime pour le même prix.

☗ ***Amelia Correoso Mustelier*** *(plan I, B2,* ***43****)* **:** San Carlos, 411, entre Calvario et Carnicería. ☎ 62-98-74 (cabine publique). Entre 20 et 25 US$ la double. Deux chambres au fond d'un couloir ombragé, avec entrée indépendante, qui donnent sur un petit patio. Très propres et de grand standing. Au 1er étage, une suite toute neuve avec petite terrasse. Au 2e étage, grande terrasse avec solarium et coin repas. Possibilité de faire sa cuisine, de laver son linge et de faire garder sa voiture. Patio-bar. Une excellente adresse non loin du centre.

HÔTELS

Prix modérés

☗ ***Hostal San Basilio*** *(plan I, B2,* ***47****)* **:** San Basilio, 403, entre Carnicería et Calvario. ☎ 65-17-02 et 65-16-87. Environ 25 US$ la double avec le petit déjeuner. Ce petit hôtel, très central, dans une rue tranquille, a été rénové par la chaîne Islazul en juillet 2003. Il ne comporte que 8 chambres toutes au rez-de-chaussée auxquelles on accède par un joli petit patio et un couloir décoré de mosaïques. Très propres et spacieuses, elles disposent d'une télé, d'un frigo, de l'AC, d'une salle de bains... Seul petit problème, l'eau chaude, dont l'installation est programmée pour... « *mañana* »! Éviter la chambre numéro 1 qui donne directement sur la rue. Cet hôtel, le plus économique de Santiago, ne revient pas plus cher qu'une *casa particular* étant donné que le petit déj' est inclus. Petit restaurant de qualité ouvert de 7 à 23 h (poulet frit à 2,5 US$, filet mignon à 6 US$, spaghetti à 3 US$, langouste chère à 22 US$). Bar ouvert 24 h/24.

☗ ***Libertad*** *(plan I, D1,* ***44****) :* Aguilera, 658, pl. de Marte. ☎ 62-77-10. Entre 34 et 38 US$ la double. Petit hôtel de caractère. Grand hall à colonnes meublé avec goût. Les chambres, réparties à l'étage le long d'un couloir décoré de mosaïques, offrent toutes eau chaude, AC, téléphone et TV satellite. Lobby-bar ouvert en permanence. Restaurant de 7 h à 23 h. Bar sur la terrasse (très belle vue) avec musique traditionnelle *en vivo* en fin de semaine de 15 h à 3 h du mat'. Agences de voyages, location de voitures, boutique, Internet, parking. Un de nos coups de cœur.

☗ ***Gran Hotel*** *(plan I, B1,* ***45****) :* Enramadas, esq. San Felix. ☎ 65-30-20. • ana@eht.scu.tur.cu • Compter 32 US$ la chambre double. Un des moins chers de la ville, c'est en fait l'école hôtelière. En plein centre, donc un peu bruyant, avec 30 chambres dont on annonce qu'elles seront peu à peu rénovées, simples et à peu près bien tenues. AC, téléphone et TV câblée. Sympathique : au bar, on peut apprendre à confectionner les cocktails cubains et beaucoup de professeurs de l'école hôtelière parlent le français – ils ont fait leurs études en France.

SANTIAGO DE CUBA

Plus chic

☗ ***Hôtel Casa Granda*** *(plan I, B1,* ***46****) :* Heredia, 201, San Pedro (General Lacret) y San Felix (Hartmann). ☎ 68-66-00 et 65-30-21. Fax : 68-60-35. • reserva@casagran.gca.tur.cu • Compter entre 96 et 112 US$ la chambre double, petit dej' inclus. Le *Casa Granda* tire son nom de la famille qui en était propriétaire autrefois. Bel édifice ancien d'époque coloniale. Il donne sur le parque Céspedes, la place névralgique de la ville. Quelque 58 belles chambres fort joliment rénovées avec minibar, AC, TV, coffre, etc. Certaines ouvrent sur la rue (bruyante), d'autres donnent sur l'arrière et sont sans vue, mais très calmes. D'autres encore, les plus belles, dominent le parque Céspedes. Service Internet.

À l'extérieur

CHAMBRES CHEZ L'HABITANT (CASAS PARTICULARES)

Bon marché

☗ ***Osmel Fernandez*** *(plan II, E4,* ***50****) :* calle 10, 310, entre Bravo Correoso y Alfredo Zayas, reparto Santa Barbara. ☎ 65-60-25. Entre 15 et 20 US$ la chambre double. Dans ce quartier tranquille, le propriétaire propose un appartement de 2 chambres au sous-sol (avec salle de bains, cuisine et petit salon à partager) et une chambre au rez-de-chaussée (salle de bains indépendante). Pour famille nombreuse ou routards voyageant en groupe.

☗ ***Zulma Siré Olivares*** *(plan II, F3,* ***51****) :* calle 6, 303, entre 11 et 13 (près de l'Alliance française, pratique éventuellement pour trouver un interprète). ☎ 64-40-47. Entre 15 et 20 US$ la double. Dans le quartier chic et tranquille de Vista Alegre, belle maison néoclassique à colonnes des années 1930. Les deux chambres doubles au fond du couloir disposent de tout le confort et de salles de bains indépendantes. Service de petit déjeuner et possibilité de repas. L'époux de Zulma, Pablo, est un ancien professeur de mécanique de l'Université et parle un peu le français.

■ ***Margarita Roca*** *(plan II, F3,* ***52****)* **:** calle 10, 407, entre 15 y 17, reparto Vista Alegre. ☎ 64-21-42. Compter entre 15 et 20 US$ la chambre double. Belle petite maison bleue noyée dans la végétation. Des 2 chambres de la maison, on préfère la première en entrant à droite, avec les fenêtres à l'angle de la maison. Salles de bains indépendantes. Garage. Une bonne petite adresse. L'accueil de Margarita, qui fait une bonne cuisine et prépare de bons petits déjeuners, et de son mari, tous deux médecins, y est pour beaucoup. Le maître des lieux a exercé assez longtemps en Algérie et parle donc le français.

■ ***Alberto Coureaux*** *(plan II, E4,* ***53****)* **:** calle 13, 12, entre 10 y 11, reparto Santa Barbara. ☎ 64-15-75 (c'est le numéro de la voisine). À l'étage. Entre 15 et 20 US$ la nuit pour 2. Ancien prof de math, Alberto parle le français, sait recevoir avec convivialité et discrétion et est le « roi du bricolage ». Il loue 2 chambres propres, avec AC et salle de bains impeccable. Alberto met aussi à disposition sa cuisine et son séjour. Une de nos meilleures adresses.

HÔTELS

Prix moyens

■ ***Hôtel Villa Santiago Gaviota*** *(plan II, F3,* ***54****)* **:** av. Manduley, 502, reparto Vista Alegre. ☎ 64-13-68 ou 64-15-98. Fax : 68-71-66. • comercial@gaviota.co.cu • Chambres doubles, environ 50 US$ en basse saison, et 60 US$ en haute saison. Beau petit complexe de bungalows dans LE quartier résidentiel de Santiago. Souvent très bien équipées : salle de bains complète avec eau chaude, mobilier en rotin rappelant la chouette époque d'*Emmanuelle I*... Si l'ensemble de cette zone (gardée 24 h/24) a des faux airs de Miami, on apprécie cet hôtel pour son intimité. Piscine.

■ ***Hôtel Las Américas*** *(plan II, E3,* ***55****)* **:** av. de Las Américas y General Cebreco. ☎ 64-20-11. Fax : 68-70-75. • jcarpeta@hamerica.scu.cyt.cu • À l'entrée de la ville, presque en face du célèbre hôtel *Melia Santiago*. Compter entre 56 et 67 US$ la chambre double. Accueil d'une tendresse toute soviétique. Longue bâtisse blanche un peu en retrait au milieu de jolis palmiers. Look des hôtels américains des années 1950, récemment rénové. TV, radio, téléphone, AC. Bureau de la *Banco Cadeca* pour acheter des pesos, agence de voyages, location de voitures. Bar, piscine (4 US$ pour les non-résidents, dont 3 à valoir sur une consommation).

■ ***San Juan*** *(plan II, F4,* ***56****)* **:** à la sortie de Santiago sur la route de Siboney. ☎ 68-72-00 et 68-72-01. Fax : 68-70-17. • hotel@sanjuan.co.cu • Entre 56 et 67 US$ la double avec petit déjeuner. Si vous êtes réveillés par des rugissements de fauves, n'allez pas penser à des ébats intempestifs de vos voisins de chambre... c'est tout simplement que le parc zoologique est mitoyen de l'hôtel. Cet établissement de 110 chambres est noyé dans la verdure et se situe sur la colline où les *Rough Riders* de Roosevelt l'emportèrent en 1898 sur les Espagnols, permettant ainsi à Cuba de devenir (faussement) indépendante. Cafétéria bon marché. Restaurant au décor un peu austère mais bon marché aussi (à partir de 4,5 US$). Show le soir (sauf le mardi). Entrée de la piscine à 5 US$ pour les non-résidents (à valoir sur des consommations). Service médical, Internet, salle de jeux.

■ ***Versalles*** *(hors plan d'ensemble,*

57) **:** à 4 km du centre sur la route du castillo del Morro. ☎ 69-10-16. Fax : 68-60-39. • comercial@hotelversalles.co.cu • Entre 50 et 60 US$ la double avec petit déjeuner. Agréable établissement de 60 chambres tout confort. Service Internet. Très belle piscine offrant une jolie vue sur la ville (entrée pour les non-résidents : 5 US$, incluant un repas et deux boissons).

Plus chic

🏠 ***Hôtel Meliá Santiago*** *(plan II, E3,* ***58****)* **:** av. de Las Américas et calle M. ☎ 68-70-70. Fax : 68-71-70. • melia.santiago@solmeliacuba.com • Compter 115 US$ la chambre double, petit dej' en sus. Œuvre d'un jeune architecte cubain et fierté de la ville, cette imposante structure colorée et métallisée coûta quelques millions de dollars et est maintenant gérée par le groupe hôtelier espagnol *Meliá*. Confort et prix en rapport. Clientèle des grossistes du voyage. Banque, pharmacie, agences de voyages, office du tourisme, pizzeria de la chaîne Pizza Nova, location de voitures *(Cubacar)*. Entrée à la piscine pour les non-résidents : 10 US$ (avec un à-valoir de 5 US$ sur un repas à la cafétéria).

Où manger ?

Dans le centre-ville

Très bon marché

– De nombreux petits ***stands*** ou ***guichets*** directement ***dans l'entrée des maisons*** permettent de manger pour pas cher.
– Sinon, pour faire son marché en pesos, la rue José Antonio Saco (Enramadas) aligne une longue série de ***boutiques gouvernementales*** (ouvertes parfois 24 h/24, comme la boutique ***Las Novedades,*** sur Enramadas entre San Felix et San Pedro ; *plan I, B1,* ***60***). Normalement, peu de touristes y vont, mais c'est impeccable pour les faims de nuit.
– On trouve de petits ***stands*** où l'on peut s'approvisionner en sandwichs et pizzas ***dans toutes les grandes rues*** du centre-ville.

|●| Les ***restaurants de la chaîne Rápido*** sont le royaume du poulet frit – à manger parfois avec les doigts – aux alentours de 1,5 US$. Ouverts 24 h/24, il y en a maintenant dans toute la ville. Citons, dans le centre : *Las Columnitas* (San Felix ou Hartmann), *Las Enramadas* (pl. Dolores ; *plan I, C1*), la *cafétéria de la panadería Central* (av. Garzón, 169, face à l'av. de los Libertadores, à l'étage). Et encore : près de l'entrée de l'hôtel *San Juan (plan II, F4,* ***56****)*, face à celle de l'hôtel *Santiago, panadería Doñanelli (plan II, F3,* ***61****)*, etc.

|●| ***Restaurant La Esperanza*** *(plan I, B1)* **:** calle Corona, pratiquement en face de la *Casa de la Música (plan I, B1,* ***103****)*. Ouvert de 14 h à 23 h. Salades à 3 pesos ; pour de la viande ou du poisson, 13 à 25 pesos. Prix en pesos, donc très doux. Établissement récent. C'est le restaurant végétarien de Santiago : 7 sortes de salades ; plats de riz, *boniato, platano,* aubergines. Mais on peut aussi y manger viande et poisson. On est souvent obligé de faire la queue.

PALADARES

Étant donné les forts impôts auxquels ils sont soumis, il reste peu de paladares officiels.

Prix moyens

🍽 ***Las Gallegas*** *(plan I, B2, **62**)* **:** Bartolomé Masó (San Basilio), 305 (altos), entre San Felix (Hartmann) et San Pedro (General Lacret). ☎ 62-47-00. Compter 8 US$ par personne. Un *paladar* qui a des allures de petit restaurant, tenu par la famille Prado Barba. Les tables sont bancales et les fleurs... fausses. Ne demandez pas ce qu'il y a à manger, c'est tout naturellement la trilogie du panthéon culinaire cubain : *pollo frito* (poulet frit), *bistec de cerdo* (bifteck de porc), *pierna de cerdo asado* (pied de porc rôti), accompagné par les traditionnels *frijoles, morros y cristianos* et des salades... On peut aussi essayer, quand il y en a, la *fricasé de carnero* (fricassée de mouton) copieuse et délicieuse.

🍽 ***Doña Cristy*** *(plan I, A2, **63**)* **:** Lino Boza, 8, entre Padre Pico y Bartolomé Masó (San Basilio). Pas loin de la place de la Cathédrale. Ouvert midi et soir. Prévoir *grosso modo* 10 US$ pour un plat principal. Accueil « copain-copain » et cuisine réussie grâce à la dynamique et imposante patronne, bien qu'on nous ait signalé un certain relâchement. Cadre et décor chaleureux un rien kitsch. Bonnes viandes. Goûter à la langouste maison accompagnée de riz, haricots noirs et salade. De très bons desserts : crème caramel (maison), par exemple.

🍽 ***Caribeña*** *(plan I, B2, **64**)* **:** San Carlos, 262, entre San Pedro et Santo Tomás. Non loin du parque Céspedes. Ouvert de 19 h à minuit. La langouste est à 10 US$, les boissons à 1 US$. Accueil sympathique d'Armando et de Marta. Terrasse agréable. Comme il n'y a pas de téléphone, il est prudent de passer réserver à l'avance.

RESTAURANTS D'ÉTAT

Très bon marché

🍽 ***La Fontana de Trevi*** *(plan I, B1, **71**)* **:** Enramadas entre San Pedro et Santo Tomas. Ouvert tous les jours de 7 h à 10 h 30, puis de 12 h à 16 h 30 et de 18 h à 23 h 45. On y paie en pesos : la pizza entre 7 et 15, les spaghetti à 12 et le poulet à 25. Ne pas être trop exigeant sur la qualité ni sur le décor, qui tient plus de la cantine que d'un véritable restaurant. Cet établissement est néanmoins très prisé des Cubains, et il y a souvent la queue.

Bon marché

🍽 ***La Taberna de Dolores*** *(plan I, C1, **65**)* **:** pl. Dolores, angle calle Reloj (Mayía Rodríguez). Ouvert 24 h/24. Connue sous le nom de *Bodegón,* cette vieille rhumerie, fréquentée aussi bien par les Cubains que par les touristes, vaut surtout par son cadre et n'a pas vocation à régaler les estomacs vides en nourriture solide, car l'approvisionnement fait souvent défaut. Néanmoins, si vous passez un jour faste, vous pourrez y manger une poitrine de poulet entre deux bières à la pression.

🍽 ***El Baturro*** *(plan I, B1, **66**)* **:** Aguilera y San Felix. Ouvert de 12 h à 5 h du matin. On peut payer en pesos (insister). Même style que la *Taberna de Dolores.* Capable du meilleur comme du pire.

🍽 ***Cocinita*** *(plan I, B2)* **:** calle Heredia, angle San Felix. Ouvert de midi à minuit. Payable en pesos. Restaurant de cuisine créole. Groupe musical. Lieu de rendez-vous de beaucoup de musiciens de la *Casa de la Trova,* toute proche.

🍽 ***1900*** *(plan I, B2, **67**)* **:** calle Bartolomé Masó (San Basilio), entre Pío Rosado (Carnicería) y San Felix (Hartmann). Ouvert de midi à minuit. On peut payer en monnaie nationale (25 pesos le plat principal) au rez-de-chaussée (restaurant et patio) mais les devises sont maintenant obligatoires sur la terrasse (compter 2 US$ le plat principal). Récemment rénové, ce vieux palais aristocratique paraît tout droit sorti d'un film des années 1950. Hautes arcades, sol en marbre, mobilier colonial en caoba sombre, lustres vieillots, quelques peintures. On peut manger une bonne cuisine créole dans la salle du restaurant, mais le patio est plus agréable, avec tables au rez-de-chaussée et en balcons. Trios musicaux l'après-midi. Excellente adresse.

Prix moyens

Ⓘ ***Matamoros*** *(plan I, C1,* ***72****)* ***:*** pl. Dolores. Pour un peu moins de 4 US$, on peut manger une *paella mulata* ou une *grillada Matamoros* (grillade de poulet et crevettes). Ouvert de 11 à 23 h. Ce petit restaurant propret au décor espagnol cultive la légende du fameux trio Matamoros fondé en 1929 et originaire de Santiago (portraits des chanteurs, photos et leurs guitares). Les groupes qui s'y produisent, en principe, ne jouent, de ce fait, que de la musique traditionnelle.

Ⓘ ***Perla del Dragon*** *(plan I, C1,* ***78****)* ***:*** pl. Dolores. Ouvert de 11 à 23 h. On y mange de la cuisine chinoise « à la californienne » à partir de 1,5 US$ (les soupes), 3 US$ les *shops suey.* Repas complets à 3,5 US$. Spécialité *Mar y tierra* (bœuf, porc, poulet, crevettes, poisson en sauce chinoise) avec une boisson et un dessert pour 9,5 US$. Ne vous attendez pas à de la grande cuisine chinoise, goûtez toutefois l'*arroz frito* qui n'est pas mauvais. Abrité derrière une façade rouge et noire, rappelant vaguement une pagode, c'est « le » restaurant chinois de Santiago.

Ⓘ ***Casa Don Antonio*** *(plan I, C1,* ***68****)* ***:*** pl. Dolores. Compter moins de 15 US$ pour un repas. Style espagnol, atmosphère calme. Grande salle haute de plafond. Bonne cuisine et, parfois, un certain choix à la carte : *bistec de cerdo, bistec de palomilla, arroz con mariscos, pollo frito.* Bien lire son addition. Musique dans le joli patio, derrière le bar.

Ⓘ ***Terrasse et roof-garden de l'hôtel Casa Granda*** *(plan I, B1,* ***46****)* ***:*** voir « Où dormir ? ». Restauration rapide (ne pas être trop pressé quand même...) sur la terrasse de l'hôtel : pizzas, sandwichs, poulet, spaghetti. Compter 4,5 US$. Au restaurant, plus chic, il vous en coûtera entre 10 et 15 US$. Le soir, au 5e étage, sur le *roof-garden* (avec très belle vue sur le parque Céspedes, la ville et les contreforts de la sierra Maestra), buffet à 17 US$ (se renseigner à l'avance car ce buffet n'est pas quotidien). Ceux qui montent seulement pour le point de vue doivent payer 2 US$ (à valoir sur une boisson).

Ⓘ ***Primavera*** *(plan I, B1,* ***45****)* ***:*** c'est le restaurant du *Gran Hotel* (voir « Où dormir ? »). Ouvert de 12 h à 14 h 30 et de 19 h à 21 h 30. Compter 5 US$ le plat du jour. Il s'agit d'un restaurant d'application ; le service y est... appliqué. Si l'on pouvait payer en monnaie nationale, ce ne serait pas trop mal, mais comme les touristes (non-résidents de l'hôtel) doivent s'acquitter en dollars et vu les portions, cela met la viande au prix du caviar... Il semblerait que les professeurs qui ont appris la cuisine en France n'aient retenu de la nouvelle cuisine française que... la maigreur des plats. On peut préférer la cafétéria (entrée par le hall de l'hôtel). Ouverte de 9 h à 22 h 30. Poulet à 1,5 US$ et sandwich au jambon à 2,40 US$. Un peu bruyante mais on y apprécie l'air conditionné par forte chaleur.

À l'extérieur

PALADAR

Prix moyens

Ⓘ ***Paladar Salón Tropical*** *(plan II, E4,* ***69****)* ***:*** Fernández Marcané, 310, entre 9 y 10, reparto Santa Barbara. ☎ 641-161. À l'étage. Ouvert de

SANTIAGO DE CUBA

midi à minuit. Compter 10 US$ le repas. Possibilité de manger à l'intérieur ou sur la terrasse dominant la ville. Toutes catégories confondues, c'est l'un des endroits où l'on mange le mieux à Santiago, de la bonne et vraie cuisine créole, avec des originalités comme les *buñuelos de malanga y chatino*. Cuisine chinoise le jeudi, italienne le vendredi et grillades les samedi et dimanche. Bon accueil. Il est prudent de réserver.

RESTAURANTS D'ÉTAT

Très bon marché

🍽 ***Club Arabe** (plan II, F4, **70**) :* route de Siboney, avant le parc zoologique. ☎ 64-78-93. Le restaurant est ouvert tous les jours de 12 h à 22 h 30. C'est bon et pas cher : le plat garni avec une bière revient à moins de 3 US$. Ce n'est pas vraiment un établissement d'État puisqu'il s'agit du restaurant du Club des descendants d'Arabes (qui sont plus de 700). Grande maison jaune de style vaguement arabe (moucharabiehs aux fenêtres) qui ressemble un peu à un bunker. Elle fut construite par les propriétaires d'une cimenterie qui n'ont pas lésiné sur le béton ! On n'y mange pas de couscous mais des crevettes et... du porc ! Le bar sur la terrasse très agréable est ouvert à partir de 12 h jusqu'à 1 h du matin.

🍽 ***Cafetería Las Américas** (plan II, E3, **55**) :* c'est la brasserie, en terrasse, de l'hôtel du même nom (voir « Où dormir ? »). Ouvert de 18 h à minuit. Poulet frit à 1,5 US$ et bière pression à 50 centavos.

Bon marché

🍽 ***Cafetería Amazonas** (plan II, E3, **73**) :* route del Caney, juste à côté de la cafétéria *Las Américas*. Ouvert 24 h/24. Sandwichs, pizzas et poulet pour moins de 3 US$. À partir d'une certaine heure, lieu de prédilection des *jineteros* et *jineteras* (Amazones !) en quête de clients.

🍽 ***Restaurant La Fondita** (plan II, E3, **73**) :* route del Caney, à côté des deux cafétérias *Las Américas* et *Amazonas*. Ouvert de 11 h à 23 h. Menu comprenant entrée, salade, plat de porc, de poulet ou de bœuf et garniture à 4 US$. Vin au verre. Bon rapport qualité-prix.

Prix moyens

🍽 ***Cafetería Cubalse** (plan II, F3, **74**) :* av. General Cebreco, entre 13 y 15. Ouvert de 11 h à 23 h. On peut s'y sustenter pour 5 à 7 US$. Pizzas moelleuses et copieuses, parfois du poisson, ce qui change de l'habituelle bouffe grassouille. Il est de bon ton pour les Cubains possédant des dollars de venir les dépenser ici.

Plus chic

🍽 ***Zun Zun** (plan II, E-F3, **75**) :* av. Manduley, 159, entre 5 y 7, Vista Alegre. ☎ 64-15-28. Ouvert tous les jours de 12 h à 22 h. On peut y manger à partir de 6 US$ et jusqu'à 24,5 US$ (langouste). La carte comporte des plats originaux comme la *ropa vieja* (bœuf en sauce au vin à 10 US$), du lapin, de la dinde, du mouton... qui font de cet établissement, à notre avis, le meilleur de la ville. Le restaurant est divisé en petits salons intimes décorés avec goût. Accueil très sympathique et service stylé. Bar dans le patio.

🍽 ***Cafetería de La Maison** (plan II, E3, **76**) :* av. Manduley, entre 3 y 1, Vista Alegre. À côté de la célèbre boutique du même nom. Ouvert de 10 h à 2 h du matin. La carte va des pizzas à 2 US$ à la langouste à 25 US$, en passant par les fruits de mer à 5 US$ (ne vous attendez pas toutefois à un copieux plateau !) et le poisson à 8 US$. Cadre très verdoyant.

Où déguster une glace ?

Les glaces à 1 peso proposées sur les trottoirs par des vendeurs privés ne sont pas mauvaises en général.

🍦 ***La Arboleda** (plan d'ensemble, 77) :* c'est la succursale de *Coppelia* à Santiago. Coin agréable pour regarder les Cubains déguster avec gourmandise les glaces du jour. Pas mal d'attente.

🍦 Les gourmets préféreront ***La Alondra*** *(plan II, E4),* en bas de la même avenue avant d'arriver à Ferreiro. Ouverte de 9 h à 22 h. Les glaces y sont meilleures, le choix plus important... mais les prix plus élevés. La coupe la plus copieuse, *ensalada tropical,* ne coûte cependant que 2 US$.

Où boire un verre ?

Plusieurs endroits peuvent étancher la soif des gorges sèches, c'est bien normal, puisqu'on ressent plus qu'ailleurs une influence caraïbe. Il y fait plus chaud que dans le reste du pays et l'on va de troquet en troquet au son de la guitare, des maracas, du *tres* ou de la salsa, selon son envie, sa forme, ses deniers...

🍸 ***La Isabélica** (plan I, C1, **80**) :* Aguilera y Calvario (Porfirio Valiente). Ouvert tous les jours 24 h/24. Vieille demeure où vous dégusterez le meilleur café de la ville puisqu'il vient de plusieurs plantations du coin. À la carte, plus de 20 sortes de cafés : *con vino, aroma de mujer, mama Ines, rocío del gallo,* à la cannelle... Le *café con rón* y prend toute sa saveur. La salle est plutôt petite, mais le décor patiné : poutres de bois sombre, lourdes chaises, une vieille peinture aux murs. Toute une clientèle d'habitués vient prendre son *cafecito* du matin à *La Isabélica,* qui est devenue une véritable institution. Les serveuses circulent entre les tables et remplissent les tasses au fur et à mesure. S'il y a autant de Cubains, c'est parce qu'on peut y payer en pesos. Un *torcedor* roule les cigares chaque matin dans l'entrée.

🍸 ***La Taberna del Rón** (plan I, B2, **81**) :* calle Pío Rosado (Carnicería), entre Bartolomé Masó (San Basilio) y Santa Lucía (Joaquín Castillo Duany). Ouvert de 11 h à 23 h. *Mojito* un peu plus cher. Local assez frais en dessous du musée du Rhum. On y entre aussi bien après la visite du musée que par une petite porte qui donne dans la rue Pío Rosado. Atmosphère annoncée, vieilles barriques et enseignes PLV des grandes marques. L'occasion de goûter des rhums moins connus de la marque Havana Club, les *rones Santiago añejo* ou *Caney.*

🍸 🍽 ***Le Quitrín** (plan I, C1, **82**) :* San Gerónimo, 473, entre Calvario y Pío Rosado (Carnicería). Ouvert de 14 h à 23 h. C'est d'abord une boutique (ouverte de 8 h à 16 h) et un atelier (dans une belle maison du XVIIIe siècle ayant appartenu autrefois à la famille de Vilma Espin, la présidente de l'Union des femmes de Cuba), où l'on fabrique et vend des vêtements de style traditionnel cubain (*guayaberas* pour les hommes, robes brodées à la française pour les femmes, layette pour les bébés). C'est aussi un grand patio, sans doute le plus joli de Santiago, où l'on peut manger (cuisine créole) et boire un verre à des prix très modérés. Le vendredi soir, à 20 h 30, concert du *Septeto tipico santiaguero,* un des meilleurs orchestres de la ville.

🍷 ♪ ***Terrasse de l'hôtel Casa Granda*** *(plan I, B1, **46**)* **:** voir « Où dormir ? ». Tout le monde, un jour où l'autre, échoue sur la terrasse à colonnes du *Casa Granda*. Un endroit stratégique pour regarder l'animation du parque Céspedes et prendre le pouls de la ville. On peut y écouter, à l'heure de l'apéritif, de bons groupes de *son,* qui passent aussi à la *Casa de la Trova*. C'est un lieu fréquenté par les personnalités locales ou de passage. Eliades Ochoa, par exemple, vient de temps en temps y boire un rhum. Comme partout à Santiago, le service est vite débordé. Le *mojito* est acceptable, sans plus et les consommations un peu chères.

🍷 ***Las Enramadas*** *(plan I, C1)* **:** pl. Dolores. Un bar-cafétéria, plus connu sous le nom de *Búlevar,* en plein air, sis à un angle de la place. Vaut pour son animation le soir.

Où sortir ?

🍷 ***Kon-Tiki*** *(plan I, B1, **83**)* **:** calle San Pedro (General Lacret) y José Antonio Saco (Enramadas). Au milieu de la rue, sur la droite de la *Cubana de Aviación*. L'entrée n'est pas très visible depuis la rue. La bière et le rhum s'y paient en pesos. Ce bar de nuit est surtout fréquenté par les Cubains. Ambiance interlope et, comme il y fait très sombre, il est fortement conseillé de dissimuler ses billets dans ses chaussettes. Pour routards habitués des villes la nuit.

🍷 ♪ ***La Taberna de Dolores*** *(plan I, C1, **65**)* **:** pl. Dolores, angle calle Reloj (Mayía Rodríguez). Possible de payer en pesos. Vieille rhumerie populaire sur deux niveaux. Au 1er, ambiance enfumée ; au 2nd, joli patio où un vieil orchestre de papys vient souvent jouer quelques accords. Un endroit où l'on se laisse gentiment bercer par le temps qui passe.

🍷 ♪ ***El Baturro*** *(plan I, B1, **66**)* **:** Aguilera y San Felix (Hartmann). Un des plus vieux établissements de la ville. Bien sombre, poussiéreux et patiné. Noter le lourd comptoir de bois sculpté verni. Peu de choix de boissons. Clientèle très populaire. Essentiellement pour les ethnologues du zinc. Un bon plan : délaisser la salle principale d'*El Baturro,* pour celle située derrière (entrée rue Aguilera). Ambiance typiquement cubaine, bière pression en pesos, et bons groupes de vraie musique cubaine.

🍷 ♪ ***La Casa de la Trova*** *(plan I, B2, **84**)* **:** calle José María Heredia, entre San Felix (Hartmann) y San Pedro (General Lacret). Le bar est ouvert de 11 h à 2 h du matin. Dans le petit patio, on écrit les dernières cartes postales et on fait connaissance avec ses voisins. Haut lieu du *son*. Voir ci-dessous la rubrique « Où écouter de la musique ? ».

🍷 ♪ ***Le CIROA*** *(Circulo recreativo capitán Orestes Acosta Herrera ; plan II, F3, **85**)* **:** av. Manduley, entre les calles 13 y 17. Cafétéria ouverte de 7 h à 20 h. Patio-bar (service de restauration) de 12 h à 22 h 45 du lundi au mercredi, et jusqu'à 1 h 45 les autres jours. C'est un vaste complexe de loisirs destiné principalement à la clientèle cubaine. Mais les touristes y sont les bienvenus et paient eux aussi en pesos. Du jeudi au dimanche, vers 22 h, show autour de la piscine (entrée : 5 pesos).

Où écouter de la musique ?

♪ ***Casa Artex*** *(plan I, C2, **100**)* **:** *patio colonial,* calle José María Heredia, 304, entre Calvario (Porfirio Valiente) y Pío Rosado (Carnicería). Ouvert de 21 h à 2 h. Entrée : de 2 à 5 US$. On y accède par une boutique de souvenirs où plusieurs Cubaines cherchent à se faire payer l'entrée. Notre endroit préféré pour aller prendre un pot et *moverse la* *cintura* (euh... pardon, se trémousser). De très bons artistes, tant *salseros* que *soneros,* animent très souvent les pieds (entre autres) des convives. Un bel endroit (si ce n'est le mobilier en plastique qui fait tache), dans lequel il est indispensable de faire un arrêt. Il jouit, de surcroît, d'une bonne réputation grâce à sa programmation.

♪ ***La Casa de la Trova*** *(plan I, B2,* ***84****) :* calle José María Heredia, entre San Felix (Hartmann) y San Pedro (General Lacret). Près de la cathédrale et du parque Céspedes. À droite de l'hôtel *Casa Granda. Trovadores* (souvent d'adorables papys et mamies), de 11 h à 14 h dans le salon principal, puis de 15 h à 18 h, *descarga* dans le patio Virgilio (entrée : 1 US$). Groupes de musique traditionnelle de premier plan de 18 h à 20 h dans le patio (entrée : 1 US$). L'incontournable, La Mecque du *son.* Tous y sont passés et il faudrait beaucoup de lignes pour résumer une histoire musicale si riche. Jetez un œil à la série de portraits dans le salon principal. Les amateurs de vraie *trova* et de vrai *son* resteront au rez-de-chaussée. À partir de 22 h, les groupes, toujours de musique traditionnelle mais plus populaire, se produisent dans la salle de l'étage, gérée par l'agence artistique *Son de Cuba* (entrée : 3 US$, plus s'il s'agit d'une grande vedette). Se renseigner sur le programme. À l'étage, la *Casa de la Trova* ressemble parfois davantage à une discothèque qu'à un temple de la musique traditionnelle cubaine. Dommage de mélanger ainsi les genres !

SANTIAGO DE CUBA

♪ ***La Casa del Coro Madrigalista*** *(plan I, B1,* ***101****) :* calle Carnicería, en face du musée Bacardí. Concerts de 21 h à minuit, les lundi, mercredi, jeudi et vendredi. Entrée : 1 US$. Une salle consacrée au *son* et au *bolero,* où de nombreux groupes et chanteurs aujourd'hui célèbres ont débuté. Un des lieux, c'est de plus en plus rare, qui a su garder son authenticité. Ambiance populaire et sans protocole.

♪ ***Patio de la musique traditionnelle Los Dos Abuelos*** *(plan I, D1,* ***102****) :* Pérez Carbó, 5. ☎ 62-33-02. Sur la plaza de Marte. Au-dessus des petites marches, un patio ombragé, aux murs jaunes et tout en longueur, pour descendre une *mayabe* en musique traditionnelle enregistrée à partir de 10 h. Concerts, chansons traditionnelles et poésie à partir de 21 h 30 (entrée : 2 US$). Repas légers aux environ de 3 US$. Il n'y a pas la même animation trépidante que dans les autres adresses mais une atmosphère plus familiale et intime. Quelques expositions temporaires d'artistes locaux. Excellent endroit pour se renseigner sur la programmation musicale de toute la ville.

♪ ***Casa de la Música*** *(plan I, A-B1,* ***103****) :* Corona, 564, entre Aguilera y Enramadas. ☎ 65-22-43. Concerts tous les jours, à 22 h. Entrée : de 5 à 10 US$ (parfois jusqu'à 20 US$ pour les grandes vedettes). Les vendredi, samedi et dimanche, concerts à 15 h (entrée : 3 US$). C'est la salle de concert la plus récente et la plus moderne de Santiago. Elle dépend de la maison de disques *Egrem,* qui y dispose d'une boutique ouverte de 10 à 18 h. De grands concerts (Son 14, Son de Buena Fé, Septeto Santiaguero, Candyman...) y ont lieu. Ils se prolongent jusqu'à 4 h du matin, puis musique de danse enregistrée jusqu'à 6 h. C'est maintenant le seul endroit de Santiago où l'on peut danser jusqu'à l'aube. Service de restauration (cuisine créole et internationale) de 11 à 14 h et de 19 à 22 h. Cours de danse également le matin.

♪ ***Casa del Caribe*** *(plan II, F3,* ***104****) :* calle 13, esq. 8, 154. ☎ 64-22-85. Le bar, qui donne sur un parc boisé et un patio agréable, est ouvert tous les jours à partir de 15 h. Il s'y déroule des échanges culturels entre la culture cubaine et celle des Caraïbes. Cette maison organise le festival des Caraïbes début juillet. Le soir, diverses activités folkloriques, notamment avec le groupe de la maison, *Kokoyé,* un des meilleurs de Santiago (entrée : 1 US$). Ne pas manquer le *cañambril,* rhum de la récolte d'avril.

♪ ***Casa de las Tradiciones*** *(plan d'ensemble,* ***105****) :* calle Rabi, 154, entre Princesa y San Fernando.

☎ 65-38-92. Ouvert à partir de 11 h. Spectacles de musique traditionnelle et activités culturelles pratiquement tous les soirs. Concerts du *Septeto Sol y Son* le mercredi soir, de *Los Cumbancheros* le dimanche midi et le lundi soir. Entrée : 1 US$. En plein cœur de l'ancien quartier français du Tivolí, cette maison, comme son nom l'indique, sauvegarde toutes les traditions, donc aussi les traces de la présence française à Santiago. Son directeur, Lorenzo Jardines Pérez, connaît parfaitement l'histoire du Tivolí et, s'il a le temps, il vous emmènera faire un petit tour du quartier. Dans le bar, au mobilier fait de tonneaux et tonnelets, vous pourrez déguster un *cañambril* conservé en fût de chêne, et voir le travail du *torcedor* de cigares.

♩ ***Sala Dolores*** *(plan I, C1, **106**)* **:** pl. Dolores. Dans cette jolie petite église, transformée en salle de spectacles et disposant d'un bel orgue, ont lieu – généralement en soirée et le week-end – d'excellents concerts de musique classique et de chœurs. Pour ceux qui finissent par être saturés de salsa. Le programme est souvent affiché à l'entrée, rue Aguilera.

Où danser ?

♫ ***La Claqueta*** *(plan I, B2, **110**)* **:** calle Santo Tomás (Felix Peña), entre Heredia y Bartolomé Masó (San Basilio). Juste après le cinéma *Rialto*. Adresse populaire auprès des Cubains et qui ressemble bizarrement à un jardin d'enfants. Malgré tout, certains soirs, on se bouscule pour entrer. On danse en musique (groupes), la salsa bien sûr.

♫ ***Discoteca La Iris*** *(plan I, D1, **111**)* **:** Aguilera, 618. Près de la plaza de Marte. Entrée : 5 US$. En bas à droite, un bar relativement fade, en haut, une discothèque avec musiques cubaine (disques et groupes) et internationale, ingrédients qui assurent sa popularité, tant auprès des Cubains que des touristes avertis.

Cabarets

♩ ***Tropicana*** *(hors plan d'ensemble, **113**)* **:** *autopista nacional*, au km 1,5. Situé à environ 6 km au nord-est du centre-ville (parque Céspedes). Pour y aller, par la *circunvalación*, prendre la sortie n° 5. Le mieux est de réserver dans les agences de tourisme : 47 US$ pour le transport, l'entrée et un cocktail ou 29 US$ sans transport. Spectacle tous les jours sauf le lundi à 21 h (en basse saison, le show est parfois remplacé par une revue musicale avec prix réduit à 20 US$). Gigantesque cabaret en plein air de près de 1 000 places, dans le même style que le *Tropicana* de La Havane. Les tables s'ordonnent en demi-lune autour de la scène. Jeux de lumières et éclairages impressionnants. Très touristique, ça va de soi ! Spectacle de qualité cependant. Discothèque également.

♩ ***Cabaret San Pedro del Mar*** *(hors plan d'ensemble, **114**)* **:** carretera del Morro. À 7 km au sud-ouest de Santiago. À côté de l'hôtel *Balcón del Caribe*. Ouvert à partir de 20 h 30, show à 22 h, du jeudi au lundi en haute saison, seulement les samedi et dimanche en basse saison. Entrée : 10 US$. Moins touristique, plus authentique, plus cubain et moins cher que le *Tropicana*, ce cabaret se prolonge par une jolie terrasse en plein air, surplombant la mer des Caraïbes.

♩ ***La Maison*** *(plan II, E3, **76**)* **:** av. Manduley, 52, entre 3 y 1, reparto Vista Alegre. Entrée pour le show : 5 US$, avec une coupe de champagne. Superbe maison coloniale, pendant de la célèbre *Maison* de La Havane. Baignée dans la verdure, un peu plus intime que celle de la capitale. Tout le Gotha de Santiago y vient pour ses défilés de mode. Le cadre est suffisamment chouette pour y prendre un verre, de là à regarder un défilé ampoulé... il y a un fossé. *La Maison,* c'est aussi, en effet, une cafétéria (voir « Où manger? ») ; un bar, le *1912* (ouvert de 18 h à 2 h), et une boutique d'articles de luxe (ouverte jusqu'à 18 h).

♪ ***Café Santiago*** *(plan II, E3,* ***58****) :* c'est le bar de nuit de l'hôtel *Meliá Santiago* (voir « Où dormir? »). Ouvert de 22 h à 2 h. Entrée : 5 US$ (le dimanche, de 19 h à 23 h, entrée 3 US$). Les consommations sont un peu chères. On y a reconstitué la cathédrale, la *Casa de la Trova,* la maison de Velázquez, *El Baturro*... Cela peut plaire... Show et en général de bons groupes musicaux.

À voir. À faire

El parque Céspedes **El parque Céspedes** *(place centrale ; plan I, B1) :* appelé parfois par facilité la place de la Cathédrale, il représente *el corazón* (le cœur) de Santiago et en est le centre de l'animation. Quelques vieux monuments intéressants toujours à taille humaine se concentrent autour de cette place de forme carrée, tellement charmante que l'on y passerait des heures à ne rien faire : l'hôtel *Casa Granda,* la cathédrale, le musée Velázquez, l'*ayuntamiento* (mairie), des banques, le centre de téléphone international, des galeries de peinture. Tout est à portée de main. Et la première impression est merveilleuse. Malheureusement, les ormes malades ont dû être abattus. Il faudra attendre quelque temps pour y retrouver de l'ombre.
Les Cubains et les Cubaines y flânent, s'y promènent, s'y donnent rendez-vous en fin de journée ou regardent le temps passer, sur des bancs. Le samedi soir, pour sortir en ville, les Santiagueros se mettent sur leur trente et un, passent et repassent sur cette place centrale, pour le plaisir de voir et d'être vus. Pour eux, c'est une façon naturelle de sillonner le centre-ville, une récréation en période de pénurie.
En temps normal, il est assez difficile de s'y garer (un seul côté où l'on peut stationner, devant la mairie). Ne pas hésiter à sacrifier un dollar pour faire surveiller sa voiture. D'ailleurs, les personnes qui s'en chargent sont toujours là, de jour comme de nuit.
Cette place est aussi l'un des endroits favoris des *jineteros* et des *jineteras,* qui attendent les touristes. Il y a également de nombreux policiers (avec ou sans uniforme) qui surveillent les uns et les autres.

La catedral *(plan I, B1-2,* ***122****) :* la première construction date du XVIe siècle (1522), mais elle fut détruite tant de fois qu'il ne reste pas grand-chose de l'édifice initial. La dernière reconstruction date de 1932, après un terrible tremblement de terre. Style néo-classique pas très aérien. Le bâtiment est entouré d'une terrasse surélevée, ce qui donne à l'ensemble un aspect étonnant. À l'intérieur, atmosphère et décor dans les gris et bleus un peu tristounets. On est loin des fastes et des ors du baroque colonial. Quelques devants d'autel en argent repoussé. Stalles du chœur du début du XIXe siècle. Messe à 18 h 30 du mardi au vendredi, le samedi à 17 h, le dimanche à 9 h et 18 h 30. Les portes ouvrent à 17 h.

El museo de ambiente historico Diego Velázquez *(plan I, B1,* ***123****) :* calle Felix Peña, 612, parque Céspedes. Ouvert tous les jours de 9 h à 13 h et de 14 h à 17 h (fermé les jours de pluie). Entrée : 2 US$. Construite entre 1516 et 1530, la partie qui donne sur la place (en partie reconstituée) est la plus ancienne demeure coloniale de Santiago et l'une des plus vieilles d'Amérique latine. Massive construction d'un étage, avec un long balcon de bois de style moucharabieh en encorbellement. Diego Velázquez habitait le premier étage tandis que, au rez-de-chaussée, se trouvait la première fonderie d'or des colonies.
À l'arrière, le bâtiment date du début du XIXe siècle et s'ordonne autour d'un patio. L'ensemble abrite aujourd'hui le *museo de Ambiente histórico cubano,* qui montre l'évolution de l'intérieur des maisons cubaines (meubles de

divers styles : espagnol, français, anglais; vaisselle; décoration...), depuis les débuts de la colonisation jusqu'au XIXe siècle.

Au 1er étage : plafond ouvragé en cèdre d'origine, restauré après un grave incendie. Vaste chambre avec balcon sur la place. Intéressante peinture flamande, *La Danse villageoise.* Dans un coin, vue sur les premières fondations de la maison. Au fond, une porte en bois datant de la première construction. De récentes recherches ont permis d'établir que l'étage fut occupé au milieu du XIXe siècle par un collège dirigé par le Français Jean-Baptiste Foch, originaire de Toulouse.

El ayuntamiento *(la mairie; plan I, B1) :* parque Céspedes. Joli bâtiment bleu et blanc. Ne se visite pas. Il a été construit en 1950 d'après des plans datant de 1783. De son balcon, le 1er janvier 1959, Fidel Castro proclama la victoire de la Révolution.

La casa municipal de la cultura *(plan I, B1,* ***124****) :* c'est l'ancien club *San Carlos,* fondé par des Français, lieu de rencontre de la société blanche de Santiago au XIXe siècle. Il abritait notamment un club d'escrime. À l'origine, il existait un 3e étage, victime du tremblement de terre de 1932. Expositions, concerts et activités culturelles. Classes de musique et de danse.

El museo municipal Emilio Bacardí *(plan I, B1,* ***125****) :* calle Pío Rosado (Carnicería) et Aguilera. Ouvert le lundi de 12 h à 21 h; du mardi au samedi, de 9 h à 21 h; le dimanche, de 9 h à 13 h. Entrée : 2 US$. Le premier musée cubain a ouvert à Santiago de Cuba en 1899. Celui-ci, qui date de 1928, en a pris la suite pour abriter notamment les collections du premier maire de la ville, Emilio Bacardí Moreau (descendant de Français par sa mère Lucia Victoria Moreau). Patriote, indépendantiste, chercheur, grand voyageur et grand écrivain, il était le fils de l'un des fondateurs de la célèbre marque de rhum, et présida lui-même par la suite aux destinées de l'entreprise familiale. Musée abrité dans une colossale bâtisse de style néoclassique. Façade à colonnes corinthiennes. C'est le grand musée d'art et d'histoire de la province de l'Oriente. Section archéologique, avec des pièces cubaines, égyptiennes (une momie) et indo-américaines.

– Au rez-de-chaussée, amphores en bronze des conquistadores, souvenirs et témoignages de la colonisation.

Dans de nombreuses vitrines, souvenirs, objets personnels et vêtements de leaders et généraux indépendantistes (Martí, Maceo et Céspedes), documents et journaux.

Accès à une ruelle pavée où furent reconstituées des façades de demeures des XVIIIe et XIXe siècles.

– Au 1er étage, section peinture. Quatre intéressants panneaux : *L'Allégorie des saisons,* appartenant à l'origine au Prado de Madrid. Joli travail sur les drapés et les voilages. Un autre tableau à détailler : *Interior de la casa de Juan Bautista Sagarra,* de 1864. Portrait d'une famille bourgeoise du XIXe siècle. Toiles de José J. Tejada Revilla, portraits de paysans et d'ivrognes. Autre fameux portraitiste, Federico Martinez Matos (bel autoportrait et intéressant *Garibaldino et ballerine américaine*). Art moderne.

En sortant, à droite du musée Bacardí, la calle ***Pío Rosado (Carnicería),*** étroite ruelle menant au musée du Carnaval. Sur la droite, tout du long, façade jaune décorée de stucs roses d'une élégante demeure coloniale. Sur le côté gauche du musée (en sortant), imposante façade de style néoclassique du *palacio provincial.*

El museo del Carnaval *(plan I, C1,* ***126****) :* Pío Rosado (Carnicería) et Heredia. Ouvert du mardi au samedi de 9 h à 20 h; le dimanche, de 9 h à 17 h. Entrée : 1 US$. Abrité dans une superbe demeure coloniale de la fin du XVIIIe siècle, avec son long corridor traditionnel sur rue. Présente l'histoire du carnaval de Santiago au travers des grandes périodes historiques : la colonie, la république et après la Révolution. Danses folkloriques avec le jeune groupe « 19 Septembre » du mardi au dimanche à 16 h ; le dimanche, séance supplémentaire à 11 h.

La ***calle Heredia*** aligne de pittoresques demeures coloniales. Occupées aujourd'hui par des écoles, bibliothèques publiques et quelques administrations et centres culturels, comme le centre provincial de l'***Union nationale des écrivains et artistes cubains*** *(UNEAC)*, au 266, qui abrite aussi une galerie d'art et dont le patio sert de cadre à des spectacles traditionnels (boléro le samedi à 17 h ; entrée : 1 US$). Festival de ferronnerie d'art et élégantes fenêtres. Au passage, les portes étant généralement ouvertes, vous admirerez les beaux patios, les vastes salles joliment meublées. Le tout dégageant fraîcheur, confort et art de vivre. En général, deux samedis soir par mois, la rue, qui est aussi le cadre d'un petit marché d'artisanat d'art, est en fête.

La casa de José María Heredia *(plan I, B2,* ***127****)* **:** calle Heredia. Ouvert de 9 h à 20 h, le dimanche de 9 h à 14 h. Fermé le lundi. Entrée : 1 US$. C'est la maison natale du grand poète cubain. À ne pas confondre avec son célèbre cousin parnassien (qui, lui, prend une particule !). Né le 31 décembre 1803, mort en 1839 à Mexico. Il fut expulsé de Cuba par les Espagnols pour conjuration et ne revint qu'une fois au pays (en 1836).
La première salle contient les meubles originaux de la famille. Aquarelle du poète par le peintre Bofill. Dans l'ancienne chambre à coucher, expo de porcelaines anciennes. Portrait de J.-M. de Heredia, cette fois-ci (né à Santiago, en 1842, d'une mère française, Louise Girard, dans la plantation de café de ses parents, la Fortuna, et naturalisé français en 1893), puis des lettres, documents, etc.
En conclusion, visite non seulement intéressante sur le plan littéraire, mais également émouvante. La maison est aujourd'hui le siège permanent des activités littéraires de la ville, et un lieu de rencontre international des poètes pendant le festival des Caraïbes, qui a lieu en juillet. Les poètes de la ville s'y retrouvent également le jeudi et le vendredi à 17 h.

El museo del Rón *(plan I, B2,* ***81****)* **:** San Basilio, 358, entre Pío Rosado (Carnicería) y San Felix. Ouvert du lundi au samedi de 9 h à 17 h. Entrée : 2 US$. Visite guidée et dégustation. C'est l'ancienne maison du comptable de la firme Bacardí. On y apprend l'histoire et la fabrication du rhum, qui s'est développée à Santiago depuis 1862 grâce aux deux frères Facundo et José Bacardí Mazó, des Catalans, à l'origine commerçants qui ne connaissaient rien au rhum, mais qui eurent la bonne idée de s'associer à un Français (encore un !), José Léon Bouteiller. Celui-ci mit au point l'arôme, le bouquet et la finesse du fameux rhum Bacardí, aujourd'hui fabriqué dans de nombreux pays des Caraïbes, d'Amérique centrale et aux États-Unis... mais pas à Cuba (voir le chapitre « Généralités »). Dans la boutique, on peut acheter des rhums fabriqués à Santiago, comme le... Santiago et le Caney.

Balade dans les vieux quartiers **:** du parque Céspedes, suivre, le nez au vent, rues et ruelles qui dévalent vers le port. C'est là que se rencontre une bonne part de la vie sociale et populaire de Santiago. Notamment dans la ***calle Padre Pico,*** avec sa portion en escaliers, l'une des plus pittoresques. Tout en haut des escaliers, on est au Tivolí, l'ancien quartier français : très belle vue sur la forêt de tuiles rouges de la vieille ville.

El centro cultural Francisco Prat Puig *(plan I, B2,* ***129****)* **:** calle Corona entre Heredia et San Basilio. Ouvert tous les jours (sauf le lundi) de 9 h à 21 h. Entrée : 1 US$. Ce centre a ouvert en 2003 dans l'ancien séminaire San Basilio Magno fondé en 1722. Ce fut le premier collège d'études supérieures cubain. Par la suite, collège dirigé par les frères de la Salle, il accueillit d'illustres pensionnaires dont les trois frères Castro (Ramon, Fidel et Raúl) quand ils étaient jeunes enfants, vers 1935. Il a fonctionné comme collège public secondaire jusqu'en 1997. Puis a été repris par l'Office du Conservateur de la Ville qui occupe une partie du bâtiment. Ce Centre porte le nom de Francisco Prat Puig, historien, archéologue et collectionneur. On doit à ce Catalan d'origine, décédé en 1997, la restauration de nombreux monuments de l'île dont, à Santiago, la casa Vélasquez, la maison de Heredia, la mairie, le château du Morro, etc. Distribué autour d'un très grand patio, le centre abrite une exposition sur l'histoire du séminaire, des objets personnels et les collections (archéologie, arts plastiques et arts décoratifs) de F. Prat Puig et une salle d'expositions temporaires. L'une des guides parle le français.

🎬 ***La maquette de la ville*** *(plan I, A-B2, **131**)* **:** calle Corona, esquina a San Basilio. Ouvert tous les jours sauf le lundi de 9 h à 21 h. Entrée : 1 US$. Un guide parle le français. Ouvert en août 2003, ce projet de réalisation d'une maquette de la ville au millième a demandé 12 ans de travail effectué à partir de photos aériennes, plans, cartes et relevés graphiques des façades des principaux bâtiments. C'est que la ville de Santiago a une superficie de 118 km^2 ! Panneaux explicatifs sur le travail de restauration accompli par l'Office du Conservateur de la Ville. Ce n'est pas aussi grandiose que la maquette de La Havane mais intéressant tout de même pour comprendre le développement de la capitale de l'Oriente. Vaut aussi pour la belle vue que l'on a, de la cafétéria, sur la baie et le quartier français du Tivolí. Les passionnés de maquettes peuvent visiter l'atelier.

🎬🎬 ***El museo de la Lucha clandestina*** *(le musée de la Lutte clandestine ; plan I, A2, **128**)* **:** calle G. J. Rabi. Dans le quartier au sud de la calle Padre Pico. Ouvert du mardi au samedi de 9 h à 19 h ; le dimanche, de 9 h à 17 h. Fermé le lundi. Entrée : 1 US$. Ce musée, complément de celui de la Caserne Moncada, est installé dans un ancien commissariat de police. Ce dernier fut attaqué par les révolutionnaires le 30 novembre 1956 (d'après les photos de l'époque, ça devait être à la dynamite !). À l'origine, belle demeure bourgeoise du XIXe siècle. Bon, ça reste quand même important pour les spécialistes ou les mordus de la Révolution cubaine. Beaucoup de photos, description très détaillée des événements.

Au rez-de-chaussée, la mitraillette de Franck País et le drapeau original du mouvement du 26 Juillet. Au premier étage : beaucoup de place légitimement accordée à Franck País, héros de la ville.

– Juste en face du musée, rue Rabi, 6, *petite maison* jaune et bleue où vécut Fidel Castro de 1931 à 1933, chez une parente, quand il allait à l'école à Santiago.

🎬 ***Le quartier du port* :** le long de l'avenue longeant le port (av. Jesús Menéndez, connue aussi sous le nom de paseo Alameda), nombreux édifices et entrepôts datant de la colonie ou de la république. Entre autres, les bâtiments de l'administration du port, le terminal des bateaux, la douane. Une navette de carrioles permet de suivre l'avenue de façon indolente et va même jusqu'au cimetière Santa Ifigenia.

🎬🎬 ***El cementerio Santa Ifigenia*** *(plan d'ensemble)* **:** au bout de l'avenida Crombet. Ouvert tous les jours de 8 h à 18 h (17 h en hiver). Entrée payante pour les touristes : 1 US$. Si vous y allez à pied, attention à vos affaires en traversant le quartier populaire autour de l'avenida Crombet. Le grand cimetière de l'aristocratie coloniale et de la bourgeoisie républicaine. De grandiloquents mausolées et tombeaux, du temps où ils perpétuaient l'image des décédés au-delà de la mort, et qu'ils étaient révélateurs du standing et de l'opulence des grandes familles.

Mais surtout, on y découvre les sépultures de grands héros des guerres d'Indépendance (reconnaissables au drapeau national) et ceux de la Révolution (avec le drapeau noir et rouge du mouvement du 26 Juillet).

À gauche de la monumentale entrée, le mausolée de José Martí avec sa garde d'honneur 24 h/24 (se faire expliquer sa symbolique par un guide). À côté, le monument commémoratif des héros du 26 Juillet. À droite de l'allée

centrale, dans l'allée transversale qui prolonge celle de José Martí, les tombes de Mariana Grajales, mère d'Antonio Maceo, et de la veuve de celui-ci. Dans l'allée centrale, à gauche, tombe de Carlos Manuel de Céspedes. On y trouve encore Franck País et ceux qui sont tombés lors de l'attaque de la caserne de la Moncada. Les tombes de onze généraux des guerres d'Indépendance, de Tomas Estrada, premier président de la République... Dans l'allée centrale également, un monument en forme de pyramide égyptienne renferme la dépouille d'Emilio Bacardí Moreau, premier maire de Santiago lors de l'indépendance de Cuba. Insolite, dans la première allée à droite de l'entrée, la tombe de Francisco Antommarchi (Mattei), qui fut le dernier médecin de Napoléon à Sainte-Hélène. Il mourut à Santiago en 1838 et est considéré comme un pionnier de l'ophtalmologie à Cuba.
La tombe provisoire de Compay Segundo se trouve dans le Panthéon des Forces Armées (grand polyèdre vert facilement repérable) ou plus exactement parmi celles qui entourent ce monument. Elle porte le numéro 12. Le chanteur fut en effet, entre autres choses, officier de l'armée rebelle. En 2005, ses restes seront transférés dans un caveau personnel.
– Régulièrement, des *expositions* à l'entrée du cimetière qui invitent à faire le parcours de personnages célèbres enterrés à Santa Ifigenia, en particulier les musiciens.

La fabrique de cigares Cesar Escalante *(plan d'ensemble, **130**)* **:** Alameda, 703, face aux bureaux du port et d'une petite tour. Ouvert du lundi au samedi de 9 h à 15 h. En principe, il faut acheter les billets (5 US$) à l'agence *Rumbos,* parc Céspedes, mais on peut tenter de se présenter directement à la fabrique et de payer seulement 3 US$. Demandez le guide Luis, il parle un peu le français. Cette petite fabrique de 168 travailleurs n'intéressera que ceux qui n'ont pas visité de fabrique à Pinar del Río ou à La Havane ; celle-ci ne produit que des cigares pour la consommation nationale avec des feuilles hachées *(picaduras)*. Ce qui fait que la majorité des cigares de feuilles entières *(hojas)* que l'on vous propose dans la rue à Santiago... sont des faux. La boutique à côté vend, bien entendu, de vrais cigares cubains de toutes les grandes marques.

El museo del cuartel Moncada *(le musée de la Caserne Moncada ; plan d'ensemble)* **:** av. de Moncada. Entrée côté gauche (quand on est face à elle). Ouvert tous les jours de 9 h à 20 h, le dimanche de 9 à 13 h (fermé le lundi). Entrée : 2 US$. Deux guides parlent le français. Aujourd'hui, la caserne a été transformée en école secondaire. Quelques salles ont néanmoins été conservées pour le musée. Sur la façade, les traces de balles de l'attaque. Visite guidée assez émouvante, ça va de soi, et incontournable pour tous ceux qui s'intéressent à la Révolution cubaine.
Le musée rappelle d'abord l'histoire mouvementée de la caserne, puis présente la Génération du Centenaire (de la naissance de José Martí), ces étudiants dirigés par Fidel Castro qui décidèrent de frapper un grand coup en 1953, en prenant cette caserne de l'armée de Batista. Maquette de l'assaut conduit par le *Líder máximo* et des opérations de diversion menées par son frère Raúl et par Abel Santamaría. Par une fenêtre, on voit le camion dans lequel Fidel, fait prisonnier dans le massif de la Gran Piedra à la suite de l'assaut manqué, fut ramené par le lieutenant Sarria, qui devait devenir par la suite son garde du corps. Photos difficilement soutenables des corps torturés des jeunes révolutionnaires.
La chronologie suit ensuite le départ de Fidel et de ses amis en exil, puis le débarquement du *Granma,* le 2 décembre 1956. Suivent de nombreux plans et photos illustrant les combats s'étant déroulés dans la sierra Maestra et sur les différents fronts. Importantes collections d'armes saisies à l'armée du dictateur Batista ou confectionnées par les rebelles. L'exposition s'achève par le triomphe de la Révolution et l'entrée des *barbudos* à Santiago le 1er janvier 1959.

La casa de Franck País *(plan d'ensemble,* ***133****)* **:** calle General Banderas, 226, entre José Gómez y Los Maceos. Ouvert de 9 h à 17 h. Fermé le dimanche. Entrée : 1 US$. Le Rimbaud de la guérilla révolutionnaire, c'est lui ! Fils de pasteur protestant, nourri de Bible et d'éthique, excellent dessinateur, jeune homme très précoce, rien ne destinait ce collégien à devenir l'un des dirigeants urbains du mouvement insurrectionnel du 26 Juillet. Grand organisateur et chef militaire hors pair, il fut « la main droite de Fidel Castro dans la plaine ». Il est mort assassiné par les sbires de Batista, alors que la guérilla avançait lentement vers la victoire. Il n'avait que 23 ans. Son enterrement à Santiago fut suivi par une foule énorme. Dans sa maison transformée en musée, on visite sa chambre, son bureau de collégien, un petit patio intérieur. Une salle abrite son masque mortuaire et des photos de son corps sur son lit mort. Sa mère, veuve avec trois enfants, se laissa mourir de chagrin.

El monumento de Antonio Maceo *(hors plan d'ensemble)* **:** à la sortie de la ville, sur la place de la Révolution. Imposant hommage au grand général de la guerre de 1895. Sur le terre-plein, une vingtaine de *machetes* entourent la statue équestre et crèvent le ciel en une symbolique de fierté et de révolte. Cette œuvre est due au sculpteur santiaguero Alberto Lescay.
À partir de la place de la Révolution, en remontant l'avenue de Las Américas, on trouve successivement, à gauche, le ***théâtre Heredia*** (lieu d'expositions, de foires, avec aussi une intéressante programmation de spectacles) et le ***stade de base-ball Guillermon Moncada,*** théâtre des exploits des *peloteros* de la ville.

La casa de las religiones *(plan II, F3,* ***134****)* **:** calle 13, esq. 10, 206. Ouvert du lundi au samedi de 9 h à 17 h. Entrée : 1 US$ sans guide et 3 US$ avec guide. Exposition permanente d'objets rituels des principaux systèmes magico-religieux d'origine africaine et parfois syncrétiques en vigueur à Cuba. Cérémonies les jours de fête des *orishas* (saints de la *santería,* en particulier les 4 et 17 décembre).

DANS LES ENVIRONS DE SANTIAGO DE CUBA

AU NORD-OUEST DE SANTIAGO

Puerto Bionato : prendre la direction d'El Cobre, mais tourner tout de suite à gauche à la sortie de Santiago, à hauteur de la station-service *Cupet (hors plan I par B3).* Puerto Boniato est bien indiqué. C'est le meilleur point de vue sur la ville de Santiago, la baie et la montagne. De nuit, en particulier, la vue est enchanteresse. Il y a même un restaurant.

Restaurant Balcón del Puerto : ouvert tous les jours de 12 h à 23 h 45. On y mange du porc grillé, frit, en ragoût. Ce n'est pas cher (plat le plus cher à 25 pesos), c'est bon et le cadre est agréable ; il y a donc foule, le soir, en fin de semaine. En soirée, du jeudi au dimanche, on peut écouter un *septeto.*

La basilica de la Virgen de la Caridad del Cobre : à une vingtaine de kilomètres à l'ouest de Santiago, sur la route de Bayamo. On peut s'y rendre de Santiago, dans les camions qui partent du terminal de la calle 4 *(plan d'ensemble, C1,* ***25****).* Un panneau l'indique, sur la gauche. Il est possible d'y accéder en voiture. Il y a un parking à l'arrière de l'église. À côté de ce parking, une porte (secondaire) permet d'entrer dans l'édifice. Elle donne sur une petite chapelle avec un autel décoré d'une statue en or de la Vierge. La principale entrée de l'église se trouve de l'autre côté de l'édifice, en contre-

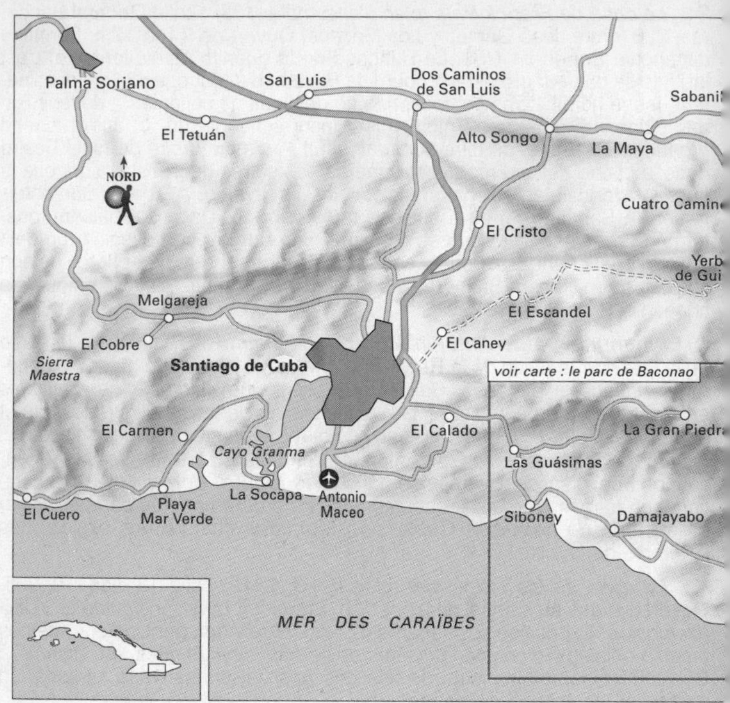

bas. Ouvert tous les jours de 6 h 30 à 18 h. Messes à 8 h (sauf le mercredi) ; le dimanche, à 8 h, 10 h et 16 h 30. Baptêmes collectifs des jeunes enfants le samedi à 9 h. Le 8 septembre, grande fête patronale.

Voici l'un des lieux de pèlerinage les plus populaires de l'Oriente (et de l'île), car la Virgen de la Caridad del Cobre est la sainte patronne de Cuba. Elle serait apparue entre 1600 et 1608, en pleine mer, à un jeune garçon de 10 ans, Juan Moreno, qui se trouvait, avec deux adultes, dans une barque. Associée dans la *santería* à Ochún, la déesse de l'amour, de la sensualité, de la maternité, des eaux douces et de l'or (elle cumule les mandats !), cette « Vierge de la Charité du Cuivre » fait l'objet d'un culte particulier. Chaque année, le 8 septembre, les Cubains viennent en foule sur la colline sainte pour lui rendre hommage.

Construite en 1927, la basilique doit son nom (*cobre* signifie « cuivre » en espagnol) à une ancienne mine de cuivre, visible du côté sud de la colline. Le pape Jean-Paul II y est venu en janvier 1998.

Outre la petite chapelle de la Vierge et son autel, dans une crypte sous la chapelle, on découvre les nombreux témoignages d'affection et de guérison apportés par la foule des fidèles. Hemingway y avait déposé son prix Nobel de littérature. Volé, puis retrouvé, ce prestigieux document est aujourd'hui caché dans un lieu sûr, de même qu'un ex-voto apporté par la mère de Fidel Castro pour demander la protection de son fils pendant la guerre révolutionnaire. À voir aussi, les ex-voto déposés par de nombreux champions sportifs cubains.

LA RÉGION DE SANTIAGO DE CUBA : LA CÔTE SUD-EST

Se méfier des « marchands du Temple », jeunes qui vendent statues de la Vierge et pierres de cuivre, et qui ont une mauvaise tendance à tenter de forcer la main des touristes...

Hospedería El Cobre : sur le parking, derrière la basilique de la Virgen de la Caridad del Cobre. ☎ 36-246. Une grande maison d'hôtes administrée par les sœurs Hermanas Sociales, où l'on peut loger : en dortoir de 20 lits (5 pesos la nuit) et en chambres à 1, 2, 3 ou 4 lits (8 pesos par personne). Repas simples. À mille années-lumière de Santiago, un lieu pour les routards cherchant le calme et la méditation.

El monumento del Cimarrón : le chemin y menant est indiqué à partir du village d'El Cobre. Des guides vous attendent au pied de la colline. Forte grimpette qui vaut la peine car, du sommet, on jouit d'une très belle vue sur toute la région.

Ce monument a été érigé à la mémoire des esclaves qui travaillaient dans la mine de cuivre, la plus ancienne d'Amérique latine (puisqu'elle fut exploitée à partir de 1558 – et jusqu'en l'an 2000). Dû au sculpteur Alberto Lescay, ce monument a été inauguré en 1997. Il glorifie la révolte des esclaves de 1731 et comporte de nombreux symboles des religions africaines. C'est un des jalons de la route de l'Esclave de l'Unesco. Une curiosité, le lac d'eau verte en raison de la présence du minerai de cuivre.

– Le guide Omelio (qui se tient dans une guérite au bas des escaliers) peut aussi vous faire visiter la *maison de Juan Gonzalez,* consacrée à la religion croisée (mélange de catholicisme et de *santería*), qui est aussi responsable du *cabildo* (groupe folklorique) du Cimarrón.

AU SUD DE SANTIAGO, VERS LE CASTILLO DEL MORRO

Longer la baie de Santiago constitue une chouette balade qui peut prendre l'après-midi. Plutôt que de filer au plus court, prenez la route de la cimenterie. On y croise de drôles de camions roulant à tombeau ouvert dans un ouragan de poussière. En face de la cimenterie, centrale électrique tout droit sortie d'une B.D. de science-fiction. Puis la route serpente sur le littoral parmi de belles collines, laissant apercevoir ici de petites baies, là de secrètes criques.

La marina de Punta Gorda : en général, la marina est d'une totale quiétude, il est rare qu'une dizaine de bateaux se chamaillent pour trouver un anneau ! C'est ici que les marins pourront faire le plein d'eau et prendre une douche.

Excursion au village de pêcheurs du cayo Granma : on s'y rend en bateau à partir de la marina de Punta Gorda ou en *lancha*. Infos pour le trajet en bateau : ☎ 68-63-14 ou 69-14-46. Fax : 68-61-08. Départ quand on le souhaite, retour idem. Compter 3 US$ la traversée aller-retour. Plus économique, la traversée en *lancha* avec les Cubains ne vous coûtera que 1 US$ (20 centavos si vous réussissez à vous faire passer pour un Cubain). Départ de la *lancha,* environ toutes les heures, route de Ciudamar, face à la *marina,* embarcadère en bas d'escaliers près d'un ancien club nautique. Une fois sur l'eau, on aperçoit, sur les hauteurs de Ciudamar, une des très belles *villas* où Fidel Castro descend quand il vient à Santiago. Puis on découvre le *village de pêcheurs* aux maisons en bois typiques sur pilotis du *cayo.*

Il n'y a pas d'hôtel ni de *casa particular,* seulement 2 restaurants, un pour Cubains, le ***Paraíso*** (compter une vingtaine de pesos pour un plat de poisson), et un pour touristes, le ***Palmares.*** En se laissant guider par les locaux, on peut trouver des *paladares* non officiels où l'on mange en général du bon poisson.

SANTIAGO DE CUBA

➢ **Petite balade en bateau dans la baie :** départ de la marina jusqu'à 17 h. Tarif : 12 US$ (cocktail compris).

En continuant la route, on tombe sur la ***laguna de Estrella,*** pour les inconditionnels de la trempette.

El castillo del Morro : à 7 km au sud de Santiago. Ouvert de 8 h à 20 h. Entrée : 4 US$. Imposante forteresse commandant les entrées et sorties dans la baie. Construit par les Espagnols en 1638 pour protéger Santiago des raids des pirates et autres coureurs de mer, le castillo est inscrit au Patrimoine mondial de l'humanité en raison de son architecture très particulière. Il servit de prison pour interner les indépendantistes. Il abrite aujourd'hui le *musée San Pedro de la Roca.* L'histoire de la piraterie dans les parages, celle du *castillo* et du système défensif de Santiago ainsi que la bataille navale entre les armadas espagnole et américaine en 1898 y sont présentées dans les anciennes casemates. Dans la dernière, noter la rampe qu'on utilisait pour monter les boulets aux bastions. À côté, la chapelle. De la plus haute terrasse, belle vue sur la baie, le cayo Granma et son village de pêcheurs.
À l'entrée du fort, deux beaux canons de bronze de 1748 proviennent des bateaux français *Le Pourvoyeur* et *Le Comte de Provence.* Voir également le *phare* construit par une société de Nantes en 1842. Il tourne sur un bain de mercure de près de 3 m de diamètre.
– À 17 h 15 (vers 19 h en été), tous les jours, ***cérémonie de la Puesta del Sol*** (tir au canon par des soldats en costumes du XVIIIe siècle) pour symboliser la fermeture du port.

Où dormir dans le coin?

CHAMBRE CHEZ L'HABITANT (CASA PARTICULAR)

Prix moyens

Danilo Romeo Vazquez et Carmen Sanchez Roque, casa de Orieta : av. Caribe, 11, reparto Ciudamar. ☎ 691-430. • raul@cmar.scu.sld.cu • Attention, assez difficile pour s'y rendre : en sortant de Santiago, prendre la direction du castillo del Morro. Avant d'arriver à la forteresse, prendre la direction, à droite, Ciudamar et Punta Gorda. Au carrefour Ciudamar et Punta Gorda, prendre à gauche, puis 2e impasse à droite. Si vous vous êtes planté, demandez la *casa de Orieta.* Cela paraît compliqué, mais c'est à 10 mn en voiture du centre-ville. Chambre double à 25 US$ avec petit dej'. La *casa* offre aux étrangers 1 chambre et un petit bungalow. Ils sont arrangés avec tellement d'amour et de soin qu'il est difficile de s'imaginer à Cuba. Vieux meubles de famille. Salles de bains grand confort. Chaque logement dispose de sa terrasse privative avec vue imprenable sur la baie. Possibilité de barbecue, cuisine, solarium... Pour ne rien gâcher, la cuisine d'Orieta est réputée non seulement parmi ses anciens hôtes mais aussi parmi les Cubains. Idéal pour ceux qui souhaiteraient se laisser bercer par la nature. C'est l'une de nos meilleures adresses. Attention, il est conseillé de réserver.

Où manger dans le coin?

Bon marché

Quelques pêcheurs mettent du beurre dans les épinards en préparant des ***poissons grillés*** ou des crustacés rouges à carapace segmentée, dont on ne peut écrire le nom sans leur faire du tort. De la même manière, on ne vous donne pas d'adresse pour que le fisc ne leur tombe pas dessus à bras raccourcis. Pour avoir un ordre d'idée, prévoir environ 7-8 US$ le repas (avec plat principal, accompagnement et parfois dessert).

Plus chic

Punta Gorda *(hors plan I par B3)* **:** c'est le restaurant de la marina. Le midi (sauf le dimanche), buffet copieux, varié et très appétissant pour 9 US$ (sans les boissons). À la carte, steak ou plat de poisson entre 4 et 5 US$. On mange sur une vaste terrasse couverte donnant sur l'eau. Endroit très agréable pour se prélasser un moment en contemplant la sortie de la baie de Santiago avec le *castillo del Morro,* le *cayo Granma* et la plage de la *Socapa.* À côté, salle de jeux avec billard et grand bowling, ouverte de 10 à 22 h. En bas, pour les marins de retour de bordée, bar ouvert 24 h/24.

El Morro *(hors plan I par B3)* **:** à 8,5 km au sud de Santiago. ☎ 691-576. À côté de la forteresse. Ouvert tous les jours le midi et jusqu'à 21 h. Cuisine non-stop. Compter 15 US$ le plat de poisson. Cuisine traditionnelle. Soupes, salades, *tortilla de queso, arroz con mariscos, camarones, langosta, filet fish,* poulet, porc, etc. Cadre très sympa (on paie un peu la vue, mais bon). Bar en bois sombre à l'entrée. Terrasse panoramique ombragée sur laquelle il fait bon refaire le monde.

À L'EST DE SANTIAGO, LE PARC DE BACONAO

Pour ceux qui disposent d'une voiture et de temps, voici une intéressante balade vers le parc de Baconao et la côte est. Compter une centaine de kilomètres aller-retour. En cours de route, quelques musées, sites, plages et une station-service *Cupet (plan Le parc de Baconao,* ***1****)*.
Le parc national de Baconao, qui fut rêvé par Fidel Castro du temps où il s'y baladait pour raison forcée, commence à la colline San Juan, dès la sortie de Santiago. Décrété réserve de la biosphère par l'Unesco, c'est le plus grand parc naturel cubain. Parc naturel, sur le papier. En réalité, c'est vrai que la nature est superbe, mais on n'est pas sûr qu'il y ait des gardes. Disons qu'il s'agit d'un sanctuaire englobant le massif de la Gran Piedra et la lagune de Baconao.

Dans les terres, la Gran Piedra

🔭🔭 ***La Gran Piedra :*** à environ 25 km de Santiago. De Santiago, prendre la route de Siboney. À 13 km, au village de Las Guásimas, prendre à gauche, c'est indiqué. Une route, sinueuse et en mauvais état, grimpe vers la Gran Piedra, un gros rocher culminant au sommet d'une montagne à 1 220 m. La route s'arrête au niveau de l'hôtel-resto *Villa Gran Piedra,* dont les cabanons sont éparpillés sous les pins à flanc de montagne. Un endroit vraiment agréable en raison de la fraîcheur de la température. Du parking à côté, un sentier monte au sommet (452 marches), où se dresse une tour de télécommunications. Montée : 1 US$.
L'énorme rocher en forme de pierre (d'où son nom) serait le vestige d'un ancien volcan usé par l'érosion. Il est accessible à pied. On y monte par une longue échelle métallique fixée sur la roche (facile et sans danger, sauf s'il pleut).
De là-haut, on bénéficie d'un panorama exceptionnel. Par temps clair, on dit qu'on peut apercevoir Haïti et la Jamaïque. Sur la route, quelques paysans vendent des fruits.

🔭🔭 À 2 km au-delà du rocher (chemin en mauvais état), on peut aussi visiter ***le cafetal La Isabélica*** *(plan Le parc de Baconao,* ***30****)*. Ouvert tous les jours de 8 h à 16 h. Entrée : 1 US$.
Il s'agit d'une ancienne plantation de café fondée par Victor Constantin Cuzeaux, un immigrant français d'Haïti. Elle fait partie de l'ensemble des *cafetales* de la Gran Piedra qui, depuis l'an 2000, sont inscrits au Patrimoine de l'humanité par l'Unesco. La Isabélica devint musée en 1961, date à laquelle on a collecté tous les objets dans les ruines des *cafetales* des alentours. L'intérieur de La Isabélica était toujours en restauration en 2004.
– ***Au rez-de-chaussée*** de la maison sont exposés des instruments et des objets servant à la culture et à l'exploitation du café et au (mauvais) traitement des esclaves, qui étaient une vingtaine dans cette petite plantation. Tout le processus de la production du café est expliqué dans ce bâtiment. L'approvisionnement s'effectuait par les voies muletières des 60 ha de plantations qui entouraient La Isabélica, un petit bâtiment en forme de forteresse orientée vers le sud. Devant la maison, les séchoirs cimentés permettaient de faire sécher les grains. Au rez-de-chaussée (dont les murs étaient chaulés afin d'éviter l'humidité), les esclaves travaillaient à la production du café qui était entreposé dans une grande réserve.
– ***À l'étage :*** la maison du maître, avec son mobilier et son décor de l'époque, qui font apprécier les conditions de vie plutôt confortables des planteurs. À voir, le cadran solaire, fondu par la société Giroud (d'origine française), établie à Trinidad.
– ***Derrière la maison,*** à droite, la *tahona,* moulin à rigole de maçonnerie qui servait à dépulper les cerises de café. À gauche, les fondations des baraquements des esclaves domestiques. Sur la gauche, en bas, le petit bâti-

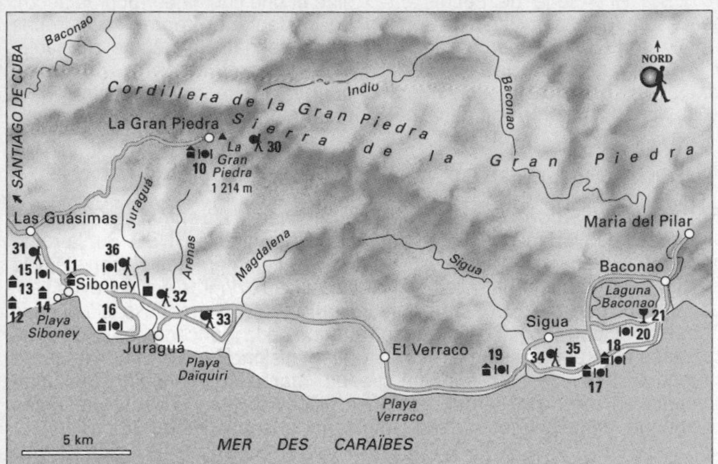

LE PARC DE BACONAO

Adresse utile

- **1** Station-service Cupet

Où dormir ? Où manger ?

- **10** Villa Gran Piedra
- **11** Terraza Mar Azul
- **12** Eduardo y Marlene
- **13** Guillermo Gonzalez Soto
- **14** Evaristo Caballero Cabrera
- **15** Restaurant Compay Segundo
- **16** Hôtel Bucanero
- **17** Hôtel Loukéa Carisol
- **18** Hôtel Corales
- **19** Hôtel Costa Morena
- **20** Restaurant Casa Rolando
- **36** Restaurant du Punto cubano

Où boire un verre ?

- **21** El Pelicano

À voir. À faire

- **30** Cafetal La Isabélica
- **31** Granjita Siboney
- **32** Museo nacional de Transportes
- **33** Valle de la Prehistoria
- **34** Aquarium
- **35** Centre de plongée et de pêche de Sigua
- **36** Punto cubano El Porvenir

ment était la cuisine qu'on avait isolée pour éviter que les odeurs ne se communiquent au café.

➢ ***Randonnées pédestres :*** la nature conserve tous ses droits dans le massif de la Gran Piedra. C'est un endroit idéal pour des randonnées pédestres et l'observation des très riches faune et flore. Avant d'arriver à l'hôtel-restaurant *Villa Gran Piedra,* sur la gauche, se trouve un site d'observation des oiseaux et un fort beau jardin botanique installé dans les ruines d'un autre *cafetal,* la ***Idalia.*** Au cours des balades, on peut s'intéresser également aux orchidées et autres *helechos* (fougères arborescentes) qui foisonnent dans le secteur. Demander un guide à la *Villa Gran Piedra* (coût de la randonnée : 2 US$).

Où dormir ? Où manger à la Gran Piedra ?

Villa Gran Piedra *(plan Le parc de Baconao,* ***10****)* **:** au sommet de la Gran Piedra. ☎ 68-61-47. À 26 km de Santiago. Pour y aller, compter 30 US$ en taxi. Bungalows avec grande salle à manger pouvant convenir pour 4 personnes à 60 US$ et petits chalets pour 2 personnes de 38 à 42 US$ selon les périodes, avec petit dej'. Repas complet à

10 US$. Une série de petites cabanes éparpillées à flanc de montagne, sous une superbe pinède. Bien équipées pour le lieu : bon couchage, eau chaude et froide, TV satellite et parfois même une petite cuisine et une cheminée (pour la déco). Le restaurant propose des repas complets dans un cadre agréable. Une de nos adresses préférées, pour la vue, le calme et l'environnement montagnard.

Autour de Siboney

La Granjita Siboney (plan Le parc de Baconao, ***31****) :* entre Las Guásimas et Siboney. Ouvert tous les jours de 9 h à 17 h. Entrée : 1 US$. Sur la route qui y mène depuis Santiago, 26 monuments commémoratifs rappellent le martyre des premiers patriotes qui tombèrent aux débuts de la Révolution. La Granjita est une modeste demeure qui revêt un grand sens pour les Cubains : là, dans la nuit qui précéda l'attaque de la Moncada, les guérilleros se rassemblèrent dans une ultime veillée historique. Le lieu n'a guère changé et possède bien sûr une grande charge émotionnelle. Une maisonnette au fond d'un jardin, quelques pièces intimes où sont présentés documents, témoignages, armes, vêtements et souvenirs du 26 Juillet.

La plage de Siboney : à 10 km au sud-est de Santiago. On peut se rendre de Santiago à la plage de Siboney, par le bus 214 ou des camions, qui partent du terminal de la calle 4 *(plan I, C1,* ***25****)* et font des arrêts avenue Pujol. Siboney, c'est le gros bourg où naquit le musicien Compay Segundo, en 1907 (voir ci-après le restaurant *Compay Segundo*). La plage est située au pied d'un piton rocheux, dans un coin verdoyant avec moult cocotiers. Beaucoup de monde le week-end, ainsi qu'en juillet et en août. La propreté laisse à désirer. Sur la plage, possibilité de boire du lait de coco, du rhum ou de la bière et de grignoter. Pas d'hôtel, mais on peut dormir et manger chez l'habitant (*paladares* non officiels). La plage est discrètement surveillée par des policiers qui contrôlent les papiers des Cubaines se promenant avec des visiteurs non-cubains.

Où dormir ? Où manger à Siboney ?

Terraza Mar Azul *(plan Le parc de Baconao,* ***11****) :* av. Serrano, playa Siboney. ☎ (22) 39-340. Compter 20 US$ la chambre double avec eau chaude et salle de bains. Petite maison de 2 chambres au-dessus de la pharmacie. À côté, Ovidio, le propriétaire, loue également 2 chambres chez sa fille. Service gastronomique.

Eduardo y Marlene *(plan Le parc de Baconao,* ***12****) :* Malecón, entre 4 et 5. ☎ 39-219. • franco@eff.uo.edu.cu • Entre 15 et 20 US$ la double. Deux chambres à l'étage d'une jolie maison avec un grand jardin face à la mer. Salle de bains individuelle, AC, TV, frigo, balcon donnant sur la mer, coin cuisine en terrasse. La chambre de droite possède, de plus, une terrasse offrant une vue imprenable sur toute la baie. Très bon accueil de Eduardo, professeur de sciences et qui parle l'anglais.

Guillermo Gonzalez Soto *(plan Le parc de Baconao,* ***13****) :* Malecón, entre 4 et 5. ☎ 39-518. • eguillan@egj.uo.edu.cu • Entre 15 et 20 US$ la nuit. Deux chambres grand confort avec salle de bains privée moderne, AC, TV, frigo. Deux terrasses, l'une permettant de se reposer à l'ombre, l'autre offrant vue sur la mer. Une autre maison magnifique et presque neuve. Guillermo, ancien marin, conduit ses hôtes, avec sa vieille Peugeot 404 des années 1970, sur des plages beaucoup plus jolies et propres que celle de Siboney.

Evaristo Caballero Cabrera *(plan Le parc de Baconao,* ***14****) :* av. Serrano, 1. ☎ 39-248. Une grande maison en bois sur la gauche, la première, quand on arrive à Siboney. Entre 15 et 20 US$ la double. Nettement moins confortable, mais la grande maison d'Evaristo ne manque pas de charme. Ventilateur, eau chaude, grande salle de bains commune.

lel ***Restaurant Compay Segundo*** *(plan Le parc de Baconao, **15**)* **:** à droite, en hauteur, en arrivant près de la plage. Resto et bar ouverts de 11 h à 23 h. Il s'appelait, il y a encore peu de temps, *La Rueda*. Et puis on s'est aperçu que ce restaurant se trouvait à l'emplacement précis de la maison où naquit le vieux chanteur. Il l'a lui-même écrit sur une poutre : *En este sitio nací yo*. Alors on a rebaptisé ce charmant restaurant, qui répartit ses tables sur deux terrasses agréables. Les gérants n'en ont pas profité pour augmenter les prix qui restent très raisonnables : poulet à 2,5 US$, porc à 5 US$, crevettes à 6 US$ (sauf la langouste qui est vraiment chère, on vous en proposera à bien meilleur marché sur la plage). Discothèque en fin de semaine à partir de 21 h. Kiosque sur la plage ouvert 24 h/24.

Où dormir ? Où manger dans les environs de Siboney ?

lel ***Hôtel Bucanero*** *(plan Le parc de Baconao, **16**)* **:** au km 4, Arroyo La Costa. ☎ 686-363. Fax : 686-070. • bucanero@hbucanero.co.cu • Compter 60 US$ par personne tout compris. Entre mer et montagne, un grand complexe hôtelier de près de 200 chambres. Pour les non-résidents, possibilité d'y passer la journée en profitant de la piscine et de la petite plage (25 US$, boissons à volonté, repas du midi en buffet et du soir compris ; 15 US$ avec le seul repas du midi).

La laguna de Baconao

De Siboney, revenir sur ses pas vers Santiago pour prendre à droite la route qui conduit à la lagune de Baconao.

Sur le parcours, ***petites plages,*** comme ***Juraguá, El Verraco*** (avec sa petite baie tranquille, sa plage ombragée par les *uva caleta*...), ***Cazonal,*** qui sont plus propres, plus agréables (sable fin) et moins fréquentées que Siboney.

– Le long de la route, des cavernes naturelles abritent, au milieu des cactées, diverses ***expos de sculptures.***

Punto cubano El Porvenir *(plan Le parc de Baconao, **36**)* **:** à gauche après l'entrée de la route conduisant au *Bucanero,* bien signalé. Ouvert tous les jours de 9 à 17 h. Entrée 1 US$. Dans un lieu paradisiaque à la végétation luxuriante, grande et très agréable piscine, à flanc de colline, alimentée par l'eau de la rivière *Firmeza*. Pourtours ombragés. Idéal pour les jours de canicule. Également petite piscine pour les enfants. Restaurant (voir la rubrique « Où manger ? »).

El museo nacional de Transportes *(le musée national des Transports ; plan Le parc de Baconao, **32**)* **:** entre Siboney et Juraguá. Ouvert tous les jours de 8 h 30 à 17 h. Entrée : 1 US$. Pour les amateurs de vieilles voitures. Une quarantaine de vieilles autos, toutes en état de fonctionnement (elles participent à un rallye chaque année, la 3e semaine de juin). La plus ancienne est une Ford T de 1912. À voir aussi : la Cadillac 1958 du chanteur Benny Moré, la voiture qui conduisit Fidel à l'assaut de la Moncada, et la Ford A de 1929 de sa mère...

La valle de la Prehistoria *(plan Le parc de Baconao, **33**)* **:** ouvert tous les jours de 8 h à 17 h. Entrée : 1 US$. La route pour le parc Baconao se divise en deux branches à un moment donné. L'une d'elles se dirige directement vers le parc, l'autre traverse une petite vallée remplie de dinosaures, tyrannosaures et autres « -saures » en béton (282 au total) grandeur nature. C'est *Jurassic Park* en béton ! Demandez le guide Angel Antonio, il parle le français.

La plage de Daïquiri : un nom familier à nos lecteurs les plus éthyliques. C'est là, paraît-il, que festoyèrent les troupes américaines, pendant la guerre de 1898, après une victoire sur l'Espagne ; et c'est à cette occasion-là que fut inventé le célèbre cocktail. Juste pour l'anecdote, car cette plage est une zone militaire interdite au public.

L'aquarium de Baconao *(plan Le parc de Baconao,* ***34****)* **:** ouvert du mardi au dimanche de 9 h à 17 h. Shows aquatiques à 10 h 30 et 14 h 45. Entrée : 5 US$ et 3 US$ pour les enfants de moins de 10 ans. Bain avec les dauphins : 39 US$ pour les adultes et 25 US$ pour les enfants. On peut se contenter d'une photo avec un dauphin (3 US$). L'entrée inclut la visite de l'Océarium, avec requin, et de l'exposition sur la mer. Un lieu pour les petits routards qui s'ennuient et ont envie de nager avec les dauphins. Cafétéria. (Voir dans les « Généralités » la rubrique « Environnement ».).

La laguna de Baconao : à l'extrémité est du parc naturel, on arrive à une grande lagune (laguna Baconao) entourée de collines arides. Entrée 1 US$ à valoir sur une consommation. Ce grand bassin d'eau salée offre un joli paysage lacustre. Des crabes bleus *(jaibas)* et des poissons évoluent dans ses eaux. Sur la rive, près du parking, quelques crocodiles d'élevage dans des bassins. Au-delà de la lagune, la route principale s'arrête devant une barrière gardée par un soldat cubain. Une base militaire cubaine occupe ce secteur et il est impossible de continuer par la route jusqu'à María del Pilar, contrairement à ce que laisse entendre la carte routière. La base américaine de Guantánamo Bay n'est pas très loin, à l'est.

Où plonger ? Où pêcher ?

■ ***Centre de plongée et de pêche de Sigua*** *(plan Le parc de Baconao,* ***35****)* **:** ☎ 35-61-65. Géré par le club *Scubacuba*. Bureau ouvert de 9 h à 17 h. Compter 35 US$ l'immersion (comprend le transfert en bateau sur les sites et le prêt d'équipements). Départs à 9 h 30 et 11 h (l'après-midi également, si le temps est favorable). Plongée notamment sur le site de *Morillos* au large de Guantánamo. Le cours avec initiation en piscine, prêt d'équipement et une immersion coûte 49 US$. Trois heures de pêche reviennent à 170 US$ (51 US$ l'heure additionnelle) pour 4 pêcheurs et 2 accompagnateurs, avec prêt de matériel moderne. Réserver à l'avance. On peut taquiner le barracuda et le marlin.

Où dormir ? Où manger près de la lagune de Baconao ?

Dans les environs de la lagune de Baconao, on trouve trois grands hôtels de plage, où les Cubains ne peuvent pas entrer... sauf pour y travailler. Sur le parcours, de nombreuses villas leur sont destinées. Une bien singulière et détestable ségrégation ! En théorie, ces villas n'acceptent pas les touristes. On ne recommande pas le camping sauvage, pour des raisons de sécurité et à cause des contrôles de lutte contre l'immigration clandestine.

🏨 🍽 ***Hôtel Loukéa Carisol*** *(plan Le parc de Baconao, **17**) :* ☎ (0) 35-61-15. Fax : (22) 35-61-77. • reservas@carisol-corales.co.cu • Compter 50 US$ par personne et par jour en *all inclusive* (sur la base d'une chambre double). Genre club de vacances de 165 chambres (dont 40 bungalows) disposées en 5 blocs. Majorité de clientèle française. Piscine et bar au milieu. On peut prendre son verre *dry* ou les pieds dans l'eau. Belle plage privée. Équipe d'animation franco-cubaine. Discothèque, salle de jeu et spectacle le soir. Bon accueil. Pour les non-résidents, piscine, plage, repas et boissons, accessibles de 10 h à 17 h : 15 US$.

🏨 🍽 ***Hôtel Corales*** *(plan Le parc de Baconao, **18**) :* ☎ (0) 35-61-22. Même concept, même nombre de chambres, même prix que le *Carisol* voisin. Clientèle italienne. Plage de Cazonal à côté.

🏨 🍽 ***Hôtel Costa Morena*** *(plan Le parc de Baconao, **19**) :* entre Sigua et El Verraco. ☎ (0) 356-135. Chambres doubles entre 46 et 60 US$ en *all inclusive.* Formule club aussi, mais a moins sombré dans le gigantisme. Moins cher que le *Corales* et le *Carisol,* mais n'offre pas la même qualité de services. Chambres particulièrement spacieuses pour deux. *King size beds.* Petite piscine d'eau douce et de mer. Pas de plage, une *guagua* gratuite emmène les résidents à celle de Verraco.

🍽 ***Restaurant du Punto cubano*** *(plan Le parc de Baconao, **36**) :* au bord de la piscine, restaurant en plein air ouvert de 9 h à 17 h. Bonne cuisine créole (environ 8 US$ le repas complet avec porc grillé devant vous, dessert et café ; plat de poisson à 5 US$). Bar.

🍽 ***Restaurant Casa Rolando*** *(plan Le parc de Baconao, **20**) :* situé près de la lagune et des bassins à crocodiles. Ouvert de 9 h à 23 h. On s'en sort à moins de 5 US$ pour un plat *criollo.*

Où boire un verre ?

🍷 À quelques mètres du restaurant *Casa Rolando,* au bord de la lagune, dans un coin ombragé, le ***bar de la Laguna,*** pour picorer et boire un verre. Ouvert tous les jours de 9 h à 17 h. Attention, dès la tombée du soleil, attaques en escadres groupées de *mosquitos.*

🍷 ***El Pelicano*** *(plan Le parc de Baconao, **21**) :* ce bateau-bar est (normalement) ancré au milieu de la lagune. On le rejoint en barque. Endroit somptueux pour prendre un verre en ayant l'impression de naviguer.

VERS GUANTÁNAMO ET BARACOA

La province de Guantánamo, la plus orientale du pays, propose une très jolie route de San Antonio del Sur jusqu'à Baracoa. Cette dernière ville, intime et charmante, se révèle une délicieuse et reposante étape (voir plus loin). De Santiago, on peut faire l'aller-retour dans la journée, avec une bonne voiture et en partant tôt le matin.

QUITTER SANTIAGO DE CUBA

En bus

🚌 ***Gare routière*** *(terminal de omnibus interprovinciales ; hors plan d'ensemble) :* av. de los Americas, 256. ☎ 62-84-84. À près de 4 km de la place centrale (Céspedes), en arrivant à la plaza de la Revolución.

Bus quotidiens pour les grandes villes de l'Oriente. Achetez vos billets un jour avant le départ. Les bureaux de *Viazul* donnent sur la place, ceux d'*Astro* sont derrière. Mais la plupart des agences de voyages vendent les billets des bus *Viazul,* inutile donc de se déplacer jusqu'à la gare routière.

Avec Viazul

➢ ***Pour La Havane :*** 3 départs par jour, à 9 h, 15 h 15 et 20 h. Prix : 51 US$.
➢ ***Pour Baracoa :*** 1 départ à 7 h 30. Durée du trajet : 5 h. Prix : 15 US$.
➢ ***Pour Holguín, Bayamo et Camagüey :*** prendre le bus pour La Havane.
➢ ***Pour Trinidad :*** 1 départ à 19 h 30. Prix : 33 US$.

Avec Astro

➢ ***Pour Guantánamo, Las Tunas, Ciego de Ávila, Santa Clara, Cienfuegos, Matanzas, etc. :*** des départs quotidiens.

En train

🚆 ***Gare ferroviaire*** *(terminal de ferrocarril; plan d'ensemble)* **:** paseo Alameda, au nord du port. À 800 m à l'ouest de la place centrale (parque Céspedes). Un grand comptoir situé à l'extérieur du bâtiment, à l'entrée, sert de bureau d'information. Ouvert 24 h/24. On peut y acheter des billets pour le jour même. Mais attention, il est prudent de réserver et les réservations se font au ***Centre unique de réservations*** *(CUR; plan I, C1),* calle Aguilera, 563 ; à gauche en montant cette rue, après la poste. Ouvert du lundi au vendredi de 8 h 30 à 15 h 30.

➢ ***Pour La Havane :*** un train par jour. Le premier (appelé le *tren francés,* parce que ses wagons viennent de France) part de Santiago vers 17 h et arrive à 6 h 40 le lendemain matin. En cours de route, ce train dessert uniquement *Camagüey* et *Santa Clara.* Prix : 62 US$ (avec collation) en 1re classe, 50 US$ en 2e classe. Réservations jusqu'à 15 jours à l'avance, au Centre unique de réservations. Le second train (avec réservations également) part à 20 h 25 et arrive à La Havane à 11 h 40 le lendemain matin. Le billet coûte 30 US$. Ce second train dessert *Cacocum* (à 20 km d'Holguín), *Las Tunas, Camagüey, Ciego de Ávila, Sancti Spiritus, Santa Clara* et *Matanzas.* Ces deux trains circulent en alternance, un jour sur deux.

En avion

✈ ***Aéroport international Antonio Maceo*** *(hors plan d'ensemble)* **:** carreterra dei Morro. ☎ 69-86-14. Sur la route de San Pedro de la Roca. À 11 km au sud de Santiago. Reçoit des vols réguliers en provenance de Madrid, Paris, Miami et Rome, ainsi que de Saint-Domingue, Haïti et Jamaïque.

➢ ***Pour La Havane :*** 3 vols quotidiens avec la *Cubana de Aviación* et *Aerocaribbean.*
➢ ***Pour Baracoa :*** seulement 1 vol le dimanche avec la compagnie *Cubana de Aviación.* Prix : 32 US$.
➢ ***Pour Holguín :*** 1 vol quotidien du lundi au samedi avec *Aerocaribbean.*
➢ ***Pour Saint-Domingue :*** vols *Aerocaribbean* le lundi et le vendredi ; ***pour***

SANTIAGO DE CUBA

Haïti : vol *Aerocaribbean* le dimanche ; ***pour la Jamaïque :*** vol *Air Jamaica* le jeudi (achat des billets à Cubanacan Express, voir « Adresses et infos utiles »).

GUANTÁNAMO

IND. TÉL. : 21

Un nom qui résonne familièrement aux oreilles, bien entendu, à cause de la chanson cubaine la plus connue au monde. Évoque également la présence de la célèbre base américaine. Située à 86 km à l'est de Santiago, Guantánamo est une ville de passage qui ne présente pas un grand intérêt.

Où dormir ? Où manger ?

Hôtel Guantánamo : calle 13 norte, esq. Ahogados, reparto Caribe. ☎ 381-015. Fax : 382-406. À l'entrée de la ville en arrivant de Santiago, très bien indiqué. La double entre 24 et 30 US$. Cet établissement de la chaîne *Islazul* dispose de 124 chambres avec AC, eau chaude, TV. Deux restaurants, piscine, discothèque. Clientèle principalement cubaine, mais beaucoup de touristes y font halte.

À voir

La base américaine de Guantánamo : cette immense base militaire de 117 km² est l'une des installations politiques et stratégiques les plus étranges du monde. « Gitmo Bay », son surnom dans l'armée américaine, est un monde entièrement clos sur lui-même, entouré d'une ceinture de miradors, de mines, de barbelés, un mini-territoire américain en sol cubain. À l'intérieur de la base vivaient près de 7000 personnes. Aujourd'hui, il reste environ 1500 marines et 2000 civils. Pour y pénétrer, c'est l'avion ou le bateau qui est utilisé, et très rarement la route.
Côté cubain aussi, les effectifs ont diminué. Dans l'hôtel *Guantánamo,* le seul de la ville, on propose même une excursion : pour 8 US$ (guide obligatoire pour passer le *check-point* cubain), petite balade dans la base défensive cubaine jusqu'au mirador des Malones. De là, vue imprenable sur les 44 km de barrières grillagées qui bordent le plus grand champ de mines du monde ! Depuis la fin de la guerre froide, le dégel entre les deux blocs, tous les experts s'accordent pour reconnaître que le régime de Fidel Castro ne représente plus une menace pour la sécurité américaine. Alors à quoi sert cette base ? À surveiller le canal de Panamá et la zone des Caraïbes ? Oui, théoriquement. En fait, beaucoup pensent qu'elle ne sert à rien, tout en coûtant une fortune aux États-Unis (en entretien des lieux, du matériel et des personnes). Washington verse tous les ans au gouvernement cubain un loyer (très peu élevé) de quelques milliers de dollars. Fidel Castro reçoit les chèques mais ne les encaisse jamais, question de principe chez lui. Ces chèques, le Lider Máximo les conserve dans un tiroir qu'il a montré autrefois à la caméra du commandant Cousteau, alors que ce dernier faisait escale. Une drôle d'histoire tout de même. D'autant plus surréaliste que si le bail de 99 ans prévu par le traité de 1934 entre les deux pays n'est pas résilié, la base de Guantánamo ne fermera ses portes qu'en 2033 ! En attendant, malgré les rumeurs et la timide reprise du dialogue, les États-Unis n'ont pas l'intention de restituer la base, ni les Cubains de retirer leurs mines.
Depuis janvier 2002, Guantánamo est revenue sous les feux de l'actualité avec l'arrivée de prisonniers talibans amenés d'Afghanistan. Début 2004, ils étaient au nombre de 660 (dont six Français extradés vers la France fin juillet 2004) et toujours en attente de procès. Les autorités de la base ont pourtant aménagé un palais de justice et même, paraît-il, une salle pour d'éventuelles exécutions...

➢ Deux routes suivent les contours de la baie jusqu'aux petits ports de ***Boquerón*** et, côté ouest, ***Caimanera.*** Dans ce dernier, près de l'hôtel local, possibilité (payante) d'apercevoir la base américaine depuis un point de vue. Entre nous, elle est très loin et ça ne présente guère d'intérêt.

LA ROUTE DE GUANTÁNAMO À BARACOA

★★★ À partir de la ***plage de Yateritas,*** c'est l'un des plus beaux itinéraires à Cuba. En fin d'après-midi, par beau temps, merveilleuse luminosité des paysages.
Côte la plupart du temps rocheuse. La route serpente entre mer et collines pelées, tombant parfois en petites falaises abruptes sur de pittoresques villages de pêcheurs, comme ***Tortuguilla.*** Cases traditionnelles aux toits de palmes, disséminées entre de maigres cultures. Climat et végétation plutôt secs par ici. Beaux champs de cactus. Attention, certains des petits villages de pêcheurs ne sont pas accessibles aux visiteurs car ils sont en « zone militaire ».

★ Plus loin, vers l'est, quelques bourgades pittoresques : ***San Antonio del Sur*** (station-service *Oro Negro*), ***Imias.*** C'est sur la ***playa de Cajobabo*** que débarquèrent José Martí et Máximo Gómez en 1895, au début de la guerre d'Indépendance.

★★★ Puis la route s'élève dans la ***sierra del Purial,*** livrant des points de vue saisissants. Route récente puisqu'elle date de 1960. Appelée aussi « viaduc de la Farola », tant il fallut d'ouvrages et piliers en béton pour accrocher la route à flanc de montagne, là où il n'était pas possible de creuser ou d'aplanir. Sur le chemin, de nombreux paysans proposent des clémentines, du café, des bananes, du chocolat ou des *cocuruchos* (de la noix de coco râpée et diluée dans du lait, enveloppée dans un petit étui en feuille de bananier), assez rafraîchissants.

★ ***La Zabanilla :*** à environ 11-12 km avant Baracoa. La végétation devient de plus en plus luxuriante à mesure que l'on approche de la mer. Au niveau de la Zabanilla, il y a des plantations de cacao au bord de la route.

BARACOA

IND. TÉL. : 21

À 160 km au nord-est de Guantánamo, Baracoa jouit d'un site admirable et d'un climat privilégié (voir plus bas). Dans cette partie de l'Oriente, les derniers contreforts de la sierra Maestra viennent mourir dans l'océan Atlantique en formant un écrin naturel de montagnes, couvertes d'une végétation tropicale luxuriante. La petite ville s'étend face à la mer, au pied des monts, dans des paysages de cocotiers et d'arbres fruitiers.
Dans les environs de Baracoa, dans quelques villages, vivraient aujourd'hui les derniers survivants (quelques centaines) des Indiens aborigènes de Cuba (apparentés aux Taïnos). Mais quand on demande où ils sont exactement, les habitants du coin répondent qu'ils n'existent plus en tant que Taïnos (ils se sont mêlés à la population locale).
En plus de son charme, vous apprécierez vraiment le rythme indolent de la ville, la gentillesse des habitants, et regretterez de n'avoir pas programmé une nuit de plus (si, si, on vous connaît !). Pour prendre son temps, il faut prévoir trois jours au moins dans la région, l'idéal c'est une bonne semaine. Début avril, pour le carnaval, le Malecón se couvre d'orchestres, de manèges... et de Cubains, la chopine à la main, pour se faire servir la bière livrée dans des cuves *(pipas)* de plusieurs centaines de litres. Ambiance bon enfant et salsa, bien sûr !

UN PEU D'HISTOIRE

Quand la ville est fondée, en 1511 (première ville de Cuba), les Espagnols la baptisent Nuestra Señora de la Asunción de Baracoa. Isolée du reste de l'île, protégée des guerres et des révolutions, elle a maintenu un caractère colonial presque intact car, pendant plus de quatre siècles, elle ne fut quasiment accessible que par bateau. Grâce à la construction du viaduc de la Farola, sur la route de Guantánamo, cette ville du bout du monde est sortie en partie de son isolement millénaire.

MICROCLIMAT

Ceux qui viennent par la route de Guantánamo le remarqueront immédiatement. La côte sud de cette pointe orientale (de la province de Guantánamo) présente un paysage aride et dénudé du côté de la mer des Caraïbes (il y a même des cactus !), tandis que la côte nord (face à l'Atlantique) – la région de Baracoa donc – cache une nature verdoyante, à la végétation tropicale luxuriante.

Pourquoi une telle différence à quelques kilomètres de distance ? Les lois climatiques. Tournée vers la mer, protégée par une barrière de montagnes qui lui sert d'écrin, Baracoa jouit d'un microclimat atlantique que l'on peut dire complet : beaucoup de soleil et de chaleur, de la fraîcheur aussi grâce aux vents, et suffisamment d'humidité grâce aux pluies diluviennes qui tombent à certaines périodes de l'année. Résultat : tout pousse, cocotiers, bananiers, manguiers, goyaviers... Sans oublier, bien sûr, le café et le cacao, les deux grandes cultures propres à cette région de l'Oriente. C'est d'ailleurs le seul endroit de l'île où l'on cultive des cacaoyers. Bref, Baracoa ce n'est pas « Fresa y Chocolate », mais « Café y Chocolate ».

– ***La saison des pluies :*** entre novembre et décembre, parfois jusqu'en janvier, le temps se rafraîchit. Il pleut presque tous les matins, puis le temps se lève, et le soleil se montre jusqu'à la fin de la journée.

– ***Les mois les plus chauds :*** en juillet et août, la température monte au-dessus de 30 °C.

– ***Mai et juin :*** époque printanière très agréable. Les arbres donnent leurs fruits à ce moment-là.

LA RUSA, LÉGENDE DE BARACOA

Le long du Malecón, face à la mer, se dresse un petit hôtel du nom de *La Rusa* (en français : « La Russe »). Rien d'extraordinaire. Il a la banalité d'une auberge balnéaire sur une plage européenne. Mais la fraîcheur de ses peintures extérieures jaunes contraste avec les nombreuses façades décrépites du quartier. Ce n'est pas un hasard si cet hôtel a si belle allure. Le gouvernement cubain l'entretient comme un monument historique. Pourquoi ? Question de mémoire affective, si l'on peut dire. Fidel et Raúl Castro, alors chefs des rebelles dans la sierra Maestra, n'ont jamais oublié qu'il fut tenu par une aubergiste exceptionnelle, une cantatrice russe exilée à Cuba, devenue leur premier soutien logistique à Baracoa.

L'existence de cette femme a tout d'un destin romanesque. Alejo Carpentier, un des plus grands écrivains cubains, s'en inspira pour écrire son roman *La Consegración de la Primavera*. Dans ce livre, elle apparaît sous le nom de *Vera*. La Rusa était belle comme une déesse, parlait six langues parfaitement, avait une jolie voix de soprano et jouait du piano. Née à Saint-Pétersbourg dans l'aristocratie russe, Magdalena Romanoski (c'est son vrai nom) quitta son pays pendant la tourmente révolutionnaire de 1917, et se réfugia à Paris avec son mari, Albert Ménassé Baruch. Pour survivre, ils vendirent de la quincaillerie, puis émigrèrent en 1930 à Cuba. La famille d'Albert, de riches commerçants, possédait un bureau à La Havane. Le jeune couple y vécut quelque temps. Plus tard, ils s'installèrent à Baracoa, un endroit plus paisible, où ils firent construire un hôtel en 1948.

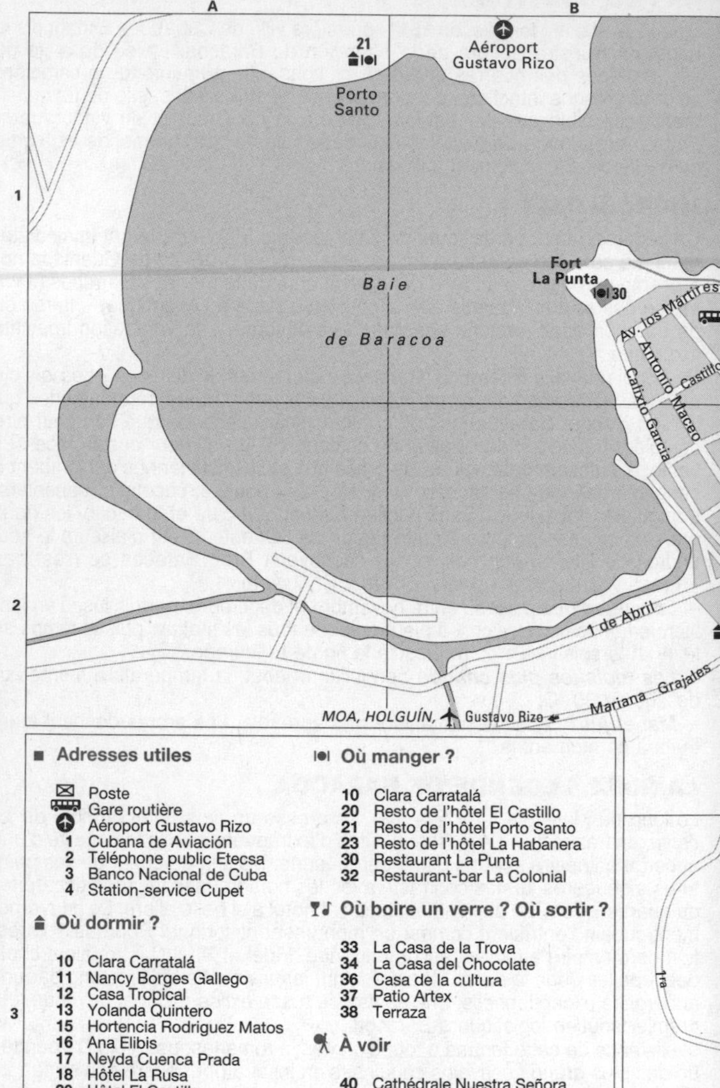

■ Adresses utiles

- Poste
- Gare routière
- Aéroport Gustavo Rizo
- 1 Cubana de Aviación
- 2 Téléphone public Etecsa
- 3 Banco Nacional de Cuba
- 4 Station-service Cupet

Où dormir ?

- 10 Clara Carratalá
- 11 Nancy Borges Gallego
- 12 Casa Tropical
- 13 Yolanda Quintero
- 15 Hortencia Rodriguez Matos
- 16 Ana Elibis
- 17 Neyda Cuenca Prada
- 18 Hôtel La Rusa
- 20 Hôtel El Castillo
- 21 Hôtel Porto Santo
- 22 Chez Walter
- 23 Hôtel Habanera

Où manger ?

- 10 Clara Carratalá
- 20 Resto de l'hôtel El Castillo
- 21 Resto de l'hôtel Porto Santo
- 23 Resto de l'hôtel La Habanera
- 30 Restaurant La Punta
- 32 Restaurant-bar La Colonial

Où boire un verre ? Où sortir ?

- 33 La Casa de la Trova
- 34 La Casa del Chocolate
- 36 Casa de la cultura
- 37 Patio Artex
- 38 Terraza

À voir

- 40 Cathédrale Nuestra Señora de la Asuncion
- 41 Square de la Cathédrale et statue d'Hatuey
- 42 Museo municipal de Historia
- 43 Musée archéologique Cueva del Paraiso

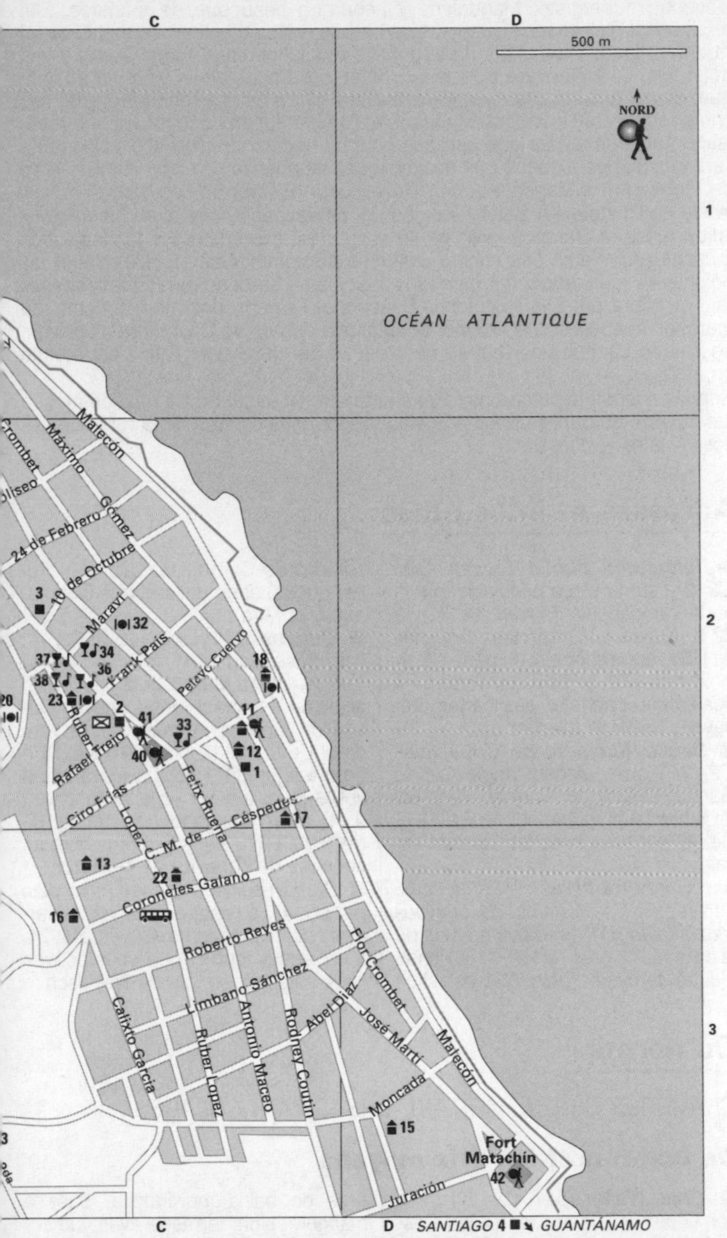
C
D
500 m
NORD
1
OCÉAN ATLANTIQUE
Malecón
Máximo
Crombet
Gómez
24 de Febrero
10 de Octubre
Maraví
Frank País
Pelayo Cuervo
Ruber
Rafael Trejo
Félix Rueña
Ciro Frías
López
C. M. de Céspedes
Coroneles Galano
Roberto Reyes
Limbano Sánchez
Flor Crombet
José Martí
Abel Díaz
Calixto García
Ruber López
Antonio Maceo
Rodney Coutín
Malecón
Moncada
Juración
Fort Matachín
2
3
C
D
SANTIAGO 4 GUANTÁNAMO

BARACOA

Devenue aubergiste, Magdalena y hébergea beaucoup de touristes. Elle reçut aussi d'étranges visiteurs, tous barbus, vêtus d'uniformes vert olive, et rarement lavés : les chefs de la guérilla révolutionnaire. Fidel Castro y vint deux fois, Che Guevara trois fois. L'hôtel, qui s'appelait le *Miramar* à l'époque, devint ainsi la *casa de confianza* des *barbudos*. La rencontre avec ces chefs rebelles au charisme étonnant, et l'amitié qui en découla, fut une révélation humaine autant que politique pour cette diva au cœur d'or, plus familière des pianos à queue que des tactiques de guérilla. Un jour, Raúl, le frère de Fidel, offrit à Magdalena un revolver pour assurer sa sécurité.
Ironie de l'histoire ! À Saint-Pétersbourg, adolescente, elle avait fui la Révolution russe. À Baracoa, près de 40 ans après, elle embrassa la Révolution cubaine (qui n'était pas encore convertie au communisme). Elle exécra les bolcheviks mais adora les *barbudos*. La Rusa a soutenu et aidé les rebelles tant qu'elle a pu. Elle leur donna beaucoup d'argent, des médicaments, du matériel, et aussi son appui moral. Sous des dehors de Castafiore d'opérette en exil se cachait une femme de cœur et de conviction. Elle s'est éteinte en 1978.
Son fils adoptif, le peintre naïf René Frometa, vit toujours. Sa maison-musée est ouverte au public et abrite quelques souvenirs d'elle (voir la rubrique « À voir. À faire », plus bas).

Adresses et infos utiles

■ ***Téléphone public Etecsa*** *(plan C2, **2**) :* sur la place principale, par la porte de gauche. Ouvert de 7 h à 22 h. Appels internationaux payables en US$, appels locaux en pesos. Service moderne et efficace. Possibilité également d'acheter des cartes prépayées. Service Internet.

■ ***Banco Nacional de Cuba*** *(plan C2, **3**) :* calle Maceo, angle Calixto García. Ouvert du lundi au vendredi de 8 h à 14 h, le samedi de 9 à 12 h. Retrait possible avec les cartes bancaires.

Gares routières : il y en a deux. La première, le *terminal de omnibus Viazul (plan B1)*, se trouve au bout de la calle Martí, près du fort de la Punta. L'autre terminal *(plan C3)* est situé sur la calle Coroneles Galana (y Ruber López) et ne dessert que Guantánamo et Moa.

■ ***Cubana de Aviación*** *(plan C2, **1**) :* calle José Martí, 181. ☎ 453-74. Peu après la plaza Martí, sur la gauche en allant vers la place des Carioles. Ouvert du lundi au mercredi et le vendredi de 8 h à 12 h et de 14 à 16 h (fermé le jeudi). Pour La Havane, un vol le jeudi à 12 h et le dimanche à 9 h. Pour Santiago, un vol le dimanche à 9 h. Dans le même bureau, agences de ***Cubatur*** et ***Transtur.***

■ ***Station-service Cupet*** *(hors plan par D3, **4**) :* à l'entrée de la ville, en arrivant de Guantánamo. Ouvert 24 h/24. C'est également ici que vous pouvez vous adresser en cas de crevaison.

Où dormir ?

CHAMBRES CHEZ L'HABITANT (CASAS PARTICULARES)

De bon marché à prix moyens

Chez Walter *(plan C3, **22**) :* Ruber López, 47, entre les calles Céspedes y Coroneles Galano. ☎ 433-80. Entre 15 et 20 US$ la nuit. Deux chambres pimpantes, dignes d'un hôtel, avec deux grands lits chacune et salle de bains individuelle. Salle à manger, salon, terrasse avec vue sur la mer. Fait aussi *paladar* (excellente cuisine). Une de nos meilleures adresses à Baracoa.

Clara Carratalá *(plan B-C2,*

BARACOA ET SA RÉGION

10) **:** calle Mariana Grajales, 30. ☎ 433-61. Chambres de 15 à 20 US$. Compter entre 5 et 7 US$ le repas. Maison particulière assez centrale. Ancien médecin, Clara peut vous parler de son île pendant des heures. Deux chambres à prix modérés. C'est simple, propre et calme. Clara fait également la cuisine. Pour les non-résidents, il suffit seulement de passer quelques heures avant le repas pour réserver. Au programme, poisson épicé au lait de coco *(pescado a la ranchona)* et, servi avec l'*achote,* une sauce couleur rouille, également quelques langoustines d'eau douce. Une bonne adresse qui confirme sa tenue.

Nancy Borges Gallego *(plan C2, **11**)* **:** Ciro Frías, 3, angle calle Flor Crombet. ☎ 421-00. Chambre double entre 15 et 20 US$, petit dej' à 3 US$. Repas complet pour 6 US$. C'est la maison de René Frometa, le fils adoptif de la Rusa. Peintre naïf, aujourd'hui septuagénaire, René est un gentil monsieur, courtois, attentif, qui a plein d'histoires à raconter. C'est lui qui fait visiter une pièce-musée consacrée à sa mère. Il loue une chambre à deux lits, convenable et propre. Eau chaude, AC et salle de bains individuelle. Quand la maison affiche complet, Nancy vous emmène chez sa sœur, **Carmen.**

Casa Tropical *(plan C2, **12**)* **:** calle Martí, 175. ☎ 434-37. Chambres entre 15 et 20 US$ sans petit dej'. Repas entre 5 et 8 US$. Petite pension chez l'habitant, tenue par deux frères accueillants, Franck et Arnoldo. Deux chambres, simples et proprettes, sur un patio calme et tout bleu, avec AC et ventilateur. Sert aussi les repas à la demande. Central et sûr. Une bonne adresse.

Yolanda Quintero *(plan C3, **13**)* **:** calle Céspedes, 44, entre Ruber López y Calixto García. ☎ 423-92. Compter 15 US$ la chambre double. Belle maison avec un auvent en bois. L'intérieur n'est pas mal non plus. Un patio grand et frais. La chambre, comme l'accueil, est sans surprise et, même si elle ne se distingue pas par son grand confort, elle se révèle d'un bon rapport qualité-prix. Yolanda peut vous offrir un récital de piano au petit déjeuner et cuisine d'excellents repas (6-7 US$)...

Hortencia Rodriguez Matos *(plan D3, **15**)* **:** calle República, 31A, entre Moncada y Juración. ☎ 433-77. Compter 15 US$ la chambre double (avec petit balcon). Salle de bains indépendante avec eau chaude. Petite terrasse d'où on aperçoit la mer. Petit défaut : on entend les voisins. Mais Hortencia est d'une extrême gentillesse et prépare d'excellents petits déjeuners avec chocolat.

Ana Elibis *(plan C3, **16**)* **:** Calixto García, 162, entre Céspedes y Coroneles Galano. ☎ 427-54. Entre 10 et 15 US$ la double. Là encore, belle maison coloniale, avec son salon accueillant, ses chaises à bascule sur lesquelles on prend le café dans la moiteur tropicale. Ana et sa sœur proposent 2 chambres, notamment une sur les toits, accessible par un flippant escalier en fer forgé blanc. Eau chaude, AC. Parfois, la déco fait quelques tentatives de bon goût. Possibilité de repas (5-6 US$). Assez fréquenté, donc il vaut mieux réserver.

Neyda Cuenca Prada *(plan C2, **17**)* **:** Flor Crombet, 194, entre Céspedes y Coroneles Galano. ☎ 431-78. Compter entre 15 et 20 US$ la chambre double. Neyda loue 1 chambre au confort suffisant et à laquelle on accède par un drôle d'escalier fait pour une maison de poupée. La chambre n'affiche pas une débauche de luxe mais salle de bains indépendante, eau chaude, AC.

HÔTELS

Prix modérés

Hôtel La Rusa *(plan C2, **18**)* **:** sur le Malecón. ☎ 435-70. Compter entre 18 et 26 US$ la chambre double suivant la saison. Plats à partir de 7,5 US$, langouste à 13 US$. Difficile de rater sa silhouette ocre tranchant sur une mer et un ciel d'un bleu démago. Un petit hôtel intime et chargé d'histoire. Errol Flynn, Alejo Carpentier, Fidel Castro, son frère Raúl et le Che y dormirent. Rouvert en 1993 après une rénovation manifestement inachevée, il offre 11 chambres à prix malgré tout fort intéressants. Correctes, presque fleuries, incitant moins à la béatitude qu'à la perplexité. Resto avec terrasse et bar.

Plus chic

▲ ***Hôtel Habanera*** *(plan C2,* ***23****)* **:** A. Maceo, 68, esq. F. Pais. ☎ 452-73 et 452-74. Entre 40 et 50 US$ la double avec petit déjeuner. Ce petit établissement tout rose avec son joli balcon ne comporte que dix chambres réparties à l'étage autour du patio. Très jolies et propres, les chambres disposent de tout le confort (salles de bains toutes neuves, AC, frigo, téléphone, TV satellite). Dans le salon, des *comadritas* (répliques d'anciennes chaises à bascule) pour se relaxer. Le hall, décoré avec goût, évoque les *polymitas* (escargots colorés des plantations de café) et accueille des expositions d'artistes locaux. Accueil des plus sympathiques. Restaurant. Bar. Service Internet.

▲ ***Hôtel El Castillo*** *(plan C2,* ***20****)* **:** calle Calixto García. ☎ 451-65 et 451-94. Fax : 452-23. • dtorca@gavbcoa.co.cu • Entre 44 et 48 US$ la chambre double. Un bel hôtel, de taille humaine, géré par *Gaviota*. Perché au sommet d'une colline, il occupe l'ancien fort de Seboruco et possède le plus beau panorama sur la ville. Architecture vraiment plaisante avec une superbe piscine dans le patio. Chambres confortables (AC), mais un peu sombres et sans balcon. Bar et resto. Excellent accueil.

▲ ***Hôtel Porto Santo*** *(plan A1,* ***21****)* **:** de l'autre côté de la baie, près de l'aéroport (mais nulle inquiétude, il n'y a guère que deux avions par semaine !). ☎ 451-63 et 451-06. • reservasps@gavbcoa.co.cu • Chambres doubles entre 44 et 48 US$. Là encore, un autre bon *Gaviota* de 60 chambres. Agréables bungalows face au large et à la ville, avec des chambres plus agréables qu'à l'hôtel *El Castillo,* au milieu d'un vaste jardin planté de cocotiers. Belle piscine en surplomb de la mer avec le bar au milieu.

Où manger ?

Ne pas manquer de goûter aux plats locaux : le poisson au lait de coco, le *calalú* et le *bacán.* Enfin, les gourmands se jetteront avidement sur le chocolat de Baracoa, une délicieuse spécialité du cru.

Très bon marché

– Comme partout, de nombreux *cuentas-propistas* ont ouvert des petits ***stands à pizzas.***

De bon marché à prix moyens

|●| Il est possible de se restaurer, en réservant à l'avance, chez ***Clara Carratalá*** (calle Mariana Grajales, 30 ; *plan B2,* ***10***) et dans la plupart de nos *casas particulares.* Voir « Où dormir ? ».

PALADAR

Prix moyens

|●| ***Restaurante-bar La Colonial*** *(plan C2,* ***32****)* **:** calle José Martí, entre Franck País y Maraví. ☎ 453-91. Compter 8 US$ par per-

sonne tout compris. C'est le seul *paladar* officiel de Baracoa. Très bon service, mais qui fait plus penser à un petit restaurant qu'à un *paladar*. Plats très copieux... il y a même du pain !

RESTAURANTS

Prix moyens

🍽 ***Resto de l'hôtel La Habanera*** *(plan C2, **23**)* **:** jouxtant le hall de l'hôtel, rue A. Maceo, 68, esq. F. Pais. Environ 6 US$ le plat garni. Ce petit restaurant très agréable, à l'ambiance sympathique, offre une délicieuse et copieuse cuisine. Goûter notamment au succulent filet de poisson pané à la *malanga*. Très bon service.

🍽 ***Resto de l'hôtel El Castillo*** *(plan C2, **20**)* **:** calle Calixto García. Ouvert de 12 h à 14 h et de 19 h à 22 h. Compter entre 7 et 8 US$. Grande salle sans personnalité ni atmosphère particulière. Globalement, cuisine sans éclat. Bon choix de viandes cependant. Plats assez copieux.

🍽 ***Resto de l'hôtel Porto Santo*** *(plan A1, **21**)* **:** voir « Où dormir ? ». Service à la carte, mêmes prix qu'au *Castillo*. Buffet à 10 US$.

🍽 ***Restaurant La Punta*** *(plan B1, **30**)* **:** dans l'ancien fort. Resto ouvert de 7 h à 22 h. Bar ouvert 24 h/24. Poisson au lait de coco à 6 US$. Cuisine et service excellents. Cadre très agréable, sous les auvents couverts de tuiles du fort. Discothèque ouverte du vendredi au dimanche à partir de 22 h. Chaude ambiance.

Où boire un verre ? Où sortir ?

🍸 ♪ ***La Casa de la Trova*** *(plan C2, **33**)* **:** sur la place de la Cathédrale. Entrée : 1 US$. Petite salle de concert, très animée le soir, où se produisent des groupes locaux à partir de 21 h (*Polymitas* et les pépés de *Maravilla Yunqueña,* entre autres). Attention, il y a peu de places. L'endroit est maintenant non-fumeurs.

🍸 ♪ ***La Casa del Chocolate*** *(plan C2, **34**)* **:** entre Maceo y Maraví. Ouvert tous les jours de 7 h à 23 h. Ici, pas de tablettes, pas de gâteaux, rien que du liquide chaud à boire à 30 centavos en monnaie nationale. Un liquide épais qui ressemble à une onctueuse soupe de chocolat. Mais c'est bel et bien du chocolat, à peine dilué, du chaud, rien que du bon chocolat fabriqué avec le bon cacao de la région, et, parfois, d'excellentes glaces au chocolat. Très populaire en ville. Seul bémol : il arrive fréquemment que la poudre de cacao vienne à manquer. Essayez de tomber un jour avec !

🍸 ♪ ***Cafetería Rumbos*** **:** sur la place principale. Ouvert 24 h/24. Rien de transcendant dans cette cafétéria d'État, mais sa terrasse s'avère bien agréable pour siroter une bière. Le week-end, groupes *en vivo*.

🍸 ♪ ***Casa de la cultura*** *(plan C2, **36**)* **:** Maceo, 124. Entrée : 1 US$. Du mardi au dimanche, à partir de 21 h, groupes de *rumberos* et de *nueva trova*. Bonne musique traditionnelle.

🍸 ♪ ***Patio Artex*** *(plan C2, **37**)* **:** à côté de la Maison de la culture. Entrée : 1 US$. À partir de 21 h, musique traditionnelle et plus moderne.

🍸 ♪ ***Terraza*** *(plan C2, **38**)* **:** face à la *Casa del Chocolate*. Bar ouvert à partir de 20 h. Show de bonne qualité, en plein air sur la terrasse, quand le temps le permet, à 22 h.

À voir. À faire

🏛 ***La catedral Nuestra Señora de la Asuncion*** *(la cathédrale Notre-Dame-de-l'Ascension ; plan C2, **40**)* **:** ouvert en principe de 8 h à 12 h et de 14 h à

18 h. Messes les mercredi, jeudi et vendredi à 7 h 15 ; le samedi, à 7 h 15 et 20 h ; le dimanche, à 9 h. Il ne reste rien de l'église d'origine, fondée par Bartolomé de Las Casas, le grand défenseur des Indiens. Celle d'aujourd'hui date de 1805, et est presque en ruine. Les fidèles doivent avoir une foi solide pour ne pas craindre que l'édifice ne s'écroule sur eux. À l'intérieur, dans une vitrine à gauche du chœur, ne pas rater la célèbre *croix de la Parra,* qui aurait été dressée par Christophe Colomb. Retrouvée à la fondation de la ville, elle fit l'objet, durant des siècles, d'une grande dévotion populaire. « Un simple cure-dents du XIXe siècle », disent les habitants de Gibara, convaincus que Colomb n'a jamais débarqué à Baracoa mais près de chez eux, dans la baie de Bariay (côte nord, près d'Holguín). Aujourd'hui la majorité des historiens leur donnent raison.

➢ ***Balade autour de la cathédrale :*** véritable centre de la vie sociale et culturelle de la ville. Dans le *square de la Cathédrale,* ***statue d'Hatuey*** *(plan C2,* ***41****),* hommage au premier héros indien qui s'opposa à la colonisation et au génocide de son peuple. Parfois, à midi, répétition du grand orphéon municipal.

Le soir, le square s'anime furieusement. Dans la rue qui part devant, sur la gauche, série d'élégantes demeures avec jolies vérandas (juste après l'hôtel *La Habanera*). Elles abritent aujourd'hui l'*atelier La Musa,* où sont exposées les œuvres de peintres locaux. À côté, une autre *tienda-galería,* abritée dans l'ancien *liceo.* Joyeuse animation également, *plaza Martí* (avec la statue du grand indépendantiste). En face file la grande rue commerçante de la ville (librairies, photographes, *Cubana de Aviación,* « grands magasins », etc.). Tout au bout, la plaza d'où partent les carrioles à cheval.

Quant au ***Malecón*** *(plan C1-2-D3),* bien entendu moins long et plus intime que celui de La Havane, c'est un délicieux lieu de promenade le soir au soleil couchant.

El museo municipal de Historia *(plan D3,* ***42****)* **:** au bout de la calle Martí. Ouvert tous les jours de 8 h à 12 h et de 14 h à 18 h (en été, sans interruption). Entrée : 1 US$. Abrité dans l'ancien fort de Matachin, édifié au XVIIIe siècle (comme le fort La Punta, à l'entrée de la baie) pour lutter contre les incursions de pirates.

Collections historiques, vestiges des civilisations indiennes, système de fortifications de 1739 à 1742, présentation de la richesse des bois locaux (plus de 100 essences) et des cultures locales typiques (cacao, café, bananes). Baracoa, c'est aussi la petite capitale de la culture taïno, dont on retrouve ici quelques témoignages : *conchas* (coquillages), céramiques, petites têtes de terre cuite, colliers en vertèbres de *tiburón,* mortiers. Hache vieille de 500 ans. Souvenirs de 100 familles françaises qui s'installèrent ici à la fin du XVIIIe siècle (et introduisirent les techniques de la culture du café). Observer l'écusson de Baracoa (1838), avec le *yunque* (l'enclume), symbole de la ville. Vitrines sur les deux guerres d'Indépendance. Drapeau original de celle de 1895, ainsi que le premier qui flotta sur la ville enfin indépendante.

Pour finir, souvenirs de quelques personnages célèbres de la ville, comme *la Rusa* (Magdalena Romanoski), qui tint l'hôtel du même nom. On voit d'ailleurs le registre de ce dernier, que Fidel et le Che remplirent consciencieusement. Autre figure locale, Cayamba, célèbre *trovador* local (noter son chapeau orné des fameux *polymitas* multicolores).

La maison-musée de René Frometa *(plan C2)* **:** Ciro Frías, 3. ☎ 421-00. Cette maison loue aussi des chambres, voir *Nancy Borges Gallego (plan C2,* ***11****)* dans la rubrique « Où dormir ? ». Pas de panneau extérieur, rien. On sonne et c'est René Frometa lui-même qui ouvre. Ce septuagénaire bon pied bon œil a consacré une petite pièce de sa maison à ses collections de peintures naïves et à la vie de sa mère, connue sous le nom de *la Rusa* (voir la rubrique qui lui est consacrée au début du chapitre sur Baracoa). Il assure lui-même la visite guidée, très simplement, en commençant par Baracoa, dont il raconte l'histoire au travers d'une série de peintures naïves. Puis il raconte la vie extraordinaire de sa mère adoptive.

Dans cette pièce-musée sans prétention, et arrangée avec les moyens du bord, René a rassemblé des souvenirs : des vêtements, des objets personnels ayant appartenu à sa mère, des albums et des photos d'époque. Il a entrepris les démarches nécessaires pour pouvoir ériger à Baracoa un tombeau commun afin d'y réunir les corps de ses parents, Albert et Magdalena. À la fin de la visite, il est d'usage de laisser un billet ou d'acheter une petite carte peinte par René.

*** ***Le musée archéologique Cueva del Paraíso** (plan C3, **43**) :* au bout de la calle Moncada. Ouvert de 8 à 16 h 30, sauf les samedi et dimanche. Entrée : 2 US$. Ce musée se trouve dans un endroit magique, puisqu'à l'intérieur même de grottes où ont été découverts des vestiges datant du XIIe siècle des cultures des Indiens *taïnos, guanahatabeyes* et *siboneyes.* Baracoa est considérée comme le berceau de l'archéologie cubaine car les premières fouilles remontent à 1800 avec des pionniers comme le Français Alphonse L. Pinart.

Après avoir escaladé la falaise, on descend dans la grotte par un escalier de 7 mètres. Présentés dans des vitrines creusées dans les parois, des objets utilisés par les Indiens dans leur vie quotidienne et leurs cultes, des gravures et dessins rupestres, des ossements. La pièce la plus importante est le squelette, récemment découvert, du cacique *Guamá* (en cours d'identification). Une autre grotte abrite les ossements de sept Indiens enterrés en position fœtale. À l'extérieur, représentation de scènes de la vie quotidienne des Indiens taïnos. Le musée propose également des excursions (5 US$) sur les autres sites archéologiques de la région : Majana, Majayara, Boma et Yumurí.

➤ *DANS LES ENVIRONS DE BARACOA*

LES PLAGES AU NORD

La playa de Duaba : prendre la direction de Moa ; à 6 km au nord-ouest, bordée de cocotiers, elle est également fort populaire. Pourtant, elle n'est pas très propre. C'est ici que débarqua le général Antonio Maceo, grand héros de la guerre de 1895.

La playa Maguana : à une vingtaine de kilomètres au nord de Baracoa. Pour y aller, louer une voiture à la journée. Prendre la route en direction de Moa. Après le 5e pont, tourner sur la droite. Puis continuer tout droit. La route enjambe d'abord le río Duaba, puis le río Toa (le plus chaud de Cuba). Les rivières de la région de Baracoa ont les eaux les plus limpides de l'île. Belle plage de sable blond qui s'étend sur quelques kilomètres. Assez paradisiaque. Les palmiers viennent presque lécher les vagues, ou peut-être est-ce l'inverse, on ne sait plus trop bien...

Où dormir ? Où grignoter à Maguana ?

Bon marché

- Sur la plage, une petite ***cahute Rumbos*** pour les petits creux.

Chic

🏨 🍴 ***Hôtel Villa Maguana :*** pour y aller, suivre les mêmes indications que pour la plage du même nom. Avant d'arriver à la plage, prendre sur la droite par un petit chemin (près des baraquements de l'université). Les réservations se font auprès de l'hôtel *El Castillo* à Baracoa (☎ 451-65). Entre 51 et 57 US$ la chambre double. Côté restauration, compter 6 US$ le plat de viande. En fait, il s'agit d'une grande case, directement sur la mer (petite crique pratiquement privée et cadre enchanteur), constituée de 4 grandes chambres de bon confort avec TV satellite. Bon accueil. Bar.

LA CÔTE AU SUD-EST

➢ Sortir de Baracoa, en direction de Guantánamo, puis prendre la route de Maisí. L'endroit est l'un des plus arrosés de l'île et ça se sent, la diversité paysagère est très riche. On traverse un paysage d'une grande douceur, mais aussi d'une grande pauvreté, fait de huttes et de cabanes.

⛱ ***La bahía de Miel :*** à l'est de Baracoa. Emprunter un chemin qui longe le stade de base-ball. L'embouchure du río Miel est un lieu de baignade très populaire. D'ailleurs, quand on voit les gamins depuis le pont routier s'en donner à cœur joie, ça donne envie de les rejoindre. Un dicton local ne dit-il pas aussi : « Si l'on se baigne dans le río Miel, on ne peut plus quitter Baracoa » ?

🚶 ***La boca de Mata :*** à une vingtaine de kilomètres à l'est de Baracoa. Pour y aller, on passe par le village de ***Jamal.*** Calme et sérénité dans un chouette environnement. À droite, la petite école locale, une adorable église baptiste et un port de pêche minuscule.

⛱ À signaler la ***petite plage de Manglito,*** après le passage d'un gué. Très tranquille, idéal pour un pique-nique. Excellente langouste sur la plage à 6 US$. Bonne trotte à vélo depuis Baracoa et chemin sans grande difficulté. Compter tout de même deux bonnes heures.

⛱ ***Bariguá :*** à mi-chemin entre la bahía de Mata et la boca de Yumurí. Une autre jolie plage.

🚶 ***Yumurí :*** à 30 km à l'est de Baracoa. Pour y aller, on peut prendre une *guagua* de Baracoa. On peut donc faire l'aller-retour dans la même journée. La meilleure solution (un peu plus chère) consiste à louer une voiture particulière (compter 15 US$ la journée). Les véhicules empruntent la route côtière jusqu'à Yumurí. Éviter le week-end car l'endroit est très fréquenté par les familles baracoaises.

➢ À Yumurí (la légende raconte que les Indiens voulant échapper à l'esclavage se jetaient du haut de la falaise en criant « Yu Muri » c'est-à-dire « Je meurs », d'où le nom du fleuve), on peut prendre une barque (2 US$), traverser la rivière, puis emprunter un chemin qui s'enfonce dans une belle vallée encaissée, la ***isla de las Almendras*** (l'île des Amandes, il y en a et elles sont très bonnes), sorte de canyon tropical planté de cocotiers, de palmiers, de cacaoyers, de plantes aux vertus médicinales et de bananiers. C'est une très belle balade, facile, qui peut se faire en compagnie d'un guide déniché sur place, comme Danilo qui vous parlera des derniers descendants d'Indiens taïnos, qui, il n'y a pas si longtemps, vivaient encore dans les grottes du coin. Si vous passez dans le secteur en janvier, goûtez absolument aux *tetis* (ces civelles ou bébé anguilles) qui arrivent de la mer et remontent le fleuve uniquement à cette époque. Avec un filet de citron, ces *tetis* frits sont suc-cu-lents.

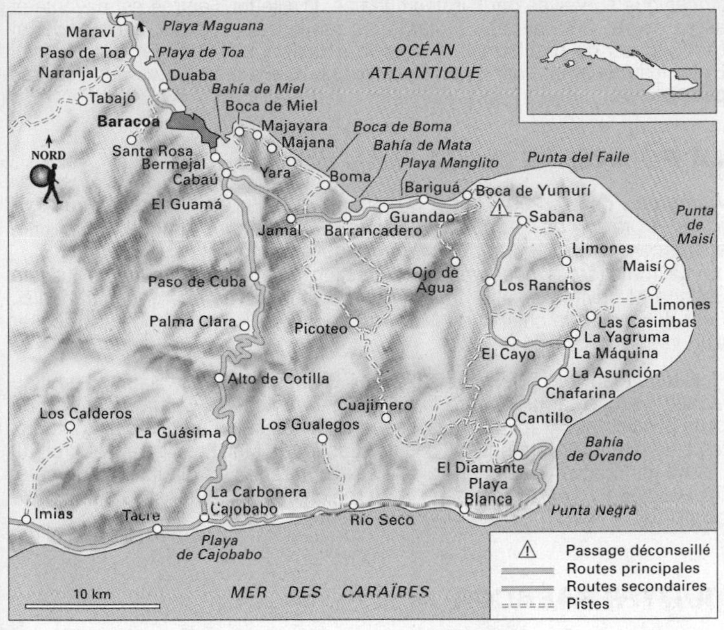

LA RÉGION DE BARACOA ET LA PARTIE EST DE L'ORIENTE

Randonnées

Baracoa est une destination rêvée pour un tourisme écologique : de belles promenades à bicyclette et de magnifiques randonnées entre mer et montagne, en suivant les cours des nombreux petits fleuves.

➢ ***L'estuaire du río Duaba :*** au nord de Baracoa. Prendre la direction de Moa. Passer devant la fabrique de chocolat et juste après, prendre sur la gauche vers la *finca Duaba* (un panneau l'indique, c'est un petit restaurant de la chaîne *Gaviota* qui vous propose également une découverte de la flore locale). À quelques mètres de la route principale, prendre l'embranchement de gauche (à droite, le chemin continue vers la *finca Duaba*). Au bout de 1,6 km, on tombe sur un très joli chemin de terre de 2 km qui remonte le long du cours d'eau. Vers la source se trouvent des *cascadas,* où l'on peut se baigner. Les guides officiels vous demandent 8 US$ pour vous accompagner. On peut tenter de se passer de leurs services...

➢ ***Balade au Yunque :*** à la sortie nord de Baracoa, prendre la direction de la *finca Duaba,* puis tourner à gauche à une patte-d'oie (chemin en mauvais état sur 3,5 km environ). On passe près de plantations de café et de cacao. Passer le *campismo del Yunque,* traverser la rivière à pied. Puis c'est la montée jusqu'au sommet (compter 2 h, et 1 h 30 à la descente). Entrée de la zone : 13 US$, négociables à 8 US$, guide compris qui vous donne des explications sur la flore et la faune. Au retour, bain dans le *charco de la Piña.* Le Yunque, c'est l'étrange montagne qui protège Baracoa et qui possède presque une forme de table. Surnommée *El Yunque* (« l'enclume »), bien connue des navigateurs comme point de repère (Christophe Colomb l'avait déjà remarquée en 1492). Certains hôtels y organisent des randonnées (l'hôtel *El Castillo* de Baracoa). Attention, le Yunque fait partie d'une zone stratégique surveillée par l'armée cubaine. D'ailleurs, l'entrée est payante et assez chère. Cela dit, des routards ont fait la balade seuls, sans guide, et n'ont pas eu de problèmes, ni avec la police, ni pour trouver leur chemin. Éviter les pantalons, car il faut franchir une rivière à gué. Pas de difficultés particulières.

LA POINTE DE MAISÍ *(Punta de Maisí)*

Attention : depuis 2003, Maisí, n'est plus, en principe, accessible aux touristes (en raison de fréquents arrivages de paquets de drogue à la pointe, étroitement surveillée, de ce fait, par la police et l'armée cubaines).

➢ La route est à peu près correcte bien qu'en très forte pente jusqu'à Sabana et devient ensuite très difficile (profondes ornières) jusqu'à Maisí. Pour descendre le chemin de Maisí à la pointe, il faut absolument disposer d'un véhicule genre 4x4.

Maisí : à environ 70 km au sud-est de Baracoa, ce gros village du bout du monde peut se targuer d'être la ville la plus à l'est de Cuba. En raison de cette position géographique extrême et de sa situation à la jonction de deux mers (la mer des Caraïbes et l'océan Atlantique), Maisí est le seul endroit de l'île où les quatre vents dominants se rencontrent. Les plantations de café, pour la plupart, se trouvent dans cette région, où le climat est plus favorable qu'ailleurs.

QUITTER BARACOA

En voiture

➢ ***Pour Santiago de Cuba :*** 234 km. Durée : environ 4 h.
➢ ***Pour cayo Saetia*** *(près de Mayarí)* ***:*** 169 km. Durée : environ 2 h 30.
➢ ***Pour la playa Guardalavaca*** *(côte nord)* ***:*** 248 km. Durée : environ 5 h 30.
➢ ***Pour Holguín :*** 250 km. Durée : environ 5 h 30.

En bus

La ***gare routière*** *(terminal de omnibus Viazul; plan B1)* est située au bout de la calle Martí, près du fort de la Punta.
➢ ***Pour Santiago :*** 1 départ par jour à 14 h 15. Compter 5 h de route. Prix : 15 US$.

Les bus partant du ***terminal de la calle Coroneles Galana*** *(plan C3)* ne desservent que les villes de ***Guantánamo*** et ***Moa.*** Un seul bus par jour. Quelques camions également, le matin (rudes conditions de voyage, mais que de beaux paysages !).

En avion

Aéroport Gustavo Rizo *(plan B1)* ***:*** à proximité de l'hôtel *Porto Santo,* sur la rive ouest de la baie de Baracoa. ☎ 453-75.
➢ ***Pour Santiago :*** 1 vol hebdomadaire, le dimanche à 9 h. Durée du vol : 40 mn. Prix : 32 US$.
➢ ***Pour La Havane :*** avec la *Cubana de Aviación,* 1 vol le jeudi à 12 h et 1 vol le dimanche à 9 h (avec escale à Santiago). Prix : 128 US$ l'aller.

LA ROUTE DE BARACOA À HOLGUÍN PAR MOA

Cette route comporte de grosses difficultés avec les traditionnels nids-de-poule et un bon tiers de chaussée non bitumée.
De Baracoa à Moa, compter 2 h 30 (vitesse moyenne). La route traverse de superbes paysages côtiers encore sauvages et intacts, où les collines boisées descendent dans l'océan Atlantique, d'une façon moins abrupte que vers Baracoa. La route enjambe aussi de nombreuses rivières aux eaux pures, c'est l'occasion de s'arrêter et de goûter au charme des *ríos* de l'Oriente.
La région de Moa est révélatrice de l'immense effort de guerre économique dans lequel est engagé le pays. C'est ici que se situe l'usine de nickel « Che Guevara ». Cuba est en effet le 4e producteur de nickel au monde. Ce minerai étant un poste d'entrée de devises essentiel, on se donne évidemment les moyens de l'extraire.

➢ Sur 15 km de ***front de mer,*** avant d'arriver à Moa (en venant de Baracoa), on traverse un véritable paysage d'apocalypse : montagnes éventrées, ballet d'engins monstrueux, centaines de kilomètres de pipelines libérant leur vapeur aux jointures, plages transformées en cloaques noirâtres, végétation déprimée ou disparue, usines de traitement qui se succèdent dans les fumées jaunâtres et âcres. Dans ce maelström de terres rouges ou noires, parfois un palmier ou une touffe verdâtre incongrue... Sur le bord de la route, un Che gigantesque exhortant au travail pour l'avenir de la Révolution. Ce gigantisme industriel a quelque chose de poignant et de dérisoire tout à la fois, quand on sait que l'embargo américain et surtout le système politique sclérosé empêchent un vrai développement économique du pays.

➢ Puis on arrive à ***Moa,*** ville ouvrière aux HLM rongées par l'humidité et la pollution... Pour un temps, le social et le réel collent aux pneus de la voiture et à nos baskets.

➢ Après cette région « si peu nickel », on retrouve le calme des routes étroites flirtant à nouveau avec une mer limpide au milieu des champs de canne, avec la sierra de Cristal à l'horizon. On passe par les ***cayos Mambí, Levisa, Mayarí,*** petites bourgades agricoles laborieuses. Pour aller au ***cayo Saetia*** (parc naturel), prendre une route à droite, 2 km après Levisa. Entrée : 10 US$. Cela dit, le voyage ne vaut pas vraiment la peine, sauf pour ceux séjournant à l'hôtel. Un droit d'entrée exorbitant est exigé pour entrer dans le parc naturel.

LES ÎLES CUBAINES

Cuba n'est pas qu'une île, ne l'oublions pas, mais un vaste archipel composé de 1600 îles et en tout plus de 4000 îlots ! On va être franc avec vous : on ne les a pas tous visités. En fait, dans leur grande majorité, ces îles sont des îlots, parfois de simples cailloux, appelés *cayos,* équivalent cubain des *keys* de Floride. Les autorités ont réalisé quel profit elles pouvaient en tirer côté tourisme. Les plus beaux *cayos,* vite repérés par les promoteurs, ne sont plus déserts. En réalité, seules quelques dizaines d'îles sont aujourd'hui accessibles et l'avenir touristique des *cayos* de Cuba est véritablement devant eux. Heureusement, il semble que la volonté politique de les ouvrir au tourisme pour faire affluer les devises soit liée au désir de respecter l'environnement. Après avoir sacrifié la péninsule de Varadero, ce serait en effet une bonne idée. Quant aux autres îles... on peut toujours y mener la vie de Robinson, à condition de trouver un bateau pour y aller... et de ne pas craindre les moustiques.

L'ÎLE DE LA JEUNESSE *(ISLA DE LA JUVENTUD)*

IND. TÉL. : 46

Longtemps appelée « île des Pins », c'est la plus grande île cubaine après... Cuba. Elle ne fait pourtant que 50 km de long mais présente des paysages suffisamment diversifiés pour donner l'impression d'en faire plus... On y passe de la campagne profonde au désert, puis de la forêt à la mangrove, avant d'atterrir sur des plages. C'est une île assez jolie, sans être bouleversante. En fait, elle est assez connue, mais les autorités semblent tout faire pour freiner son exploitation : peu d'hôtels dont certains mal entretenus, peu ou pas de transports, de nombreux sites pas accessibles aux touristes ou alors dans des conditions assez contraignantes. L'endroit est surtout réputé pour la plongée, et seuls les plongeurs y trouveront leur compte, avec des fonds marins parmi les plus spectaculaires des Caraïbes. Les autres pourront en repartir déçus, car rien n'est vraiment possible ici.

UN PEU D'HISTOIRE (POUR LES JEUNES)

Habitée il y a bien longtemps par des indigènes, comme en attestent les peintures rupestres découvertes dans des grottes, l'île fut officiellement « découverte » par Christophe Colomb lors de son second voyage. Elle servit d'abord d'escale aux galions espagnols, ce qui eut pour effet d'attirer flibustiers et autres pirates, qui en firent leur repaire jusqu'au XVIIIe siècle. On a cru longtemps que l'île avait servi de modèle au grand romancier de notre enfance, Stevenson, pour situer l'action de son *Île au trésor*... C'est en fait dans le Pacifique qu'il a trouvé ses sources d'inspiration.
L'île des Pins échappa ainsi au contrôle des colonisateurs, ce qui explique qu'on y trouve peu de traces de développement... La première ville, Nueva Gerona, ne fut fondée qu'en 1830. C'est ici que l'on envoyait les opposants au régime : le poète indépendantiste José Martí, alors seulement âgé de 17 ans, fera partie de ces exilés. La tradition se perpétue d'un gouvernement à l'autre : en 1926, le général Machado y fait construire un gigantesque « pénitencier modèle » inspiré des prisons américaines, dans lequel Batista fera incarcérer Fidel Castro et les hommes de son commando après l'assaut de la Moncada, première tentative de renversement du pouvoir...

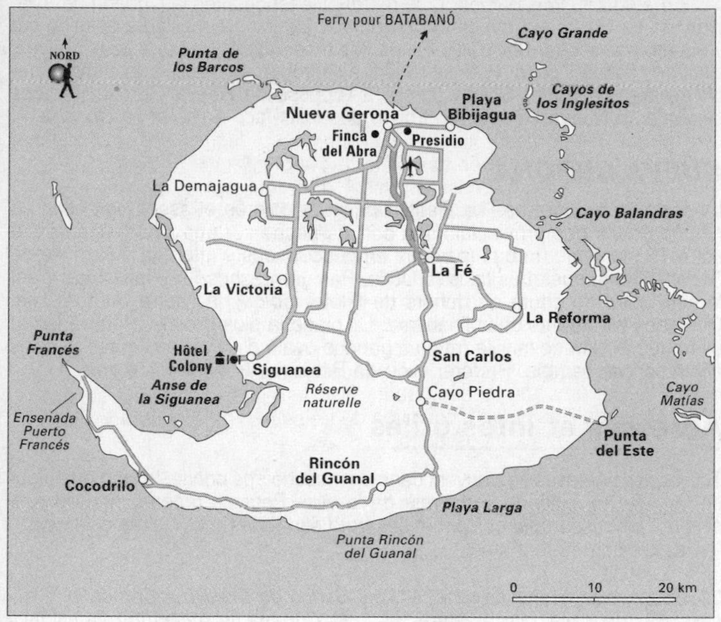

L'ÎLE DE LA JEUNESSE

Une fois libre et à son tour au pouvoir, Castro n'oubliera pas l'île des Pins : il la rebaptise île de la Jeunesse et décide de la consacrer presque entièrement aux jeunes ! Un nombre considérable d'écoles est construit, ainsi que des auberges de jeunesse, des colonies de vacances, des centres de loisirs gratuits... et des camps de travail volontaire. Tout le monde devant participer « solidairement » au développement de l'île, des jeunes de tous les pays sont invités à participer aux chantiers. De nouvelles expériences agricoles sont tentées. Elles échoueront (faute... d'expérience), et l'île produit surtout des agrumes. On a d'ailleurs le sentiment qu'il ne s'y passe plus grand-chose du tout.

Comment y aller et en revenir ?

En bateau et hydroglisseur, la traversée se fait à partir de ***Batabano,*** petite ville au sud de La Havane. On arrive à ***Nueva Gerona,*** l'unique ville de l'île, au bout de la calle 24 *(plan Nueva Gerona, B1),* à 10 mn à pied du centre. Prenez votre ticket au plus tôt (deux jours en avance) car les bateaux sont toujours pleins.

➢ ***En bateau :*** 1 ferry quotidien. Départ de l'île à 6 h. Départ de Batabano à 14 h. Arriver 2 h avant le départ pour les contrôles. Durée : près de 5 h. Prix : 7 US$. Pas cher, mais la traversée est longue. Assez galère, préférer l'hydroglisseur. Pour aller à Batanabo, bus *Astro* de La Havane.

➢ ***En hydroglisseur :*** 1 départ quotidien dans les deux sens. Départ de l'île à 12 h. Départ de Batabano à 17 h. Arriver 2 h en avance pour les contrôles. Durée : 3 h. Prix : 11 US$. Pour le retour, à l'arrivée à Batanabo, des bus *Astro* vous attendent pour vous conduire à La Havane. Souvent bondés.

➢ ***En avion :*** 3 vols par jour (2 le mardi et le jeudi) avec la *Cubana de Aviación,* de La Havane. Environ 30 mn de vol. De loin, la meilleure solution car vraiment pas si cher (24 US$). Faites vos réservations dès que vous pouvez, c'est très souvent plein. Pour se rendre à l'aéroport, possibilité de commander un minibus de l'hôtel *Colony* (cher), à l'opposé de Nueva Gerona. Si vous séjournez à Nueva Gerona, on trouve des taxis face à l'hôtel *La Cubana.*

NUEVA GERONA

La capitale, au nord de l'île. Petite bourgade colorée et assez agréable, au rythme de vie très provincial. Petit port de pêche sur une rivière. L'aéroport est à 15 mn d'ici : un bus (payable en pesos) vous y attendra à l'arrivée de l'avion. Sinon, quelques taxis (5 US$). Pas grand-chose à y faire mais c'est le seul point de chute en dehors de l'hôtel *Colony,* à l'autre bout de l'île. Quelques logements chez l'habitant. La plage la plus proche, Ponte Piedra, se trouve à 5 km de la ville (route à gauche avant d'arriver au Presidio), mais elle n'est pas terrible. Préférer celle de Bibijagua (rubrique « À voir »).

Adresses et infos utiles

Toutes ces adresses se trouvent dans un mouchoir de poche, le long ou autour de la calle 39, colonne vertébrale de la ville. Pour se repérer, rien de plus simple : les rues impaires sont axées nord-sud et les rues paires est-ouest.
– Pas d'office du tourisme.

✉ ***Poste*** *(plan Nueva Gerona, A1) :* calle 39 (ou calle Martí), entre les calles 18 et 20. Service Internet.

■ ***Banco de Credito y Comercio*** *(plan Nueva Gerona, A1,* ***1****) :* calle 39, angle calle 18. Ouvert du lundi au vendredi de 8 à 15 h. Change les chèques de voyage. Possibilité de retirer de l'argent avec une carte *Visa* et *MasterCard.* Distributeur automatique.

■ ***Banco Cadeca*** *(plan Nueva Gerona, A1,* ***2****) :* calle 39, angle calle 20. Ouvert du lundi au samedi de 8 h 30 à 18 h, le dimanche de 8 h 30 à 12 h. Mêmes services que ceux de la *Banco de Credito y Comercio.*

■ ***Cubana de Aviación*** *(plan Nueva Gerona, A1,* ***3****) :* calle 39, entre les calles 18 et 16. ☎ 324-259. Ouvert du lundi au vendredi de 8 h à 12 h et de 14 h à 16 h.

■ ***Cabines téléphoniques Etecsa*** *(plan Nueva Gerona, A2,* ***4****) :* calle 28, angle calle 41.

■ ***Havanautos*** *(plan Nueva Gerona, A2,* ***5****) :* calle 32, angle calle 39. ☎ 324-432. Location de voitures.

■ ***Station-service Cupet*** *(plan Nueva Gerona, A2,* ***6****) :* calle 39, angle calle 30. Ouvert 24 h/24.

Où dormir à Nueva Gerona et dans les environs ?

Logement limité sur l'île. En haute saison, il est donc indispensable de réserver une chambre avant de débarquer.

CHAMBRES CHEZ L'HABITANT (CASAS PARTICULARES)

Villa Niñita *(plan Nueva Gerona, A2,* ***12****) :* calle 32, entre 41 y 43, 4110. ☎ 321-255. • zerep@web.correosdecuba.cu • Entre 15 et 20 US$ pour deux personnes. À l'étage d'une maison neuve avec entrée indépendante, deux chambres avec salles de bains privées, simplement meublées mais disposant de tout le confort (AC, eau chaude, frigo, télé-

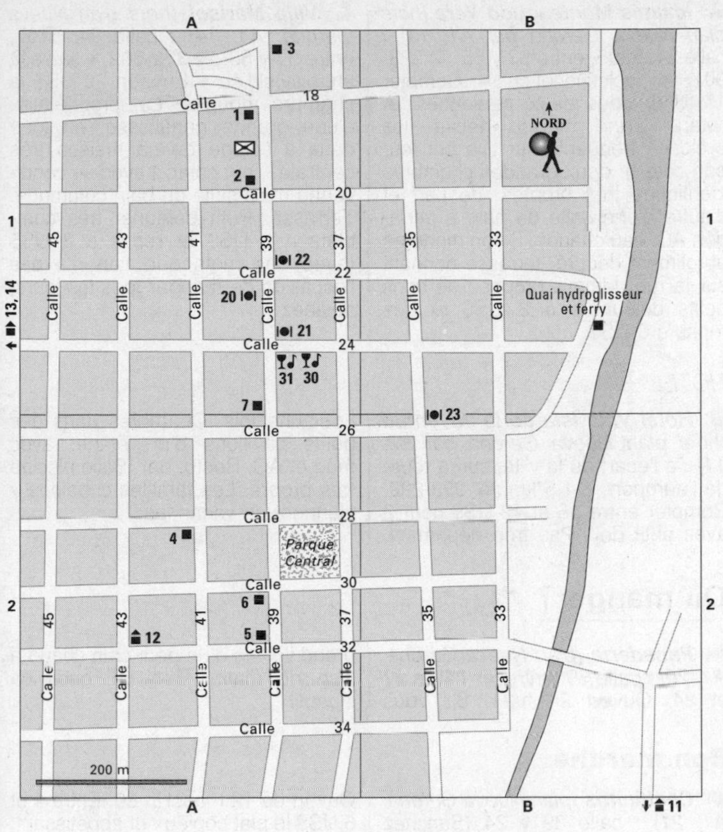

NUEVA GERONA

■ **Adresses utiles**

✉ Poste
1 Banco de Credito y Comercio
2 Banco Cadeca
3 Cubana de Aviación
4 Cabines téléphoniques Etecsa
5 Havanautos
6 Station-service Cupet
7 Ecotur

Où dormir ?

11 Hôtel Villa Isla de la Juventud
12 Villa Niñita
13 Idalmis Monteagudo Yera
14 Villa Marisol

Où manger ?

20 Panadería
21 Cochinitos
22 La Insula
23 Restaurant Delicias Pineras

Où boire un verre ? Où sortir ?

30 El Patio
31 Discothèque Rumbos

phone, TV). Préférer la plus grande qui est plus claire aussi. Les locataires peuvent utiliser la cuisine (sinon service gastronomique à 6 US$ le repas, petit déjeuner à 3 US$) et disposer de la terrasse et du balcon avec vue sur la montagne. Charmant accueil de la jeune propriétaire Alina.

🏠 ***Idalmis Monteagudo Yera*** *(hors plan Nueva Gerona par A1,* ***13****)* **:** calle 24, 5305, entre 53 y 55. ☎ 323-901. • ieclc@enet.cu • Compter 15 US$ pour deux personnes. À l'étage d'une maison neuve (les cyclones fréquents sur l'île ont leur bon côté !), deux grandes chambres identiques très propres, de part et d'autre d'une salle de bain à partager. AC, eau chaude. Salon moderne et joliment décoré, terrasse donnant sur la rue. Idalmis propose de bons petits déjeuners à 3 US$ et des repas à 6 US$.

🏠 ***Villa Marisol*** *(hors plan Nueva Gerona, A1,* ***14****)* **:** calle 24, 5107, entre 51 y 53. ☎ 322-502. • sania@ahao.ijv.sld.cu • Environ 20 US$ la chambre double. La propriétaire, d'une grande gentillesse, en loue deux à l'étage de sa maison très centrale. Tout confort avec air conditionné mais salle de bain commune. Terrasse. Petit déjeuner très complets à 3 US$ et repas à 8 US$ (avec des mets que l'on n'a pas l'occasion de manger tous les jours, devinez !...).

HÔTEL

🏠 ***Hôtel Villa Isla de la Juventud*** *(hors plan Nueva Gerona par B2,* ***11****)* **:** à l'écart de la ville, sur la route de l'aéroport, à 1,5 km. ☎ 323-290. Compter entre 36 et 42 US$ pour 2 avec petit dej'. Pas trop déprimant, pour une fois. Chambres dans des petits pavillons d'un étage, avec frigo et AC. Resto, bar. Belle piscine très propre. Les familles cubaines y viennent en vacances...

Où manger ?

🍽 ***Panadería*** *(plan Nueva Gerona, A1,* ***20****)* **:** calle 39, entre les calles 22 et 24. Ouvert 24 h/24. S'il vous prend l'envie d'un petit pain chaud à 4 h du matin. Ben oui quoi, ça s'peut !

Bon marché

🍽 ***Cochinitos*** *(plan Nueva Gerona, A1,* ***21****)* **:** calle 39 y 24 (Sanchez Amat). Ouvert tous les jours de 12 h à 22 h. Payable en pesos, le plat le plus cher est à 10 pesos. Comme son nom l'indique, on y mange du cochon. Ça change du jambon ! Plusieurs préparations, au choix, qui sont exposées dans une vitrine, ce qui permet de voir ce que l'on va manger. Cuisine correcte et service qui cherche à être si classe que c'en est mignon.

🍽 ***La Insula*** *(plan Nueva Gerona, A1,* ***22****)* **:** calle 39, entre 20 et 22. Ouvert de 12 h à 21 h 30. Entre 4 et 6 US$ le plat copieux et appétissant. Le service est rapide et parfait, on vous sert même de petits toasts à la mayonnaise pour patienter. La salle est belle avec son toit aux poutres apparentes et ses fenêtres en bois. Le bar est ouvert jusqu'à 2 h du matin. Le samedi, à partir de 22 h 30, karaoké.

🍽 ***Restaurant Delicias Pineras*** *(plan Nueva Gerona, B1-2,* ***23****)* **:** calle 26, angle calle 35. Fermé le mercredi. Pas cher du tout. Spécialité de *pollo*. Original, non ?

Où boire un verre ? Où sortir ?

🍸 ♪ ***El Patio*** *(plan Nueva Gerona, A1,* ***30****)* **:** calle 24 (Sanchez Amat), entre 37 y 39. Fermé le lundi. Show à 23 h. Une petite salle quelconque qui s'anime en fonction de l'affluence. Certains soirs, il y a du monde et d'autres, personne.

🍸 ♪ ***Discothèque Rumbos*** *(plan*

Nueva Gerona, A1, ***31)*** ***:*** calle 39, entre 24 et 22. À partir de 22 h jusqu'à 2 h. Entrée : 1 US$. Musique enregistrée avec DJ et jeux de lumière.

À voir dans les environs de Nueva Gerona

El Presidio *(plan L'île de la Jeunesse)* **:** à 5 km à l'est de Nueva Gerona (on peut y aller en *bici-taxi*). Du lundi au samedi, ouvert de 8 h à 16 h; le dimanche, de 8 h à 12 h. Entrée du musée : 2 US$. Droit de photographier payant (3 US$) pour l'intérieur. Quant au droit de filmer, il est prohibitif.
Il s'agit du fameux pénitencier de l'île. Vraiment impressionnant. Inspiré des prisons américaines, notamment de celle de Jolliet dans l'Illinois, le pénitencier, fermé depuis 1967, se compose de quatre énormes blocs circulaires, chacun troué de centaines de petites fenêtres (une par cellule), dont les barreaux ont été éliminés. Désormais vide, l'endroit dégage une curieuse atmosphère, complètement surréaliste. Plus de 5000 détenus y étaient enfermés avant la Révolution. Le réfectoire, le bâtiment central où personne n'avait le droit de parler, était surnommé la « cantine aux trois mille silences ». Quelque 3000 détenus pouvaient y manger en même temps. Pénétrez donc dans un des édifices ouverts : 93 cellules par niveau, 5 niveaux et 2 prisonniers par cellule (lits superposés). Pas de porte (une grille) et obligation de rester debout toute la journée. De toute manière, il n'y avait pas de place pour s'asseoir. L'unique gardien accédait au mirador central par un souterrain, histoire de ne pas avoir de contact autre que visuel avec les détenus. La conception était si rationnelle qu'il pouvait surveiller quasiment tout le monde à la fois. L'horreur.
– Un ***musée*** est installé dans le pavillon n° 1. Dans l'entrée, à gauche, la cellule où résida Fidel de 1953 à 1955, après l'attaque de la Moncada. Pour un putschiste, il était plutôt bien traité, à en juger par la taille de la pièce et les conditions de détention par rapport aux prisonniers de droit commun. La raison invoquée est qu'il fallait éviter les rapports entre les prisonniers et les révolutionnaires. Fidel risquait de répandre la bonne parole. Dans une vitrine, les livres qu'il eut tout le loisir d'apprendre par cœur, parmi lesquels cinq volumes du *Capital* de Marx, mais aussi des ouvrages d'Anatole France ! C'est ici qu'il écrivit *L'Histoire m'absoudra,* premier manifeste castriste. Également le registre de sortie de Fidel et de son frère, sous le n° 1818.
Les différentes idées des dictateurs cubains glacent d'effroi, comme cette appellation officielle donnée au bagne en 1939 : « Camp de concentration pour les ennemis étrangers » ! Des Allemands et des Japonais y furent internés.
On visite ensuite une salle commune d'hôpital. Les photos de prisonniers permettent de reconnaître les lits de Fidel et de son frère Raúl. Sur chaque lit, un bandeau noir pour se protéger de la lumière la nuit. Une petite plaque commémorative indique que les *moncadistas* (nom donné aux révolutionnaires qui attaquèrent la Moncada) composèrent ici un hymne anti-Batista !

Bibijagua *(plan L'île de la Jeunesse)* **:** célèbre plage de sable noir, à environ 8 km à l'est de Nueva Gerona. Même direction que pour la prison. Tranquille, propre et agréable. Bar, cafétéria (langouste à seulement 5 US$).

La finca del Abra *(plan L'île de la Jeunesse)* **:** à 2 km de Nueva Gerona. Ouvert du mardi au samedi de 9 h à 17 h; le dimanche, uniquement le matin. Entrée : 1 US$. On y accède par une longue allée à la très jolie voûte végétale. C'est dans cette *finca* que José Martí séjourna 9 semaines en 1870 avant d'être déporté en Espagne. Devant la *finca,* admirable fromager aux racines gigantesques.

LA PARTIE SUD DE L'ÎLE

➢ ***Excursions :*** toute la partie sud de l'île est un parc naturel. Pour avoir le droit d'y pénétrer, il faut demander une autorisation (gratuite) à Ecotur (voir adresse ci-dessous) mais payer ensuite un droit d'entrée de 3 US$! Les services d'un guide parlant français sont facturés 5 US$. Ecotur propose plusieurs formules. ***Viaje a los origenes,*** à la grotte de ***punta del Este*** et à la plage du même nom (entrée à la grotte : 1 US$ supplémentaire !). Dans cette « chapelle Sixtine » de l'art rupestre, vous admirerez pas moins de 238 étranges dessins en forme de cibles réalisés par les Indiens *siboneyes* en 800 avant notre ère. La grotte est infestée de moustiques, peaux sensibles, se méfier ! La visite à ***Jacksonville*** (ancien nom de ***Cocodrilo***) vous emmène sur les traces des descendants des pêcheurs des îles du Grand Caïman, émigrés à Cuba au XIXe siècle (entrée : 8 US$). La visite de l'élevage de ***crocodiles*** avec de très gros spécimens coûte, elle, 3 US$.
L'ensemble des visites, tout compris, avec une voiture d'Havanautos et un chauffeur-guide, revient à 68 US$. Cette formule qui peut donc convenir pour un groupe de 4 personnes, s'achète à Havanautos ou à Ecotur.
On peut aussi s'arranger avec le propriétaire d'une voiture particulière, qui, pour moins cher, tentera de vous emmener sur tous les sites. Mais ce n'est pas garanti...

■ ***Ecotur*** *(plan Nueva Gerona, A1, 7) :* calle 39, entre 24 et 26. ☎ 327-101. ● ecoturpineroij@yahoo.es ● Cet organisme est chargé de développer le tourisme écologique. Les inconditionnels de la chasse au canard et au pigeon doivent s'adresser à lui. La journée de chasse (avec location de chiens et fusils) coûte 80 US$.

LA PLAYA ROJA

À 40 km, au sud-ouest de l'île. Grande plage bordée de cocotiers. C'est là que vont les touristes. Une navette vous y emmène directement depuis l'aéroport si vous avez réservé une chambre à l'hôtel *Colony*. Transfert payant et cher, mais vous n'avez pas le choix. La plage devant l'hôtel n'a aucun intérêt : eaux troubles et donc aucun poisson à observer et même pas très agréable. N'y aller que pour faire de la plongée au club.

Où dormir ? Où manger ?

🏠 🍴 ***Hôtel Colony*** *(plan L'île de la Jeunesse) :* sur la playa Roja. ☎ 398-181. ● reservas@colony.co.cu ● Pour 2 personnes, en bungalows, compter 56 US$ avec le petit déjeuner, 80 US$ en demi-pension et 104 US$ en pension complète. C'est un peu moins cher si vous optez pour une chambre double. Vous serez de toute manière obligé d'y manger, vu qu'il n'y a rien d'autre dans le secteur. Le seul véritable hôtel de l'île fréquenté par les touristes, rendez-vous de tous les plongeurs. Établissement sans caractère des années 1960, c'est dire s'il a du charme ! Heureusement, les touristes sont logés dans des bungalows très confortables ou des chambres. Resto correct, sans plus, avec une formule buffet (mais la langouste est à la carte). Piscine agréable (bien que pas du tout mise en valeur) et jardin. Le vrai must : le bar *Mojito,* posé sur l'eau, au bout d'une longue jetée. Génial pour le coucher de soleil, mais attention, il faut pouvoir retrouver le chemin de la chambre. Carte de paiement acceptée. Cybercafé.

Plongée

C'est la spécialité de l'endroit ! Pas moins de 56 ***spots*** différents le long de la côte sud-ouest, balisés il y a plus de 25 ans. Au fond de l'eau, plein de curiosités à observer, outre les superbes récifs de corail noir : tunnels, grottes sous-marines, etc. Parmi la faune, raies mantas, barracudas, mérous, langoustes, etc.

■ ***Club Colony*** *(plan L'île de la Jeunesse)* **:** dans la marina, à 2 km de l'hôtel. ☎ 398-181. • reservas@colony.co.cu • On vous y emmène en minibus. De là, un bateau conduit les plongeurs derrière le cabo Francés, à 1 h de bateau. Possibilité de réserver des plongées auprès des grandes agences cubaines. Prix : 35 US$ la plongée, plus 15 US$ d'équipement. Pour la deuxième plongée dans la même journée, compter 30 US$ de plus. Merci beaucoup ! Stage de 4 jours également. Exploitant les 56 spots différents le long de la côte sud-ouest, ce club est l'un des plus importants de Cuba : il compte une vingtaine de moniteurs et possède huit bateaux. Les plongées se font à la journée : en effet, les sites étant loin, on retourne le midi déjeuner dans une grosse cabane de bois à l'extrémité d'un long ponton, non loin des sites de plongée. Soit on apporte son manger (mais on ne voit guère comment c'est possible vu qu'il n'y a aucun magasin ailleurs qu'à Nueva Gerona), soit on achète son repas sur place. Ceux qui ne font qu'une plongée le matin pourront passer l'après-midi sur une gigantesque et superbe plage, parfaitement déserte... sauf quand débarquent certains passagers de grands bateaux de croisière.
Pour l'anecdote, c'est dans ce centre que se prépare la Cubaine recordwoman du monde de plongée en apnée, Deborah Andollo. Vous aurez peut-être l'occasion de la croiser.

LE CAYO LARGO

IND. TÉL. : 45

À l'est de l'île de la Jeunesse, c'est la dernière île de l'archipel de Los Canarreos. Malgré son nom (« île Longue »), ce *cayo* atteint à peine 40 km. Mais il a tout pour attirer les amateurs d'éden tropical : des kilomètres de sable fin comme du talc, un ensoleillement permanent et une eau de mer chaude et limpide aux couleurs turquoise. Bref, l'île de rêve comme on en voit dans les magazines et les brochures touristiques... Contrairement à ce qui est fait sur d'autres *cayos,* le développement touristique ne prend pas ici des proportions démesurées : seuls quelques kilomètres de l'île ont été exploités, et les 7 hôtels côte à côte ne s'étendent que sur 2 km. Ce qui laisse de vastes étendues sauvages (et difficiles d'accès, mais on n'a rien sans rien !).
Pour une fois, l'endroit ne fut pas découvert par Christophe Colomb mais par... Fidel Castro ! On raconte qu'une panne d'hélicoptère l'obligea à s'y poser. Séduit par ce petit paradis, il décida alors d'en faire un lieu de vacances pour les Cubains. C'est ainsi que l'aéroport et le premier hôtel virent le jour. Le cayo Largo est, depuis, devenu l'une des îles les plus touristiques de Cuba. Ici, comme au cayo Coco, la formule magique est le *todo incluido* : une fois votre billet acheté (à prix fort), vous rangez vos dollars. Repas et boissons à toute heure, location de matériel de plongée... tout est compris. Vous n'y verrez pas beaucoup de Cubains ; par contre, les Italiens ont bien colonisé l'île, et ils ont même deux hôtels qui leur sont entièrement réservés. Cependant, on est loin des 5 étoiles du cayo Coco et on se la coule douce... si l'on excepte les moustiques, particulièrement goulus en été.

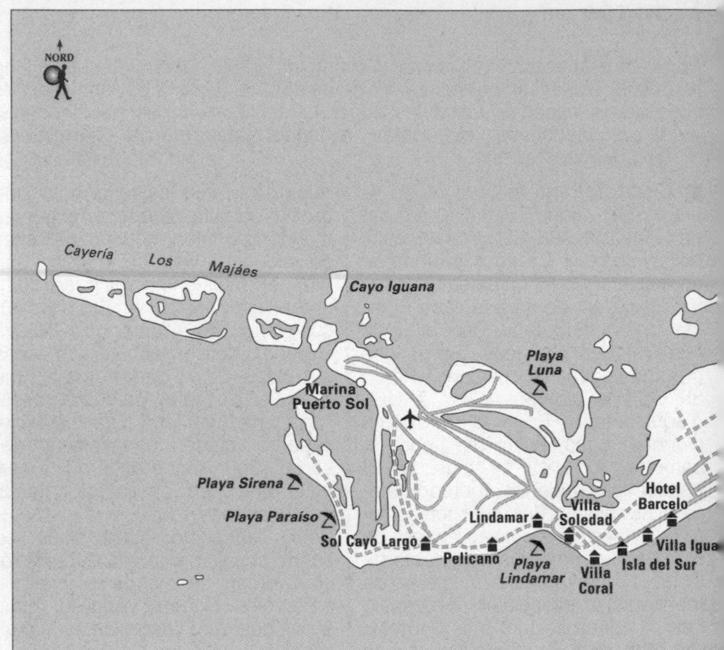

Comment y aller ?

➢ ***Le forfait avion + hôtel :*** toutes les agences de voyages de Cuba et les bureaux de tourisme des grands hôtels de La Havane proposent la destination, avec un *package* avion-hébergement-pension. Il est aussi possible de s'y rendre pour la journée seulement, en excursion d'un jour, sans y passer la nuit. Mais c'est quand même dommage ! Un bus fait le tour des hôtels du centre de La Havane pour vous conduire à l'aéroport de Baracoa, encore différent de l'aéroport national. Seulement 35 mn de vol sur *Aerogaviota* ou *Aerotaxi*. Également un vol de Varadero tous les matins (retour le soir). Dans tous les cas, la réservation est nécessaire. Rebelote à cayo Largo où une navette dépose respectivement les passagers à leur hôtel.

➢ ***En bateau :*** pas de liaison, mais ce port franc abrite une marina bien équipée qui héberge les voiliers privés.

Adresses et infos utiles

Services

• www.cayolargodelsur.cu • Rédigé en espagnol, ce site vous donnera une idée assez précise de l'hébergement et des beautés à explorer sur l'île.

■ On trouve un ***bureau de change*** à la réception des hôtels. Cartes de paiement et chèques de voyage acceptés.

■ ***Banque :*** à la marina, à 8 km des

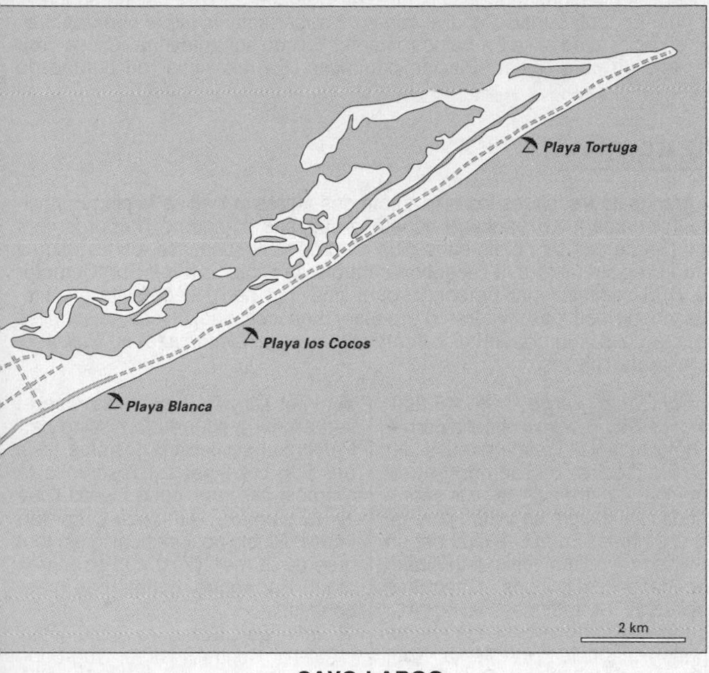

CAYO LARGO

hôtels. Ouvert du lundi au vendredi de 8 h à 12 h et de 14 h à 15 h 30 ; les samedi et dimanche, de 9 h à 12 h. Accepte les cartes *Visa* et *MasterCard*.

■ ***Téléphone international :*** en face de l'hôtel *Isla del Sur*. Ouvert toute la journée. Vente de cartes de téléphone, timbres, cartes postales, etc.

Transports

– ***Navettes*** gratuites entre les hôtels, et jusqu'à la playa Sirenas, la playa Paraíso et la marina. Départs le matin à 9 h, 10 h 30 et 11 h 30 devant les hôtels. Retours à 13 h 30, 15 h et 17 h.

■ ***Location de voitures, scooters :*** devant chaque hôtel ou en arrivant à l'aéroport avec Transtur. Compter 6 à 7 US$ de l'heure.

Urgences, santé

■ ***Policlínica :*** à la marina, à 8 km des hôtels. Service d'urgence. Ne se déplace pas, il faut s'y rendre en taxi.
■ ***Pharmacie :*** à côté de la *policlínica*.

■ ***Médecins de garde :*** à la *policlínica,* mais également dans les hôtels, s'adresser à la réception.

Pour les marins

– ***Sanitaires*** et ***douches*** à la marina.
– ***Villa Marinera :*** pour ceux qui voudraient retrouver la terre ferme, location d'une villa pied dans l'eau pour 4 personnes, à la marina. ☎ 248-385. Fax :

248-212. • director@mongca.cls.tur.cu • Compter 23 US$ par personne et par nuit. En tout, 5 maisons divisées en 2 appartements hyper confortables, tout en bois, avec salle de bains rutilante. Balcon sur la marina. On se croirait dans un petit chalet! Piscine commune. Se renseigner au bureau du port.

Où dormir?

Six grands hôtels, situés les uns à côté des autres le long de la plage principale (Lindamar). Le *package* acheté à l'avance comprend l'hébergement dans l'un de ces six hôtels sans plus de précision, suspense, donc, jusqu'à votre enregistrement à la réception centrale de l'hôtel *Isla del Sur*. Compter 170 US$ minimum par personne pour une nuit (tarifs dégressifs ensuite, mais on ne voit pas l'intérêt d'y passer une semaine). Hors saison, les agences vous « surclassent » automatiquement au *Lindamar* et au *Pelicano,* s'il reste des places.

Sol Cayo Largo : ☎ 48-260. Fax : 48-265. • www.solmelia.com • Un hôtel récent et vraiment réussi, un des plus proches de l'aéroport et de la marina. À notre avis, le plus séduisant de l'île, malgré sa taille : plus de 300 chambres! En fait, le club est un vrai village. Pratique mais esthétique, avec de belles finitions. Chambres spacieuses et raffinées, avec AC, TV. Pas mal! Il appartient à la chaîne cubano-espagnole *Sol Melia,* tout comme le *Sol Pelicano*. Petit déjeuner-buffet à se damner. Plusieurs restaurants avec, au choix, un buffet international ou un repas *criollo,* servi face à la mer. Tennis. Discothèque.

Pelicano : même direction que le *Sol Cayo Largo,* qu'il est loin d'égaler, malgré sa récente rénovation. Moins de classe et chambres à la décoration plus simple que le précédent. Seuls détails qui font la différence, car les prestations sont du même acabit.

Villa Coral : Bungalows rose et vert en dur autour de la piscine-bar. Personnel accueillant. Comme l'*Isla del Sur,* cet hôtel est réservé à la clientèle italienne, qui a investi l'île!

Lindamar : bungalows confortables. Rigolo pour ses paillotes, tout près de la mer. C'est son plus gros atout. Par contre, buffets pas mirobolants.

Isla del Sur : le plus vieux (1952!). Central, l'hôtel regroupe aussi pas mal de services. Possibilité de balades à cheval notamment.

Hôtel Barceló : ☎ 248-080. Le dernier-né de la fièvre immobilière, qui remplace 2 hôtels raflés par les cyclones. Ce building, quant à lui, a l'air construit pour durer. Un peu trop impersonnel à notre avis, mais les chambres sont soignées et très confortables, toutes avec salle de bains et AC.

Où manger?

– Pas de surprise, chaque ***hôtel*** a son ***buffet*** inclus dans la pension. Et vous pouvez piocher allègrement à tous les râteliers. Au *Villa Coral,* un resto italien pour changer de menu (réservation la veille).
– Dans chaque hôtel, des ***snacks-bars*** proposent des poulets frits et des sandwichs à toute heure. Y a pas à dire, ça pousse au vice!

Restaurante marinero : à la marina. Compter 8,5 US$ le poulet grillé, 15 US$ les crevettes, 20 US$ la langouste. C'est ici que les locataires de la villa Marinera prennent leurs repas. Pour les rares personnes qui seraient venues à la nage ou en bateau ou ceux qui voudraient fuir les buffets (mais puisqu'on vous dit que c'est compris dans le *package*!). Salle assez banale mais terrasse agréable.

🍽 *La Taberna del Pirata :* sur le port. Une petite paillote pour se rafraîchir. Snacks, sandwichs et poulet. De temps en temps, de la langouste.

À faire

– La formule tout compris comprend d'autres avantages, comme 1 h de balade à cheval, à vélo, la location de matériel de voile ou de plongée. À réserver auprès des différents hôtels.

À l'ouest, deux superbes plages accessibles par navettes ou en scooter : la ***playa Paraíso*** et la ***playa Sirena.*** Sinon, jolie balade à pied de 4,5 km depuis l'hôtel Pelicano jusqu'à la playa Paraiso. On trouve un snack et, 1,5 km plus loin, un restaurant sur playa Sirena. Les amateurs de plages sauvages préfèreront la côte est, complètement inexploitée... pas l'ombre d'un transat ni d'une paillote! Cependant, la tranquillité a son prix : pas de route mais un chemin sablonneux plein d'imprévus. Le vélo est tout indiqué, sinon, location de scooters (penser à vérifier si le plein est fait). Des plages fabuleuses, on en oublierait presque que l'île n'est pas complètement déserte...

– C'est l'un des spots de plongée les plus riches pour la ***plongée*** contemplative. Les hôtels proposent du matériel pour des sorties en mer. Sinon, se renseigner à la marina.

– ***Observation des tortues :*** il y en a trois sortes sur le cayo Largo, les tortues à dos vert, les tortues perroquets (leur nom vient de leur bec) et les *cauan,* que l'on croise aussi en Méditerranée. Elles viennent pondre sur les côtes entre mai et septembre, mais il devient difficile de les observer, car elles ne sortent qu'à la nuit tombée et sont de plus en plus craintives. Pour les intéressés, des petits groupes s'organisent pour observer la ponte des tortues ou participer au ramassage des œufs (entre mai et septembre), gros comme des balles de ping-pong. Pour ne pas affoler les bébêtes qu'on essaie de protéger tant bien que mal, ne les photographiez pas. Et pour ne pas partir complètement bredouille, passer dire bonjour à Octavio, à l'entrée de la marina, au ***parc des Tortues*** (ouvert de 7 h à 12 h et de 13 h à 18 h; entrée : 3 US$). Le parc n'est pas bien grand, mais on peut y voir les trois espèces de tortues en milieu semi-naturel et le travail effectué pour la protection de l'espèce. Une zone d'incubation de crocodiles devrait être mise en place et on devrait d'ici peu pouvoir nager avec les tortues, moyennant une petite participation. Octavio ramasse les œufs au moment de la ponte, les enfouit dans le sable et relâche les tortues au bout de 3 à 7 mois. Il propose très volontiers aux touristes de l'accompagner.

➢ ***Excursions :*** se renseigner à la réception des l'hôtels auprès des représentants des agences. Là, fini le *todo incluido*... vous payez, et cher! Quelques exemples : balade au *cayo Iguana* (l'îlot des Iguanes!), situé à seulement 15 mn de la marina (certains iguanes atteignent plus d'un mètre!). Environ 14 US$ l'aller-retour. Excursion au *cayo Rico* dans un bateau à fond de verre avec *snorkelling* du côté de la barrière de corail, avec déjeuner et boissons. Sortie d'une journée en catamaran, plongée et visite d'une île vierge.

LE CAYO SANTA MARÍA

IND. TÉL. : 42

Le cayo Santa María est un îlot de rêve pour les amateurs de nature presque intacte. Accessible depuis quelques années seulement par une route de plus de 50 km de long : une véritable merveille pour certains (un paysage à couper le souffle), une catastrophe pour d'autres. Les « écolos » cubains multiplient en effet les mises en garde : en encourageant le tourisme de masse, le gouvernement met en péril le fragile écosystème des *cayos* dont les attraits ne résisteront peut-être même pas le temps de rentabiliser les investissements touristiques ! Malgré cela, un hôtel de 300 lits, le *Sol Cayo Santa María* a ouvert, un autre est en projet et un petit aéroport a surgi au milieu de nulle part, au niveau du cayo Las Brujas. À voir d'urgence donc, tant qu'il est encore possible de croiser sur les plages d'un blanc cristallin quelques iguanes égarés.

Comment y aller ?

➢ ***En voiture :*** on accède au *cayo* depuis la ville portuaire de ***Caibarién*** (à 56 km au nord-est de Santa Clara). Il faut acquitter un droit de passage de 2 US$ par voiture (idem au retour !) pour franchir le poste-frontière du *cayo*, situé à quelques kilomètres sur la digue. La route est absolument sublime et comporte plus de 50 ponts. Impressionnant de rouler sur une trentaine de kilomètres entre l'eau et le ciel, mieux vaut être attentif au volant ! Comme la mer est peu profonde, l'eau d'un vert émeraude est d'une limpidité absolue. Sur la route, on croise des ouvriers des chantiers touristiques qui pêchent au-dessus des ponts, sans se soucier des flamants roses et des pélicans qui les observent.

Où dormir ? Où manger ?

🏠 |●| ***Villa Las Brujas :*** au lieu-dit Las Brujas. ☎ 204-199. Pour y aller, au km 38, prendre la route à gauche de l'aéroport. C'est indiqué. Une vingtaine de bungalows chers, à 70 US$ la nuit pour 2 personnes (60 US$ en basse saison) avec petit déjeuner. La plupart avec vue sur la mer, quelques-uns avec vue sur... les autres (à préciser au moment de la réservation !). Au bord d'une petite falaise qui donne sur une superbe baie constituée de petites langues de terre bordées de mangrove. Un restaurant avec une tourelle d'observation – panorama sublime au coucher du soleil – propose une carte de poissons et de crustacés qui parfois provoquent quelques embarras intestinaux ! La plage, à droite du restaurant, est immense et ravira les amateurs de *snorkelling*. On y trouve tout le matériel nécessaire pour cela, ainsi que planches à voile, catamaran, etc. Les fonds sont très riches le long des rochers et il n'est pas rare d'y observer quelques barracudas...

🏠 |●| ***Hôtel Sol Cayo Santa María :*** ☎ 351-500 ou 351-531. Fax : 351-505. • reservas1.ssm@solmeliacuba.com • Compter 180 US$ tout inclus par personne en haute saison. Des chambres superbes. On peut prendre son bain devant une grand baie vitrée donnant sur la piscine immense et une mer d'un bleu incroyable. Trois bars, trois restos, une discothèque, des massages... Le luxe quoi !

LE CAYO COCO ET LE CAYO GUILLERMO

IND. TÉL. : 33

À l'opposé du cayo Largo, ces deux autres *cayos* sont situés sur l'Atlantique, dans la province de Ciego de Ávila, au nord de la ville du même nom.
On vous prévient tout de suite : si vous n'aimez pas la mer, vous n'avez rien à faire sur ces deux îlots voisins. Ici, on bronze, on se baigne et on goûte aux

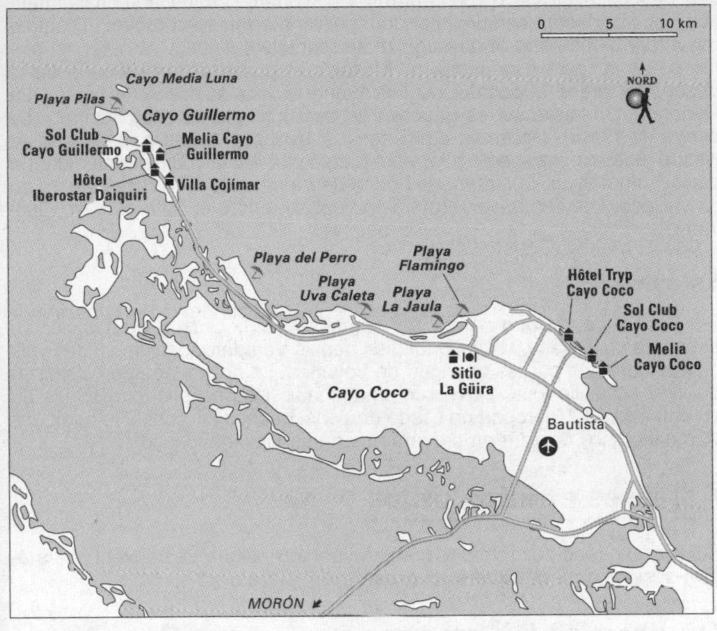

LE CAYO COCO ET LE CAYO GUILLERMO

joies des sports nautiques. Le cayo Coco offre 8 plages sur 22 km de long, le cayo Guillermo, trois plages sur 5 km.

En dehors des plages, ces deux îles sont particulièrement inhospitalières : une mangrove pas vraiment sexy, quelques palmiers perdus, sans oublier (de temps en temps) les moustiques.

Mais le cayo Coco est un havre pour les oiseaux (on imagine le festin de moustiques qu'ils doivent s'offrir !). On en a recensé (pas nous, des spécialistes) jusqu'à 159 espèces différentes. Sinon, en dehors des hôtels, il n'y a rien sur l'île, pas un village, pas de vie, tout juste quelques habitations en préfabriqué pour le personnel hôtelier.

Comment y aller ?

Il n'y a pas 36 façons de visiter les cayos Coco et Guillermo. Soit vous prenez soin de réserver avant de partir quelques nuits d'hôtel par le biais d'un tour-opérateur, soit vous tentez votre chance dans l'une des rares adresses bon marché qu'on vous a dégotées. Si vous n'êtes pas un forcené de la plage, une journée au départ de Morón suffira, étant donné que l'ensemble ne fait pas plus de 40 km et qu'il n'y a pas grand-chose d'autre à faire.

En voiture !

➢ Incroyable, des îles où l'on peut se rendre par la route ! Le syndrome *keys* de Floride n'est pas loin... « Jetez des pierres et ne regardez jamais en arrière », a déclaré Fidel Castro, qui n'est jamais avare de formules... Mais, au-delà des mots, il y a une route, une superbe digue de 17 km qui relie les deux îles à la terre, à travers la ***lagune de la bahía de Buena Vista.*** Le ciel et la mer s'y confondent. La lagune est calme, un calme juste troublé par des

vols de flamants roses ou de canards. Une superbe promenade, mais attention aux accidents : certains s'endorment tant la route est droite... D'autres regardent un peu trop le paysage et se retrouvent à l'eau.
On prend la route à la sortie de ***Morón.*** On passe entre la laguna de la Leche, qui prend la couleur du lait quand le vent souffle et la laguna La Redonda. On laisse sur sa gauche l'île de Turiguano (voir le chapitre « Le centre de l'île »). On arrive au péage : 2 US$ par voiture à l'aller... et au retour! À une quinzaine de kilomètres, cafétéria qui fait office également de point d'information. Compter une bonne heure de route. On arrive d'abord au cayo Coco, que l'on traversera si l'on veut se rendre ensuite au cayo Guillermo.

En avion

➢ ***Pour le cayo Coco :*** 4 vols par semaine avec la *Cubana de Aviación* au départ de La Havane. Un vol quotidien depuis Varadero. Également des vols charters affrétés par les agences de voyages. Le nouvel aéroport *Jardines del Rey* accueille tous les vols internationaux (informations touristiques au bureau *Infotur*). L'aéroport de Ciego de Ávila, quant à lui, conserve quelques vols nationaux, dont un en provenance de La Havane le jeudi.

Adresses et infos utiles

Sur le grand rond-point, *rotonda,* en arrivant aux plages, se trouvent une ***station-service,*** une ***banque*** et une ***cafétéria*** (pizzas).

Où dormir? Où manger sur le cayo Coco?

Non, il n'y a pas que des 5 étoiles sur le cayo Coco! Aussi étonnant que ça puisse paraître, on peut profiter de ces plages paradisiaques sans grever son budget vacances... à condition de réserver suffisamment longtemps à l'avance.

Prix moyens

🏠 🍽 ***Sitio La Güira :*** dans le centre de l'île. ☎ 30-12-08. C'est indiqué sur la route principale qui mène à l'aéroport. Cahute à 25 US$ la nuit ou chambre à 20 US$. Difficile à croire, mais, sur le cayo Coco, on peut aussi dormir... à la ferme! *La Güira* est un hameau reconstitué, plus touristique que typique avec quelques restos, bars et magasins de souvenirs. Entrée sur le site : 1 US$ avec un jus de fruits. Cependant, une fois les bus partis (ils arrivent généralement à l'heure du déjeuner et ne s'attardent pas après 17 h), le lieu retrouve sa quiétude et l'on est alors seul au milieu des dindons, chèvres, poules et autres animaux de la ferme. Les enfants adorent. On dort dans une des 2 cahutes, ou dans un appartement de 2 chambres avec salle de bains commune (attention il n'y a que 4 chambres au total). Confort simple et eau chaude capricieuse, mais vous êtes à la ferme! D'ailleurs, le chargé des relations publiques *« el tío »* vous accueille en tenue de paysan. C'est lui qui vous expliquera l'histoire du cayo et vous initiera à la culture paysanne du coin.

🏠 🍽 ***Motel Los Cocos :*** ☎ 308-121. En arrivant au cayo Coco, prendre à droite au rond-point, puis la première à droite. Chambres doubles et triples pour 40 et 45 US$. Géré par *Cubanacan.* Une autre solution économique pour dormir sur l'île, chambres doubles et triples spacieuses et propres. Bar et resto bon marché à l'entrée. Ambiance un peu triste.

Très chic

Si vous passez par une agence, sachez que vous n'aurez le choix qu'entre les 4 et 5 étoiles... cruel dilemme. Tous ayant choisi pour vous la formule *todo incluido,* vous payez la (lourde) addition au départ, puis vous l'oubliez pour manger et boire tout à votre aise. À choisir, on vous conseille les hôtels de la chaîne *Sol Melia*. Rien d'une petite entreprise, mais un certain effort pour ne pas tomber dans le mauvais goût et la démesure. Les *Sol Club* proposent des activités toutes les demi-heures, tandis que les *Melia,* d'un standing encore au-dessus, laissent plus de liberté, avec un grand choix de sports à la carte (vélo, balades à cheval, sports nautiques, etc.). Également accessibles à la journée aux non-résidents.

🏠 🍽 ***Sol Club Cayo Coco :*** ☎ 301-280. Fax : 301-285. • sol.club.cayo.coco@solmelia.es • Compter 200 US$ par jour pour 2 personnes, tout inclus. Propose 266 chambres et 4 suites dans des bungalows en dur confortables. Buffet copieux et varié, et autres restaurants « à la carte » et en bord de mer. Activités non-stop.

🏠 🍽 ***Melia Club Cayo Coco :*** ☎ 30-11-80. Fax : 30-11-95. Compter 232 US$ par jour pour 2 personnes, tout inclus. Ensemble de 251 chambres dans des bungalows, dont certains ont les pieds dans l'eau. Nombreux services (piscines, gymnase, sauna) et sports proposés (tennis, tir, équitation, voile, plongée...).

🏠 🍽 ***Hôtel Tryp Cayo Coco :*** ☎ 30-13-00. Fax : 30-13-86. En haute saison, compter pas moins de 200 US$ la chambre double avec petit dej' (ici pas de tout inclus). À côté, les autres hôtels semblent modestes. Des bars qui donnent sur la piscine, qui elle-même s'étend jusqu'aux appartements... c'est Hollywood ! Mieux gardé que le bureau de Fidel, ce gigantesque complexe nous a donné de l'urticaire. Plus de 400 chambres, un buffet, un grill et 6 restos, des bars un peu partout, doux piscines, un club nautique, une flopée d'animateurs de peur que l'on s'ennuie, une discothèque, etc.

– Pour manger, le choix est très réduit puisque les buffets des hôtels sont compris dans la formule. Toutefois, les non-résidents peuvent prendre un repas au *Sol Club Cayo Coco* pour 25 US$. Pas donné mais copieux et varié, les estomacs fragilisés par le poulet frit apprécieront. Sinon, en dehors des restos de *Sitio La Güira,* un ***snack*** sur la plage Flamingo et une ***cafétéria*** à côté de la station-service.

Où dormir ? Où manger sur le cayo Guillermo ?

À peu près les mêmes types d'hôtels et gammes de prestations que sur le cayo Coco. Un ***Sol Club*** (☎ 301-760 ; fax : 301-748) et un ***Melia*** entièrement neufs.

🏠 🍽 ***Villa Cojimar :*** ☎ 301-012 ou 301-712. • alojamiento@cojimar.gca.tur.cu • Compter 145 US$ pour 2 personnes en saison, tout inclus. Hôtel de la chaîne de luxe cubaine *Gran Caribe*. Le plus abordable (bien que déjà cher) si vous venez sans réservation. Clientèle anglaise et allemande. Pour vous faire peur, jetez un coup d'œil, dans le hall, aux projets de construction sur le *cayo*. Pas un mètre de côte ne sera épargné ! Standing un peu moins élevé que les autres, mais pas d'inquiétude, le bar-piscine est toujours là. Appartements agréables. Restaurant, bar et grill. Le soir, on peut refaire le monde à *La Bodeguita* *de Guillermo,* sous les inévitables signatures aux murs et la photographie de Gregorio Fuentes, le modèle du *Vieil Homme et la mer*. Pêche au gros, plongée, planche à voile, dériveur et catamaran.

🏠 |●| ***Hôtel Iberostar Daiquiri :*** ☎ 301-650. Fax : 301-643. ● ventas@ibsdaiq.gca.tur.cu ● Compter 190 US$ pour 2 personnes en saison, tout inclus. Direction espagnole. Quatre étoiles, plus de 300 appartements, un lobby immense et verdoyant, 4 bars, 3 restos, 3 piscines, un mini-club pour enfants, un sauna, etc. Sports nautiques et initiation à la plongée.

À faire

Dépêchez-vous avant que toute la côte nord du cayo Coco ne soit construite !

Encore quelques plages accessibles sans le bracelet du « club », dont la ***playa Flamingo,*** un peu à l'ouest des grands hôtels. C'est une plage d'État, la baignade est donc surveillée (mais restez cool). On peut y faire de la plongée avec masque et tuba. Location de matériel et transport en catamaran jusqu'à la barrière de corail.

|●| 🍸 ***Paillote-resto-bar*** ouvert de 9 h à 16 h.

Plus sauvages et encore plus à l'ouest sur la route du cayo Guillermo, la ***playa Uva Caleta*** et la ***playa del Perro.***

La playa Pilar : tout au bout du cayo Guillermo, après 6 km de chemin carrossable. Indiquée par un panneau, à l'entrée du parking. Belle plage de sable blanc et eau turquoise. Location de canoës, planches à voile, catamarans, etc.

|●| 🍸 ***Bar-grill :*** ouvert toute la journée. Pas donné évidemment : cocktails à 1,5 US$, pas très conseillés sous le soleil, poulet à 2,5 US$, poisson grillé à 6 US$, et même langouste et crevettes autour de 11 US$.

En face de la playa Pilar, le ***cayo Media Luna.*** Batista s'y était fait construire une petite retraite, détruite après le passage d'un cyclone. Il reste une modeste paillote, où l'on vous emmène en catamaran si vous souhaitez plonger. C'est là qu'est stocké le matériel (masque, palmes et tuba). On plonge au niveau de la barrière de corail juste à côté de l'île.

les collections du
routard
BAGAGES
VÊTEMENTS
CHAUSSURES

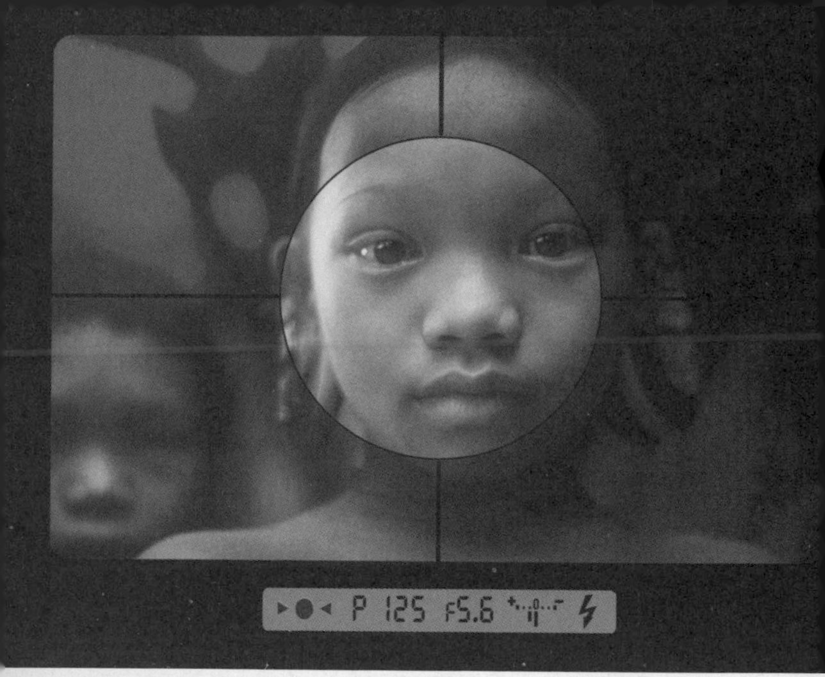

BULLETIN D'INSCRIPTION

NOM : M. Mme Melle

PRENOM :

DATE DE NAISSANCE :

ADRESSE PERSONNELLE :

CODE POSTAL : TEL.

VILLE :

DESTINATION PRINCIPALE ....

Calculer exactement votre tarif en SEMAINES selon la durée de votre voyage :

7 JOURS DU CALENDRIER = 1 SEMAINE

Pour un Long Voyage (2 mois...), demandez le ***PLAN MARCO POLO***

COTISATION FORFAITAIRE 2004-2005

VOYAGE DU AU = SEMAINES

Prix spécial « *JEUNES* » (3 à 40 ans) : **20 € x** = €

De 41 à 60 ans (et – de 3 ans) : **30 € x** = €

De 61 à 65 ans : **40 € x** = €

Tarif "**SPECIAL FAMILLES**" 4 personnes et plus : **Nous consulter au 01 44 63 51 00**

Chèque à l'ordre de ROUTARD ASSISTANCE – ***A.V.I. International***
28, rue de Mogador – 75009 PARIS – FRANCE - Tél. 3260 AVI (0,15e / minute)
Métro : Trinité – Chaussée d'Antin / RER : Auber – Fax : 01 42 80 41 57

ou Carte bancaire : Visa ☐ Mastercard ☐ Amex ☐

N° de carte :

Date d'expiration : Signature

Je déclare être en bonne santé, et savoir que les maladies ou accidents antérieurs à mon inscription ne sont pas assurés.

Signature :

Information : www.routard.com / Tél : 3260 AVI (0,15€ / minute)
Souscription en ligne : www.avi-international.com

✂ Faites des copies de cette page pour assurer vos compagnons de voyage.

INDEX GÉNÉRAL

- A -

- B -

- C -

– D –

– E –

– F –

– G –

– H –

– I –

– J –

– L –

– M –

– N-O –

– P –

– R –

– S –

– T –

– U –

– V –

– Y –

– Z –

OÙ TROUVER LES CARTES ET LES PLANS ?

les **Routards** parlent aux **Routards**

Faites-nous part de vos expériences, de vos découvertes, de vos tuyaux. Indiquez-nous les renseignements périmés. Aidez-nous à remettre l'ouvrage à jour. Faites profiter les autres de vos adresses nouvelles, combines géniales... On adresse un exemplaire gratuit de la prochaine édition à ceux qui nous envoient les lettres les meilleures, pour la qualité et la pertinence des informations. Quelques conseils cependant :

– Envoyez-nous votre courrier le plus tôt possible afin que l'on puisse insérer vos tuyaux sur la prochaine édition.
– N'oubliez pas de préciser l'ouvrage que vous désirez recevoir.
– Vérifiez que vos remarques concernent l'édition en cours et notez les pages du guide concernées par vos observations.
– Quand vous indiquez des hôtels ou des restaurants, pensez à signaler leur adresse précise et, pour les grandes villes, les moyens de transport pour y aller. Si vous le pouvez, joignez la carte de visite de l'hôtel ou du resto décrit.
– N'écrivez si possible que d'un côté de la lettre (et non recto verso).
– Bien sûr, on s'arrache moins les yeux sur les lettres dactylographiées ou correctement écrites !

Le Guide du routard : 5, rue de l'Arrivée, 92190 Meudon

E-mail : guide@routard.com
Internet : www.routard.com

Les **Trophées** du **Routard**

Parce que le *Guide du routard* défend certaines valeurs : Droits de l'homme, solidarité, respect des autres, des cultures et de l'environnement, les Trophées du Routard soutiennent des actions à but humanitaire, en France ou à l'étranger, montées et réalisées par des équipes de 2 personnes de 18 à 30 ans.
Pour les premiers Trophées du Routard 2004, 6 équipes sont parties, chacune avec une bourse et 2 billets d'avion en poche, pour donner de leur temps et de leur savoir-faire aux 4 coins du monde. Certains vont équiper une école du Ladakh de systèmes solaires, développer un réseau d'exportation pour la soie cambodgienne, construire une maternelle dans un village arménien ; d'autres vont convoyer et installer des ordinateurs dans un hôpital d'Oulan-Bator, installer un moulin à mil pour soulager les femmes d'un village sénégalais ou encore mettre en place une pompe à eau manuelle au Burkina Faso.
Ces projets ont pu être menés à bien grâce à l'implication de nos partenaires : le Crédit Coopératif (• www.credit-cooperatif.coop •), la Nef (• www.lanef.com •), l'UNAT (• www.unat.asso.fr •) et l'Agence Nationale pour les Chèques-Vacances (• www.ancv.com •).
Vous voulez aussi monter un projet solidaire en 2005 ? Téléchargez votre dossier de participation sur • www.routard.com • ou demandez-le par courrier à Hachette Tourisme - Les Trophées du Routard 2005, 43, quai de Grenelle, 75015 Paris, **à partir du 15 octobre 2004**.

Routard Assistance 2005

Routard Assistance, c'est l'Assurance Voyage Intégrale sans franchise que nous avons négociée avec les meilleures compagnies, Assistance complète avec rapatriement médical illimité. Dépenses de santé, frais d'hôpital, pris en charge directement sans franchise jusqu'à 300 000 € + caution + défense pénale + responsabilité civile + tous risques bagages et photos. Assurance personnelle accidents : 75 000 €. Très complet ! Le tarif à la semaine vous donne une grande souplesse. Tableau des garanties et bulletin d'inscription à la fin de chaque *Guide du routard* étranger. Si votre départ est très proche, vous pouvez vous assurer par fax : 01-42-80-41-57, le numéro de votre carte bancaire. Pour en savoir plus : ☎ 01-44-63-51-00 ; ou, encore mieux, sur notre site : • www.routard.com •

Photocomposé par Euronumérique
Imprimé en France par Aubin n° L 67292
Dépôt légal n° 48083-8/2004
Collection n° 13 - Édition n° 01
24/00992/X
I.S.B.N. 2.01.24.0099-X